AUTEURS ET DIRECTEURS DES COLLECTIONS
Dominique AUZIAS & Jean-Paul LABOURDETTE

DIRECTEUR DES EDITIONS VOYAGE
Stéphan SZEREMETA

RESPONSABLES EDITORIAUX VOYAGE
Patrick MARINGE et Morgane VESLIN

EDITION ✆ 01 53 69 70 18
Caroline HEMERY, Maïssa BENMILOUD,
Mélanie PANAIS, Agathe PONTHUS et Valérie KÜHN

ENQUETE ET REDACTION
Małgorzata Golak, Sophie BONNAIRE,
Fabienne LE GALL, Barthélémy COURMONT
et Katarzyna TADEUSZ

MAQUETTE & MONTAGE
Laurent MULLOT, Sophie LECHERTIER
Marie AZIDROU, Delphine PAGANO
et Bénédicte ALEXANDRE

CARTOGRAPHIE
Philippe PARAIRE, Thibaut TREMOULET

PHOTOTHEQUE ✆ 01 53 69 65 26
Thibaud SAINT-MARTIN

REGIE INTERNATIONALE ✆ 01 53 69 65 34
Karine VIROT, Axelle ALOISIO et Audrey LEVRIER

PUBLICITE ✆ 01 53 69 70 61
Luc REGNARD, Serge TOUKA,
Caroline de YRIGOYEN, Caroline GENTELET
et Perrine de CARNE-MARCEIN

RELATIONS PRESSE ✆ 01 53 69 70 19
Jean-Mary MARCHAL

DIFFUSION ✆ 01 53 69 70 06
Eric LEBLANC, Bénédicte MOULET, Jean-Pierre GHEZ,
Antoine REYDELLET et Sandrine CHASSEIGNAUX

INTERNET
Clémence COURBET

DIRECTEUR ADMINISTRATIF ET FINANCIER
Gérard BRODIN

RESPONSABLE COMPTABILITE
Isabelle BAFOURD assistée de Bérénice BAUMONT
et Angélique HELMLINGER

DIRECTRICE DES RESSOURCES HUMAINES
Dina BOURDEAU assistée de Sandrine DELEE

© SAVIGNARD / SZEREMETA

LE PETIT FUTE POLOGNE 2007-2008
■■ 4e édition

NOUVELLES EDITIONS DE L'UNIVERSITE©
Dominique AUZIAS & Associés©
14, rue des Volontaires - 75015 Paris
Tél. : 33 1 53 69 70 00 - Fax : 33 1 53 69 70 62
Petit Futé, Petit Malin, Globe Trotter, Country Guides
et City Guides sont des marques déposées ™®©
© Photo de couverture : Fotolia, D.R.
Légende : Long quai et la grue, Gdansk
ISBN - 2746916290
Imprimé en France par OBERTHUR GRAPHIQUE

Pour nous contacter par email,
indiquez le nom de famille en minuscule
suivi de @petitfute.com
Pour le courrier des lecteurs : country@petitfute.com

Witamy w Polsce!

Le 1er mai 2004 a marqué l'entrée de la Pologne dans l'Union européenne et a coïncidé avec le lancement de Nova Polska, la saison polonaise en France. Nova pour nouveau souffle de liberté, nouveaux défis, empreints d'un héritage historique et d'une capitalisation du patrimoine. Polska pour la nation polonaise : la fierté de son Histoire, un folklore et des traditions toujours vivantes, surtout sa richesse artistique et culturelle indéniable. Nova Polska correspond à l'envie des Polonais de partager tout cela avec la France. Avec une augmentation constante de visiteurs à partir de 2004, et une explosion des compagnies aériennes à bas coût, la Pologne confirme son potentiel touristique : une destination de choix, sûre et bon marché. Que vous soyez amoureux de la nature, sportif, passionné d'histoire et de culture, avide de rencontres étonnantes, en quête de spiritualité ou d'authenticité, à la recherche de monuments impressionnants, de villes dotées d'une atmosphère particulière ou du charme de la campagne, vous trouverez votre bonheur ! Des hauts sommets aux reliefs audacieux à l'étendue des mille lacs, des grandes plaines aux longues plages de sable fin, des villes historiques et modernes aux campagnes délicieusement typiques ou aux dernières forêts vierges d'Europe, peuplées de bisons, la Pologne possède des atouts nombreux et variés. D'imposants châteaux et d'élégants palais rivalisent de beauté et de grandeur. Les lieux de culte sont omniprésents, richement décorés et très bien entretenus, à l'image de la foi inébranlable de son peuple. Les villes regorgent de merveilles d'architecture et de vie. Ce pays, éminemment festif, s'anime au rythme des fêtes traditionnelles, de celles du calendrier religieux et des festivals de musique. Sa meilleure ambassadrice ? Cracovie, au charme désuet et romantique, cœur palpitant de la Pologne, capitale culturelle et artistique. Partout, il convient de lever les yeux, de pousser les portes et d'oser descendre dans les sous-sols pour découvrir encore d'autres richesses, à l'instar de ces cafés et restaurants cachés, à l'ambiance et au décor incomparables. Vous serez certes dépaysés par sa gastronomie, sa langue aux sonorités slaves, ses coutumes ou son doux mélange d'Orient et d'Occident. Pourtant vous ne serez pas « perdu » dans cette Pologne désormais européenne et si proche puisqu'à seulement 2h de vol ! Une belle aventure, assurément.

REMERCIEM
Piotr et Ilona
ges à travers

Sommaire

Gdańsk, hôtel de ville

Chelmno, hôtel de ville

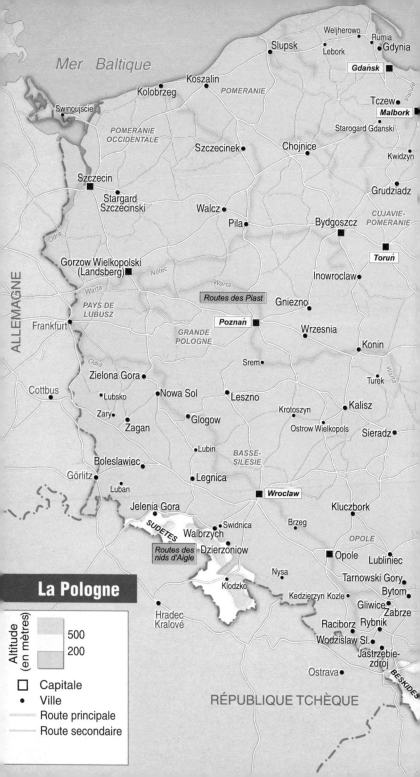

Gdańsk, Grand arsenal, détail

Cracovie, église Saint Pierre et Saint Paul

Varsovie, enceinte de la vieille ville

Toruń

Les plus de la Pologne

Activités sportives ou tourisme actif

La Pologne conviendra aux amateurs de sports les plus variés : sports nautiques, sports aériens, activités de montagne, randonnées à pied, à vélo, à cheval… Ses grands espaces boisés en font aussi un pays très prisé de tous les amoureux de la nature, notamment des pêcheurs, des chasseurs (il existe un grand nombre de réserves) et des randonneurs.

Arts et culture

La Pologne est en perpétuelle ébullition culturelle et artistique. Les Polonais, soucieux de conserver les traditions, organisent régulièrement fêtes religieuses et populaires. Par ailleurs le calendrier de chaque région est ponctué de festivals, expositions, concerts et événements culturels. La culture occupe une place de choix dans la vie des Polonais : littérature, cinéma, théâtre et musique (un nombre impressionnant de salles de concert philharmonique, d'orchestres symphoniques et d'opéras). Les villes abritent généralement de nombreux musées et parfois un skansen (sorte de Musée ethnographique en plein air).

Authenticité

La Pologne a su s'adapter et se moderniser avec une rapidité surprenante. En témoigne son entrée récente dans l'Union européenne. Aussi, même si aujourd'hui les grandes villes tendent à ressembler aux capitales de l'Europe de l'Ouest, de nombreuses régions possèdent encore des villages, des villes, une population authentique, et le charme extraordinaire d'une nature vierge. C'est le cas surtout dans l'est du pays où le temps semble ralenti, où la nature comme l'hospitalité des gens semblent préservées.

Châteaux, palais et églises à foison

La Pologne compte plus d'une centaine de châteaux, de styles très différents. Le fameux château médiéval de Malbork est sans doute le plus impressionnant. Varsovie abrite de fastueux palais, de nombreux autres sont disséminés à travers la campagne polonaise, comme Łańcut, une des résidences les plus connues, qui possède une importante collection d'œuvres d'art. Beaucoup de châteaux, de palais et de ruines mystérieuses se trouvent dans la région de Basse Silésie. Ne manquez surtout pas une vraie perle d'architecture – le fameux château de Książ. Enfin, du moindre petit village aux grandes villes – qui en possèdent plusieurs dizaines – les églises sont omniprésentes, très souvent d'une exceptionnelle beauté.

Faible coût de la vie

Le coût de la vie est faible pour le touriste en Pologne. Les activités sportives, les sorties culturelles, les visites, les achats de souvenirs, la restauration et les sorties nocturnes restent bien moins chers que dans notre pays. En revanche l'hébergement peut s'avérer plus coûteux, surtout dans le centre des principales villes touristiques.

Richesse de l'héritage historique

L'histoire de la Pologne est très complexe du fait des nombreuses occupations qu'a connues le pays. Aujourd'hui, de multiples vestiges, châteaux et monuments évoquent ce mélange de cultures passées.

© OT POLOGNE

Cracovie, château Royal de Wawel

Origines du pays et occupation allemande à l'ouest, culture orthodoxe et musulmane à l'est, communisme dans un grand nombre de villes, châteaux et palais des princes et rois de Pologne, manoirs de l'aristocratie sur l'ensemble du territoire, influence religieuse de toutes les époques, très présente dans les innombrables églises et chapelles ainsi que dans leurs peintures, sculptures et richesses ornementales. Le folklore reste présent, notamment en régions de montagne et dans l'est.

Hospitalité

Le peuple polonais est éminemment hospitalier. Même si la plupart des Polonais peuvent paraître moroses de prime abord, ils dévoilent très vite une grande gentillesse, une solidarité certaine et un fort sens de l'accueil, en toute simplicité.

Nature

La Pologne, une des dernières régions d'Europe où la nature demeure si bien préservée dans sa forme la plus primaire qu'elle séduira par la richesse et la variété des paysages qu'elle possède : de nombreux parcs naturels, des ensembles de lacs, des forêts, des montagnes de type alpin, des collines, des plaines, des campagnes et un superbe bord de mer.

Cette « mère Nature » offre aussi une flore variée et une faune inexistante aujourd'hui dans le reste de l'Europe, tels que des bisons, des loups, des tarpans.

Patrimoine mondial de l'Unesco : les 13 sites classés de Pologne

La Pologne peut se vanter de ses 13 sites inscrits au Patrimoine mondial de l'Unesco avec, entre autres : le centre historique de Cracovie, la mine de sel de Wieliczka, la cité médiévale de Toruń, le château de l'ordre Teutonique de Malbork ou encore la Halle centenaire de Wrocław.

Plages superbes

La Pologne dispose d'un littoral relativement long (524 km) composé de très belles plages de sable. La plupart des plages sont relativement sauvages ; ni dénaturées, ni envahies par le béton. La côte Baltique en période estivale devient, selon le point de chute, le Saint-Tropez polonais, une station balnéaire chic, un village de pêcheurs en bord de mer, un halo de tranquillité, une destination idéale pour des vacances à la mer en famille… mais reste toujours en pleine effervescence.

Proximité et dépaysement

Voyager en Pologne permet le dépaysement, à seulement 2h d'avion, sans décalage horaire, ni visa, ni passeport. Dépaysement assuré ne serait-ce qu'à entendre parler polonais, langue singulièrement différente, à découvrir son architecture de l'Est, à goûter à sa gastronomie et son folklore.

Et pourtant le visiteur ne se sent pas perdu pour autant, dans ce pays aux modes de vie somme toute proches des nôtres.

© S.NICOLAS

Région de Zakopane

Fiche technique

Argent

▶ **Monnaie.** Bien que la Pologne fasse désormais partie de l'Union européenne, sa monnaie reste le zloty (symboles : PLN, zl).

▶ **1 zloty = 100 groszy (équivalent aux centimes d'euro).** Il existe 5 billets, en coupures de 10, 20, 50, 100 et 200 zlotys, et 9 pièces de 1, 2, 5 zlotys et de 1, 2, 5, 10, 20 et 50 groszy.

▶ **Taux de change :** 1zł = 0,25 € ; 1 € = 3,87 zl ; 1 CAD (Dollar canadien) = 2,5 zl, 1 zl = 0,40 CAD ; 1 CHF (Franc suisse) = 2,4 zl, 1 zl = 0,42 CHF.
Afin de convertir mentalement et rapidement un prix affiché en zloty, il convient de le diviser par 4 pour obtenir le prix approximatif en euros ou de le multiplier par 1,5 pour l'obtenir en anciens francs français.

Budget

Il dépendra des prix du logement, très variables : ils vont de 5 € à 7 € (chambres chez l'habitant de petites villes) à 50 € à 70 € ou plus dans un hôtel 4-étoiles en ville (voir chapitre « Organiser »).
Attention ! Dans certains lieux en Pologne des achats avec la carte bancaire ne nécessitent qu'une reproduction de votre signature (pas de code). Aussi convient-il d'être vigilant et réactif en cas de perte de votre carte bancaire et de faire opposition le plus rapidement possible.

Poste et télécommunications

▶ **Code pays :** l'indicatif téléphonique de la Pologne est le 48.

Comment téléphoner ?

▶ **Pour téléphoner depuis la France en Pologne :** 00 + 48 + indicatif de la ville sans le 0 + numéro de votre correspondant. Par exemple pour téléphoner à Varsovie : 00 + 48 + 22 + 856 24 33. L'indicatif de Varsovie est le 022, celui de Cracovie le 012.

▶ **Pour téléphoner depuis la Pologne à l'étranger :** 00 + code pays + indicatif régional sans le zéro + numéro de votre correspondant.

▶ **France :** 00 + 33 + numéro de votre correspondant (sans le 0)

▶ **Belgique :** 00 + 32 + numéro de votre correspondant

▶ **Canada :** 00 + 1 + numéro de votre correspondant

▶ **Suisse :** 00 + 41 + numéro de votre correspondant

▶ **Pour téléphoner de Pologne en Pologne, d'une région à l'autre :** indicatif régional avec le zéro + les 7 chiffres du numéro local. Par exemple de Varsovie à Cracovie : 012 + 856 24 33.

▶ **Pour téléphoner de Pologne en Pologne, en local, dans la même région :** indicatif de cette région avec le zéro + les 7 chiffres du numéro local (ex : de Varsovie à Varsovie : 022 856 24 33).

▶ **Pour téléphoner vers un mobile :** 00 + code pays + numéro du correspondant sans le 0.

Coût du téléphone

Il existe plusieurs opérateurs qui proposent des cartes téléphoniques, en vente dans les bureaux de poste. La plus avantageuse, notamment pour les appels vers l'étranger semble être Telepin.

▶ **Il existe des cartes à 50 zl, 25 zl, 15 zl ou 10 zl.** Plus vous achetez une carte chère, plus le prix à la minute est bas. Il y a beaucoup de promotions où le prix moyen d'une minute de communication à destination de la France, la Belgique, le Canada peut être de 0,20 zl.

▶ **Cartes téléphoniques de la Télécommunication polonaise :** une carte de 15 unités coûte 9 zl, de 30 unités : 15 zl, de 60 unités : 24 zl.

Téléphones utiles

▪ **POLICE**
✆ 997

Varsovie, Académie polonaise des sciences

▣ **POMPIERS**
✆ 998

▣ **URGENCES**
✆ 999

▣ **RENSEIGNEMENTS**
✆ 118 913

▣ **RENSEIGNEMENTS INTERNATIONAUX**
✆ 118 912

▣ **ASSISTANCE ROUTIÈRE**
✆ 981

Poste
(Poczta Polska en polonais)

Poster une carte postale ou une lettre de moins de 50 g, depuis la Pologne, à destination de la Pologne coûte 1,30 zl, à destination de l'Europe : 2,40 zl, à destination du Canada et des USA : 2,50 zl. Les employés des bureaux de poste parlent rarement français ou anglais, consultez la rubrique « Lexique » !

Le pays

▷ **Capitale :** Warszawa (Varsovie).

▷ **Villes les plus importantes :** Łódź, Kraków (Cracovie), Wrocław, Poznań et Gdańsk.

▷ **Superficie :** 312 685 km² (0,6 fois la France et 9ᵉ plus grande superficie d'Europe).

▷ **Langue officielle :** le polonais (langue slave).

▷ **Religions :** catholique (plus de 90 % de la population, dont 75 % pratiquants). Sont également présents des protestants, luthériens, calvinistes, juifs, uniates, orthodoxes et musulmans.

▷ **Nombre d'habitants :** 38,536 millions (2006).

▷ **Espérance de vie :** 74,7 ans (2005), soit 70,7 ans pour les hommes et 78, 7 ans pour les femmes.

▷ **Taux de natalité :** 9,85 pour 1 000 (2006).

▷ **Taux de mortalité :** 9,89 pour 1 000 (2006).

▷ **Taux d'alphabétisation (personnes de plus de 15 ans qui savent lire et écrire) :** 99,8 %

▷ **Densité :** 122 hab./km².

▷ **Population urbaine :** à 62 %.

▷ **Mixité ethnique (3 % de la population) :** Ukrainiens, Juifs, Biélorusses, Lituaniens, Allemands et Tatars.

▷ **Diaspora significative :** 11 millions de polonais à l'étranger, principalement aux Etats-Unis (Chicago est la 2ᵉ ville au monde qui recense le plus de Polonais, après Varsovie), en Allemagne, en Ukraine, en Biélorussie et en Grande-Bretagne.

Statistiques

▷ **PIB :** 243,7 milliards d'euros en 2005.

▷ **PIB par habitant (PPS) :** 11 700 en 2005.

▷ **Croissance du PIB en 2006 :** 5,5 %.

▷ **Taux de chômage :** moyenne nationale de 15,9 % en juin 2006.

▷ **Salaire moyen :** le salaire nominal moyen brut (secteur des entreprises) était de 2 759 zl (726 €) en décembre 2006.

▷ **Principales ressources naturelles :** framboises, groseilles, seigle, avoine, carottes, pommes, fraises, pommes de terre, porcs, lignite, charbon, argent, cuivre, plomb.

Jours fériés

Les jours fériés en Pologne sont : le Nouvel An (1er janvier), le lundi de Pâques (mars ou avril), la fête du Travail (1er mai), la fête nationale – celle de la Constitution – (3 mai), la Fête-Dieu (mai ou juin), l'Assomption (15 août), la Toussaint (1er novembre), la fête de l'Indépendance – Armistice de 1918 (11 novembre) et Noël (25 et 26 décembre).

La plupart des institutions et établissements ferment ce jour-là. Pour autant cela vaut la peine d'être sur place à ces occasions. Le week-end de Pâques par exemple offre un contraste saisissant : le samedi avec une agitation hors du commun, des églises et cathédrales qui ne désemplissent pas ; le dimanche et ses rues désertes ; le lundi voit naître des batailles d'eau un peu partout !

Union européenne

▸ **Entrée dans l'UE** : le 1er mai 2004.

▸ **Par rapport à l'ensemble des 10 nouveaux Etats membres** (la Hongrie, la Slovénie, la Slovaquie, la République tchèque, l'Estonie, la Lettonie, la Lituanie, Chypre et Malte), la Pologne représente : 42 % du territoire, 51 % de la population, 45 % du PNB.

Décalage horaire

La Pologne a choisi de s'aligner symboliquement sur l'heure française. Selon la mesure du Temps universel, la Pologne fait partie, à l'instar de la France, du fuseau GMT + 1 heure, soit 1h supplémentaire par rapport à l'heure moyenne du méridien de Greenwich (Greenwich Mean Time). Il n'existe donc pas de décalage horaire par rapport à la France, été comme hiver.

Climat

Le climat est à la fois océanique et continental, aussi les variations climatiques d'une région à une autre sont-elles importantes.

Température moyenne

▸ **De 5° C à 7° C** : Poméranie, sur la Mazurie et sur les plateaux.

▸ **De 8° C à 10° C** : Carpates, Silésie et Grande-Pologne.

Contrairement aux idées reçues, la Pologne n'est pas un pays particulièrement froid (à l'exception des mois de janvier et février).

▸ **Variations.** Notons que le climat polonais est continental, mais varie en général rapidement du fait de l'influence de trois éléments, des masses d'air océaniques venant de l'ouest, des masses d'air froid venant de la Scandinavie et de la Russie et des masses d'air chaud et humide venant de la ceinture méditerranéenne.

Le drapeau polonais

▸ **Couleurs nationales** : emblème national depuis 1919, un an après la proclamation de l'indépendance, le drapeau polonais se compose de deux bandes horizontales blanches et rouges. Les couleurs du blason de l'Etat remontent au XIIIe siècle : le blanc représente l'aigle, symbole du pays ; le rouge, la force et le courage de la nation.

▸ **Symbole** : un aigle blanc doté d'une couronne d'or. Il apparaît dans cette fonction pour la première fois au début du XIe siècle. L'aigle blanc symbolise le courage, la force et la majesté de la nation.

▸ **Hymne national** : « *La Pologne n'est pas encore morte tant que nous vivons* ». L'hymne national polonais fut rédigé en juillet 1797, dans une ville située en terre italienne, étrangère mais amie, qui avait accueilli des soldats polonais après le partage de la Pologne par ses voisins. Cet hymne, chanté sur la mélodie d'une mazurka traditionnelle, est devenu le chant des Légions polonaises en Italie. De plus en plus populaire parmi les Polonais, cet hymne a survécu à un siècle et demi de domination étrangère. En 1926 il fut reconnu officiellement comme hymne national.

Région de Zakopane, village

Saisons

▸ **Printemps (mars à mai).** Entre 5° C et 15° C. Souvent ensoleillé et chaud, avec un retour possible de froid vers la mi-mai. Une alternance de passages ensoleillés et frais et de périodes pluvieuses.

▸ **Eté (de juin à août).** Entre 18° C et 30° C. Temps ensoleillé, avec possibilité d'orages en juillet, surtout à la montagne. Les températures explosent et peuvent passer de 5° C à 15° C du printemps, à 20° C à 30° C en quelques jours.

▸ **Automne (de septembre à novembre).** Souvent sec et ensoleillé, appelé l'automne doré, en septembre et octobre, parfois même jusqu'à mi-novembre : arbres dorés, rayons de soleil et températures douces, très agréable.

▸ **Hiver (de décembre à février).** De - 5° C à - 15° C : souvent très froid, surtout à l'est et enneigé. Novembre et décembre sont souvent des mois humides et frais, annonçant l'hiver alors que janvier et février enregistrent neige, températures négatives et temps clair (idéal pour les sports d'hiver).

▸ **Précipitations.** Dans la plaine au centre et au nord du pays, les précipitations sont d'environ 450 mm par an. Dans les montagnes, les précipitations sont d'environ 850 mm, essentiellement de la neige en hiver.

Saisonnalité

▸ **Haute saison touristique :** juillet et août. Toutefois toutes les saisons sont propices à se déplacer en Pologne, selon ses envies et son programme. Le printemps et l'automne réservent souvent de belles surprises climatiques (l'automne doré) et comptent moins de touristes. L'hiver comble les amoureux des sports d'hiver, de neige et de grands froids, des marchés et traditions de Noël.
La saison de ski s'étale de décembre à mars. Le week-end prolongé de mai (les 1er et 3 mai sont fériés) est très chargé ; la majorité des Polonais se déplacent beaucoup pendant ces quelques jours.

▸ **Basse saison touristique :** octobre et novembre à mars et avril.

Cracovie

Janvier	Février	Mars	Avril	Mai	Juin	Juillet	Août	Sept.	Octobre	Nov.	Déc.
-5°/ 0°	-5°/ 1°	-1°/ 7°	3°/ 13°	9°/ 20°	12°/ 22°	15°/ 24°	14°/ 23°	10°/ 19°	5°/ 14°	1°/ 6°	-2°/ 3°

Poznan

Janvier	Février	Mars	Avril	Mai	Juin	Juillet	Août	Sept.	Octobre	Nov.	Déc.
-5°/ 1°	-5°/ 1°	-1°/ 7°	3°/ 12°	8°/ 20°	11°/ 23°	14°/ 24°	13°/ 23°	9°/ 19°	5°/ 13°	1°/ 6°	-2°/ 3°

Varsovie

Janvier	Février	Mars	Avril	Mai	Juin	Juillet	Août	Sept.	Octobre	Nov.	Déc.
-6°/ 0°	-6°/ 0°	-2°/ 6°	3°/ 12°	9°/ 20°	12°/ 23°	15°/ 24°	14°/ 23°	10°/ 19°	5°/ 13°	1°/ 6°	-3°/ 2°

Idées de séjour

Nous vous proposons deux compositions de séjours d'une semaine, selon que vous atterrissez à Cracovie ou Varsovie, ainsi qu'un séjour long de 3 semaines à 1 mois. Bien sûr la Pologne comprend assez de richesses, variétés et activités pour prolonger l'aventure. Afin de visiter toute la Pologne, prévoyez au moins deux mois. Des séjours thématiques vous orienteront selon vos centres d'intérêt. Si vous disposez de peu de temps, étant donné sa proximité géographique, il est fort possible de choisir une première découverte de la Pologne juste le temps d'un week-end, qui comprendrait la visite de Cracovie ou de Varsovie, deux villes vraiment exceptionnelles.

Séjour court (1 semaine) : découverte de Cracovie et ses environs

Le Sud de la Pologne est la région la plus touristique du pays. Cracovie plus précisément mérite le voyage. Et effectivement la région de Cracovie reste celle qui remporte le plus de succès auprès des vacanciers étrangers.

▶ **1er jour : découverte du centre historique de Cracovie.** Appréhender cette ville par un tour du « Planty » et/ou une promenade en calèche. Découvrir la vieille ville historique : Barbacane, la porte Saint-Florian, la place du marché (Rynek), halle aux draps (marché couvert d'artisanat), le beffroi de l'ancien hôtel de ville, les principales artères commerçantes, les nombreuses églises. Emprunter un ou plusieurs des chemins balisés de la ville historique (la droga królewska par exemple, voie royale, qui mène de la Barbacane à la colline du Wawel). Se promener le long de la Vistule.

▶ **2e jour : visite de Cracovie.** Visiter la basilique Notre-dame (sur le Rynek) et assister à l'ouverture de son retable puis grimper dans sa plus haute tour pour écouter le Hejnal. Déjeuner dans un bar mleczny, ancienne cantine communiste. Arpenter la colline du Wawel : le château royal, la cathédrale, sa crypte et sa tour. Partir le soir pour Zakopane : dîner dans une auberge de Zakopane.

▶ **3e jour : les Tatras et Zakopane.** Effectuer une randonnée dans les Tatras. Le mont Gierwont par exemple et sa croix à 1 909 m d'altitude offre une belle marche, de beaux paysages et une très belle vue ou l'une des nombreuses routes balisées au départ du mont Kasprowy Wierch, relié à la plaine par téléphérique. En fin d'après-midi, partir à la découverte du centre-ville de Zakopane, ses maisons en bois, son artère principale très animée (Krupówki) qui débouche sur son marché de l'artisanat. Dîner encore une fois dans une auberge de Zakopane, parce que vous ne vous en lasserez jamais et puisque vous n'avez pas pu tout goûter la veille…

▶ **4e jour : sur le chemin de Zakopane à Cracovie…** Tenter la descente en radeau dans les gorges du Dunajec. Visiter le château médiéval de Niedzica et/ou l'église en bois de Dębno (inscrit sur la liste du Patrimoine mondial de l'Unesco).

▶ **5e jour : mines de sel de Wieliczka et quartier de Kazimierz.** Descendre dans les mines de sel de Wieliczka (inscrit sur la liste du Patrimoine mondial de l'Unesco). De retour à Cracovie, s'instruire au musée ethnographique. Visiter Kazimierz, l'ancien quartier juif de Cracovie, à la découverte de synagogues. Passer la soirée à Kazimierz, à déguster de la cuisine juive, au son de musique klezmer.

▶ **6e jour : alentours de Cracovie, excursion au choix.** En tramway, à Nowa Huta, quartier industriel ou rêve communiste tout de béton vêtu.

Cracovie, Rynek - Tour de l'hôtel de ville

© SAVIGNARD / SZEREMETA

Varsovie, colonne Sigmund III et château royal

En train, au camp d'Auschwitz- Birkenau (inscrit sur la liste du Patrimoine mondial de l'Unesco). En voiture, à Kalwaria Zebrzydowska, en pleine forêt, paysage culturel d'une grande beauté et d'une grande importance spirituelle. Quasi inchangé depuis le XVIIᵉ siècle, il demeure encore aujourd'hui un lieu de pèlerinage. En bateau, « croisière » sur la Vistule : du Wawel jusqu'au monastère de Tyniec.

▶ **7ᵉ jour : Cracovie.** Visiter un ou plusieurs musées selon ses préférences : musée Czartoryski (où se trouvent les tableaux *La Femme à l'hermine* de Léonard de Vinci et *Paysage au bon samaritain* de Rembrandt), musée de la peinture polonaise du XIXᵉ siècle, galerie de peinture polonaise du XXᵉ siècle, maison de Matejko, maison Szołajski (qui abrite des peintures et sculptures religieuses du XIVᵉ au XVIᵉ siècle), musée Wyspiański, musée historique. Visiter la collection du Collegium Maius, le plus ancien bâtiment de l'université Jagiellon, ancienne Académie de Cracovie (établie en 1364). Monter au tertre de Kościuszko pour embrasser une dernière fois une belle vue d'ensemble de Cracovie. Flâner dans Cracovie et faire des bonnes affaires de dernière minute sous la halle aux draps et chez les antiquaires.

Séjour court (1 semaine) : de Varsovie à Cracovie

▶ **1ᵉʳ jour : Varsovie.** Visiter la vieille ville de Varsovie (inscrite sur la liste du Patrimoine mondial de l'Unesco). Emprunter la route royale, après avoir visité le château royal, et

partir à la découverte d'un ensemble de palais et de parcs (notamment celui de Łazienki). Déambuler de place en place : place Bankowy, place Teatralny et la rue Senatorska, place du maréchal Józef Piłsudski.

▶ **2ᵉ jour : Kazimierz Dolny.** Visiter la vieille ville et le Rynek où se trouvent deux superbes et singulières maisons à arcades aux façades de style Renaissance. Faire un détour par l'église paroissiale et l'église franciscaine de part et d'autre du Rynek. Grimper jusqu'en haut de la petite colline, qui offre un très beau panorama sur la ville et la Vistule, et où se trouvent les ruines du château et la tour de guet. Se promener le long de la Vistule pour admirer notamment plusieurs greniers.

▶ **3ᵉ jour : Sandomierz et/ou Zamość.** Sandomierz : visite de la vieille ville, son Rynek et ses souterrains, la cathédrale et son célèbre martyrologue. Zamość (centre-ville inscrit sur la liste du Patrimoine mondial de l'Unesco) : visite du Rynek, son passage sous les arcades, son superbe hôtel de ville et la collégiale Saint-Thomas.

▶ **4ᵉ et 5ᵉ jours : visite de Cracovie.** Appréhender cette ville par un tour du « Planty » et/ou une promenade en calèche. Découvrir la vieille ville historique : Barbacane, la porte Saint-Florian, la place du marché (Rynek), la halle aux draps (marché couvert d'artisanat), le beffroi de l'ancien Hôtel de Ville, les principales artères commerçantes, les nombreuses églises. Arpenter la colline du Wawel : le château royal, la cathédrale, sa crypte et sa tour. Déambuler dans

Kazimierz, l'ancien quartier juif de Cracovie, à la découverte de synagogues. Visiter le musée Czartoryski.

▸ **6e jour.** Visite des mines de sel de Wieliczka et/ou du camp d'Auschwitz – Birkenau et/ou de Zakopane et des Tatras.

▸ **7e jour : visite de Varsovie.** S'étonner au marché du stade, le plus grand marché aux puces d'Europe de l'Est. Découvrir les quartiers Praga et de la ville nouvelle. Revivre l'histoire du socialisme à Varsovie avec la visite du Palais de la Culture et de la Science. Partir sur les traces de Frédéric Chopin.

Séjour long (3 semaines à plus d'un mois)

▸ **1re étape : Varsovie (2 jours).** Découvrez la vieille ville et la ville nouvelle de cette étonnante capitale, qui mêle histoire et modernité.

▸ **2e étape : route de Varsovie à Cracovie… (2 à 3 jours).** Visitez la charmante ville de Kazimierz Dolny. (1 jour). Arrêtez-vous à Sandomierz, petite ville dont les souterrains et le célèbre martyrologue de sa cathédrale en font un lieu singulier et/ou à Zamość, dont le Rynek à lui seul mérite le détour (1 à 2 jours).

▸ **3e étape : Cracovie et ses alentours (6 à 10 jours).** N'hésitez pas à planifier plusieurs jours à la découverte de l'incontournable « Cracovie », qui recèle d'innombrables beautés et curiosités. Imprégnez-vous de son ambiance, des atmosphères qui règnent dans ses centaines de cafés, bars, restaurants, pubs, clubs, salons de thé, qui rivalisent de confort, de charme, de fantaisie, et sont toujours chaleureux !
Passez, repassez, flânez sur le Rynek, cœur palpitant de la ville. Programme au choix (voir « Séjour court ») de 3 à 5 jours.
Prévoyez une excursion aux fabuleuses mines de sel de Wieliczka et/ou sur les traces du passé au camp d'Auschwitz – Birkenau (1 à 2 jours).
Enfin ressourcez-vous dans les Tatras, en faisant halte à Zakopane, descendez les gorges du Dunajec, visitez le château médiéval de Niedzica et l'église en bois de Dębno (2 à 3 jours).

▸ **4e étape : l'Ouest et le centre de la Pologne :** Wrocław, Poznań, Toruń (4 à 10 jours). À l'ouest, ne manquez pas la très intéressante ville de Wrocław, capitale de

la basse Silésie, constituée d'une multitude d'îles puisque sillonnée par les nombreux bras de l'Oder. Etonnez-vous de son panorama de Racławice. En chemin vers Wrocław, vous pourrez visiter Bytom (ville médiévale) et/ou le monastère de Częstochowa et sa Vierge Noire, symbole national (2 à 4 jours). Enfoncez-vous dans le cœur de la Pologne, à Poznań, capitale de la Grande-Pologne. Puis partez sur la route des Piast, un retour aux sources de la nation polonaise (1 à 4 jours). Votre dernière halte avant la mer se fera à Toruń, charmante ville fortifiée accrochée à une colline, surplombant la Vistule (1 à 2 jours).

▸ **5e étape : la côte Baltique (4 à 8 jours).** Gdańsk semble être un cadeau de la Baltique, à l'instar de l'ambre. Sa vieille ville magnifique, protégée par des portes, des enfilades de tours, des cours d'eau est mise en exergue à côté du port industriel. La force de cette alliance entre « la Belle » et « la Bête », tout comme son caractère cosmopolite, contribuent sans doute à l'atmosphère particulière qui règne à Gdańsk (2 à 3 jours).

INVITATION AU VOYAGE

Les incontournables de la Pologne

▸ **Découvrir les villes phares de la Pologne :** Cracovie la superbe et authentique, Varsovie et l'histoire de cette capitale héroïque, Gdańsk la perle de la Baltique, Wrocław la Venise polonaise et Poznań la Belle.

▸ **Admirer ou escalader une partie des Carpates,** sa beauté, son folklore, son artisanat et son art de vivre : les Tatras, les Beskides et les Bieszczady (Sud de la Pologne).

▸ **Parcourir un Parc national,** comme celui des Karkonosze ou de Góry Stołowe (en basse Silésie), d'Ojców (en Petite-Pologne), de Wolin ou Słowiński (en Poméranie), de Białowieża (en Podlachie).

▸ **Assister à une fête religieuse** pour mesurer le sens des mots ferveur, fête et solidarité.

▸ **Participer au folklore des montagnes et des campagnes,** sachant que les fêtes font aussi partie du folklore polonais.

La ville voisine est une station balnéaire très à la mode. Mode d'emploi d'une journée à Sopot : d'abord se pavaner sur la jetée, puis se faire dorer sur les plages de sable fin, enfin participer à l'animation jusqu'au bout de la nuit... Afin de compléter la « Triville » (Trójmiasto), visitez Gdynia (1 à 2 jours). En cas de météo clémente, prévoyez un voyage en train ou en bateau jusqu'au bout de la presqu'île de Hel. Au programme : décor paradisiaque, farniente sur la plage ou sports nautiques et dégustation de poissons (1 jour). En repartant essayez une machine à remonter le temps ou visitez un des plus beaux châteaux de la Pologne : Malbork ! Afin de prolonger la magie, laissez-vous tenter par un spectacle son et lumière (1 jour). Avant de partir dans l'est de la Pologne, possibilité d'effectuer une descente en kayak du canal d'Elbląg (1 jour).

▶ **6ᵉ étape : détente et nature... (3 à 5 jours).** Prévoyez un séjour plus ou moins long dans les lacs de Mazurie, selon que vous êtes adepte des randonnées et sports nautiques (1 à 3 jours).

Enfoncez-vous dans la plus grande forêt vierge d'Europe au Parc national de Białowieża, à la recherche de bisons ! Si vous n'avez pas eu de chance, ne manquez sous aucun prétexte l'étonnante réserve de bisons (2 jours).

▶ **7ᵉ étape : retour à Varsovie (1 jour).** Visitez ce que vous n'avez pas encore vu... notamment le quartier Praga, le marché du stade (le plus grand marché aux puces d'Europe), achetez vos derniers souvenirs et faites le plein de vodka !

Séjours thématiques

Sur les traces des grands hommes...

Sur celles de Frédéric Chopin ou de Marie Curie à Varsovie ; du pape Jean-Paul II à Wadowice et à Cracovie ; de Nicolas Copernic, à Toruń et Cracovie ; de Lech Wałęsa, à Gdańsk.

À la découverte de la culture orthodoxe

L'est de la Pologne possède encore une grande richesse en églises orthodoxes et vieux-croyants. Cette région reflète le brassage de cultures imposé par le passé du pays et qui aujourd'hui est un mélange riche et culturel. Au Nord-Est de la Pologne, les églises et cimetières orthodoxes de Białystok, d'Hajnówka et de Grabarka. Au Sud-Est de la Pologne, la route des icônes près de Sanok et la route des églises en bois.

Les plus grands châteaux de Pologne

L'Histoire de la Pologne est particulièrement riche et le pays compte notamment un grand nombre de vestiges plus ou moins bien restaurés. Les châteaux des grandes villes historiques : Varsovie (château royal, palais de Łazienki et de Wilanów), Cracovie (château du Wawel), Wrocław, Poznań, Toruń, Gdańsk.

© AUTHORS.COM

Les incontournables, tels que Malbork, le plus impressionnant des châteaux médiévaux, et au sud-est, ceux de Łancut, de Krasiczyn et de Baranów Sandomierski. Les châteaux forts de la route des nids des aigles : Olsztyn, Koziegłowy, Bobolice, Mirów, Ogrodzieniec, Ojców.

Le tourisme actif ou l'écotourisme

La Pologne compte plus de 1 000 centres d'hébergement sous le signe agrotourisme, organisés autour des thèmes du repos, de la nature, de la vie à l'ancienne et de la gastronomie traditionnelle. Et il est vrai qu'une partie du pays pratique l'écotourisme. Le pays des lacs de Mazurie offre nature, repos et infrastructures propices aux sports nautiques : voile, canoës-kayaks. De belles randonnées, à pied ou à vélo, permettent aussi la découverte de riches forêts. La Pologne dispose aussi de plus de vingt parcs nationaux, répartis sur l'ensemble du territoire ; parmi les plus appréciés : Karkonosze ou Góry Stołowe (en basse Silésie), Ojców (en Petite-Pologne), Wolin ou Słowiński (en Poméranie), Parcs nationaux de Biebrza et de Białowieża (en Podlachie). Enfin de nombreux massifs montagneux, au sud notamment, dans les Carpates, offrent des randonnées inoubliables : les Tatras, les Bieszczady, les Beskides ; tout comme les forêts aux couleurs dorées de l'automne, et peuplées de loups, d'ours et de bisons.

Le bienfait des cures thermales

La Pologne possède un grand nombre de petites villes thermales où, en plus des effets bienfaiteurs des sources, il fait bon se détendre. Ce sont des lieux très agréables. Il est possible de profiter pleinement de la nature et des montagnes toujours proches. La basse Silésie notamment compte douze stations thermales, dont les plus réputées aujourd'hui sont : Kudowa-Zdrój, Polanica-Zdrój, Duszniki-Zdrój, Cieplice-Zdrój et Lądek-Zdrój. La région des Carpates possède aussi de nombreux centres de cures thermales, dont la fameuse Krynica-Zdrój et les Pieniny avec Szczawnica et Krościenko.

Les pèlerinages en Pologne

La Pologne recense de hauts lieux de pèlerinage et partout des témoignages de la foi des Polonais.

▌ **Jour 1 :** Częstochowa, premier lieu de pèlerinage en Pologne, et son icône miraculeuse de la Vierge Noire.

Cracovie, place du marché, statue d'Adam Mickiewicz et église Notre Dame

▌ **Jour 2 :** Cracovie, ses nombreuses églises et le sanctuaire de la miséricorde divine (Kraków-Łagiewniki).

▌ **Jour 3 :** Kalwaria Zebrzydowska, où des lieux symboliques de dévotion indiquent le chemin de croix et calvaire de la Vierge Marie et de Jésus-Christ.
Wadowice, ville natale du pape Jean-Paul II.
Nous vous recommandons de prendre un train spécial « Train de pape » qui part au moins deux fois par jour de la gare ferroviaire de Cracovie (Kraków Główny) via Kraków-Łagiewniki et Kalwaria Zebrzydowska vers Wadowice. Une belle excursion pour le prix 18 zl (aller-retour). Mais attention, en été il y a beaucoup de monde ! Plus d'informations sur le site : www.pociag-papieski.pl

▌ **Jours 4 et 5 :** Licheń (dans les environs de Konin en Grande-Pologne), deuxième haut lieu de pèlerinage, du fait de l'apparition de la Vierge. Vous pourrez y voir le 12e plus grand sanctuaire de Sainte Vierge au monde et sûrement le plus grand en Pologne.

▌ **Jours 6 et 7 :** Varsovie, ses nombreux lieux de culte, et notamment l'église Saint-Stanislas Kostka, où se trouve le tombeau du prêtre Popieluszko, martyr (assassiné par la police à l'époque communiste car trop proche du parti Solidarność).

Varsovie, artisanat local

Zalipie, décor sur une maison

Gdańsk, les quais

Cracovie, place du marché

La Pologne sur Internet

Sites officiels

■ **www.tourisme.pologne.net** – Site officiel de l'office polonais de tourisme de Paris. Toutes les informations utiles à une bonne préparation d'un voyage en Pologne.

■ **www.polska-be.com** – Site officiel de l'office polonais de tourisme de Bruxelles.

■ **www.ambassade.pologne.net** – Site officiel de l'ambassade de Pologne à Paris.

■ **www.poland.gov.pl** – Site officiel de l'Etat polonais, avec de nombreux liens intéressants sur les thèmes de la culture, du tourisme, de l'art, la politique, l'économie, etc.

■ **www.expatries.org** – Site officiel de la Maison des Français de l'étranger (MFE), service du ministère des Affaires étrangères, qui présente des informations pour les Français souhaitant partir, vivre ou travailler à l'étranger.

Sites pratiques

■ **www.pilot.pl** – Carte interactive de la Pologne pour trouver sa route partout.

■ **www.pzm.pl** – Pages officielles de la Fédération automobile polonaise. Information routière et sur la législation en vigueur. En anglais.

■ **www.wirtualnafrancja.com** – Portail franco-polonais. Des informations sur l'Histoire de la Pologne, la cuisine, une très belle galerie de photos, un chat, des quiz, ainsi que de nombreux liens.

■ **www.centreurope.org** – Site en français ; dans la rubrique « Espaces pays » vous trouverez des informations pratiques, culturelles, touristiques et économiques, avec d'intéressantes rubriques telles que

« travailler en Pologne, ou chercher un stage ou être expatrié », ou encore « La Pologne en 100 sites ».

■ **www.studentsoftheworld.info** – Statistiques sur tous les pays du monde, en particulier la Pologne, en français et anglais. Egalement quelques informations touristiques.

■ **www.photoway.com** – Des sites en français de photos sur la Pologne du Sud et sur le camp d'Auschwitz. Egalement des liens vers des sites pour organiser votre voyage.

■ **www.maison-saint-etienne.com** – Site du jumelage entre la ville de Saint-Etienne et Katowice en Pologne (à l'ouest de Cracovie).

■ **www.france-polska.com** – Site de la communauté polonaise du Nord-Pas-de-Calais.

Sites sur l'actualité, l'histoire, la culture

■ **www.echos.pl** – Tout sur l'actualité en Pologne grâce au site de ce journal bimensuel francophone. Fournit aussi des informations pratiques et des bonnes adresses de sorties.

■ **www.beskid.com** – *Gazet@Beskid* est un magazine francophone consacré à la Pologne. Nombreuses informations très variées : du tourisme à la littérature, de l'histoire aux actualités, du sport à la musique, du chat à la recherche généalogique.

■ **solidarnosc.free.fr** – Site sur le mouvement Solidarność et plus largement sur l'histoire de la Pologne des années soixante-dix à la chute du communisme. En français.

■ **www.polskanova.com** – Magazine en ligne dédié à la culture polonaise contemporaine. Actualités, forum de discussion, chat, etc.

■ **wwww.poland.pl** – Beaucoup d'informations sur le pays, tout sur l'actualité en Pologne.

■ **membres.lycos.fr/fredchopin** – Le plus complet des sites sur l'artiste Frédéric Chopin. Ou encore « Le Coin du Musicien, Chopin et Schumann » : www.coindumusicien.com

■ **www.polishjazz.com** – Site en anglais sur le jazz en Pologne.

Sites sur l'hébergement en Pologne

■ **www.decouvrirlapologne.com** – Système polonais de réservation des services touristiques et hôteliers. Beaucoup d'offres spéciales. En français.

■ **www.agritourism.pl** – Page très complète sur le système d'agrotourisme et adresses en Pologne, en anglais. Possibilité de réserver des chambres en ligne (600 offres, description, photos et localisation très précise).

■ **www.hotelspoland.com** – Site en anglais de réservation d'hôtels en ligne.

■ **www.ptsm.com.pl** – Site en anglais sur les auberges de jeunesse en Pologne. En anglais.

■ **www.StayPoland.com** – Site de réservation en ligne, avec réductions, d'hôtels à travers la Pologne. Site en anglais, allemand et italien.

■ **www.infohotel.pl** – Site de réservation de logement très détaillé, recherche par localisation et type de logement (hôtel, pension, camping, agro-tourisme…). En anglais et en allemand.

■ **www.polhotel.pl** – Site de réservation de logement très détaillé, recherche par localisation et type de logement (hôtel, pension, camping, agro-tourisme…). En anglais.

■ **www.hotele.pl** – Site de réservation en ligne ; des hôtels en Pologne et autres pays. En anglais.

Sites sur des villes de Pologne

■ **www.thevisitor.pl** – De nombreuses informations sur Varsovie, Cracovie, Zakopane, Wroclaw, Trójmiasto et Szczecin. En anglais et allemand.

■ **www.inyourpocket.com** – Des informations pratiques et touristiques sur Cracovie, Zakopane, Varsovie, Poznań, Wrocław, Gdańsk, Sopot et Gdynia.

Sites sur Cracovie

■ **www.krakow.pl** – Informations sur la ville de Cracovie, en anglais.

■ **www.tppf.krakow.pl** – Site de l'association d'amitié France-Pologne de Cracovie.

■ **cracovia.free.fr** – Site d'un français qui a quitté Paris pour Cracovie et souhaite « *montrer un peu la vie en Pologne, à Cracovie, de la façon la plus objective possible. (…) moins négatif qu'un reportage déprimant sur les pays de l'Est. (…) une idée différente de la Pologne, loin des préjugés habituels* ».

■ **www.cracow-life.com** – Calendrier des événements culturels et soirées à Cracovie. Les bonnes adresses et lieux de sorties de Cracovie. Très bien conçu et détaillé. En anglais.

■ **www.vanupied.com** – Ce site en français vous propose une approche spéciale du tourisme, dans un langage très direct et djeun's : impressions et quelques bonnes adresses sur Cracovie.

Sites sur Varsovie

■ **www.warsawtour.pl** – Site officiel sur la capitale de la Pologne. Beaucoup d'informations intéressantes pour les touristes. En anglais et allemand.

■ **www.warsaw-life.com** – Les bonnes adresses de Varsovie, lieux de sorties et calendrier de tous les événements culturels et soirées. En anglais.

■ **www.whatsup.pl** – Site minimaliste, mais ses adresses de bars, restaurants, lieux de sorties, à Varsovie, sont très bonnes. Egalement adresses et liste des musées, lieux de culte, théâtres, clubs de sport, galeries, hôtels.

■ **www.warsawinsider.pl** – Site en anglais sur Varsovie : calendrier culturel, cinéma, restaurants, lieux de sortie, informations pratiques et touristiques (transports, hôtels, service médical, musées, etc.).

Sites sur d'autres grandes villes

■ **www.wroclaw.pl** – Site officiel sur la Venise polonaise, le centre touristique, scientifique et économique, capitale de la Silésie. En français, anglais et allemand.

■ **www.city.poznan.pl** – Site officiel sur la capitale de la Grande-Pologne. En anglais et allemand.

■ **www.gdansk.pl** – Site officiel sur la plus grande ville au bord de la mer Baltique. En anglais et allemand.

Varsovie,
palais de la Culture
et de la Science
© SAVIGNARD / SZEREMETA

La Pologne en 30 mots-clés

Ambre

« L'or de la Baltique » est omniprésent en Pologne et pas seulement en bord de mer. Vous trouverez toutes sortes d'objets en ambre : figurines, lampes, coupe-papiers et surtout de très beaux bijoux. Saviez-vous qu'il existe de l'ambre jaune, doré, rougeâtre, blanc ou vert ? Et peu importe la couleur, pourvu qu'on ait l'ivresse de cet or baltique à petit prix !

Artisanat

Fort d'un savoir-faire ancestral, le Polonais perpétue une tradition artisanale. Ses produits sont aussi nombreux que variés : objets en cuir, en bois (boîtes, range-cartes, toupies, anges), articles religieux, broderies, céramiques, chaussons et chaussettes en laine, crèches en matériaux de récupération (spécialité de Cracovie), peaux de mouton, etc. L'artisanat s'expose de partout : en centre-ville, sur les lieux touristiques, dans les marchés, aux coins de rue, à Cracovie sous la fameuse « halle aux draps » (le *Sukiennice* en polonais) et reste bon marché.

Bar mleczny

Les bars *mleczny* (prononcez *bar mléchné*, soit bar à lait) se trouvent presque dans toutes les villes polonaises, même si ces anciennes cantines communistes, très populaires à une époque, se raréfient. Généralement affublé d'une décoration sommaire, il rappelle le restaurant universitaire ou les chaînes de restauration rapide, sauf qu'il est ouvert à tous et que les repas sont meilleurs, plus équilibrés et encore moins chers. Fréquentés par une clientèle assez éclectique, les bars à lait servent des plats traditionnels polonais tels que soupes, pierogis, viande panée (*kotlet schabowy*), goulasch et galettes de pommes de terre (*placki ziemniaczane*), salades, crêpes (*naleśniki*). Les produits, très frais, proviennent de l'arrivage du matin et l'établissement ferme lorsqu'il n'y a plus rien à distribuer. La plupart des bars à lait fonctionnent en self-service et il convient souvent de payer avant d'aller récupérer ses plats.

Bigos

Ce plat séculaire est un élément de base de l'alimentation des Polonais. Composé de choucroute mijotée avec des champignons, des carottes, plusieurs sortes de viandes et de la saucisse, le *bigos* doit être cuit plusieurs jours et réchauffé à volonté. C'est là son secret et sa faiblesse… puisque l'Union européenne interdit normalement aux restaurants de servir de telles préparations ! Alors dépêchez-vous ! Vous le trouverez au menu de tous les restaurants, un plat peu cher, consistant, une valeur sûre même si son goût diffère toujours un peu d'un établissement à un autre.

Bureaucratie

Si vous avez l'occasion d'effectuer des démarches administratives (ce qui est peu probable, et tant mieux), vous reviendra en mémoire la scène de la maison de fous des 12 travaux d'Astérix. Ces invincibles Gaulois deviennent fous et paraissent impuissants devant les incohérences de l'administration. Ce n'est pas une mince affaire non plus dans un pays qui a hérité d'une bureaucratie infernale et d'un quasi-culte du tampon.

Cafés, bars, restaurants

Comme pour oublier des années plus ternes, toute ville polonaise a assisté il y a quelques années à une floraison de cafés, bars, restaurants, pubs, salons de thé, discothèques ! Mais cette multitude ne cache aucune médiocrité. Bien au contraire. Chaque établissement rivalise de confort, de charme, de fantaisie et soigne particulièrement son architecture et ses décors, pour vous offrir cette atmosphère si particulière et chaleureuse. Un rapport qualité-prix-ambiance imbattable !

Communisme

Le Polonais parle encore beaucoup de cette longue période de communisme qui a fortement marqué son pays et son peuple. A la sortie du communisme, au printemps 1989, la Pologne a connu une véritable mutation de sa « société » ainsi que sur le plan politique et économique.

Les années quatre-vingt-dix ont connu un vent de liberté et une croissance économique exceptionnelle. Toutefois, la transition vers la démocratie et l'économie de marché, bien que nécessaire, ne s'est pas effectuée sans heurt! Elle a eu un coût social, notamment une augmentation exponentielle du taux de chômage, qui reste encore aujourd'hui très élevé. Forte des expériences de son passé, la Pologne est désormais tournée vers l'avenir. Et gageons que depuis son entrée dans l'Union européenne, le 1er mai 2004, la Pologne connaîtra encore bien des changements et évolutions!

Culturelle

Les villes polonaises sont en perpétuelle effervescence culturelle! Tout est prétexte à festival. Festival de jazz, de musique d'orgue, cinématographique, du court-métrage, de la culture juive, des étudiants, semaine slovaque, semaine du théâtre français… Certaines manifestations jouissent d'une renommée mondiale.

Se rendre à des pièces de théâtre, des spectacles, des concerts, des expositions, des opéras et ballets, au cinéma, semble ici faire partie de la vie quotidienne. Les Polonais affectionnent particulièrement les sorties culturelles et s'habillent généralement pour l'occasion.

Faible pour la France…

Le Polonais reconnaît un petit faible pour les francophones et la langue française, si chantante mais si difficile à apprendre! S'ils sont peu à parler le français, certains jeunes s'y attellent aujourd'hui et maîtrisent notre langue avec une rapidité prodigieuse.

Beaucoup de Polonais rêvent de visiter la France et Paris, de suivre une partie de leurs études ou encore de venir travailler temporairement en France, si ce n'est déjà fait. Chaque Polonais a aussi en mémoire, sûrement davantage que le Français, les couples franco-polonais célèbres qui entretiennent le mythe, tels que Pierre et Marie Curie, Frédéric Chopin et George Sand, Napoléon Ier et la comtesse Maria Walewska. Cela explique peut-être que la Polonaise a aussi un petit faible pour les Français! Bref n'hésitez pas à décliner votre nationalité!

Fiat 126

Il y a quelques années, c'était la voiture la plus petite et la plus répandue de Pologne. Le Polonais, assez costaud, semble toujours entassé dans ce minuscule véhicule que l'on mettrait volontiers sous verre dans un musée. Malheureusement, elle n'est plus à vendre! Vous ne la trouverez que sur le marché de l'occasion et généralement bien patinée par le travail des années. Les Polonais lui ont même attribué un surnom, « *maluch* » (prononcez malourd), qui figure dans le dictionnaire, c'est vous dire si elle est célèbre!

File d'attente

Les longues files d'attente devant les magasins d'alimentation n'existent plus. Et pourtant… Les décennies de communisme et de pénurie organisée (il y a seulement quinze ans les mères et les grands-mères se relayaient deux jours durant pour obtenir une orange à Noël pour chaque enfant) font que nul n'est offusqué de faire la queue des heures pour la moindre démarche administrative ou à l'hôpital, dans les boutiques de temps à autre, à la poste surtout. Donc les queues s'étirent et les Polonais s'organisent : ils viennent à plusieurs pour se remplacer, ils s'approchent habilement du banc disponible ou du morceau de mur auquel on peut s'adosser. On pourrait même croire que nombre de fonctionnaires entretiennent le phénomène pour se donner un sentiment de puissance, avec un certain plaisir jubilatoire. Pourtant on s'habituerait presque…

Galanterie

Mesdames, vous apprécierez la galanterie du Polonais (sauf dans les files d'attente!), toujours courtois et prêt à vous tenir la porte afin de vous laisser passer, à se précipiter pour allumer votre cigarette ou vous servir à boire. La pratique du baisemain est idéal pour se sentir « princesse » l'espace d'un instant, dommage que cet usage soit de moins en moins courant. Messieurs, vous vous contenterez fort bien de la beauté et du charme incontestables des Polonaises!

Gourmet

La cuisine paysanne est délicieuse, à base de choux, de pommes de terre, de très bonne viande, et de fruits et légumes frais encore épargnés par les engrais chimiques. Les plats polonais les plus répandus : les bigos, mélange de choux et de viande, les pierogis, des types de raviolis fourrés au choix sucrés ou salés au fromage, à la viande, aux oignons, aux myrtilles, le *makowiec*, gâteau au pavot, le *sernik*, gâteau au fromage et les galettes de pomme de terre.

En Pologne, il est aussi courant de déjeuner dans de petits services de restauration rapide où vous retrouverez facilement tous ces plats, des sandwichs, les fameuses *zapiekanka*, des baguettes de pain recouvertes de fromages, de champignons et d'autres condiments et des hot-dogs. Sans parler de tous les vendeurs ambulants qui hiver comme été vendent de petits pains, des fruits, des légumes, des fromages paysans. La vie est en général bien moins chère qu'en France si bien que vous pourrez aussi très bien vous offrir de très bons restaurants.

Hospitalité

Fidèle à sa devise « *un hôte chez soi, c'est Dieu dans la maison* », le peuple polonais est très hospitalier. Ses revenus souvent modestes ne l'empêcheront pas de recevoir généreusement ses invités. Même si au premier abord, les Polonais sont assez ténébreux et que la chaleur de l'accueil et le sourire ne sont pas de mise dans chaque établissement touristique, ne vous arrêtez pas à cette première apparence parfois froide, engagez la conversation, souriez et vous constaterez que le Polonais se déride très facilement.

Jean-Paul II

Deux cent soixante-troisième successeur de Pierre et premier pape non italien depuis 1522, Karol Wojtyla prend la tête de l'église catholique le 16 octobre 1978, et devient par là même la fierté de tout le peuple polonais. A chacune de ses tournées dans son pays natal (et notamment lors de son dernier voyage en 2002), le pape Jean-Paul II rassemble des foules incroyables. Aussi le 2 avril 2005, jour de sa mort, ce sont plus de 100 000 fidèles qui se sont réunis à Varsovie pour lui rendre un dernier hommage. Même rassemblement massif devant l'archevêché de Cracovie, avec un petit pincement au cœur supplémentaire, car Karol Wojtyla était originaire d'un petit village alentour et fut archevêque de Cracovie avant de devenir pape. Dans la foulée, le président Aleksander Kwaśniewski a décrété un deuil national jusqu'à la fin des obsèques, c'est-à-dire sur une période de neuf jours. La Pologne endeuillée a beaucoup pleuré, car avant d'être catholique, elle est et demeure papiste. Il ne faut en effet pas oublier qu'en 1979, un an après son élection à la tête de l'église, Karol Wojtyla avait prié pour la libération de la Pologne. Plus tard, il poursuivra son combat pour la démocratie en menaçant Moscou de prendre la tête de la résistance

nationale si l'armée russe venait à réprimer la grève menée par Lech Wałęsa à Gdańsk. En Pologne, Jean-Paul II est considéré comme un libérateur, comme celui qui a ébranlé le communisme. Lech Wałęsa a souligné son incroyable engagement pour la paix dans le monde et ajouté qu'« *il a mis fin à une époque de division de l'Europe et ouvert la voie à l'Union européenne élargie* ». De son vivant, le souverain pontife était déjà largement célébré, désormais il est vénéré. A Cracovie se trouve un aéroport à son nom, mais aussi une place, un hôpital et un centre commercial. Se vendent à travers toute la Pologne des souvenirs de toute forme à son effigie : icônes, affiches, tableaux, timbres, tee-shirts, sacs, tasses, tapis !

Kabanos

Ne ratez sous aucun prétexte l'aventure culinaire que constituent les saucisses polonaises ! Des petites saucisses sèches (*kabanos*) que vous ne trouverez qu'en Pologne, à déguster froides à l'apéritif avec vos cocktails à la vodka. Ou encore les grosses saucisses grillées (*kiełbasa*), souvent accompagnées d'une boule de pain et d'un gros cornichon aigre-doux, au menu des auberges à la campagne ou à la montagne, ou forcément dans un petit stand de n'importe quelle manifestation ou marché en plein air. Un délice !

Nature

La Pologne possède un patrimoine naturel indéniable et compte de nombreux massifs montagneux, forêts et parcs nationaux (plus d'une vingtaine sont répartis sur l'ensemble du territoire). La randonnée est un sport populaire en Pologne avec les milliers de sentiers balisés qui jalonnent les campagnes et montagnes, notamment au Sud où sont concentrés les Tatras, les Pieniny et les Bieszczady. Le parc national de Białowieża, inscrit au Patrimoine mondial de l'Unesco, abrite notamment un musée d'histoire naturelle fort intéressant, la plus grande forêt vierge et la plus grande réserve de bisons d'Europe (où vous verrez aussi des loups, des élans et des tarpans). Les lacs de Mazurie et la côte Baltique constituent une destination de prédilection pour les amateurs de sports nautiques ou de la pêche ! Sans aucun doute la Pologne saura satisfaire les amoureux de la nature.

Obwarzanek ou Precel

Ce sont les deux noms possibles pour ces

petits pains en forme de rond ou de bretzel, parsemés au choix de graines de pavot, de sésame ou de gros sel. Demandez « *z makiem* » pour le pavot, « *z sezamem* » pour le sésame et « *z solà* » (prononcez *solon*) pour le sel.

A l'origine une spécialité juive, ces pains sont vendus à travers toute la ville de Cracovie par des marchands ambulants à environ 1 zl. Idéal pour les petits creux lors de visites à pied.

Patates ou choux

Lundi, des patates ; mardi, des patates ; mercredi, des patates ; jeudi… La pomme de terre est assurément un des éléments de base de la cuisine polonaise. Puisqu'elle accompagne presque toujours le plat principal, elle a su se diversifier pour ne pas paraître monotone : bouillie, en papillotes avec de la crème et des fines herbes, sautées, cuites au feu de bois, en purée, en galette (les *placki*), en frites, en soupe (la *Żurek*). Le chou constitue lui aussi un accompagnement fréquent, voire un plat à part entière : le *bigos*, la soupe aux choux… Il se mange aussi froid puisque le repas est souvent constitué d'au moins une assiette de crudités (chou, carottes, poireaux… râpés). Saurez-vous déterminer, au cours de votre séjour, qui de la patate ou du chou l'aura emporté ?

Religion

La Pologne est un pays profondément religieux, puisque les Polonais sont catholiques à 95 %. Les églises sont bondées le dimanche et de longues files d'attente se forment devant les confessionnaux avant chaque grande fête. Le calendrier festif polonais est d'ailleurs inspiré par le religieux. Ici chaque fête catholique est célébrée avec faste et ferveur et donne lieu à des manifestations comme nulle part ailleurs en Europe. C'est notamment le cas pour les célébrations de Noël et de Pâques. A la Toussaint, chaque famille se rassemble sur les tombes, les cimetières sont alors remplis de milliers de bougies multicolores : paysage féerique et émouvant. Les flammes des bougies se voient des avions, tant elles sont nombreuses.

De célèbres lieux de pèlerinages rassemblent chaque année des millions de pèlerins, à l'instar de Licheń et Częstochowa, cinquième lieu de pèlerinage au monde, où 5 millions de personnes célèbrent la Vierge Noire le 15 août. Même si la foi des Polonais est peut-être avant tout un phénomène social ou une conséquence

Golabki, feuilles de choux farcies à la viande

historique, elle reste impressionnante. Il faut assister à l'une de ces fêtes, l'un de ces pèlerinages ou même à une messe le dimanche pour mesurer vraiment le degré de religiosité des Polonais.

Résistance

Le sens aigu du patriotisme chez le Polonais provient sans doute de sa lutte incessante au cours de l'histoire de la Pologne pour conserver tout simplement son existence. En effet la Pologne n'a eu de cesse de repousser ses envahisseurs – prussiens, autrichiens, russes, allemands… – et de défendre les limites de son territoire. Territoire qui a d'ailleurs disparu de la carte pendant 123 ans, à la fin du XVIIIe siècle. Visitez les musées, notamment ceux de Varsovie pour mieux comprendre. Les Polonais soutiennent la liberté et l'indépendance partout où elles sont menacées – derniers exemples avec l'Irak et l'Ukraine – même si la concrétisation de ces mythes coûte cher parfois.

Rynek

Rynek signifie la place du marché, et désigne le lieu où se tenait autrefois le marché principal. Vous le trouverez, comme point de repère, dans presque toutes les villes de Pologne, accompagné parfois de son « *Mały Rynek* » (petite place du marché), où se tenait par exemple à Cracovie le marché « secondaire » des produits moins nobles, ou encore le « *Rynek Solny* » (place du marché du sel) à Zamość et à Wrocław où se déroulait le commerce du sel. Le Rynek est par définition le cœur de la ville, doté d'une architecture riche, parfois orné d'un hôtel de ville qui subsisté, et toujours animé.

© S.NICOLAS

Cracovie, place du marché

Slave

Le Polonais est une langue slave donc très éloignée de la nôtre et difficile à prononcer, à comprendre et encore davantage à apprendre ! Par ailleurs, au cours de l'histoire mouvementée de la Pologne, notamment lorsque l'Etat polonais n'existait plus, leur langue était le seul véhicule d'identité commune, c'est pourquoi les Polonais sont très attachés à leur langue et lui porte beaucoup d'estime. Si vous ne parlez ni anglais (ce qui peut être utile avec les plus jeunes) ni allemand (avec les personnes plus âgées), tentez d'apprendre quelques mots. L'effort est très apprécié et facilite les échanges (voir rubrique « Lexique »).

Solidarité

Si le mouvement « Solidarność » (Solidarité) marque une étape importante de l'histoire de la Pologne, il n'en reste plus grand-chose aujourd'hui si ce n'est l'incroyable solidarité des Polonais. Pour Noël, ils donnent massivement aux œuvres, bravant la foule des magasins pour acheter le cadeau demandé par un orphelin. Les familles sont soudées et nul n'est mis à l'écart surtout pas les anciens. En effet les retraites sont maigres ou inexistantes mais les générations s'entraident.

Souveraineté

Les Polonais sont très fiers de leur pays. Les invasions et les occupations successives ont renforcé ce sentiment et les Polonais revendiquent depuis longtemps une souveraineté établie, reconnue et respectée. Ils attendent beaucoup de cette période de transition amorcée depuis une petite quinzaine d'années. Bien que leur position par rapport à l'Europe soit parfois ambiguë, ils attendent beaucoup de cette entrée dans l'espace économique européen où pourrait s'épanouir la nation polonaise.

Système D

La crise économique et la fin d'un certain assistanat communiste ont contribué à rendre le Polonais débrouillard ! Ce dernier additionne souvent plusieurs combines afin d'assurer sa survie individuelle, possède un talent certain pour rechercher des lacunes dans la législation fiscale et a coutume de dire qu'à chaque problème existe une solution. Cette devise devient en effet une nécessité pour faire face aux lourdeurs (voir absurdités) administratives.

Toilettes

La première fois, le rond et triangle inversé sur les portes des toilettes laissent perplexe ! Chacun y va de son imagination, son référent, ses réflexions… Afin de vous éviter l'attente d'un autochtone pour vérifier vos intuitions, voici la clef du mystère : le rond s'applique aux femmes, le triangle aux hommes ! Certains disent que ces symboles représentent la forme des corps des hommes (épaules charpentées, taille fine, pour ce triangle à l'envers) et des femmes (les rondeurs de la grossesse, la fertilité). Demander toaleta et munissez-vous d'une pièce, puisque les toilettes sont souvent payantes, même dans les bars et restaurant (en général 1 zl).

Traditions vivantes

La Pologne est réputée pour ces fêtes traditionnelles extrêmement pittoresques.

Les coutumes anciennes sont vivantes avant tout dans les montagnes : si vous allez à Zakopane, vous verrez sûrement des górale vêtus de costumes traditionnels et jouant de la musique. Mais dans les autres régions vous pourriez participer aussi aux manifestations folkloriques, goûter des plats régionaux ou admirer des oeuvres d'art populaires. A ne pas rater : le concours de rameaux de Pâques à Łyse (un village en Kurpie, une partie de Mazovie), le dimanche de Rameaux – un vrai spectacle de couleurs avec des rameaux hauts de quelques mètres portés par les fidèles ; la procession de la fête-Dieu à Łowicz (60 km de Łódź) où les fidèles sont vêtus de costumes à raies aux couleurs vivantes ; le mariage traditionnel de Kurpie (Wesele kurpiowskie) à Kadzidło (20 km d'Ostrołęka en Mazovie), 3e dimanche de juin – une ambiance féerique de la célébration des noces ; la fête de miel (Miodobranie) à Myszyniec (39 km d'Ostrołęka), fin d'août – des kermesses, des présentations des groupes folkloriques et beaucoup de miel délicieux !

Vodka

Les Polonais boivent la vodka sans modération, pure, glacée, et cul sec ! Puisqu'elle possède paraît-il de multiples propriétés curatives ! Les vodkas blanches les plus courantes sont les marques Siwucha, Chopin, Wyborowa, Sobieski. La célèbre Żubrowka, également très consommée, recèle, à l'intérieur de chaque bouteille, une herbe de bison, cueillie là où paissent les bisons de Białowieża. Et, comme la Pologne est aussi un grand producteur de très bon jus de pomme, un cocktail répandu, tatanka, se compose d'un quart de Żubrowka et trois quarts de jus de pomme. Afin de sortir des sentiers battus, dénichez les vodkas introuvables en France, telles que la Wiśniówka, vodka sucrée macérée dans du jus de cerise, la Krupnik, une vodka au miel, ou la Goldwasser née d'une belle légende à Gdańsk, aux véritables feuilles d'or de 22 carats ! Bien sûr en levant son verre de vodka, il convient de crier « *Na zdrowie !* ». Enfin, à savoir, l'absinthe est légalisée depuis peu !

Zéro de conduite !

La Pologne enregistre un nombre important d'accidents par rapport à ses voisins européens. La faute sans doute au piètre état des routes, à l'alcoolisme au volant (avec pourtant une tolérance moindre qu'en France), à l'inconscience des piétons qui circulent la nuit sans signalisation, à l'état du parc automobile, aux conditions météorologiques hivernales. Rien de dramatique, mais soyez particulièrement vigilants. Par exemple, sur une route large à deux voies, le Polonais a l'habitude d'utiliser les bandes d'arrêt d'urgence afin de bénéficier d'une route à trois ou quatre voies ! Question d'habitude…

Faire – Ne pas faire

▶ **Les Polonais sont très croyants et très pratiquants, mais relativement ouverts et ce de plus en plus.** Vous pouvez donc discuter « religion » et affirmer d'autres croyances que les leurs. Par contre, très sérieusement, ne jamais dire du mal du pape Jean-Paul II, qui restera un véritable héros national pour tous les Polonais.

▶ **Pour les femmes ne pas s'étonner qu'un homme puisse saluer par un baisemain, ancienne coutume polonaise.** Pour les hommes, faire le baisemain pour saluer une femme polonaise, surtout si elle est d'un certain âge, ou dans des lieux comme le théâtre ou l'opéra, mais seulement si vous vous sentez à l'aise avec cette pratique. Cette dernière est très peu courante chez les jeunes, qui s'embrassent trois fois sur les joues (non, non, sur la bouche, ce sont les Russes !).

▶ **Offrir des fleurs (même une seule) aux jeunes filles et aux femmes lors d'un rendez-vous ou si vous êtes invités.** Cette coutume, si elle peut sembler internationale, reste très populaire en Pologne ; vous verrez beaucoup de jeunes filles dans la rue avec une fleur à la main.

▶ **Porter de préférence une tenue habillée, lors des représentations culturelles ou officielles.** Les Polonais et Polonaises accordent un soin tout particulier à leur apparence lors des sorties, le week-end ou pour se rendre à la messe. Toutefois aucun code vestimentaire n'existe vraiment et cela ne devrait choquer personne si vous ne les imitez pas.

▶ **Ne pas laisser sa voiture dans parking non gardé…** au risque de récupérer ses pièces détachées sur le marché le dimanche suivant !

Survol du pays

*La Pologne nous semble souvent lointaine…
et pourtant plus d'une personne serait étonnée
d'apprendre que Strasbourg est aussi proche de
la Pologne que de Brest, que la Pologne n'est
finalement qu'à 400 km de la France, plus
proche que la Sicile et sans mer à traverser !*

GÉOGRAPHIE

La Pologne s'étend sur 690 km d'est en ouest
et 650 km du nord au sud, pour une superficie
totale de 312 685 km^2. La forme du pays est
hexagonale, ce qui en fait un territoire assez
homogène, d'autant plus que la capitale,
Varsovie, occupe une place plutôt centrale.

Frontières

Le littoral sur la mer Baltique ne s'étend
que sur 528 km. Tout le reste n'est que
frontières, avec un total important de sept pays
(Allemagne – sur une longueur de 467 km,
République tchèque – 790 km, République
slovaque – 539 km, Ukraine – 529 km,
Biélorussie – 416 km, Lituanie – 103 km et
Russie – 210 km).
Avant 1990, la Pologne ne comptait que trois
frontières (RDA, Tchécoslovaquie, URSS),
trois pays qui n'existent plus. Cela a créé une
situation nouvelle et totalement inédite pour ce
pays habitué à vivre entouré de géants hostiles.
La frontière du Sud est une barrière naturelle
constituée de montagnes, les Carpates, mais,
à l'est comme à l'ouest, seuls quelques cours
d'eau permettent de tracer une limite, et les
sujets de contestation (en particulier avec
l'Allemagne) sont nombreux. Cette situation
géographique particulière, source de nombreux
conflits, explique pourquoi la Pologne, tout au
long de son histoire, a été déplacée, agrandie,
rétrécie, et facilement envahie.
La Pologne se situe un peu comme un pays
tampon entre l'Europe de l'Est et l'Europe
de l'Ouest et, même si au cours de son
histoire elle a été davantage rattachée à
l'Est, les Polonais tournent leurs regards vers
l'ouest, d'où leur désir d'entrer dans l'Union
européenne, désormais concrétisé.

Relief

La Pologne est un pays de plaines, modérément
élevé. Elle se partage entre trois grandes zones
naturelles : le Nord du pays est principalement
occupé par la côte Baltique, très sablonneuse.
Le relief est peu accidenté.

▶ **Au centre,** d'est en ouest, une vaste
plaine traverse le pays de part en part, et se
caractérise par un nombre important de lacs et
de forêts (la Pologne est le pays d'Europe qui
compte le plus grand nombre de lacs, après
la Finlande). La plaine couvre les régions
de Podlachie, Mazovie, Mazurie et Grande-
Pologne. Dans cette plaine se trouvent la
plupart des terres cultivables du pays.

▶ **Au Sud,** les régions de Silésie, Petite-
Pologne et Carpates ont un relief plus
montagneux, avec quelques sommets au-
dessus de 1 000 m dans les Sudètes et les
Carpates (Tatras et Beskides).

▶ **A la pointe sud du pays,** les Tatras sont
le seul relief de type alpin, avec un point
culminant à 2 499 m (mont Rysy) alors que
l'altitude moyenne du pays est d'environ
173 m.

▶ **Les deux fleuves du pays, la Vistule
et l'Oder** se jettent dans la mer Baltique.
La Vistuletraverse tout le pays sur plus de
1 000 km en passant par Cracovie et Varsovie
et l'Oder sert de frontière avec l'Allemagne.

▶ **Les autres cours d'eau importants
du pays** sont des affluents de ces deux
fleuves.

© S.NICOLAS

La Vistule

Les régions

Depuis le 1ᵉʳ janvier 1999, la Pologne est administrativement partagée en 16 voïvodies (województwo), 373 districts (powiat) et 2 489 communes. Les voïvodies, assez grandes, comprennent une population qui varie entre 1 et 5 millions de personnes (2,4 millions en moyenne).

▌ **La Mazovie et la Podlachie.** Située en Pologne centrale et à l'Est du pays, sur les deux rives de la Vistule, la Mazovie (Mazowsze) s'étend sur la plaine de Mazovie, l'une des plus vastes régions polonaises. La plaine de Podlachie sur les bassins de la Narew, de la Biebrza et du Bug en est le prolongement naturel. Près de Varsovie se tient la forêt de Kampinos, sur son sol sableux. Elle ravit les amateurs de randonnées à pied, de cyclisme ou d'équitation. La forêt de Białowieża est plus importante encore. C'est la plus grande zone forestière d'Europe, à cheval sur la Pologne et la Biélorussie. L'âge moyen des arbres de cette forêt est de 126 ans et c'est là que se trouvent le plus grand nombre de bisons et de tarpans. C'est aussi une région marquée par la religion orthodoxe et l'influence du grand Est.

▌ **La Mazurie.** La Mazurie est située au Nord-Est de la Pologne, dans la région lacustre de Pojezierze Mazurskie. Elle s'étend sur une surface importante et est appelée la « Région des mille lacs » (il y en aurait en fait 4 000). Les plus grands sont le lac Śniardwy (113,8 km²) et Mamry (104,5 km²), le plus long est Jeziorak (27 km).

Les lacs sont reliés par des rivières et des canaux artificiels dont les plus attractifs sont ceux d'Augustów et d'Elbląg. Ces régions font le bonheur des amateurs de voile, de canoë-kayak et de plongée. Les environs sont riches en églises et châteaux gothiques de l'époque teutonique.

▌ **La Poméranie.** Elle s'étend sur la partie Nord de la Pologne, sur les bords de la Baltique. Elle se compose de la Poméranie de l'Ouest (avec Szczecin) et la Poméranie de l'Est (avec Gdańsk), avec deux types de paysages : le littoral et les régions lacustres. La mer, les dunes et les immenses plages de sable ravissent les vacanciers dans les innombrables stations balnéaires et les villes riches en histoire. Les petits ports de pêche ont beaucoup de charme. Le sud de la région regroupe des lacs et des forêts.

Pologne administrative

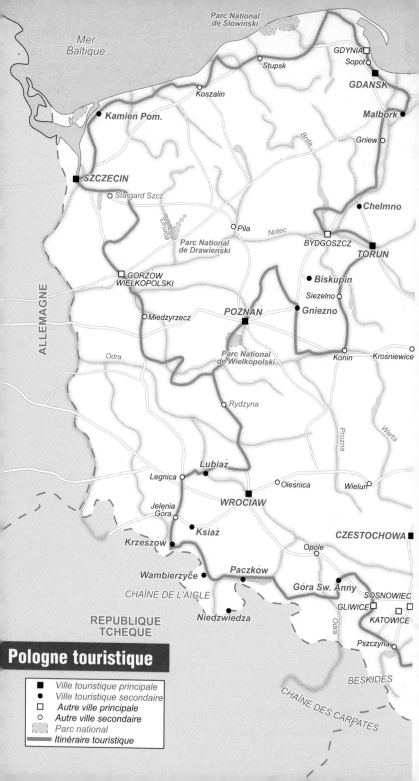

Pologne touristique

■	Ville touristique principale
●	Ville touristique secondaire
□	Autre ville principale
○	Autre ville secondaire
	Parc national
	Itinéraire touristique

Mer Baltique

Parc National de Słowiński

GDYNIA
Sopot
GDAŃSK
Stupsk
Koszalin
Malbork
Kamień Pom.
Gniew
Brda
SZCZECIN
Chelmno
Stargard Szcz.
Pila
Notec
BYDGOSZCZ
TORUŃ
Parc National de Drawieński
Biskupin
GORZÓW WIELKOPOLSKI
Siezelno
Miedzyrzecz
POZNAŃ
Gniezno
Odra
Parc National de Wielkopolski
Konin
Krośniewice
Rydzyna
Prozna
Warta
Lubiąz
Legnica
Oleśnica
Wieluń
WROCŁAW
Jelenia Góra
Ksiąz
Krzeszów
CZESTOCHOWA
Opole
Wambierzyce
Paczków
Góra Sw. Anny
SOSNOWIEC
GLIWICE
CHAÎNE DE L'AIGLE
Niedzwiedza
KATOWICE
REPUBLIQUE TCHEQUE
Odra
Pszczyna
ALLEMAGNE
BESKIDES
CHAÎNE DES CARPATES
Druica

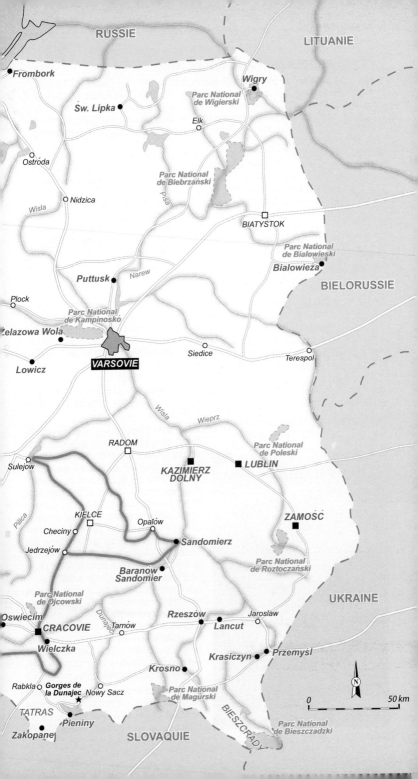

Parcs nationaux (Parki Narodowe)

Avec une politique de protection environnementale très développée, la Pologne, poumon de l'Europe, est en passe de devenir le « Tigre vert » de l'Union européenne. Le pays abrite en effet, sur une surface de 300 000 ha, vingt-trois parcs nationaux dont six sont reconnus comme des Réserves de Biosphère mondiale. Un patrimoine écologique d'une grande richesse dont le fleuron est indiscutablement le Parc national de Białowieża.

Fragment le plus authentique de la forêt vierge qui recouvrait, il y a un millénaire l'Europe de l'Est, cette réserve naturelle composée majoritairement d'arbres centenaires est protégée depuis 1921. On n'y dénombre pas moins de 8 500 espèces d'insectes, 250 oiseaux et 54 mammifères dont le bison.

Le Nord-Est renferme, quant à lui, les sites les plus sauvages du pays, les parcs nationaux de la Narew et de la Biebrza. Ces terres marécageuses, parmi les mieux conservées du continent, sont pour les ornithologues un cadre de premier choix. On recense en effet sur la rivière de la Biebrza, 269 espèces d'oiseaux et 200 sur les bords de la Narew. Dans la forêt, vivent également un grand nombre de loutres, d'élans et de castors.

▶ **La Grande-Pologne.** A l'Ouest et au centre du pays, elle est située dans les bassins de la Warta, de l'Oder et de la basse Vistule. C'est là que naquit l'Etat polonais. Poznań, ville historique, est la plus grande de la région. Gniezno était la première capitale de Pologne. C'est une région idéale pour les amateurs d'histoire, de châteaux, palais, manoirs, parcs ethnographiques et sites archéologiques.

Les paysages de la Grande-Pologne se composent de vastes champs plats.

S'y trouvent également deux parcs nationaux. Le Parc national de la Grande-Pologne (Wielkopolski Park Narodowy), situé au sud de Poznań, cache le beau lac Góreckie. Le Parc national de la Warta (Park Narodowy Ujście Warty) offre de multiples variétés de paysages, prés, canaux, saulaies. Il constitue, sur des centaines d'hectares, un refuge pour plus de 270 espèces d'oiseaux aquatiques et de marais.

▶ **La Petite-Pologne.** Région située au Sud-Ouest de la Pologne dans le bassin de la Vistule (Wisła). Elle comprend une grande partie des Carpates polonaises, les bassins de Sandomierz, d'Oświęcim et de la Petite-Pologne. La région offre une nature magnifique et des paysages variés. Le Jura de Cracovie et de Częstochowa est un secteur constitué de calcaires jurassiques, parsemé de rochers et de grottes, région qui fait le bonheur des amateurs d'escalade. On y trouve beaucoup de ruines de châteaux forts du Moyen Age. La chaîne des Carpates longe le sud du pays. Les nombreux circuits touristiques dans les montagnes permettent de découvrir de grandes forêts et de beaux lacs tel que Morskie Oko. C'est aussi la région des sports d'hiver. La Lubelszczyzna et le Roztocze, à l'ouest de la Vistule et au sud du Bug sont marqués par des paysages superbes, plus sauvages, avec notamment deux parcs nationaux.

▶ **La Silésie.** Elle occupe la partie Sud-Ouest de la Pologne et s'étend dans les bassins de l'Oder et en partie de la Vistule. Elle se compose de deux parties : basse Silésie,

© S.NICOLAS

Grande Pologne, Chelmno

riche en châteaux et stations thermales, et haute Silésie, principalement industrielle. Malgré une forte densité de population et une industrialisation importante, la Silésie abonde en terrains naturels aux paysages encore vierges. Les amateurs de montagne peuvent se rendre dans les Sudètes ou dans le Beskide silésien. La forêt de la basse Silésie offre calme et silence. Wrocław, Kłodzko et sa région sont des villes riches en monuments historiques. Les monts Géants (Karkonosze) et les monts Tabulaires (Góry Stołowe) sont spectaculaires. Karkonosze est la chaîne montagneuse la plus élevée des Sudètes (le mont Śnieżka atteint 1 602 m d'altitude) avec ses sommets de formes arrondies et ses pentes douces. Les monts Tabulaires sont bien plus bas. Ce sont des montagnes de blocs formés de couches de grès interposées. Les millions d'années d'érosion ont donné à cette région un paysage de conte de fée unique en son genre avec ses roches aux formes extraordinaires et les labyrinthes naturels, notamment les circuits de Szczeliniec Wielki (919 m d'altitude) et les Błędne Skały, un labyrinthe de pierre couvrant une superficie de 20 ha.

FAUNE ET FLORE

Les forêts sont nombreuses en Pologne, et couvrent au total 27 % du territoire, beaucoup dans des parcs nationaux. En Poméranie, les forêts sont généralement constituées de conifères (surtout des pins). Dans les autres régions, on trouve une végétation plus mélangée, avec des arbres feuillus et résineux. Dans les hautes montagnes, les arbres laissent la place à des arbustes et des buissons. A peu près 1 % du territoire polonais est composé de parcs nationaux (23 au total). La plupart sont situés dans les régions de l'est et les hautes montagnes du sud. Les plus beaux et les plus importants sont décrits dans ce guide.

La faune polonaise est assez variée. Les mammifères les plus couramment rencontrés sont le lièvre et le sanglier. Dans les régions de l'est, on trouve également quelques cerfs, des loups et des renards. On y découvre les derniers bisons d'Europe vivant en semi-liberté (dans la forêt de Białowieża). Quelques rares ours vivent encore en liberté dans les montagnes, à l'abri du regard des hommes. Les chevaux, très présents, sont populaires en Pologne. De nombreux chevaux arabes sont élevés dans des haras pour les courses et concours. Il existe des variétés de chevaux polonais, dont une race issue des tarpans. Les variétés d'oiseaux sont abondantes, et en général, identiques à celles rencontrées en Europe occidentale. Dans les régions de l'est, plus aquatiques, on observe une assez bonne représentation d'oiseaux aquatiques, canards, hérons, cormorans ou cygnes. L'hiver, des colonies de canards se réfugient dans les parcs des villes où les habitants font quotidiennement la distribution de pain pour les nourrir. Les cigognes, à l'arrivée du beau temps, sont très présentes en Pologne. Les nids sont préservés et entretenus afin de garantir leur retour.

Les reptiles sont pratiquement absents du paysage de la faune polonaise. On y trouve tout de même des vipères et des couleuvres.

Le tarpan

Ce cheval des plateaux, de petite taille, n'existe plus depuis la fin du XIXe siècle. Il s'agissait d'un animal sauvage qui vivait dans les steppes de l'Europe du Sud-Est et les régions autour de la Caspienne (tarpan des Steppes) ou dans les forêts d'Europe occidentale et centrale (tarpan forestier). Ces derniers étaient présents dans les forêts de Lituanie et de Pologne. On le considère, avec le cheval de Prjevalki, comme l'ancêtre des races nobles, dites légères ou à sang chaud.

Les Polonais ont reconstitué une race de poney qui lui ressemble à partir du konik et du huçul (descendants du tarpan), qui possède certainement du sang tarpan.

Mais, à la différence de ce dernier, le konik est un animal domestique. Pour reconstituer la race, le gouvernement polonais a rassemblé tous les chevaux dotés des caractères du tarpan, transportés dans les forêts de Popielno (Mazurie, près du lac Śniardwy) et de Białowieża (est de la Pologne).

Histoire

Les origines de la nation polonaise

D'après les fouilles archéologiques, on sait que les premiers habitants du territoire de la Pologne actuelle remontent au paléolithique, mais les informations concernant ces premiers Polonais sont assez confuses et ne nous renseignent guère. Par contre, il reste des traces intéressantes des habitants de la période néolithique, depuis le Ve millénaire avant J.-C. On sait que la Pologne fut alors peuplée d'agriculteurs qui se sédentarisèrent et créèrent les premières voies de communication à travers les forêts. Pendant une période d'environ 5 000 ans, des peuples sont venus de tous les coins de l'Europe pour s'installer dans cette grande plaine boisée, sans qu'aucune unité ne soit faite entre les différentes ethnies.

Il a fallu attendre le premier millénaire de notre ère pour que les Slaves, venus du Sud, ne viennent s'installer dans le Nord-Ouest du pays, aujourd'hui appelé Grande-Pologne, et de là dans les différentes régions du pays. Selon la légende, un des chefs slaves, Piast, de la tribu des Polanes parvint à unifier les tribus slaves, créant ainsi la nation polonaise au Xe siècle. Cependant, on attribue la véritable naissance de la Pologne à la conversion au christianisme du descendant de Piast, le duc Mieszko Ier.

Cracovie, colline de Wawel, château royal

Les Piast et les Jagellon (966-1572)

Le duc Mieszko Ier fut à partir de 966 le premier véritable souverain de Pologne. Au départ de la région de Grande-Pologne actuelle, avec Gniezno comme capitale, il conquit pendant son règne la Poméranie, la Silésie et la Petite-Pologne. A sa mort, en 992, le territoire polonais ressemblait à celui d'aujourd'hui, et la plupart des grandes villes, à l'exception de Varsovie, existaient déjà. Son fils Boleslas le Vaillant (Bolesław Chrobry, 992-1025) agrandit encore le territoire, et fut sacré premier roi de Pologne par le pape.

Au XIe siècle, la capitale fut transférée à Cracovie, et la Pologne connut des quelques décennies de croissance, avant d'être déchirée au XIIesiècle. Le roi Boleslas Bouche-torse (Bolesław Krzywousty, 1085-1138) décida avant sa mort de partager la Pologne entre ses fils. Ce morcellement territorial dura plus de 150 ans et affaiblit le pays. De plus, au Nord, les chevaliers de l'ordre Teutonique créèrent un véritable Etat autour de la mer Baltique, et au Sud les Tatars dévastèrent les régions polonaises lors de grands raids. La réunification du royaume eut lieu au début du XIVe siècle, et Casimir III le Grand (Kazimierz Wielki, 1333-1370) agrandit le pays vers le sud-est (Ukraine actuelle). Casimir III mort sans héritier, la famille des Jagellon prit en 1386 le pouvoir par mariage avec Jadwiga d'Anjou, petite nièce de Casimir III, couronnée reine à Cracovie (1384). Cette dynastie, au pouvoir jusqu'en 1572, signa une alliance avec la Lituanie (traité de Lublin, 1569), agrandissant ainsi le royaume d'une manière impressionnante. Pendant les années de règne des Jagellon, et particulièrement au XVIe siècle, les arts et les sciences se développèrent considérablement en Pologne.

La République (1573-1795)

A la fin du XVIe siècle, après la mort du dernier descendant des Jagellon, les nobles polonais décidèrent d'élire leur roi. Pendant les deux siècles qui suivirent cette période, treize monarques successifs furent choisis pour gouverner le pays, dont quatre seulement d'origine polonaise. Le premier, le Français Henri de Valois, le futur Henri III, s'enfuit au bout d'un an de règne, quand il apprit que la couronne de France pourrait lui revenir (ce qui fut le cas quelques mois plus tard). Son successeur, le prince Stefan Batory de Transylvanie (1576-1586), réussit à résister aux attaques successives d'Ivan le Terrible, et s'entoura du talentueux chancelier Jan Zamoyski. Le règne le plus important de cette période fut celui de Sigmund III Vasa (1587-1632). Ce Suédois catholique tenta de rattacher les deux puissances, mais se heurta aux protestants suédois, et fut déchu de son trône de l'autre côté de la Baltique. Une guerre éclata entre la Pologne et la Suède, et cette dernière parvint à annexer des territoires au bord de la mer Baltique. En revanche, la Pologne conquit dans le même temps des terres à l'est, et le territoire atteignit la superficie d'un million de km², la plus importante de toute son histoire. Pendant son règne, Sigmund III transféra également la capitale de Cracovie à Varsovie. Les XVIIe et XVIIIe siècles furent catastrophiques pour la situation politique de la Pologne. Les invasions se succédèrent et réduisirent la superficie de la Pologne ainsi que la souveraineté du roi, devenu un pantin au service des grandes puissances étrangères : Russie, Autriche et Prusse en tête. Néanmoins, les arts continuèrent de se développer en Pologne à cette époque. Le dernier roi de Pologne, Stanislas Auguste Poniatowski (1764-1795) était un bon roi, bien qu'il fût sous la férule du tsar de Russie.

Les partages

En 1773, après une insurrection populaire contre les Russes – trop présents dans les affaires intérieures du pays –, les trois puissances entourant la Pologne (Russie, Prusse et Autriche) firent le choix de se partager le territoire, exerçant chacun leur autorité dans un tiers du royaume. Le parlement et le roi, devant cette menace étrangère, décidèrent d'engager des mesures libérales et adoptèrent une nouvelle constitution en 1791, la deuxième libérale de l'histoire après celle des Etats-Unis. Les Russes prirent le parti d'écraser cette nouvelle forme de résistance et partagèrent le royaume avec leurs alliés. En 1794, une nouvelle révolte, menée par Tadeusz Kościuszko, un héros qui s'était illustré dans la guerre d'Indépendance américaine, échoua, et la Pologne fut pour la troisième fois partagée, mais cette fois sans aucune forme de souveraineté. Le roi fut déchu de son pouvoir et le pays rayé de la carte. En 1807, pour récompenser une révolte dont

Pour quelle raison un transfert de capitale de Cracovie à Varsovie ?

Sigmund III Waza est à l'origine du transfert de capitale de Cracovie à Varsovie. C'est pourquoi sa statue s'élève devant le château de Varsovie, le monument en colonne (alors que du coup il est beaucoup moins populaire à Cracovie !). Pour quelles raisons ce transfert de capitale ?

Fin XVIe siècle (1596) un grand incendie ravage le Wawel, il faut donc reconstruire le château et quitter les lieux pendant la reconstruction. Sigmund III Waza part donc avec toute sa cour à Varsovie. Et là où le roi s'installe, là est la capitale. Mais il existe aussi une autre raison. En effet la position géographique de Varsovie était beaucoup plus centrale et stratégique, que celle de Cracovie, d'autant plus que la Lituanie était à cette époque polonaise. La ville de Vilnus notamment était alors beaucoup trop éloignée de Cracovie et la Diète s'était déjà installée à Varsovie, afin que tous les députés aient à peu près le même temps de déplacement.

DÉCOUVERTE

il avait tiré profit, Napoléon Ier créa le grand-duché de Varsovie, Etat indépendant et allié de la France. Mais, en 1815, lors du congrès de Vienne, la Pologne fut à nouveau partagée entre les trois grandes puissances voisines, et rayée de la carte jusqu'à la fin de la Première Guerre mondiale.

L'entre-deux-guerres (1918-1939)

Après la Première Guerre mondiale et l'effondrement des empires d'Europe centrale, les vainqueurs décidèrent de recréer une Pologne indépendante. Le territoire fut installé sur une partie de la Russie, une partie de l'Allemagne, et quelques terres du défunt empire austro-hongrois. Le général Józef Piłsudski fut placé à la tête de l'Etat, et s'illustra rapidement en battant la jeune Armée rouge lors de la guerre russo-polonaise de 1919-1920, conquérant ainsi des terres à l'est. Piłsudski, le « de Gaulle polonais », se retira des affaires en 1922.

Chronologie

Les Piast

Le prince Mieszko Ier se convertit au christianisme. Ce geste marque la fondation de l'Etat polonais.

▶ **992 >** mort de Mieszko Ier. Son fils Boleslas Ier le Vaillant (Bolesław Chrobry) est reconnu premier roi de Pologne (992-1025).

▶ **1079 >** martyre du religieux Stanislas de Cracovie.

▶ **1138-1320 >** période de morcellement territorial.

▶ **1226 >** les chevaliers Teutoniques s'introduisent en Pologne.

▶ **1241 >** les Tatars envahissent la Pologne, ainsi qu'une partie de l'Europe orientale.

▶ **1320 >** après une période d'éclatement, Ladislas le Bref (Władysław Łokietek) est reconnu comme roi de Pologne par les autres royaumes européens.

▶ **1333-1370 >** règne de Casimir III le Grand (Kazimierz Wielki), l'un des plus illustres rois de Pologne, dernier roi des Piast.

▶ **1364 >** fondation de l'université de Cracovie (Université Jagellone).

Les Jagellons

▶ **1385 >** union de la Pologne et de la Lituanie par le mariage de Hedwige d'Anjou (Jadwiga), reine de Pologne avec Jagiełło, grand-duc de Lituanie.

▶ **1410 >** les forces polonaises et lituaniennes battent les chevaliers Teutoniques à la bataille de Grunwald (Tannenberg).

▶ **XVIe siècle >** âge d'or de la Pologne et de la Lituanie, avec une stabilité politique qui permet la prospérité économique et l'épanouissement des arts. A cette époque, le royaume compte plus de juifs que tous les autres pays d'Europe réunis.

▶ **1543 >** Copernic publie « Des révolutions des sphères célestes ».

▶ **1569 >** le traité de Lublin renforce l'union avec la Lituanie.

▶ **1572 >** la dynastie Jagellon s'éteint; commence alors une ère de monarchie élective. Le futur roi, Henri III de France, occupera ce poste avant de rentrer à Paris en 1574 pour y régner.

« Rzeczpospolita », République unie de Pologne-Lituanie

▶ **1648-1666 >** période noire marquée par des invasions étrangères.

▶ **1683 >** le roi Jean Sobieski fait le siège de Vienne.

▶ **1700-1723 >** la Pologne est rattachée à la Russie sous le règne du tzar Pierre le Grand.

▶ **1764 >** Stanislas Auguste Poniatowski est élu dernier roi de Pologne-Lituanie grâce à l'appui de Catherine II de Russie.

▶ **1772 >** premier partage de la Pologne entre Russes, Prussiens et Autrichiens, qui amputent le pays d'un tiers de sa superficie.

▶ **1791 >** constitution signée le 3 mai par les patriotes qui restaurent la monarchie héréditaire et réforment le système politique.

▶ **1792 >** la Confédération de Targowica appelle à l'intervention étrangère. Deuxième partage de la Pologne.

▶ **1794 >** rébellion contre l'étranger menée par Tadeusz Kościuszko.

▶ **1795 >** troisième partage de la Pologne entre Russes, Prussiens et Autrichiens.

Les partages

▶ **1807-1815 >** Grand Duché de Varsovie établi par Napoléon Ier. Occupation russe à partir de 1813.

▶ **1815-1864 >** royaume du Congrès.

▶ **1820-1855 >** ère du romantisme de la culture polonaise avec Mickiewicz et Chopin.

▶ **1830-1831 >** révolte de novembre contre l'occupant russe qui échoue.

▶ **1863-1864 >** insurrection de janvier dans les zones occupées par les Russes.

La Première Guerre mondiale

▶ **1914-1918 >** Première Guerre mondiale, la Pologne est à nouveau indépendante et récupère des territoires sur ses trois voisins pour créer la IIe République, dirigée par Józef Piłsudski jusqu'en 1922.

1919-1921 > guerre contre la Russie soviétique. Les Polonais récupèrent des territoires autrefois perdus.

1926 > Józef Piłsudski revient au pouvoir et établit le gouvernement Sanacja qui dirigera le pays jusqu'en 1939.

La Seconde Guerre mondiale

1939 > le 1er septembre, la Seconde Guerre mondiale commence avec l'attaque allemande en Pologne. Les forces armées polonaises sont battues et le gouvernement du général Sikorski se réfugie à Londres.

1940-1941 > l'URSS incarcère un million et demi de Polonais dans des camps de travail.

1941-1944 > toute la Pologne est sous domination allemande. Les mouvements de résistance s'activent, mais la Pologne est le pays le plus sévèrement touché par l'holocauste.

1943 > la découverte du massacre de Katyń cause la rupture entre l'URSS et le gouvernement polonais en exil.

1er août 1944 > l'insurrection de Varsovie, sans soutien soviétique, est un véritable massacre. Hitler ordonne de raser la ville.

1945 > l'Armée rouge occupe la Pologne et établit un gouvernement de coalition dominé par les communistes.

Le régime communiste

1947 > après les élections, les communistes consolident leur position de parti unique.

1947-1949 > soviétisation de l'économie polonaise, nationalisation de l'industrie et des affaires, critiques des organisations religieuses et emprisonnement des leaders de l'opposition.

1948-1956 > la période stalinienne est dure pour la Pologne. La Constitution est copiée sur celle de l'URSS, l'agriculture collectivisée.

1955 > signature du pacte de Varsovie dans la capitale polonaise, qui établit une alliance militaire entre tous les pays du bloc communiste.

1956 > les manifestations de Poznań sont réprimées et 76 personnes trouvent la mort. Władysław Gomułka est désigné à la tête du pays. Il annonce des réformes de libéralisation du système.

1970 > l'inflation provoque des émeutes réprimées à Gdańsk. Gomułka démissionne.

1970-1980 > Edward Gierek est à la tête du Parti communiste. Sa politique restrictive ne fait qu'intensifier les grèves et les manifestations, dont certaines sont sévèrement réprimées.

1978 > Karol Wojtyła est élu pape et prend le nom de Jean-Paul II.

1979 > visite du pape Jean-Paul II en Pologne.

Solidarité, Solidarność

1980 > manifestations dans le chantier naval de Gdańsk, signature des accords de Gdańsk avec le pouvoir qui permettent aux ouvriers du chantier naval de s'organiser autour du syndicat Solidarność, présidé par Lech Wałęsa.

1980-1981 > Solidarność (Solidarité) existe légalement, et conteste le pouvoir communiste.

1981 > le général Wojciech Jaruzelski prend la tête du parti communiste, déclare l'état de guerre et instaure la loi martiale, et emprisonne les leaders de Solidarité, Lech Wałęsa en tête.

Varsovie, monument aux déportés

1983 > Lech Wałęsa reçoit le prix Nobel de la paix.

1984 > le père Jerzy Popiełuszko, favorable à Solidarité, est assassiné par la police politique.

1985-1988 > période de libéralisation graduelle qui correspond à l'avènement de Mikhaïl Gorbatchev en URSS.

Chute du communisme et IIIe République

1988 > les manifestations et les grèves poussent Jaruzelski à discuter avec l'opposition.

1989 > la Table ronde permet de répartir le pouvoir entre les communistes et Solidarité, qui remporte tous les sièges aux élections législatives.

Août 1989 > Tadeusz Mazowiecki, Premier ministre de l'ère postcommuniste, forme un gouvernement de coalition.

Décembre 1990 > Lech Wałęsa est élu président de la République au suffrage universel, le premier de l'ère postcommuniste. Naissance de la IIIe République.

28-29 avril 1991 > rencontre tripartite des ministres des Affaires étrangères polonais, allemand et français pour créer les accords du Triangle de Weimar.

Juillet 1991 > le pacte de Varsovie est dissous. Le Comecon suit de peu.

Août 1991 > coup d'Etat manqué en URSS.

Octobre 1991 > après les élections législatives, Jan Olszewski est choisi comme Premier ministre.

Décembre 1991 > l'URSS n'existe officiellement plus.

Février 1992 > loi anti-avortement votée par le parlement.

Mai 1992 > accords signés sur le retour des soldats russes stationnés en Pologne.

Décembre 1995 > Lech Wałęsa est battu aux élections présidentielles, remplacé par Aleksander Kwaśniewski.

1996 > la Pologne est admise au sein de l'OCDE.

Octobre 1997 > nouvelle constitution démocratique adoptée après les élections de septembre.

Janvier 1998 > abolition de la peine de mort.

21 février 1998 > sommet du Triangle de Weimar, à Poznań avec les chefs d'Etat et de gouvernement (Messieurs Chirac, Kohl et Kwaśniewski).

12 mars 1999 > adhésion de la Pologne à l'OTAN.

8 octobre 2000 > Aleksander Kwaśniewski est réélu, pour un deuxième mandat de 5 ans, dès le premier tour, avec 53,90 % des voix.

2000 > Cracovie est désignée comme capitale culturelle de l'Europe.

Histoire récente

13 décembre 2002 > confirmation de l'adhésion de la Pologne à l'UE le 1er mai 2004.

7-8 juin 2003 > référendum proposé aux Polonais pour voter l'entrée du pays dans l'UE (77,45 % ont voté pour l'élargissement).

9 mai 2003 > sommet du Triangle de Weimar à Wroclaw en Pologne (Jacques Chirac, Aleksander Kwaśniewski et Gerhard Schroeder).

1er mai 2004 > entrée de la Pologne dans l'Union européenne.

27 janvier 2005 > 60e anniversaire de la libération d'Auschwitz, qui a réuni 10 000 personnes, dont une vingtaine de hauts dirigeants et, sans doute pour la dernière fois, les anciens prisonniers du camp et les soldats de l'Armée rouge qui les ont libérés.

2 avril 2005 > décès du pape Jean-Paul II. La nouvelle de sa mort provoque une émotion considérable en Pologne et dans le monde entier.

25 septembre 2005 > élections législatives en Pologne. La victoire de PiS, un parti de droite.

9 et 23 octobre 2005 > élections présidentielles. La victoire de Lech Kaczyński, candidat de PiS (voir rubrique « Politique »).

5 décembre 2006 > sommet du Triangle de Weimar à Mettlach en Allemagne (Jacques Chirac, Lech Kaczyński et Angela Merkel).

Un régime parlementaire instable (du type IV° République) s'instaura. En 1926, Piłsudski revint à la tête de l'Etat. Cette figure emblématique, qui garda le pouvoir jusqu'à sa mort en 1935, symbolise la Pologne de cette période, patriote et fière, mais instable et trop hostile à ses voisins. En effet, la Pologne signa dans les années 1930 quelques traités de non-agression avec l'Allemagne et l'URSS, mais sans trop y croire, et se tourna finalement vers le vieil allié français et la puissante Angleterre.

La Seconde Guerre mondiale (1939-1945)

Si ce conflit a été terrible pour l'ensemble de l'Europe, il fut véritablement tragique pour la Pologne. Le 1er septembre 1939, les premiers combats de la Seconde Guerre mondiale se déroulèrent en Pologne, attaquée conjointement par l'Allemagne à l'ouest et l'URSS à l'est, le lendemain du fameux Pacte d'acier conclu par Hitler et Staline. Après un mois de résistance héroïque mais désespérée, la Pologne capitula, et fut coupée en trois. L'Ouest fut annexé par l'Allemagne, l'Est par l'URSS ; au centre, les Allemands créèrent un petit Etat fantoche Generalne Gubernatorstwo (sous leur domination), avec Cracovie comme capitale. A côté de ça, les alliés français et anglais déclarèrent la guerre à l'Allemagne, mais sans intervenir. Pendant deux ans, les Soviétiques déportèrent une partie de la population dans les terres arctiques ou sibériennes, et massacrèrent dans la forêt de Katyń (Biélorussie) des dizaines de milliers d'intellectuels et officiers supérieurs polonais au printemps 1940 (le crime ne sera admis par l'URSS qu'en 1990, les autorités soviétiques en ayant fait porter la responsabilité aux Allemands pendant 50 ans). Avec l'attaque de l'URSS par Hitler en 1941, toute la Pologne fut placée sous domination allemande, et ce jusqu'à la fin de la guerre. Pendant plus de trois ans, les nazis s'organisèrent pour exterminer méthodiquement cette population jugée inférieure. Les camps de la mort se construisirent un peu partout, et les Polonais furent réduits à un état de semi esclavage, certains forcés de travailler en Allemagne, d'autres simplement exterminés. Les juifs, plus nombreux en Pologne que partout ailleurs, furent parqués dans des ghettos avant d'être envoyés dans les camps sans espoir de retour. En 1943, le ghetto de Varsovie se souleva, et l'insurrection fut implacablement réprimée. Après des soulèvements suicidaires de résistants polonais, les Soviétiques « libérèrent » le pays de l'occupation allemande, entrant dans les villes détruites et désertes, avant de foncer vers Berlin. A la fin de la guerre, la Pologne n'était plus qu'un vaste champ de ruines, et le constat des pertes fut épouvantable. Plus de 6 millions de Polonais périrent, soit plus du quart de la population, le ratio le plus important au monde.

Le régime communiste (1945-1989)

Le cas polonais posa problème lors des conférences de 1945 entre les Alliés. Le gouvernement en exil de Sikorski, puis Mikołajczyk à partir de 1943, à Londres, réclama le pouvoir à la suite de la libération du pays en 1945. Les Soviétiques, premiers sur le territoire polonais après le départ des Allemands, installèrent un autre gouvernement créé à Moscou. Les autres alliés – Grande-Bretagne et Etats-Unis en tête – négocièrent, puis cédèrent finalement devant Staline. La Pologne fut alors le lieu d'importants mouvements de population, les frontières ayant été déplacées vers l'ouest. Des élections eurent finalement lieu en 1947, et les scores truqués marquèrent la victoire des communistes et l'accession au pouvoir de Bierut.

Pendant les années qui suivirent, la Pologne entra successivement dans le Comecon et le Pacte de Varsovie, alliances économiques et militaires avec l'URSS et les autres pays communistes d'Europe de l'Est. La domination stalinienne s'exerça jusqu'en 1956, quand d'importantes grèves éclatèrent à Poznań, et furent réprimées dans le sang. Signe de libéralisation, Gomułka fut placé à la tête du parti, et favorisa la religion catholique et les réformes.

Mais progressivement, sa politique fut de plus en plus rigide, et de nouvelles grèves éclatèrent en 1970. Gomułka fut remplacé par Gierek, qui entreprit des réformes économiques inefficaces. En 1980, face aux nouveaux problèmes d'inflation et de crise économique, Kania prit la place de Gierek – mais pour un an seulement –, car pour lutter contre la « subversion » des revendications syndicales de Solidarité (Solidarność), le général Jaruzelski fut placé par le parti à la tête du pays.

Il déclara l'état de guerre et la loi martiale, interdisant les syndicats et les rassemblements publics. Pendant les années qui suivirent, les Polonais jouèrent un rôle essentiel dans la chute du communisme, par les médias et le biais des reconnaissances internationales, comme le prix Nobel de la Paix, attribué à Lech Wałęsa, leader de Solidarité. En 1989, des négociations aboutirent à la création d'élections semi-libres, autorisant l'opposition à siéger au parlement. Lech Wałęsa réussit même à imposer le seul Premier ministre non communiste de toute l'Europe de l'Est. En 1990, le Parti communiste annonçait sa dissolution, et quelques mois plus tard Lech Wałęsa remportait les premières élections complètement libres depuis la Seconde Guerre mondiale, mettant fin à 45 ans de régime communiste.

La vie en Pologne après la chute du communisme (1990-2000)

Comme dans la plupart des pays d'Europe de l'Est, l'apprentissage de la démocratie a été difficile en Pologne. Après l'élection de Lech Wałęsa à la présidence, le pays comptait des centaines de partis politiques dans le pays, dont 29 étaient représentés au parlement. En 1993, pour remettre de l'ordre, Lech Wałęsa a dissous le parlement, et imposé une loi ne donnant accès à des sièges qu'aux partis ayant réalisé un score supérieur à 5 %. A la suite des nouvelles élections, seulement sept partis étaient représentés, mais le parlement n'était plus aussi représentatif des aspirations populaires. Les néocommunistes, crédités de 35 % des suffrages, héritèrent de 65 % des sièges. En 1995, les élections présidentielles marquèrent la défaite de Lech Wałęsa face au représentant néo-communiste Aleksander Kwaśniewski.

Le peuple reprochait entre autres à son président d'imposer trop sévèrement le pouvoir de l'Eglise dans la vie publique, avec le catéchisme obligatoire dans les écoles et l'interdiction de l'avortement. Depuis, le rythme des privatisations des grandes entreprises du pays a été sensiblement réduit, principalement parce que ces entreprises ne sont pas rentables et n'intéressent guère les capitaux locaux ou étrangers. Certains ont cru à un retour de l'ancien régime, mais finalement il n'en est rien.

Le gouvernement de Kwaśniewski s'est acharné à endiguer la montée du taux de chômage et l'inflation, véritables fléaux de l'ère Wałęsa. La vie politique en Pologne semble avoir tourné une page, quittant définitivement la politique communiste et renonçant à son cléricalisme abusif.

Depuis la fin des années quatre-vingt-dix, la Pologne cherche à consolider les liens avec les puissances économiques. Cela se traduit par la signature d'accords (le Triangle de Weimar, l'OTAN et maintenant l'UE). Si la perspective de l'UE réjouit de nombreux Polonais qui voient là une chance unique de développement (77,45 % en juin 2003 y étaient favorables), cette entrée suppose de grandes réformes de la vie économique du pays, avec une stabilisation de la monnaie (le zloty) et une compétitivité des entreprises du pays. Un grand nombre de Polonais, notamment dans le monde agricole, reste sceptique quant aux intérêts de cette adhésion.

La vie en Pologne depuis 2000

Ces années 2000 furent pour les Polonais l'occasion d'un bilan de leurs quinze années de démocratie. Et les résultats sont mitigés.

Les Polonais ressentent une certaine dégradation des relations humaines, avec l'entourage, la famille.

Par ailleurs les difficultés sociales, notamment le chômage, les laissent incertains quant à leur avenir. L'arrivée de la société de consommation a engendré une sorte de jalousie permanente de tous ceux qui possèdent plus de biens.

Enfin l'Etat est souvent critiqué, considéré comme un monstre ennemi et le lieu de nombreux scandales et magouilles financières, qui touchent surtout les grandes entreprises d'Etat privatisées, ainsi que la fonction publique et la justice. La crise traversée par la Pologne est donc plutôt morale et politique.

En revanche, ces années de démocratie ont remporté bien des succès comme l'entrée dans l'Union Européenne et dans l'OTAN, dans lesquels les Polonais placent beaucoup d'espoir. Encore au début des années quatre-vingt-dix, des troupes soviétiques stationnaient en Pologne et peu auparavant, l'économie polonaise était dirigée par le Comecon.

Aujourd'hui OTAN et UE permettent à la Pologne de participer librement aux échanges économiques, intellectuels, culturels et scientifiques dans « la cour des grands », à l'échelle internationale. Et son économie se porte plutôt bien (voir chapitre « Economie »). Enfin ces quinze dernières années ont marqué le début d'une liberté, affirmée,

© S. NICOLAS

Wrocław, place du marché

celle notamment de la liberté de presse et de parole, ou encore celle de pouvoir voyager à l'étranger. Il y a quinze ans, les écrans de télévision diffusaient des programmes en noir et blanc, sur deux chaînes, étroitement surveillées.

L'unique propriétaire de la presse et des maisons d'édition était le parti communiste. Aujourd'hui il existe des chaînes publiques mais aussi de nombreuses chaînes privées ou régionales. La qualité des programmes est d'ailleurs bien souvent supérieure à la plupart des pays européens occidentaux. Des centaines de périodiques et de maisons d'édition privées se sont également développés.

Le bilan est donc positif et la réalité est sans comparaison avec celle de la Pologne communiste, même si elle n'atteint pas celle dont les Polonais avaient rêvé.

2004, l'entrée dans l'Union européenne

La Pologne a fêté son entrée dans l'Union européenne, le 1er mai 2004, accompagnée de 9 de ses voisins d'Europe centrale. Interprétée comme un événement majeur de l'histoire du pays, l'adhésion est accueillie favorablement par la majorité des Polonais et des partis politiques, à l'exception du Parti ultra-catholique LPR et du Parti populiste Autodéfense.

Les Polonais ont mis immédiatement à profit les nouvelles opportunités créées par l'intégration communautaire, telles que la possibilité de travailler, notamment en Angleterre, Irlande et Suède, les facilités de voyager avec la suppression partielle des contrôles à la frontière et l'importation massive de voitures d'occasion à bon marché. Par ailleurs les entreprises ont fortement augmenté leurs exportations à destination du marché unique. Au lieu de devenir un « contributeur net » au budget de l'Union, la Pologne est bénéficiaire, fin 2004, grâce notamment à une très bonne absorption des fonds structurels et des aides agricoles. Même si la population a ressenti certaines conséquences néfastes, comme la hausse des prix de produits alimentaires de base, l'intégration européenne jouit toujours d'un appui ferme de la majorité des Polonais.

La Pologne aujourd'hui

Après les élections législatives en 2005, les acteurs sur la scène politique polonaise changent de rôles : les ex-communistes (SLD) qui ont été au pouvoir jusqu'en 2005 passent à l'opposition avec PO, un Parti de centre-droite. PiS, le parti vainqueur, crée une coalition avec Autodéfense et LPR (voir rubrique « Politique »). Lech Kaczyński, ancien maire de Varsovie, devient le président de l'État et son frère jumeau – le chef du gouvernement. La Pologne jouit d'une croissance économique considérable (5,5 % en 2006) et de l'abaissement du taux de chômage. Le pays bénéficie pleinement des fonds structuraux pour rattraper le passé.

Politique
et économie

POLITIQUE

La Pologne est une république parlementaire.

Le chef de l'Etat est le président de la République. Il est élu au suffrage universel pour 5 ans. Le président désigne le Premier ministre, nomme le Premier président de la Cour suprême, le président de la Haute Cour administrative, le président et le vice-président du Tribunal constitutionnel, le chef d'état-major et les chefs des différents corps d'armée.

Le Premier ministre propose son gouvernement à la Diète (Sejm, chambre basse). La Diète est composée de 460 députés et le Sénat (Senat, chambre haute) de 100 sénateurs, élus pour 4 ans.

Selon la Constitution votée par les deux chambres du Parlement, le régime repose sur le partage et l'équilibre du pouvoir législatif (la Diète et le Sénat), exécutif (le président et le gouvernement) et judiciaire (les cours et les tribunaux). Le système politique en Pologne s'appuie sur le système des partis (dans les élections, les candidats soutenus par un parti politique important ont le plus de chances d'être élus).

Partis politiques

La chute du communisme a entraîné un changement de système des partis : le Parti ouvrier unifié polonais (POUP), le seul groupement de ce type dans les années communistes, a cédé sa place au pluralisme politique.

Pendant un certain temps, ceux qui ont été liés à Solidarité différenciaient nettement des partis post-communistes. Mais au fur et à mesure, cette division diminuait et s'approchait aux modèles internationaux.

A nos jours, il n'existe pas de vrai partage entre gauche, droite et centre : des conceptions sociales hardies peuvent coexister avec des idées de l'économie libérale, et des partis de droite ajoutent des déclarations sociales-démocrates à leurs programmes économiques.

Les principaux partis sur la scène politique d'aujourd'hui sont :

▶ **PiS – Prawo i Sprawiedliwość (le Droit et la Justice).** Parti de droite actuellement au pouvoir ; issu du mouvement de Solidarité (Solidarność) ; préconise un ordre social traditionnel, un Etat fort, le marché libre, la lutte contre la corruption. De ce parti proviennent le président de l'Etat Lech Kaczyński et le Premier ministre Jarosław Kaczyński.

▶ **PO – Platforma Obywatelska (Plate-forme citoyenne).** Parti de centre-droite, très libéral, issu de l'ancienne Union de la Liberté (Congrès libéral-démocrate) et de l'Action électorale de Solidarité (Solidarność). Son but est de représenter des gens d'affaires, il préconise une économie de marché attachée aux droits de la concurrence. Après les dernières élections législatives, il forme une opposition politique.

▶ **SLD – Sojusz Lewicy Demokratycznej (Alliance de gauche démocratique).** Parti de gauche, issu de l'ex-communiste, ouvert aux idées libérales et modernes. Au pouvoir jusqu'à 2005, après les dernières élections législatives, il forme une opposition politique.

▶ **Samoobrona RP – Autodéfense de la République polonaise.** Parti d'extrême-droite, inconsidérée comme populiste, représentant surtout des déçus des changements sociopolitiques et économiques après 1989 (habitants de compagne, chômeurs etc.). Actuellement en coalition gouvernementale.

▶ **PSL – Polskie Stronnictwo Ludowe (Parti populaire polonais).** Parti paysan moderne se situant au centre ; il représente des intérêts d'agriculteurs, des traditions des partis paysans et du mouvement populaire d'avant la Seconde Guerre mondiale.

▶ **LPR – Liga Polskich Rodzin (Ligue des familles polonaises).** Parti d'extrême-droite, nationaliste. Avant 2004, LPR s'opposait à l'intégration de la Pologne à l'Union européenne. Le parti défend des valeurs traditionnelles (famille, patriotisme, liberté et propriété). Actuellement en coalition gouvernementale.

Tendances nationales

Les résultats des élections montrent bien des anciens partages de la Pologne : l'Est (autrefois sous la domination russe) vote plutôt pour les valeurs traditionnelles et c'est PiS qui y gagne des élections. L'Ouest de la Pologne (sous la domination de l'Allemagne avant les deux guerres) choisit en majorité des idées libérales, modernes et c'est PO qui y est vainqueur. L'électorat dans les grandes villes vote aussi en majorité pour ce dernier parti. Durant la dernière élection des autorités locales (octobre 2006), on a pu voir que SLD vivait une renaissance, par contre Autodéfense et LPR perdait une grande partie de leur électorat à cause de leurs programmes trop radicaux. La scène politique en Pologne devient donc de plus en plus claire…

Défis et problèmes actuels

Le gouvernement doit faire face aux problèmes importants : après l'entrée en Europe trop de jeunes partent chercher du travail à l'étranger. Comment les faire arrêter en Pologne ? Qu'est-ce qui se passera quand trop de médecins et d'infirmières quitteront le pays ? D'autres problèmes ce sont : protection de l'environnement, amélioration des infrastructures, abaissent des impôts et du taux de chômage etc.

Les grandes figures du pays

▌ **Józef Antoni Poniatowski (1763-1813).** Descendant du dernier roi de Pologne, ce général polonais combattit aux côtés de Napoléon Ier pour l'indépendance de son pays. Il fut nommé « maréchal d'Empire ». Poniatowski symbolise l'alliance entre la France et la Pologne, qui a fait trembler l'Europe pendant des années, avant que les voisins hostiles ne viennent se partager le territoire polonais, faisant de ses habitants les simples otages d'un pouvoir étranger. Citation de Napoléon sur Józef Poniatowski : « *C'était un homme d'un noble caractère, rempli d'honneur et de bravoure. Je me proposais de le faire roi de Pologne si j'avais réussi en Russie* ».

▌ **Józef Piłsudski (1867-1935).** Homme politique, fondateur du parti socialiste polonais, chef d'Etat de 1919 à 1922 et de 1926 à 1935, figure emblématique de l'indépendance nationale, le « de Gaulle polonais ». Dans toutes les villes de Pologne on trouve des références à ce véritable mythe national, adoré de certains, critiqué par d'autres – qui lui attribuent l'origine du désastre de la Seconde Guerre mondiale –, sous la forme de nom de grandes artères ou de statues le représentant fièrement. Il symbolise surtout la victoire contre l'ennemi de toujours, la Russie.

▌ **Michel Poniatowski (1922-2002).** Homme politique français d'origine polonaise, ministre de l'Intérieur sous Giscard d'Estaing, de 1974 à 1977, descendant de Josef Poniatowski. Sa position politique, parfois critiquée, ressemble à celle de Charles Pasqua, son successeur au même poste quelques années plus tard.

▌ **Henri Krasucki (1924-2003).** Syndicaliste français né en Pologne, secrétaire général de la CGT de 1982 à 1992 en France, ce syndicaliste communiste au vécu impressionnant (résistant pendant le guerre, il fut fait prisonnier dans les camps de la mort) s'est distingué avec Lech Wałęsa à la même époque, tous deux s'exprimant par la manifestation, mais dans des camps différents.

Les femmes en politique

La Pologne, où la femme a acquis le droit de vote en 1918, compte peu de présence féminine dans ses partis et encore moins au Parlement (environ 20 %). Aussi, peu de programmes se penchent sur les préoccupations des électrices. A ce sujet, la scène politique polonaise est divisée. Les partis de droite, comme la Ligue des familles polonaises (LPR), le Droit et la Justice (PiS) et le Parti populaire polonais (PSL) n'ont aucune femme dans leur direction, alors que les partis de gauche comptent une participation féminine assez importante.
Avant les élections de 2001, l'Alliance de gauche démocratique (SLD) et Union pour le travail (UP) ont même mis en place un système de parité dans les listes électorales, qui réserve un tiers des places aux femmes. En décembre 2006 une femme écrivain a fondé le Parti des femmes, une formation politique dont le dessein est de lutter contre la discrimination des femmes.

ÉCONOMIE

Depuis le début des années quatre-vingt-dix, la Pologne suit les principes de l'économie de marché, axée sur la privatisation et la restructuration. Le niveau de vie a progressé dans l'ensemble, et les Polonais ont aujourd'hui accès à tous les produits que la mondialisation leur offre. Il n'y a plus de files d'attente devant les magasins d'alimentation, on trouve de tout partout.

Toutefois cette évolution ne s'est pas effectuée sans heurt et la Pologne a connu une crise économique. Les écarts sociaux, pratiquement inexistants jusque dans les années quatre-vingts, se sont largement creusés, même si une classe moyenne commence à émerger. Toutefois, la pauvreté reste présente, surtout dans les régions les plus touchées par le chômage.

Crise des campagnes et de l'agriculture

Le chômage frappe surtout Ouest et le Nord, des régions attribuées à la Pologne au lendemain de la Seconde Guerre mondiale. Repeuplées après l'expulsion des Allemands par des Polonais venus de la partie orientale de la Pologne (annexée à l'URSS), le déracinement s'y conjugue à la misère matérielle, causée par la faillite des exploitations agricoles d'Etat, très nombreuses dans ces régions. Ces anciennes fermes d'Etat, appelées « PGR » en polonais et « kolkhoze » en russe, sont désormais une niche de pauvreté. A la chute du communisme, ces exploitations ont été fermées brutalement, bêtes, terres et équipement vendus soudainement, laissant les agriculteurs sans aucun bien ni qualification. La fin soudaine de cette bulle collectiviste et protectrice a engendré un traumatisme incurable. Par ailleurs les aptitudes que requiert la nouvelle économie de marché, comme le sens de l'initiative ou la capacité d'adaptation, n'ont jamais fait partie de leur univers. Bon nombre de ces campagnes connaissent des taux de chômage qui dépassent les 90 %, la faim et l'isolement.

La Pologne est un pays essentiellement agricole, mais encore peu modernisé. Capable de produire de la nourriture saine sur un sol non contaminé, la Pologne est consciente de son retard sur l'Europe, avec ses charrettes en bois et autres procédés agricoles anciens. Les paysans polonais (un actif sur cinq) seront les principaux bénéficiaires de l'adhésion à l'Union européenne, qui devrait les subventionner largement.

Émergence de cités

Apparaissent des difficultés non seulement en milieu rural, mais aussi au sein des banlieues émergeantes. Les exclus deviennent de plus en plus nombreux, entre 16 % et 18 % de la population aujourd'hui, et se regroupent dans des ghettos en périphérie des grandes villes : Gorce et Targówek à Varsovie, Bałuty et Widzew à Łódź, Wilda à Poznań, Nowa Huta à Cracovie. Bien souvent ce sont les grands sites industriels, qui suite à leur faillite, ont laissé place à des cités dortoirs, enclaves de pauvreté et de violence.

Ce qui caractérise les grandes villes polonaises, c'est l'augmentation des prix de l'immobilier qui a augmenté en moyenne de 50 % en 2006. Varsovie fait partie des capitales les plus chères au monde. Des experts essaient de prévoir l'avenir sur le marché immobilier : les prix galopent pour atteindre le niveau européen, mais comme la demande est toujours plus grande que l'offre, ils ne s'arrêteront pas.

Investissements

Depuis le début de sa transition démocratique, la Pologne a attiré massivement les investissements étrangers : plus de 72 milliards de dollars. La France est un des

Mazovie, travaux agricoles

plus importants investisseurs en Pologne, avec les Pays-Bas, les Etats-Unis et l'Allemagne. Les états européens représentent les trois quarts des investissements étrangers en Pologne. Mais récemment, on parle beaucoup de l'ouverture vers l'Orient : l'entreprise coréenne LG a investi dans l'agglomération de Wrocław.

Entrée dans l'Union européenne

Certains Polonais s'interrogeaient sur les risques de l'entrée dans l'Union européenne, surtout au niveau de la hausse des prix, notamment dans le secteur agricole. Mais l'entrée de la Pologne dans l'Union européenne le 1er mai 2004 semble plutôt avoir relancé l'économie de la Pologne ainsi que la consommation, et renforcé le zloty.
Les voïvodies polonaises bénéficient des fonds structurels régionaux pour augmenter leur attractivité par rapport aux régions de l'Europe occidentale. Quant aux citoyens, ils apprécient de plus en plus le fait d'entrée de leur pays dans l'UE (y compris des agriculteurs qui encore il y a quelques années en ont été d'ardents opposants).

Situation actuelle

Selon des données préliminaires de l'Office des statistiques (GUS), la croissance du PIB polonais s'est élevée en 2006 à 5,5 % (3,2 % en 2005). Un très bon chiffre, sans doute l'un des plus dynamiques d'Europe et le plus élevé en Pologne depuis 9 ans. Si les exportations restent stables, l'évolution du taux de change favorise les produits importés alors que les exportateurs souffrent d'un zloty jugé trop fort.

La croissance s'accompagne malheureusement d'une régression salariale et d'un fort taux de chômage, qui s'établissait en juin 2006 à 15,9 % (17,7 % en 2005). Bien qu'on observe l'abaissement du taux de chômage par rapport aux années précédentes, il est toujours élevé en comparaison à la moyenne européenne qui se stabilise autour de 9 %. En Pologne une femme sur cinq reste sans occupation professionnelle, contre une sur dix au sein de l'Union européenne. Le chômage est le plus grand dans les voïvodies : Warmie et Mazurie (23,6 %), Poméranie occidentale (21,5 %), Pays de Lubusz (20 %), Kujavie (19,4 %). Le taux de chômage est le plus faible dans les voïvodies : Petite-Pologne (11,6 %), Grande-Pologne (12,1 %) et Mazovie (12,2 %).

Secteurs économiques

La structure de l'économie polonaise a beaucoup évolué après la chute du communisme.
On observe une augmentation de l'importance du secteur tertiaire et une diminution du rôle de l'industrie, bien que cette dernière soit génératrice de près d'un quart de la valeur ajoutée du PIB polonais. Simultanément, des branches modernes de l'industrie (nouvelles technologies) se développent avec dynamisme.
Beaucoup d'entreprises polonaises se spécialisent dans la production d'objets métalliques, de vêtements et fourrures, de mobilier, de bois et de produits du bois. L'agriculture est également un secteur non négligeable qui pèse son poids dans l'économie du pays.

Religion

La religion est omniprésente en Pologne. Presque tous les Polonais sont catholiques pratiquants. La vie et surtout les fêtes nationales sont rythmées par le calendrier religieux et chaque fête s'accompagne de traditions, rite et manifestations de grande ampleur. C'est le cas notamment pour Pâques, la Toussaint et Noël. Częstochowa et Licheń, hauts lieux de pèlerinage, attirent chaque année des milliers de fervents pèlerins. Dans la vie quotidienne, il n'est pas rare de voir quelques signes de cette croyance. Par exemple, il existe une coutume qui consiste, en passant devant les églises, pour les hommes à soulever leur casquette ou chapeau et pour les femmes à se signer.

Les églises en Pologne

En Pologne, il existe environ 130 églises ou associations confessionnelles officiellement enregistrées. La plus grande est l'Eglise catholique avec plus de 35 millions de fidèles,

10 000 paroisses, 28 000 clercs. La Pologne est divisée en 40 diocèses, 13 métropoles latines et 1 ukraino-byzantine. Le président de l'Episcopat polonais (autorité ecclésiastique) est le primat de Pologne, le cardinal Józef Glemp. Chaque diocèse a son évêque ou archevêque. De nombreuses organisations de l'Eglise (par exemple les Missions catholiques polonaises ou Caritas Polska) aident les pauvres dans le pays et à l'étranger. En voyageant à travers la Pologne, vous verrez beaucoup d'abbayes ou d'ordres – aussi bien masculins que féminins – parmi lesquels : franciscains, jésuites, dominicains, communauté de Saint-Michel-Archange, salésiens, rédemptoristes, religieuses de l'ordre de Sainte-Elisabeth et sœurs de la Charité. Outre l'Eglise catholique, il y a encore en Pologne d'autres grandes églises chrétiennes et plusieurs groupements religieux de moindre importance. La seconde église, relativement au nombre de fidèles,

Les traditions pascales en Pologne

Pâques en Pologne revêt une réelle importance puisqu'elle est LA fête religieuse de l'année. Des traditions et coutumes accompagnent cet événement, du samedi saint ou lundi de Pâques.

▌ **Le samedi saint,** les Polonais vont faire bénir dans les églises un petit panier ; celui-ci, garni d'un linge blanc ou de dentelle, contient les symboles du repas de Pâques. Des saucisses, qui assurent de ne pas manquer de nourriture lors de l'année à venir et apportent la fertilité, des œufs peints en rouge, symbole de la fertilité du Christ, du pain et du sel pour être en bonne santé. De retour à la maison, les familles partagent les aliments bénis et échangent les vœux de Pâques. Autre rite qui marque la fin du Carême, des harengs sont pendus dans les arbres et la soupière est brisée.

▌ **Le dimanche de Pâques,** un festin commence tôt le matin pour s'achever tard dans la nuit. Des plats traditionnels nombreux et généreux se succèdent. Une des spécialités est le Mazurek, une pâtisserie ornée de fruits secs, confits et fleurs en pâte d'amande, disposés en figures géométriques tels les motifs d'un tapis oriental.

▌ **Le lundi de Pâques,** garçons et filles s'arrosent mutuellement avec des pistolets à eau voire des baquets ! Cette coutume célèbre la commémoration de la naissance du christianisme en Pologne, en 966 av. J.-C., lorsque le prince Mieszko reçu le baptême un lundi de Pâques, unifiant la Pologne sous la bannière du christianisme.

▌ **Le dimanche des Rameaux,** dans le petit village de Lipnica Morowana, non loin de Cracovie, il est de tradition de rivaliser de talent dans la fabrication de grandes tresses de roseaux décorées de fleurs artificielles. Le spectacle est gai, coloré et étonnant puisque certaines tresses atteignent jusqu'à 25 m de hauteur. Attention le concours a lieu tôt le matin et il est très fréquenté. Lipnica Morowana vaut aussi le détour pour son architecture pittoresque et son église en bois du XVe siècle.

Pour les visiteurs en voyage en Pologne à cette période, ne manquez pas le samedi de Pâques, où les églises sont toutes ouvertes, continuellement bondées de monde et de joie. Le dimanche contraste avec des rues désertes et le lundi offre une ambiance bonne enfant.

est l'Eglise orthodoxe autocéphale polonaise (environ 550 000 croyants) et la troisième – protestante (environ 112 000 fidèles), divisée en plusieurs groupements (Eglise évangélique de la confession d'Augsbourg, Eglise pentecôtiste, Eglise adventiste du septième jour). Les autres associations confessionnelles sont moins nombreuses : une Eglise Vieille-Catholique qui ne sont pas liées à l'Eglise catholique romaine (Eglise mariavite et Eglise polonaise), l'Association des Témoins de Jéhova, l'Association confessionnelle musulmane, l'Association des Communes confessionnelles juives, l'Association internationale pour la Conscience de Krishna et l'Association bouddhiste.

Les fêtes religieuses les plus importantes en Pologne

▶ **Pâques** (fin mars - début avril).
▶ **Fête-Dieu** (juin).
▶ **Assomption** (15 août).
▶ **Toussaint** (1er novembre).
▶ **Noël** (25 et 26 décembre).

Le rôle de l'Église

Les Polonais sont très religieux de par l'histoire de la nation. Celle-ci commence en effet en 966, date de l'adoption du christianisme par le prince des Polanes Mieszko Ier. L'état polonais s'est construit entre autres suite à la diffusion du christianisme. L'Eglise a toujours soutenu l'indépendance du pays, ce qui a été très important lors de la période des partages (1795-1918), pendant la Seconde Guerre mondiale et au cours des années du communisme. Après que Karol Wojtyła a été élu pape en 1978, l'Eglise catholique s'est ouvert aux problèmes du monde contemporain. Elle a été un appui pour le peuple et la liberté. Les prêtres aidaient le peuple à survivre en lui donnant de la force et de l'espoir.

Karol Wojtyła (1920-2005)

L'émotion universelle suscitée par la mort en avril 2005 de Jean-Paul II a montré, s'il en était besoin, l'importance de son pontificat pour l'Eglise catholique, pour l'ensemble des chrétiens et, bien au-delà, pour l'humanité tout entière. Pèlerin inlassable, il a effectué tout au long de ses 26 ans de règne plus de 100 voyages à travers le monde, avec une prédilection toute particulière pour les pays du Sud, africains, asiatiques et sud-américains, terreau de l'avenir du catholicisme. Champion incontesté du dialogue interreligieux, il a, au travers de gestes forts (la première visite d'un pape à la synagogue de Rome en 1986, son pèlerinage en Israël et ses prières devant le Mur des Lamentations en 2000, son voyage à Casablanca en 1985), mis fin à plusieurs siècles d'arrogance et de mépris de l'Eglise catholique envers les autres grandes religions monothéistes. Sur le terrain social, l'ancien archevêque de Cracovie s'est placé en première ligne pour exiger une plus grande justice sociale et dénoncer les excès et les dérives du capitalisme libéral. Apôtre de la paix, il a constamment appelé au dialogue, s'opposant notamment à la guerre en Irak. Créateur des Journées Mondiales de la Jeunesse, il a su, malgré des prises de position en matière de moeurs et de sexualité jugées rétrogrades par certains, séduire les jeunes chrétiens de tous les pays, comme aucun de ses prédécesseurs n'avait réussi à le faire, instaurant avec eux un lien affectif très fort. Mais c'est sans conteste la Pologne et le peuple polonais qui est le plus reconnaissant envers Karol Wojtyła, pour l'avoir libéré du joug du totalitarisme communiste et lui avoir redonné fierté et dignité. Nul ne pourra disputer à Jean-Paul II le titre de polonais le plus célèbre du monde et le plus aimé de ses compatriotes. Les « *Santo subito* » scandés par la foule des fidèles, lors de ses funérailles à Rome, laissent présager une canonisation rapide du dernier géant de l'histoire du XXe siècle.

Les grandes figures religieuses

▶ **Stefan Wyszyński (1901-1981).** Archevêque de Gniezno et de Varsovie, cardinal en 1953, incarcéré de 1953 à 1956, il symbolise la résistance ecclésiastique polonaise au pouvoir communiste. Avant Lech Wałęsa, le cardinal Wyszyński était la personnalité la plus célèbre de la résistance au régime communiste, que l'Eglise a toujours combattu.

▶ **Jerzy Popiełuszko (1947-1984).** Prêtre très lié à Solidarność au début des années quatre-vingts, il était le promoteur des « messes pour la Patrie ». Il connaissait une immense popularité dans son pays, incarnant la volonté de résistance du peuple polonais. Enlevé à Varsovie le 19 octobre 1984, par la police politique du régime, son cadavre torturé fut retrouvé dans la Vistule le 30 octobre suivant ; il devient alors un martyr.

DÉCOUVERTE

Mode de vie

Émigration forte

Tout au long de son histoire, la Pologne a connu un taux assez haut d'émigration, souvent pour des raisons politiques ou économiques. En témoigne cette donnée étonnante, la deuxième ville au monde qui recense le plus de Polonais, après Varsovie… est Chicago ! Par ailleurs, un nombre non négligeable de Polonaises émigrent et épousent des étrangers, créant une sorte de diplomatie officieuse.

Depuis l'ouverture de la Pologne, la tendance commence à s'inverser. Même si le rêve d'une vie meilleure à l'étranger persiste, beaucoup de jeunes Polonais pensent aujourd'hui que leur avenir est dans leur pays. Et, certains Polonais partis vivre à l'étranger reviennent en Pologne, retrouver leurs racines dans un pays libre et en développement économique.

Couples libres

Pays catholique soit, mais les jeunes éprouvent un grand besoin de s'exprimer librement. Aussi, les jeunes couples d'aujourd'hui s'affichent sans problème. Les transports en communs offrent le plus grand témoignage du conflit de générations, où les personnes âgées regardent de travers les amoureux qui s'embrassent, sur les genoux l'un de l'autre. Quant au mariage, il reste encore un but extrêmement important, une fin en soi. Il est impossible de ne pas se marier.

Toutefois, dans les grandes villes, les jeunes commencent à accorder davantage d'importance à leurs études et à leur carrière. Rappelons que l'avortement est une pratique

interdite en Pologne. Depuis 1994, l'IVG (interruption volontaire de grossesse), est interdite sauf si la grossesse résulte d'un viol ou d'un inceste. Le cas d'une femme forcée d'accoucher d'un deuxième enfant handicapé, a ému l'opinion publique, mais pas les législateurs, qui continuent de fermer les yeux sur les avortements clandestins.

Nationalisme forcené

Toute l'histoire de la Pologne est marquée par de nombreuses invasions étrangères et le pays en tant que tel ne compte que peu d'années de réelle existence. Pourtant, ou de ce fait, le « nationalisme » polonais est fort. Dans ce cas de figure, le mot nationalisme signifie que, toujours, les Polonais ont su garder coûte que coûte leur identité, malgré les tentatives des pays occupants pour l'annihiler.

Même lorsque la Pologne faisait partie de l'ensemble des pays de l'Est, la population savait maintenir une certaine autonomie et prouvait son refus du régime imposé. Aujourd'hui, face à l'entrée dans l'Union européenne, certains partis politiques utilisent cette image de l'Europe nouveau pays occupant pour dissuader les Polonais d'y être favorables.

« Gość w dom, Bóg w dom » (Recevoir un invité c'est recevoir Dieu)

Selon une vieille tradition polonaise, il faut offrir à son invité tout ce qu'on a de mieux. Les tables chez les Polonais sont donc bien garnies à l'heure de visite. Vous y goûterez des saucisses et de la charcuterie délicieuses (voir « La Pologne en 30 mots-clés »).

Quant aux boissons, la bière devient de plus en plus populaire sur les tables polonaises en remplaçant des alcools forts, et des réceptions sont dominées plutôt par des vins et des cocktails. Les Polonais aiment les toasts – le premier est souvent porté par les hôtes « à la santé des invités » (*Zdrowie gości !*). Ne soyez pas étonnés, si on vous propose du thé pendant la visite. C'est un peu la boisson nationale des Polonais (thé sucré avec du citron). Et le dernier conseil : les Polonais adorent discuter politique, il faut donc être prudent pendant les réceptions…

Kremowka, gâteau à la crème sur génoise

Arts et culture

Les Polonais affectionnent tout particulièrement les sorties culturelles, telles que les expositions d'art, les concerts de *musique (du jazz à la musique classique ou contemporaine), les opéras et pièces de théâtres.*

ARCHITECTURE

Des origines jusqu'à l'époque gothique

Pendant des siècles, les constructions polonaises étaient en bois ou autres matériaux ne résistant pas longtemps aux intempéries. Ainsi, de la période antérieure à la véritable naissance de la nation polonaise (Xe siècle), il ne reste pas grand-chose, sinon le site de Biskupin en Grande-Pologne, seul témoin de la vie primitive dans cette région d'Europe. Pays jeune, la Pologne a assez peu développé l'architecture romane entre le Xe et le XIIIe siècle, et c'est pour cette raison qu'il reste aujourd'hui assez peu d'églises en pierre dans tout le pays. Quant au gothique, il a été largement apprécié des architectes polonais à partir des XIIIe et XIVe siècles. La brique a remplacé la pierre comme matériau le plus utilisé dans les constructions, et les églises ont pour la plupart été construites pendant cette période. De nombreux édifices civils, forteresses ou hôtels de ville, ont été également construits à cette époque, le plus souvent en brique, laissant des traces de l'architecture gothique dans toutes les villes et les campagnes de Pologne.

Beaucoup d'architectes furent des artistes anonymes. C'est à cette époque que les bâtiments des centres de Varsovie, Cracovie, Gdańsk, Poznań et Wrocław furent érigés. Les bâtiments gothiques caractéristiques que vous devez voir sont : l'église Sainte-Marie, la cathédrale du Wawel et l'université Jagellone à Cracovie, ainsi que l'hôtel de ville de Wrocław.

De la Renaissance au Baroque

La Renaissance polonaise se répandit avant tout pendant le règne de Stefan Batory au XVIe siècle, mettant un terme au gothique, et faisant réapparaître la pierre comme matériau, associée à la brique dans un souci d'esthétisme. Les maisons bourgeoises ont commencé à s'orner de décorations superbes, et certaines églises ont été transformées.

Varsovie, palais de la Culture et de la Science

A partir de la fin du XVIe siècle, et surtout au XVIIIe siècle, le baroque a fait son apparition en Pologne, comme dans la plupart des autres pays européens (à l'exception de la France où cette forme d'architecture n'a pas connu un très grand succès), et s'est efforcé de transformer les édifices construits aux époques antérieures. Les façades des maisons ont été décorées de couleurs vives et de riches ornements, et la plupart des « *Rynek* » (place principale) ont conservé l'aspect original de cette forme d'architecture. Les églises ont été transformées à cette époque, dans leur décoration intérieure comme dans leur aspect extérieur. On peut parfois reprocher à l'architecture baroque d'avoir fait perdre un peu d'authenticité aux édifices construits auparavant. De nombreux palais ont également été construits pendant cette période, et sont la plus brillante expression de l'architecture baroque. Les plus beaux datent en général du XVIIIe siècle. Les artistes italiens et allemands eurent une grande influence sur le Baroque polonais et l'architecture classique.

Temps modernes

Les XIXe et XXe siècles se caractérisent par des mouvements artistiques fiévreux pour l'indépendance. A cette époque, les artistes se concentrent sur l'utilisation des éléments de l'architecture traditionnelle polonaise ; ils forment un groupe appelé « Jeune Pologne » (Młoda Polska). Au XIXe siècle, comme dans l'ensemble de l'Europe, l'architecture de la Pologne a été aussi marquée par un retour des styles anciens exprimés de manière nouvelle. Cette époque est caractérisée par des édifices de style néogothique, néo Renaissance ou néoclassique. A l'aide de matériaux et de techniques modernes, les bâtisseurs se sont efforcés de copier des styles anciens. Les édifices de style néoclassique ont été dans l'ensemble les plus réussis à cette époque. Ce sont souvent des théâtres, opéras, ou autres édifices civils de toute sorte.

Après la Seconde Guerre mondiale, l'objectif architectural était la reconstruction des villes, complètement détruites. Les édifices ont, pour les plus importants d'entre eux, retrouvé leur aspect original, mais par manque de moyens financiers la plupart des reconstructions civiles telles que les maisons ou les immeubles n'ont pas bénéficié de la même attention.

Le régime communiste a instauré un style dit « réaliste socialiste », fait de béton et de matériaux peu coûteux et rapides à la construction. C'est à cette époque, principalement dans les années cinquante, que les tristes banlieues des grandes villes polonaises ont émergé, sans aucune grâce, à l'image d'une des plus sinistres d'entre elles, Nowa Huta, près de Cracovie. Dans les centres-villes, de sinistres édifices ont également été bâtis pour accueillir la nouvelle « nomenclatura » et la lourde administration. Le Palais de la Culture et de la Science à Varsovie en est un exemple, mais l'on trouve également à proximité l'ancien siège du parti, ou le musée national, dont les façades tristes sont le témoignage d'une époque aujourd'hui révolue. Depuis la chute du communisme, les Polonais se sont engagés, avec l'aide de capitaux internationaux dans la restauration de leurs plus beaux édifices, afin de rendre aux villes un aspect plus humain, après 45 ans d'architecture lugubre. Mais en parallèle, les bâtiments modernes et vitrés, poussent comme des champignons dans les plus grandes villes.

La fin des années quatre-vingt-dix a été marquée par l'activité des constructeurs des immobiliers, qui appréciaient aussi bien le succès financier qu'un bon emplacement et une architecture de qualité. Souvent on faisait appel aux plus grands noms de l'architecture mondiale.

CINÉMA

Si le premier film polonais a été tourné en 1908, la plupart des productions de la première moitié du XXe siècle sont assez médiocres. Il faut attendre quelques années après la Seconde Guerre mondiale, et particulièrement les années cinquante pour voir émerger quelques œuvres remarquées du grand public.

▶ **Andrzej Wajda** a commencé en 1955 sa riche et prolifique carrière avec *Une fille a* parlé (*Pokolenie*), et s'est illustré en 1977 avec *L'Homme de marbre* (*Czlowiek z Marmuru*) et *Danton*, en 1982.

▶ **Roman Polanski** a commencé sa carrière en 1962 avec *Le Couteau dans l'eau* (*Noz w Wodzie*) avant de partir pour l'Ouest et de connaître une carrière éblouissante avec *Le Bal des vampires* (1967), *Rosemary's baby* (1968), *Chinatown* (1974), *Tess* (1979),

Krzysztof Kieślowski (1941-1996)

Le dernier ambassadeur du cinéma polonais en date, dont on retient *Le Décalogue* (1989), *La Double Vie de Véronique* (1991), et surtout la trilogie en hommage à la France : *Trois couleurs Bleu, Blanc, Rouge* (1993 à 1995). Cette dernière se confronte aux idées fondamentales de la Révolution française : Liberté, Egalité, Fraternité. Trois valeurs symboliques du monde contemporain. Trois pays : la France, la Pologne, la Suisse. Trois films à la fois autonomes et liés par des correspondances multiples, autour du même thème : l'amour.

Frantic (1986) ou *Lune de fiel* (1992). En fait, à l'image de Polanski ou de Wajda, la plupart des meilleurs réalisateurs polonais ont travaillé avec la France, qui fut toujours très sensible à l'expression cinématographique polonaise.

▮ **Jerzy Skolimowski,** contraint à l'exil dans les années soixante comme Polanski, a réalisé en France *Travail au noir* (1983).

▮ **Krzysztof Zanussi** a marqué les années soixante-dix avec *Illumination* (*Illuminacja*) en 1973.

▮ **Andrzej Żuławski,** également expatrié en France, a réalisé *L'Important c'est d'aimer* (1974) et *Possession* (1981).

▮ **Agnieszka Holland,** après avoir travaillé avec Wajda, a réalisé également en France *Le Complot* (1988) et *Europa Europa* (1990).

▮ **D'abord en Pologne, puis en France, Krzysztof Kieślowski (1941-1996)** a réalisé les excellents *Décalogue* (*Dekalog*) en 1989, *La Double Vie de Véronique* en 1991 et la trilogie *Bleu, Blanc, Rouge* (1993 à 1995), hymne à la France.

Très reconnu en France, et apprécié dans le monde entier, le cinéma polonais de l'après-guerre est sans conteste l'un des plus talentueux de la planète, et sa qualité en fait un art à part entière. Aujourd'hui, l'accent est mis sur l'humour, notamment avec les films de Juliusz Machulski (*Killer, Dzien Świra*) et l'histoire et la littérature, avec des films tels que *Ogniem i Mieczem* (*Par le fer et par le feu*) de J. Hoffman, d'après la trilogie de H. Sienkiewicz, *Pan Tadeusz* (*Monsieur Thadée*) de A. Wajda, d'après le roman de A. Mickiewicz.

▮ **Les actrices les plus populaires actuellement en Pologne :** Beata Tyszkiewicz, Krystyna Janda, Katarzyna Figura, Grażyna Szapołowska, Małgorzata Foremniak, Małgorzata Kożuchowska, Joanna Brodzik.

▮ **Les acteurs les plus populaires actuellement en Pologne :** Bogusław Linda, Cezary Pazura, Stanisław Tym, Marek Kondrat, Witold Pyrkosz, Jerzy Turek, Piotr Fronczewski, Borys Szyc, Maciej Zakościelny, Piotr Adamczyk.

Beaucoup d'entre eux appartiennent à la jeune génération et jouent également dans des séries télévisées à la mode en Pologne. La plus populaire est « *M jak Miłość* » (*A comme Amour*) régulièrement regardée par 10 millions de Polonais.

■ LITTÉRATURE

Avant la Renaissance, le latin était pratiquement la seule langue utilisée en littérature. La plupart des récits sont des chroniques comparables à celles de l'histoire de France de la même époque, ou des traités politiques.

▮ **Jan Długosz (1415-1480)** nous a laissé une superbe chronique de 12 volumes, rédigée en latin, qui raconte l'histoire de la Pologne des origines au XVe siècle.

A partir du XVIe siècle, avec l'imprimerie, le polonais fut de plus en plus utilisé comme langue.

▮ **Le poète Jan Kochanowski (1530-1584)** est un peu l'équivalent polonais de Ronsard, et écrivit toutes ses œuvres en polonais, s'imposant comme le premier véritable artiste reconnu dans cette langue. Pendant les deux siècles qui ont suivi, la poésie fut la principale expression artistique littéraire adoptée en Pologne, et son plus glorieux représentant est **Ignacy Krasicki** (1735-1801).

DÉCOUVERTE

Écrivains polonais

▶ **Isaac Bashevis Singer (1904-1991).** Journaliste et écrivain d'origine polonaise, il est considéré comme l'un des plus grands conteurs juifs du XXe siècle. Né à Leoncin, ce fils de rabbin arrive à 4 ans à Varsovie.

Il passe son enfance dans un quartier populaire de la capitale dont il racontera l'ambiance dans son livre *Au tribunal de mon père*. Dans son œuvre, écrite systématiquement en yiddish, il mélange réalisme, tragédie et fantastique, avec en trame de fond les traditions judéo-polonaises d'avant la Seconde Guerre mondiale. Fuyant la vague antisémite qui s'abat sur l'Europe de l'Est, Isaac Bashevis Singer émigre aux Etats-Unis en 1935 et rejoint la rédaction du journal juif new-yorkais *The Daily Forward*.

En 1943, il acquiert la nationalité américaine. Il obtient le prix Nobel de littérature en 1978, après avoir écrit de nombreux ouvrages. Le public international est définitivement conquis avec *Ombres sur l'Hudson,* un livre posthume paru en 1998. Dans ce récit poignant, il peint avec justesse les sentiments de culpabilité et de liberté des rescapés du Yiddishland, tout en jetant çà et là des pointes d'humour noir propres aux Juifs new-yorkais. Ces œuvres et nouvelles rencontrent aujourd'hui un vif succès en Pologne.

▶ **Henryk Sienkiewicz (1846-1916).** Ecrivain célèbre, auteur de romans historiques, dont le plus célèbre est *Quo Vadis ?* (1896), prix Nobel de littérature en 1905 (le premier pour les Polonais). Parmi ses romans, on peut citer *Ogniem i mieczem* (*Par le fer et par le feu,* 1884) dont un film à succès a été réalisé et *Krzyżacy* (*les Chevaliers teutoniques,* 1897-1900).

▶ **Czesław Miłosz (1911-2004).** Cet artiste a dominé la littérature de l'après-guerre et a reçu le prix Nobel de littérature en 1980. Auteur notamment de *Sur les bords de l'Issa,* roman sur le paradis de son enfance en Lituanie où il est né en 1911. Après son exil de la Pologne communiste en 1951, il vécut en France et aux Etats-Unis. Il est entre autres l'auteur de romans, *La Prise de pouvoir* (1953), d'essais, *La Pensée captive* (1953), et de poèmes, *Trois hivers* (1936), *Lumière du jour* (1953), *Le Salut* (1945), *Terre inépuisable* (1984). Décédé à Cracovie à l'âge de 93 ans, il est considéré comme l'un des poètes majeurs du XXe siècle.

▶ **Witold Gombrowicz (1904-1969).** Grand artiste polonais dont les œuvres les plus connues sont : *Le Mariage, Opérette* et *La Pornographie.*

▶ **Au XIXe siècle,** la poésie romantique perça largement, avec des artistes tels que **Juliusz Słowacki** (1809-1849) ou **Adam Mickiewicz** (1798-1855), les plus célèbres de cette époque (et dont la statue orne la plus grande place de Pologne, à Cracovie).

▶ **A la fin du XIXe siècle, et dans la première moitié du XXe siècle,** les œuvres polonaises furent surtout écrites en prose, avec comme principaux représentants deux prix Nobel, **Henryk Sienkiewicz** (1846-1916) et **Władysław Reymont** (1867-1925), mais aussi d'autres artistes talentueux comme **Bolesław Prus** (1847-1912) ou **Stanisław Ignacy Witkiewicz** (*Witkacy*) (1885-1939), ce dernier s'illustrant également dans le domaine du théâtre avant de se suicider peu de temps après la déclaration de guerre, qui signifiait selon lui la destruction de la civilisation. L'un des plus grands poètes polonais de ce siècle, **Krzysztof Kamil Baczyński** (1921-1944), mort prématurément lors de l'insurrection de Varsovie, compte parmi les plus grands artistes du pays.

▶ **L'après-guerre** a été dominée par l'œuvre de **Czesław Miłosz,** prix Nobel de littérature en 1980, et les œuvres les plus flamboyantes sont aussi bien de la prose que de la poésie. Puis récemment, c'est **Wisława Szymborska** qui est apparue sur la scène en obtenant, elle aussi, le prix Nobel de littérature en 1996, avec ses *Poèmes sur la mort.*

La Pologne détient un taux de poétisation record avec plus de 100 000 écrivains de poèmes, dont deux prix Nobel, qui vivent à Cracovie.

MUSIQUE

Jusqu'au XIXe siècle la musique polonaise est principalement caractérisée par la musique traditionnelle et folklorique. Les styles musicaux étaient essentiellement régionaux et l'utilisation des instruments artisanaux était la plus répandue.

▌ **Avec la période romantique,** un musicien de père français et de mère polonaise, **Frédéric Chopin,** utilisa les styles traditionnels pour imposer une musique nouvelle appréciée dans toute l'Europe et aujourd'hui répandue dans le monde entier. Chopin est le plus célèbre des compositeurs polonais, véritable symbole de la musique nationale. D'autres compositeurs talentueux, comme **Stanisław Moniuszko** (1819-1872) dont la plus grande œuvre est le fameux opéra *Straszny Dwór,* ou **Henryk Wieniawski** (1835-1880), ont marqué également la musique polonaise du XIXe siècle. Mais ils restent un peu dans l'ombre de Chopin.

▌ **Au cours du XXe siècle,** la musique classique a continué à rayonner en Pologne, principalement autour d'**Arthur Rubinstein** (1886-1982), et le jazz, apparu clandestinement dans les années cinquante avec **Krzysztof Komeda,** qui a composé la musique des premiers films de Polanski. Aujourd'hui, les Polonais sont considérés à juste titre comme une nation musicale, avec

Frédéric Chopin (1810-1849)

Musicien célèbre du XIXe siècle, qui symbolise à la fois la création artistique polonaise dans sa perfection, ainsi que le rapprochement franco-polonais, puisque le génial compositeur a passé de nombreuses années de sa courte vie à Paris, côtoyant entre autres George Sand.

de belles salles de concerts et de nombreux jeunes talents. Concerts et festivals sont organisés toute l'année pour mettre en valeur les jeunes musiciens en herbe comme les artistes les plus reconnus. Depuis peu, un renouveau de la musique traditionnelle apparaît, qui met l'accent sur la musique de la montagne. Cette nouvelle mode s'est lancée grâce à des groupes tels que Golec Orkiestra et Brathanki. Ce pays est musicien et encore plus à Cracovie qui est réellement la capitale culturelle.

L'an 2006 a été celui de **Piotr Rubik,** compositeur et chef d'orchestre dont le concert *Tu es Petrus,* en mémoire du pape Jean-Paul II, est l'une des meilleures oeuvres de musique polonaise contemporaine.

PEINTURE ET SCULPTURE

▌ **Pendant la période du Moyen Age,** les artistes polonais ont produit principalement des œuvres d'inspiration religieuse. On trouve donc l'essentiel de l'art médiéval dans les églises et les édifices religieux. L'un des principaux sculpteurs du gothique polonais fût Wit Stwosz, auteur du retable dans l'église de Notre-Dame à Cracovie.

▌ **A partir de la Renaissance,** la sculpture fait son apparition dans les édifices civils, comme les décorations extérieures des maisons, sous la forme de bas-reliefs.

▌ **C'est surtout à partir de la fin du XVIe siècle,** avec l'avènement de l'art baroque, que la Pologne connaît une période de création artistique importante en sculpture et peinture. Les artistes recouvrent les intérieurs religieux de peintures en trompe-l'œil, et de sculptures de

style rococo. Dans la peinture, l'or est employé beaucoup plus abondamment qu'auparavant. L'art baroque s'est exprimé en Pologne pendant plus de deux siècles, jusqu'à la fin du XVIIIe siècle, et a marqué les productions religieuses et civiles de cette époque.

▌ **Au XIXe siècle,** les peintures polonaises sont dans l'ensemble de style réaliste, évoquant des scènes de batailles et de grandes pages de l'histoire nationale. Cela s'explique en grande partie par la quête d'une identité nationale chez les artistes de l'époque, vivant dans une Pologne sous domination étrangère. L'impressionnisme a en revanche été très peu apprécié des artistes polonais de la fin du XIXe siècle, même si les peintres de l'époque ont essentiellement représenté des paysages, mais avec des techniques plutôt traditionnelles.

© AUTHORS.COM

Varsovie, statue de la Victoire

▷ **Au début du XIXᵉ siècle,** les peintres polonais ont dans l'ensemble suivi les courants artistiques européens, et le plus talentueux a sans doute été **Tadeusz Makowski** (1882-1932) qui s'est largement inspiré du cubisme.

Il faut mentionner aussi **Jan Matejko** qui devint le maître le plus remarquable du nationalisme héroïque. En revanche les affiches de **Wiesław Walkuski** appartenaient aux arts appliqués modernes. Si l'art polonais a connu une riche

© OT POLOGNE

Gdańsk, fontaine Neptune

période d'avant-garde entre les deux guerres, le contexte politique l'a ensuite entraîné vers le style réalisme socialiste. Toutefois, la Pologne et notamment par l'art, a toujours montré un certain refus de ce style et parvenait, en comparaison de ses pays voisins, à produire des œuvres abstraites plus d'avant-garde. La religion aussi a tenu une place importante car, par elle, les artistes pouvaient exprimer leurs opinions.

Ainsi, par exemple, les années quatre-vingts furent marquées par un art underground dans lequel la société retrouvait son opposition au régime. Les tableaux étaient comme codés, avec beaucoup d'allusions spécifiques aux événements et au pays.

Aujourd'hui encore, que ce soit en peinture ou en sculpture, on peut distinguer deux grands courants artistiques, l'un respectant la vieille école réaliste sous la forme de représentations minutieuses, et l'autre utilisant de nouveaux matériaux et de nouvelles formes d'expression pour un art plus d'avant-garde. L'art contemporain est similaire à l'art européen et américain.

La spécificité polonaise disparaît. La plupart des œuvres des artistes contemporains, fort nombreux, sont montrées dans des musées sous forme d'expositions temporaires, ou dans les nombreuses galeries d'art que compte le pays, la plupart du temps d'accès libre. On peut en conclure que la peinture et la sculpture sont promises au plus bel avenir en Pologne.

SCIENCE

▸ **Nicolas Copernic (1473-1543).** Astronome célèbre qui a démontré que la Terre tourne sur elle-même et autour du Soleil. Ce véritable révolutionnaire de la science a eu la chance de n'être ni condamné par l'Eglise ni brûlé, comme d'autres l'ont été pour des idées semblables. Quelle déception en effet pour certains de constater que la Terre n'est pas le centre de l'univers, mais un simple élément du système solaire ! Quelle joie aussi pour d'autres de comprendre que les autres planètes ne sont pas de simples rochers, mais peut-être des espaces comme le nôtre, habitées d'êtres vivants !

▸ **Marie Skłodowska Curie (1867-1934).** Incontournable physicienne et chimiste française d'origine polonaise, prix Nobel de physique en 1903 (avec Pierre Curie, son mari) et prix Nobel de chimie en 1911. On lui doit la découverte du radium, véritable point de départ des recherches dans le domaine de l'atome, avec des applications aussi diverses que le rayon X, l'énergie nucléaire ou la bombe atomique et du polonium dont le nom fut donné en hommage à son pays natal.

THÉÂTRE

D'influence française et italienne, le théâtre a fait son apparition en Pologne au cours du XVIe siècle, et a connu un essor important pendant les deux siècles suivants. Avec les partages successifs et l'occupation du pays, ce type d'activité a souvent été interdit, et les Polonais ont dû attendre la fin de la Première Guerre mondiale pour retrouver le droit d'assister à des représentations théâtrales. Après la Seconde Guerre mondiale, les artistes polonais ont commencé à créer des œuvres originales dont certaines font encore aujourd'hui l'objet de nombreuses représentations dans les théâtres polonais. **Tadeusz Kantor** (1915-1990) a imposé jusqu'à sa mort un style particulier dans le théâtre Cricot 2 à Cracovie.

Des journées ou semaines de théâtre sont organisées et le théâtre de rue connaît un essor récent.

Aujourd'hui, la Pologne compte un nombre important de théâtres spécialisés dans les représentations d'œuvres classiques comme de compositions contemporaines de jeunes artistes talentueux.

Cracovie, théâtre Słowacki

On peut considérer que le théâtre, comme la musique, a de beaux jours devant lui en Pologne. Par ailleurs, l'éducation théâtrale est considérée en Pologne comme faisant partie intégrante de l'éducation que tout citoyen doit posséder, à l'instar de l'éducation morale et politique. Elle est l'une des bases de culture et d'histoire de chaque Polonais.

Théâtre

▸ **Tadeusz Kantor (1915-1990).** Artiste complet et actif, il est surtout connu pour son « *Théâtre de la mort* » et est une figure représentative de Cracovie. Complet, car Tadeusz Kantor est peintre, scénographe, metteur en scène, ordonnateur de happenings et artiste de théâtre au sens complet du mot.

Il est omniprésent dans la mémoire des Cracoviens par son « Théâtre Cricot 2 » (créé en 1942) et ses œuvres (peintures, sculptures) présentes dans tous les musées polonais.

DÉCOUVERTE

© S.YOON'S

Cuisine polonaise

La cuisine polonaise est traditionnelle, riche et typique, même si elle se rapproche parfois de la cuisine allemande et recèle des influences italiennes. Davantage campagnarde que raffinée, elle utilise des produits frais et de qualité. Les barquettes de fruits frais l'été sur les marchés, comme les framboises, se mangent à pleines mains tant elles vous rappellent celles du jardin de vos grands-parents ou encore vous font découvrir le vrai goût du fruit, jamais vraiment expérimenté jusqu'alors.

PLATS ET PRODUITS

Les plats les plus typiquement polonais sont les soupes (il en existerait plus de 300 variétés), la charcuterie, les pommes de terre et le chou, les plats à base de porc, de gibiers (bien moins chers qu'en France) et quelques poissons de rivière comme la truite et la carpe. Parmi les spécialités les meilleures et plus singulières, citons la *barszcz* (soupe de betteraves rouges), la *Żurek* (soupe aigre agrémentée de saucisse, d'un œuf dur et de pommes de terre), les *pierogis* (sorte de raviolis fourrés), la *kotlet schabowy* (escalope panée), la carpe en gelée, le *bigos* (mélange mijoté de choucroute, champignons et quatre sortes de viande). Une cuisine copieuse et abondante, dont on peut dire que lorsqu'il fait froid, elle est parfaitement idoine.

Ce qui mérite d'être signalé de la gastronomie polonaise, c'est la charcuterie, notamment les grosses saucisses (*kiełbasa*) et la fine saucisse sèche (*kabanos*), ainsi que les champignons des bois, délicieux, qui agrémentent de nombreux plats. Si ce n'est pas la saison, vous pouvez tout de même acheter, sur le marché, des champignons séchés ou en bocaux.

La Pologne permet une aventure culinaire à ne manquer sous aucun prétexte… d'autant plus que pour 3 €, une vieille dame d'un bar à lait vous servira un plat sain et cuisiné comme à la maison.

Etant donné que les restaurants ne possèdent presque jamais de menus en français (s'ils sont traduits, le choix se porte sur l'allemand et/ou l'anglais), nous avons tenté de décrire le maximum de spécialités. Attention le polonais est une langue à déclinaisons donc les mots ci-dessous peuvent apparaître modifiés sur le menu s'ils sont accordés ou au pluriel.

Soupes (Zupa)

Les soupes, plat très populaire en Pologne, sont servies toute l'année, chaudes ou froides. Il en existe une très grande variété. Les mêmes soupes peuvent être préparées de façons différentes selon les régions.

▌ *Barszcz :* soupe de betteraves, servie seule ou avec des raviolis à la viande. Surprenante.

▌ *Grochówka :* soupe épaisse aux pois. On y rajoute, souvent l'hiver, des morceaux de viande et des lardons.

▌ *Grzybowa* ou *Pieczarkowa :* soupe de champignons. Délicieuse, cette soupe est parfois servie à l'intérieur d'un gros pain évidé, encore meilleur…

▌ *Kapuśniak :* soupe aux choux et pommes de terre, populaire l'hiver pour se réchauffer.

▌ *Krupnik :* soupe de légumes, coupés en très

Recette facile de la délicieuse « Zupa Grzybowa »

▌ **Ingrédients :** 1,5 l de bouillon de poule en cube, 50 g de champignons séchés, 50 cl de crème aigre, 1 bouquet de persil.

▌ **Préparation :** préparez le bouillon en cube. Dès qu'il frissonne, jetez-y les champignons. Couvrez et réduisez le feu pour le laisser mijoter jusqu'à ce que les champignons soient tendres.
Salez et poivrez à votre goût. Au moment de servir, ajoutez la crème. Chauffez encore quelques minutes mais sans laisser bouillir. Saupoudrez de persil haché.

petits morceaux, et d'orge. La présentation peut varier selon la région. A ne pas confondre avec l'alcool du même nom !

▌ **Kwaśnica :** soupe de choux.

▌ **Ogórkowa :** soupe de cornichons. Original…

▌ **Pomidorowa :** soupe à la tomate, souvent servie avec des pâtes ou du riz. Une des soupes les plus populaires dans les familles polonaises.

▌ **Rosół :** bouillon de poule avec des pâtes.

▌ **Żurek :** soupe aigre à base de farine de seigle dans laquelle nagent avec délectation des morceaux de saucisse, un œuf dur et des pommes de terre. Délicieuse, copieuse et étonnante.

Hors-d'œuvre

▌ **Bigos :** choucroute, à laquelle on a rajouté plusieurs types de viande, de la saucisse, des champignons et des pruneaux. C'est un des plus anciens plats polonais qui ne se compare pas avec la choucroute alsacienne. Il suivait la petite noblesse dans ses déplacements et certains *bigos* sont entrés dans la littérature. Mickiewicz par exemple l'a évoqué dans ses écrits. Resté très populaire, le *bigos* est servi dans tout type de réception. On peut le déguster comme plat unique, ou comme entrée chaude (souvent trop copieux).

▌ **Flaki :** tripes (surtout proposées en soupes).

▌ **Karp :** la carpe, très consommée en Pologne, se cuisine de différentes façons, selon les régions. La présentation la plus courante est la carpe en gelée (*karp w galarecie*). C'est un des plats traditionnels du repas de Noël. Au restaurant vous la trouverez parfois sous l'appellation cuisinée à la juive (*karp po żydowsku*).

▌ **Galat-Galaretka :** sorte d'aspic, bœuf ou porc en gelée.

▌ **Kiełbasa :** grosse saucisse.

▌ **Wędzony łosoś :** saumon fumé.

▌ **Oscypek :** fromage fumé des montagnes, assez singulier. Se déguste parfois en entrée, chaud ou froid, accompagné d'airelles ou de confitures.

▌ **Ogórki :** gros cornichons aigre-doux.

▌ **Pasztet :** pâté.

▌ **Poêlées de champignons :** les champignons de forêts sont délicieux et bon marché puisque abondants en Pologne. Ils vous seront souvent proposés dans les bons restaurants en entrées à la crème ou au beurre et fines herbes, ainsi qu'en préparation des sauces qui accompagnent la viande.

A goûter notamment les cèpes « *borowik* », les meilleurs et plus répandus, ainsi que les chanterelles « *kurki* ».

Bigos

▌ **Ingrédients :** 250 g de chou blanc, 250 g de chou vert, 1 kg de choucroute, 1 kg de viande : lard, côte de porc désossée, jambon, mouton, poitrine de veau, volaille, gibier, etc., 1 petit saucisson par personne, 2 oignons, 50 g de champignons séchés, 1 cuillerée à café de muscade en poudre, 20 baies de genièvre, 10 baies de cardamome, quelques feuilles de laurier, sel, poivre, 15 cl de madère ou du vin rouge, 100 g de pruneaux.

▌ **Préparation :** rincez la choucroute à l'eau bouillante et mettez-la à égoutter. Hachez et lavez tous les choux. Blanchissez-les 5 min à l'eau bouillante. Rafraîchissez-les et égouttez-les. Dans votre plus grande cocotte, faites dorer les oignons. Ajoutez les champignons mis à tremper la veille. Détaillez en dés toutes les viandes à l'exception du saucisson et faites-les dorer. Mouillez avec le jus des champignons préalablement filtré. Ajoutez les choux et toutes les épices. Mélangez bien. Salez et poivrez. Dès que le chou a rendu un peu de son eau, commencez la (longue) cuisson. Dans la tradition elle doit durer au moins 3 jours au rythme d'une heure quotidienne (il est possible de le faire en une seule fois bien sûr et de le réchauffer, il est à chaque fois meilleur). Remuer régulièrement car le bigos a tendance à coller au fond de la casserole. Entre chaque cuisson, placez la marmite au froid de manière à ce que la graisse se fige sur le dessus. Retirez la graisse au fur et à mesure pour éviter que le bigos ne soit trop gras. Le dernier jour, ajoutez le saucisson. Avant de servir le bigos fumant dans des assiettes profondes (plat unique), ajoutez le madère (ou le vin) et les pruneaux. Faites descendre à coups de vodka.

▶ *Śledź :* hareng mariné en général servi dans de l'huile ou avec de la crème fraîche. Il existe de nombreuses autres façons de le préparer : seul, aux pommes, avec des oignons, de la mayonnaise… Ce poisson est traditionnellement servi avec un verre de vodka. Certains Polonais disent même que si vous accompagnez vos nombreux verres de vodka de harengs et de cornichons, vous ne serez jamais saouls !

▶ *Smalec* ou *Smalczyk :* saindoux, proposé en tartines comme hors-d'œuvre ou en amuse-bouche dans certains restaurants (généralement typés campagnards) afin de vous faire patienter. Assez gras et peu appétissant mais à essayer tout de même puisque ce fut un aliment indispensable des époques difficiles, qui reste très consommé encore aujourd'hui.

▶ *Surówka :* assortiment de crudités, qui, le plus souvent, ne sont pas considérées comme une entrée mais accompagnent le plat principal. Le chou rouge et les carottes râpées sont les crudités les plus consommées. Les tomates « *pomidory* » entrent aussi dans la composition du « *Surówka* ».

▶ *Tatar :* steak tartare, qui ressemble à celui que nous consommons en France (*Tatar z łososia :* tartare de saumon).

La carpe à Noël

La carpe est le poisson polonais par excellence. Il est proposé sous les formes les plus variées, mais le moment le plus spécifique pour en manger est le réveillon de Noël. Ce soir-là, la tradition catholique veut qu'il n'y ait aucun plat à base de viande ou de graisse animale et cette habitude est très respectée dans les familles, même non pratiquantes. Trois semaines avant le grand jour, chaque famille va choisir la carpe destinée à être dégustée pour les fêtes, selon des critères d'achat et préférences très précis. Ce poisson possède en effet un goût qui diffère selon son poids et son âge. A cette période, les poissonniers sont très actifs et les maîtresses de maison sont à la recherche du plus beau poisson. Par la suite l'animal est conservé vivant au sein de la famille, aquarium ou baignoire deviennent alors son logis aquatique, avant la date fatidique ! Le plus souvent il sera proposé froid avec de la gelée (*karp w galarecie*). La gelée est très appréciée en Pologne, servie avec de la viande, du poisson ou des fruits (gâteau fluorescent qui ressemble à la « *gely* » anglaise).

Le soir de Noël, le dîner commence à la venue de la première étoile (soit vers 16h) par un échange de vœux et le partage de l'hostie. Sur la table, la carpe attend avec onze autres plats différents. Les festivités peuvent commencer, dans la bonne humeur et sous les airs des chants de Noël.

Plats principaux

▶ *Baranina :* mouton.

▶ *Cielęcina :* agneau.

▶ *Dzik :* sanglier.

▶ *Gołąbki :* feuille de choux farcie de hachis de viande et de riz. Parfois les restaurants proposent une version végétarienne avec du riz et des champignons.

▶ *Golonka :* jarret de porc, accompagné de pommes de terre et de raifort « *chrzan* », (particulièrement apprécié en Pologne). Généralement très copieux et délicieux.

▶ *Gulasz :* le fameux goulasch des pays de l'Est, souvent très différent d'un établissement à l'autre, toujours savoureux.

▶ *Indyk :* dinde.

▶ *Jagnięce :* agneau.

▶ *Jelenia :* biche.

▶ *Kaczka (z jabłkami) :* canard (aux pommes). Le canard est proposé dans tous les bons restaurants, le plus souvent selon cette préparation.

▶ *Kasza :* céréales (espèce de boulgour, graines de blé).

▶ *Kiszka :* boudin.

▶ *Kopetka :* si l'objectif est de se remplir, voir alourdir l'estomac, choisir ces cousins des *pierogis*, fourrés à la pomme de terre. En effet, les « *kopytka* », souvent arrosés d'un coulis de fraise (surprenant) ou de saindoux (lourd et gras), sont moins savoureux et peu raffinés.

▶ *Kotlet schabowy :* côtelettes de porc panées. Sans doute le plat de viande le plus consommé en Pologne, quel que soit le type de restaurant,

© OT POLOGNE

Paupiettes d'oie

DÉCOUVERTE

ou dans les foyers. Servi avec des pommes de terre et un assortiment de crudités.

▷ *Kurczak :* poulet.

▷ *Pierogi :* sorte de raviolis fourrés de choux et champignons, « *pierogi z kapustà* », de viande, « *pierogi z mi'sem* », de pommes de terre et de fromage, « *pierogi ruskie* » ou de fruits tels que myrtille, fraise, framboise ou encore de prune « *pierożki śliwkowe* ». Une des plus fameuses spécialités du grand Est. Qualité variable en fonction des établissements.

▷ *Placki (ziemniaczane) :* galettes de pommes de terre râpées servies avec de la crème, du goulasch ou des champignons. Souvent un peu gras, mais assez savoureux et nourrissant.

▷ *Warzywa :* légumes (ou « *zestaw jarzyn gotowanych* » : assortiment de légumes cuits à la vapeur). Les légumes les plus utilisés comme accompagnement (mis à part les sempiternels choux et pommes de terre) sont : brocolis « *brokuły* », carottes « *marchewka* », choux-fleurs, épinards « *szpinak* ».

▷ *Wàtróbka :* foie de volaille.

▷ *Wieprzowina :* bœuf.

▷ *Zapiekanka :* une demi-baguette sur laquelle se trouve généralement une garniture composée de fromage et champignons, grillée au four. Prenez garde si vous n'êtes pas amateur de ketchup de bien le préciser avant que votre baguette ne disparaisse sous une montagne de cette sauce rouge : « *bez ketchupu* » (prononcez [baise ketchupou]). Bon, copieux et peu cher.

■ PETIT LEXIQUE CULINAIRE ■

Pour ceux qui s'approchent de la côte Baltique ou des grands restaurants, décodage des poissons :

▷ *Dorada :* dorade.

▷ *Dorsz :* cabillaud, morue.

▷ *Flądra :* limande.

▷ *Halibut :* flétan.

▷ *Klamary :* calamars.

▷ *Lin :* tanche.

▷ *Łosoś :* saumon.

▷ *Mintaj :* lieu.

▷ *Mule :* moule.

▷ *Muszle św. Jakuba :* coquilles Saint-Jacques (très rare, mais justement, ce serait dommage de passer à côté).

▷ *Okoń :* perche.

▷ *Owoce morza :* fruits de mer.

▷ *Pstrąg :* truite (poisson très répandu dans tous types de restaurants).

▷ *Rakow :* écrevisses.

▷ *Sandacz :* sandre.

▷ *Sola :* sole.

▷ *Szczupak :* brochet.

▷ *Tuńczyk :* thon.

▷ **Węgorz :** anguille.

▷ **Wilk Morski :** loup de mer.

▷ **Żabie udka :** cuisses de grenouilles.

Que les amateurs soient prévenus tout de suite, il est très difficile de déguster des fruits de mer en Pologne. La partie sud de la Pologne est tout de même fort éloignée de la mer, et quand bien même… cette dernière ne produit pas de fruits de mer (trop froide sans doute), enfin ce n'est ni dans les habitudes, ni dans les goûts des Polonais. Il convient alors de les dénicher dans les quelques restaurants qui en proposent, très certainement d'un certain « standing » et qui s'adressent à une clientèle internationale.

Accompagnements (dodatki ou surówki) et sauces

▷ **Chleb :** pain (proposé en supplément, rarement en accompagnement « gratuit »).

▷ **Frytki :** frites.

▷ **Groszek :** petits pois.

▷ **Jarzyny ou Warzywa :** légumes.

▷ **Marchew :** carotte.

▷ **Papryka :** poivron.

▷ **Pomidor :** tomate.

▷ **Ryż :** riz.

▷ **Z cebulą :** avec des oignons/aux oignons.

▷ **Z czosnkiem :** avec de l'ail/à l'ail.

▷ **Z jagodami :** aux myrtilles/avec des myrtilles (souvent coulis de myrtilles).

▷ **Z malinami :** aux framboises/avec des framboises.

▷ **Z miętą :** avec de la menthe/à la menthe.

▷ **Z owocami :** avec des fruits.

▷ **Z pieczarkami :** avec des champignons (de Paris).

▷ **Z serem :** avec du fromage/au fromage (z kozim serem : fromage de chèvre).

▷ **Ze śmietaną :** avec de la crème fraîche.

▷ **Ziemniaki :** pommes de terre.

Desserts

▷ **Lody :** glaces (puchar lodowy : coupe de glace).

▷ **Makowiec :** roulé farci au pavot et fruits secs. Gâteau souvent préparé pour Pâques, mais que l'on trouve toute l'année. Très singulier car comporte vraiment beaucoup de pavot.

▷ **Mazurek :** pâte garnie de fruits secs, noix, amandes ou chocolat.

▷ **Naleśniki :** crêpes fourrées de fromage blanc « naleśniki z serem » accompagnées de sucre et de crème fraîche. L'été, elles se dégustent recouvertes de coulis de fruits de saison, par exemple un coulis de myrtilles « naleśniki z jagodami », tout simplement divin !

▷ **Piernik :** pain d'épice au miel. Peut être proposé comme gâteaux secs ou frais. Spécialité de Toruń, ils se vendent quand même partout en Pologne.

▷ **Sernik :** gâteau au fromage blanc, « cheese-cake ». Il existe plusieurs types de serniks, le « royal », celui de Cracovie, un autre au chocolat… Difficile de choisir le meilleur ; il faut goûter !

▷ **Szarlotka :** sorte de gâteau aux pommes, assez bon.

© OT POLOGNE

Kaczka, canard au pommes

Piernik toruński

▸ **Ingrédients :** 125 g de miel, 12,5 cl d'eau, 75 g de sucre (facultatif), 250 g de farine, 2 œufs, 15 g de beurre, 10 g d'épices : cannelle en poudre, clous de girofle, cardamome, piment moulu, 3 cuillerées à soupe de zestes d'orange confits, 1 sachet de levure chimique.

▸ **Préparation :** paites fondre le miel à feu modéré. Ajoutez, si vous aimez votre pain d'épice doux, le sucre. Versez l'eau et les épices. Mélangez bien avant d'incorporer le beurre et les œufs dont le blanc doit être battu en neige, puis la farine et la levure chimique. Malaxez afin d'obtenir une pâte lisse et homogène. Ajoutez alors les zestes d'orange. Versez dans un moule à cake de 28 cm préalablement beurré. Cuire au four (température moyenne) pendant 1h. Vous pouvez attendre quelques jours avant de le déguster car le piernik se mange souvent dur. Conservez-le dans une boîte métallique ou enveloppé d'aluminium.

DÉCOUVERTE

▬ LES REPAS ▬

Les horaires de repas sont assez variés. Traditionnellement, les Polonais travaillaient en continu jusqu'à 15h ou 16h, puis mangeaient alors le déjeuner, repas principal de la journée. Aujourd'hui, de plus en plus d'entreprises s'adaptent aux horaires occidentaux, avec une pause déjeuner et la fin du travail plus tard, ce qui correspond mieux à nos habitudes. De ce fait, les restaurants sont ouverts non-stop de la fin de matinée jusqu'au soir et il est généralement possible de se restaurer à tout moment. Le petit déjeuner est copieux. Il se compose souvent d'une omelette (ou plutôt d'œufs brouillés *jajecznica*) au lard ou à la saucisse ou encore de charcuterie et de fromage avec du pain et des crudités, le tout accompagné du traditionnel thé. Le soir, les Polonais se nourrissent souvent de soupes et de « *kanapki* », c'est-à-dire de tartines ou de sandwichs, ou encore des petits toasts avec fromages à tartiner.

▬ BOISSONS « NAPOJE » ▬

Votre séjour devra comporter une dégustation de vodkas ou il ne sera pas complètement polonais.
Décodage des liquides les plus ingurgités par les Polonais.

▸ **Kompot :** eau aromatisée aux fruits naturels. Historiquement les Polonais faisaient bouillir leur eau, non potable et puisque cette eau bouillie n'avait pas très bon goût, ils lui adjoignaient des fruits. Cette boisson est très bonne mais elle représente plutôt une option des « pauvres », vous ne la trouverez donc que dans les restaurants de catégorie « bon et pas cher », notamment les bars à lait.

▸ **Piwo :** bière.

▸ **Piwo z sokiem malinowy :** bière avec du sirop de framboise (très appréciée en général par la gente féminine, un peu moins par les vrais amateurs de bière).

▸ **Wino białe :** vin blanc.

▸ **Wino czerwone :** vin rouge.

▸ **Wódka :** voir rubrique « Vodka » dans « La Pologne en 30 mots clefs ».

Cocktails

Les bars et cafés proposent souvent d'innombrables cocktails, des plus classiques aux plus originaux.
Les Polonais sont également amateurs de shooters, cocktail servi dans un petit verre (à vodka…) qui se boit normalement d'un trait. Les deux les plus connus sont le mad-dog « *wściekły pies* » en polonais… (mais imprononçable), qui décoiffe et doit se boire absolument d'un trait !
Le second est le kamikaze, dont la première impression est un goût doux et sucré, une belle couleur bleutée… la deuxième impression, après quelques tournées, explique davantage le nom qu'il porte !

Jeux, loisirs et sports

Le football est le sport le plus populaire en Pologne, suivi du cyclisme puis des échecs ! L'équitation et l'élevage des chevaux font partie des loisirs favoris des classes plus aisées.

Chasse

Activité très prisée et pratiquée sur l'ensemble du pays vu la superficie énorme de forêts et bois, mais c'est surtout l'est du pays qui offre le plus d'avantage.
La Pologne abrite un gibier considérable, du plus petit au plus gros.

Escalade

Une région est particulièrement prisée pour cette activité. Il s'agit du Jura cracovien (entre Częstochowa et Cracovie) qui, par la présence de nombreux rochers, offre un cadre idéal pour l'escalade à tous niveaux de difficulté.
Dans le sud de la Pologne, les montagnes offrent aussi la possibilité de la pratiquer.

Sports nautiques

Pour les amateurs d'eau, deux possibilités : les lacs et rivières de Mazurie et le bord de la mer Baltique.
La Mazurie est principalement axée sur la voile, la plongée (surtout sur le lac Hancza, le plus profond) et le kayak, ce dernier étant particulièrement populaire. Le bord de mer est idéal pour les amateurs de wind-surfing, très à la mode et la voile.

Pêche

Elle est pratiquée tout le temps, partout, en rivière et dans les lacs. Même le froid de l'hiver n'arrête pas les pêcheurs qui creusent un trou dans la glace et attendent que le poisson morde.
Pour plus d'informations ou obtenir le permis, contacter l'association polonaise de pêche :

■ **POLSKI ZWIĄZEK WĘDKARSKI**
Ul. Twarda 42 ✆ 022 620 89 66
Ouvert du lundi au vendredi de 7h30 à 15h.

Ski

Depuis les multiples succès du héros Adam Małysz, la Pologne vibre sous le bruissement des skis sur la neige. Les sports d'hiver sont très présents dans un pays où l'hiver est long et blanc. Ils sont pratiqués dans le sud de la Pologne, principalement dans les Carpates. Les stations de sport d'hiver sont de mieux en mieux équipées et accueillent chaque année un grand nombre d'adeptes de ski et de snow-board.

Enfants du pays

Politique

Bronisław Geremek (1932)

L'ancien ministre polonais des Affaires étrangères est également une importante référence en histoire médiévale française, auteur notamment de nombreux ouvrages qui font autorité sur la pauvreté au Moyen Age. Il a été également très actif dans la fondation de Solidarité. C'est aussi un fervent francophile. En décembre 2002, il a obtenu le grand prix de la Francophonie.

Lech Kaczyński (1949)

Ancien maire de Varsovie et leader d'une coalition entre le centre droit et la droite populiste qui a remporté les élections à la présidence polonaise en 2005.

Il a un frère jumeau avec qui il a joué dans un film polonais *O dwóch takich, co ukradli księżyc* (*Sur ces deux qui ont volé la lune*) en 1962, et avec lequel il gouverne à présent la Pologne. Lui est président de l'Etat et son frère chef du gouvernement. Lech Kaczyński a coopéré avec Lech Wałęsa dans le mouvement anti-communiste.

Il a été interné pendant la loi martiale en 1981 en Pologne. Sous la présidence de Wałęsa, il a été nommé le ministre de la Sécurité nationale. Avec son frère, il a formé un parti politique Prawo i Sprawiedliwość (Le Droit et la Justice, voir chapitre « Politique »).

Jarosław Kaczyński (1949)

Premier ministre polonais et président de PiS (le Droit et la Justice); frère jumeau de Lech, président de la Pologne. Dans les années soixante-dix, il a été membre du KOR (Comité de défense des ouvriers). Il a travaillé avec son frère, Lech Kaczyński, et Lech Wałęsa dans le mouvement Solidarité.

Aleksander Kwaśniewski (1954)

Chef du parti social démocrate, il a été élu président de la République polonaise de 1995 à 2005. Certains lui reprochaient d'être un ancien communiste et ont cru à un retour en arrière, comme une condamnation de la révolution en douceur cinq ans après. Mais pendant qu'il était à la tête du pays, Kwaśniewski poursuivait les réformes nécessaires.

Lech Wałęsa (1943)

Ouvrier électricien du chantier naval de Gdańsk, en août 1980, il est l'un des organisateurs des grèves de Gdańsk puis leader syndicaliste de Solidarność.

Il signe les accords historiques de la Table ronde de 1989, puis devient président de Pologne, de 1990 à 1995.

Battu aux élections présidentielles pour son deuxième mandat, il a depuis quitté la vie politique. Prix Nobel de la paix en 1983. Pour de plus amples renseignements sur cette figure de l'histoire du pays, voir la chapitre « Histoire ».

Religion

Karol Wojtyła (1920-2005)

Pape de 1978 à 2005 sous le nom de Jean-Paul II, après avoir été archevêque de Cracovie. Il a pris ce nom de souverain pontife en hommage à Jean-Paul Ier, son prédécesseur, décédé après 33 jours de service.

Il symbolisait à la fois le dynamisme du clergé en cette fin de siècle (il fut en son temps un adepte des sports), l'unité de tous les peuples (il parlait un nombre invraisemblable de langues), mais également la rigidité de l'Eglise face à certains problèmes de société que sont l'avortement ou le sida. Chacune de ses visites en Pologne fut un événement.

Sa visite de 1979 restera marquée dans le cœur des Polonais pour le discours d'encouragement qu'il a tenu dans une période particulièrement difficile dans le pays.

Littérature

Wislawa Szymborska (1923)

Elle a reçu le prix Nobel de littérature en 1996. Ses poèmes sont encore peu traduits en français. Ils reflètent sa réflexion sur l'existence, sur notre siècle.

Les thèmes principaux sont la mort et l'absence, l'oubli, la solitude, l'éternel recommencement. Son recueil *Sur le pont* (*Ludzie na moscie*, 1986) l'avait déjà consacrée reine de la poésie polonaise contemporaine.

Musique

Krzysztof Penderecki (1933)

Compositeur et chef d'orchestre, il a été salué comme l'un des plus grands compositeurs contemporains au festival l'Automne de Varsovie (Warszawska Jesień).
Dans sa création, il s'inspire surtout de la religion catholique (*Stabat Mater, Passion selon saint Luc, Utrenja…*).

Cinéma

Andrzej Wajda (1926)

Tête de file du cinéma polonais après 1960, on retient *Les Noces* (1972), *L'Homme de marbre* (1976), dont une partie se déroule à Nowa Huta (banlieue de Cracovie), *L'Homme de fer* (1981), réalisé après les grèves d'août 1980, et *Danton* (1982).
Il réalise aussi de nombreux courts-métrages, dont les plus connus sont *Les Ouvriers de 71* (1972) et *Curriculum Vitae* (1975). Cinéaste remarquable, il consacre une partie de son œuvre cinématographique à la lutte des Polonais face au communisme.
Son dernier film, *Pan Tadeusz,* d'après un poème (une épopée nationale) d'Adam Mickiewicz, est une référence pour les jeunes Polonais.

Roman Polański (1933)

Cinéaste et comédien français d'origine polonaise. On retient de lui *Quand les anges tombent* (1959), *Le Bal des vampires* (1967), *Rosemary's baby* (1968), *Tess* (1979), *Frantic* (1988) ou *Lune de fiel* (1992). Son dernier film, *Le Pianiste*, est pour lui un véritable retour dans son enfance, quand ses parents revinrent en Pologne juste avant la déclaration de la Seconde Guerre mondiale et en connurent, avec leur fils, toutes les horreurs.

Andrzej Żuławski (1940)

Né en Pologne en 1940, il s'installe en France en 1957 où il entreprend des études de cinéma. Assistant d'Andrzej Wajda, il réalise son premier long-métrage en 1971 intitulé *La Troisième Partie de la nuit*. Victime de la censure politique, il revient à Paris en 1972 et sort *Le Diable*. Ses derniers succès cinématographiques sont *Possession* (1981), *Mes nuits sont plus belles que vos jours, Boris Godounov* (1989) et *La Fidélité* (2000). Cinq de ses romans sont traduits en français.

Sport

Raymond Kopaszewski, alias Kopa (1931)

Meneur de jeu de l'équipe de France de football, de Reims et du Real Madrid, le Zidane de la Coupe du monde de 1958 est d'origine polonaise. Milieu de terrain, il a mené l'équipe de France en demi-finale de la Coupe du monde en Suède, s'inclinant devant le Brésil et un génie de 18 ans nommé Pelé. Il permit à son ami et coéquipier Just Fontaine d'inscrire 13 buts au cours de la compétition.

Adam Małysz (1977)

Nouveau héros national, champion du monde de saut à ski sur petit tremplin. Quand Małysz saute, la vie polonaise s'arrête et les Polonais retiennent tous leur souffle, l'avenir du pays en dépend. Adam Małysz continue de collectionner les victoires, avec récemment le concours de saut à ski de Bad Mittenhorf en Autriche, en janvier 2005, avec un saut magistral de 209 m, et le concours tant attendu de Zakopane, dans son pays natal.

Communiquer en polonais

La langue polonaise appartient au groupe slave occidental – qui comprend aussi le tchèque et le slovaque. Au cours des siècles, l'influence de la civilisation latine, puis italienne, française et allemande, a laissé des traces dans la langue polonaise, mais l'apport le plus riche est dû à la langue française.

Cette rubrique est réalisée en partenariat avec **ASSIMIL** évasion

Alphabet et prononciation

- **Différences entre l'alphabet polonais et l'alphabet français**

ą, ć, ę, ł, ń, ó, ś, ź, ż	lettres n'existant pas dans l'alphabet français
q, v, x	lettres employées dans les mots d'origine étrangère

- *La prononciation*

Voici toutes les lettres ou groupes de lettres prononcés autrement qu'en français :

ą	1. **mąż** *monch* mari	comme dans *mon*
	2. **kąpiel** *ko'mpyèl* bain, **stąd** *sto'nt* d'ici	comme dans *comme, tonne*
	3. **wziął** *wz ʲoᵒᵘ* il a pris	comme *o*
c	**noc** *nots* nuit	comme dans *tsé-tsé*
ch	**chleb** *Hlèb* pain	comme en anglais *house*
ć,	**nić** *nitsʲ* fil,	comme dans *ciao*
ci	**cień** *tsʲègn* ombre	
cz	**czapka** *tchapka* chapeau	comme dans *tchèque*
dz	**dzwon** *dzvo'n* cloche	comme un *ts* sonore
dź	**dźwig** *dzʲvik* grue	c'est un *dz* mouillé, comme dans *Luiggi*
dż	**dżem** *djèm* confiture	comme dans *Djerba*
ę	1. **mięso** *miensso* viande	comme dans *mien*
	2. **ręce** *rèntsè* mains, **tępy** *tèmpé* obtus	comme dans *Rennes* et *thème*
	3. **idę** *idè* je vais	comme *è*
g	**grupa** *groupa* groupe	toujours comme dans *groupe*
h	**herbata** *Hèrbata* thé	pratiquement identique à *ch*
j	**ja** *ya* moi	comme *y* dans *il y a*
ł	**łapa** *wapa* patte	comme dans *watt*
ń,	**koń** *cogne* cheval	comme *gn* dans *cogne*
ni	**nie** *gnè* non	
ó	**góra** *goura* montagne	comme *ou*
rz	**rzeka** *jèka* rivière	comme *j* dans *jour*
ś,	**ślad** *sʲlat* trace,	un peu comme dans *chien* mais encore plus mouillé
si	**siedem** *sʲèdèm* sept	
sz	**szafa** *chafa* armoire	comme dans *chat*
u	**uwaga** *ouvaga* attention	toujours comme *ou*, le son *u* n'existant pas en polonais !
w	**walizka** *valiska* valise	comme *v*
y	**ty** *té* toi	entre *é* dans *thé* et un *i* dur comme dans *very*
ź,	**źle** *zʲlè* mal,	comme *gi* dans *magie* mais plus mouillé
zi	**zima** *zʲima* hiver	
ż	**żaba** *jaba* grenouille	identique à *rz*

La phrase

En polonais l'ordre des mots est beaucoup plus libre qu'en français à cause du changement de terminaisons des mots. L'ordre normal correspond à la structure :

S	V	O
sujet	verbe	objet

▶ **Marek** **czyta.**
marek *tchéta*
S V
Marek lit.

▶ **Marek** **czyta** **gazetę.**
marek *tchéta* *gazètè*
S V O
Marek lit un journal.

▶ **Marek** **czyta** **polską gazetę.**
marek *tchéta* *pol*skon *gazètè*
S V O
Marek lit un journal polonais.

Les adjectifs

Les adjectifs ont trois genres au singulier et deux formes au pluriel : masculine-personnelle et générale. Voici les formes de **nowy** *nové, nouveau* :

	Singulier	Pluriel	
masculin	**nowy** *nové*	**nowi** *novi*	(masculin-person.)
féminin	**nowa** *nova*	**nowe** *novè*	(général)
neutre	**nowe** *novè*		

Contrairement au français, la plupart des adjectifs polonais se placent avant le nom :

zielona trawa
żèlona trava
l'herbe verte

Les adverbes

On forme les adverbes en ajoutant la terminaison **-o**, **-e** ou **-ie** au radical des adjectifs :

▶ **duży** *doujé* grand ▶ **mały** *maoué* petit
▶ **dużo** *doujo* beaucoup ▶ **mało** *maouo* peu

Les pronoms personnels

Lorsqu'on s'adresse à quelqu'un d'inconnu ou de façon formelle, c'est-à-dire en employant le "vous" de politesse, on utilise les formes ci-dessous accompagnées du verbe à la 3e personne :

▶ **pan** *pa'n* monsieur
▶ **panowie** *panovyè* messieurs
▶ **pani** *pagni* madame
▶ **panie** *pagnè* mesdames

À la différence du français, les pronoms personnels sont souvent omis quand on parle, car les terminaisons verbales sont suffisamment différenciées pour distinguer la personne. Ils ne s'emploient en général que pour souligner le sujet :

▶ **ja** *ya* je, moi
▶ **ty** *té* tu, toi
▶ **on** *o'n* il, lui
▶ **ona** *ona* elle
▶ **ono** *ono* il, lui / elle
▶ **my** *mé* nous
▶ **wy** *vé* vous
▶ **oni** *ogni* ils, eux
▶ **one** *onè* elles

Les verbes

• *Être et avoir*
Le verbe "être"

Infinitif	**być** *béts'*
▸ je suis	**ja jestem** *ya **yè**stèm*
▸ tu es	**ty jesteś** *té **yè**stès'*
▸ il, elle est	**on, ona, ono jest** *o'n, **o**na, **o**no yèst*
▸ nous sommes	**my jesteśmy** *mé yèst**ès'**mé*
▸ vous êtes	**wy jesteście** *vé yè**stès'**ts'é*
▸ ils, elles sont	**oni, one są** *ogni, **o**nè son*

Le verbe "avoir"

Infinitif	**mieć** *myèts'*
▸ j'ai	**ja mam** *ya ma'm*
▸ tu as	**ty masz** *té mach*
▸ il, elle a	**on, ona, ono ma** *o'n, **o**na, **o**no ma*
▸ nous avons	**my mamy** *mé **ma**mé*
▸ vous avez	**wy macie** *vé **mats**'é*
▸ ils, elles ont	**oni, one mają** *ogni, **o**nè **ma**yon*

On distingue quatre modèles de conjugaison.

	Travailler	Voir
Infinitif	**pracować** *pra**tso**vats'*	**widzieć** *vidz'**è**ts'*
▸ **(ja)** *ya*	**pracuję** *pra**tsou**yè*	**widzę** *vidzè*
▸ **(ty)** *té*	**pracujesz** *pra**tsou**yèch*	**widzisz** *vidz'ich*
▸ **(on, ona, ono)** *o'n, **o**na, **o**no*	**pracuje** *pra**tsou**yè*	**widzi** *vidz'i*
▸ **(my)** *mé*	**pracujemy** *pra**tsou**yèmé*	**widzimy** *vidz'imé*
▸ **(wy)** *vé*	**pracujecie** *pra**tsou**yèts'è*	**widzicie** *vidz'itsiè*
▸ **(oni, one)** *ogni, **o**nè*	**pracują** *pra**tsou**yon*	**widzą** *vidzon*

	Aimer	Comprendre
Infinitif	**kochać** *ko**Hats'***	**rozumieć** *ro**zou**myèts'*
▸ **(ja)** *ya*	**kocham** *ko**Ha'm***	**rozumiem** *ro**zou**myèm*

ASSiMiL évasion ⟶

Ce guide vous propose les bases de la grammaire, du vocabulaire et des phrases utiles ainsi que des informations sur les Polonais et leurs coutumes.

Bref, tout ce qu'il faut savoir avant d'aller faire un petit séjour en Pologne.

DÉCOUVERTE

▶ (ty)	kochasz	rozumiesz
té	*ko**Hach***	*rozoumyèch*
▶ (on, ona, ono)	kocha	rozumie
o'n, ona, ono	*ko**Ha***	*rozoumyè*
▶ (my)	kochamy	rozumiemy
mé	*ko**Hamé***	*rozoumyèmé*
▶ (wy)	kochacie	rozumiecie
vé	*ko**Hats'è***	*rozoumyèts'è*
▶ (oni, one)	kochają	rozumieją
ogni, onè	*ko**Hayon***	*rozoumyèyon*

• **Les verbes modaux : pouvoir, devoir, vouloir...**

▶ **chcieć** *Hts'ets'*, vouloir
▶ **lubić** *loubits'*, aimer
▶ **móc** *mouts*, pouvoir
▶ **można** *moj**na***, on peut
▶ **musieć** *mous'èts'*, devoir, être obligé
▶ **trzeba** *t'chèba*, il faut

La négation

La négation se forme la plupart du temps en faisant précéder le verbe conjugué de **nie**, *non / pas*.

▶ **Nie mogę.**
*gnè **mo**guè*
Je ne peux pas.

Le polonais emploie les mots négatifs sans contraintes, y compris celles concernant l'ordre dans la phrase :

▶ **Nikt nic nie mówi.**
*gnikt gnits gnè **mo**uvi*
Personne ne dit rien.

La forme interrogative

Pour poser une question, on peut, comme en français, utiliser le même ordre de mots, mais employer l'intonation montante :

▶ **Oni poszli tam?**
*ogni **po**chli ta'm*
Ils sont allés là-bas ?

On peut également utiliser **czy** *tché, est-ce que* :

▶ **Czy pan pali?**
*tché pa'n **pa**li*
Est-ce que vous fumez ?

Rien compris ? essayez ça !

▶ **Nie mówię po polsku.**
Je ne parle pas polonais.

▶ **Proszę?**
Comment ?

▶ **Nie rozumiem.**
Je ne comprends pas.

▶ **Proszę mówić wolniej.**
Parlez plus lentement, s'il vous plaît.

▶ **Proszę powtórzyć.**
Répétez, s'il vous plaît.

Pour poser des questions

- qui ?   **kto?**
- quoi ?   **co?**
- où ?   **dokąd? / gdzie?**
- d'où ?   **skąd?**
- pourquoi ?   **dlaczego?**
- combien ?   **ile?**
- comment ?   **jak?**
- quand ?   **kiedy?**
- quel ?   **jaki?**
- lequel ?   **który?**

- **Les questions les plus importantes**
- Avez-vous... ?   **Czy ma pan / pani...?**
- Je cherche...   **Szukam...**
- J'ai besoin...   **Potrzebuję...**
- Donnez-moi...   **Proszę mi dać...**
- Combien ça coûte ?   **Ile to kosztuje?**
- Où est/où se trouve... ?   **Gdzie jest / znajduje sie...?**
- Je voudrais aller à...   **Chcę iść / jechać do...**
- Quelle heure est-il ?   **Która godzina?**
- Où trouver un bon restaurant ?   **Gdzie jest jakaś dobra restauracja?**

Conversation

Salutations et politesse

- **Dzień dobry.**
  *dziègn **do**bré*
  Bonjour.

- **Dobry wieczór.**
  ***do**bré **vyè**tchour*
  Bonsoir.

- **Jak się pan / pani ma?**
  *yak siè pa'n/**pa**gni ma*
  Comment allez-vous ?

- **Bardzo dobrze, dziękuję.**
  ***bar**dzo **do**bjè, dzin**kou**yè*
  Très bien, merci.

Pour prendre congé de quelqu'un, voici les formules d'usage :

- **Do widzenia.**
  *do vi**dzè**gna*
  Au revoir.

- **Dobranoc.**
  *do**bra**nots*
  Bonne nuit.

- **Proszę pani!**
  ***pro**chè **pa**gni*
  S'il vous plaît, madame !

- **Proszę pana, gdzie jest dworzec?**
  ***pro**chè **pa**na, gdz'è yèst **dvo**jèts*
  S'il vous plaît, monsieur, où est la gare ?

- **Przepraszam.**
  *pchè**pra**cha'm*
  Pardon / Excusez-moi.

- **Proszę bardzo.**
  ***pro**chè **bar**dzo*
  Je vous en prie.

- **Czy pan / pani mówi po francusku?**
  *tché pa'n / **pa**gni **mou**vi po fra'n**tsous**kou*
  Parlez-vous français ?

- **... po angielsku?**   *po an**guièl**skou*   ... anglais
- **... po niemiecku?**   *po gnè**myèts**kou*   ... allemand

Se déplacer

na lewo	*na lèvo*	à gauche
na prawo	*na pravo*	à droite
prosto	*prosto*	tout droit
ulica	*oulitsa*	rue
pociąg	*pots'onk*	train
dworzec	*dvojèts*	gare
przyjazd	*pchéyast*	arrivée
odjazd	*odyast*	départ
bilet	*bilèt*	billet
wagon restauracyjny	*vago'n rèsta'ouratséillné*	wagon-restaurant
Palenie Wzbronione	*palègnè vzbrognionè*	défense de fumer
dworzec autobusowy	*dvojèts a'outobousové*	gare routière
samolot	*samolot*	avion
lotnisko	*lotgnisko*	aéroport
lot	*lot*	vol
Roboty drogowe	*roboté drogovè*	travaux
most	*most*	pont
stacja benzynowa	*statsya*	pompe à essence
benzyna	*bènzéna*	essence
olej	*oleil*	huile
parking	*parki'ng*	parking
wypadek	*vépadèk*	accident
awaria	*avarya*	panne
naprawić	*napravits'*	réparer
warsztat samochodowy	*varchtat samoHodové*	garage
hamulec	*Hamoulèts*	frein
silnik	*s'ilgnik*	moteur
motocykl	*mototsékl*	moto
koła	*kowa*	roues
opony	*oponé*	pneus

► **Czy ten pociąg zatrzymuje się w Krakowie?**
tché tèn potsionk zatchémouyè siè f krakovyè
Ce train s'arrête-t-il à Cracovie ?

► **Proszę bilet do Lublina / Gdańska / Poznania.**
prochè bilèt do loublina/gdagnska/poznagna
Un billet pour Lublin / Gdańsk / Poznań, s'il vous plaît.

► **Proszę napełnić zbiornik.**
prochè napèougnitsi zbyorgnik
Le plein, s'il vous plaît.

► **Samochód nie zapala.**
samoHout gnè zapala
La voiture ne démarre pas.

L'hébergement

hotel	*Hotèl*	hôtel
bagaż	*bagach*	bagage
klucz	*kloutch*	clé
piętro	*pyèntro*	étage
łazienka	*waz'ènka*	salle de bains
prysznic	*préchgnits*	douche
łóżko	*wouchko*	lit
światło	*s'fyatouo*	lumière

► **Będziemy tylko jedną dobę.**
bègndziémé télko yèdnon dobè
Nous resterons seulement 24 h.

▷ **Pokój nie podoba mi się.**
*po**kouille** gnè po**do**ba mi sie*
La chambre ne me plaît pas.

▷ **Czy możemy tu rozbić namiot?**
*tché mo**jè**mé tou **roz**bitsi **na**myot*
Pouvons-nous camper ici ?

Manger et Boire

▷ jeść	*yes'ts'*	manger
▷ pić	*pits'*	boire
▷ nóż	*nouch*	couteau
▷ widelec	*vi**dè**lets*	fourchette
▷ łyżka	*ou**é**chka*	cuillère
▷ talerz	*ta**lèch***	assiette
▷ filiżanka	*filija'**nka***	tasse
▷ herbata	*Hèr**bata***	thé
▷ kawa	*ka**va***	café
▷ śniadanie	*s'gna**dagnè***	petit-déjeuner
▷ posiłek	*pos'i'ᵖᵘ**èk***	repas
▷ jadłospis	*ya**douo**spis*	menu
▷ główne danie	*gᵒᵘ**ouv**nè **dagnè***	plat de résistance
▷ masło	*ma**souo***	beurre
▷ chleb	*Hlèp*	pain
▷ mleko	*m**lèko***	lait
▷ ser	*sèr*	fromage
▷ mięso	*mien**sso***	viande
▷ kiełbasa	*kyèou**bassa***	saucisse
▷ ryba	*ré**ba***	poisson
▷ warzywa	*va**jé**va*	légumes
▷ ziemniaki	*z'èm**gnaki***	pommes de terre
▷ kartofle	*kar**toflè***	
▷ owoce	*o**votsè***	fruits
▷ drób	*droup*	volaille
▷ cukier	*tsou**kièr***	sucre
▷ sól	*soul*	sel
▷ pieprz	*pyèpch*	poivre

▷ **Jestem głodny / głodna.**
*yè**stèm gouo**dné / **gouo**dna*
J'ai faim.

▷ **Chce mi się pić.**
Htsè mi s'e pits'
J'ai soif.

▷ **Proszę o jadłospis / rachunek.**
*pro**chè** o ya**douo**spis / ra**chou**nèk*
Le menu / l'addition, s'il vous plaît.

▷ **Reszta jest dla pana / pani.**
*rè**ch**ta yèst dla **pa**na / **pa**gni*
Gardez la monnaie.

Les achats

▷ sklep mięsny	*sklèp **mien**sné*	boucherie
▷ sklep rybny	*sklèp ré**bné***	poissonnerie
▷ sam spożywczy	*sa'm spo**jév**tché*	supermarché
▷ piekarnia	*pyè**kar**gna*	boulangerie
▷ księgarnia	*ks'in**gar**gna*	librairie
▷ szewc	*chèfts*	cordonnier
▷ fryzjer	***fré**zyèr*	coiffeur
▷ pralnia	***pral**gna*	blanchisserie

gram	gra'm	gramme
kilo(gram)	kilo(gra'm)	kilo
litr	litr	litre
połowa	po^{ou}ova	moitié
pół kilo	pou^{ou} kilo	1/2 kilo
pół litra	pou^{ou} litra	1/2 litre
chleb	Hlèp	pain
śmietana	s'myètana	crème fraîche
ryba	réba	poisson
drób	droup	volaille
owoce	ovotsè	fruits
ciastka	ts'astka	gâteaux
wino	vino	vin
piwo	pivo	bière
woda mineralna	voda minèralna	eau minérale
tort	tort	gâteau à la crème
musztarda	mouchtarda	moutarde
lody	lodé	glaces
książka	ks'onchka	livre
płyta	pouéta	disque
kaseta	kasèta	cassette
plan miasta	pla'n myasta	plan de la ville

DÉCOUVERTE

▷ **Gdzie jest najbliższa księgarnia?**
gdziè yèst naillblichcha ks'ingargna
Où est la librairie la plus proche ?

▷ **Słucham pana / panią?**
swouHa'm pana / pagnion
Je peux vous aider ?

▷ **Ile płacę?**
ilè pouatsè
Combien je vous dois ?

▷ **Czy jest mleko?**
tché yèst mlèko
Est-ce qu'il y a du lait ?

▷ **Gdzie można kupić chleb?**
gdz'è mojna koupits' Hlèp
Où peut-on acheter du pain ?

S'orienter géographiquement

na prawo	à droite
prosto	tout droit
naprzeciwko	en face
daleko	loin
światła	feux
tu, tutaj	ici
tam	là-bas
na lewo	à gauche
stale	toujours
blisko	près
w centrum	dans le centre

S'orienter dans le temps

wczoraj	hier
dzisiaj	aujourd'hui
jutro	demain
pojutrze	après-demain
przedwczoraj	avant-hier
rano	le matin
w południe	à midi

▌ **po południu**	après-midi	
▌ **czasem**	parfois	
▌ **nocą (w nocy)**	la nuit	
▌ **wieczorem**	le soir	
▌ **późno**	tard	
▌ **wcześnie**	tôt	

▌ **Która godzina?**	ou	▌ **Która jest godzina?**	
*ktou*ra *godz*ína		*ktou*ra *yèst godz*ína	
Quelle heure est-il ?		Quelle heure est-il ?	

▌ **rok**	*rok*	an (sing.)
▌ **lata**	*lata*	ans (pl.)
▌ **Nowy rok**	*nové rok*	Jour de l'an
▌ **Boże Narodzenie**	*boj*è naro*dz*ègnè	Noël

• *Les saisons*

▌ **pory roku**	*poré rokou*	les saisons
▌ **wiosna**	*vyosna*	printemps
▌ **lato**	*lato*	été
▌ **jesień**	*yès'ègn*	automne
▌ **zima**	*z'ima*	hiver

• *Les mois*

▌ **miesiące**	*myès'ontsè*	les mois
▌ **styczeń**	*stétchègn*	janvier
▌ **luty**	*louté*	février
▌ **marzec**	*majèts*	mars
▌ **kwiecień**	*kfyèts'ègn*	avril
▌ **maj**	*maille*	mai
▌ **czerwiec**	*tchèrvyèts*	juin
▌ **lipiec**	*lipyèts*	juillet
▌ **sierpień**	*s'èrpyègn*	août
▌ **wrzesień**	*vjès'ègn*	septembre
▌ **październik**	*paz'dz'èrgnik*	octobre
▌ **listopad**	*listopat*	novembre
▌ **grudzień**	*groudz'ègn*	décembre

• *Les jours de la semaine*

▌ **dni tygodnia**	*dni tégodgna*	les jours de la semaine
▌ **poniedziałek**	*pognèdz'aouèk*	lundi
▌ **wtorek**	*ftorèk*	mardi
▌ **środa**	*s'roda*	mercredi
▌ **czwartek**	*tchfartèk*	jeudi
▌ **piątek**	*pyo'ntèk*	vendredi
▌ **sobota**	*sobota*	samedi
▌ **niedziela**	*gnèdz'èla*	dimanche

• *Le temps*

▌ **czas**	*tchas*	le temps
▌ **godzina**	*godz'ina*	heure
▌ **minuta**	*minouta*	minute
▌ **tydzień**	*tédz'ègn*	semaine
(pluriel **tygodnie** *tégodgnè*)		
▌ **dwa dni temu**	*dva dgni tèmou*	il y a deux jours
▌ **już**	*youch*	déjà
▌ **jeszcze**	*yèchtchè*	encore
▌ **czasem**	*tchassèm*	parfois
▌ **zawsze**	*zafchè*	toujours

VARSOVIE - WARSZAWA

Varsovie,
palais de Wiłanow

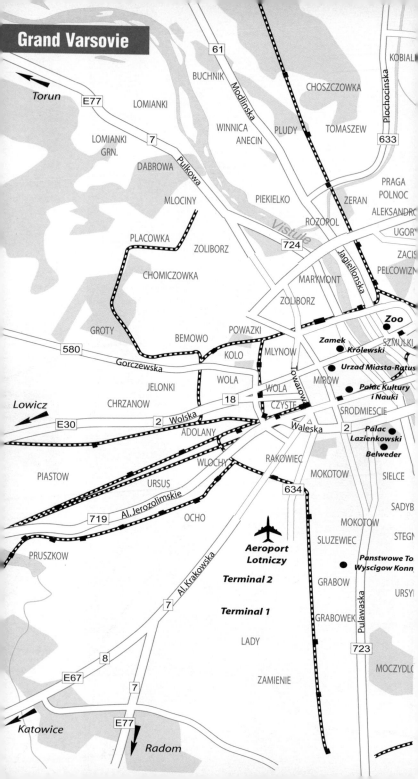

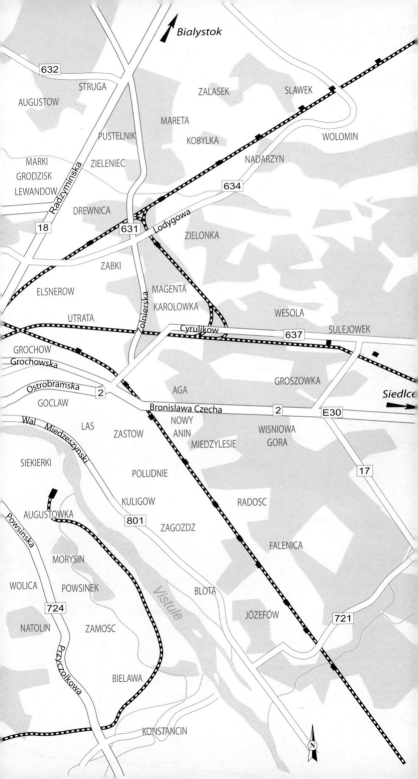

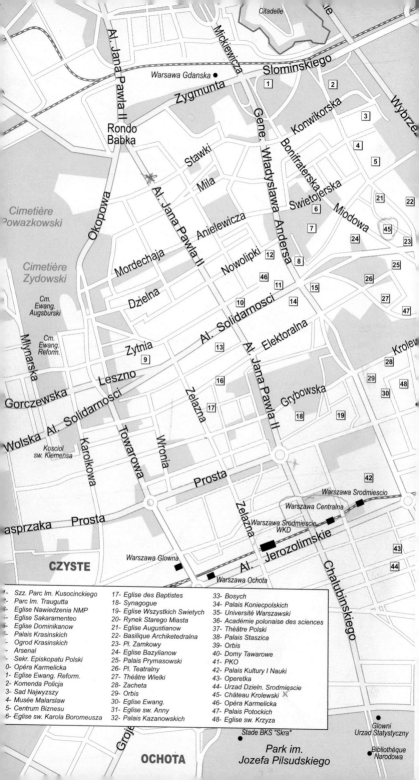

Citadelle

Al. Jana Pawla II

Mickiewicza

Slominskiego

Warsawa Gdanska ●

1

2

Zygmunta

Konwikorska

3

Bonifraterska

4

Rondo
Babka

Stawki

5

Gene. Wladyslawa Andersa

Mila

Swietojerska

21

22

6

Miodowa

45

Okopowa

Al. Jana Pawla II

Anielewicza

7

24

23

Cimetière
Powazkowski

Nowolipki

12

8

25

Mordechaja

46

11

15

26

Cimetière
Zydowski

Dzielna

10

14

27

47

Cm.
Ewang.
Augsburski

Al. Solidarnosci

Al. Elektoralna

Zytnia

13

Al. Jana Pawla II

Krolew

Cm.
Ewang.
Reform.

9

Mlynarska

Leszno

16

28

Gorczewska

Zelazna

17

Grybowska

29

48

Wolska Al. Solidarnosci

Karolkowa

Towarowa

Wronia

18

30

19

Kosciol
sw. Klemensa

Prosta

42

Warszawa Srodmiescie

Warszawa Centralna

asprzaka

Prosta

Zelazna

Warszawa Srodmiescie
WKD

Jerozolimskie

CZYSTE

Warszawa Glowna

43

44

Warszawa Ochota

Al.

Chalubinskiego

Groje

OCHOTA

Park im.
Jozefa Pilsudskiego

Stade BKS "Skra" ●

Glowni
Urzad Statystyczny ●

Bibliothèque
Narodowa ●

- *- Szz. Parc Im. Kusocinckiego
- *- Parc Im. Traugutta
- *- Eglise Nawiedzenia NMP
- *- Eglise Sakaramenteo
- *- Eglise Dominikanow
- *- Palais Krasinskich
- *- Ogrod Krasinskich
- *- Arsenal
- *- Sekr. Episkopatu Polski
- 0- Opéra Karmelicka
- 1- Eglise Ewang. Reform.
- 2- Komenda Policja
- 3- Sad Najwyzszy
- 4- Musée Malarslaw
- 5- Centrum Biznesu
- 6- Eglise sw. Karola Boromeusza

- 17- Eglise des Baptistes
- 18- Synagogue
- 19- Eglise Wszystkich Swietych
- 20- Rynek Starego Miasta
- 21- Eglise Augustianow
- 22- Basilique Archiketedralna
- 23- Pl. Zamkowy
- 24- Eglise Bazylianow
- 25- Palais Prymasowski
- 26- Pl. Teatralny
- 27- Théâtre Wielki
- 28- Zacheta
- 29- Orbis
- 30- Eglise Ewang.
- 31- Eglise sw. Anny
- 32- Palais Kazanowskich

- 33- Bosych
- 34- Palais Koniecpolskich
- 35- Université Warszawski
- 36- Académie polonaise des sciences
- 37- Théâtre Polski
- 38- Palais Staszica
- 39- Orbis
- 40- Domy Tawarowe
- 41- PKO
- 42- Palais Kultury I Nauki
- 43- Operetka
- 44- Urzad Dzieln. Srodmiescie
- 45- Château Krolewski
- 46- Opéra Karmelicka
- 47- Palais Potockich
- 48- Eglise sw. Krzyza

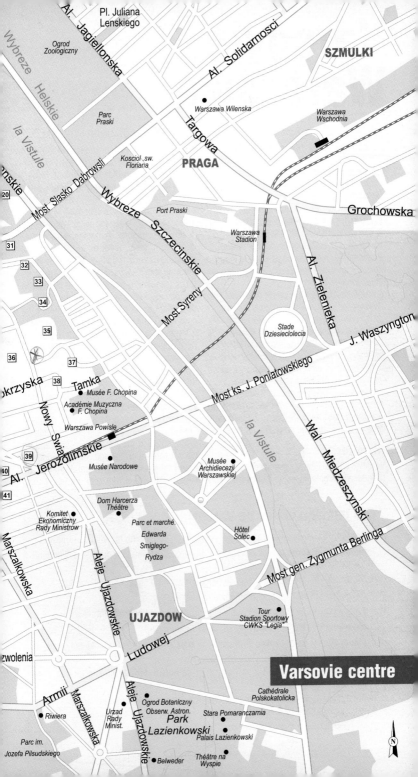

Varsovie
Warszawa

*La capitale de la Pologne, avec près de
2 millions d'habitants, est l'agglomération la
plus peuplée. Sa position géographique centrale
l'impose comme le véritable carrefour de tous
les échanges dans le pays. Ces dix dernières
années, l'essor des investissements et l'arrivée
massive des capitaux étrangers ont transformé
la ville en un immense chantier de construction.
Varsovie est à la fois le centre politique,
économique, scientifique et universitaire de
Pologne ; une métropole européenne moderne
bouillonnante de vie.*
*La capitale n'est, certes, pas la plus belle ville
de Pologne, à jamais imprégnée par les ravages
de la Seconde Guerre mondiale. Mais ses palais,
églises et monuments ont été reconstruits
avec un soin impressionnant, travail laborieux
qui mérite à lui seul le voyage. On en repart
donc enchanté, tant chaque quartier recèle de
véritables trésors, et surtout une atmosphère
chaleureuse et dynamique. Varsovie est,
en quelque sorte, le reflet de la Pologne
d'aujourd'hui, marquée par le passé, mais
fière de son identité et confiante en l'avenir.*

Histoire

Varsovie est, en comparaison avec les autres
grandes villes polonaises, une agglomération
assez récente. Les premiers documents
qui la mentionnent datent de 1281 à 1321.
Varsovie devint rapidement la ville la plus
importante du duché de Mazovie, et dès
1413, sa capitale. En 1569, après la fusion
de la Pologne et de la Lituanie, le pouvoir
s'installa dans la ville centrale de Varsovie, qui
devint une cité importante sans être encore
capitale du pays. C'est en 1596 que le roi
Sigmund III Vasa transféra la capitale de la
Pologne de Cracovie à Varsovie. Après un
terrible incendie qui ravagea le Wawel, le
château royal de Cracovie, Sigmund III décida
de transférer sa résidence permanente, sa
cour et la capitale du royaume, de Cracovie
à Varsovie. La ville connut alors un rapide
développement et une forte croissance de
population. Elle devint un centre important
des arts et des sciences. Mais la jeune cité
fut sérieusement endommagée par l'invasion
suédoise entre 1655 et 1660. Varsovie vécut
son second âge d'or pendant le règne du
dernier roi de Pologne, Stanislas Auguste
Poniatowski. Elle fut témoin de l'adoption de
la Constitution du 3 mai 1791, la première
qui fut ratifiée en Europe, de l'introduction
d'une administration urbaine moderne, de
l'épanouissement des arts, de la création

Les immanquables de Varsovie

▸ **Arpenter** la vieille ville et ses ruelles, inscrite au Patrimoine mondial de l'Unesco.

▸ **Mieux comprendre** la vaillante Varsovie en parcourant les salles du Musée historique
et en visionnant son film très instructif.

▸ **S'étonner** de l'incroyable travail de reconstruction du château royal.

▸ **Parcourir** la voie royale, parsemée de riches palais et églises.

▸ **Embrasser** toute la capitale depuis le point de vue de l'église Sainte-Anne.

▸ **S'enrichir** des trésors séculaires du Musée national.

▸ **Flâner** dans le parc et palais de Wilanów ou le parc et palais de Łazienki, qui rivalisent
de beauté et de grandeur.

▸ **Se mettre** dans la peau d'un insurgé et se battre dans le musée interactif de
l'insurrection de Varsovie.

▸ **Participer** au concours pianistique Frédéric Chopin, de renommée mondiale, ou si
ce n'est pas l'année (puisqu'il a lieu tous les 5 ans), partir sur ses traces…

du ministère de l'Education et du Théâtre national. En 1795, la Pologne fut effacée de la carte de l'Europe en tant qu'Etat; son territoire allait être partagé entre la Russie, la Prusse et l'Autriche. La ville sombra alors dans l'oubli, pour les 123 années suivantes, sous l'autorité de la Prusse. Elle redevint capitale en 1807 du grand-duché de Pologne avec l'aide de Napoléon Ier, mais en 1815 tomba sous domination russe (congrès de Vienne) pour ne retrouver l'indépendance qu'en 1918, avec le reste du pays.

Entre les deux guerres, Varsovie connut une croissance importante de sa population et de ses activités au sein de la jeune république polonaise. En 1939, l'on comptait 1,3 million d'habitants, dont 350 000 juifs. Dès le 1er septembre 1939, les premières bombes tombèrent sur la ville, qui déposa les armes le 28 septembre, après une résistance acharnée contre l'envahisseur allemand. Pendant les 5 années d'occupation, les habitants de Varsovie connurent l'enfer des ghettos et la persécution des nazis. Le 1er août 1944, la population se souleva lors d'une insurrection gigantesque qui dura 63 jours et coûta la vie à 200 000 civils. A la suite de cette résistance, les nazis rasèrent méthodiquement la ville avant que les Soviétiques, le 17 janvier 1945, ne viennent en libérer les ruines. Varsovie fut détruite à 80 % et 800 000 personnes périrent, soit les deux tiers de sa population. On pensa un moment transférer la capitale de la nouvelle Pologne tant la ville avait souffert, mais finalement le pouvoir politique resta dans Varsovie, qu'une volonté farouche permit de reconstruire rapidement.

La reconstruction à l'époque communiste, tout de béton, symbolisée par le Palais de la Culture offert par l'URSS au peuple polonais, contraste avec les constructions plus récentes, en acier et en verre du centre-ville, et les maisons individuelles dans les faubourgs.

■ TRANSPORTS

Avion

■ AEROPORT OKĘCIE FREDERIC CHOPIN
www.polish-airports.com
Il est situé à 10 km du centre, dans le sud de la ville et propose des vols à destination de toutes les grandes villes nationales (Cracovie, Gdańsk, Katowice, Poznań, Szczecin, Wrocław), européennes et internationales. Le terminal national se trouve tout près de l'international, ainsi que de celui des compagnies aériennes à bas coût « Etiuda ». Ces dernières sont principalement **Sky Europe** (✆ (022) 433 07 33. www.skyeurope.com), **Wizz Air** (✆ (022) 351 94 99 - www.wizzair. com.pl) et **EasyJet** (www.easyjet.com). En face des bureaux de taxis, à côté du kiosque « Ruch » se trouve le bureau de l'office du tourisme.

▶ **Pour rejoindre le centre,** on peut prendre le bus urbain n° 175, qui traverse tout le centre-ville ou le n° 188 qui va sur la rive droite, vers les quartiers est (Praga, Grochów, Gocław), ou un bus de nuit 611 (Aéroport-Gare centrale de Varsovie). Les tickets de bus s'achètent dans le kiosque à journaux situé à côté du bureau de renseignements touristiques (de nombreux contrôles sur ces lignes). Le prix normal : 2,40 zl, pour la ligne de nuit 4,80 zl.

Si vous préférez prendre le taxi, optez pour les sociétés MPT, SAWA, MERC, situées au milieu du hall d'arrivée, qui pratiquent des prix fixes (3 zl/km), et non pour les chauffeurs qui viennent vous accoster dans le hall. Des navettes aussi conduisent directement aux grands hôtels à condition de réserver une chambre au guichet dans l'aéroport.

■ INFORMATIONS
✆ (022) 650 42 20/022 650 39 43.

Train

Varsovie possède trois grandes gares ferroviaires PKP, qui desservent le réseau national et international, Warszawa Zachodnia (gare de l'Ouest), Warszawa Centralna (gare centrale) et Warszawa Wschodnia (gare de l'Est). Toutes ces gares sont placées sur le même axe est-ouest.

■ GARE CENTRALE, WARSZAWA CENTRALNA
Située en plein centre-ville, à côté du Palais de la Culture et de la Science, au 54 de l'avenue Jerozolimskie. Elle est reliée à toutes les autres.

Les trains qui partent de Varsovie couvrent toutes les destinations de l'ensemble du territoire national.

De nombreuses liaisons sont également assurées avec des villes à l'étranger, faisant de cette gare un endroit qui vit 24h/24.

Lorsque vous descendez du train, il vous faut souvent remonter deux étages pour arriver dans le hall central, fléché « Hala Główna », où se trouve un stand de l'office du tourisme et à côté un bureau d'information des chemins de fer PKP. Dans les sous-sols et les étages de cette gare se trouvent une pharmacie, un bureau de poste, des bureaux de change, distributeurs de billets, de nombreuses boutiques, des bars et fast-foods, librairies et cafés Internet.

▶ **Information et réservation**
✆ (022) 94 36. www.pkp.pl
www.intercity.pkp.pl – www.pr.pkp.pl

Tramways, bus, bateaux touristiques

Nous vous conseillons de découvrir la capitale polonaise en tramway touristique (historique) qui circule le samedi, le dimanche et les jours fériés en juillet et août (pl. Narutowicza-Jardin zoologique). Les tickets s'achètent uniquement dans le tramway (le tarif : 2 zl). Toute l'année, vous pouvez profiter d'un petit train touristique qui commence et termine son trajet sur Plac Zamkowy (Place du Château royale) et circule de 11h à 17h. Ainsi, vous aurez l'occasion de voir la Vieille Ville et la Nouvelle Ville de Varsovie (14 zl, l'excursion de 30 min). Vous pouvez réserver par téléphone un guide parlant français ✆ 0501 131 245 (portable). Si vous voulez faire une rapide visite des principaux monuments de la plus grande ville polonaise, prenez un bus touristique – la ligne « 100 » commence son trajet sur Plac Zamkowy (rue Podwale) et termine a Łazienki Królewskie (rue Agrykola). Le bus circule pendant toute l'année pendant les week-ends, et tous les jours pendant les vacances (2,40 zl). Ceux qui préfèrent une promenade en bateau sur la Vistule peuvent prendre un des bateaux qui circulent tous les jours, de mai à septembre, depuis le quai situé près du pont Śląsko-Dąbrowski, à proximité du château royal (14 zl).

Information sur les trains de banlieue : www.wkd.com.pl

Achat des billets

En gare, dans le train (à prix majoré) ou en agence de voyage, notamment :

■ **ORBIS**
Ul. Bracka 16 (centre-ville)
✆ (022) 827 71 40 et Ul. Puławska 31 (centre-ville, dans le sud)
✆ (022) 646 27 72
www.pbp.com.pl – orbis@pbp.com.pl

■ **FIRST CLASS**
Ul. Nowowiejska 5 (vieille ville)
✆ (022) 578 71 47
Fax : (022) 825 45 37
www.firstclass.com.pl
bilety@firstclass.com.pl

■ **AIR CLUB**
Ul. Senatorska 28 (centre-ville)
✆ (022) 829 95 00/022 826 86 82 022
www.airclub.pl – bilety@airclub.pl

Bus

▶ **Le terminal central** est à l'ouest du centre-ville, près de la gare ferroviaire Warszawa Zachodnia, au 144 de l'avenue Jerozolimskie (✆ (022) 822 48 11/0300 300 130. www.pks.warszawa.pl). On trouve un nombre impressionnant de bus qui couvrent l'ensemble du territoire polonais, et relient également Varsovie à la plupart des grandes villes européennes, plus ou moins proches. Dans le hall central près des guichets, se trouve un point d'information touristique, qui délivre également toutes les informations concernant les liaisons nationales en autocar.

▶ **Pour se rendre à la gare PKS Warszawa Zachodnia,** de nombreux bus depuis la gare centrale PKP Warszawa Centralna, du côté de l'avenue Jerozolimskie.
Il existe d'autres gares routières, moins grandes :

▶ **Warszawa Stadion** (avenue Zielenicka) qui dessert le trafic national et international à destination de l'Est.

▶ **Warszawa Południowa** (rue Puławska) qui dessert les liaisons nationales vers le sud (information sur le site : www.ppkspiaseczno. pl).

▶ **Warszawa Marymont** (rue Marymoncka) dessert les liaisons nationales vers le nord.
wwLes autocars Polski Express (trafic national)

Varsovie, tramway dans la ville nouvelle

partent de l'aéroport Warszawa Okęcie et de l'arrêt de bus, sur l'avenue Jana Pawła II, entre la gare PKP Warszawa Centralna et l'hôtel Holiday Inn.

Les billets du réseau national sont vendus aux guichets des gares Warszawa Zachodnia et Warszawa Stadion. Pour les billets de bus internationaux, voici quelques agences qui en délivrent :

▪ CENTRUM PODROŻY AURA

Al. Jerozolimskie 14
(à côté de la gare centrale PKS)
✆ (022) 659 47 85
www.aura.pl – cp@aura.pl022

▪ ECOLINES

✆ (022) 610 33 66 – www.ecolines.net
Depuis 1993 ECOLINES développe constamment ses lignes d'autobus régulières à travers l'Europe et ses pays frontaliers pour compter aujourd'hui plus de 100 destinations en Pologne, Lettonie, Lituanie, Estonie, Allemagne, Suisse, France, Belgique, Hollande, Grande-Bretagne, Ukraine et Russie.

Du premier contact avec les bureaux de réservation, jusqu'au personnel de bord, l'équipe n'a de souci que votre sécurité et votre confort. Tous les bus sont équipés de sièges amovibles, climatisation, DVD, WC et pour des voyages de plus de 12h, un steward et un snack-bar sont à votre disposition. Vous trouverez les billets dans plus de 620 agences en Europe ou en ligne sur leur site Internet. Réductions pour les groupes de plus de 6 passagers, seniors, les handicapés, enfants de moins de 12 ans, jeunes de moins de 26 ans, étudiants et porteurs des cartes ISIC et ITIC.

▪ ORBIS

Ul. Bracka 16 ✆ (022) 827 71 40
www.pbp.com.pl – orbis@pbp.com.pl

▪ FIRST CLASS. UL

Nowowiejska 5 (vieille ville)
✆ (022) 578 71 47, (022) 578 7 4 8
Fax : (022) 825 45 37
www.firstclass.com.pl
bilety@firstclass.com.pl.

▪ **AIR CLUB. UL**

Senatorska 28 (centre-ville)

✆ (022) 829 95 00/022 826 86 82

www.airclub.pl – bilety@airclub.pl

▪ **RENSEIGNEMENTS
SUR LE TRAFIC NATIONAL**

www.rozklady.com.pl

Transports urbains

Ces moyens de transport sont pratiques et nombreux pour circuler dans Varsovie. Depuis octobre 2004 un plan des tramways, bus et métro existe, ce qui devrait faciliter grandement vos déplacements « mapa komunikacji miejskiej », disponible à l'office du tourisme. Les transports intra-urbain et de banlieue fonctionnent de 5h à 23h.

Tramways

Les tramways, numérotés de 1 à 50, circulent tous les jours. C'est le moyen de communication le plus rapide, à l'exception du métro.

▪ **INFORMATIONS**

✆ (022) 94 84

www.tw.waw.pl – www.ztm.waw.pl

Bus

Le bus ne s'arrête que si des gens attendent aux arrêts ou si vous réclamez l'arrêt en appuyant sur un bouton situé au-dessus des portes. Dans la plupart des bus, un affichage indique le nom du prochain arrêt (następny przystanek).

▷ **Informations**

www.ztm.waw.pl (✆ (022) 94 84).

Les bus dont les numéros commencent par 100 et 300 desservent tous les arrêts, les « 100 » circulent tous les jours ; les « 300 » uniquement les jours ouvrables. Les bus rapides, numérotés à partir de 500 circulent tous les jours et ne desservent pas tous les arrêts ; les « 400 » circulent uniquement aux heures de pointe des jours ouvrables. Les bus Express, marqués de E1 à E5 circulent seulement aux heures de pointe des jours ouvrables. Les bus de banlieue desservent les localités autour de Varsovie, les réguliers commencent à 700, les périodiques à 801. Les bus qui vont, à partir du n° 601, circulent de 23h à 4h30 environ toutes les 30 min et nécessitent un billet plus cher (à 4,80 zl). Toutes les lignes des bus de nuit se croisent au niveau de la gare centrale PKP, côté rue Emilia Plater.

Métro

Le métro, flambant neuf, assez propre, comprend une seule ligne de 27 km, qui relie Marymont et la banlieue sud Kabaty. Il se prend donc dans deux sens : en direction du nord (Plac Wilsona, Marymont) ou du sud (Kabaty). Les rames de métro circulent toutes les 8 min de 5h à 0h15 et toutes les 5 min aux heures de pointe.

▷ **Informations**

✆ (022) 94 84

www.metro.waw.pl – www.ztm.waw.pl

Tarification et achat des tickets

Pour monter à bord, il faut un billet individuel, qu'il convient de composter immédiatement après la montée dans le bus ou le tramway et avant le passage sur le quai du métro. Depuis le 1er juillet 2004, plus besoin d'un ticket supplémentaire pour les valises, les vélos et les animaux, qui voyagent dorénavant gratuitement. Les billets avec l'inscription « ZTM Warszawa » permettent d'accéder à tous les moyens de transport et s'achètent dans les distributeurs automatiques placés aux arrêts, les kiosques, reconnaissables à leur autocollant représentant un T jaune sur fond rouge, ou dans le véhicule, mais à un prix majoré. Par exemple un billet tarif normal à 2,40 zl vous coûtera 3 zl si vous l'achetez dans le bus (pensez à vous pourvoir de monnaie).

▷ **Les étudiants de moins de 26 ans** qui présentent la carte AISEC ont droit à une réduction de 48 % sur l'ensemble des transports de la ville. Les enfants de moins de 4 ans et personnes âgées de plus de 70 ans voyagent gratuitement.

▷ **Prix du ticket à l'unité :** normal à 2,40 zl, réduit 48 % à 1,25 zl, bus de banlieue et nuit à 4,80 zl.

▷ **Ticket de 24h** (valable 24h à compter de l'heure de compostage) : normal à 7,20 zl, réduit 48 % : 3,70 zl.

▷ **Ticket de 3 jours** (valable 3 jours consécutifs à compter de la date du compostage, y compris les bus de nuit) : normal à 12 zl, réduit 48 % à 6,20 zl.

▷ **Ticket hebdomadaire** (valable 7 jours à compter de la date de compostage) : normal à 24 zl, réduit 48 % à 12,40 zl.

▷ **Pour tout autre renseignement sur les transports urbains :**

✆ (022) 94 84. www.ztm.waw.pl

Voiture

Location de voitures

Les tarifs de location varient de 200 zl pour une voiture personnelle, catégorie A, à 1 000 zl pour un minibus, par jour. Attention presque toutes les compagnies de location de voitures exigent un paiement par carte bancaire.

▪ AUTO ESCAPE

✆ 0800 920 940 appel gratuit en France ou 33(0)4 90 09 28 28
www.autoescape.com
Une formule nouvelle et économique pour la location de voitures. Un broker qui propose les meilleurs tarifs parmi les grandes compagnies de location. Cette compagnie qui loue de gros volumes de voitures obtient des remises substantielles qu'elle transfère à ses clients directs. Payez le prix des grossistes pour le meilleur service. Pas de frais de dossier, pas de frais d'annulation.

▪ AVIS

Al. Jerozolimskie 65/79,
dans l'hôtel Marriott ✆ (022) 630 73 16,
et à l'aéroport ✆ (022) 650 48 72
www.avis.pl – warszawa@avis.pl
Prix très variés, agences installées sur l'ensemble de la Pologne.

▪ BUDGET

Al. Jerozolimskie 65/79,
dans l'hôtel Marriott ✆ (022) 630 69 46
et à l'aéroport ✆ (022) 650 40 62
www.budget.com.pl
mariott@budget.com.pl

▪ EUROPCAR

Al. Jana Pawła II 22, dans l'hôtel Mercure
✆ (022) 624 85 66, et à l'aéroport
✆ (022) 650 44 52. www.europcar.com.pl
wawt01@europcar.com.pl
✆ (022) 022 022

▪ HERTZ

A l'aéroport ✆ (022) 650 28 96
www.hertz.com.pl
warszawa.apt@hertz.com.pl

▪ PAYLESS CAR RENTAL

A l'aéroport ✆ (022) 650 14 84
office@paylesscarrental.pl

▪ RENT UP. UL

Żwirkii Wigury 2B ✆ (022) 886 40 84
www.rentup.pl – rentacar@rentup.pl
Des prix intéressants et un bon accueil (kilométrage illimité, deuxième chauffeur et siège enfant gratuits, possibilité d'avoir un portable pour 1 zl par jour).

▪ SIXT

A l'aéroport
✆ (022) 650 20 31 – www.sixt.pl

▪ NATIONAL CAR RENTAL

A l'aéroport ✆ (022) 606 92 02

▪ LOCAL RENT A CAR POLAND

Ul. Marszałkowska 140
✆ (022) 826 71 00
et 0 501 21 61 93 (24h/24
www.lrc.com.pl – info@lrc.com.pl
Beaucoup de promotions.

Stationnement

Dans les zones marquées du centre-ville, le stationnement est payant du lundi au vendredi de 8h à 18h. Prix minimum de 0,40 zl ; première heure à 2 zl ; seconde à 2,40 zl ; troisième à 2,80 zl ; puis 2 zl chaque heure additionnelle.

Assistance

▪ DEPANNAGE DE VOITURES 24H/24

✆ (022) 981/022 96 33

▪ EUROP ASSISTANCE POLSKA

Ul. Domaniewska 41, immeuble Taurus
(quartier Mokotów) ✆ (022) 874 34 75

▪ PZM (PROMOC DROGOWA)

Ul. Górczewska 228F (quartier Bemowo)
✆ (022) 96 37
Assistance dépannage voiture.

Taxis

Il est préférable de commander un taxi par téléphone ou de le prendre à son arrêt. Si vous arrêtez un taxi dans la rue, demandez le prix de la course à l'avance. Les tarifications actuelles (prix maximum admissibles) sont de 6 zl pour une prise en charge, de 3 zl/km pour une course de jour en centre-ville, de 4,50 zl/km de nuit ou jours fériés, de 6 zl/km de jour en banlieue, de 9 zl/km en banlieue les jours fériés.

Compagnies acceptant le paiement par carte de crédit

▪ ELE TAXI ✆ (022) 94 61

▪ EURO TAXI ✆ (022) 96 62

▪ HALO TAXI ✆ (022) 96 23

- **KORPO TAXI** ✆ (022) 96 24

- **MPT TAXI** ✆ (022) 919

- **O'K TAXI** ✆ (022) 96 28

- **PLUS TAXI** ✆ (022) 96 21

- **SAWA TAXI** ✆ (022) 644 44 44

- **SUPER TAXI** ✆ (022) 96 22

- **TELE TAXI** ✆ (022) 96 27

Autres compagnies

- **BAYER TAXI** ✆ (022) 96 67

- **EXPRESS TAXI** ✆ (022) 96 63

- **EXTRA TAXI** ✆ (022) 96 83

- **LUX TAXI** ✆ (022) 96 66

- **NOWA TAXI** ✆ (022) 96 87

- **SAWA TAXI** ✆ (022) 644 44 44

- **TOP TAXI** ✆ (022) 96 64

- **VOLFRA RADIO TAXI** ✆ (022) 96 25

- **WAWA TAXI** ✆ (022) 96 44

PRATIQUE

- **www.warsawtour.pl**
- **www.warszawa.um.gov.pl**
- **www.e-warsaw.pl** (site en français)

Présence française

- **AMBASSADE DE FRANCE**
Ul. Piękna 1
✆ (022) 529 30 00 (standard)
022 529 30 04 (section consulaire)
www.ambafrance-pl.org
consulat@ambafrance-pl.org

- **INSTITUT CULTUREL FRANÇAIS**
Ul. Senatorska 38
✆ (022) 505 98 00
Fax : (022) 828 90 56
www.ifv.pl – ifv@ifv.ikp.pl

Autres présences étrangères

- **AMBASSADE DE BELGIQUE**
Ul Senatorska 34
✆ (022) 551 28 00
Fax : (022) 828 57 11
www.diplomatie.be/warsawfr
warsaw@diplobel.org

- **AMBASSADE DE SUISSE**
Al. Ujazdowskie 27 ✆ (022) 628 04 81
Fax : (022) 621 05 48
www.eda.admin.ch/warsaw
vertretung@var.rep.adm.ch

- **AMBASSADE DU CANADA**
Ul. Matejki 1/5 ✆ (022) 584 31 00/31
Fax : (022) 584 31 92 – www.canada.pl
wsaw@international.gc.ca

Tourisme

- **OFFICE DU TOURISME VARSOVIE**
Ul. Krakowskie Przedmieście 39
Ouvert tous les jours, de mai à septembre de 9h à 20h, d'octobre à avril de 9h à 18h. L'office du tourisme dispose d'annexes :

▶ **A l'aéroport Frédéric Chopin,** hall d'arrivée, près du kiosque à journaux, et dans le terminal « Etiuda ». *Ouvert tous les jours, de mai à septembre de 8h à 20h, d'octobre à avril de 8h à 18h.*

▶ **A la gare feroviaire centrale PKP** (Warszawa Centralna), hall central (Hala Główna). *Ouvert tous les jours de mai à septembre de 8h à 20h, d'octobre à avril de 8h à 18h.*

▶ **Information par téléphone (en français)** ✆ (022) 94 3 (tous les jours de mai à septembre de 8h à 20h, d'octobre à avril de 8h à 18h). Fax : (022) 524 11 43 - www.warsawtour.pl (en anglais) info@warsawtour.pl.

▶ **L'office du tourisme dispose de nombreuses brochures,** dont certaines en français, notamment le très complet « *Varsovie en bref* ». Par ailleurs la carte de Varsovie Copernicus, pour 6 zl, très complète et détaillée (lignes des tramways et bus, stations-service, hébergements, monuments et lieux culturels…) peut s'avérer fort utile, surtout si vous êtes motorisés ou logez en dehors du centre.

▶ **Les services** assurés par ce bureau d'information touristique comprennent aussi la réservation d'un logement, des services d'un guide, de location de voitures. Une carte de 24h ou de 3 jours est en vente aux prix respectifs de 35 zl et 65 zl, qui permet de bénéficier de réductions dans de nombreux musées, magasins, hôtels et restaurants et de profiter gratuitement des moyens de transport. Etudiez si elle est rentable pour vous, des explications apparaissent en français dans la brochure.

Agences de voyages

■ MAZURKAS TRAVEL

Ul. Długa 8/14 (centre-ville)
℡ (022) 635 66 33/022 536 46 70
Autre adresse : Ul. Wojska Polskiego 27
℡ (022) 536 40 00
www.mazurkas.com.pl
euromic@mazurkas.com.pl
Organise de nombreuses excursions dans la capitale, ainsi que des excursions à la journée à Cracovie (avec visite d'Auschwitz ou de Wieliczka) et à Gdańsk (avec visite de Sopot et Gdynia ou Malbork). Parle anglais et français.

■ AFRICANA TRAVELS

Al. Jana Pawla II 64 (centre ville)
℡ (022) 636 49 59
℡ 0 605 404 136 (mobile)
africana@op.pl
Offres variées pour la Pologne et les pays limitrophes. Offres culturelles et voyages thématiques. Parle Français.

■ TRAKT, BUREAU DES GUIDES

Ul. Kredytowa 6 (centre-ville)
℡ (022) 827 80 6
www.trakt.com.pl – trakt@trakt.com.pl
Louer les services d'un guide en langue étrangère coûte forfaitairement 350 zl pour 5h.

■ GROMADA

Ul. Cicha 7 ℡ (022) 826 66 35
Fax : (022) 827 01 35
www.gromada.pl – incoming@gromada.pl

Un réseau de bureaux et d'hôtels en toute la Pologne.

■ ORBIS TRAVEL

Ul. Bracka 16 ℡ (022) 827 71 40
www.pbp.com.pl – www.orbis.com.pl
orbis@pbp.com.pl
Un réseau de bureaux et d'hôtels en toute la Pologne.

■ POLAND TOUR

Ul. Marszalkowska 43/14
℡ (022) 499 65 16
Fax : (022) 499 65 17
www.polandtour.pl – office@polandtour.pl
Organise des excursions à Varsovie et en toute la Pologne, entre autres dans la région de Mazurie et dans les montagnes.

■ WARSAW TOURS

℡ (48) 509 538 450
www.warsawtrip.pl
warsawtrip@warsawtrip.pl
Tour organisé de Varsovie ayant pour objectif de montrer tous les aspects insolites de la ville. Que ce soit le Varsovie moderne et excitant ou les vestiges et sévices découlant des différentes périodes historiques, rien ne sera occulté. Possibilité de réclamer des visites personnalisées. Balades sympas et originales guidées par l'idée de vous dévoiler ce que personne ne montre.

Services d'un guide

■ GUIDES AU CHATEAU ROYAL

Plac Zamkowy 4 ℡ (022) 657 21 78

■ PTTK

Al. Jerozolimskie 57/16
℡ (022) 629 28 40. www.pttk.waw.pl
pbt_pttk_trakt@trakt.com.pl

■ DANUTA BUCHOLC

Ul. Łowicka 17, appartement 5
(quartier Mokotów) ℡ (022) 848 01 75
Portable : 0 604 18 18 89
Propose les services de guides parlant français.

VARSOVIE - WARSZAWA

ANNA LEBEUF

✆ (022) 672 61 26
Portable : 0 887 333 211
Guide très appréciée et compétente en français et anglais. Ethnologue de formation, Anne répond en s'adaptant à vos attentes.

IWONA SNOPEK

✆ 0 503 948 359 (portable)
Guide en français qui a suivi des études de l'histoire de l'art, et se déplace dans toute la Pologne.

Poste et télécommunications

POSTE CENTRALE

Ul. Świętokrzyska 31/33
✆ (022) 826 60 01. www.poczta-polska.pl
Ouvert 7j/7 et 24h/24 pour le téléphone, de 8h à 20h pour le courrier. Prendre un ticket à la machine dès son arrivée afin de faire ensuite la queue sereinement (demander quel ticket prendre, A, B ou C en fonction des opérations à effectuer). Une centaine d'autres bureaux de poste sont répartis dans toute la ville, généralement ouverts du lundi au vendredi, de 8h à 20h et le samedi de 8h à 14h.

Quelques adresses en centre-ville

BUREAU DE POSTE N° 4

Ul. Targowa 73 ✆ (022) 619 30 91

BUREAU DE POSTE N° 10

Plac Konstitucji 3 ✆ (022) 621 50 68

BUREAU DE POSTE N° 13

Ul. Puławska 166 ✆ (022) 843 40 21

BUREAU DE POSTE N° 15

Plac Trzech Krzyży 13 ✆ (022) 628 81 67

BUREAU DE POSTE N° 40

Rynek Starego Miasta 15
✆ (022) 831 02 81.

Varsovie, boîte postale

BUREAU DE POSTE N° 41

Al. Solidarności 119/125
✆ (022) 620 13 45.

Cabines téléphoniques à carte

Elles se trouvent à tous les coins de rue. N'hésitez pas à acheter une carte si vous souhaitez passer plusieurs appels, car les files d'attente aux cabines des bureaux de poste sont parfois très longues, et vous aurez de plus la liberté d'appeler de n'importe quel endroit.

Internet

Le prix d'une heure de communication Internet à Varsovie oscille de 6 zl à 12 zl. Vous trouverez des café Internet un peu partout et notamment dans les gares et dans les souterrains autour du Palais de la Culture et de la Science.

E-CAFE

Ul. Złota 8 (centre-ville,
dans le cinéma Relax) ✆ (022) 828 38 88
Ouvert de 10h à 21h. Tarifs dégressifs : 15 min coûtent 3 zl, 30 min : 5 zl, 60 min : 8 zl, 120 min : 12 zl. Une dizaine d'ordinateurs se trouvent dans une jolie petite salle toute bleue à gauche dans le hall du cinéma. Accueil pas toujours très cordial : il faut payer à l'avance la durée estimée de connexion et une fois cette dernière écoulée, une fenêtre apparaît avertissant qu'elle coupe dans quelques secondes, rideau. Pas toujours très agréable et un peu stressant.

INTERNET C@FE

Plac Defilad 1
(dans la station de métro Centrum)
✆ (022) 652 32 54
Situé dans la station de métro, le souterrain devant le Palais de la Culture et Science, ce café Internet met à disposition de nombreux postes et propose une offre spéciale d'un café Lavazza + 15 min d'Internet pour 3 zl. Sinon 30 min de communication coûtent 3 zl, et 1h coûte 6 zl.

CASABLANCA CAFE

Ul. Krakowskie Przedmieście 4/6
(centre-ville, voie royale)
✆ (022) 828 14 47. www.casablanca.com
1h d'Internet coûte 9 zl, un espresso : 4 zl. Une dizaine de postes connectés à Internet en plein milieu de ce café à l'ambiance jeune et sympathique. Il est donc possible de boire et fumer tout en surfant. Bonne musique, un peu enfumé. Connexions Internet parfois mauvaises et souvent longues.

PUB INTERNETOWY
Piękna 68A (centre-ville)
✆ (022) 622 33 77
Propose 18 postes d'ordinateurs.

SILVER ZONE
Ul. Puławska 19/21, Cinéma Silver Screen
(quartier Mokotów) ✆ (022) 852 81 11
Met à disposition 22 postes d'ordinateurs.
Une heure d'Internet coûte 11 zl.

CYBERLAND
Ul. Wałbrzyska 11, pav. 30
(quartier Mokotów) ✆ (022) 549 92 76
Cet Internet café dispose de 32 postes
d'ordinateurs et ouvre 24h/24.

K@WIARNI@ INTERNETOWA SON@T@
Ul. Grójecka 65 (au cinéma Ochota,
quartier Ochota) ✆ (022) 824 27 08
Dispose de 15 postes d'ordinateurs.

Argent

Bureaux de change
Vous trouverez à Varsovie une multitude de
bureaux de change privés, appelés « Kantor »,
dispersés dans toute la ville. En général, ils
pratiquent des taux plus intéressants que ceux
des hôtels, des banques et de l'aéroport.

CURRENCY EXPRESS
Ul. Świętojańska 15/17
✆ (022) 635 67 12

KANTOR
Rynek Starego Miasta 25
✆ (022) 635 79 88

BILION
Ul. Piękna 11 ✆ (022) 625 14 25
Ouvert 24h/24

MANHATTAN
Al. Jana Pawła II 45A, pav. 55A
✆ (022) 838 88 90

777 KANTOR
Al. Jerozolimskie 65/79 (hôtel Mariott)
✆ (022) 630 51 07
Western Union, mandats internationaux.

CENTRALE
Ul. Długa 27 ✆ 0 801 120 224
*Ouvert du lundi au vendredi de 8h à 18h, le
samedi de 8h à 13h.*

**Les mandats internationaux issus de
Western Union** peuvent aussi être traités
dans les agences de la banque BPH SA :

BPH SA
Ul. Nowy Świat 6/12 ✆ (022) 661 70 52

BPH SA
Ul. Nowogrodzka 50 ✆ (022) 640 75 31

CURRENCY EXPRESS
Ul. Świętojańska 15/17 ✆ (022) 635 67 12

American Express, chèques de voyage

AMERICAN EXPRESS TRAVEL
Ul. Sienna 39
✆ (022) 581 52 00/022 581 51 50
Ouvert du lundi au vendredi de 9h à 17h.
Ou dans l'hôtel Marriott
Al. Jerozolimskie 65/75
✆ (022) 630 69 52
*Ouvert du lundi au vendredi de 9h à 19h, le
samedi de 10h à 18h.*

Les chèques de voyage American Express
peuvent aussi être échangés dans les agences
de la banque Pekao SA.

BANQUES PEKAO
Pl. Bankowy 2
✆ (022) 531 27 18/022 531 10 26
Ul. Czackiego 21/23
✆ (022) 661 60 00, (022) 661 28 52
Ul. Podwale 17A (vieille ville)
✆ (022) 531 08 32.

Banques

BNP PARISBAS
Ul. Piłsudskiego 1 ✆ (022) 697 23 00

BANQUE NATIONALE DE POLOGNE (NARODOWY BANK POLSKI)
Ul. Świętokrzyska 11/12 ✆ (022) 10 00

BISE
Ul. Dubois 5A (centre-ville)
✆ (022) 860 11 00
Fax : (022) 860 11 03. www.bise.pl

Santé
Tous les professionels de santé (en cabinet)
ci-dessous parlent français.

Généraliste

DOCTEUR MARGUERITE SIEŃCZEWSKA
Ul. Chopina 7
appartement 40 (centre-ville)
✆ (022) 629 05 23
Portable 0 602 26 89 62.

Dentistes

■ **DOCTEUR EWA KUŹNA**
Ul. Bora-Komorowskiego 33
✆ (022) 671 99 31

■ **DOCTEUR TOMASZ KONDRACKI,
ART DENTAL**
Ul. Łucka 18 (centre-ville)
✆ (022) 654 30 06
Portable : 0 505 365 362

Dermatologue – allergologue

■ **DOCTEUR DANUTA ROSIŃSKA**
Ul. Lewartowskiego 12
appartement 55 (centre-ville)
✆ (022) 635 04 05
Portable : 0 602 55 90 99

Ophtalmologiste

■ **DOCTEUR JOANNA CISZEWSKA**
Ul. Wiśniowa 37 (quartier Mokotów)
✆ (022) 848 05 62
Parle français, anglais et allemand.

O. R. L.

■ **DOCTEUR MARTA ROSZKOWSKA**
Ul. Szaniawskiego 12
(quartier Żoliborz) ✆ (022) 839 03 52

Pédiatres

■ **DOCTEUR NINA BOGDAŃSKA**
Ul. Katowicka 7 (quartier Saska Kępa)
✆ (022) 617 88 78
Portable : 0 601 85 27 13

■ **DOCTEUR JACEK WITWICKI**
✆ 0 601 21 66 50
Se déplace à domicile.

Pneumologue

■ **DOCTEUR TADEUSZ ZIELONKA**
Ul. Cieszkowskiego 1/3 appt. 180
✆ (022) 621 06 46.

Gynécologue

■ **DOCTEUR PASCAL EECHOUT**
nnUl. Zajęcza 7, appartement 16
(centre-ville) ✆ (022) 827 97 44
Portable : 0 602 367 620
Généraliste, spécialisé en gynécologie et
mésothérapie. Français, accrédité auprès
des ambassades de France et de Belgique,
se déplace à domicile.

Vétérinaires

■ **DOCTEUR GRZEGORZ
OSTRZESZEWICZ**
Ul. Radomska 19 (Wilanów)
✆ (022) 642 77 59

■ **DOCTEUR ANNA POGORZELSKA**
Ul. Dobra 20 (centre-ville)
✆ (022) 826 31 99
Portable : 0 501 08 15 67

Urgences

■ **SERVICE D'URGENCE MEDICAL**
✆ (022) 999 (SAMU)

■ **POMPIERS**
✆ (022) 998

■ **URGENCES ADULTE :
HÔPITAL DU MINISTÈRE
DE L'INTÉRIEUR
ET DE L'ADMINISTRATION,
TRAUMATOLOGIE ET CARDIOLOGIE**
Ul. Wołoska 137 (quartier Mokotów)
✆ (022) 508 20 00
Tous les services sont présents et le personnel
est compétent, possibilité d'hospitalisation en
secteur VIP. Urgence en polonais se dit ostry
dyżur (prononcez *ostrai déjour*).

■ **URGENCES ENFANT : SAMODZIELNY
PUBLICZNY SZPITAL KLINICZNY**
Ul. Marszałkowska 24 (centre-ville)
✆ (022) 621 41 55
Traite toutes les urgences 24h/24, sauf
orthopédie.

Etablissement spécialisé
en gynécologie-obstétrique

■ **HÔPITAL SAINTE-SOPHIE (SZPITAL
GINEKOLOGICZNO-POŁONICZY ŚW.
ZOFII)**
Ul. Żelazna 90 (quartier Wola)
✆ (022) 536 93 00
Personnel présent 24h/24. Le docteur Eechout
(voir rubrique « Santé »), qui y effectue des
accouchements, est français.

Pharmacies ouvertes 24h/24

■ **DANS LA GARE CENTRALE**
✆ (022) 825 69 86

■ **DANS LE CENTRE VILLE**
Ul. Widok 19 ✆ (022) 827 35 93
Ul. Marszałkowska 28 ✆ (022) 627 20 64

■ **DANS LE QUARTIER MOKOTÓW**
Ul. Puławska 39 ℰ (022) 849 82 05

■ **DANS LE QUARTIER WOLA**
Al. Solidarności 149 ℰ (022) 620 08 18

■ **DANS LE QUARTIER OCHOTA**
Ul. Grójecka 76 ℰ (022) 822 28 91

■ **DANS LE QUARTIER BIELANY**
Ul. Żeromskiego 13 ℰ (022) 584 58 04

■ **DANS LE QUARTIER URSYNÓW**
Ul. Dembowskiego 8 ℰ (022) 643 95 61

■ **DANS LE QUARTIER ŻOLIBORZ**
Plac Wilsona 6

Sécurité et police

Varsovie, comme toutes les grandes capitales, est dangereuse nulle part en particulier et partout. La nuit tombée, soyez vigilants dans les petites rues non éclairées du centre-ville et évitez les gares la nuit. Certains vous diront d'éviter le quartier Praga, mais la plupart s'accordent à dire que ce quartier, qui accueille de plus en plus d'artistes et d'événements culturels et artistiques, est devenu sûr.

▌ **Pour appeler la police,** composer le ℰ (022) 997/022 620 02 61/022 826 24 24/022 669 99 97 ou depuis un téléphone portable ℰ (022) 112.

Presse

■ **LIBRAIRIE FRANÇAISE MARJANNA**
Ul. Senatorska 38 (dans les locaux de l'institut français)

ℰ/Fax : (022) 505 98 71
www.marjanna.com.pl
ksiegarnia@marjanna.com.pl
Ouverte du lundi au vendredi de 11h à 18h, le samedi de 10h à 14h.

▌ **Presse internationale et européenne** dans les magasins Empik ou Traffic.

▌ **Presse en français :** *Les Echos de Pologne,* un bimensuel très bien fait sur la Pologne (société, économie, finance, politique, culture, actualité, histoire…), en français.

▌ **Magazines ou brochures en anglais,** payant ou gratuit, très bien documentés sur l'actualité culturelle, les événements, les lieux de sorties de Varsovie : *The Visitor* (3 ou 4 mises à jour par an), www.thevisitor. pl – *The Warsaw Voice* (hebdomadaire), *The Warsaw Business Journal* (hebdomadaire), *Warsaw Insider* (équivalent de *Pariscope*), www.warsawinsider.pl – *Poland, What, Where, When* (mensuel), www.wydawnictwo. murator.pl (indique seulement les lieux où l'on peut trouver le guide), *Welcome to Warsaw* (mensuel), *Poland monthly, City magazine, In your pocket,* www.inyourpocket.com

Bibliothèque

■ **BIBLIOTHEQUE ET MEDIATHEQUE DE L'INSTITUT FRANÇAIS**
Ul. Senatorska 38 (centre-ville)
ℰ (022) 505 98 13 – biblio@ifv.pl
Livres, B. D., journaux (quotidiens et périodiques), en français, ainsi que quelques CD, vidéos et DVD.

VARSOVIE - WARSZAWA

© S.NICOLAS

Varsovie, église Sainte-Anne

Varsovie, église des Visitandines

scolaire, le dimanche à 10h45 dans la crypte. Garderie organisée pour les enfants de moins de 3 ans.

■ SERVICE CATHOLIQUE ROMAIN POUR LES CATHOLIQUES DE L'ETRANGER
Ul. Radna 17 (centre-ville)
Service en anglais le dimanche à 11h30.

■ CHAPELLE DES SŒURS FRANCISCAINES MISSIONNAIRES DE MARIE
Ul. Racławicka 14 (quartier Mokotów)
Chapelle de prières en polonais, sœur Krystyna parle français.

■ EGLISE INTERNATIONALE PROTESTANTE DE VARSOVIE
Ul. Miodowa 21 (centre-ville)
Service en anglais le dimanche à 11h.

■ EGLISE ORTHODOXE
Al. Solidarności 52 (quartier Praga)
Service le dimanche à 10h.

■ SYNAGOGUE NOYKOW
Ul. Twarda 6 (centre-ville)
Service le samedi à 9h30.

■ MOSQUEE DE VARSOVIE
Ul. Wiertnicza 103 (quartier Mokotów)
Prière du vendredi en arabe et en anglais à 13h en été, à 12h en hiver.

Lieux de culte

■ EGLISE CATHOLIQUE DES PERES JESUITES, PAROISSE ST-ANDRE BOBOLA
Ul. Rakowiecka 61 (quartier Mokotów)
www.jezuici.pl/franc
(renseignements en français)
Messe célébrée en français, pendant l'année

▦ QUARTIERS – ORIENTATION ▦

Varsovie compte 4 quartiers principaux.

▮ **Le centre-ville** qui comprend la vieille ville (Stare Miasto) et la nouvelle ville (Nowe Miasto) au nord, ainsi que le centre moderne (Śródmieście), qui correspond notamment au quartier de la gare centrale et du Palais de la Culture et de la Science. Ce centre-ville est délimité par la Vistule à l'est, l'avenue Jean-Paul II (Jana Pawła II) à l'ouest, au sud par l'avenue Al. Armii Ludowej et au nord par l'avenue Z. Słomińskiego. C'est dans ce centre que sont réunis les points d'intérêt, ainsi que la plupart des cafés, bars, restaurants et hôtels. Ici se concentrent la vie culturelle de Varsovie et la majorité de monuments historiques. Vous y verrez plusieurs immeubles modernes en verre qui sont devenus des points de repère (comme ceux qui se trouvent sur la place Bankowy). Il y a des endroits où la ville ressemble à un grand chantier de construction ou de reconstruction ; chaque année on y ouvre un centre commercial ou… une station de métro.

▮ **Les quartiers à l'ouest de la vieille ville,** qui au nord-ouest regroupent les quartiers Muranów, Mirów, Wola et au sud-ouest Mokotów et Ochota. Cette localisation comprend l'aéroport et la gare routière PKS, ainsi que de nombreux hôtels, bars et restaurants. Le quartier de Mokotów est un quartier résidentiel et le siège de nombreuses ambassades. Si vous voulez vous reposer dans un bois, allez dans le quartier de Bielany (nord-ouest du centre-ville) qui côtoie le Parc national de Kampinos et fait partie des quartiers les plus verts de la capitale polonaise.

▮ **Le quartier Praga (est),** se situe de l'autre côté de la Vistule. Il regroupe notamment les « sous-quartiers » de Nowa Praga au nord, qui compte le zoo, quelques hôtels et restaurants ainsi qu'un centre commercial, et celui de Saska Kępa, quartier assez résidentiel, où habitent d'ailleurs de nombreux Français, puisqu'il comprend l'école française. Ce peut être une bonne localisation d'hébergement, car ce quartier plus au calme est à proximité du centre historique, il n'y a qu'un pont à traverser.

▌ **Le quartier de Wilanów,** à quelques kilomètres du centre, dont l'unique intérêt, et non des moindres, est le parc et palais de Wilanów.

Points de vue sur Varsovie

▌ **La tour de l'église de Sainte-Anne** vous offrira une vue superbe sur la vieille ville et la rive droite de Varsovie. *Ouvert de mai à octobre tous les jours de 11h à 20h. Ticket : 2 zl.*

▌ **Palais de la Culture et de la Science** vous donnera une vue panoramique sur Varsovie du 30ᵉ étage. *Ouvert de juin à août tous les jours de 9h à 21h, de septembre à mai de 9h à 18h. Ticket : 9 zl à 15 zl.*

Palais de la Culture et de la Science

▌ **Aéroport domestique Frédéric Chopin** vous présentera une vue panoramique sur la ville. *Ouvert tous les jours de 8h à 20h. Ticket : 2,50 zl.*

▬ HÉBERGEMENT

Un slogan de l'office du tourisme : « *Plus de 24 000 lits dans près de 120 différents hôtels à Varsovie attendent les touristes* ». Et il est vrai que l'offre ne manque pas et s'agrandit d'année en année.

Garder toujours à l'esprit que les établissements vivent surtout grâce au tourisme d'affaires. N'hésitez donc pas à négocier si vous séjournez à Varsovie lors d'un week-end ou pendant une longue période. La plupart des hôtels pratiquent de toute façon des tarifs spéciaux « week-end ». Par ailleurs, la basse saison , soit les mois de juillet et août surtout, doit être considérée différemment des autres villes polonaises, où il est plus aisé d'obtenir des réductions.

Campings

Dans les quartiers Ouest

▨ CAMPING ASTUR MAJAWA
Ul. Bitwy Warszawskiej 1920 r. 15/17
✆ (022) 823 37 48/822 91 21
58 zl la caravane + deux personnes + l'électricité. Situé près de la gare de l'Ouest (Dworzec Zachodnia). Liaison avec le centre-ville grâce aux bus n° 127, 130 et 517, et tramways n° 2, 7, 9 et 25. Propose aussi des bungalows tout équipés (salle de bains, cuisine, réfrigérateur). Emplacements pour caravanes.

▨ CAMPING GROMADA
Ul. Żwirki i Wigury 32
✆ (022) 825 43 91
Situé près du parc Pole Mokotowskie (en haut au nord), sur la route de l'aéroport. Prendre le bus n° 175 depuis l'aéroport ou le centre, ou le bus n° 136 depuis le centre. Ouvert du 1ᵉʳ mai au 30 septembre. Emplacements pour caravanes.

▨ CAMPING RASPODIA
Ul. Fort Wola 22 (quartier Wola)
✆ (022) 634 41 64/65
www.raspodia.com.pl
raspodia@raspodia.com.pl
Ouvert du 1ᵉʳ juin au 31 août. Plus éloigné du centre que les deux précédents, près de la sortie ouest de Varsovie, entre PZL Wola et le cimetière Wolski (au milieu et au nord des gares Zachodnia et Włochy), dans une petite rue qui donne sur la grande avenue Wolska (qui se prolonge ensuite en l'avenue Solidarności dans le centre).

Possède un parking, un coin cuisine, des emplacements pour caravanes, dans un terrain clôturé, éclairé et gardé.

Propose également une auberge avec chambres pour 2 à 5 personnes avec sanitaires partagés et un petit hôtel avec chambres doubles ou triples, salles de bains et coin cuisine.

Au sud du centre-ville

▦ CAMPING STEGNY
Ul. Idzikowskiego 4
✆ (022) 842 27 68
Situé vers le parc Arkadia, non loin de 2 arrêts de métro Wierzbno et Wilanowska. Ouvert du 1ᵉʳ juin au 30 septembre. Emplacements pour caravanes.

Dans le centre-ville
Séjourner dans ce quartier est idéal, car à proximité des principaux points d'intérêt. Il est toutefois difficile de trouver des établissements bon marché.

Bien et pas cher
Pour une nuit en auberge de jeunesse, comptez de 15 zl à 60 zl par personne.

▦ AUBERGE DE JEUNESSE AGRYKOLA
Ul. Myśliwiecka 9
✆ (022) 622 91 10/11
www.agrykola-noclegi.pl
recepcja@agrykola-noclegi.pl
Chambres simples : 249 zl, doubles : 299 zl, nuitée dans un dortoir à partir de 20 zl par lit. Réductions pendant les week-ends. Située à proximité de la voie royale, 5 min à pied du Parc Łazienkowski (Łazienki) Cette auberge dispose d'un sauna, solarium et peut accueillir des personnes handicapées.

▦ AUBERGE DE JEUNESSE N° 2
Ul. Smolna 30 ✆ (022) 827 89 52
www.ssmsmolna30.pl
Chambres simples : 65 zl (standard supérieur), doubles : 60 zl par personne (standard supérieur), nuitée dans un dortoir : 35 zl par lit. Ouvert toute l'année. Très bonne localisation, dans les environs de la voie royale (rue Nowy Świat, rond-point de Gaulle). Une des auberges de jeunesse préférée par des touristes au petit budget.

▦ ATOS*
1 Mangalia str
✆ (022) 841 43 95 – Fax (022) 841 10 43
atos@puhit.pl
Chambre à partir de 25 €. Cet hôtel se situe à environ 3 km du Palais et parc Wilanow. Il a un accès rapide au centre ville et aux attractions touristiques par la station PKP à 2 pas.

▦ ARAMIS*
3b Mangalia str.
✆ (022) 842 09 74 – Fax (022) 858 21 26
aramis@puhit.pl

Chambre à partir de 25 €. L'hôtel, situé à 15 min en bus du centre ville, permet de se rendre très facilement à la gare principale Warsaw Centralna et à l'aéroport Fryderyk Chopin.

▦ HOSTEL KANONIA
Ul. Jezuicka 2 ✆ (022) 887 65 60
Portable 501 07 30 99
www.kanonia.pl – hostel@kanonia.pl
L'un des tout premiers hostels à Varsovie, l'hostel Kanonia est situé en plein coeur de la vieille ville, à 30 mètres de la place du vieux marché, à 15 minutes à pied du centre moderne. Il dispose de 8 chambres (2,3,4 personnes), d'une salle à manger à disposition des hôtes, l'internet. Prix variant selon la période de l'année de 30 PLN la nuit à 120 PLN pour une chambre double.

▦ HOSTEL SŁUŻEWIEC
36 Bokserska str.
✆ (022) 843 47 22 – Fax (022) 853 30 01
sluzewiec@puhit.pl
Lit à partir de 13 €. Si vous êtes à la recherche d'un endroit propre et confortable à deux pas du centre ville et facilement accesible depuis l'aéroport, le Sluzewiec est la bonne adresse. A disposition, une cuisine et une salle de bain pour 2 ou 3 chambres maximum, un bar qui propose des collations et linge de lit.

▦ HOSTEL TO-TU
8 Krasiczyńska str.
✆ (022) 811 29 96
Fax (022) 675 05 56
totu@puhit.pl
Lit à partir de 10 €. Hébergement en appartement d'une ou deux chambres avec cuisine et salle de bain.Quartier très vivant avec de nombreux commerces et restaurants ainsi que de beaux espaces verts. Cette AJ est membre du Polish Youth Hostel Association (PYHA) qui vous garantit un service agréable et un lieu confortable.

▦ INSTITUT DE L'HISTOIRE DE PAN
Rynek Starego Miasta 29/31
✆ (022) 831 02 61/831 36 42
www.ihpan.edu.pl – ihpan@ihpan.edu.pl
Chambres d'hôtes. Chambres doubles sans salle de bains : 75 zl par personne, avec salle de bains : 107 zl par personne. Idéalement situé sur la place principale de la vieille ville pleine de charme. Plusieurs chambres du standard touristique qui sont administrées pat l'Institut de l'histoire de l'Académie polonaise de science.

Nous vous accueillons avec le sourire

dans 63 hôtels, dans 30 villes polonaises, **allant des Sofitel de luxe aux hôtels économiques Etap**

Lors de vos voyages d'affaires et touristiques vous trouverez toujours un hôtel pour vous

Warszawa · Bielsko-Biała · Bydgoszcz · Cieszyn · Częstochowa Gdańsk · Gdynia · Jelenia Góra · Kalisz · Karpacz · Katowice Kołobrzeg · Kraków · Lublin · Łódź · Mrągowo · Nowy Sącz Olsztyn · Opole · Płock · Poznań · Sopot · Sosnowiec · Szczecin Toruń · Wrocław · Zabrze · Zakopane · Zamość · Zielona Góra

Reservation: **www.orbisonline.pl, www.orbis.pl**

L'essence de l'hôtellerie moderne

■ **PENSION GARDEN VILLA**
Ul. Dolna 40
✆ (022) 841 11 73 - Portable
607 921 586
www.gardenvilla.pl
hostel@gardenvilla.pl
Chambres à partir de 90 PLN la chambre.
Après l'hostel Kanonia, Garden Villa est le
deuxième site de la famille. Le pensionnat
est situé dans un ravissant parc de verdure
du Quartier Mokotow, à 15 min en tramway
jusqu'au centre de la ville. C'est une villa
d'avant-guerre avec un grand jardin, disposant
de 15 chambres doubles et triples, d'une salle
de conférence et de réunion, d'une cuisine et
d'Internet. L'été, l'hostel offre à ses hôtes la
possibilité de profiter de sa piscine et de son
terrain de pétanque.

Confort ou charme

■ **DOM LITERATURY**
Ul. Krakowskie Przedmieście 87/89
✆/Fax : (022) 828 39 20
✆ (022) 635 04 04 (centrale
de réservation qui fonctionne 24h/24
www.fundacjadl.com
fundacja@fundacjadl.com
Chambres simples : 220 zl (150 zl le week-end),
doubles : 370 zl (300 zl le week-end), chambre
pour 3 personnes à 450 zl (330 zl le week-end).
Une bonne adresse, mais qui n'accepte pas
les cartes de crédit. Une fierté : la salle de
conférence du 2e étage où se sont déroulées
des réunions avec de fameux auteurs tels que
Czesław Miłosz, Wisława Szymborska, Pablo
Neruda, Umberto Eco et Günter Grass. Dans
un bel immeuble du XVIIIe siècle à la façade
rococo, dont il faut pousser la lourde porte et
passer le bar-restaurant (✆ (022) 828 89 95).
Eviter le mois d'octobre où se tient le festival de
poésie à Varsovie. Chaque chambre possède
un charme particulier, l'une un superbe plafond
en bois, l'autre une fenêtre ovale, ou encore
des meubles neufs, et surtout une vue superbe
sur la vieille ville, la place du château et/ou

la Vistule. La chambre n° 27 notamment
jouit d'une vue des deux côtés, grâce à deux
fenêtres qui lui procurent également une belle
luminosité. Les salles de bains sont propres
et neuves, deux chambres seulement, avec
lit double, disposent d'une salle de bains
séparée. Dans le couloir, bouilloire, thé et
café à disposition.

■ **DOM POLONII**
Ul. Krakowskie Przedmieście 64
✆ (022) 827 04 40
Fax : (022) 828 98 82
www.polonia-polska.pl
Le prix d'une nuit s'élève à 200 zl sans petit
déjeuner. La réception de cet hôtel se trouve
dans le couloir à droite du hall, bureau n° 8. Cet
hôtel très bien situé sur la voie royale, à deux
pas de la vieille ville, dispose de seulement
quatre chambres. Au deuxième étage sans
ascenseur, deux chambres doubles donnent
sur le parc, et sont donc très calmes, deux
autres sur la rue, sont un peu moins calmes.
Deux salles de bains dans le couloir, une pour
femmes, l'autre pour hommes. Chambres
propres et spacieuses mais dotées de vieux
meubles sommaires.

■ **EUROPEJSKI (ORBIS)**
Ul. Krakowskie Przedmieście 13
✆ (022) 826 50 51 – Fax : (022) 826 32 47
www.orbis.pl
Chambres simples de 322 zl à 380 zl et
doubles de 345 zl à 405 zl (prix spéciaux
pour réservation sur Internet). Hôtel typique du
XIXe siècle, jamais démodé, toujours luxueux,
idéalement situé sur la voie royale, en face
du Bristol. *hôtel fermé*

■ **GROMADA CENTRUM**
Pl. Powstańcow Warszawy 2
✆ (022) 582 99 00
Fax : (022) 582 95 27 – www.gromada.pl
warszawa.hotel.centrum@gromada.pl
Chambres simples : 320 zl (350 pour les
nouvelles), doubles : 420 zl (450 zl pour
les nouvelles), petit déjeuner, copieux et

GARDEN VILLA
42 Dolna str Warsaw

ph: +48 22 887 65 60
ph: +48 22 635 06 76
www.kanonia.pl
www.gardenvilla.pl
HOSTEL KANONIA
2 Jezuicka str Warsaw

typiquement polonais, inclus. Très bonne localisation, au centre-ville, à 10 min à pied de la voie royale, près de la poste principale, dispose de chambres plus ou moins chères car plus ou moins neuves si vous êtes dans le nouveau ou l'ancien bâtiment.

▪ HARENDA

Ul. Krakowskie Przedmieście 4/6 (entrée par la rue Obośna)
✆ (022) 826 00 71
Fax : (022) 826 26 25
www.hotelharenda.com.pl (site en anglais)
hh@hotelharenda.com.pl
En basse saison, chambres simples : 250 zl, doubles : 270 zl, alors qu'en haute saison (de mars à juin puis en septembre et octobre) simples : 295 zl, doubles : 315 zl. Petit déjeuner : 20 zl. Cet hôtel, idéalement situé sur la voie royale, offre un assez bon rapport qualité-prix, surtout le week-end, où la deuxième nuit est gratuite. Des parties communes soignées, dans un style ancien ; au deuxième étage (sans ascenseur) des chambres meublées sommairement mais neuves et propres.

▪ IBIS

A Solidarności 165
✆ (022) /5203000 – Fax (022)/5203030
Bien situé à proximité du centre-ville et de la gare centrale, au croisement avec la rue Towarowa, rond point « Kercelak «. Un très bon rapport qualité/prix avec des chambres doubles à 249 zl et 199 zl le week-end, petit déjeuner en sus à 26 zl.

▪ IBIS

Ul. Muranowska 2
✆ (022) 310 10 00
Fax : (022) 310 10 10 – www.orbis.pl
www.ibishotel.pl
H3714-RE@accor-hotels.com
Un très bon rapport qualité-prix avec des chambres doubles à 259 zl et 209 zl le week-end, petit déjeuner en sus. Dispose d'un bar et d'un restaurant. Très bien situé

au-dessus de la nouvelle ville, près du parc Traugutta, non loin de la station de métro Dworzec Gdański et de la gare Warszawa Gdańska. 10 min à pied des terrains de l'ancien ghetto de Varsovie.

▪ OKI DOKI HOSTEL(S)

Plaza Dabrowskiego 3 ✆ (022) 826 51 12.
www.okidoki.pl – okidoki@okidoki.pl
Chambres double de 140 à 190 zlotys. En plein coeur du centre ville, non loin du Palais de la Culture avec vue sur un petit square tranquille, cet établissement, situé dans un grand édifice varsovien fut récemment distingué à Dublin comme l'un des meilleurs hostels au monde. Accueillant, original, doté d'un staff créatif qui se complait à façonner chaque chambre et chaque espace afin de leur donner un cachet unique, l'Oki Doki apparaît comme une pension pour personnes de tous âges accueillant aventuriers relax du monde entier ou « bobos » en mal de décontraction. Beaucoup d'originalité dans la conception de certaines chambres comme celle recouverte d'articles de journaux qui a l'avantage d'offrir une vue imprenable sur la rue Marszalkowska. Lucia, la patronne a ainsi mis un soin particulier à apporter sa touche de fantaisie à l'endroit. En tout cas si vous voulez résider dans un endroit « cool », ne pas vous sentir seul et être au courant des bons plans à Varsovie, c'est bien là-bas qu'il faut rester.
Un autre hôtel est également en passe d'ouvrir sur la Place Zamkowy : le Oki Doki Castle. Tout un programme...

▪ PRASKI

Aleja Solidarności 61
✆ (022) 818 49 89
Fax : (022) 618 40 58
www.praski.pl – rez@praski.pl
Chambres simples de 110 à 240 zl, doubles de 130 à 270 zl en haute saison, réductions en été et le week-end. Bien situé en face du zoo, de l'autre côté de la Vistule, mais à 900 m du château royal. Bon confort.

VARSOVIE - WARSZAWA

§

§§§§N°1

HOTEL IBIS WARSZAWA CENTRUM
Al. Solidarnosci 165, 00-876 Warszawa - tél. : (48) 22 520 30 00
fax : (48) 22 520 30 30 - e-mail : h2894@accor.com

A quelques minutes du centre ville, ainsi que du centre historique de Varsovie, nos hôtels sont un lieu idéal de séjour. Nous vous offrons des chambres confortables, modernes et climatisées ainsi qu'un restaurant, un bar et pour les petits creux, un en-cas disponible à n'importe quelle heure. Nos équipes restent disponibles 24h/24h pour vous rendre service et vous informer des attractions culturelles de la ville, ainsi que des monuments à visiter. Nous vous invitons donc à passer un agréable séjour dans nos hôtels Ibis a Varsovie.

N°2

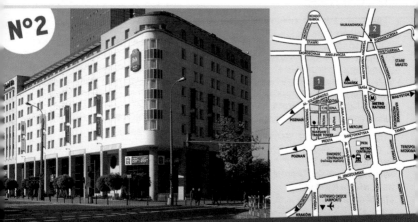

HOTEL IBIS WARSZAWA STARE MIASTO
Ul. Muranowska 2, 00-209 Warszawa - tél. : (48) 22 310 10 00
fax : (48) 22 310 10 10 - e-mail : h3714@accor.com

START HOTEL FELIX**

24 Omulewska str.
✆ (022) 210 70 00 – Fax (022) 813 02 55
felix@starthotel.pl
Chambre à partir de 33 €. L'endroit idéal que
ce soit pour un voyage d'affaire ou détente.
L'environnement vous permet à la fois d'être
dans de bonnes conditions pour le travail ou
la détente et vous donne également envie de
partir à la découverte du Varsovie historique
tout proche.

START HOTEL PORTOS*

3a Mangalia str.
✆ (022) 320 20 00
Fax (022) 842 68 51
portos@starthotel.pl
Chambre à partir de 34 €. L'établissement
dispose de 231 chambres simple, double et
triple, confort, luxe ou studio. Emplacement
idéal avec accès rapide au centre-ville et
aux attractions touristiques par la station
PKP à 2 pas.

Luxe

NOVOTEL CENTRUM HOTEL (FORUM)

Ul. Nowogrodzka 24/26
✆ (022) 621 02 71
Fax : (022) 625 04 77
www.orbis.pl – waforum@orbis.pl
*Chambres simples : 135 € (réductions si
réservation sur Internet). Petit déjeuner :
12 €.* Immeuble de trente et un étages dans
le centre-ville. Vue magnifique depuis les
chambres haut placées.

BRISTOL LE ROYAL MERIDIEN

Ul. Krakowskie Przedmieście 42/44
✆ (022) 551 18 17
Fax : (022) 551 18 37 – bristol@it.com.pl
*Chambres à partir de 149 €, réduction le
week-end. Petit déjeuner : 20 €.* Sur la voie
royale, proche du palais présidentiel dans un
superbe bâtiment. Restaurants très coté de
cuisine polonaise, française et italienne.

INTERCONTINENTAL WARSZAWA

Ul. Emilii Plater 49 ✆ (022) 328 88 88
Fax : (022) 328 88 89
www.warszawa.intercontinental.com
warsaw@interconti.com
*Chambres à partir de 110 €, réduction le
week-end. Petit déjeuner : 20 €.* Grand luxe
dans cet hôtel 5-étoiles à l'architecture élancée
et futuriste, tout proche de la gare. Accès
au club River View inclus. Ce club, situé au
44e étage, offre une vue spectaculaire sur les

toits de Varsovie et sur le Palais de la Culture
et de la Science. De bonnes réductions pour
une réservation de chambres faite 90 jours à
l'avance. Dispose également d'appartements
(entre 40 m² et 86 m²) pour des séjours longs
(environ 357 zl par jour pour un séjour de
minimum 14 jours). A ces prix-là, confort et
qualité sont garantis. Piscine à 44e étage.

HOTEL POLONIA

Al. Jerozolimskie 45
✆ (22) 31 82 800
 Fax (22) 31 82 851
www.poloniapalace.com
Chambre standard à 220 € par nuitée. Superbe
hôtel récemment remis complètement à
neuf. Seul la cage d'escalier, épargnée par
la guerre, a conservé sa silhouette de 1913.
Superbe hall d'entrée dans l'esprit polono-
viennois. Et oui l'hôtel fait partie de la chaîne
Kempinski ! Idéalement situé avec des vues
imprenables sur le centre ville, le Polonia
est le nouveau chouchou de stars comme
Roman Polanski, quand elles passent par
Varsovie. Hôtel fonctionnel possédant 206
chambres et autres suites toutes différentes,
3 appartements, 7 salles de conférences et
une salle de sport.

LE REGINA

Ul. Kościelna 12
✆ (022) 531 60 00
Fax : (022) 531 60 01
www.leregina.com – info@leregina.com
*Chambres à partir de 120 €, réduction le
week-end. Petit déjeuner : 20 €.* Dans la
nouvelle ville, un hôtel tout neuf (ouvert
en été 2004), très moderne, de grande
élégance. Chambres impeccables avec tout
le confort requis et des petits détails qui font
la différence. Met à disposition une piscine et
un sauna. Au rez-de-chaussée un restaurant
haut de gamme qui sert une cuisine française :
foie gras ou turbot et quelques spécialités
polonaises, excellents repas pour environ
200 zl.

MARRIOTT

Al. Jerozolimskie 65/79
✆ (022) 630 63 06
Fax : (022) 630 54 61/830 03 11
www.marriott.com – mariott@it.com.pl
*Chambres à partir 135 €. Petit déjeuner :
20 €.* Décor américain pour cette tour de
quarante étages qui propose une superbe
vue sur la ville et le Palais de la Culture et
de la Science.

VARSOVIE - WARSZAWA

www.novotel.com
www.orbis.pl

Chambres
spacieuses

Design
harmonieux

Business
services
et Wifi

Fitness

Rien de
plus
à ajouter

NOVOTEL

Designed for natural living*

NOVOTEL WARSZAWA CENTRUM
94/98 rue Marszałkowska

Informations et reservations: **+48 22 621 02 71**

409 hôtels dans le monde
12 hôtels en Pologne: Gdańsk, Katowice, Cracovie, Olsztyn, Poznań, Szczecin, Wrocław, Varsovie

Dans les hôtels Novotel proposant ces services.
*Conçu comme un espace naturel.

▪ MERCURE FRYDERYK CHOPIN

Al. Jana Pawła II 22
✆ (022) 620 02 01/15 21
Fax : (022) 620 98 77/87 79
Chambres à partir de 400 zl. Petit déjeuner :
60 zl. Véritable adresse française à Varsovie,
dans cet hôtel de luxe, avec les restaurants Le
Balzac et Le Stanislas au rez-de-chaussée.

▪ HOTEL REYTAN

Ul. T. Reytana 6 & (22) 646 31 66-69
Fax: (22) 646 29 89
www.reytan.pl
De 120 zlotys pour une chambre simple à
500 zlotys le studio double. Les prix varient
raisonnablement le week-end ainsi que l'été.
Situé à 10 minutes en tramway du coeur de
la ville, l'hôtel Reytan est un petit havre de
repos fort agréable dans Varsovie. Proche du
grand cinéma Silver Screen ou les séances
sont en V.O et à 5 minutes du superbe parc
Lazienki, l'hôtel Reytan propose tous les
services que l'on est en droit d'attendre
avec beaucoup de sobriété : 86 chambres
équipées d'Internet, un bon restaurant de
cuisine polonaise et internationale, salles de
conférences, parking... Un très bon rapport
qualité/prix que ce soit en vacances ou en
business. Faveurs accordées aux jeunes
mariés.

▪ SOFITEL VICTORIA WARSAW HOTEL

UL. Krolewska St 11
✆ (022) /6578011 – Fax (022)/6578057
sof.victoria@orbis.pl – www.orbis.pl
Prix à partir de 70 € (réservation sur internet).
Superbe emplacement (surplombe le jardin
du Saxe) pour cet hôtel de 341 chambres
luxueuse équipées des dernières technologies
avec accès internet gratuit. Grande piscine,
sauna et centre sportif à disposition. Service
haut de gamme.

▪ SHERATON

Ul. Prusa 2
✆ (022) 657 60 00/450 61 00
Fax : (022) 657 62 00/450 62 00
www.sheraton.pl – warsaw@sheraton.com
Chambres à partir 160 € (réductions le
week-end). Petit déjeuner : 20 €. Hôtel très
moderne et très confortable situé au bord de
la place des Trois Croix (Plac Trzech Krzyży).
Dispose de club fitness et de sauna. Il est
réputé pour sa cuisine délicieuse (le restaurant
Lalka).

VARSOVIE - WARSZAWA

▪ HOTEL HETMAN

Ul. KS.I. Klopotowskiego 36
✆ (022) 511 98 00 – Fax (022) 618 51 39
hetman@hotelhetman.pl
www.hotelhetman.pl

68 chambres spacieuses entièrement équipées de 220 à 410 zlotys à 1 km du centre historique de la vieille ville. Chambres familiales de 440 à 700 zlotys. L'hôtel Hetman est doté d'un centre de soins et de santé équipé de larges Jacuzzis ainsi que de salles de conférence et de réceptions. A tester, le superbe restaurant ainsi que le bar à cocktails. Elégance et distinction toute polonaise. Un très bon choix.

▪ WESTIN HOTEL

Al. Jana Pawła II 21
✆ (022) 450 80 00
Fax : (022) 450 81 11 – www.westin.pl

Chambres simples classic (c'est-à-dire dans les étages du bas) : 475 zl puis étages intermédiaires : 515 zl sans inclure la TVA et le petit déjeuner (environ 80 zl). Chambres executives (situées dans les 3 derniers étages) : 635 zl hors TVA et avec petit déjeuner et apéritif le soir. Le week-end, prix spéciaux à respectivement 298 zl, 357 zl et 455 zl. Proche du centre et de la gare. Le prix des chambres dépend de leur localisation dans les vingt étages de l'immeuble, plus on monte, plus la vue est belle, plus les prix grimpent. Les chambres sont toutes doubles et les prix identiques selon que vous soyez 1 ou 2.

Dans le quartier de Praga (Est)

Confort ou charme

▪ HOTEL ARKADIA

Ul. Radzymińska 182 ✆ (022) 678 50 55
Fax : (022) 678 56 06
www.hotelarkadia.pl
recepcja@hotelarkadia.pl

Chambres simples : 190 zl et 150 zl le week-end, doubles : 290 zl et 200 zl le week-end, petit déjeuner inclus. En été, des promotions, surtout en cas de réservation sur Internet. Situé de l'autre côté de la Vistule, et assez éloigné du centre (environ 6 km), dans le quartier Zacisze, mais accès direct de la vieille ville par les bus n° 190 et 512 et de la gare centrale par le bus n° 512 (comptez environ 20 min).

Dans le quartiers ouest

Ce quartier peut être une bonne option pour trouver un hébergement à prix raisonnable sans être trop éloigné du centre.

Bien et pas cher

▪ AUBERGE DE JEUNESSE N° 6

Ul. Karolkowa 53A (quartier Wola)
✆ (022) 632 88 29
Fax : (022) 632 97 46
www.ptsm.com.pl (site en français)
hostellingpol@ptsm.com.pl
ssmnr6@ptsm.com.pl

Comptez de 15 zl à 60 zl par nuit et par personne. Un peu excentré de la ville (accès par le tramway n° 24), mais les chambres et dortoirs sont confortables et les installations sanitaires modernes. A disposition la cuisine, le billard, tennis de table et la laverie.

▪ HOTEL HARCTUR

Ul. Niemcewicza 17 ✆ (022) 659 00 11
Fax : (022) 659 14 16 – hharctur@beph.pl

Chambres pour 2 personnes : 220 zl (réduction le week-end à 180 zl). Proche du centre, dans une rue perpendiculaire à l'avenue Jerozolimskie, près de la gare Zachodnia, il possède un confort correct.

▪ PREMIERE CLASSE

Ul. Towarowa 2
(entre la gare centrale routière et ferroviaire)
✆ (022) 624 08 00
Fax : (022) 620 26 29
warszawa@premiereclasse.com.pl

Chambre double au prix unique de 168 zl, avec un supplément de 18 zl pour le petit déjeuner, lit supplémentaire dans les chambres : gratuit. Chambre au confort sommaire, sans charme particulier, avec une salle de bains en plastique, mais tout de même une salle de bains pour chaque chambre. Un très bon rapport qualité-prix dans sa catégorie à Varsovie, pour cet hôtel tout neuf et assez bien situé.

Confort ou charme

▪ IBIS

Al. Solidarności 165
✆ (022) 520 30 00/01
Fax : (022) 520 30 30. www.ibishotel.com
h2894@accor-hotels.com

Chambres doubles : 249 zl et 199 zl le week-end, petit déjeuner en sus : 26 zl. Un très bon rapport qualité-prix. Bien situé à proximité du centre-ville et de la gare centrale, au croisement avec la rue Towarowa, rond-point Kercelak.

■ **CAMPANILE**

Ul. Towarowa 2 (entre la gare centrale routière et ferroviaire) ℂ (022) 582 72 00
Fax : (022) 582 72 01
www.campanile.com.pl
warszawa@campanile.com.pl
Campanile pratique un prix unique par chambre, toujours double, peut importe le nombre d'occupants : 259 zl pour une chambre en semaine, 209 zl pour les tarifs week-end, 27 zl pour le petit déjeuner en sus. Des prix très compétitifs sur le marché de l'hôtellerie à Varsovie. Les chambres sont un peu petites mais neuves et confortables. Dispose d'un restaurant à l'ambiance familiale. Chambres climatisées, disposant de l'Internet. Parking surveillé.

Luxe

■ **KYRIAD PRESTIGE**

Ul. Towarowa 2 (entre la gare centrale routière et ferroviaire)
ℂ (022) 582 75 00
Fax : (022) 582 75 01
www.kyriadprestige.com.pl
warszawa@kyriadprestige.com.pl
Chambres doubles seulement, à 369 zl en semaine et 299 zl les week-ends, 32 zl pour le petit déjeuner et 70 zl pour ajouter un lit supplémentaire. Chambres très confortables et neuves, toutes identiques (à l'exception du choix des lits jumeaux ou séparés). Chambres conçues pour accueillir des personnes handicapées. Ses locaux comprennent aussi un restaurant, La Rose des Vents, qui propose dans un décor soigné des plats à environ 50 zl.

■ **SOBIESKI**

Plac Zawiszy 1 ℂ (022) 579 10 00
Fax : (022) 658 13 66
www.sobieski.com.pl (site en français)
hotel@sobieski.com.pl
Chambres à partir de 144 €. Dans un très beau bâtiment, situé à proximité de la gare centrale, non loin du centre-ville, coloré en journée, illuminé en soirée et très bien fréquenté, l'établissement Sobieski offre des chambres confortables et luxueuses et un petit déjeuner gargantuesque. Offre des réductions le week-end.

À proximité de l'aéroport

■ **HOTEL-MOTEL GROMADA WARSZAWA**

Ul. 17-go Stycznia 32 ℂ (022) 576 46 00
Fax : (022) 846 15 80 – www.gromada.pl
airport@gromada.pl

Chambres à partir de 350 zl (250 zl le week-end), 150 zl dans le motel.

■ **LORD HOTEL**

Al. Krakowska 218 ℂ (022) 574 20 20/00
Fax : 574 21 21/20 01
www.hotellord.com.pl
okecie@hotellord.com.pl
Chambres à partir de 330 zl (266 zl le week-end). Tout nouvel hôtel situé à proximité de l'aéroport. Très bon confort.

■ **NOVOTEL**
WARSZAWA AIRPORT HOTEL

Ul. 1 Sierpnia 1
ℂ (022) 575 60 00
Fax : (022) 846 36 86
www.orbis.pl – nov.airport@orbis.pl
Chambres à partir de 500 zl (réduction le week-end). Situé sur la route de l'aéroport.

À l'extérieur de la ville

■ **ZAJAZD NAPOLEOŃSKI**

Ul. Płowiecka 83 ℂ (022) 815 30 68
Fax : (022) 815 22 16
www.napoleon.waw.pl
hotel@napoleon.waw.pl
Chambres simples à partir 180 zl, doubles : 260 zl, petit déjeuner inclus. Accessible en voiture ou par les bus n° 521 et 525. Situé à l'extérieur de Varsovie, à 5 km sur la route de Terespol, dans une ancienne auberge de style, du XVIᵉ siècle, agréable et dotée d'un beau jardin, où Napoléon aurait résidé.

Appartements

■ **ROYAL ROUTE RESIDENCE**

Sur la voie royale,
au coin des rues Nowy Świat et Chmielna mais la réception se situe dans une cour intérieure, qui se trouve après le passage au n° 29 de Nowy Świat, à droite, porte A
ℂ (022) 887 98 00
www.warsaw-apartments.net
booking@warsaw-apartments.net)
Studio à partir de 238 zl la nuit, 1 586 zl la semaine ; appartements dotés d'une chambre à coucher à part, à partir de 377 zl la nuit, 2 380 zl la semaine ; appartements dotés de 2 chambres, à partir de 436 zl la nuit et 2 775 zl la semaine. Les prix sont par appartements (qui accueillent jusqu'à 6 personnes) et non pas par personne. Des studios ou appartements de 24 m² à 100 m², tout neufs, très modernes, meublés et décorés avec goût, contiennent

tout le confort nécessaire, notamment lors d'un séjour long : cuisine intégrée, vaisselle et ustensiles de cuisine, lave-vaisselle et lave-linge, télévision et chaîne hi-fi, connexion Internet. Idéalement situé, cependant très calme, notamment pour les chambres qui donnent sur la cour intérieure. Dispose aussi d'appartements sur le Rynek (voir adresse suivante).

■ OLD TOWN APARTMENTS
Rynek Starego Miasta 12/14
✆ (022) 887 98 00/01/02
Fax : (022) 831 49 56
www.warsawshotel.com
booking@warsawshotel.com
Studio : 277 zl la nuit et 1 388 zl la semaine, appartement avec une chambre à coucher : 318 zl la nuit et 1 589 zl la semaine, avec 2 chambres à coucher : 437 zl la nuit et 2 185 la semaine, appartements familiaux : 477 zl la nuit.

■ RESIDENCE ST ANDREWS PALACE
Ul. Chmielna 30 ✆ (022) 826 46 40
Fax : (022) 826 96 35
www.residence.com.pl
office@residence.com.pl
Nouvel hôtel, très beau, dans un bâtiment de 1900, situé au cœur de la ville. Vingt-quatre appartements haut de gamme, entièrement meublés et équipés, disponibles pour des séjours longs (15 jours minimum), à partir de 740 zl par jour (*de 675 zl à 915 zl*).

Chambres chez l'habitant

■ AGENCE SYRENA
Ul. Krucza 17 ✆ (022) 628 75 40
Agence de voyages qui propose aussi des logements chez l'habitant (*à partir de 68 zl par nuit et par personne*) ou des appartements à partir de 150 zl par nuit pour 2 personnes (réductions pour séjours supérieurs à une semaine).

■ RESTAURANTS

Varsovie est une ville qui se développe très vite et le nombre de restaurants augmente sans cesse, d'autant c'est un domaine qui subit des changements rapides.
Les restaurants sont concentrés autour de la voie royale, dans les rues perpendiculaires à Krakowskie Przedmieście, Nowy Świat et Allées Ujazdowskie. Les rues qui concentrent les restaurants sont notamment la rue Foksal, et, dans son prolongement, la rue Chmielna, toutes deux perpendiculaires à la voie royale (rue Nowy Świat), la rue Świętokrzyska, un peu plus haut, perpendiculaire aussi à la rue Nowy Świat, et la rue Mazowiecka, parallèle à Nowy Świat, qui relie les rues Świętokrzyska et Królewska. Enfin l'on trouvera des restaurants intéressants dans la vieille ville et la nouvelle ville.

Dans le centre-ville

Sur le pouce
Vous trouverez partout à Varsovie des marchands ambulants de hamburgers portant ce nom facile à retenir, Dania fast-food. Pour quelques pièces, vous pourrez essayer un hamburger au goût polonais, différent de ceux que nous connaissons et les sandwichs-baguette-pizzas très typiques, les zapiekanka.

Bien et pas cher
Lors de votre séjour en Pologne, tentez au moins une fois l'expérience d'un bar mleczny (bar à lait).
Ces cantines, héritage de l'époque communiste, permettaient à une majeure partie de la population de « sortir au restaurant » à très bon marché. De plus en plus rares, ces bars à lait existent malgré tout encore dans l'ensemble du pays. Ils permettent de goûter à une cuisine familiale polonaise pour un prix dérisoire (*environ 10 zl, soit 2 €*). Voir chapitre « La Pologne en 30 mots-clés ».

■ BAR MLECZNY FAMILIJNY
Ul. Nowy Świat 39
✆ (022) 826 45 79
Bar à lait ouvert de 7h à 20h en semaine, de 9h à 17h le week-end. Bien fréquenté car en plein centre et sur la voie royale. Clientèle variée, composée de beaucoup d'habitués.

■ BAR MLECZNY BAMBINO
Ul. Krucza 21 (au coin avec la rue Hoa, près de l'hôtel Grand Orbis)
Ouvert du lundi au vendredi de 8h à 20h et le samedi de 9h à 17h, fermé le dimanche. Bon bar à lait, très bien fréquenté, où l'on rencontre même un habitué, originaire du Québec, qui vous aidera donc à déchiffrer le menu.

◾ BAR MLECZNY ŚREDNICOWY

Al. Jerozolimskie 49
(face au Palais de la Culture et de
la Science, tout près de la gare centrale)
Ouvert de 9h à 16h. Fréquenté en partie par
des employés de bureaux et étudiants, en
partie par des vagabonds, ce bar à lait propose
là aussi une cuisine bonne et peu onéreuse.
Le repas est rythmé par un refrain entonné en
cuisine, *proczę odebra* (proché odébratch),
qui signifie « s'il vous plaît, venez retirer »,
sous-entendu, votre plat qui est prêt sur le
passe-plat.

◾ BAR MLECZNY UNIWERSYTECKI

Ul. Krakowskie Przedmieście 20/22
✆ (022) 826 07 93
Clientèle essentiellement étudiante puisque
situé à proximité de l'université. Menu en
anglais.

◾ KROKIECIK

Ul. Zgoda 1 ✆ (022) 827 30 37
Ouvert de 9h à 20h (fermé le dimanche). Cet
espèce de bar à lait amélioré, très populaire,
permet de manger rapidement à bon marché.
Après avoir récupéré votre plateau dans la
première salle, préférez les salles du fond,
beaucoup plus agréables, avec de belles
photos de voyage tout au long du mur qui
permettent d'éviter les odeurs de cuisine.
Comptez de 15 zl à 30 zl pour un déjeuner.
La spécialité ici est les krokiety, sorte de
friand fourré avec du chou, des champignons,
des épinards ou de la viande. En dessert
de très bonnes crêpes (naleśniki) sucrées
pour 7 zl.

Et une multitude d'autres petits bars où l'on
mange vite et bon marché, à l'instar de :

◾ ZŁOTA KURKA

Ul. Marszałkowska 55/73
✆ (022) 622 46 78

◾ BAR W KWIATACH

Ul. Wspólna 4 ✆ (022) 661 87 95

◾ CORSO

Ul. Marszałkowska 41 ✆ (022) 628 58 44

◾ SALAD BAR

Ul. Tamka 37 ✆ (022) 635 84 63

◾ PIANO

Ul. Poznańska 3 ✆ (022) 622 45 02

◾ U PANA MICHAŁA

Ul. Freta 4/6 ✆ (022) 831 60 44

◾ FRET@33

Ul. Freta 33
Un peu plus cher que les précédents, ce
petit restaurant à proximité de la place de la
nouvelle ville propose surtout des salades. Très
agréable l'été avec le service en terrasse.

Bonnes tables

◾ BAR W OFICYNIE

Ul. Chmielna 28A ✆ (022) 826 69 30
Portable : 509 141 279
*Ouvert dès 8h, propose des formules petit
déjeuner. Comptez environ 40 zl à 60 zl.*
Restaurant bar de style anglais, au cœur de
la ville, dans le calme d'une cour intérieure.
L'été, une terrasse agréable est installée dans
cette cour. Quelques plats originaux et bons

© S.NICOLAS

Varsovie, vieille ville, place Zamkowy

comme le canard au coulis de framboise ou les pierogis au saumon et brochet. Personnel très sympathique. Le propriétaire vient d'ouvrir un bar dans la même rue au numéro 98.

■ CENTRUM WINA

Ul. Puławska 336
℮ (022) 566 34 00 – Fax (022) 566 34 04
poczta@centrumwina.com.pl - www.centrumwina.com.pl
Le restaurant propose des repas à 25 zlotys, les verres de vins démarrent à partir de 7 zlotys et les bouteilles à partir de 40 zlotys. Restaurant, bar à vins ainsi que distributeur majeur de vin en Pologne. Centrum Wina est un superbe édifice, moderne et tendance, dans le quartier d'Ursynow tout près de l'hypermarché Géant, c'est à dire tout au bout de la plus longue rue de Varsovie, Pulawska, en direction de Piasecznow. Le bar à vin est élégant, propre à la dégustation et conçu dans l'optique de savourer un bon vin tout en dégustant un bon plat. Ou l'inverse... Le choix de vins est des plus vastes et vous trouverez des crus originaires de tous les principaux producteurs mondiaux. Quant au restaurant, un petit bijou, il est dirigé de main de maître par son Chef

Botswanais, Joseph, ancien cuisinier du Président du Botswana, véritable globe-trotter ayant décidé de s'installer dans le pays de sa femme. Non seulement son polonais est très bon mais sa cuisine est superbe. Menu raffiné suivant le thème des 4 saisons. Un endroit à découvrir.

■ CHIANTI

Ul. Foksal 17
(rue perpendiculaire à Nowy Świat)
℮ (022) 828 02 22
Fax : (022) 828 02 23 – siesta.com.pl
Très bon site Internet en anglais (voir précisions au restaurant « Absynt ») – chianti@siesta.com.pl – Ouvert de 12h à 23h. Cadre très agréable, en sous-sol, dans des caves voûtées, où se mêlent bois, pierres et peintures de la Toscane au mur. Excellente cuisine italienne, préparée avec soin et de nombreuses herbes par le chef Carlo Innoceti. Prix moyens pour les soupes 16 zl ; les antipasti 25 zl ; les délicieuses pâtes fraîches faites maison, ou les risottos, 30zł ; les plats principaux comme le poulet au Marsala ou la sole aux épinards, sauce gorgonzola 40 zl. Belle carte des vins.

© SAVIGNARD / SZEREMETA

Varsovie, place de la vieille ville, Rynek Starego Miasta

■ **ESSENCIA**
Dans l'hôtel Novotel Warszawa centrum.
ul Marszalkowska 94/98
Ouvert tous les jours de 6h30 à 9h30, de 12h
à 15h et de 18h à 23h sauf le dimanche midi.
Une bonne cuisine internationale préparée par
le chef Yvan Aubinau.

■ **HEKTOR**
Ul. Świętorzyska 34 ℂ (022) 620 54 45
Ouvert du lundi au vendredi de 11h à minuit, le
samedi et le dimanche de 12h à 22h. Si vous
êtes dans le quartier vers le Palais de la Culture
et de la Science, petit bistrot sympathique pour
manger vite fait, bien fait et pas cher. Une
formule déjeuner de 12h à 16h avec entrée,
plat et dessert pour 15 zl, et service ultra-
rapide. Sinon des plats polonais pour un repas
entre 18 zl et 30 zl. Pas de cachet particulier
pour ce petit troquet essentiellement fréquenté
à midi par les hommes d'affaires pressés, les
habitués du quartier et les étudiants.

■ **FLIK**
Ul. Puławska 43 ℂ (022) 849 44 06/34
Ouvert dès 12h30. Prisé des gastronomes
polonais, ce restaurant propose notamment

des salades à volonté et une délicieuse soupe
żurek servie dans le pain. Les plats principaux
coûtent environ 40 zl à 45 zl. Le dimanche il
faut profiter de son buffet brunch de qualité
pour 48 zl et l'été de sa terrasse. Situé un
peu loin du centre par contre, au sud, dans
le quartier Mokotów, sur la grande rue qui
part de la place Unii Lubelskiej (face au parc
Łazienki).

■ **GRAND KREDENS**
Al. Jerozolimskie 111 ℂ (022) 629 80 08
Ouvert de 12h aux derniers clients. Un
restaurant réputé et prisé des étrangers,
sur deux étages, proche de l'hôtel Sobieski.
Très bonne cuisine mais assez chère, dans
un cadre agréable et bon service. Ambiance
très sympathique, avec un petit air parisien
et de temps à autre un orchestre.

■ **KAISER**
Ul. Chmielna 24 ℂ (022) 826 31 91
Dans une salle éclairée aux bougies, les murs
sont agrémentés d'un écran géant qui diffuse
des clips des années quatre-vingts et de belles
reproductions de Klimt et Mucha. De bons
plats de poissons (mais un peu chers, environ

Le Cèdre Restaurant
Al.Solidarnosci 61
www.lecedre.pl - Tél : 022 670 11 66
Danse du ventre tous les vendredis,
narguilés à disposition, épicerie libanaise

40 zl) ainsi que des coupes de glaces, dont une géante et flambée servie dans un ananas composent la carte. Service efficace.

■ KAMIENNE SCHODKI
Rynek Starego Miasta 26
✆ (022) 831 08 22/887 77 96/98
Fax : (022) 887 77 97
www.kamienneschodki.pl
restauracja@kamienneschodki.pl
Ouvert de 11h à minuit. Dans une jolie petite salle moderne avec vue sur le Rynek, vous dégusterez une bonne cuisine polonaise, et notamment la spécialité du restaurant, le canard aux pommes (kaczka pieczona z jabłkami), à 43 zl. L'établissement fait aussi office de café, surtout l'été, lorsque sa terrasse est installée sur le Rynek.

■ LE CÈDRE
Al. Solidarnosci 61 ✆ (022) 670 11 66
www.lecedre.pl
Ouvert de 11h à 23h tous les jours. Restaurant libanais à une station de tramway de la Vieille Ville, au début du quartier de Praga, face à l'ours du zoo de Varsovie que l'on peut voir (quand il sort !) à partir de la rue Solidarnosci. Toni le patron parle très bien français et remettra à ceux qui le souhaitent un menu dans notre langue. Excellente sélection de plats libanais à des prix tout à fait raisonnables. 60 Mezzehs différents entre 10 et 15 zlotys. Prenez une formule (Tripoli, Beyrouth, Joubeil) si vous voulez que votre repas vous revienne moins cher. Menu complets et superbes pour 2 personnes à 110 zlotys et pour 3 personnes

à 162 złotys. Grands choix de vins (70) dont 12 libanais. Service à domicile. Wi Fi gratuit. Danseuses orientales le vendredi soir. Que demander de plus ? Si, un magasin proposant de la nourriture libanaise ! Et bien pousser la porte d'à côté...

■ PESCA BAR
Ul. Nowy Świat 64 ✆ (022) 827 24 88
Fax : (022) 827 24 84
pescawawa@wilbo.pl
Ouvert du lundi au vendredi de 12h à 23h, le dimanche de 12h à 22h. Dans ce nouveau restaurant au décor marin bleuté, ouvert depuis début 2005, vous pourrez déguster des poissons et fruits de mer, chauds, froids, frits, frais. D'excellentes soupes, de bons plats, et notamment une formule de fish&chips assez économique avec différents poissons panés (sole, saumon…) accompagnés de frites pour moins de 20 zl. Si vous choisissez parmi la carte très fournie, comptez entre 40 zl et 50 zl. Personnel accueillant et efficace.

■ POD WIEZA
Ul.Krakowskie Przedmiescie 68
✆ (022) 26 98 28
rekrutacjapodwieza@wp.pl
Comptez environ 15 à 25 z.
Pizzeria située en plein centre de la vieille ville. Dans un style rustique et très charmant, ce restaurant vous offre un large choix de pizzas et salades que vous pourrez déguster au calme sur la grande terrasse. Laissez-vous tenter par les pancakes ! Excellent rapport qualité-prix.

PIZZERIA **Pod Wieżą** FUNDACJA „PRO BONO"
Ouvert : 11⁰⁰-23⁰⁰
Réservations : 022 826 98 28
Warszawa, ul. Krakowskie Przedmieście 68

■ POD MESSALKĄ

Ul. Krakowskie Przedmieście 16/18
✆ (022) 826 95 99
Portable 0 506 124 137
Restaurant de cuisine polonaise très bien situé, sur la voie royale, près de l'université qui propose une cuisine traditionnelle à un prix très raisonnable. En effet laissez-vous d'abord tenter par des crêpes aux champignons ou épinards (naleśniki), ou un bigos pour environ 15 zl. Puis choisissez ensuite le canard aux pommes selon une recette ancestrale de la région Vieille Pologne (Staropolska), à moins que vous ne vous tourniez vers le jarret de porc (golonka) ou un poisson, pour environ 30 zl. En dessert, ne vous laissez pas tenter par le curieux pischinger très peu cher (*5,50 zl*), qui s'avère être une vulgaire gaufrette ramollie. Un menu spécial étudiant propose une soupe, un plat et un dessert pour 21 zl. Clientèle plutôt âgée dans un décor de brocante plutôt réussi, avec le son de la radio qui diffuse des tubes des années quatre-vingts. Service cordial.

■ POD SAMSONEM

Ul. Freta 3/5 (nouvelle ville)
✆ (022) 831 17 88
www.republika.pl/podsamsonem
restauracja@podsamsonem.neostrada.pl
Ouvert de 10h à 23h. Dans un décor rustique, mais neuf, clair et spacieux, ce restaurant offre une cuisine juive et polonaise de qualité à des prix qui restent raisonnables par rapport à son excellente localisation (d'ailleurs il affiche souvent complet). En entrée vous pourrez choisir une soupe, très bonne et bon marché, ou la fameuse carpe selon une recette juive, ou encore des blinis au saumon ou champignons (très bon mais un peu gras), puis le fameux canard aux pommes (*30 zl*) ou du porc sauce champignon (*20 zl*) ou encore une sole sauce citron (*20 zl*). Comptez environ 30 zl à 50 zl pour un repas. Service rapide et efficace, même s'il faut se méfier d'une certaine « exploitation » possible du touriste ingénu (vestiaire obligatoire et payant, pourboire ajouté discrètement sur le ticket de carte Bleue à signer).

■ PODWALE 25 – KOMPANIA PIWNA

Ul. Podwale 25 ✆ (022) 635 63 14
Fax : (022) 635 59 01. www.podwale25.pl
podwale@podwale25.pl
Ouvert de 11h à 1h. Situé entre la vieille et la nouvelle ville, dans une jolie cour intérieure, ce restaurant bavarois (dont il a la musique et les costumes des serveuses) propose dans un décor de brasserie, petites salles, tables en bois massives et nappes à carreaux rouges, une solide cuisine polonaise. Une pièce imposante de jarret de porc (golonka), 1 kg pour 39 zl, même prix pour un poêlon de moules, sinon, des saucisses, des galettes de pommes de terre (placki), mais aussi des poissons. Comptez entre 40 zl et 50 zl pour un repas, ou 10 zl pour le menu enfant. En préambule, commandez des petits fromages des montagnes grillés (oscypek) au goût singulier, fumé et salé, accompagnés d'une de leur très bonne bière, notamment celle aux épices. Souvent beaucoup de monde et une bonne ambiance.

■ PROHIBICJA

Ul. Podwale 1
(à l'angle avec la rue Senatorska)
✆ (022) 635 62 11
Fax : (022) 828 62 46
www.prohibicja.com.pl
warszawa@prohibicja.com.pl
Ouvert de 12h à minuit. Les patrons de ce restaurant sont des célèbres acteurs polonais : Bogusław Linda, Zbigniew Zamachowski, Wojciech Malajkat et Marek Kondrat. Il fait à la fois bar à vins (un bon choix !) et piano-bar. L'entrée rappelle une geôle de prison et la personne en charge des vestiaires conviendrait parfaitement à un rôle de gardien de prison. Dans une ambiance semblable à celle d'un film de gangster au temps de la prohibition, vous achèterez donc légalement du vin, alléché par la belle carte, puis un plat polonais ou international, pour environ 30 zl à 50 zl, comme une soupe Żurek, des pierogis ou des côtes de porc.

■ QCHNIA ARTYSTYCZNA

Al. Ujazdowskie 6 ✆ (022) 625 76 27
Ouvert de 12h à minuit. Originalité et bon goût (artistique et culinaire), voilà ce qui classifierait ce restaurant au décor branché, installé dans le château d'Ujazdow, centre d'art contemporain. Vue adorable depuis la terrasse.

■ SPHINX

Plusieurs adresses dans Varsovie pour cette chaîne appréciée des Polonais présente dans tout le pays. **Deux établissements dans le centre** assez proches l'un de l'autre. Al. Jerozolimskie 42 ✆ (022) 826 07 50 – Ul. Szpitalna 1 ✆ (022) 827 58 19. www.sphinx. pl – Plats plutôt américains avec gros morceau de viande, frites, et toujours une petite touche polonaise avec par exemple une salade de choux ou des cornichons aigres-doux. Souvent un décor original et chaleureux, mais une cuisine moyenne, qui reste cependant copieuse et bon marché (*environ 30 zl*).

■ ŚWIĘTOSZEK
Ul. Jezuicka 6/8
℅ (022) 831 56 34
℅/Fax : (022) 635 59 47
www.swietoszek.com.pl
info@swietoszek.com.pl
Ouvert tous les jours dès 13h. Comptez environ 70 zl à 90 zl pour un repas. Un menu spécial composé d'une soupe, un plat et un gâteau, permet de déjeuner à bon marché (*45 zl*), de 13h à 17h, ou pendant cette tranche horaire, d'obtenir des réductions sur les prix à la carte. Dans une rue qui donne sur le Rynek, au sous-sol du bâtiment de la fédération des artistes, le restaurant Świętoszek, qui signifie Tartuffe (oui, bien celui de Molière) offre une très agréable cave de briques et un menu alléchant. Ce dernier comporte d'excellents plats traditionnels polonais, comme la soupe de betterave rouge, les blinis au saumon et surtout la fameuse escalope qui a permis à l'établissement de décrocher un prix en 1993.

■ U HOPFERA
Ul. Krakowskie Przedmieście 53
℅ (022) 828 73 52 – Fax : (022) 828 33 48
Ouvert de 11h au dernier client. Le paradis du pierogi et une cuisine polonaise très traditionnelle, dans une ambiance polonaise et un décor un peu vieillots, de ce restaurant déjà signalé dans un roman datant de 1890. Délicieux pierogis de 22 zl à 30 zl l'assiette de dix pierogis (copieux), parmi la sélection de plus de trente variétés, avec des garnitures originales telles que poulet noisettes, lapin prunes, jambon camembert, girolles, chocolat, fruits, ou des pierogis russes, italiens, chinois, turcs, bulgares ! **Une autre adresse** est gérée par cette entreprise familiale, à l'ouest de la vieille ville, près du mémorial de l'insurrection du ghetto de Varsovie, qui sert une cuisine polonaise un peu moins classique ainsi que la gamme impressionnante de pierogis et dispose d'une terrasse en été, en bordure de parc : Przystanek Muranów – Pierogi Świata. Ul. Gen. Wł. Andersa 13 ℅ (022) 887 89 96 – Fax : (022) 635 34 91. www.przystanekmuranow. pl – restauracja@przystanekmuranom.pl (site Internet en français, à l'instar des menus des deux restaurants).

Luxe

■ ABSYNT
Ul. Wspólna 35 (rue perpendiculaire à la grande avenue Marszałkowska, près du Novotel) ℅ (022) 621 18 81
Fax : (022) 828 02 23
www.siesta.com.pl
Très bon site Internet (en anglais) qui présente les six restaurants de qualité à Varsovie qui appartiennent à la famille Kreglicki (Chianti, El Popo, Mirador, Meltemi, Absynt, Santorini) et propose en plus d'une description détaillée de chaque restaurant, photos et menus avec prix à l'appui, quelques recettes de cuisine. (absynt@siesta.com.pl – *Ouvert de 12h à 23h*). Excellent restaurant français qui propose les fleurons de la cuisine française, comme des cuisses de grenouilles, des escargots, du poulet aux truffes, de la blanquette de veau, du canard aux agrumes, du lapin à la moutarde, des brochettes de Saint-Jacques, un plateau de fromage et une crème brûlée. Pour un repas complet comptez environ 60 zl à 90 zl.

■ ADLER
Ul. Mokotowska 69 ℅ (022) 628 73 84
Fax : (022) 627 20 33
www.adlerrestauracja.pl
Ouvert de 8h à minuit tous les jours, le samedi et le dimanche à partir de 13h. Situé juste après la place des Trois Croix (Plac Trzech Krzyży), dans une petite maison qui semble perdue au milieu des immeubles. Spécialités bavaroises… dans une ambiance bavaroise et serveuse en costume traditionnel. Viandes et délicieuses sauces aux champignons, pierogis « Heidi », goulasch et spätzle (pâtes) pour 39 zl.

■ BELVEDERE
Ul. Agrykola 1 (entrée par la rue Parkowa)
℅ (022) 841 22 50
www.belvedere.com.pl
restauracja@belvedere.com.pl
Ouvert de 12h aux derniers clients. Situé dans le parc de Łazienki, près de l'Orangerie. Cadre somptueux avec terrasse et jardin, cuisine polonaise de très grande qualité (le chef est français !), clientèle VIP. Un des plus grands restaurants de la ville et un des plus chers.

■ CESARSKI PAŁAC
Ul. Senatorska 27 (centre-ville)
℅ (022) 827 97 07
Ouvert de 11h aux derniers clients. Restaurant chinois et seul restaurant mongol de la ville. Plat unique très copieux à 65 zl.

BISTROT DE PARIS – MICHEL MORAN

Plac Piłsudskiego 9 ✆ (022) 826 01 07
Ouvert tous les jours de midi au dernier client.
Depuis novembre 2004, ce restaurant haut
de gamme propose une cuisine française
très raffinée dans un cadre boisé, sobre et
accueillant. Une carte va à l'essentiel avec
seulement quelques entrées, comme une salade
de truite saumonée ou du foie gras, quatre
viandes, quatre poissons et quelques desserts.
Une ardoise de suggestions du jour complète ce
menu, qui varie selon les mois et demi. Repas
à partir de 100 zl, mais plutôt 150 zl à 200 zl
pour les gourmands et plus si affinités avec des
bouteilles. Accueil et service impeccables.

BORDO

Ul. Chmielna 34 (centre-ville,
rue perpendiculaire à Nowy Świat)
*Ouvert du lundi au jeudi de 10h à 22h, le
vendredi et le samedi de 10h à 23h, le
dimanche de 12h à 22h.* Dans une déco
moderne toute en bordeaux et crème, des
luminaires originaux dans les mêmes tons
et de jolis pots de conserves de toutes les
couleurs. Cuisine simple mais savoureuse
et bien présentée : pâtes et pizzas pour
20 zl, sandwichs (dont le Ciabatta Club, très
bon) ou brushettas à environ 12 zl. Pour une
pause ou un brunch, également de bons thés
avec théière (*4,50 zl*), des cafés originaux,
d'appétissants desserts, des jus de fruits
frais pressés et des milk-shakes. Personnel
jeune et agréable.

CASA VALDEMAR

Ul. Piękna 7/9 (centre-ville,
au sud de l'avenue Jerozolimskie,
près du croisement avec l'avenue
Ujazdowskie) ✆ (022) 628 81 40
Un excellent restaurant espagnol, très cher
(*comptez de 150 zl à 250 zl*) mais à la hauteur
de ses promesses sauf pour la carte des
vins, belle, mais au rapport qualité-prix assez
moyen. Un décor soigné jusqu'aux détails,
classe mais chaleureux grâce au four en
terre cuite où rôtissent porcelets, moutons,
de délicieuses viandes d'Argentine (presque
comme là-bas…).

EL POPO

Ul. Senatorska 27 (à deux pas de
la vieille ville, près de la place Bankowy
et du jardin Saski)
✆ (022) 827 23 40. www.siesta.com.pl
*Très bon site Internet en anglais (voir précisions
au restaurant « Absynt », rubrique « cuisine
française »).* Très bonne ambiance, surtout le
soir, dans ce bon restaurant mexicain, apprécié
des Polonais. Est-ce dû à la musique latino,
à la décoration bariolée, aux plats épicés ou
aux margarita et tequila-rapido qui défilent ?
Sans doute une combinaison de tous ces
facteurs. La carte exclusivement mexicaine
propose des tacos à 16 zl, des burritos à
25 zl, des plats de bonnes viandes grillées au
barbecue ou de poissons et calamars entre
35 zl et 62 zl.

FRET @ PORTER

Ul. Freta 37 (nouvelle ville)
✆ (022) 635 37 54
*Comptez environ 100 à 150 zl pour un repas.
Une belle carte des vins. Des concerts de
piano ont lieu tous les soirs, sauf le lundi de
19h à 23h.* Très vaste choix de plats dans un
décor classe et coloré, d'une galerie d'art
contemporain. Des plats originaux venus
des quatre coins du monde, comme des
escargots, du tofu, des fruits de mer, du
couscous, des pâtes, et une belle carte de
desserts (délicieuses pommes normandes
au calvados).

GALERIA BALI & BUDDHA CLUB

Ul. Jasna 22✆ (022) 828 67 71
www.galeriabali.pl –
buddhaclub@galeriabali.pl

Comptez 25 € par personne sans le vin (pas réellement indispensable en cet endroit !). Vous n'êtes pas au Buddha Bar de Paris, Dubai ou New York mais presque... Le Galeria Bali est un véritable petit musée asiatique à forte influence balinaise. Superbe endroit en plein cœur du centre ville, géré par la famille Gawlikowski, amoureuse de l'Orient, et qui a su créer un endroit exotique doté d'un cachet unique de part l'équilibre trouvé entre le massif et le raffiné. Le cuisinier est Indonésien (de Bali !) et le soin apporté au plat se marie à l'extrême avec l'attention portée à la décoration. Le menu est ainsi un recueil imposant de petits bijoux. Plats relativement chers mais de très grande qualité. Service attentionné et irréprochable. Un coin VIP est disponible ainsi qu'une salle en sous-sol pouvant accueillir 100 personnes lors de fêtes privées. La pièce peut également se convertir en salle de conférences et accueillir 40 personnes. Et si vous espérez repartir avec un CD du « Buddha Club » de Varsovie, sachez qu'il est à l'heure actuelle en préparation.

■ GESSLER
Rynek Starego Miasta 21
✆ (022) 831 44 27
Ouvert dès 18h (dès 14h le week-end). Comptez environ 150 zl à 200 zl pour un repas. Situé sur la place principale du marché, ce restaurant profite donc d'une belle situation et d'un cadre élégant pour dîner, dans des caves gothiques, mais ses prix paraissent exagérément chers. Il est aisé de trouver aussi bon pour bien moins cher, à l'instar du hareng mariné à 38 zl et du canard aux pommes à 123 zl.

■ GIOVANNI RUBINO
Ul. Krakowskie Przedmieście 37
✆/Fax : (022) 826 27 88
 www.giovanni.pl
Ouvert tous les jours de 11h à minuit. Sur la voie royale et à deux pas de la vieille ville, dans un décor agréable de voûtes en pierre, grands miroirs et murs à la couleur vive, ce restaurant offre un plat du jour à déjeuner bon marché, sinon une bonne cuisine italienne et de délicieuses pizzas. Comptez environ 45 zl. La carte propose aussi des cigares et des cocktails. Personnel souriant et agréable, même en cuisine, sur laquelle on a vue depuis une partie de la salle.

■ JAZZ BISTROT
Ul. Piękna 20 (centre-ville)
✆ (022) 627 41 51

Ouvert de 10h à minuit. Prix très abordables, environ 20 zl à 30 zl. Cuisine internationale dans un cadre jazzy où il fait bon manger ou siroter un verre.

■ LA CANTINA DEL NUOVO MONDO
Ul. Nowy Świat 64
✆ (022) 331 67 98/97
Fax : (022) 331 67 95
www.lacantina.com.pl
lacantina@lacantina.com.pl
Ouvert en octobre 2004, ce restaurant italien de la voie royale sert d'excellentes pizzas pour environ 25 zl dans un décor chaleureux sur deux étages.

■ LA MAREE ET FROMAGERIE
Ul. Mokotowska 45
✆ (022) 622 41 48. www.lamaree.pl
Pour les amateurs de fromages et de fruits de mer qui seraient en manque lors de leur séjour en Pologne !

■ LE MARCONI DE L'HOTEL BRISTOL
Ul. Krakowskie Przedmieście 42/44
✆ (022) 625 25 25
Restaurant qui fait honneur au standing de l'établissement avec une cuisine méditerranéenne de haute voltige (donc chère). Nous vous conseillons la folie du dimanche soit un brunch servi de 12h30 à 16h30 composé d'un buffet copieux et raffiné avec caviar à volonté, saumon, champagne pour 139 zl. Un buffet spécial enfant (qui sera même gardé par une personne chargée de cette fonction !) permet de profiter pleinement de l'instant.

■ LIVING ROOM
Ul. Foksal 18 (centre-ville,
rue perpendiculaire à la voie royale)
✆ (022) 826 39 28.
www.livingroom.com
Ouvert tous les jours de 11h à 2h du matin. Dans un décor blanc immaculé, de grands miroirs, petites bougies et ananas sur les tables, ce restaurant propose des petites assiettes de tapas pour grignoter comme des carpaccios, puis de bonnes soupes et plats de pâtes fraîches (*environ 25 zl*). D'autres plats méditerranéens de 9 zl à 35 zl et un business lunch de 12h à 19h. Si vous venez seulement boire un verre, alors, pour 6 zl, goûtez à l'un de leurs shots (petit verre qui se boit normalement d'un trait), notamment le kamikaze, mad-dog ou kobieta, puchu-marny, pour les femmes.

◼ LOKANTA

Ul. Nowogrodzka 47A (centre-ville,
près du Novotel) ℰ (022) 585 10 04/05
www.lokanta.home.pl
*Concerts de musique tous les samedis soir à
partir de 21h30. Brunch le dimanche de 11h
à 15h (gratuit pour les enfants de moins de
10 ans).* Lokanta en turc signifie restaurant
typique et traditionnel, dans lequel les hôtes
peuvent suivre la préparation des plats, pour
lesquels ne sont utilisés que des ingrédients
frais, cuits au feu de bois. Et c'est ce que
s'applique à reproduire ce petit restaurant qui
propose de bons plats, notamment de viandes,
copieux, pour environ 30 zl mais aussi des
kebabs et des pizzas. Les mezze, accompagnés
de Raki assurent le dépaysement.

◼ LONDON STEAK HOUSE

Al. Jerozolimskie 42 (grande avenue
du centre-ville) ℰ (022) 827 00 20
www.londonsteakhouse.pl
Ouvert de 11h à minuit. De la bonne viande et
des repas de qualité mais assez chers, environ
100 zl à 120 zl. Mais qu'importe la cuisine,
pourvu qu'on ait l'ivresse du décor… celui
de la salle, spacieuse, aux hauts plafonds,
agréable, où se meuvent des serveuses
magnifiques, délicieux.

◼ MONTMARTRE

Ul. Nowy Świat 7 ℰ (022) 628 63 15
Ouvert à partir de 10h. Cuisine française dans
un décor parisien, un brin rétro. Devant une
grande photo de la place de la concorde à
Paris, vous choisissez parmi les plats qu'offre
le menu en français, entre cuisine française
et polonaise, de 20 zl à 70 zl.

◼ ORCHIDEA

Ul. Szpitalna 3 (centre-ville)
ℰ (022) 827 34 36
info@restauracjaorchidea.pl
Ouvert tous les jours de 10h à 23h. Décor zen
aux touches asiatiques orné d'une orchidée.
Bonne formule à midi avec le plat du jour qui
mijote dans un grand wok au milieu de la pièce
et diffuse de subtils et exotiques arômes,
accompagné d'une soupe et d'un dessert pour
seulement 23 zl. Quelques plats végétariens ou
de poissons et fruits de mer alléchants, pour
environ 20 zl à 30 zl. Du bon vin, à la bouteille
ou au verre à des prix raisonnables.

◼ POLSKA TRADYCJA

Ul. Belwederska 18A (vers l'hôtel Hyatt,
à l'extrémité sud du parc de Łazienki)
ℰ (022) 840 09 01
www.restauracjapolska.com.pl
Restaurant haut de gamme de cuisine
polonaise (délicieuse). Un joli jardin d'été.

◼ SENSE

Ul. Nowy Świat 19 (voie royale)
ℰ (022) 826 65 70
Fax : (022) 826 90 71
www.sensecafe.com
sense@sensecafe.com
Restaurant et bar un peu zen, un bouddha
trône sur le bar, et surtout très branché. Une
musique qui pourrait bien provenir du Bouddha
Bar, un cadre agréable, des bambous aux
fenêtres et des plats originaux (*21 zl à 42 zl*)
comme la soupe de carotte gingembre ou le
bœuf et chili très épicé. Une cuisine fusion
qui utilise épices, gingembre, soja, basilic,
wok. Et en dessert la lampe d'Aladin réalise
vos souhaits les plus fous. Une sélection de
vodkas impressionnante (*environ 12 zl le
verre*) et des cocktails aux noms délirants.
Service efficace.

◼ SUSHI SAKANA

Ul. Moliera 4/6 (vieille ville)
ℰ (022) 826 59 58
*Ouvert du lundi au samedi de 11h30 à 23h,
le dimanche de 12h à 22h. Soupes : 8 zl et
assiettes à partir de 16 zl. Vin de 80 zl à 280 zl.*
Ludique… et service rapide… Attention, si
vous cherchez une option dîner en tête à tête,
l'adresse n'est pas vraiment indiquée… tous
en cercle autour de la « machine à distribuer les
sushis »… devant un tapis roulant qui fait défiler
les plats, que vous pouvez saisir au passage ! Le
prix est fonction de la couleur des assiettes que
vous avez choisi… assiettes avec pétales de
gingembre et wasabi ultrafort… très typique et
fonctionne vraiment comme au Japon.

◼ TAM TAM

Ul. Foksal 18 (centre-ville,
rue perpendiculaire à Nowy Świat)
ℰ (022) 828 26 22
Portable : 0 608 522 622
www.tamtam.com.pl – tamtam@hot.pl
*Ouvert de 12h (13h le week-end) au dernier
client.* Dans un dédale d'escaliers et de salles
à la décoration singulière, sur plusieurs mi-
étages, ce bar-restaurant à l'ambiance jeune
et décontractée propose une cuisine aux
influences polonaises, africaines et italiennes.
En témoignent les lasagnes (*18 zl*), les crêpes
au brie (*18 zl*), le poulet du Mozambique (*34 zl*)
ou le sanglier aux champignons (*49 zl*). Côté
bar le choix se pose entre des cafés du Kenya,
Burundi, de la Tanzanie ou d'Ethiopie, ou des
cocktails (*entre 12 zl et 20 zl*).

THE MEXICAN
Ul. Foksal 10A (centre-ville)
✆ (022) 826 90 21
Portable : 693 417 665
www.mexican.pl – biuro@mexican.pl
Comptez environ 25 zl à 35 zl pour un repas.
Dans un décor singulier et chargé, avec une bonne ambiance due surtout à un groupe de serveurs et serveuses déguisés et de bonne humeur, vous dégusterez de bonnes spécialités mexicaines comme des quesiladas pour 17 zl, des fajitas pour 25 zl ou encore des burritos et paellas. Et pour ajouter au folklore, une petite margarita cactus ! En été, une jolie terrasse calme avec une fontaine.

U FUKIERA (OU FUKIER)
Rynek Starego Miasta 27
✆ (022) 831 10 13
Fax : (022) 831 58 08 – www.ufukiera.pl
Ouvert à partir de midi jusqu'au dernier client.
Dans un décor à la fois classe, rustique et chaleureux, se dégustent de bons plats de cuisine polonaise et internationale. Le choix, tout comme la palette des prix, est large ; environ 40 zl pour une entrée (sauf caviar) et 60 zl pour un plat, qui coûte de 29 zl à 120 zl. Un rapport qualité-prix pas toujours des meilleurs. Belle carte des vins.

Dans le quartier de Praga (Est)

Bien et pas cher

AKWARIUM
Ul. Francuska 50 ✆ (022) 616 24 59
Dans un décor marin, juste quelques tables dehors et à l'intérieur pour grignoter de bonnes quiches, des gâteaux ou des glaces.

Bonne table

DOM POLSKI
Ul. Francuska 11 (quartier Saska Kępa)
✆ (022) 616 24 88/32
Ouvert de 12h aux derniers clients. Excellent restaurant de cuisine polonaise et service professionnel, le tout dans le cadre agréable d'une vieille villa. L'été le restaurant dispose d'un joli jardin.

Dans les quartiers Ouest

Bien et pas cher

BAR MLECZNY SMAK
Ul. Grójecka 60 (longue rue qui part de la place Zawiszy)

Ouvert de 8h à 19h. Tramways n°s 7, 9, 15, 20, 25, 29 et 36, arrêt Wawelska. Grand bar à lait qui sert de la bonne cuisine pas chère (*environ 8 zl*).

Bonnes tables

BLUE CACTUS
Ul. Zajączkowka 11 (quartier Mokotów)
✆ (022) 851 23 23. www.bluecactus.pl
Ouvert de 10h à 23h. Situé à l'une des entrées du parc Łazienki, ce tex mex propose une large gamme de plats à des prix abordables (*20 zl à 40 zl*) dans un espace vaste et décontracté prisé des jeunes et des étrangers. Buffet spécial tous les dimanches, à partir de midi pour 72 zl. Bonne ambiance dans le bar et discothèque.

FOLK GOSPODA
Ul. Waliców 13 ✆ (022) 890 16 05
www.folkgospoda.pl
Non loin de la vieille ville, près de la rue Grzybowska, qui croise l'avenue Jana Pawła II, ce restaurant rappelle l'atmosphère des auberges montagnardes avec ses murs décorés de fleurs peintes. Il propose une cuisine traditionnelle, tels les assortiments de pierogis, le bigos ou des saucisses, un large éventail de viandes et poissons, comme le filet de sandre aux poireaux et un grand choix de bières. Et si ces plats copieux (*environ 20 zl à 30 zl*) vous ont un peu assoupis, réveillez-vous avec le kawa po staropolsku : des chants polonais accompagnent souvent les dîners et le matin un petit déjeuner est servi pour 15 zl.

© AUTHORS.COM

Varsovie, rue des Brasseries

■ GOSPODA POD KOGUTEM

Ul. Rakowiecka 43A ℂ (022) 849 08 78
www.gospodapodkogutem.pl
Ouvert de 10h à 22h. L'une des meilleures
adresses de cuisine polonaise en rapport
quantité-prix. Une des spécialités, le golonka
rassasiera les appétits les plus féroces.
Comptez environ 30 zl pour un repas et profitez
des formules déjeuner, quatre options de 12 zl
à 14 zl, de 12h à 17h. Pour s'y rendre, prendre
les tramways n° 16, 17, 33 ou le métro, arrêt
Pole Mokotowskie (le restaurant est proche
du parc Pole Mokotowskie). Cette enseigne
possède **un autre restaurant encore plus
à l'ouest** (Ul. Grójecka 58 ℂ (022) 822 05
00) **et un dans la ville nouvelle** (Ul. Freta 48
ℂ (022) 635 82 82), ouverts à partir de 12h
le lundi et 11h du mardi au dimanche.

■ WARSZAWA – JEROZOLIMA

Ul. Smocza 27
ℂ (022) 838 32 17
www.warszawa-jerozolima.com.pl
Ouvert de 12h à minuit.
Cuisine juive, israélienne et polonaise.
Restaurant réputé pour ses serveurs qui
chantent. Un peu excentré de la ville, s'y rendre,
de la gare centrale, par les tramways n°s 22,
16, 17, 33 et les bus n° 180, 510, 516.

À Wilanów

Bonnes tables

■ RESTAURACJA WILANÓW

Ul. S. Kostki Potockiego 27
ℂ (022) 842 18 52
*Ouvert de 12h à 23h. Comptez environ 60 zl
à 70 zl.* Dans un box en bois octogonaux qui
confère une certaine intimité, et au milieu
des peaux de sanglier et têtes de cerf, vous
seront proposés de nombreux plats polonais,
notamment du gibier.

Luxe

■ VILLA NUOVA

Ul. Stanislawa Kostki Potockiego 23
ℂ (022) 885 15 02
Portable : 0 601 440 200
Fax : (022) 885 15 03
www.villanuova.pl – info@villanuova.pl
Du nom de l'origine italienne de Wilanów, Villa
Nuova, ce restaurant haut de gamme propose
une cuisine raffinée dans un superbe cadre.

▦ SORTIR ▦▦▦▦▦

Varsovie bouge ! De nombreux cafés de qualité,
des sorties nocturnes de choix. Les adresses
sont surtout concentrées dans le centre-ville
et dans ce pays fortement catholique, les bars,
clubs et discothèques ferment ou tournent au
ralenti pendant les fêtes religieuses, comme
Pâques, la Toussaint ou les vacances de
Noël.

▮ **Pour connaître l'actualité des sorties
et le calendrier des concerts et soirées,**
consulter le site www.warsaw-life.com – Le
site Internet www.whatsup.pl affiche quant à
lui une liste des bars, restaurants et lieux de
sorties, informations minimalistes (adresse
et numéro de téléphone) mais d'excellentes
adresses. Les sites des petits guides sur la ville
de Varsovie proposent aussi d'intéressantes
informations : www.inyourpocket.com – www.
warsawinsider.pl – www.thevisitor.pl

Cafés et salons de thé

■ BLIKLE

Ul. Nowy Świat 33 ℂ (022) 826 66 19
*Ouvert du lundi au samedi de 9h a 22h,
le dimanche de 10h a 22h.* Une véritable
institution en Pologne et l'une des pâtisseries
les plus réputées de Varsovie. Dans une
ambiance feutrée, l'on déguste un petit
déjeuner polonais, français, norvégien, anglais,
russe ou viennois (*26 zl à 58 zl*), quelques
plats et surtout, d'excellentes pâtisseries
et desserts. Des tartes et gâteaux raffinés
pour environ 10 zl, accompagnés d'un thé à
9,50 zl parmi la large variété proposée. Service
impeccable. A côté de la pâtisserie Blikle
et quelques tables pour avaler son gâteau
sur place debout, puis au numéro suivant,
une épicerie fine. **Epicerie Fine :** A. Blikle
Delikatesy. Ul. Nowy Świat 35 ℂ (022) 828
63 25. Ouverte du lundi au samedi de 10h à
19h, le dimanche de 10h à 15h, elle vend des
produits polonais et européens.

■ BATIDA

Ul. Nowogrodzka 1/3
ℂ (022) 627 36 61
Dans la rue parallèle au sud de l'avenue
Jerozolimskie, ce salon de thé « multifonction »
fait office de boulangerie, pâtisserie,
croissanterie et traiteur, à des prix relativement
raisonnables.

▪ CAFE BRISTOL – HOTEL BRISTOL

Ul. Krakowskie Przedmieście 42/44

℀ (022) 625 25 25

Pour pouvoir dire « *j'ai pris un verre au Bristol* », cet hôtel de prestige, dans un superbe bâtiment de la voie royale. Dans un décor assez classe, un peu rétro, presque décevant par rapport à l'extérieur si riche du bâtiment, il est possible de boire un verre, déguster quelques encas et prendre son petit déjeuner (*39 zl ou 48 zl*). Très intéressant, les animations thématiques proposées avec dégustations à volonté le samedi et le dimanche après-midi pour 45 zl.

▪ CAVA

Ul. Nowy Świat 30

(fait le coin avec la rue Foksal)

Portable : 0603 95 23 63

www.cava.pl – info@cava.pl

Ouvert du lundi au vendredi de 9h à minuit, le samedi et le dimanche de 10h à minuit. Café à l'ambiance animée, avec musique assez forte et chaises confortables, où l'on peut commander parmi un grand choix de cafés, d'excellents chocolats chauds, des milk-shakes, une orange pressée, quelques snacks, des gâteaux polonais plein de crème, des croissants ou encore des cigares.

▪ DAILY'S CAFE

Ul. Ćwiętorzyska 18

℀ (022) 829 91 57. www.dailycafe.pl

Ouvert de 7h à 23h. Très animé, un brin branché avec des jeunes qui jouent au Monopoly (jeux de société mis à disposition) et un service au comptoir ou le personnel crie quand votre commande est prête. Bon café, à partir de 5 zl, gâteaux ou petit déjeuner français avec boisson chaude, croissants, beurre et confiture pour 9 zl.

Crêpes

▪ NOWY ŚWIAT

Ul. Nowy Świat 63 ℀ (022) 826 58 03

Ouvert du lundi au samedi de 9h à 22h, le dimanche de 10h à 21h. L'ambiance s'apparente à une vieille brasserie parisienne dans la grande salle à colonnes de ce café-restaurant. En été, une terrasse prend place à l'arrière du restaurant.

▪ SAME FUSY

Ul. Nowomiejska 10

℀ (022) 635 90 14/831 99 36

Ouvert de 11h à 23h. Dans une rue qui part du Rynek, et pourtant pas évident de dénicher ce bar, caché au 1er étage : pousser la porte

et monter les escaliers au fond du couloir à droite. Dans une ambiance zen et chaleureuse, tout ici invite au voyage. Le narguilé, la peau de léopard sur l'assise des chaises, le maté, boisson nationale en Argentine, servi dans une vraie calebasse et sa pipette (vraiment comme là-bas), le Rooibos, boisson africaine sans théine ni caféine, les services à thé, qui rappellent le raffinement asiatique. Sur la route du thé, vous trouverez thés noirs, rouges, jaunes, verts, blancs, aux fruits (*pour environ 15 zl*). Puis vous aurez envie de prolonger le voyage en choisissant parmi la belle sélection de cafés ou les douceurs exotiques telles que du gingembre confit ou de la confiture aux pétales de rose.

▪ SŁODKI SŁONY

Ul. Mokotowska 45 (entre la place Konstitucji et le parc Ujazdowski)

℀ (022) 622 49 34. www.slodki-slony.pl

Ouvert tous les jours de 11h à minuit. L'odeur délicieuse de chocolat chaud attire indéniablement le passant à pousser la porte de cette pâtisserie-salon de thé, une des plus réputées de Varsovie. La première salle offre des œuvres d'art : gâteaux aux figues, au chocolat, aux noix, tartelettes aux fruits, brioches, croissants (fourrés à la confiture de rose). Cette ribambelle de gâteaux peut s'emporter ou se déguster sur place accompagnée de café, thé ou chocolat chaud, dans les chaleureuses salles du fond, sur 2 étages. La gourmandise a ses raisons que le portefeuille ignore, et tant mieux car la tendance serait de vouloir en goûter plusieurs et un morceau coûte environ 16 zl et de 6 à 21 zl.

▪ TO LUBIĘ

Ul Freta 10

℀ (022) 635 90 23. www.tolubie.pl

Ouvert tous les jours de 10h à 22h. Ce café très chaleureux, entre la vieille ville et la ville nouvelle, dispose de deux petites salles, agrémentées de meubles en bois rustiques et de superbes photos d'Argentine. Ces dernières sont l'œuvre de Patricia Woy, une jeune artiste photographe, qui commence à être renommée en Pologne. Il est possible d'acheter ses œuvres exposées ici (environ 100 zl la pièce). Dans ce cadre intimiste donc, l'on déguste six sortes de chocolats chauds, quinze thés aux arômes différents, tous très savoureux et parfumés, des cafés et surtout d'excellents cookies, brownies ou tartes, de 6 à 12 zl.

WEDEL

Ul Szpitalna 8

✆ (022) 827 29 16. www.wedel.pl

Ouvert du lundi au samedi de 8h à 22h (salon de thé à partir de 11h seulement), et le dimanche de 11h à 20h. Un magasin de chocolats fins et un salon de thé dans un décor très chic. Installés dans de beaux et confortables fauteuils, dégustez de délicieux chocolats chauds, la spécialité de la maison pour 8 zl ou 9 zl s'il est aromatisé, à la cannelle, coco, pistache, menthe, fraise… qui donnent l'impression de boire une tablette de chocolat, divin. Bien sûr des desserts chocolatés, comme la mousse, le gâteau ou les crêpes au chocolat (*8 zl à 15 zl*). Présentations soignées et service impeccable. Carte en polonais seulement mais le personnel parle anglais. Le magasin propose des bonbons en vrac au kilo ou de jolies boîtes de chocolats. La maison confectionne des gâteaux au chocolat personnalisés (commande au ✆ (022) 827 29 16/818 66 66). Si vous allez à Wilanów, Wedel dispose également d'un établissement à la sortie du palais.

Bars

Les bars à la mode en ce moment, lieux où sortir pour trouver de l'ambiance se trouvent principalement sur la place aux Trois Croix (Plac Trzech Krzyży), après le rond-point Charles de Gaulle, sur la voie royale (rues Nowy Świat et Krakowskie Przedmieście), ainsi que dans de nombreuses rues autour de la voie royale telles que Mazowiecka, Foksal et Chmielna.

BIKERS PLACE

Ul. Racławicka 99 (quartier Mokotów)

✆ (022) 844 63 94

Ouvert le vendredi et le samedi de 17h aux derniers clients. Pour les motards et amoureux de motos. Au sud du centre (Fort Mokotów), pour y aller prendre les tramways n° 16, 17, 33.

BROWAR SOMA (CLUB 19)

Ul. Foksal 19 (centre-ville)

✆ (022) 828 21 33/34

Ouvert de 11h à 3h. Un bar à la mode, repaire francophone de Varsovie, qui produit sa propre bière.

CINNAMON

Plac Piłsudskiego 1, au rez-de-chaussée du bâtiment Metropolitan (centre-ville)

✆ (022) 323 76 00

Ouvert de 9h à 2h du matin. Dans un décor moderne aux tons violets, ce bar réunit la jeunesse dorée de Varsovie, des étrangers, une clientèle branchée ou d'hommes d'affaires. Nombreux cocktails originaux, avec du gingembre par exemple (*environ 15-20 zl*), jolis plats assez chers (*environ 35 zl*), réalisés par Pascal Brodnicki, le cuisinier qui tient un programme de cuisine à la télévision polonaise, un ancien élève du lycée français… Bar prisé avec de l'ambiance le soir. Grande terrasse sur le patio du bâtiment, été comme hiver (couverte et chauffée) d'une capacité de 150 places.

COLUMN BAR – HOTEL BRISTOL

Ul. Krakowskie Przedmieście 42/44 (voie royale) ✆ (022) 625 25 25

Varsovie, musiciens

Ouvert de 10h à 2h. Bar de style Art déco dans un hôtel de grand luxe installé dans un bâtiment historique de la voie royale. Dans de confortables fauteuils en cuir, au son du piano ou de la harpe, possibilité de déguster des snacks.

◼ HARENDA
Ul. Krakowskie Przedmieście 4/5
(voie royale) ℂ (022) 826 29 00
www.harenda.pl
Ouvert de 8h à 4h. Entrée 10 zl. Repas pour environ 30 zl. Lieu de rencontre des étudiants depuis des décennies, ce bar, situé à côté de la statue de Copernic, est devenu une véritable institution et regroupe des jeunes autour de grandes tables en bois dans une ambiance bon enfant. Se transforme aussi en discothèque (musique variée, concerts).

◼ INDEKS
Ul. Krakowskie Przedmieście 24
(voie royale) ℂ (022) 826 92 39
Ouvert du lundi au jeudi dès 11h, le samedi de 12h à 3h, le dimanche de 15h à 4h. Un pub-discothèque étudiant qui sert des boissons à bons prix et organise souvent des événements musicaux ou soirées à thème, comme la soirée afro-brésilienne le mercredi à partir de 21h. Entrée gratuite.

◼ IRISH PUB
Ul. Miodowa 3 (centre-ville)
Le plus vieux pub irlandais de la ville. Toujours bondé le soir. Concerts réguliers de musique irlandaise et rock.

◼ LABOKLUB
Ul. Mazowiecka 11A (centre-ville)
ℂ (022) 827 45 57
Situé juste en face du Paparazzi, ce bar prépare d'excellents cocktails et se transforme en boîte de nuit branchée et endiablée le week-end. Entrée libre.

◼ LEMON
Ul. Sienkiewicza 6 (centre-ville)
ℂ (022) 829 55 44
Bar sur deux étages avec de grands miroirs où se reflètent les volutes de fumée des fumeurs de narguilé et où résonnent les rires. Un bon endroit pour commencer la soirée.

◼ MELODIA
Ul. Nowy Świat 3-5 (voie royale)
ℂ (022) 583 01 80. www.klubmelodia.pl
Ce restaurant-bar-club tout neuf et très moderne a ouvert ses portes en février 2005. Une première salle fait office de restaurant, qui

propose un mixte de mets originaux, dès 8h, et accueille les bruncheurs le dimanche après-midi. La deuxième salle sur deux étages, ouverte de 16h au dernier client, un bar à la musique lounge s'anime les soirs de week-end pour devenir « club ». Gageons qu'il aura du succès.

◼ MORGAN'S PUB
Ul. Okólnik 1, entrée par la rue Tamka
(centre-ville) ℂ (022) 826 81 38
Ouvert de 12h aux derniers clients. Un autre pub irlandais agréable, souvent bondé, où la Guiness coule à flot. Musique irlandaise et rock et occasionnellement des concerts live.

◼ ORGANZA
Ul. Sienkiewicza 4
ℂ (022) 828 25 25/32 32
www.kluborganza.pl
Ouvert du mardi au samedi de 17h au dernier client. Sur trois étages, un bar-club avec de la musique grovy et des jolies filles. De plus en plus bondé au fur et à mesure que la soirée avance… Entrée gratuite mais sélection.

◼ PAPARAZZI
Ul. Mazowiecka 12 (centre-ville)
ℂ (022) 828 42 19
Dans une rue parallèle à la voie royale et perpendiculaire à la rue Świętokrzyska, ce bar branché rassemble la jeunesse de Varsovie et quelques expatriés.

◼ RABARBAR
Ul. Wierzbowa 9/11 (centre-ville)
ℂ (022) 828 07 66
Situé au centre, à côté de l'Opéra, ce bar propose, dans une bonne ambiance, d'excellents cocktails et organise des soirées jazz. Un restaurant à côté, dans un décor moderne, du Botero sur les murs, sert une bonne cuisine, surtout les viandes, à prix modérés à midi, plus chers le soir.

◼ REPUBLICA LATINA
Plac Trzech Krzyży 16, mais entrée sur le côté, par la rue Nowy Świat
(centre-ville) ℂ (022) 3 311 311
www.republicalatina.pl
Ouvert à partir de midi jusqu'au dernier client. Décor latino aux sensuelles couleurs rouges tamisées, grand lustre dans les escaliers en bois. De grandes salades fraîches ou des plats pour environ 45 zl, sinon juste pour boire un verre surtout les soirs de week-end. Brunch de cuisine mexicaine le dimanche de 12h à 16h (*65 zl par personne pour accès au buffet à volonté, gratuit pour les enfants de moins de 12 ans*).

VARSOVIE - WARSZAWA

SZPARKA

Plac Trzech Krzyży 16A (centre-ville)
✆ (022) 621 03 70/90
www.cafeszparka.pl
Ouvert tous les jours de 7h à 5h du matin.
Ce restaurant (cuisine internationale)-bar-discothèque, gratuit la plupart du temps, diffuse de la musique jazz, soul et pop et accueille des Dj's et des concerts. Large choix de cocktails, bière à 8 zl. Décor moderne, lumière tamisée et bougies.

SZPILKA

Plac Trzech Krzyży 18 (centre-ville)
✆ (022) 628 91 32. feliszek@interia.pl
Ouvert de 7h du matin à 6h du matin (une heure réservée au ménage tout de même). Petit déjeuner (délicieuse tortilla espagnole), plats simples comme des pâtes ou des pierogis pour environ 20 zl, mais l'on choisit cet endroit surtout pour boire un verre dans un cadre moderne où l'on trouve du monde et de l'ambiance. En effet, ce bar sans cachet particulier connaît un succès inexpliqué, il est une adresse incontournable des clubbeurs varsoviens.

SZPULKA

Plac Trzech Krzyży 18 (centre-ville)
Bar juste à côté, du même propriétaire, avec aussi de l'ambiance et du monde, mais quelques différences comme les horaires d'ouverture plus restreints (*12h à 4h du matin*), une lumière plus tamisée et une touche plus colorée (comme des sièges orange, un peu années 1960).

ZANZI BAR

Ul. Wierzbowa 9 (centre-ville)
✆ (022) 828 64 77
Ouvert de 15h à 2h. Bien placé, ce bar est assez calme et dispose d'une terrasse très agréable en été.

Discothèques

Les billets d'entrée coûtent entre 10 zl et 40 zl.

BARBADOS

Ul. Wierzbowa 9, près du Théâtre national (centre-ville) ✆ (022) 827 71 61
Ouvert du mercredi au samedi de 20h à 6h.
Cet endroit rétro des années quatre-vingts de look tropical est le rendez-vous de tous les nostalgiques de cette époque. Musique pop, rock et discothèque le vendredi et le samedi soir. Entrée gratuite le mercredi soir, sinon entre 15 zl et 30 zl, clientèle aisée et jolies filles.

BLUE CACTUS – IGUANA LOUNGE

Ul. Zajączkowka 11 (quartier Mokotów)
✆ (022) 851 23 23. www.bluecactus.pl
Voir rubrique « Restaurants », « Quartiers Ouest – Bonnes tables ».

DEKADA

Ul. Grójecka 19/25 (quartier Ochota, à l'ouest du centre-ville, sur la longue avenue qui part de la pace Zawiszy, hôtel Sobieski)
✆ (022) 823 55 58/668 97 77
Portable : 0 602 68 58 05
Fax : (022) 823 69 97
www.dekada.pl
Ouvert du lundi au vendredi à partir de 17h, le samedi dès 19h. Le décor à lui seul vaut le détour. Dans une rue pavée, un tramway sur rails, une grande salle et quelques recoins… Concert live tous les lundis soir avec une ambiance endiablée (qui dépend quand même un peu du groupe présent). Les autres soirs, discothèque, le mercredi plutôt pop, le jeudi plutôt jazz. Possibilité de dîner pour environ 30 zl, cuisine polonaise et américaine.

ENKLAWA

Ul. Mazowiecka 12 (centre-ville)
✆ (022) 827 31 51
Ouvert de 17h à 3h du matin. Discothèque à l'ambiance décontractée, clientèle de tous les âges qui vient faire la fête et danser à en perdre haleine. Entrée payante dès le jeudi soir.

FABRYKA TRZCINY

Ul. Otwocka 14 (quartier Praga)
✆ (022) 619 05 13
Situé après le quartier de Stara Praga (en face de la vieille ville, de l'autre côté de la Vistule), près de la gare Warszawa Wschodnia (les lignes de tram 7 et 13 se rendent dans cette rue). Un lieu prisé depuis quelques années à Varsovie. Propose souvent des concerts, notamment de jazz.

GROUND ZERO

Ul. Wspólna 62 (centre-ville, non loin de la gare centrale)
✆ (022) 625 39 76
Ouvert le mercredi et le jeudi de 20h à 4h, le vendredi et le samedi de 21h à 5h. Entrée de 10 zl à 30 zl. Une boîte en vue de Varsovie, installée dans l'ancien abri antiatomique. Les sélections à l'entrée ne sont pas trop rigoureuses. Musique : rock, pop, house, disco. Discothèque le vendredi et le samedi.

■ HARENDA

Ul. Krakowskie Przedmieście 4/5
(voie royale) ℂ (022) 826 29 00
www.harenda.pl
Ouvert de 8h à 4h (voir rubrique « Bars »).

■ HYBRYDY

Ul. Złota 7/9 (centre-ville)
ℂ (022) 827 66 01/822 30 03
www.hybrydy.com.pl
Ouvert en semaine de 21h à 3h (entrée 5 zl à 10 zl) et le week-end de 21h à 4h (entrée 12 zl à 22 zl). Bar et discothèque avec des thèmes musicaux variés : jazz, acid jazz, funky, house, latino, soul, rythm'n'blues, reggae.

■ PIEKARNIA

Ul. Młocińska (à l'ouest du centre-ville)
ℂ (022) 636 49 79
www.piekarnia.org.pl
klub@piekarnia.org.pl
Situé à l'ouest de la nouvelle ville, entre le centre commercial Arkadia et le cimetière (Cmentarz Powàkowski), près du rond-point Zgrupowania AK Radosław (sur l'avenue Jana Pawła II). Ouvert le week-end de 22h à 6h du matin. Entrée : 30 zl. Depuis 1997, dans une ancienne boulangerie (d'où son nom), cette boîte de nuit est une institution, où des dj's du monde entier se donnent rendez-vous, même si l'établissement avoue fièrement vouloir promouvoir la musique et les dj's polonais. Elle diffuse de la musique acid jazz, funk, hip-hop, dans deux salles et un jardin (couvert en hiver).

■ QULT CLUB

Ul. Pańska 9 (à l'ouest du centre-ville, rue perpendiculaire à l'avenue Jana Pawła II)
ℂ (022) 868 29 14
Un très grand club doté de six bars, une décoration faite de verre et un restaurant de cuisine méditerranéenne.

■ SABAT

Foksal 16 (centre-ville)
ℂ (022) 826 23 55
Fax : (022) 826 84 21/22
www.teatr-sabat.pl
rezerwacje@teatr-sabat.pl
Ce cabaret-théâtre en sous-sol propose des spectacles de 2h, le jeudi, le vendredi et le samedi soir, à 20h, pour 90 zl. Une formule à 190 zl permet de dîner à partir de 19h puis de profiter du spectacle. Le dimanche, déjeuner à 15h puis spectacle à 17h. Des revues dans le style Moulin-Rouge s'intitulent par exemple Sexbomb ou Broadway Foksal Street. Le cabaret se transforme ensuite en club, le mercredi et le samedi soir dès 22h, le dimanche dès 19h. A gauche de l'entrée, un guichet vend les billets de 10h30 à 20h30.

■ STODOŁA

Ul. Stefana Batorego 10 (quartier Mokotów, M° Pole Mokotowskie, près du parc Piłsudskiego)
Ouvert le vendredi et le samedi de 20h à 4h. Beaucoup d'événements organisés dans cet endroit où se retrouvent les étudiants, et surtout de nombreux concerts. Musique rock, acid jazz, techno, house.

■ TYGMONT

Ul. Mazowiecka 6/8 (centre-ville)
ℂ (022) 636 49 79/828 34 0
www.tygmont.com.pl
Ouvert en semaine de 14h à 3h, le week-end de 17h à 4h. Entrée : 10 zl. Restaurant de cuisine polonaise, bar et discothèque, club de jazz, parfois des concerts. Salsa le samedi soir.

Gay et lesbien

Varsovie n'égale pas encore Berlin ou Amsterdam en nombre de bars et boîtes gays, mais de plus en plus de bars ouvrent, notamment dans le centre-ville.

■ FANTOM

Ul. Bracka 20A
ℂ (022) 828 54 09
Ouvert du lundi au samedi de 14h, à 2h en début de semaine, à 3h le vendredi et 4h le samedi. Situé dans une cave, ce club gay se prévaut le premier de Varsovie. Souvent des soirées à thèmes comme spectacle de drag-queens, films ou strip-tease. Boissons à prix modéré.

■ FRIENDS

Sienkiewicza 4/28
ℂ 0601 24 34 44 (portable)
www.gay.pl/friends – friends@gay.pl
Cet hôtel, situé en centre-ville, petite et moderne, dispose de 3 chambres (réserver à l'avance), sommairement meublées, d'environ 15 m², avec douche (toilettes communes). 175 zl pour 1 personne, 220 zl pour 2 personnes. Une kitchenette et une machine à laver sont à disposition des clients, que le propriétaire considère davantage comme des hôtes et à qui il fournit toute l'aide nécessaire. Pour les clients de l'hôtel, entrée gratuite au club Fantom et réduction au sauna du même établissement. Dispose aussi d'une enseigne à Cracovie.

VARSOVIE - WARSZAWA

■ KOKON

Ul. Brzozowa 37

℡ (022) 831 95 39. www.kokonclub.pl

Ouvert tous les jours à partir de 16h. Dans la vieille ville, sur plusieurs étages et dans un style un peu Art déco, des parties à thème, plus chaudes le mardi, le vendredi, le samedi et le dimanche, spectacles réguliers de drag-queen, house music et DJ.

■ PARADISE

Ul. Wawelska 4 (près du stade Skra)

℡ (022) 502 222 208

0604 256 682 (portable). www.paradise.pl

Situé proche du centre, dans les quartiers ouest, près du stade Skra, dans le parc im. marsz. J. Piłsudskiego. Empruntez les bus 512 et 175 depuis la gare centale ferroviaire, arrêt Pomnik-Lotnika. Pub ouvert tous les jours à partir de 18h. Discothèque d'environ 21h à 6h du matin, le mercredi (entrée gratuite), le vendredi et le samedi, entrée payante : 10 zl avant 23h, 20 zl ensuite. Une oasis de tolérance dans l'un des plus grands pubs et l'une plus grandes discothèques gay de Varsovie.

■ RASKO

Ul. Krochmalna 32A

℡ (022) 890 02 99. www.rasko.pl

Ouvert du jeudi au dimanche dès 19h. Soirée spéciale à 22h, strip-tease masculin le lundi, féminin le mercredi, spectacle drag-queen le mardi, le vendredi et le samedi. Strip-

tease parfois de mauvaise qualité mais une rencontre fortuite avec l'ex-Mister Gay de Pologne efface tout.

■ UTOPIA

Ul. Jasna 1 ℡ (022) 827 15 40

Ouvert du lundi au samedi de 10h à 1h du matin, le dimanche dès 15h. Sélection parfois rude à l'entrée, mais vaut la peine d'essayer surtout le week-end où ambiance et show de qualité sont au rendez-vous.

Cinémas

Les tickets d'entrée coûtent en général entre 15 zl et 25 zl et les films sont en version originale sous-titrés en polonais.

■ FEMINA

Al. Solidarności 115 ℡ (022) 620 18 10

Situé en centre-ville, ce cinéma diffuse beaucoup de films en français.

■ IMAX

(Cinéma en 3D). Ul. Powsińska 31

℡ (022) 550 33 33/22.

■ KULTURA

Ul. Krakowskie Przedmieście 21

℡ (022) 826 33 35

Ce cinéma situé sur la voie royale, diffuse de nombreux films étrangers dont français.

■ MURANÓW

Ul. Gen. Andersa 1 (centre-ville)

℡ (022) 831 03 58

© SAVIGNARD / SZEREMETA

Place de la vieille ville - Rynek Starego Miasta

Ce cinéma projette beaucoup de films en français. Et, en effet, il vient d'être désigné meilleur cinéma du réseau Europa Cinemas, le plus dynamique du réseau européen, qui regroupe 567 cinémas de 318 villes d'Europe.

Complexes cinématographiques multisalles

▪ KINOTEKA

Plac Defilad 1 ℭ (022) 826 19 61
Ce complexe est situé dans le Palais de la Culture et de la Science (entrée par l'avenue Jerozolimskie).

▪ SILVER SCREEN

Ul. Puławska 17 ℭ (022) 852 88 88
Salles Platinum de 20 zl à 30 zl.

▶ **De nombreux autres complexes** dans les centres commerciaux autour de Varsovie (Janki, Promenada…).

Théâtres et opéras

Les billets coûtent entre 15 zl et 120 zl.
Informations sur les événements culturels (concerts, ballets, opéras, spectacles) sur www.culture.pl (en anglais et certaines parties en français).

▪ TEATR WIELKI – OPERA NARODOWA (GRAND THÉÂTRE ET OPÉRA NATIONAL)

Plac Teatralny 1
ℭ (022) 692 02 00/08
www.teatrwielki.pl – office@teatrwielki.pl
Billetterie ouverte tous les jours de 9h à 19h, jours de fêtes de 10h à 19h. L'Opéra regorge de trésors culturels : toute l'année opéras et ballets de qualité. Programme bimensuel disponible sur place.

▪ FILHARMONIA NARODOWA (NATIONAL PHILHARMONIQUE)

Ul. Jasna 5 (centre-ville, entrée aussi côté rue Sienkiewicza 10)
ℭ (022) 551 71 11/30. www.filharmonia.pl
Programme bimensuel disponible sur place.

▪ WARSZAWSKA OPERA KAMERALNA (OPÉRA DE CHAMBRE DE VARSOVIE)

Al. Solidarności 76B
ℭ (022) 831 22 40
ou Ul. Nowogrodzka 49
ℭ (022) 628 30 96/53 55
www.wok.pol.pl – tickets@wok.pol.pl
Billetterie ouverte tous les jours de 10h à 14h et de 16h à 19h. Une toute petite salle pour un opéra de chambre original. Programme fixe pour l'année disponible sur place.

▪ TEATR BUFFO

Ul. M. Konopnickiej 6 (centre-ville)
ℭ (022) 625 47 00
De nombreux spectacles musicaux.

▪ TEATR DRAMATYCZNY (THÉÂTRE DRAMATIQUE)

Plac Defilad 1 (Palais de la Culture et de la Science)
ℭ (022) 656 68 44
et (022) 826 38 72
www.teatrdramatyczny.pl
bilety@teatrdramatyczny.pl
Billetterie ouverte de 12h à l'ouverture du spectacle.

▪ TEATR NARODOWY (THÉÂTRE NATIONAL)

Plac Teatralny 3
ℭ (022) 692 07 70/022 622 06 04
wwww.narodowy.pl – bow@narodowy.pl
Billetterie ouverte du lundi au samedi de 10h à 14h, le dimanche de 15h à 19h et 16h les jours de spectacle. Pour ceux qu'une pièce en polonais tenterait…

▪ TEATR ROMA (THÉÂTRE MUSICAL)

Ul. Nowogrodzka 49
ℭ (022) 628 03 60, (022) 628 89 85
www.teatrroma.pl
sekretariat@teatrroma.pl
Billetterie ouverte du lundi au samedi de 10h à 19h, le dimanche de 13h à 18h. Comédies musicales et spectacles en français.

▪ TEATR ŻYDOWSKI (THÉÂTRE JUIF)

Plac Grzybowski 12/16
ℭ (022) 620 62 81/70 25
Billetterie ouverte les jours de spectacle de 12h à 19h, le dimanche de 16h à 18h, les autres jours de 10h à 18h.

▶ **Une dizaine d'autres théâtres** existent à Varsovie, ainsi que 3 pour enfants.

Manifestations

Janvier

▶ **Festival international de théâtre.**

Février

▶ **Concours international Witold Lutoslawski** (musique symphonique).

Mars

▶ **Festival de Pâques de Ludwig Van Beethoven** (www.beethoven.org.pl).

Mars et avril

▎ Festival d'art des multimédias LAB.

Avril

▎ Journées du ballet de Varsovie.

Mai

▎ Foire internationale du livre.

Mai et juin

▎ Festival artistique : concerts et spectacles en plein air, festivals dans la salle des congrès du Palais de la Culture et de la Science.

De mai à septembre

▎ Cycle de concerts de Frédéric Chopin au parc Łazienki, au pied de la statue de Chopin, des concerts de piano tous les dimanches de 12h à 16h, à Żelazowa Wola le samedi et le dimanche de 11h à 15h (renseignements : www.estrada.com.pl).

Juin

▎ Festival du théâtre de rue (www. sztukaulicy.pl).

Juin et juillet

▎ Festival Mozart : chaque année du 15 juin au 26 juillet, festival unique en Europe (renseignements : Warszawska Opera Kameralna. Ul. Nowogrodzka 49 ✆ (022) 628 30 96/53 55. www.wok.pol.pl).

▎ Festival international de l'art de la percussion.

▎ Festival de musique d'orgue et musique de chambre, « Bach, mais pas seulement… ».

De juin à août

▎ Festival de jazz en plein air (dans la vieille ville).

Juillet et août

▎ Biennale de l'affiche et du poster, d'importance internationale.

De juillet à septembre

▎ Festival international de musique d'orgue, manifestation les dimanches (www. kapitula.org).

Septembre

▎ Festival international de musique contemporaine, « l'automne de Varsovie » (www.warszawa-jesien.art.pl).

▎ Festival du théâtre pour enfants et la jeunesse.

Octobre

▎ Festival du film (Warszawa Festiwal Filmowy), où sont diffusés des films en version originale, sous-titrés en anglais (renseignements au cinéma Muranów. Ul. Andersa 1 ✆ (022) 831 03 58. www.wff. pl – site en anglais).

▎ Mois du Jazz Jamboree, un des plus importants festivals de jazz d'Europe (renseignements : agencja koncertowa akwarium. Plac Defilad 1. Palais de la Culture, bureau 715 ✆ (022) 620 50 72 – Fax : (022) 620 73 76 – www.adamiakjazz.pl).

▎ Concours international de piano Frédéric Chopin. Ce concours, qui a lieu tous les 5 ans, attire les plus grands artistes du monde, qui jouent exclusivement la musique de Chopin.

Novembre

▎ Festival d'opéras baroques.

Décembre

▎ Gala de cantiques de Noël.Tous les renseignements utiles sur les manifestations culturelles, événements sportifs, foires et salons au ✆ (022) 94 31 ou sur le site : www. warsawtour.pl (office du tourisme), par le guide mensuel Informator Kulturalny Stolicy.

Billets

Les billets des spectacles et manifestations sont vendus par les organisateurs ou aux guichets suivants :

▪ **ZASP**
Al. Jerozolimskie 25
✆ (022) 621 94 54/022 621 9383
Du lundi au vendredi de 11h à 18h30.

▪ **EMPIK**
Ul. Nowy Świat 15/17 ✆ (022) 625 12 19
Du lundi au samedi de 9h à 22h, le dimanche de 11h à 19h
Ul. Marszałkowska 106/122
✆ (022) 551 44 37
Tous les jours de 9h à 21h

▪ **BILETERIA**
Ul. Marszałkowska 116/122
✆ (022) 551 40 58. www.bileteria.pl
Du lundi au samedi de 9h à 22h, le dimanche de 9h à 19h.

POINTS D'INTÉRÊT

Les principaux points d'intérêts de Varsovie sont regroupés dans la nouvelle ville, la vieille ville, puis le long de la voie royale. Au-delà, Varsovie ressemble plutôt à un triste centre d'affaire, aux bâtiments gris et hauts immeubles. Enfin Varsovie offre d'excellents musées. Aussi cette capitale mérite qu'on s'y attarde.

Il est toutefois possible de bien la découvrir en un week-end. Le premier jour, compter environ 3h pour la visite des deux villes historiques (à ajouter environ 2h à 3h pour les visites du musée historique et du château Royal), puis commencer à descendre la voie royale jusqu'au rond-point Charles de Gaulle. La seconde journée, terminez la voie royale jusqu'au parc Łazienki, visitez Wilanów puis choisissez pour votre fin de journée de vous détendre dans un parc ou de visiter des lieux liés à l'histoire de Varsovie ou liés à la vie de Chopin.

À la découverte de la ville

Nous vous proposons donc l'itinéraire suivant : commencer par la visite de la vieille ville ; poursuivre par la nouvelle ville ; parcourir la voie royale à la découverte de multiples palais, églises, temples et monuments, jusqu'aux ensembles monumentaux de palais et de parcs de Łazienki et Wilanów, partir sur les traces de Chopin ; découvrir les musées de Varsovie ; et se reposer dans les parcs de Varsovie.

La vieille ville (Stare Miasto)

Complètement détruite au lendemain de la guerre, la vieille ville mobilisa la population de Varsovie pour sa reconstruction. Travail incroyable, mais également un acte de courage et d'opiniâtreté remarquable. Aujourd'hui, la vieille ville ressemble à ce qu'elle fut avant la guerre, et attire les touristes admiratifs. Elle est inscrite sur la liste du Patrimoine mondial de l'Unesco. Une inscription à l'entrée de la place de la vieille ville (Ul. Zapiecek) le précise : « *Après le décret du Comité du Patrimoine mondial, la vieille ville de Varsovie fait partie des biens de la culture mondiale* ». Commencez votre visite au sud de la vieille ville, par le château royal.

■ CHATEAU ROYAL (ZAMEK KRÓLEWSKI)

Plac Zamkowy 4 ✆ (022) 657 21 70
www.zamek-krolewski.art.pl (en anglais)
zamek@zamek-krolewski.art.pl
Service de réservation ✆ (022) 657 23 38
ou pour handicapés ✆ (022) 657 21 14
Fax : (022) 657 22 71
Ouvert en haute saison (du 15 avril au 30 septembre) tous les jours de 11h à 18h, le samedi de 10h à 18h (dernière admission 1h avant fermeture). Ouvert en basse saison (du 1er octobre au 14 avril) du mardi au samedi de 10h à 16h, le dimanche de 11h à 16h. Guides, notamment en français, pour 80 zl par groupe pour la visite du château (comptez environ 2h), sauf le dimanche, ou l'entrée est gratuite.

Château Royal

Le château abrite également une exposition permanente et des expositions temporaires. Cette dernière a pour thème « Ombres et lumières, chef-d'œuvres de la peinture française du XVIe au XXe siècle », du 19 mars au 19 juin 2005 et ouvre au public du mardi au dimanche de 11h à 20h. Un film, qui relate l'histoire du château et les étapes de sa minutieuse reconstruction, est diffusé à 12h en polonais, à 13h en anglais, chaque dimanche et tous les jours en juillet et août.

Marquant l'entrée de la vieille ville de Varsovie, ce château, construit au XIIIe siècle, a été remanié à plusieurs reprises, et fut la demeure des rois de Pologne à partir du XVIe siècle. En 1944, il fut dynamité par les nazis, comme s'ils avaient voulu par ce geste effacer l'histoire polonaise. Il est resté à l'état de ruine jusqu'en 1971 – quand la décision fut prise de le reconstruire – et fut terminé en 1984, après des travaux qui ont contribué à lui rendre son aspect originel de palais baroque. Les travaux de restauration sont impressionnants et bien expliqués à travers un film diffusé dans le château. Depuis, il est ouvert au public, qui peut découvrir les intérieurs superbement décorés des appartements royaux, reconstruits selon les fonctions qu'elles remplissaient lors du règne du roi Stanisław August (1764-1795). De superbes peintures attirent l'attention, elles sont l'œuvre de deux grands peintres italiens du XVIIIe siècle, Marcello Bacciarelli et Bernardo Bellotto (Canaletto). A noter également, les décorations architecturales de Jan Bogumił Plersch, les sculptures de André Le Brun et Giacomo Monaldi, les

bronzes de Philippe Caffieri. La restauration est parfaite, et l'illusion de l'authentique est bien présente.

Dans les plus belles pièces du château ont lieu régulièrement des concerts. Ces derniers se déroulent dans la salle du concert ou la grande salle, généralement aux alentours de 18h ou 19h, souvent le dimanche mais aussi d'autres jours. Le programme n'est pas fixé à l'avance, mais peut être consulté sur le site Internet du château ou au guichet.

COLONNE SIGMUND III VASA (KOLUMNA ZYGMUNTA III WAZY)

Située en face du château, au centre de la place, cette colonne a été bâtie en 1664 à la mémoire du roi Sigismond III Vasa qui transféra la capitale de Cracovie à Varsovie. Détruite pendant la Seconde Guerre mondiale, elle fut reconstruite ensuite, et la statue en bronze qui la domine, miraculeusement épargnée, fut replacée au sommet de l'édifice. Cette colonne de granit, haute de 22 m est un endroit représentatif de Varsovie et le plus ancien des monuments laïques.

Deux rues, parallèles, partent de la place du château, où se trouvent les trois lieux de culte suivants, les rues Piwna et Świętojańska.

■ EGLISE SAINT-MARTIN (KOŚCIÓŁ ŚW. MARCINA)

Ul. Piwna

Si l'église en elle-même est loin d'être la plus intéressante de la ville, le cloître attenant est très beau. Fondée en 1356, elle fut détruite pendant l'insurrection de Varsovie puis reconstruite entre 1945 et 1955.

© SAVIGNARD / SZERBEMETA

Place de la vieille ville - Rynek Starego Miasta

BASILIQUE SAINT-JEAN-BAPTISTE (BAZYLIKA ARCHIKATEDRALNA ŚW. JANA CHRZCICIELA)

Ul. Świętojańska

Construite en 1339 de style gothique, remaniée au XVe siècle, elle fut complètement détruite pendant la Seconde Guerre mondiale, mais reconstruite à l'identique. C'est la plus ancienne église de Varsovie. Ici avaient lieu les couronnements des rois. La crypte contient les tombes des ducs de Mazovie, des archevêques de Varsovie et de grands hommes telles que celles de H. Sienkiewicz, G. Narutowicz (le premier président de la République de Pologne), I. Paderewski, I. Mościcki, le cardinal S. Wyszyński.

EGLISE DES JESUITES NOTRE-DAME-DE-GRACE (KOŚCIÓŁ JEZUITÓW)

Située à côté de la cathédrale, cette église, construite dans un style Renaissance tardif, entre 1609 et 1629, fut reconstruite en 1956 suite aux ravages de la guerre. Elle possède la plus haute tour de la vieille ville, mais l'intérieur n'a pas d'intérêt particulier, excepté son autel pré-baroque où repose une peinture de Notre-Dame-de-Grâce, patronne de Varsovie, couronnée en 1973.

Une troisième rue relie la place du château à la place principale (Rynek), derrière le château, la rue Kanonia, qui forme une petite place triangulaire, calme où autrefois se trouvait un cimetière. Au milieu, la cloche de Varsovie, en airain. La place se poursuit en rue Jezuicka pour arriver au Rynek.

RYNEK STAREGO MIASTA

Cette « place du marché de la vieille ville » est le cœur de la vieille ville. Les maisons qui l'entourent, reconstruites dans leur style baroque, ont des façades superbes qui assurent l'homogénéité de la place. Le côté nord, entre les rues Nowomiejska et Krzywe Koło, est considéré comme le plus bel endroit de la place, dotée de maisons avec des encadrements en marbre, des ferrures et des niches. Chaque maison possède un nom et sa propre histoire. La maison n° 36 par exemple s'appelle « sous le nègre » (Cukiernikowska, Imlandowska), une maison baroque avec une tête de nègre. C'est un des portails les plus riches et la première maison de cette place du marché. C'est un lieu très vivant, but de promenade été comme hiver. Aujourd'hui, son centre est occupé par la statue de la Sirène, symbole de Varsovie, édifiée en 1855.

Dès le XIVe siècle, la sirène faisait partie des armoiries de Varsovie. De cette place partent de petites rues à la Vistule ou bien la rue Nowomiejska à la Barbacane, entrée de la nouvelle ville.

Les légendes de la vieille ville...

Tout d'abord cette ville est née d'une histoire d'amour. Ce sont deux amants, Wars et Sawa, qui habitaient et pêchaient sur les bords de la Vistule qui seraient à l'origine de la création de Varsovie et souhaitaient que la ville porte l'union de leurs deux noms : War-Sawa.

Une deuxième légende raconte que deux sœurs sirènes d'une grande beauté habitaient au fond des mers. Un jour les courants les séparèrent, l'une se retrouva en mer du Nord et devint la petite sirène de Copenhague, l'autre arriva en mer Baltique, puis se mit à remonter la Vistule. Elle fit une pause sur le rivage, à hauteur de la vieille ville de Varsovie et décida de rester là. Elle chantait à la tombée du jour et les pêcheurs tombèrent tous amoureux de cette belle femme à la voix si douce. Un jour un prince l'entendit chanter et l'emprisonna dans son château pour se garder l'exclusivité de ses chants. L'un des pêcheurs entendit les gémissements de la sirène et tous ils la délivrèrent. La petite sirène ne chanta plus mais par reconnaissance, elle promit de toujours défendre la ville de Varsovie. C'est ce que symbolise la statue de la petite sirène au milieu du Rynek, qui s'élève fièrement, armée d'un sabre et d'un bouclier.

Il existe bien d'autres légendes qui confèrent à la vieille ville son charme et ses détails mystérieux, à l'instar du dragon d'un immeuble du Rynek, qui terrorisait autrefois la ville, caché dans un souterrain et tuant du regard et qui se tua lui-même grâce à la ruse d'un miroitier... ou encore un peu plus loin, du canard de la rue Tamka, qui viendrait d'une méchante princesse, qui vivait dans un souterrain avec un canard en or.

© AUTHORS.COM

Barbacane

■ BARBACANE ET ENCEINTE DE LA VIEILLE VILLE

Cette muraille fut bâtie en 1548, selon le projet de Jean-Baptiste de Venise. Démantelés au XIXᵉ siècle, car devenus inutiles, les remparts de la vieille ville de Varsovie ont été reconstruits après la Seconde Guerre mondiale pour redonner au quartier son charme d'origine. Un mur de briques part donc de la place du château et ceinture environ la moitié de la vieille ville. A proximité, des peintres exposent leurs toiles, qu'ils accrochent aux remparts, leur donnant ainsi un nouveau style plus moderne. La barbacane, qui marque la sortie de la vieille ville, est une solide bâtisse semi-circulaire également reconstruite après la Seconde Guerre mondiale. Petits marchands en tout genre investissent la place en été. De l'autre côté, sur les remparts, vous passerez devant une statue plus récente représentant un petit garçon habillé en soldat, avec un casque allemand trop grand pour lui (Pomnik Małego Powstańca z 1944 r.). Ce monument émouvant rend hommage aux jeunes insurgés, ces enfants qui ont pris les armes contre l'envahisseur, et n'ont pas été plus épargnés par la cruauté des nazis.

La nouvelle ville (Stare Miasto)

Au nord de la vieille ville, ce quartier a été fondé au XIVᵉ siècle, à l'extérieur des remparts.

Plus pauvre que Varsovie, elle avait cependant sa propre structure municipale, ce qui en faisait une commune indépendante de 1408 à 1791. On y entre en passant par la barbacane.

■ EGLISE DU SAINT-ESPRIT (KOŚCIÓŁ ŚW. DUCHA)

Ul. Freta

Juste après la barbacane à gauche, cette église baroque, détruite pendant la Seconde Guerre mondiale, et reconstruite depuis, n'est pas richement décorée, cela s'expliquant par les coûts de reconstruction qui ne permettaient pas de refaire des intérieurs grandioses.

■ EGLISE SAINT-JACQUES (KOŚCIÓŁ ŚW. JACKA)

Ul. Freta

Un peu plus loin sur la droite, cette église baroque était la plus grande de la nouvelle ville. Pendant l'Insurrection de Varsovie, des centaines de blessés sont morts sous les décombres de cette église dans laquelle avait été installé un hôpital.

Le bout de la rue Freta débouche sur la place du marché principal de la nouvelle ville.

■ RYNEK NOWEGO MIASTA

Les maisons qui bordent cette place avaient d'abord été construites en bois, puis en briques, en style baroque ou néoclassique, mais la plupart ont été détruites en 1944. Cette place est bien souvent un havre de paix loin de l'agitation et des foules de la vieille ville, pourtant si proche. Sur la place, un puit décoratif du XIXᵉ siècle et une église baroque à la superbe façade.

■ EGLISE DU SAINT-SACREMENT (KOŚCIÓŁ ŚW KAZIMIERZA OU SAKRAMENTEK)

Située sur le « Rynek Nowego Miasta », cette petite église baroque du XVIIᵉ siècle, transformée en hôpital lors du soulèvement de 1944, fut bombardée, et de nombreux blessés y périrent. Aujourd'hui, dans l'édifice reconstruit, on célèbre la mémoire de ces martyrs.

■ EGLISE NOTRE-DAME-DE-LA-VISITATION (KOŚCIÓŁ NAWIEDZENIA NMP)

Au nord du Rynek Nowego Miasta, cette église du XVe siècle, une des plus anciennes de style gothique, fut remaniée au XVIe siècle, tout en conservant son aspect d'origine. Les décorations intérieures sont encore, comme dans la plupart des églises de Varsovie, assez pauvres. Le clocher date du XVIe siècle. Prendre ensuite la rue Kościelna, qui longe le luxueux et moderne hôtel Le Regina, pour arriver rue Zakroczymska où se trouvent une église et un palais, derniers monuments de la nouvelle ville.

■ EGLISE DES FRANCISCAINS (KOŚCIÓŁ ŚW. FRANCISKA SERAFICKIEGO)

Ul. Zakroczymska

Construite par étapes entre 1679 et 1733, cette église est sans doute la mieux décorée de toutes, car elle a pu conserver une grande partie de son mobilier baroque.

■ PALAIS SAPIEHA

Ul. Zakroczymska

Ce palais, construit entre 1731 et 1746, dans un style baroque tardif, d'après le projet de Deybel, pour le chancelier J.-F. Sapieha. Pendant l'insurrection de Varsovie, il a servi de caserne. Aujourd'hui, il fait office d'école, il ne se visite donc pas, mais sa façade vaut tout de même le déplacement.

De la nouvelle ville, pour rejoindre la voie royale, contourner la vieille ville par l'ouest, en empruntant les intéressantes rues Długa et Miodowa.

■ PALAIS RACZYŃSKI

Ul. Długa

Dans la rue qui part de la Barbacane, un peu après l'église du Saint-Esprit, ce splendide édifice du XVIIIe siècle, de style classique, interdit au public, contient, depuis 1972-1976, les archives historiques de la ville. Ceux qui font des recherches officielles sur la Pologne pourront avoir la chance d'y entrer.

■ MONUMENT DU SOULEVEMENT DE VARSOVIE (POMNIK POWSTANIA WARSZAWSKIEGO)

Ul. Długa

Inauguré en 1984 (seulement) en souvenir du 45e anniversaire, ce monument émouvant rend hommage à l'ensemble des insurgés de 1944, véritables héros de la ville et de la nation polonaise, tous massacrés par les nazis. Le 1er août est considéré comme la date anniversaire de ce soulèvement. Si vous passez par Varsovie à cette période, vous verrez une multitude de bougies et de gerbes de fleurs déposées devant ce monument, un témoignage de reconnaissance éternelle.

■ PALAIS KRASIŃSKI

Plac Krasiński 3/5,
juste en face du monument

Ce palais baroque du XVIIIe siècle, connu sous le nom de Palais de la République, l'un des plus beaux et des plus grands palais baroques de la ville, devint la propriété de la République en 1764 et servit de siège au pouvoir administratif, à la Trésorerie puis, plus tard, à la Cour suprême. Il contient aujourd'hui les collections spéciales de la Bibliothèque nationale. Près du palais existe un jardin accessible au public.

Puis, la rue Miodowa présente et une riche enfilade de palais, hôtels particuliers et églises. Parmi eux, il faut noter :

■ EGLISE UNIATE DES BASILIENS (KOŚCIÓŁ BAZYLIANÓW)

Ul. Miodowa 16

Des messes selon le rite byzantin et ukrainien sont célébrés en cette église.

■ PALAIS DE PAC (PAŁAC PACA)

Ul. Miodowa 15

Dans ce superbe édifice baroque de 1690-1697, est aujourd'hui installé le ministère de la Santé.

Monument du soulèvement de Varsovie

■ PALAIS DE L'ARCHEVEQUE (PAŁAC BORCHOW, ARCYBISKUPI)

Ul. Miodowa, juste à côté du précédent
Propriété du clergé, siège du primat de
Pologne, c'est ici que logeait le pape quand
il venait à Varsovie.

■ EGLISE DES CAPUCINS (KOŚCIÓŁ KAPUCYNÓW)

Ul. Miodowa 13
Dans cette église repose la dépouille du roi
Auguste II et se trouve le cœur de Jean III
Sobieski. Ses caves abritent une crèche
mobile.

La découverte de Varsovie autrement

▶ **Varsovie d'avant...** depuis 1901, ses
principaux bâtiments, avant destruction,
complètement détruits, puis après
reconstruction, grâce à l'étonnant
Fotoplastikon.

▶ **Varsovie en bazar...** dans le
gigantesque marché aux puces du
stade.

▶ **Varsovie la rebelle...** au musée
moderne et interactif de l'insurrection
de Varsovie.

▶ **Varsovie pieuse...** avec la collection
de Jean-Paul II ou tout sur le souverain
pontife.

■ PALAIS BRANICKI (PAŁAC BRANICKICH)

Ul. Miodowa 6. Ce palais rococo doté d'une
balustrade surmontée de statues date de
1740.

La voie royale

La voie royale conduit de la vieille ville à
Wilanów en parcourant les rues Krakowskie
Przedmieście, Nowy Świat et l'avenue
Ujazdowskie, en passant par le parc
Łazienki.
L'avenue Ujazdowskie, avec ses parcs et
ses jardins, est devenue le quartier des
ambassades, Nowy Świat comporte de
nombreux magasins, restaurants et cafés
et Krakowskie Przedmieście attire par ses
monuments historiques. De la vieille ville
au palais de Łazienki, autrefois la résidence
royale d'été, comptez près de 4 km.

▶ **A savoir :** les rues Chmielna et Nowy Świat
possèdent une certaine image de marque
et sont d'ailleurs les plus chères du parc
immobilier polonais. La location du mètre
carré dans ces 2 rues coûte un peu plus de
700 € par an.
Les rues les plus chères du monde sont la
5e avenue à New York et les Champs-Elysées
à Paris ; Varsovie arrive en 38e position.

Sur la rue Krakowskie Przedmieście

■ EGLISE SAINTE-ANNE (KOŚCIÓŁ ŚW. ANNY)

Construite à l'origine au XVe siècle, elle
fut rebâtie au XVIIe siècle, après avoir été
détruite par les Suédois, dans un style
baroque conservé depuis. Les intérieurs sont
superbement décorés de peintures et abritent
un orgue original. On peut également monter
au sommet de la tour, et profiter d'une superbe
vue sur la vieille ville.

■ MONUMENT D'ADAM MICKIEWICZ

Installé en 1898 pour célébrer les 100 ans
de la naissance du poète. La première
statue d'une hauteur de 4,50 m fut moulée
en Italie. En 1942, les nazis la détruirent et
la transportèrent à Hambourg, d'où sa tête et
différentes parties du torse furent rapportées
après la guerre.

■ EGLISE DES CARMELITES OU DE L'ASCENSION DE LA VIERGE-MARIE-ET-DE-SAINT-JOSEPH (KOŚCIÓŁ WNIEBOWZIECIA NMP I ŚW. JOZEFA OBLUBIENCA)

Cette église baroque du XVIIe siècle n'a pas
été détruite par la guerre et a ainsi conservé
son superbe intérieur.

■ MONUMENT DU PRETRE J. PONIATOWSKI

Réalisé en 1832 et détruit en 1944. Les
Danois en offrirent un nouveau moulage en
1951 à Varsovie, d'abord installé dans le parc
Łazienki. Il changea de place en 1965.

■ PALAIS RADZIWILL

Ce très beau palais baroque, dans lequel furent
signés en 1955 le pacte de Varsovie et en
1989 les accords de la Table ronde, accueille
aujourd'hui le président de la République.

■ PALAIS POTOCKI

Situé juste en face, ce palais accueille le
ministère de la Culture et des Arts. On y
trouve également une galerie d'art moderne

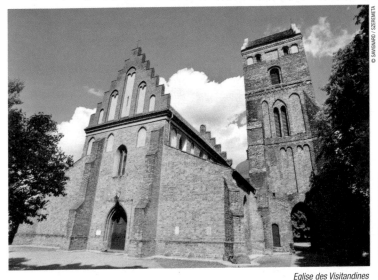

© SAVIGNARD / SZEREMETA

Eglise des Visitandines

VARSOVIE - WARSZAWA

ouverte au public qui présente d'intéressantes expositions temporaires.

■ EGLISE DES VISITANDINES (KOŚCIÓŁ OPIEKI ŚW. JOZEFA)

Cette église du XVIIIe siècle, joliment située en retrait de la rue, a conservé sa façade et son intérieur baroque. Devant, se trouve une statue beaucoup plus récente en souvenir du cardinal Wyszyński (pomnik ks. Kardynal Stefana Wyszyńskiego), primat de Pologne de 1948 à sa mort, en 1981, héros de la résistance au communisme.

■ ACADEMIE DES BEAUX-ARTS (AKADEMIA SZTUK PIĘKNYCH)

Installée dans le palais baroque Czapski, une galerie d'art dans un lieu où vécut Chopin, avant de partir pour Paris (musée du Salon de Chopin). Les bâtiments furent quasiment entièrement détruits pendant la guerre. Entre 1951 et 1959, on les reconstruisit pour abriter l'académie des Beaux-Arts.

■ UNIVERSITE DE VARSOVIE

Ouverte en 1816, mais fermée à plusieurs reprises par les autorités étrangères qui régissaient la ville, cette université est un symbole de l'indépendance nationale et des idées radicales du pays. Les bâtiments sont superbes, certains d'entre eux datant du XVIIe siècle.

■ EGLISE SAINTE-CROIX (KOŚCIÓŁ ŚW. KRZYZA)

Construite au XVIIIe siècle, cette église a été le lieu d'affrontements entre les insurgés et les nazis, puis entre les étudiants et les autorités communistes. A l'entrée, on peut voir une représentation du Christ portant la croix sur son dos, comme s'il voulait porter toute la misère de la Pologne sur ses épaules. Cette figure portant l'inscription « *Sursum Corda* » fut construite entre 1679 et 1696 selon un projet de Belotti. La façade date de 1725-1727. A l'intérieur une urne contient le cœur de Chopin (1882).

■ PALAIS STASZIC

Au bout de la rue Krakowskie Przedmieście Construit entre 1820 et 1823, ce bâtiment abrite aujourd'hui l'Académie polonaise des Sciences (Polska Akademia Nauk). Devant, la statue de Nicolas Copernic, édifiée en 1830, fut envoyée en Allemagne pendant la Seconde Guerre mondiale, pour y être fondue. Finalement, elle fut retrouvée intacte et reprit sa place. C'est donc la statue originale que vous trouverez ici.

Sur la rue Nowy Świat

La rue Nowy Świat offre surtout de nombreux cafés (dont le célèbre Blikle, voir rubrique « Cafés, salons de thé »), bars, restaurants, et magasins. Elle comporte deux palais, ainsi que de belles façades dans la rue Foksal (notamment les numéros 1, 2 et 3).

PALAIS OSTROGSKI
(PAŁAC OSTROGSKICH, GNIŃSKICH
MUZEUM FRYDERYKA CHOPINA)

Ul. Ordynacka
(rue perpendiculaire à la rue Nowy Świat)
Dans ce palais baroque du XVIIIe siècle, construit comme château de défense pour le châtelain cracovien J. Ostrogski, est installé le musée Chopin, où l'on peut voir son dernier piano ainsi qu'écouter des concerts (voir rubrique « Sur les traces de Frédéric Chopin »).

PALAIS ZAMOYSKI

Au bout de la rue Foksal,
au départ de la rue Nowy Świat
C'est ici que fut assassiné, en 1863, le gouverneur russe de Varsovie. Les représailles furent sanglantes. Aujourd'hui, il abrite le siège de l'Association des architectes polonais (SARP).

Sur l'avenue Ujazdowskie

Très élégante, l'avenue Ujazdowskie, qui part de la place des Trois Croix (Plac Trzech Krzyży), animée le soir, jusqu'à la rue Belewederska, poursuit la voie royale par une agréable promenade bordée d'arbres qui conduit au palais Łazienki.

EGLISE SAINT-ALEXANDRE
(KOŚCIÓŁ ŚW. ALEKSANDRA)

Plac Trzech Krzyży,
au sud de la rue Nowy Świat
Construite au XIXe siècle grâce aux dons de la population, détruite lors de l'insurrection de Varsovie puis reconstruite entre 1947 et 1958 selon son allure originale, cette église s'inspira du Panthéon de Rome.

STATUE
DE SAINT-JEAN-NEPOMUCENE

Plac Trzech Krzyży
(sur la place des Trois Croix)
Cette sculpture rococo de 1756 contribue au nom de la place puisqu'elle comporte une croix. En fait la place des Trois Croix en compte quatre : une sur le dôme de l'église Saint-Alexandre, deux croix dorées sur les colonnes baroques et celle tenue par cette statue.

MONUMENT DE WINCENTY WITOS
(POMNIK WINCENTEGO WITOSA)

Au croisement des rues
Wiejska et Jana Matejki
Militant du mouvement populaire rural, homme politique et publiciste, le monument de Wincenty

Witos (1875-1945) fut dévoilé à l'occasion du 90e anniversaire des débuts du mouvement populaire rural, le 22 septembre 1985.

LE PARLEMENT :
DIETE ET SENAT (SEJM I SENAT)

Ul. Wiejska 6/8 ✆ (022) 694 25 00
Bâtiment en forme de rotonde construit entre 1925 et 1929, décoré d'une frise avec bas-reliefs, il fut détruit et reconstruit. Il abrite aujourd'hui le parlement : la Diète et le Sénat de la République de Pologne.

PARC UJAZDOWSKI

Construit à la fin du XIXe siècle, ce parc comporte un lac, la sculpture gladiateur de P. Weloński et le monument de Paderewski.

MONUMENT
D'IGNACY JAN PADEREWSKI

Ce grand patriote contribua à la construction de l'Etat polonais indépendant d'après guerre était aussi un très grand pianiste et compositeur.

CHATEAU D'UJAZDÓW
(ZAMEK UJAZDOWSKI)

Ouvert du mardi au samedi de 10h à 14h.
Construit au XVIIe siècle pour accueillir les rois de Pologne, sur l'emplacement d'une forteresse en bois du XIIe siècle, ce château baroque a appartenu à S.-A. Poniatowski qui, à partir de 1766, l'a converti en résidence royale. Par la suite, il servit de caserne et d'hôpital militaire. Partiellement détruit pendant la Seconde Guerre mondiale, il fut démoli en 1954 mais reconstruit dans les années soixante-dix, et abrite, depuis 1981, un centre d'art contemporain (Centrum Sztuki Współczesnej Zamek Ujazdowski) très vivant. Y sont organisées de nombreuses expositions temporaires toujours passionnantes. *Ouvert du mardi au dimanche de 11h à 17h (vendredi 21h), entrée 10 zl* ✆ (022) 628 76 83/12 71/3 – Fax : (022) 628 95 50 – csw.art.pl (site en anglais) – csw@csw.art.pl

LE JARDIN BOTANIQUE
(OGRÓD BOTANICZNY)

Al. Ujazdowskie 4 ✆ (022) 628 75 14
Situé dans le parc de Łazienki, mais avec une entrée à part et payante (prix très bas), il est un plaisir pour les promeneurs. Construit en 1818, il fut pris en charge par l'université à partir de 1916. S'y trouvent aujourd'hui une large collection de plantes (environ 7 000 variétés) et l'observatoire astronomique (Obserwatorium Astronomiczne).

Parc et palais de Łazienki

■ LE PARC ŁAZIENKI

Situé dans la continuité du parc botanique, c'est l'un des plus beaux espaces d'Europe regroupant palais et parc. Fondé au XVIIᵉ siècle, il contient quelques trésors, dont les suivants.

■ LA VIEILLE ORANGERIE (STARA POMARANCZARNIA)

Ouvert du mardi au dimanche de 9h à 16h. A quelques mètres de l'entrée côté Ujazdów. Elle contient aujourd'hui une galerie de sculptures.

■ MAISON BLANCHE (BIAŁY DOMEK)

Ce bâtiment, le premier construit dans le parc, fut la résidence du roi avant que le palais ne soit achevé. Un certain Louis XVIII séjourna ici pendant son exil entre 1801 et 1805.

■ PALAIS SUR L'EAU (PAŁAC NA WYSPIE)

Ouvert du mardi au dimanche de 9h à 16h. Situé sur une petite île au milieu d'un lac, ce petit palais était une sorte de Petit Trianon polonais. Construit à la seconde moitié du XVIIᵉ siècle, il accueillait le roi qui venait s'y détendre.

■ PALAIS MYSLEWICKI

Petite résidence d'été du roi, elle accueille aujourd'hui les invités de marque de l'Etat polonais, comme les chefs d'Etat.

■ THEATRE SUR L'EAU (TEATR NA WYSPIE)

Construit entre 1790 et 1795, sur le modèle du Théâtre antique d'Hercule.

■ PALAIS DU BELVEDERE (PAŁAC BELWEDER)

Situé à la sortie du parc. Construit dans la première moitié du XVIIIᵉ siècle, dans un style baroque, il fut d'abord la propriété du roi Stanislaw Auguste qui y installa une manufacture de faïence dans la partie sud, puis du prince J. Poniatowski. Entre 1918 et 1922, il était le siège de J. Piłsudski, entre 1922 et 1926, la résidence des présidents G. Narutowicz et St. Wojciechowski, entre 1926 et 1935, de J. Piłsudski (un musée lui est consacré depuis sa mort). Il représente aujourd'hui la résidence nationale.

■ MONUMENT DE FREDERIC CHOPIN

Dans le parc, près de la statue du compositeur se tiennent des concerts en plein air pendant l'été. La statue date de 1926, selon le projet de W. Szymanowski. Dynamitée en 1940 par les Allemands, elle fut reconstruite à l'identique en mai 1958.

■ MONUMENT DU MARECHAL J. PIŁSUDSKI

Situé près du Belweder, il est installé depuis 1998.

Parc et palais de Wilanów

Situé à environ 6 km au sud de Łazienki, Wilanów est considéré comme l'ornement de la voie royale.

Il servait de résidence d'été au roi Jan III Sobieski, et a été construit entre 1677 et 1696. Depuis 1945, c'est une annexe du Musée national. Accessible depuis le centre de Varsovie par les bus n° 122 ou 130.

VARSOVIE - WARSZAWA

Palais de Wilanów

▪ PALAIS WILANOW

© (022) 842 81 01/07 95

Fermé le mardi. Ouvert de 9h30 à 16h, le mercredi jusqu'à 18h, le dimanche jusqu'à 19h. Réservations au © (022) 842 07 95 et visites guidées en langue étrangère sur demande.
Construit en 1677-1679 pour le roi Jan III, au début comme villa de campagne de style italien. Son nom vient d'ailleurs de Villa Nuova. Par la suite, de nombreux propriétaires lui imposent beaucoup de modifications. Il reste un des plus beaux bâtiments d'architecture baroque polonaise et un des plus anciens musées de Pologne. Les intérieurs, où trois grands styles architecturaux cohabitent, salles baroques, du XVIIIe siècle ou plus récentes du XIXe siècle, abritent de splendides décorations, les appartements du roi et de la reine ainsi qu'une superbe collection de portraits.

▪ PARC WILANOW

Le parc se présente comme un jardin baroque italien sur deux niveaux, situé entre le palais et le lac. Suite à ces jardins dessinés à la française, dans la partie sud, un parc romantique de style anglais contient de beaux bâtiments, des sarcophages, colonnes et obélisques. Il fut construit au XVIIIe siècle.

Vous trouverez dans ces parcs des détails d'architecture charmants, comme la cascade au-dessus du pont romain dans le jardin anglais, le cadran solaire, œuvre de Jan Heweliusz, grand astronome polonais, inventeur du télescope, et les sculptures « de l'amour » dans le parc à la française. Ces dernières symbolisent les quatre étapes de l'amour : tout d'abord, la peur, lors de la rencontre ; puis, le premier baiser ; ensuite l'indifférence (représenté par les deux silhouettes qui ne se regardent pas) ; enfin, la première dispute.

Le parc, dont l'accès est payant sauf le jeudi, ouvre de 9h30 au coucher du soleil, et l'orangerie de 10h à 16h.

▪ EGLISE SAINTE-ANNE (KOŚCIÓŁ ŚW. ANNY)

Située dans le parc du palais, cette petite église, chapelle du palais, est de style néoRenaissance, construite en 1772-1775 et transformée entre 1857 et 1870.

▪ MAUSOLEE DE STANISLAW ET ALEKSANDRA POTOCKI

Mausolée des propriétaires de Wilanów de 1799 à 1892, de style néogothique.
Un singulier musée de l'affiche se situe à droite de l'entrée du château (voir « Musées »).

Le centre moderne (quartier « Śródmieście)

En dehors de la vieille ville reconstruite et de la voie royale, le reste du centre offre peu d'intérêt touristique et concentre surtout magasins, grands hôtels, tours commerciales, immeubles gris et bâtiment en béton de l'époque communiste.

▪ PALAIS DE LA CULTURE ET DE LA SCIENCE (PAŁAC KULTURY I NAUKI)

Pl. Defilad 1

© (022) 656 77 23. www.pkin.pl

Construit entre 1952 et 1955, sous la commande de Staline, ce gigantesque bâtiment de style architectural réalisme socialisme, haut de 234,50 m (un des plus hauts immeubles de Pologne), accueille une salle de congrès de 3 000 places. C'est dans cette salle que se tint le dernier meeting du Parti, en 1990, puis ce fut la fin du Parti communiste. Au-dessus de la scène, un impressionnant trompe l'œil : ce qui semble des tentures en or et en soie est en fait un lourd bloc de béton peint, destiné à une meilleure acoustique (il renvoie les sons vers les auditeurs). Autour de cet amphithéâtre, de nombreuses salles, toutes plus grandes et fastueuses les unes que les autres, avec du marbre, des colonnes imposantes, des portes en bois massif de plus de 4 m, des fleurs en stucs qui ornent les plafonds, d'immenses plateaux au-dessus des portes représentant des allégories russes. Toutes portent le nom d'un illustre personnage, comme Maria Skłodowskiej Curie (Marie Curie), Adam Mickiewicz (poète), Jurij Gagarin ou Walentyny Tieriezkowej (cosmonaute russe). Tout fut étudié à l'époque pour que le commun des mortels soit impressionné et pense que le Palais représente une sorte de Paradis... la grandeur du Parti. Aujourd'hui, la réalité est bien autre, la salle des congrès accueille des événements culturels, la foire internationale du livre, des concerts et 4 000 personnes travaillent pour mettre à disposition 10 000 m² (sur 80 000 m² au total) des nombreuses foires, expositions ou manifestations. Des entreprises ont établi leur siège social ici ou louent simplement des bureaux, 10 000 personnes environ travaillent ici. Le Palais comporte aussi un cinéma, des théâtres et une terrasse panoramique. Il faut acheter un ticket à 20 zl qui donne accès à cette terrasse qui offre la plus haute vue de Varsovie, et à l'exposition aux pieds des ascenseurs et au 30e étage. Vous remarquerez que la place Defilad (du défilé) devant le Palais,

Communisme et culture

Ces deux thèmes sont étroitement associés, pour le meilleur comme pour le pire, dans le Palais de la Culture et de la Science (Pałac Kultury i Nauki), véritable chef-d'œuvre d'architecture réaliste socialiste d'après-guerre. Les Varsoviens ne sont pas fiers de ce triste édifice et disent avec humour que la plus belle vue sur Varsovie est celle depuis la terrasse du Palais, puisque d'ici seulement, on ne le voit pas ! Le bâtiment abrite aujourd'hui, ironie du sort, un casino, le siège de Coca-Cola et de bien d'autres sociétés occidentales. En effet, les autorités avaient pensé un moment le détruire, mais comme le palais de Ceausescu à Bucarest, il est prévu pour résister aux bombardements, et donc aux bulldozers.

comporte une estrade en béton. En effet c'est ici que les dirigeants du parti saluaient lors des défilés, notamment celui du 1er mai. Les Polonais n'apprécient guère en général ce cadeau « empoisonné », qui leur rappelle l'occupation soviétique. Pourtant il possède une architecture originale et de nuit, éclairé, il peut même paraître beau et majestueux à certains. Le palais comporte un musée de la Science, (*ouvert du mardi au samedi, de 8h30 à 16h30 et le dimanche de 10h à 18h*), ainsi qu'un Planétarium (aucune traduction en français). Un musée sur le communisme devrait ouvrir prochainement dans les murs du Palais.

■ SYNAGOGUE NOŻYK (SYNAGOGA IM. MAŁŻONKÓW NOŻYKÓW)
Ul. Twarda 6
Ouvert jeudi de 10h à 14h. Cette bâtisse du début du siècle située au nord du Palais de la Culture est la seule aujourd'hui à Varsovie qui soit affectée au culte juif et la seule qui ait résisté à la guerre dans la zone du ghetto. C'était l'une des trois grandes synagogues de Varsovie. Elle fut érigée parmi un grand nombre d'autres dans le quartier de Grzybowski, habité traditionnellement par les juifs. En 1893, un mercier important, Zalman Nozyk, acheta un terrain pour la construction de la synagogue. Le projet, financé par le commerçant et commencé en 1898, a duré 4 ans.

■ ITINERAIRE COMMEMORATIF DU MARTYRE DES JUIFS
Dans le quartier au nord-est de la synagogue, vous traverserez l'ancien quartier juif de Varsovie, complètement détruit pendant la Seconde Guerre mondiale, dans lequel vous vous arrêterez devant le monument des Héros du ghetto, place Bohaterow Getta, érigé en souvenir des Varsoviens qui résistèrent pendant un mois aux armées d'Hitler chargées de liquider toute la population du ghetto.

Le cimetière juif, rue Okopowa, un peu plus loin, est le plus grand d'Europe et est – par miracle – resté totalement intact (fait unique en Pologne, puisque les nazis les ont systématiquement tout détruits).

De la place Bankowy à la place Teatralny (à l'ouest du début de la voie royale)

■ PALAIS BLEU (PAŁAC BŁĘKITNY)
En sortant de la place Bankowy, vers la rue Senatorska. Ce palais, autrefois propriété de la puissante famille Zamoyski, fut détruit pendant la Seconde Guerre mondiale, et ne retrouva malheureusement pas son superbe aspect d'origine (il est aujourd'hui le siège des transports municipaux). Par contre, les gigantesques jardins dits saxons, situés juste derrière, sont splendides et reposants.

■ TOMBEAU DU SOLDAT INCONNU
Pl. Piłsudskiego
De l'autre côté des jardins saxons (Ogród Saski), vous verrez un mémorial consacré aux soldats inconnus morts aux champs de batailles pour la liberté de la Pologne au XXe siècle. Un tombeau symbolique a été installé dans les ruines du superbe palais saxon. Des soldats de la garde d'honneur le veillent respectueusement (changement officiel de la garde a lieu chaque dimanche à midi).

■ THEATRE NATIONAL (TEATR WIELKI – OPERA NARODOWA)
Place Teatralny 1, en remontant la rue Senatorska depuis la place Bankowy Construit au XIXe siècle, ce théâtre, un des plus grands d'Europe, compte une salle d'opéra de près de 2 000 places. Un petit musée lui est consacré, et déborde même sur l'ensemble de l'histoire du théâtre en Pologne. Vous pourrez également le visiter avant une représentation si vous comptez aller au théâtre.

PALAIS DU PRIMAT
(PAŁAC PRYMASOWSKI)

Rue Senatorska (entre les 2 places)

Entre 1613 et 1813, il était le siège du primat de Pologne. Détruit pendant l'invasion suédoise du XVIIe siècle, il fut reconstruit dans le style classique dans les années 1777-1783. Depuis 1813, il est la propriété du gouvernement. On ne peut malheureusement pas visiter ce superbe palais.

Musées

Il existe de nombreux musées à Varsovie, afin de vous aider dans vos sélections, nous avons effectué un classement. Il serait dommage de séjourner à Varsovie sans visiter au moins un incontournable et un singulier.

Musées incontournables

MUSEE HISTORIQUE DE LA VILLE
(MUZEUM HISTORYCZNE
M. ST. WARSZAWY)

Rynek Starego Miasta 28/42 (vieille ville)

℃ (022) 635 16 25

Ouvert le mardi et le jeudi de 11h à 17h45, le mercredi et le vendredi de 10h à 15h30, le samedi et le dimanche de 10h30 à 16h30, dernière entrée 45 min avant la fermeture. Ce musée à ne pas manquer relate l'histoire de Varsovie à travers les âges, du Moyen Age à la lutte contre le pouvoir communiste. Sept siècles de l'histoire de Varsovie... Toute la visite (assez longue) se fait dans plusieurs maisons anciennes, dont on peut admirer les superbes parquets qui grincent sous ses pieds et dégagent une enivrante odeur de cire. On y trouve un intérieur de maisons bourgeoises du XVIIe siècle, une imprimerie de la même époque, des intérieurs des XVIIIe et XIXe siècles, et une évocation des coureurs cyclistes polonais. La fin de la visite retrace les périodes plus sombres de l'occupation allemande. Nombreuses peintures et gravures, ainsi que d'intéressants spécimens de pianos à queue anciens. Tous les jours, sauf le lundi, à midi le musée diffuse un film notamment sur la Seconde Guerre mondiale et l'histoire de Varsovie, en anglais très intéressant. Le film dure 20 min et il est possible de réserver une projection dans une autre langue pour environ 50 zl au ℃ (022) 635 16 25 (poste 108).

MUSEE NATIONAL
(MUZEUM NARODOWE)

Al. Jerozolimskie 3

℃ (022) 621 10 31/629 30 93

www.mnw.art.pl

Ouvert le mardi, le mercredi et le vendredi de 10h à 16h, le jeudi de 12h à 17h, le samedi et le dimanche de 10h à 17h. Gratuit le samedi pour les expositions permanentes. Ce musée, malgré son aspect extérieur peu avenant, offre des merveilles. Dans un bâtiment solide et lugubre, on trouve de superbes collections d'œuvres de l'Antiquité, du Moyen Age, et des peintures de grands maîtres polonais et européens du XVIe siècle à nos jours. Les plus précieux chefs-d'œuvre sont *La Vierge à l'Enfant et un ange* de Sandro Botticelli, *Le Martyre de saint Sébastien* du Caravage, *Portait d'un jeune homme* de Rembrandt ; *Marie et l'Enfant Jésus* de Rubens et *Un baiser,* sculpture d'Auguste Rodin. Les collections sont regroupées par époque. La visite débute par la galerie d'art antique, même si c'est la galerie d'art médiéval qui fait la fierté du musée, avec une collection tout à fait représentative de l'art gothique polonais. Le musée possède encore beaucoup de galeries thématiques, comme le cabinet de miniatures, un cabinet d'art graphique (dessins, gravures et travaux graphiques), galerie des arts décoratifs, d'art oriental ou contemporain. C'est seulement en 1862 que le musée des Beaux-Arts vit le jour à Varsovie et reçu le titre de Musée national en 1916.

MUSEE DE L'INSURRECTION
DE VARSOVIE (MUZEUM
POWSTANIA WARSZAWSKIEGO)

Ul. Grzybowska 28 (au nord-ouest de la gare centrale, quartier Mirów)

℃ (022) 539 70 01, (022) 626 95 06

Fax : (022) 621 05 94

www.1944.pl (site en français)

kontakt@1944.pl

Ouvert le jeudi de 10h à 20h, du vendredi au dimanche de 10h à 19h, et devrait ouvrir tous les jours, de 10h à 18h lors de la saison touristique. Du centre prendre le tramway n° 22, ou le bus n° 100, arrêt Zybowska. Ce musée a vu le jour en 2004, à l'occasion du 60e anniversaire de l'insurrection de Varsovie, qui débutait le 1er août 1944, à 17h... et allait durer pendant 66 jours.

En effet, en 1944, les autorités légitimes polonaises prirent la décision de déclencher, à Varsovie, un soulèvement contre les occupants allemands, connu sous le nom d'Insurrection de Varsovie. A la suite de ce soulèvement, un Etat polonais – légitime, indépendant et bien organisé – fonctionna, pendant 2 mois, dans la capitale.

Sur les traces de Frédéric Chopin...

De père français, Nicolas Chopin (venu s'installer en Pologne à l'âge de 16 ans), de mère polonaise, Justyna, Frédéric Chopin est né le 22 février 1810 à Żelazowa Wola et mort à Paris le 17 octobre 1849. En 1810, il déménage avec sa famille à Varsovie où dès son enfance il manifeste un talent inouï pour la musique. A 6 ans, il prend déjà des cours de musique et à 8 ans donne son premier concert dans le palais d'Antoni Radziwłł. En 1830, il part pour Vienne et plus tard s'installe à Paris. Son œuvre, marquée par les traditions polonaises, est devenue le symbole de la culture de la nation polonaise. Votre route sur les traces de Frédéric Chopin commencera sur la voie royale, rue Krakowskie Przedmieście, pour découvrir le salon des Chopin et le cœur de Frédéric Chopin, puis au Palais Ostrogski, qui abrite le musée Frédéric Chopin, enfin au parc Łazienki devant le monument qui lui est dédié. Vous partirez ensuite à Zelawona Wola, sa ville natale et achèverez votre route dans le petit village de Brochów, pour pénétrer dans l'église monumentale où il fut baptisé.

Proposition d'itinéraire

■ SALON DES CHOPIN (SALONIK CHOPINÓW)
dans l'académie des Beaux-Arts
(Akademia Sztuk Pięknych)
Ul. Krakowskie Przedmieście 5 (voie royale)
✆ (022) 320 02 75
Ouvert du lundi au vendredi de 10h à 14h. Ce salon, reconstruit selon le dessin d'Antoni Kolberg, rassemble des meubles d'époque, le piano de Frédéric Chopin, des portraits de la famille Chopin ainsi que des gravures de Varsovie au XVIIIe siècle.

■ EGLISE DE LA SAINTE-CROIX
Ul. Krakowskie Przedmieście 3 (voie royale)
Dans la partie gauche de la nef centrale de cette église se trouve le cœur de Frédéric Chopin, qui fut rapporté de Paris, conformément à ses dernières volontés, ainsi qu'une plaque commémorative.

■ DANS LE PALAIS OSTROGSKI (ZAMEK OSTROGSKICH)
Ul. Okólnik 1 (centre-ville)
✆ (022) 827 54 71/826 59 35
www.chopin.pl – www.tifc.chopin.pl

© AUTHORS.COM

Varsovie, Château Royal et sa Place

Ouvert en haute saison (du 2 mai au 30 septembre), le lundi et du mercredi au vendredi de 10h à 17h, le samedi et le dimanche de 10h à 14h. En basse saison (du 1er octobre au 30 avril), ouvert du lundi au samedi de 10h à 14h, sauf le jeudi de 12h à 18h. Audio-guide en français et boutique. Une exposition permanente intitulée *Chopin dans son pays natal et à l'étranger* présente ses affaires personnelles et manuscrits, ainsi que tous les documents et souvenirs liés à sa vie. Ce palais abrite aussi la société Frédéric Chopin, fondée en 1934, qui organise notamment tous les cinq ans, les prestigieux concours pianistique Frédéric Chopin. Ce dernier, qui existe depuis 1927, est le plus ancien concours de piano. Son créateur, le célèbre pianiste Jerzy Zurawlew, voulait promouvoir la musique de Chopin et confronter différents styles de son interprétation.

MONUMENT FREDERIC CHOPIN

Au parc Łazienki, cette sculpture, œuvre de W. Szymanowski, est un lieu de concerts de musique de Frédéric Chopin. En période estivale (de mai à septembre), concerts chaque dimanche à 12h et à 16h.

MAISON DE FREDERIC CHOPIN (DWOREK CHOPINA)
DE ŻELAZOWA WOLA

✆ (046) 863 33 00

A Żelazowa Wola, se trouve la reconstruction de la maison natale de Frédéric Chopin. Son intérieur contient des meubles, tapisseries, gravures et instruments de musique ayant appartenu de la famille Chopin. Autour de la maison se trouve un superbe parc, dans lequelle se tiennent des concerts en période estivale.
Voir aussi rubrique « Dans les environs de Varsovie ».

A BROCHÓW

A environ 10 km au nord-ouest de Żelazowa Wola, se trouve l'impressionnante église Saint-Roch, du XVIe siècle, un des plus précieux monuments de l'architecture sacrale fortifiée, où Frédéric Chopin fut baptisé en 1810. C'est ici également que ses parents s'unirent par le mariage en 1832.

Pour tout renseignement, consulter le site : www.chopina.pl ou pour toute commande de récitals, contactez la Société Frédéric Chopin au (022) 826 65 49 – Fax : (022) 827 95 99.

© AUTHORS.COM

Eglise de la Sainte-Croix

Les luttes qui s'ensuivirent coûtèrent la vie à environ 18 000 insurgés et 180 000 civils et de 70 % à 80 % des bâtiments de la capitale furent rasés par les Allemands, aussi bien pendant l'Insurrection que pendant la campagne de destruction de la ville qui s'ensuivit. L'intensité de la résistance héroïque des Polonais a démontré qu'elle était capable de tout sacrifier pour la liberté, même sa vie. Ce fut la dernière période d'indépendance de la Pologne, jusqu'à la chute du régime communiste en 1989.

Pendant longtemps, les autorités communistes ont nié la légitimité de cette insurrection et l'existence même de l'État clandestin polonais. Ce n'est que la liberté retrouvée en 1989 qui a permis de faire le jour sur l'Insurrection de Varsovie. Aussi l'un des objectifs principaux de ce musée consiste à rappeler la vérité historique de l'insurrection, en la positionnant dans son contexte historique.

Pour saisir le sens de ce que fut l'insurrection de Varsovie et de ce qu'était la vie quotidienne de Varsovie sous l'occupation, visitez absolument ce musée, qui de plus, est très bien construit. Une excellente vulgarisation des faits historiques, une volonté pédagogique évidente et un mélange intelligent et réussi entre un musée moderne utilisant les techniques multimédias interactives et des éléments d'un musée traditionnel exposant des collections. Enfin plus que des faits historiques, aussi des récits individuels de participants à l'insurrection, des photographies, des notes et documents de famille, font appel aux émotions du visiteur. En sortant de ce musée, on ressent l'envie et le besoin d'en savoir plus…

Vous pouvez lire sur le sujet : *Débâcle dans le camp des vainqueurs – action militaire polonaise 1939-1945* de Wojciech Roszkowski, La Capitale de la liberté, de Andrzej Kunert, V – symbole de la victoire. Symboles, signes et manifestations patriotiques de l'Europe combattante 1939-1945 de Tomasz Szarota.

Musées singuliers

■ FOTOPLASTIKON

Al. Jerozolimskie 51 (centre-ville, entre l'hôtel Polonia et Mariott)
✆ (022) 617 61 73/625 35 52
t.chudy@wp.pl
Ouvert le samedi et le dimanche de 11h à 14h, le lundi de 12h à 17h. Entrée : 8 zl, tarif réduit : 5 zl.

Une bonne introduction à votre découverte de Varsovie que constitue ce singulier « cinéma » caché au fond d'une cour. Assis sur des tabourets de bois, des images de la ville depuis 1901 défilent aux bouts de petites jumelles, sur fond de musique classique aux craquements de phonographe qui ajoute à la magie des lieux.

Ce Fotoplastkon, entièrement d'époque et miraculeusement épargné par les guerres, est le dernier stéréoscope d'Europe en activité. 2005 fêta le 100e anniversaire de cet appareil en bois, qui diffuse des vues fixes en trois dimensions de Varsovie au début du siècle, comme l'incendie du château royal en 1915, la construction du Palais de la Culture et de la Science dans les années 1950, le soulèvement de Varsovie en 1944, et les symboles de la ville, avant leur destruction, puis complètement détruits, et enfin reconstruits.

Un musée original et ludique qui offre un beau voyage de 20 min dans le Varsovie du début du siècle.

■ MUSEE DE L'AFFICHE (MUZEUM PLAKATU)

Ul. S. Kostki Potockiego 10/16 (à Wilanów)
✆ (022) 842 26 06
wwww.postermuzem.pl
plakat@mnw.art.pl
Ouvert du mardi au vendredi de 10h à 15h, le samedi et le dimanche de 10h à 16h. Dans un autre bâtiment du parc, ce musée assez unique s'attarde sur cette expression artistique contemporaine très populaire en Pologne. Il organise notamment la biennale internationale de l'affiche.

■ MUSEE DE LA CARICATURE (MUZEUM KARYKATURY)

Ul. Kozia 11, juste à côté de la voie royale
✆/Fax : (022) 827 88 95/022 826 56 10
www.muzeumkarykatury.pl
muzeumkarykatury@poczta.wp.pl
Ouvert du mardi au dimanche de 11h à 17h, le jeudi de 12h à 18h. Billet : 5 zl, réduit : 3 zl. Ce musée très original contient une impressionnante collection de caricatures et dessins satiriques qui représentent des personnalités polonaises et étrangères. Le thème de l'exposition varie régulièrement, environ 8 thèmes différents par an, de la télévision au système éducatif. même si les dessins parlent souvent d'eux-mêmes… les expositions sont la plupart du temps en polonais.

Autres musées

Dans la vieille ville

■ **MUSEE DE LA LITTERATURE (MUZEUM LITERATURY IM. A. MICKIEWICZA)**
Rynek Starego Miasta 18/20
✆ (022) 831 40 61
Ouvert le lundi, le mardi et le vendredi de 10h à 15h, le mercredi et le jeudi de 11h à 18h, le dimanche de 11h à 17h. Toute l'histoire de la littérature polonaise y est présentée, avec également des expositions temporaires sur des écrivains étrangers et leurs œuvres.

Dans la nouvelle ville

■ **MUSEE MARIE CURIE (MUZEUM MARII SKLODOWSKIEJ CURIE)**
Ul. Freta 16 ✆ (022) 831 80 92
Ouvert du mardi au samedi 10h à 16h, le dimanche de 10h à 14h. C'est dans cette maison du XVIIIe siècle qu'est née Marie Curie (Maria Skłodowska-Curie) en 1867. Elle est aujourd'hui transformée en musée qui retrace la vie et les découvertes de la physicienne.

Dans le centre-ville

■ **MUSEE DE L'INDEPENDANCE (MUZEUM NIEPODLEGLOŚCI)**
Al. Solidarności 62, à côté du Musée archéologique ✆ (022) 826 90 91
Ouvert du mardi au vendredi de 10h à 17h, le samedi et le dimanche de 10h à 16h. Ouvert en 1990, ce musée retrace la lutte incessante de la nation polonaise face à ses puissants et hostiles voisins, la Russie et l'Allemagne en tête. Très intéressante analyse de l'histoire nationale, forcée au combat pour assurer sa survie. Il est installé dans l'ancienne demeure des Radziwill.

■ **INSTITUT DE L'HISTOIRE JUIVE (MUZEUM ŻYDOWSKIEGO INSTYTUTU HISTORYCZNEGO)**
Ul. Tłomackie 3/5, en face du musée de l'Indépendance près de la place Bankowy
✆ (022) 827 92 21
Ouvert du lundi au vendredi de 9h à 16h (sauf le jeudi de 11h à 18h). Dans ce bâtiment, un petit musée retrace l'histoire de la communauté juive de Varsovie, avec de nombreuses photos du ghetto, des œuvres d'art et des objets de culte religieux ainsi que des expositions temporaires.

■ **MUSEE DE LA COLLECTION DE JEAN-PAUL II (MUZEUM KOLEKCJI IM. JANA PAWŁA II)**
Plac Bankowy 3/5 ✆ (022) 620 27 25
Ouvert du mardi au dimanche de 10h à 16h (l'hiver), de 10h à 17h (à partir du 1er mai). On y trouve rassemblées environ 450 toiles des plus grands maîtres européens, de la Renaissance à l'impressionnisme, offertes au clergé par de grandes familles polonaises qui en étaient propriétaires.

■ **MUSEE ETHNOGRAPHIQUE (MUZEUM ETNOGRAFICZNE)**
Ul. Kredytowa 1 ✆ (022) 827 76 41
Art populaire et artisanat des provinces polonaises, très belle sélection de costumes régionaux.

■ **MUSEE ARCHEOLOGIQUE (ARSENAŁ. PAŃSTWOWE MUZEUM ARCHEOLOGICZNE)**
Ul. Długa 52 ✆ (022) 831 32 31
Au bout de la rue Długa, ouvert du lundi au vendredi de 9h à 16h, le dimanche de 10h à 16h, dernière entrée à 15h, fermé le 3e dimanche du mois. Ce musée est installé dans l'ancien arsenal, où l'on trouve une riche collection rassemblant les fouilles archéologiques de la région et des expositions temporaires.

■ **MUSEE DE L'ARMEE POLONAISE (MUZEUM WOJSKA POLSKIEGO)**
Al. Jerozolimskie 3
✆ (022) 629 52 71/682 16 35
Ouvert du mercredi au dimanche de 11h à 17h, dernière entrée à 15h30. Situé à côté du Musée national, dans le même bâtiment, ce musée retrace l'histoire de l'armée polonaise, des origines à la Seconde Guerre mondiale, par une présentation de quantité d'uniformes et d'armes. Dans le jardin qui l'entoure est exposée une impressionnante collection de matériel lourd, ouverte au public : des chars, des véhicules blindés et même des avions, presque laissés à l'abandon, entassés là. C'est l'occasion de quelques photos amusantes.

■ **MUSEE DE LA TECHNIQUE ET PLANETARIUM (MUZEUM TECHNIKI)**
Palais de la Culture et de la Science, entrée côté rue Emilii Plater
✆ (022) 656 67 47

■ **MUSEE INDUSTRIEL, VOITURE ET MOTOS (MUZEUM PRZEMYSŁU)**
Ul. Żelazna 51/53 ✆ (022) 620 47 92

■ **MUSEE DE LA CHASSE
(MUZEUM ŁOWIECTWA I JEŚDZIECTWA)**
Ul. Szoleerów 9 (dans le parc Łazienki)
www.muz-low.com.pl

■ **MUSEE DE L'HISTOIRE
DU CHEMIN DE FER EN POLOGNE
(MUZEUM KOLEJNICTWA)**
Ul. Towarowa 1 ✆ (022) 620 04 80

En dehors du centre-ville

■ **MUSEE KATYN (MUZEUM KATYŃSKIE)**
Ul. Powsińska 13
*Ouvert du mercredi au dimanche de 10h à 16h.
Situé dans le Fort Sadyba ou Fort Czerniaków,
en remontant vers le centre-ville, sur le trajet
du bus n° 180.* Ce musée assez récent (ouvert
en 1993) retrace le martyre des intellectuels

polonais assassinés par les Soviétiques en
1940, alors que le pays était déchiré par ses
deux voisins, alors alliés de circonstance.

■ **HISTOIRE DE 21 DISCIPLINES
DE SPORT SUIVANT LES OLYMPIADES
(MUZEUM SPORTU I TURYSTYKI)**
Ul. Wawelska 5 (au Stade Skry)

■ **MUSEE DU PAPIER ROYAL
ANCIENNE MANUFACTURE ROYALE
(MUZEUM PAPIERNI KRÓLEWSKIEJ)**
Ul. Mirkowska 45 (Konstancin – Jeziorna)

■ **MUSEE DE L'AUTOMOBILE
(MUZEUM MOTORYZACJI)**
Ul. Warszawska 21
(Otrębusy, à environ 30 min de Varsovie)
✆ (022) 758 50 67.

▬ SHOPPING

Les principales rues commerçantes de Varsovie
sont les rues Chmielna (perpendiculaire à la
voie royale), Marszałkowska (grande avenue
parallèle à la voie royale, qui longe pour partie le
Palais de la Culture et de la Science), Puławska
(au sud du centre-ville, vers le quartier
Mokotów, presque dans le prolongement de la
rue Marszałkowska), Świętokrzyska (parallèle
à l'avenue Jerozolimskie et perpendiculaire
à la voie royale), Grójecka (qui part de la
place Zawiszy – hôtel Sobieski) et l'avenue
Jerozolimskie. Quelques galeries marchandes
se trouvent en centre-ville ; les principales :
Dom Braci Jabłkowskich (rue Krucza), Galeria
Centrum (rue Marszałkowska) et City Center
(rue Złota).
Les magasins sont ouverts pour la plupart, du
lundi au vendredi, de 10h à 19h, le samedi,
de 10h à 14h ou 15h.

@ *« Un délicat cadeau à rapporter pour les
amis, des prunes enrobées de chocolat, c'est un
délice, meilleur encore que les Ptasie Mlecko. Je
conseille la boîte de Goplana de 200 g de 7,50 zl à
10,50 zl. » Daniel Cep, Blagnac.*

Ambre et bijoux

L'ambre s'achète dans la veille ville et sur
la voie royale, même si l'idéal reste d'en
rapporter des bords de la mer Baltique.

■ **SILVER AND AMBER SHOWROOM**
Ul. Zegiestowska 29 (quartier Sadyba)
✆ (022) 842 27 50

De jolis bijoux en argent et ambre, à des
prix raisonnables, chez une femme qui parle
anglais.

Antiquaires

■ **ART DECO**
Ul. Gałczyńskiego 7 ✆ (022) 828 70 06

■ **DESA**
Rynek Starego Miasta 4/6
✆ (022) 831 16 81
Aussi : Ul. Nowy Świat 51
✆ (022) 827 47 60

■ **REMPEX**
Ul Krakowskie Przedmieście 4/6
✆ 0 800 120 342 (portable)

■ **GALERIA ANTYKOW**
Ul. Poznańska 23 ✆ (022) 622 31 58

■ **GALERIA ARS POLONA**
Ul. Krakowskie Przedmieście 7
✆ (022) 826 78 55

■ **GALERIA CZARNY BUTIK**
Ul. Nowogrodzka 25 ✆ (022) 628 28 37

Artisanat

■ **CEPELIA**
Ul. Chmielna 8 ✆ (022) 826 60 31
Ul. Grójecka 59/63 ✆ (022) 823 43 21
Plac Konstitucji 5 ✆ (022) 621 26 18
Une chaîne de boutiques de produits artisanaux
du folklore polonais.

◼ AREX

Ul. Chopina 5A (centre-ville)
✆ (022) 629 66 24
Dans une toute petite boutique en sous-sol,
de l'artisanat en bois : oiseaux, personnages,
coffres peints, etc.

◼ POLART

Rynek Starego Miasta (vieille ville)
✆ (022) 831 18 05
Artisanat en bois, vaisselle peinte, céramiques,
poupées polonaises, bijoux, nappes, etc.

◼ GLINIANA CHATA

Ul. Krakowskie Przedmieście 62
(voie royale)
✆ (022) 828 03 92
*Ouvert tous les jours de 11h à 14h. Une
personne parle français, anglais et espagnol.*
Poteries fait main, objets en bois et en paille,
décorations (de Noël, de Pâques).

◼ RĘKODZIEŁO IMPRESJA

Ul. Kruczkowskiego 8 (quartier Piaseczno)
✆ (022) 757 20 91
Faïence de Bolesławiec, verrerie de Krosno,
articles en rotin, mobilier en bois peint, nappes
en lin.

◼ ABONDA

Ul. Śniadeckich 12/16 (centre-ville)
✆ 0 602 354 112 (portable)
Articles en lin (nappes notamment), art de
la table.

Centres commerciaux

Les centres commerciaux fleurissent autour du
centre de Varsovie, et se rapprochent de plus
en plus du centre historique. Les Polonais sont
très friands de ces grands centres, toujours
très animés et ouverts tous les jours, où ils
aiment déambuler.

◼ ARKADIA

Al. Jana Pawła II 82 (centre-ville)
Le plus fréquenté car le dernier construit.
Le plus grand centre commercial d'Europe
centrale et orientale, dont la construction a
coûté près de 150 millions d'euros, rassemble
quelques 190 boutiques, un hypermarché
Carrefour, 30 moyennes surfaces (dont
Leroy Merlin), 22 restaurants et cafés et un
cinéma de 15 salles.

◼ BLUE CITY

Al. Jerozolimskie 179 (quartier Ochota)
Ouverte au printemps 2004, près de la gare
routière et en face du centre Reduta, cette

galerie sous une belle coupole bleue abrite
notamment Piotr i Paweł (Pierre et Paul), un
supermarché haut de gamme.

◼ CENTRUM JANKI

Ul. Mszczonowska 3 ✆ (022) 711 30 00
Eloigné du centre-ville, cet énorme
centre avec galerie marchande, complexe
cinématographique, jeux, est attenant à Géant,
Go Sport, etc. et Ikea en face.

◼ GALERIA MOKOTÓW

Ul. Wołoska 12 (à l'angle des rues
Wilanowska et Wołoska, quartier Mokotów)
✆ (022) 541 41 41
L'un des plus grands centres en taille, qui
comprend de nombreux restaurants, un
complexe de cinéma, un top floor entertainment
(bowling, billard, jeux électroniques…) ouvert
de 10h au dernier client.

◼ KLIF

Ul. Okopowa 58/72 (centre)
Galerie marchande à taille humaine.

◼ LAND

Ul. Wałbrzyska (Métro Służew,
face à la clinique Damiana)
Choix différent ici avec seulement des
magasins indépendants polonais.

◼ PROMENADA

Ul. Ostrobramska 75C (quartier Praga)
✆ (022) 611 37 00
Grand choix de boutiques ainsi que complexe
cinématographique, centre de jeux Las Vegas
(bowling, billard, fléchettes, salle de jeux
pour enfants) ouvert tous les jours de 10h
au dernier client.

◼ ZŁOTE TARASY

*En construction, derrière la gare ferroviaire
principale.* Des travaux impressionnants
donneront naissance au plus gros centre
commercial du centre-ville, a priori
en 2007.

Épiceries ouvertes 24h/24

◼ DELIKATESY

Al. Solidarności 82A (centre-ville)

◼ MARIBO SC DELIKATESY

Ul. Ogrodowa 7
(en dessous de l'avenue Solidarności)

◼ BESTPOL DELIKATESY

Ul. Grójecka 47/49
(à l'ouest, vers la gare routière)

■ **NASZA OCHOTA DELIKATESY**
Ul. Grójecka 47
(à l'ouest, vers la gare routière)

■ **NON STOP SC DELIKATESY**
Ul. Okopowa 23 (rue à l'ouest de la vieille
ville qui longe le cimetière Zydowski)

■ **RARYTAS**
Plac Gen. Hallera 8 (de l'autre côté de
la Vistule, quartier Nowa Praga)

Librairies – Multimédia

Dans ces deux enseignes, notamment Empik,
présent dans toutes les villes de Pologne,
de beaux livres sur la Pologne en français
constituent de bons souvenirs de votre
voyage ou des guides touristiques aident à
le poursuivre…

■ **EMPIK**
Enseigne nationale qui vend la presse
internationale, des livres, cd, dvd et
multimédia. **Le magasin le plus central** se
situe sur la voie royale : Ul. Nowy Świat 15/17
✆ (022) 696 58 21. *Ouvert du lundi au samedi
de 9h à 22h, le dimanche de 11h à 19h.* **Un
autre magasin** se situe rue Marszałkowska
116/122. *Mêmes horaires sauf le dimanche
jusqu'à 20h.* **D'autres** sont implantés dans les
centres commerciaux, notamment Arkadia,
Blue City, Wola Park et Galeria Mokotów.

■ **TRAFFIC**
Ul. Bracka 25 (centre-ville)
*Aux croisements des rues Bracka, Chlemnia
et Szpitalna.* Ressemble étrangement à la
Fnac, jusque dans son logo et sa typographie,
chartre graphique. Intérieur quelques magasins
de vêtements et grand complexe sur plusieurs
étages, avec librairies, musique, film. Très
classe, dans un vieux bâtiment très bien
rénové avec de superbes vitraux.

Marchés

Marchés alimentaires

■ **BAZAR WARZYWNICZY POLNA
(MARCHÉ AUX LÉGUMES)**
Ul. Polna 9/11 (centre-ville)
✆ (022) 825 25 63
Grand choix de légumes de Pologne et
importés du monde entier (des fraises en
février) et épiceries de luxe (caviar).

■ **HALA MIROWSKA**
Plac Mirowski 1
✆ (022) 620 38 78

Le marché le plus central de Varsovie (fruits,
légumes et fleurs).

■ **BAZAR SADYBA**
Ul. Powińska, derrière le Sadyba Best Mall
(quartier Sadyba)
Marché alimentaire avec quelques boutiques
de vêtements intéressantes.

■ **HALA BANACHA**
Ul. Grójecka, à l'angle de la rue Banacha
(quartier Ochota)
Le plus gros marché de Varsovie avec pour les
amateurs, un grand déballage de fripes.

Marchés non-alimentaires

■ **STADION X-LECIA
(MARCHÉ AUX PUCES)**
Al. Zieleniecka (quartier Praga)
*Juste après le pont Księcia J. Poniatowskiego, à
gauche et avant le rond-point J. Waszyngtona.* Sur
les pentes du stade, le plus grand marché aux
puces d'Europe de l'Est, ouvert tous les matins
environ jusqu'au midi. Se trouvent pêle-mêle
des vêtements, notamment des contrefaçons
de grande marque, des meubles, des montres,
de l'outillage, des CD et DVD. Méfiez-vous de
ce que vous achetez, des DVD gravés se sont
avérés vides par exemple ! Ce marché vaut le
détour même si vous n'achetez rien.

■ **TARG STAROCI (MARCHÉ AUX PUCES
ET ANTIQUITÉS DE KOŁO)**
✆ (022) 836 23 51. A l'angle des rues
Obozowa et Ciołka (quartier Wola)
Ce marché ouvert le samedi et le dimanche
matin ressemble plutôt à un vide-greniers,
mais comporte parfois quelques pièces
intéressantes.

■ **MARCHE DE L'INFORMATIQUE
ET DE LA PHOTOGRAPHIE**
Ul. Batorego 10
(quartier Mokotów, dans le club Stodoła)
Ouvert le dimanche de 10h à 14h, ce marché
représente notamment une mine d'or pour les
amateurs de matériels photographiques.

■ **MARCHE DE L'ELECTRONIQUE**
Ul. Wolumen (quartier Bielany)
Ouvert le samedi et le dimanche matin.

■ **MARCHE AUX FLEURS**
Dans le centre à l'angle de l'avenue Jana Pawła
II et de la rue Elektoralna ; dans le quartier
Ochota, à l'angle des avenues Krakowska et
Bakalarska.

Optique

▪ **PARIS OPTIQUE**
Pl. Konstytucji 5
www.parsioptique.pl
kontakt@parisoptique.pl
Société française implantée en Pologne.
Incontournable enseigne de la lunette en
Pologne que vous retrouverez dans la plupart
des villes.
Boutiques proposant une superbe sélection de
lunettes de marques, optique et solaire (Police,
Ferré, Lagerfeld, Lacoste, Nina Ricci, Cerruti,
Azzaro, Givenchy,..) à des prix nettement plus
raisonnables qu'en France (30 à 50 % moins
cher). Demandez Paul... si il est là, il vous fera
10 % de remise en plus.

PARIS OPTIQUE
Pl. Konstytucji 5, Varsovie
tél. (+48 22) 723 28 00
fax (+48 22) 723 25 25
kontakt@parisoptique.pl
www.parisoptique.pl

Souvenirs

S'achète principalement dans la vieille ville, nouvelle ville et le long de la voie royale (Ul. Krakowskie Przedmieście et Nowy Świat).

SPORTS ET LOISIRS

Chasse

▪ **ASSOCIATION POUR LA CHASSE**
Ul. Nowy Świat 35 (voir royale)
✆ (022) 826 20 51 – Fax : (022) 826 62 42
Des contacts qui parlent français : Grayna
Brodzik ou Lydia Plaza.

▪ **ANIMEX SARL**
Ul. Chałubińskiego 8 (centre-ville)
✆ (022) 334 59 00

▪ **ELITE EXPEDITION**
Ul. Tarczyńska 1
(quartier Ochota, derrière l'hôtel Sobieski)
✆ et Fax : (022) 658 49 19/02
www.medianet.pl – elite@medianet.com.pl

Équitation

▪ **OZJ WARSZAWA**
Ul. Rozbrat 26 (centre-ville)
✆ (022) 629 51 69
Association équestre qui fournit des
informations sur l'équitation en Pologne.

▪ **KUCLANDIA**
Ul. Ksiąenice 51 (quartier Włochy)
Parle anglais et français. Très bien pour les enfants,
les adultes et pour faire des randonnées.

▪ **POCIECHA**
Ul. Międzynarodowa, park Skaryszewski
(quartier Saska Kępa)

A l'intérieur du parc, à 150 m de la rue
Waszyngtona, des cours en français pour
enfants et adultes. Ela Jeziennicka est
instructrice et parle français. Ses coordonnées
✆ 0 604 862 160 (portable).

Escalade

▪ **ONSIGHT CENTRUM WSPINACZKOWE,
HALA SPORTOWA KOŁO**
Ul. Obozowa 60 (quartier Wola)
✆ (022) 877 38 06
*Ouvert du lundi au samedi de 10h à 22h, le
dimanche de 10h à 20h.* Mur du centre sportif,
l'un des plus grands et plus techniques de
Varsovie.

Golf

▪ **FIRST WARSZAW GOLF
COUNTRY CLUB**
Ul. Rajszew 70 (quartier Jabłonna)
✆ (022) 782 45 55/41 63
Fax : (022) 782 48 52
golf.service@golfsport.pl

▪ **GOLF PARKS POLAND**
Ul. Vogla (à Wilanów) ✆ (022) 651 92 57
Ouvert de 10h à 21h en été. En direction de
Konstancin, prendre la première à gauche
après le château de Wilanów pour trouver ce
practice de golf et mini-golf synthétique.

Karting

IMOLA

Ul. Puławska 33 (quartier Piaseczno)
✆ (022) 757 08 92 – Fax : (022) 750 85 11
Ouvert du lundi au jeudi de midi à minuit, le
vendredi de 14h à 3h du matin et le week-end
de 10h à 1h du matin.

Paintball

IMOLA

Ul. Puławska 33 (quartier Piaseczno)
✆ (022) 757 08 23
Propose aussi l'activité
« Karting ».

MARCUS-GRAF

Ul. Widok 10 (centre-ville)
✆ (022) 816 10 08

Pêche

ASSOCIATION POLONAISE
DE LA PECHE SPORTIVE

Ul. Twarda 44 (centre-ville)
✆ (022) 620 50 83
Informations ✆ (022) 620 51 96
Ouvert le lundi de 10h à 18h, et du mardi au
vendredi de 8h à 15h.

Plongée

SCUBA TRAINING

Ul. Narbutta 39/1 (centre-ville)
✆ (022) 646 98 43
www.scubaservice.com.pl

Skate et rollers

JUTRZENKA

Ul. Rozbrat 5 (centre-ville)
Rampes de skate, ouvertes de 9h à 21h.

Ski

PISTE DE SKI ARTIFICIELLE

Ul. Drawska 22 (quartier Ochota,
derrière le centre commercial Blue City)
✆ (022) 823 86 75/824 09 50/61
Cette piste de ski, dont les Varsoviens sont
très fiers, ouvre toute l'année, de 14h à 20h en
semaine, de 10h à 20h le week-end. Située en
plein cœur de Varsovie, elle offre 9 000 m² de
pistes de ski, 700 m² de pistes de luge, des
remontes pentes et propose des services de
location de ski, des moniteurs (pour groupes
ou individuels) et des bars-restaurants.

Tennis et squash

ATOL (STEGNY)

Ul. Inspektorowa 1 (centre-ville)
✆ (022) 682 80 71
Portable : 0 501 124 033/0 501 751 798
4 courts couverts en terre battue, ouverts de
6h à minuit.

SOLEC

Ul. Solec 71 (centre-ville)
✆ (022) 621 68 63
Dispose de courts de tennis et de squash.

Patinoires

PALAIS DE LA CULTURE

Du côté de la rue Świętokrzyska, patinoire
gratuite en plein air, ouvert l'hiver seulement
(de décembre à mars), d'une capacité de
300 personnes. Ouvert du lundi au jeudi de
8h à 20h, du vendredi au dimanche jusqu'à
21h. Possibilité de louer des patins sur place
pour 6 zl.

TORWAR II

Ul. Łazienkowska 6A (centre-ville)
✆ (022) 621 44 71

Piscines et parcs aquatiques

KOMPLEKS BASENOW

Ul. Namysłowska 8 (quartier Nowa Praga)
✆ (022) 619 27 59
Complexe aquatique.

PRAWY BRZEG

Ul. Jagiellońska 7 (quartier Praga)
✆ (022) 619 39 47 ou Ul. Spartańska 1
(quartier Mokotów) ✆ (022) 848 67 46

WODNY PARK

Ul. Merliniego 4 (quartier Mokotów)
✆ (022) 854 01 30
Bassin olympique, petit bassin et
toboggans.

TKKF SZCZĘŚLIWICE

Ul. Usypiskowa 1 (quartier Ochota)
✆ (022) 658 02 73
Piscine en plein air ; ouverte en été.

Zoo

OGROD ZOOLOGICZNY

Ul. Ratuszowa 1/3 (quartier Praga)
✆ (022) 619 40 41
Situé sur la rive droite de la Vistule, dans un parc
boisé, le zoo de Varsovie est très grand.

Centre historique

Palais des Sciences et de la Culture

Barbacane

Les environs de Varsovie

ŻELAZOWA WOLA

Il s'agit d'un petit village à une cinquantaine de kilomètres de Varsovie, à proximité du Park Kampinos. C'est là qu'est né Frédéric Chopin le 22 février 1810, dans un manoir aujourd'hui transformé en musée. Ce lieu permet au visiteur d'imaginer l'ambiance qu'a connue l'artiste dans son enfance, véritable havre de paix et de calme, le tout bercé d'une douce musique de la création de Chopin. La maison est entourée d'un parc très agréable et l'intérieur est orné de meubles d'époque et de quelques objets ayant appartenu au compositeur.

Quelle est la vraie date de naissance de Chopin ?

Et oui, les historiens n'en sont pas sûrs : d'après le père du compositeur et le prêtre qui le baptisa, le petit Frédéric naquit le 22 février, mais le compositeur, sa mère et sa sœur écrivaient souvent dans des lettres datées au 1er mars que c'était le jour d'anniversaire de Frédéric. D'où cette différence. Quoi qu'il en soit, la version du père est plus répandue.

Transports

▸ **Voiture.** A 54 km à l'est de Varsovie, prendre la direction de Sochaczew.

▸ **Bus.** Trois bus directs partent de la gare centrale routière PKS – Warszawa Zachodnia.

▸ **Train.** Au départ de la gare centrale PKP-Warszawa Centralna, ou de la gare Warszawa Śródmieście, prendre un train à destination de Sochaczew, puis le bus local n° 6. Le train nécessite un changement, mieux vaut donc privilégier l'option du bus.

Points d'intérêt

■ **MAISON DE FRÉDÉRIC CHOPIN (DWOREK CHOPINA)**
© (046) 863 33 00
Ouvert du mardi au dimanche, du 1er mai au 30 septembre de 9h30 à 17h30, du 1er octobre au 30 avril de 10h à 16h. L'été, des concerts sont donnés le dimanche à 11h et 15h. Voir rubrique « Varsovie », « Points d'intérêt », « Sur les traces de Frédéric Chopin… ».

▸ **A Brochów, à environ 10 km au nord-ouest de Żelazowa Wola,** se trouve l'impressionnante église Saint-Roch, du XVIe siècle, un des plus précieux monuments de l'architecture sacrale fortifiée, où Frédéric Chopin fut baptisé en avril 1810. C'est ici également que ses parents s'unirent par le mariage en 1806.

ŁÓDŹ

Située à moins de 100 km de Varsovie, elle apparaît comme le grand centre industriel du pays. En fait, Łódź ne s'est développée qu'au XIXe siècle, grâce à l'industrie du textile qui s'implanta dans cette ville. Il s'agit donc d'une ville sans histoire ancienne, où l'on cherche vainement les vieilles églises et les palais baroques. Mais Łódź possède de splendides intérieurs bourgeois du XIXe siècle, dont certains peuvent être visités, et surtout le plus grand musée d'art moderne de Pologne. Elle est également réputée en Pologne pour sa célèbre école de cinéma, qui a formé les plus grands cinéastes polonais. L'ambiance dans cette ville est particulière, c'est un peu, si l'on juge l'état des bâtiments, comme si le temps s'était arrêté. Cette ville, dont le nom se prononce difficilement wouch, est une bonne escale depuis Varsovie, notamment pour le voyageur qui choisit de se rendre à Cracovie ou à Wrocław.

Histoire

Le village de Łódź est cité pour la première fois en 1332 et en 1423 le roi Ladislas Jagiello accorde les droits urbains à Łódź. En 1820 Łódź fut élevée au rang de ville industrielle, s'ensuivirent les créations des quartiers des drapiers et des tisseurs. En 1888 apparaît la première scène théâtrale (où se trouve actuellement le cinéma Polonia), puis en 1903 la création de la société théâtrale polonaise, la première de ce genre, et en 1948, l'inauguration de l'Ecole supérieure d'art cinématographique, aujourd'hui de renommée internationale.

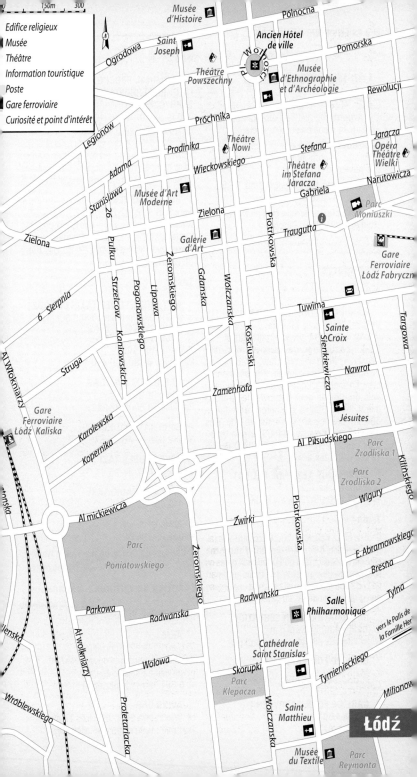

Les incontournables de Łodź

▷ **Arpenter** la rue Piotrkowska avec ses beaux immeubles du XIXe siècle.

▷ **Sentir** l'ambiance de la ville du temps de grands propriétaires bourgeois dans le palais de Poznański.

▷ **Visiter** le Musée central du Textile, unique en Pologne.

▷ **Réfléchir** dans l'un des plus grands cimetières juifs en Europe.

Transports

Avion

■ **AEROPORT ŁODŹ-LUBLINEK**
Ul. Gen. Stanisława Maczka
℃ 042 688 84 14. www.airport.lodz.pl
Vols à destination de Varsovie, Gdańsk, Szczecin, Poznań, Wrocław, Cracovie en Pologne, mais aussi Berlin, Prague, Vienne, Lvov, Kaliningrad, Copenhague et Amsterdam. Vols quotidiens pour Varsovie, le lundi, le mardi, le mercredi et le vendredi, à 6h (durée 30 min), des vols supplémentaires l'été. Vols réguliers pour Cologne à 14h05, arrivée 16h30 (compagnie aérienne EAE ℃ (004871) 358 12 06. www.eae.areo).

■ **COMPAGNIE AERIENNE PLL LOT**
Ul. Piotrkowska 122
℃ 0 801 300 952/3. www.lot.pl

Train

Gare de **Łódź Kaliska** à l'ouest du centre-ville (al. Unii Lubelskiej 3/5), **gare de Łódź Fabryczna** côté est (pl. Salacińskiego 1). Les deux gares ne sont pas reliées entre elles. Les trains au départ de Łódź sont nombreux et couvrent une grosse partie des destinations du pays.

■ **INFORMATION ET RÉSERVATION**
℃ (022) 9436. www.pkp.pl
www.intercity.pkp.pl – www.pr.pkp.pl

■ **GARE DE ŁODŹ KALISKA**
℃ 042 664 42 11
Ouvert 24h/24.

■ **GARE DE ŁODŹ FABRYCZNA**
℃ 042 664 59 39
Ouvert 24h/24.

Bus

■ **TERMINAL PROCHE DE LA GARE FERROVIAIRE ŁODŹ FABRYCZNA**
℃ 042 631 97 06/93 16
On trouve des bus qui partent en direction de la plupart des grandes villes du pays ainsi que les destinations proches et quelques grandes villes européennes. Ce moyen de transport est ici aussi rapide et efficace que le train.

■ **POLSKI EXPRESS**
Gare PKS de Łódź Fabryczna
www.polskiexpress.pl – info@pex.com.pl
Vente des billets : Orbis. Ul. Piotrkowska 68 ; Euro Travel. Al. Kościuszki 22 ; Holiday Tours. Ul. Gdańska 30.

Taxi

■ **MPT (SOCIÉTÉ DES TAXIS DE ŁODŹ)**
℃ 042 919 – Portable : 0 800 500 919

■ **TELE TAXI 400-400**
℃ 042 6 400 400
Portable : 0 800 400 400

■ **RADIO TAXI DWA DWA**
℃ (042) 96 22
Portable : 0 800 222 222

■ **EURO-TAXI RADIO TAXI**
℃ 042 646 46 46/96 67

■ **JOKER SUPER TAXI**
℃ 042 637 37 37/96 24

■ **JEDYNKA RADIO TAXI**
℃ 042 637 37 38

■ **MER. C**
℃ 042 650 50 50

▷ **Stations de taxi au centre :** place Wolności (n° 1) et de nombreuses rue Piotrkowska.

Location de voitures – Dépannage

Łódź est à environ 4h de route de Cracovie, au nord, et 1h de Varsovie, au sud-ouest.

■ **AKM**
℃ 0 801 129 122 (portable)
Service téléphonique ouvert 24h/24 et service de dépannage au
℃ 0 501 129 122 (portable)

■ **AVISO CAR**
Ul. Wierzbowa 20 ℃ 042 678 17 09
Portable : 0 603 555 445 (24h/24)

HERTZ
Ul. Piotrkowska 68 ℰ 042 633 21 49
Portable : 0 605 150 420 (24h/24)
www.hertz.com.pl

MALEX
Ul. Burtowa ℰ 042 680 01 71

NATIONAL RENT A CAR
Ul. Piotrkowska 228 ℰ 042 630 16 60/61
www.nationalcar.com.pl

RENTAL
Ul. Towarowa 34
ℰ 0 691 138 543 (portable)
Voiture amenée à domicile gratuitement.

SERVICE DE DEPANNAGE 24H/24
Ul. InoWrocławska 72 ℰ 042 96 36

Transports urbains : tramway et bus

RENSEIGNEMENTS MPK
ℰ 042 672 13 17. www.mpk.lodz.pl
Il existe de nombreux bus et tramways, qui sillonnent la ville et les alentours, comme Pabianice (tram n° 11), Zgierz (tram n° 11), Konstantynów Łódzki (tram n° 43 bis), Ozorków (tram n° 46), Aleksandrów Łódzki (bus n° 78), Centre commercial PTAK à Rzgow (bus n° 70), parc paysager des collines de Łódź (bus n° 51, 56, 60, 88, 91).

▶ **Prix des billets au plein tarif :** 1,50 zl pour 10 min, 2,20 zl pour 30 min, 3,30 zl pour 1h, 4,40 zl pour 2h et 8,80 zl pour 24h. Le tarif réduit : réduction de 50 %.

▶ **Un trambus rétro** dans la rue Piotrkowska de 13h à 19h.

▶ **Des « pousse-pousse » à vélo** le long de la rue Piotrkowska (*environ 2,5 à 5 zl*).

Pratique

▶ **Indicatif téléphonique :** 042.

SITE INTERNET DE LA VILLE
www.uml.lodz.pl (site en anglais)

AGENCE CONSULAIRE DE FRANCE
Ul. Uniwersytecka 3 ℰ 042 635 40 38

CENTRE D'INFORMATION TOURISTIQUE (CENTRUM INFORMACJI TURYSTYCZNEJ)
Ul. Piotrkowska 87 ℰ 042 638 59 55
Ouvert du lundi au vendredi de 9h à 18h, le samedi de 9h à 14h.

CENTRE D'INFORMATION CULTURELLE
Ul. Zamenhofa 1/3 ℰ 042 633 92 21
www.cik.lodz.pl – biuro@cik.lodz.pl

ORGANISATION TOURISTIQUE REGIONALE DE LA REGION DE ŁODŹ
Al. Kościuszki 88
ℰ 042 638 59 57 – Fax : 042 638 59 55
www. rotwl.pl – biuro@rotwl.pl

Agences de voyages

PTTK
Ul. Wigury 12A ℰ 042 636 87 64/15 09.
www.pttk.com.pl

GRUPA FABRICUM TRAVEL SERVICES
Ul. Sienkiewicza 75/77, app. 3
ℰ et Fax : 042 636 28 25
Portable : 0 508 092 085/86
www.fabricum.pl – fabricum@fabricum.pl

Poste et télécommunications

POSTE CENTRALE
Ul. Tuwima 38 ℰ 042 632 58 16
Renseignements
ℰ 0 801 333 444(portable)
Ouverte 24h/24.

Internet

COMATA
Ul. Rewolucji 8 ℰ 042 633 19 14

DRUID @ CAFE
Pl. Dàbrowskiego 4/1A ℰ 042 631 97 99

EMPIK SJO INTERNET CAFE
Ul. Narutowicza 8/10 ℰ 042 633 47 49

INTERNETOWA KAWIARNIA SPADOCHRONOWA
Ul. Narutowicza 41

INTERNET 18
Ul. Piotrkowska 118 ℰ 042 630 93 49

SILVER ZONE
Al. Piłsudskiego 5 (Silver Screen)
ℰ 042 639 58 18

MEGANET CAFF
Al. Piłsudskiego 3 ℰ 042 636 66 76

Argent

BUREAUX DE CHANGE
Ul. Piotrkowska 213 ℰ 042 636 59 86
Ul. Piotrkowska 307 ℰ 042 640 34 65
Al. Kościuszki 22 ℰ 042 632 50 06
Ul. 6 Sierpnia 5 ℰ 042 632 11 76
Ul. 6 Sierpnia 7 ℰ 042 639 78 56
Ul. Kasprzaka 8 ℰ 042 630 25 67.

Santé

■ PHARMACIES DU CENTRE-VILLE
Ul. Żeromskiego 39 (place Barlickiego)
✆ 042 633 48 29
Ouvert 24h/24.
Ul. Piotrkowska 5 ✆ 042 633 46 08
Ouvert jusqu'à 20h.
wwUl. Piotrkowska 18 ✆ 042 633 03 22
Ouvert jusqu'à 20h.

■ HÔPITAL BARLICKI
Ul. Kopcińskiego 22 ✆ 042 677 66 00/01

■ HÔPITAL KOPERNIK
Ul. Pabianicka 62 ✆ 042 689 51 60

Hébergement

■ CAMPING NA ROGACH
Ul. Łupkowa 10/16
✆ 042 659 70 13 – Fax : 042 630 61 11
www.campingnarogach.hotel.lodz.pl
campingnarogach@hotel.lodz.pl
Camping 2-étoiles. 1 bungalow pour 2 personnes de 68 zl à 98 zl, pour 3 personnes de 98 zl à 120 zl. Situé à 5 km au nord-est du centre-ville auquel il est relié par le bus n° 60. Ouvert toute l'année, il propose aussi des bungalows pour 4 personnes et de quoi dresser sa tente. Possibilité d'y parler anglais et allemand. Tout près du Bois Łagiewnicki. Vous pourrez manger des spécialités de la cuisine polonaise dans le restaurant Zajazd na Rogach se trouve à côté.

■ AUBERGE DE JEUNESSE PTSM
Ul. Legionów 27
✆ 042 630 66 80/042 630 23 77
Fax : 042 630 66 83
recepcja@yhlodz.pl – www.yhlodz.w.pl
Chambres simples de 45zl à 65 zl, doubles de 35 zl à 40 zl par lit. Petit déjeuner et dîner : 8,50 zl. Dispose d'une salle de banquet et d'une salle de gym. Ouverte toute l'année, et possède **une autre adresse :** Ul. Zamenhofa 13 ✆ (022) 636 65 99.

Confort ou charme

■ DARIA
Ul. Studencka 2/4 ✆ 042 659 82 44
Fax : 042 659 90 11
www.hoteldaria.pl – hoteldaria@oit.pl
Hôtel 2-étoiles. Chambres simples : 130 zl, doubles de 150 zl à 170 zl. L'hôtel se trouve dans un palais de chasse du XIXe siècle dans le Bois Łagiewnicki (une Réserve naturelle). Dispose d'un sauna et d'un barbecue.

■ SAVOY
Ul. Traugutta 6 ✆ 042 632 93 60
Fax : 042 632 93 68
www. savoy.hotel.lodz.pl
Chambres à partir de 100 zl, réductions si vous réservez par Internet. Bâtiment datant de 1912, situé dans l'ouest de la ville.

Luxe

■ CENTRUM
Ul. Kilińskiego 59/63
✆ 042 630 60 61 – Fax : 042 630 61 11
www.centrum.hotel.lodz.pl
centrum@hotel.lodz.pl
Hôtel 3-étoiles. Chambres à partir de 210 zl. Proche de la gare. Grand confort moderne. Possibilité d'y parler français. Dispose d'un centre fitness et d'un casino.

■ IBIS ŁÓDŹ CENTRUM
Al. Piłsudskiego 11 ✆ 042 638 67 00
Fax : 042 638 67 77 – www.orbis.pl
H3096@accor.com
Chambres à partir de 287 zl (réductions le week-end). Situé en centre-ville, à l'angle des rues Piotrowska et Pilsudskiego. Restaurant de cuisine française.

■ GRAND HOTEL ORBIS
Ul. Piotrkowska 72 ✆ 042 633 99 20
Fax : 042 633 78 76 – www.orbis.pl
logrand@orbis.pl
Hôtel 3-étoiles. Chambres à partir de 285 zl. Grand confort et cadre qui transporte à la fin du XIXe siècle au centre de Łódź. Dispose du club de fitness, deux restaurants, un cocktail-bar et un café.

Restaurants

La vie de Łódź se concentre dans la même artère centrale, la rue Piotrowska. De jour comme de nuit, c'est là que se trouvent animation, bars et pubs, restaurants, magasins. Il ne faut pas hésiter à flâner, regarder partout et surtout entrer dans les cours intérieures car s'y cachent de nombreux restaurants et pubs.

Bien et pas cher

■ BAR
MLECZNY JADŁODAJNIA DIETETYCZNA
Ul. Zielona 5
Dans une rue perpendiculaire à la rue Piotrowska, ce bar à lait est l'un des meilleurs de la ville. Malgré ses prix toujours très bas, il pourrait être qualifié de bar à lait de luxe

puisque, contrairement aux autres, il ne fonctionne pas en self-service mais apporte menu et plats jusqu'à votre table.

■ RAZ NA WOZIE
Ul. Rewolucji 1905 r. 11
✆ 042 632 19 54
www.raznawozie.com.pl
intersol@intersolar.com.pl
Ouvert à partir de 11h jusqu'au dernier client. Style de campagne, meubles en bois, nombreux concerts. Vous pouvez y goûter des plats de la cuisine régionale et populaire. Des restaurants Raz na wozie se trouvent aussi dans certains centres commerciaux à Łódź.

■ U SZWAJCARA
Ul. Tymienieckiego 22/24
✆ 042 674 05 64. www.uszwajcara.com.pl
catering@uszwajcara.com.pl
Ouvert de 12h à 18h, le samedi de 12h à 16h, fermé le dimanche. Petit bar situé dans l'ancienne maison de la conciergerie d'une usine, d'où son nom. Bons plats à bas prix. L'intérieur est classique, avec des photos de l'ancienne ville de Łódź sur les murs.

Bonnes tables

■ CIĄGOTY I TĘSKNOTY
Ul. Wojska Polskiego 144A
042 650 87 94
Ouvert de 12h à 22h, le week-end jusqu'à 23h. Situé près du centre-ville. L'ambiance et le décor au style rétro. La cuisine polonaise et méditerranéenne, un bon choix de salades, de pâtes et de vin.

■ KARCZMA U CHOCHOŁA
Ul. Traugutta 3
✆ 042 630 75 86/042 632 51 38
www.uchochola.pl – chochola@wp.pl
Ouvert de 12h à 23h, le week-end jusqu'à minuit. Le personnel est habillé en costumes régionaux et sert des plats régionaux délicieux et du vin de cave. La spécialité du restaurant est le gibier. Vous pourrez y écouter de la musique folklorique et en été vous asseoir en terrasse.

■ KLUB 97
Ul. Piotrkowska 97
✆ 042 630 65 73, 042 632 24 78
Fax : 042 632 47 14
www.97.com.pl – biuro@97.com.pl
Ouvert à partir de 12h jusqu'au dernier client. Compter 25 zl à 30 zl pour un lunch. Un

bon mélange de restaurant, pub et club de musique. L'intérieur original et la bonne cuisine polonaise attirent beaucoup de personnes connues.

Luxe

■ ANATEWKA
Ul. 6 Sierpnia 2/4 ✆ 042 630 36 35
www.anatewka.pl
anatewka@anatewka.pl
Ouvert à partir de 12h jusqu'au dernier client. L'élégance y va de pair avec une ambiance chaleureuse. L'intérieur en bois. Vous y goûterez des plats de la cuisine juive, y compris un canard de Rothschild ou le caviar de Moryc. Des concerts de violon et de piano.

■ NOTHING HILL
Ul. Piotrkowska 64
✆ 042 632 50 63
nothinghill@neostrada.pl
Ouvert de 11h à 23h. Situé au coeur de la ville, ce luxueux restaurant vous propose des plats de la cuisine polonaise.

■ POLSKA
Ul. Piotrkowska 12 ✆ 042 633 83 45
www.restauracjapolska.net1.pl
info@restauracjapolska.net1.pl
Ouvert de 12h à 22h. L'intérieur dans le style des années trente. Une cuisine polonaise avec un bon choix de poissons et viande (le chef recommande le sanglier).

Sortir

Théâtres

■ GRAND THEATRE (WIELKI)
Pl. Dàbrowskiego ✆ 042 633 99 60
www.teatr-wielki.lodz.pl

■ THEATRE DE L'ECOLE SUPERIEURE NATIONAL D'ART CINEMATOGRAPHIQUE
Ul. Kopernika 8 ✆ 042 636 41 66

■ THEATRE UNIVERSEL
Ul. Legionów 21 ✆ 042 633 25 39
www.teatr-powszechny.lodz.pl

■ STUDIO THEATRE SŁUP
Ul. Gorkiego 16, Dom Kultury 502
(maison de la Culture) ✆ 042 673 35 99

■ THEATRE NOUVEAU (NOWY)
Pour la grande salle : Ul. Więckowskiego 15
et la petite salle : Ul. Zachodnia 93
✆ 042 633 44 94. www.nowy.pl

THEATRE DE MUSIQUE
Ul. Północna 47/51
© 042 678 19 68
www.teatr-muzyczny.lodz.pl

THEATRE LOGOS
Ul. M. Skłodowskiej Curie 22
© 042 637 65 45
www.logos.art.pl

THEATRE JARACZ
Ul. Jaracza 27
© 042 633 97 80
www.teatr-jaracza.lodz.pl

THEATRE DE MARIONNETTES D'ACTEURS PINOKIO
Ul. Kopernika 16
© 042 636 66 90/ 13 41
www.pinokio.art.pl

THEATRE DE MARIONNETTES ARLEKIN
Ul. Wólczańska 5
© 042 632 58 99
www.arlekin.lodz.pl

PHILHARMONIQUE DE ŁODŹ
Ul. Piotrkowska 243
© 042 637 14 82

Points d'intérêt

Les points d'intérêt à Łódź sont concentrés autour de la rue Piotrkowska, où se trouvent de nombreux temples, églises, villas et palais. Si vous disposez de quelques heures à Łódź, promenez-vous le long de cette rue Piotrkowska, puis à son extrémité nord, poursuivez votre route jusqu'au palais de Poznański et jusqu'à la veille ville. Si vous restez au moins une journée, visitez aussi la magnifique résidence Księży Młyn. Si vous restez davantage, Łódź dispose de musées, de jolis parcs et de 2 cimetières intéressants.

La rue Piotrkowska, ses temples, villas et palais

RUE PIOTRKOWSKA
La rue la plus longue de Pologne. Beaucoup de gens disent que Łódź se situe sur cette rue, car c'est toujours le point de référence. C'est aussi la plus longue et la plus riche voie commerciale d'Europe. Depuis toujours les magasins les plus exclusifs occupaient cette rue. Il était alors très chic d'y habiter. Łódź ne possède ni Rynek traditionnel, ni château historique, mais une rue au caractère unique.

MAISON AU N° 86 DE LA RUE PIOTRKOWSKA
Construite en 1896, elle appartenait à l'imprimeur Jan Petersilgy, propriétaire de la première imprimerie typographique de la ville. C'est une des plus belles de Łódź pour sa structure et les détails architecturaux (dont une statue de Guttenberg, la seule de Pologne). Aujourd'hui, elle abrite deux galeries d'art (Galeria 86 et ZPAP), une grande librairie et un pub galerie dans les caves où se donnent des concerts de jazz.

PALAIS ET JARDIN DE ROBERT SCHWEIKERT
262 rue Piotrkowska
Palais construit en 1910 pour l'industriel Robert Schweikert, c'est aujourd'hui le siège du centre des études européennes. Demandez l'autorisation de le visiter !

PLACE DE LA LIBERTE (PLAC WOLNOÂCI) ET L'HOTEL DE VILLE
Ils se trouvent à l'extrémité nord de la rue Piotrkowska. En continuant un peu, rue Nowomiejska, vous trouverez la vieille ville, et avant, à gauche, rue Ogrodwa le palais Poznański.

A l'extrémité nord de la rue Piotrkowska, la vieille ville et le palais Poznański

Dans la vieille vile, les principaux centres d'intérêt sont la place du marché et celle de l'église, où se trouve l'église de la Sainte-Vierge-Marie.

PLACE DU VIEUX MARCHE (STARY RYNEK)
C'est ici autrefois que se tenaient les nombreux marchés et l'agitation de la ville. Elle est toujours un lieu de manifestations, mais le cœur de la ville s'est déplacé rue Piotrkowska.

PLACE DE L'EGLISE (PLAC KOŚCIELNY)
L'église Sainte-Vierge-Marie est de style néogothique et ses intérieurs, agrémentés d'autels, de vitraux, d'orgues de style, comportent une peinture classée qui provient de l'ancienne église. En effet, à cet endroit fut construite la première église paroissiale de Łódź, construite au XVe siècle, mais qui fut ensuite transférée rue Ogrodowa (au numéro 22).

▪ PARC STAROMIEJSKI

Tout près des deux places précédentes, ce jardin fut créé en 1953. Dans le parc, un monument du Décalogue commémore la coexistence de deux nations, polonais et juive.

▪ PALAIS POZNAŃSKI

Voir rubrique « Musées », « Musée d'Histoire ».

À l'est de la rue Piotrkowska, Księży Młyn

▪ RESIDENCE KSIĘŻY MŁYN (KSIĘŻY MŁYN REZYDENCJA ODDZIAŁ MUZEUM SZTUKI W LODZI)

Ul. Przędzalniana 72 ✆ 042 674 96 98
www.muzeumsztuki.lodz.pl
Ouvert le mardi de 10h à 17h, le mercredi et le vendredi de 12h à 17h, le jeudi de 12h à 19h, le samedi et le dimanche de 11h à 16h. Billets : 6 zl et 4 zl. Pour s'y rendre : de la gare PKP/PKS Łódź Fabryczna, tramways n° 7, 9 et 13 ; de la gare PKP Łódź Kaliska, tramway n° 14. C'est ainsi qu'on appelle la demeure de la famille Herbst, à environ 1 km à l'est du musée du Textile. La plus puissante famille de la ville a vécu dans cette splendide demeure entre 1875 et 1939. Les décorations intérieures sont exceptionnelles, et témoignent de la richesse de ces magnats de l'industrie. De toutes les demeures que vous pourrez visiter à Łódź, et il y en a plus de quarante (toutes indiquées dans les brochures touristiques), celle-ci est la plus belle.

Musées

▪ MUSEE D'HISTOIRE (PAŁAC POZNAŃSKI)

Ul. Ogrodowa 15
✆ 042 654 03 23/00 82
www.poznanskipalace.muzeum-lodz.pl
Ouvert du mardi au jeudi de 10h à 16h, le mercredi de 14h à 18h, le vendredi, le samedi et le dimanche de 10h à 14h. Billet : 6 zl, réduit : 3 zl. Le musée d'Histoire est situé dans le palais de l'industriel Izrael Kalmanowicz Poznański, propriétaire d'une des plus grandes industries de coton de Łódź à la fin du XIXᵉ siècle, construit entre 1890 et 1898 (l'usine se situe à côté du musée). Ce musée, installé dans une des plus belles demeures de la ville, possède des intérieurs superbes. Ne pas manquer la salle de bal (aussi nommée salle des lustres) et la galerie de musique présentant la vie et l'œuvre du célèbre musicien, né à Łódź, Arthur Rubinstein.

▪ MUSEE D'ETHNOGRAPHIE ET D'ARCHEOLOGIE (MUZEUM ARCHEOLOGICZNE I ETNOGRAFICZNE)

Plac Wolności 14
✆ 042 632 84 40
Ouvert le mardi, le jeudi et le vendredi de 10h à 17h, le mercredi de 9h à 17h, le samedi de 9h à 16h, le dimanche de 10h à 16h. Billet : 5 zl, réduit : 3 zl. Situé à l'extrémité nord de la rue Piotrkowska, dédié à toute la Pologne, ce musée présente l'artisanat des différentes régions, y compris de Łódź.

▪ MUSEE D'ART MODERNE (MUZEUM SZTUKI)

Ul. Więckowskiego 36 (au sud-ouest)
✆ 042 633 97 90
www.muzeumsztuki.lodz.pl
Ouvert le mardi de 10h à 17h, le mercredi de 11h à 17h, le jeudi de 12h à 19h, le vendredi de 11h à 17h, le samedi et le dimanche de 10h à 16h. Billet : 6 zl, réduit : 4 zl. Pour s'y rendre : de la gare PKP/PKS Łódź Fabryczna, tramway n° 9 et 12 ; de la gare PKP Łódź Kaliska, tramway n° 12, bus n° 86. Installé dans un autre palais ayant appartenu à la famille Poznański, ce musée possède une des plus grandes collections internationales de peintures du XXᵉ siècle. Le musée d'Art moderne de Łódź a marqué l'histoire de l'art contemporain. La collection fut créée à l'initiative de Wladyslaw Strzeminski, peintre et théoricien de l'art, représentant du constructivisme en Pologne. Avec sa femme, le célèbre sculpteur, Katarzyna Kobro, et le peintre Henryk Stazewski, les poètes Jan Brzekowski et Julian Przyboś ont créé le groupe a.r. (avant-garde du réel – artistes révolutionnaires, awangarda rzeczywista – artyści rewolucyjni). Liés à l'expérience de l'avant-garde russe, ils ont commencé à monter une collection d'Art nouveau, principalement grâce aux contacts directs avec les groupes Cercle et Carré et Abstraction – Création, constitués à Paris. C'est Stażewski et Brzekowski qui ont regroupé les œuvres en France. Dans l'ensemble, ils ont réuni 111 travaux de célèbres représentants de l'avant-garde polonaise et internationale des années vingt et trente. La collection comporte des œuvres abstraites et constructivistes, ainsi que quelques exemples de la création des surréalistes et des œuvres représentant la tendance figurative dans l'art européen. La collection du groupe a.r. était la deuxième collection muséale de l'art d'avant-garde en Europe (après le Cabinet Abstrait de Hanovre, ouvert en 1927).

MUSEE DU TEXTILE (MUZEUM WŁÓKIENNICTWA BIAŁA FABRYKA)

Ul. Piotrkowska 282 ✆ 042 683 26 84
www.muzeumwlokiennictwa.muz.pl
Ouvert le mardi, le mercredi et le vendredi de 9h à 17h, le jeudi de 11h à 19h, le samedi et le dimanche de 11h à 16h. Billet : 5 zl, réduit : 3 zl. Il est situé dans le sud de la ville, près de la cathédrale. Installé dans une ancienne manufacture, un des plus anciens bâtiments industriels en Pologne, ce musée s'attarde sur ce que fut l'activité principale de Łódź au XIXe siècle. Il fut construit entre 1835 et 1837.

MUSEE D'ART CINEMATOGRAPHIQUE (MUZEUM KINEMATOGRAFII)

Pl. Zwycięstwa 1
✆ 042 674 09 57
www.kinomuzeum.lodz.art.pl
Ouvert le mardi et le jeudi de 11h à 18h, le mercredi, le vendredi, le samedi et le dimanche de 9h à 16h. Billet : 4 zl, réduit : 3 zl. Situé dans le palais Scheibler. Présente entre autres les trophées gagnés par Andrej Wajda entre 1958 et 2000.

Galeries

GALERIE MUNICIPALE D'ART

Ul. Wólczańska 31/33 (au sud)
✆ 042 632 79 95/24 16.
nstallée dans l'ancienne demeure de Kindermann, industriel allemand, cette galerie organise des expositions temporaires, en général très intéressantes, d'art moderne.

GALERIE DE ŁODŹ (PAŁAC POZNAŃSKI)

Ul. Ogrodowa 145 ✆ 042 654 03 23
Voir rubrique « Points d'intérêt ».

Parcs et cimetières

PARC ŁAGIEWNIKI

Au nord du centre-ville, la plus grande forêt de Łodź, où se visite un couvent baroque des franciscains (rue Okólna, bus 51) et le Parc naturel où sont indiqués des parcours touristiques.

PARC ZDROWIE

À l'est du centre-ville, doté d'un très grand jardin botanique et d'un zoo.

PARC RUDA PABIANICKA

Au sud de la ville (*accès avec les bus 50 et 68*) avec un étang et une colline d'où l'on embrasse une vue de toute la ville de Łódź.

CIMETIERE RUE OGRODOWA

Centre-ville. Le plus ancien cimetière de la ville, créé en 1855, dont la plus grande sépulture, de la famille Scheibler, ressemble à une petite église néogothique.

CIMETIERE JUIF (CMENTARZ ŻYDOWSKI)

Ul. Bracka (près des rues Bracka et Zmienna, au nord-est du centre-ville, en direction de Varsovie)
Une des plus grandes nécropoles de ce genre en Europe, elle contient près de 160 000 tombeaux, dont certains sont de véritables chefs-d'œuvre d'architecture. Ce monument unique fut fondé en 1892. C'est le nouveau cimetière juif que l'on connaît aujourd'hui, à différencier de l'ancien qui existait jusqu'à la Seconde Guerre mondiale et dont il ne reste que le souvenir. Il comporte notamment un grand nombre de tombes souvent plus entretenues et des tombeaux de personnalités dont celui d'Izrael Kalmanowicz Poznański, un des fabricants de Łódź les plus connus de la fin du XIXe siècle.

LA MAZURIE, PODLACHIE

Poupées en habits traditionnels

© AUTHORS.COM

La Mazurie

La Mazurie et la Podlachie, très fortement boisées et fournies en lacs, sont la destination rêvée pour ceux qui privilégient la nature dans leur voyage en Pologne. Situées aux confins nord-est, à proximité de la Russie, la Lituanie et la Biélorussie, la Mazurie et la Podlachie ne manquent pas pour autant d'intérêt culturel, et si le tourisme international n'y est pas encore aussi développé que dans les autres régions de Pologne, cela ne saurait tarder étant donné le potentiel dont elles disposent. La Mazurie, loin du tumulte des grandes villes, offre toutes les conditions nécessaires au repos et au calme. On y trouve les plus grandes forêts du pays, riches en gibier de toutes sortes, ainsi qu'une multitude de lacs et de cours d'eau. La région compte au total près de 4 000 lacs, des grands (Śniardwy et Mamry font chacun plus de 100 km²) et des petits, des peu et des très profonds (le lac Hańcza fait 108 m de profondeur). Certains comportent des plages accessibles aux plaisanciers, d'autres sont plus sauvages et entourés de forêts. Au total, les forêts couvrent plus de 30 % de la Mazurie. La plus grande est Puszcza Piska. Dans l'intention de préserver la nature intacte, plus de 90 réserves ont été créées dans cette région et des centaines d'oeuvres naturelles mises sous protection. Autour du lac Śniardwy, le plus grand de Pologne, il y a le parc naturel de Mazury et une partie de la forêt Puszcza Piska.

OLSZTYN

C'est, avec 165 000 habitants, la plus grande ville de la région, et la capitale de la voïvodie du même nom. Située dans la partie centrale de la région des lacs d'Olsztyn, sur la Łyna, affluent de la Pregola, Olsztyn est un centre industriel important, mais aussi un grand centre scientifique, culturel et touristique dans la région. La ville n'est pas en elle-même une merveille, mais elle est géographiquement, idéalement placée pour le départ d'excursions dans la région. A noter qu'un certain Nicolas Copernic, alors administrateur des biens du chapitre de la Warmie, y séjourna entre 1516 et 1521.

Transports

▸ **Train.** La gare ferroviaire est située à environ 1 km de la vieille ville. Train pour toutes les destinations locales et plus éloignées.

Les immanquables de la Mazurie

▸ **S'émerveiller** devant les richesses inattendues de la basilique de Święta Lipka.

▸ **Chercher** son petit coin de paradis, dans les 4 000 lacs de Mazurie, pour les amoureux de la nature, les fervents de la voile et des sports nautiques et les pêcheurs à la ligne.

▸ **Se promener** sur la Colline de la cathédrale à Frombork, la ville où habita, travailla et mourut Nicolas Copernic.

▸ **Visiter** le « repaire du loup », Q. G. d'Hitler à Gierłoż, près de Kętrzyn, au milieu des forêts de la Mazurie.

▸ **Assister** à une impressionnante reconstruction de la plus grande bataille du Moyen Age qui a eu lieu le 15 juillet 1410 à Grunwald.

▸ **Bus.** La gare routière est au même endroit que la gare ferroviaire. De nombreux bus pour les villes de la région (plus rapide que le train), ainsi que vers d'autres directions. Attention ! Il n'existe pas de bus pour Toruń (prendre le train).

Pratique

■ **CENTRE D'INFORMATION TOURISTIQUE**
Ul. Staromiejska 1 ✆ (089) 535 35 65
www.warmia-mazury-rot.pl
wcit@warmia.mazury.pl
Ouvert de 8h à 16h (lundi à vendredi).

Agences touristiques

■ **ORBIS**
Ul. Dąbrowszczaków 1
✆ (089) 535 16 78
Al. Gen. Sikorskiego 2B ✆ (089) 542 98 23
Ouvert du lundi au vendredi de 9h à 18h, le samedi de 9h à 15h.

■ **MAZUR TOURIST**
Ul. Kołobrzeska 1 ✆ (089) 522 14 90

■ **MAZURY PTTK**
Ul. Staromiejska 1
✆ (089) 527 40 58
Ouvert du lundi au vendredi de 8h à 17h, le samedi de 9h à 14h.

■ **ALMATUR**
Plac Puławskiego 7/14
✆ (089) 535 07 56
Ouvert du lundi au vendredi de 8h à 16h.

■ **CENTRE POLONO-FRANÇAIS COTES D'ARMOR – WARMIE ET MAZURIE**
Ul. Dąbrowszczaków 39 1P
✆ (089) 527 63 73 – Fax : (089) 534 99 33
www.centrumpolskofrancuskie.prv.pl
(site en français).

Hébergement

■ **AGRO-CAMPING**
Ul. Młodzieżowa 1 ✆ (089) 523 86 66
Ouvert de mai à septembre. De la ville prendre le bus n° 11. Situé près d'un lac et d'une forêt.

Confort ou charme

■ **PARK HOTEL**
Ul. Warszawska 119 ✆ (089) 524 06 04
Fax : (089) 524 00 77
www.hotelepark.pl – holsztyn@beph.pl
Hôtel 3-étoiles. Chambres simples : 240 zl, doubles : 290 zl. Située 4 km du centre-ville, à proximité des terrains sportifs de l'université de la Warmie et de la Masurie. Chambres climatisées. Restaurant avec une terrasse d'été.

■ **POD ZAMKIEM**
Ul. Nowowiejskiego 10
✆ (089) 535 12 87
Fax : (089) 534 09 40
hotel@olsztyn.com.pl
Situé au pied du château, dans un ancien manoir de chasse.

■ **WARMIŃSKI**
Ul. Kołobrzeska 1 ✆ (089) 522 14 00 et
(089) 522 15 00 – Fax : (089) 533 67 63
www.hotel-warminski.com.pl
www.hotel-warminski.com.pl
hotel@hotel-warminski.com.pl
Hôtel 3-étoiles. Chambres simples : 190 zl, doubles : 220 zl. Situé au centre-ville, dispose de deux restaurants, d'un club de fitness et d'un sauna. Chambre avec ou sans salles de bains.

Luxe

■ **GROMADA**
Plac Konstytucji 3 Maja 4
✆ (089) 534 58 64. Fax : (089) 534 63 30
www.gromada.pl – kormoran@gromada.pl
Situé en face de la gare, au centre-ville.
Chambres à partir de 250 zl en saison (*160 zl hors saison et réduction le week-end*). Bon accueil.

■ **NOVOTEL**
Ul. Sielska 4A
✆ (089) 522 05 00. Fax : (089) 527 54 03
www.orbis.pl – nolsztyn@orbis.pl
Chambres à partir de 275 zl. Situé sur les rives du lac Ukiel, à 5 km du centre. Très confortable.

■ **VILLA PALLAS**
Ul. Żolnierska 4
✆ (089) 535 01 15/93 20
Fax : (089) 535 99 15
www.villapallas.pl – hotel@villapallas.pl
Chambres à partir de 190 zl (114 zl le week-end). Résidence du début du XXe siècle, située au centre de la ville.

Restaurants

■ **FETA**
Ul. Żołnierska 43
✆ (089) 534 31 94
www.feta.go3.pl
Ouvert de 12h à 4h. Un restaurant traditionnel, des plats de tous les coins du monde. Vous pourrez y danser (discothèques avec DJ, musique des années quatre-vingt et quatre-vingt-dix). La majorité de clients ont 30 à 40 ans.

■ **NOWOCZESNA**
Ul. Kościuszki 49 ✆ (089) 533 46 72
www.hotel-warminski.com.pl
Le restaurant de l'hôtel Warmiński, un lieu idéal pour un déjeuner ou un dîner élégant. La cuisine régionale domine dans le menu, mais vous y trouverez également des plats européens.

■ **STAROMIEJSKA**
Ul. Stare Miasto 4/6 ✆ (089) 527 58 83
Un café-restaurant légendaire. L'intérieur est charmant, le piano dans la salle. Une belle terrasse d'été qui occupe une grande partie de l'ancienne place du marché (Rynek). Un grand choix de café, de thé et de desserts. Cuisines polonaise et lituanienne.

U ARTYSTÓW
Ul. Kołłątaja 20 ✆ (089) 527 43 21
Bonne cuisine polonaise et galerie d'art.

VILLA PALLAS
Ul. Żołnierska 4
✆ (089) 535 01 15. www.villapalas.pl
Le restaurant se trouve dans un hôtel du même nom. L'intérieur est classique, élégant, Internet gratuit. Des spécialités de cuisine polonaise.

Points d'intérêt

CHATEAU (ZAMEK)
Ul. Zamkowa 2
✆ (089) 527 95 96
Fax : (089) 527 20 39
www.muzeum.olsztyn.pl
zamek@muzeum.olsztyn.pl
Ouvert du mardi au dimanche de 10h à 16h.
Le plus précieux monument d'Olsztyn est le château gothique du chapitre de la Warmie des XIVe, XVe et XVIIIe siècles. Sur le mur extérieur de l'aile nord du château, du côté du portique, on peut voir un fragment de table astronomique faite par Copernic lui-même, et qui lui servait à étudier le phénomène de l'équinoxe. Le château abrite actuellement le Musée régional sur l'art et la culture locaux.

MUSEE DE LA WARMIE ET DE LA MAZURIE (MUZEUM WARMII I MAZUR)
Ul. Zamkowa 2 (Le Château)
✆ (089) 527 95 96/20 39
Ouvert du mardi au dimanche de 9h à 16h.
Expositions temporaires sur l'histoire de la ville et de la région, se trouve près de la porte haute.

CATHEDRALE
De style gothique, elle a été construite en 1596 (tour haute de 60 m).

PLANÉTARIUM (OLSZTYNSKIE PLANETARIUM)
Al. Piłsudskiego 38 ✆ (089) 533 49 51
Situé à l'est du centre.

OBSERVATOIRE ASTRONOMIQUE (OBSERWATORIUM ASTRONOMICZNE)
Ul. Żołnierska 13 ✆ (089) 527 67 03
Ouvert tous les soirs, sauf le dimanche et quand le ciel est couvert.

OLSZTYNEK
La ville, qui ne dépasse pas 8 000 habitants, n'est pas très intéressante en soi, mais,

à 1 km du centre, vous trouverez un skansen, ensemble de maisons et moulins en bois formant tout un village traditionnel de grande qualité parfaitement préservé (Muzeum Budownictwa Ludowego).
Le village est ouvert toute l'année à partir de 9h chaque jour, mais les maisons sont ouvertes du 1er mai au 15 octobre et proposent des activités ainsi que des festivités typiques de la région.
C'est donc le meilleur moment pour se rendre dans cet endroit et se sentir comme transporté à une autre époque.

Transports

▶ **Train.** Gare située à proximité du village traditionnel. Nombreux trains pour Olsztyn, ainsi que quelques liaisons quotidiennes directes pour Varsovie.

▶ **Bus.** Arrêt devant la gare ou au sud du Rynek. Nombreux bus pour les villes de la région, ainsi que des liaisons directes avec Gdańsk et Varsovie.

Restaurants

KARCZMA W SKANSENIE
Ul. Leśna 20 ✆/Fax : (089) 519 35 55
Cuisine traditionnelle dans un cadre tout aussi traditionnel, avec des groupes de musique… traditionnelle.

TOKAJ
Pawłowo (route E-7)
✆ (089) 519 37 53
www.tokaj.olsztynek.com.pl
tokaj@olsztynek.com.pl
Situé à 3 km d'Olsztynek. Restaurant hongrois, L'intérieur un peu rustique mais la cuisine délicieuse. Une des spécialités, le goulasch servi dans un chaudron, à la hongroise.

Dans les environs
A 15 km d'Olsztynek se trouve le champ de bataille historique de Grunwald, où les armées polonaises et lituano-ruthènes, sous le commandement du roi de Pologne, Vladislas Jagiełło, remportèrent une grande victoire, le 15 juillet 1410, sur les troupes de l'ordre Teutonique commandées par le grand maître de l'ordre, Ulrich von Jungingen. S'y trouvent maintenant un mémorial, un musée et une salle de cinéma qui présente des films de court-métrage se rapportant à cette bataille.

OSTRÓDA

Ville de 35 000 habitants située sur le lac Drwęckie et la rivière Drwęca. Embarcadère des bateaux de la Compagnie mazurienne de navigation qui dessert les lignes Ostróda – Elbląg et Ostróda – Iława, mais également port de plaisance du lac Drwęckie. Point de départ pour l'itinéraire en canoë sur la rivière Drwęca.

Transports

▶ **Train.** Nombreux trains pour toutes les destinations à l'exception d'Elbląg.

▶ **Bus.** Gare routière située à proximité de la gare ferroviaire. Départs fréquents pour la plupart des villes de la région.

▶ **Bateau.** Entre le 15 mai et le 15 septembre, un bateau part tous les jours à 8h pour Elbląg, s'il y a au moins 20 passagers (ce qui est souvent le cas).

Pratique

▪ **BUREAU D'INFORMATION TOURISTIQUE**
Plac 1000-lecia 1 ℰ (089) 646 25 40

▪ **BUREAU D'INFORMATION TOURISTIQUE (INFORMACJA TURYSTYCZNA)**
Ul. Mickiewicza 9A ℰ (089) 646 38 71
Ouvert en saison seulement.

▪ **AGENCE DE VOYAGES (AGENCJA TURYSTYCZNA)**
Ul. Czarnieckiego 10 ℰ (089) 646 77 55

Hébergement

▪ **CAMPING KS SOKÓŁ**
Ul. Słowackiego 40
ℰ (089) 646 47 61/089 646 03 09
wwww.sokol.bestur.pl – ks.sokol@interia.pl
Location de bungalows (25 zl par personne). Ouvert toute l'année. Situé au bord du beau lac Drwęckie et à proximité des gares. Dispose d'un bar, d'une salle de musculation et d'un sauna. Location de kayacs.

▪ **AUBERGE DE JEUNESSE**
Ul. Kościuszki 14 ℰ (089) 646 55 63
Chambres : 12 zl. Ouverte en juillet et août, à 10 min au sud-est de la gare ferroviaire.

▪ **PARK HOTEL**
Ul. 3-go Maja 21
ℰ (089) 646 22 27

www.parkhotelostroda.pl
park.hotel@wp.pl
Hôtel 2-étoiles. Chambres simple : 130 zl, double : 170 zl. Situé dans un parc sur les rives du lac Drwęckie, à côté de la Tour de Bismarck, à 1 500 m du centre-ville. A proximité de l'hôtel, vous trouverez un lieu idéal pour pique-niquer, un bateau touristique, des courts de tennis et une plage.

Restaurants

▪ **RESTAURACJA NA TARASIE**
Ul. Czarnieckiego 21/10
ℰ (089) 646 92 99
Cuisine polonaise. L'été une terrasse est installée pour déguster un bon café. A goûter : les placki po cygańsku (galettes de pommes de terre à la tsigane).

▪ **PARK HOTEL**
Ul. 3-go Maja 21
ℰ (089) 646 22 27
Spécialisé dans la cuisine polonaise traditionnelle et les poissons.

Points d'intérêt

▪ **CHATEAU DES CHEVALIERS TEUTONIQUES**
De la seconde moitié du XIVe siècle, incendié pendant la Seconde Guerre mondiale, il est actuellement en reconstruction.

▶ **Aux environs d'Ostróda se trouvent deux stations réputées de tourisme et de repos,** situées sur des lacs pittoresques, et constituant la principale attraction du coin : Stare Jabłonki sur le lac Szelag Mały et Piławki sur la pointe septentrionale de la ramification nord du lac Drwęckie.

IŁAWA

Ville d'environ 30 000 habitants située à l'extrémité sud du lac Jeziorak, entourée de vastes forêts et de nombreux lacs. C'est le plus grand centre de tourisme nautique dans la partie ouest de cette région. C'est également un centre industriel important. Mais la ville elle-même ne présente pas un grand intérêt.

Transports

▪ **GARE FERROVIAIRE**
Ul. Dworcowa 3
Liaisons directes avec Olsztyn, Toruń, Varsovie et Gdańsk.

GARE ROUTIÈRE
Ul. Dworcowa

Pratique

CENTRE D'INFORMATION TOURISTIQUE (OŚRODEK ROZWOJU TURYSTYKI-INFORMACJA TURYSTYCZNA)
Ul. Niepodleglosci 13
✆ (089) 648 58 00
Fax : (089) 648 82 48

AGENCE DU TOURISME ORBIS
Ul. Niepodleglosci 10 ✆ (089) 648 33 30

AGENCE PTTK
Ul.1 Maja 7 ✆ (089) 649 23 74

Points d'intérêt

EGLISE GOTHIQUE
De la première moitié du XIVe siècle, détruite puis reconstruite à plusieurs reprises.
Au départ d'Iława, une courte rivière (17 km) conduit l'itinéraire pour canoë vers la Drweca, qui elle-même tombe dans la Vistule.

ELBLĄG

Ancien port des chevaliers Teutoniques, à l'époque en contact direct avec la mer. Après le traité de Toruń, Elbląg est devenue l'un des principaux ports de Pologne, jusqu'à l'invasion suédoise, qui comme un signe, marqua le début de l'envasement et la perte de vitesse de la ville. La guerre a complètement détruit l'agglomération, et il n'en reste aujourd'hui pas grand-chose à visiter, mais, avec 130 000 habitants, c'est une ville importante et une bonne étape avant d'explorer la Mazurie ou la région de Kaliningrad (Russie).

Transports

▸ **Train.** Gare à 10 min à pied au sud du centre. Nombreux trains pour Gdańsk, Malbork et Frombork.

▸ **Bus.** Terminal situé à côté de la gare. Nombreux bus pour toutes les destinations touristiques de la région.

▸ **Bateau.** A côté du camping, un embarcadère propose des liaisons avec les ports de la région, entre le 15 mai et le 15 septembre, en empruntant le canal d'Elbląg. Ceux qui sont munis de visas peuvent aller visiter Kaliningrad, en Russie, car certains bateaux font l'aller-retour dans la journée.

Pratique

www.zalew.org.pl – En anglais et en allemand, sur Elbląg et la région.

www.umelblag.pl – En anglais, site de la mairie. Informations touristiques sur la ville.

OFFICES DU TOURISME PTTK
Ul. Krotka 5
✆ (055) 232 64 69
Ouvert du lundi au vendredi de 7h à 15h.

AGENCE ORBIS TRAVEL
Ul. Hetmanska 24 ✆ (055) 236 84 44
Ouvert du lundi au vendredi de 9h à 17h.

ASSOCIATION D'AMITIE FRANCE – POLOGNE
Ul. Kościuszki 66/67 ✆ (055) 233 28 09

PRESSE INTERNATIONALE ET LABO PHOTOS
Empik. Ul. 1 Maja 37 ✆ (055) 232 59 64

Hébergement

CAMPING ELBLĄG
Ul. Panieńska 14 ✆ (055) 232 43 07
camping-elblag@alpha.pl
Ouvert du 1er mai au 30 septembre. Il se trouve à environ 1 km à l'ouest des gares, près du canal d'Elbląg. Camping ombragé agréable. On y trouve quelques bungalows relativement confortables. Organise la vente de billets pour les promenades en bateaux sur le canal.

Bien et pas cher

GALEONA
Ul. Krótka 5 ✆ (055) 232 48 08
Chambres avec et sans salle de bains pour un confort assez modeste.

Confort ou charme

DWORCOWY
Al. Grunwaldzka 49 ✆ (055) 233 81 13
Confort simple, mais restaurant correct, situé en face des gares.

ŻUŁAWY
Ul. Królewiecka 126
✆ (055) 234 57 11/232 32 51
Fax : (055) 232 95 00
hotel@hotel-zulawy.com.pl
Chambres à partir de 140 zl, appartement : 200 zl. Bon confort. Dispose de sauna, fitness, billard.

Luxe

■ **VIVALDI**
Stary Rynek 16
✆ (055) 236 25 42
Fax : 236 25 41
www.viwaldi.m.walentynowicz.pl
(site en anglais et en allemand)
viwaldi@elblag.com.pl
Chambres à partir de 230 zl. Situé dans la vieille ville, bon confort.

■ **ELZAM**
Plac Słowiański 2
✆ (055) 230 61 91
Fax : (055) 232 40 83
hotel@elzam.com.pl
C'est le meilleur hôtel de la ville, le plus cher également. Meilleur restaurant de la ville au rez-de-chaussée, mais là encore les prix sont en conséquence.

Restaurants

■ **SŁOWIAŃSKA**
Ul. Krótka 4
✆ (055) 239 47 25/26
Ouvert dès 12h. Rénové, ce restaurant est correct et peu cher. Cuisine polonaise traditionnelle.

■ **POD ANIOŁAMI**
Ul. Stary Rynek 23-24 ✆ (055) 236 17 26
Situé dans la vieille ville, près de la cathédrale. Cuisine polonaise mais aussi mexicaine, péruvienne et d'Argentine.

Points d'intérêt

■ **EGLISE SAINT-NICOLAS (KATEDRA ŚW. MIKOŁAJA)**
Détruite pendant la Seconde Guerre mondiale, cette église a été complètement reconstruite, mais malheureusement le béton a souvent remplacé la pierre, et cela se voit. Heureusement, les décorations intérieures ont été assez soignées.

■ **EGLISE NOTRE-DAME (KOŚCIÓŁ NMP)**
Ouverte du mardi au samedi de 10h à 17h, le dimanche de 10h à 16h. Ancienne église du XIIIe siècle, elle aussi reconstruite après la guerre, Notre-Dame accueille aujourd'hui une galerie d'art contemporain, la galerie EL
✆ (055) 232 53 86.

■ **MUSEE (MUZEUM)**
Ul. Bulwar Zygmunta Augusta 11
✆ (055) 232 72 73

Ouvert le mardi, le mercredi et le vendredi de 8h à 15h30, le jeudi, le samedi et le dimanche de 9h30 à 15h30. Idéal pour connaître l'histoire de la ville avant la guerre à travers de nombreuses représentations photographiques, ainsi que des fouilles archéologiques faites dans la région.

■ **CANAL D'ELBLĄG (KANAŁ OSTRÓDZKO-ELBLĄSKI)**
Construit en 1860, il servit d'abord au transport de marchandises (bois principalement) puis au tourisme depuis 1912, quand démarraient les transports ferroviaires. Il relie Elbląg à Ostróda et est le plus long canal de Pologne (80 km). Il dispose d'installations techniques uniques au monde. Sur le passage des 99,60 m de dénivellation du canal, au lieu d'utiliser les écluses habituelles, un système de cinq rampes permet de hisser les bateaux et de les tirer sur terre, à l'aide de chariots sur rails. Pour une traversée, se renseigner au camping. Prix pour la traversée complète (Elbląg-Ostróda), 80 zl (60 zl pour les moins de 18 ans). Possibilité de laisser son véhicule au camping (12 zl). Restauration proposée sur le bateau (mais à des « prix touristes »).

■ **COMPAGNIE DE NAVIGATION D'OSTRÓDA – ELBLĄG. A OSTRÓDA**
Ul. Mickiewicza 9A
✆/Fax : (089) 646 38 71
A Elbląg. Ul. Panieńska 14
✆/Fax : (055) 232 43 07
www.um.ostroda.pl – inf@zegluga.com.pl

FROMBORK

Une importante cathédrale, construite au XIIIe siècle, et miraculeusement épargnée par la Seconde Guerre mondiale, domine cette petite ville tranquille (détruite à 80 %) où Copernic passa la dernière moitié de sa vie. L'astronome est d'ailleurs enterré quelque part dans la cathédrale, mais personne ne connaît l'emplacement exact. A vous de jouer les détectives !

Transports

▶ **Train.** Gare située à proximité du centre-ville. Nombreux trains pour Elbląg, et de là pour Gdańsk.

▶ **Bus.** Terminal situé en face de la gare, quelques bus directs pour Gdańsk et les autres villes de la région.

▶ **Bateau.** En été, quelques départs pour

Krynica Morska pour une promenade dans le lagon. L'embarcadère se trouve derrière la gare.

Hébergement

▪ CAMPING
Ul. Braniewska
✆ (055) 243 73 68
Ouvert du 15 juin au 30 septembre. Location de bungalows.

▪ AUBERGE DE JEUNESSE COPERNIKUS
Ul. Elblaska 11
✆ (055) 243 74 53
Dispose d'un parking gardé.

Confort ou charme

▪ KOPERNIK
Ul. Kościelna 2 ✆ (055) 243 72 85
32 chambres, au pied de la Colline de la cathédrale de Frombork.

Luxe

▪ KADYNY COUNTRY CLUB
✆ (055) 231 61 20
Fax : (055) 231 62 00
kadyny@kadyny.com
Chambres à partir de 290 zl. Situé à Kadyny, à mi-route entre Frombork et Elbląg. D'un grand confort, dans une ancienne résidence d'été de Guillaume II, l'empereur d'Allemagne, à 800 m de la plage.

Restaurants

La plupart des hôtels de Frombork proposent leur propre restaurant, en général assez bon marché.

Par ailleurs un certain nombre de bistrots bordent le Rynek. Mais il n'y a pas d'adresses particulièrement recommandables dans cette ville où l'on ne vient pas en pèlerinage gastronomique.

Points d'intérêt

Pratiquement toutes les visites de Frombork sont regroupées sur la colline de la cathédrale, dont l'accès se fait au sud, par la grande porte (brama głowna).

▪ CATHEDRALE (KATEDRA)
Colline de la cathédrale
(Wzgórze Katedralne)
Ouverte du lundi au samedi de 9h à 16h. Billets : 3 zl, réduit : 2 zl. Construite au XIVe siècle, elle

est de style gothique en briques. L'intérieur a conservé en certains endroits son aspect d'antan (comme les nombreuses stèles funéraires), mais beaucoup de transformations ont été faites, principalement en ce qui concerne le style baroque, très présent dans les décorations et surtout l'orgue magnifique. En été, des concerts d'orgue sont organisés le dimanche à 14h.

▪ TOUR RADZIEJOWSKI (DZWONNICA)
Ouverte tous les jours de 9h à 16h. Billets : 4 zl, réduit : 2 zl. Construite entre les XIVe et XVIIe siècles, de style gothique baroque, elle servit d'abord de clocher pour la cathédrale, et est maintenant ouverte aux touristes et propose une vue intéressante sur l'ensemble épiscopal ainsi que sur le reste de la ville et la campagne environnante. Elle abrite le pendule de Foucault qui permet de mesurer le mouvement de la Terre et dans ses sous-sols est installé un planétarium, ouvert tous les jours, projections à 10h40, 12h20, 14h, 15h40 (*billets : 6 zl, réduit : 4 zl*).

▪ MUSEE NICOLAS COPERNIC (MUZEUM MIKOŁAJA KOPERNIKA)
Ul. Katredralna 12
✆/Fax : (055) 243 72 18
www.frombork.art.pl
frombork@softel.elblag.pl
Ouvert du mardi au dimanche de 9h à 16h. Billet : 3 zl, tarif réduit : 2 zl. Installé dans l'ancien palais épiscopal (pałac biskupi), ce musée présente les travaux et la vie quotidienne du grand astronome, véritable orgueil de la ville. On y trouve de nombreux objets lui ayant appartenu, ainsi que des notes relatant ses travaux.

▪ TOUR COPERNIC (WIEŻA KOPERNIKA)
Ouvert à la demande. Billet : 2 zl. Construite au XIVe siècle, elle servit d'observatoire à Copernic qui venait y observer les étoiles.

▪ CHAPELLE SAINTE-ANNE (KAPLICA ŚW. ANNY)-
Au pied de la colline de la cathédrale, cette chapelle du XVe siècle abrite de splendides fresques murales représentant les scènes du Jugement dernier.

▪ EGLISE SAINT-NICOLAS (KOŚCIÓŁ ŚW. MIKOŁAJA)
Un des rares bâtiments du centre-ville encore debout. Cette église a brûlé en 1945 et – chose étonnante – il ne s'y déroule plus aujourd'hui d'office religieux.

LA MAZURIE, PODLACHIE

LIDZBARK WARMIŃSKI

Ville comptant environ 18 000 habitants, ancienne capitale d'un duché épiscopal, et ancien siège des évêques de la Warmie. Dans les années 1503-1510, Nicolas Copernic séjourna au château en tant que secrétaire, conseiller et médecin de l'évêque Łukasz Watzenrode, son oncle.

L'évêque Ignacy Krasicki, le plus grand écrivain du siècle des lumières polonais, y séjourna pendant 30 ans. Aujourd'hui, Lidzbark Warmiński est un centre de services et de commerces d'une région à vocation agricole. Cette petite ville est à la fois tranquille et riche en vestiges d'un passé glorieux.

Transports

▶ **Train.** Gare proche du centre. Un seul train en direction d'Olsztyn, prendre le bus pour d'autres destinations.

▶ **Bus.** Terminal situé à côté de la gare. Nombreux bus pour toutes les directions plus ou moins proches, y compris Gdańsk.

Pratique

▶ **Indicatif téléphonique :** 089.

■ **www.zamkigotyckie.org.pl** – En anglais. Site sur les châteaux gothiques de la région. Donne également quelques informations sur les bases touristiques.

Hébergement

■ **CAMPING BIAŁY ŁABĘDZ**
℡ (089) 767 54 58
Situé à 4 km de la ville, sur le bord du lac Wielichowo. Pour y aller, prendre le bus en direction de Gorowo Ilaweckie et descendre à l'embranchement de Wielichowo. Il ne reste alors que quelques minutes de marche avant d'atteindre le camping dont l'accès est indiqué. Confort sommaire.

■ **ZAJAZD POD KŁOBUKIEM**
Ul. Olszyńska 4
℡ (089) 767 32 91. www.hotel.vel.pl
Il s'agit d'un motel, situé à 2 km de la ville, en direction d'Olsztyn. Assez confortable, dispose d'une piscine à l'extérieur.

Points d'intérêt

■ **PORTE HAUTE (WYSOKA BRAMA)**
Cet édifice du XVe siècle marque l'entrée de la vieille ville, mais malheureusement il n'en

reste pas grand-chose. Voilà donc le symbole d'une ville défigurée, vestige du passé.

■ **EGLISE ORTHODOXE (KOŚCIÓŁ PRAWOSŁAWNY)**
Construite pendant la période de domination allemande, au début du XIXe siècle, cette église en bois sert maintenant au culte orthodoxe, plus présent dans la région.

■ **EGLISE PAROISSIALE (KOŚCIÓŁ FARNY)**
Grosse bâtisse en briques de style gothique, assez bien préservée. Particularité : le sommet de la tour a été détruit par la foudre en 1698, et reconstruit dans un style baroque qui attire les regards des curieux (Pourriez-vous imaginer Notre-Dame de Paris dont les tours seraient construites dans le style du XVIIIe siècle).

■ **CHATEAU (ZAMEK)**
Pl. Zamkowy 1
℡ (089) 767 21 11
C'est l'édifice le plus intéressant de Lidzbark Warmiński, qui justifie à lui seul un passage dans cette ville. D'abord construit en briques au XIVe siècle, dans le plus pur style médiéval, il fut ensuite remanié à plusieurs reprises, mais sans perdre de son éclat. Cette forteresse n'a, par miracle, nullement été endommagée par la Seconde Guerre mondiale, et ce n'est pas une copie reconstruite depuis, mais l'original, que nous vous convions à visiter.

■ **MUSEE DE WARMIE (MUZEUM WARMII I MAZUR)**
Pl. Zamkowy 1
℡ (089) 767 21 11
Ouvert du mardi au dimanche de 9h à 16h, jusqu'à 17h entre le 15 juin et le 31 août.
Ce musée occupe pratiquement l'intégralité du château, et permet à la fois d'en visiter l'intérieur, mais également de contempler des œuvres d'art médiéval, ainsi qu'une étonnante collection de peintures polonaises du XXe siècle.

RESZEL

Voilà une étape qui ne peut laisser que d'agréables souvenirs. Reszel est un petit village entre Lidzbark et Kętrzyn, qui n'a pratiquement pas évolué depuis sa fondation au XIIIe siècle.

Seules les guerres du XVIIIe siècle sont venues perturber sa quiétude, et il est depuis retourné à sa douce léthargie. Faites un voyage dans le passé, oubliez le temps (comme l'horloge de l'église qui ne marche plus depuis bien longtemps), et venez respirer l'air tranquille de Reszel.

Transports

Il n'y a pas de train qui passe à Reszel, mais les bus sont nombreux, et relient la ville aux principales destinations de la région, jusqu'à Gdańsk. Le terminal est proche du centre-ville.

Hébergement

◼ AUBERGE DE JEUNESSE
Ul. Krasickiego 7 ℰ (089) 755 00 12
Ouvert en juillet et août, dans l'enceinte de l'école. Chambres à partir de 9,50 zl. Petit déjeuner : 3,50 zl. Bien située.

◼ HOTEL DU CHATEAU
Dans l'aile est du château
ℰ (089) 755 01 09
Prix raisonnables pour un confort correct, chambres simples et doubles avec salle de bains, et surtout un cadre très agréable, à partir de 170 zl. Chambres avec connexion Internet.

Restaurants

◼ KAWIARNIA ZAMEK
Ul. Podzamcze 3 ℰ (089) 755 01 09
Situé dans le château, dans un cadre agréable.

◼ RESTAURACJA U RENATY
Ul. Wyspiańskiego 7 ℰ (089) 755 21 60.
Ouvert de 11h minuit. Cuisine polonaise classique.

Points d'intérêt

◼ CHATEAU (ZAMEK)
Ouvert du 15 mai au 30 septembre du mardi au dimanche de 10h à 17h (de 10h à 15h hors saison). Billets : 5 zl, réduit : 2,50 zl. Cet édifice en briques du XIVe siècle est devenu une galerie d'art moderne, on y trouve aussi un petit musée archéologique. Sa tour offre une belle vue sur la vieille ville et les environs du château (billet à 1 zl).

◼ EGLISE PAROISSIALE (KOŚCIÓŁ PARAFIALNY)
Construite également au XIVe siècle, elle a été transformée au XIXe siècle dans le style de l'époque, ce qui lui enlève de son authenticité.

◼ PONT GOTHIQUE (MOST GOTYCKI)
Cette construction du XIVe siècle en briques est aujourd'hui fermée à la circulation, mais on peut y visiter les salles qui ont servi de prison prusse au XIXe siècle.

ŚWIĘTA LIPKA

La traduction du nom de ce village évoque à la fois la piété et le calme : Saint-Tilleul. Proche de Reszel, ce minuscule hameau possède une église baroque absolument magnifique. Seul un miracle explique ce fait étrange.
Les pèlerins et les curieux s'y pressent donc, mais ne peuvent perturber la quiétude de cet endroit insolite.

Transports

De nombreux bus relient Święta Lipka à la plupart des villes de la région, principalement Kętrzyn et Olsztyn. Il n'y a pas de gare ferroviaire dans ce minuscule village.

Points d'intérêt

◼ L'EGLISE
Comme c'est toujours le cas, l'histoire du miracle est très belle. Un condamné à mort a, sur la demande de la Vierge qui lui serait apparue, sculpté une statue la représentant dans un tronc d'arbre. Ses juges en furent tellement attendris qu'ils lui accordèrent la liberté. A peine libre, l'homme déposa la statue devant le premier tilleul qu'il trouva, comme la Vierge lui avait demandé.
C'est à cet emplacement que, par la suite, de nombreux miracles se seraient produits, et au XVIIe siècle, les frères jésuites qui avaient la charge de l'emplacement décidèrent d'y bâtir une église. Au cours du XVIIIe siècle, l'église s'entoura petit à petit d'un ensemble de bâtiments et d'un cloître, et devint un véritable monastère.
Les plus grands artistes de la région vinrent s'y succéder et imposèrent leur griffe dans les domaines de la sculpture, la peinture et l'ébénisterie, faisant de cet endroit un véritable joyau de l'art baroque flamboyant. Aujourd'hui, le site est parfaitement conservé, et il peut être visité du lundi au samedi de 8h à 18h, le dimanche de 10h à 11h, de 12h à 14h et de 15h à 17h. Le 14 et le 15 août sont des jours exceptionnels pour s'y rendre, mais les pèlerins y sont particulièrement nombreux, et les problèmes de logement plus importants. En juillet et en août, des concerts d'orgue sont organisés.

LA MAZURIE, PODLACHIE

Présentation de cet orgue le dimanche et fêtes à 10h30, 12h30, 13h30, 15h30, 16h30, jours de semaine 9h30, 10h30, 11h30, 13h30, 14h30, 15h30, 16h30, 17h30. En effet, les orgues baroques de 1721 sont une véritable attraction. Lorsqu'ils jouent, des figurines se mettent en mouvement et l'archange, visible sur la tour centrale, joue de la mandoline, tandis que des chérubins tournent sur eux-mêmes.

▶ **Renseignements :** paroisse de la Visitation de la Vierge. Święta Lipka 29 ℭ (089) 755 14 68 – Fax : (089) 755 14 60.

KĘTRZYN

Ce nom a été donné à la ville prussienne de Rastenburg, devenue polonaise en 1945, en hommage à l'historien Wojcieh Kętrzynski (1838-1919) qui étudia l'histoire des Polonais dans cette partie de la Prusse orientale. Située à proximité du repaire du loup (Wilczy Szaniec), Kętrzyn peut être une étape intéressante.

Transports

▶ **Train.** Gare située à moins de 1 km du centre. Plusieurs trains par jour en direction des villes de Mazurie ainsi que de Gdańsk (via Elbląg), et un direct pour Varsovie.

▶ **Bus.** Le terminal est à côté de la gare. Il y a des bus pour toutes les directions, car ce moyen de transport est très répandu en Mazurie. Pour aller au repaire du loup, prendre le bus n° 1 en direction de Gierło (nom du village situé à côté du site), mais il ne fonctionne qu'en été.

Pratique

■ **OFFICE DU TOURISME**
Karpiuk J. Orbis. Plac Piłsudskiego 1
ℭ (089) 751 20 40
Fax : (089) 751 47 65
www.ketrzyn.com.pl

Hébergement

■ **AGROS**
Ul. Kasztanowa 1
ℭ (089) 751 52 40
Bon confort, mais prix assez élevé. Demander à voir les chambres avant de signer, car elles ne sont pas toutes du même standing. Par rapport aux gares, l'hôtel se trouve de l'autre côté de la ville, à environ 15 min à pied.

Le Repaire du loup (Wilczy Szaniec)

Perdues au fond de la forêt à 9 km à l'est de Kętrzyn, près de Gierło, des ruines de béton dissimulent le quartier général d'Hitler, construit à partir de l'automne 1940 en vue de la grande offensive allemande vers l'est. Certains des murs de ces tristes bâtiments font 8 m d'épaisseur, et pourtant Hitler en ces lieux échappa de peu à un attentat préparé par Claus von Stauffenberg. Hitler décida lui-même de détruire tous les bunkers avant l'arrivée des Soviétiques, mais ceux-ci durent tout de même désamorcer 55 000 mines disposées dans les alentours. L'entrée coûte 7 zl, et le parking, qui se trouve devant, le même prix. On peut au choix errer seul dans les lieux, et ne pas tout comprendre, ou se faire accompagner d'un guide parlant notre langue (il est alors préférable d'être à plusieurs pour se répartir les frais). Pour y aller, prendre le bus Kętrzyn-Wegorzewo, qui s'arrête devant le site. Hôtel et restaurant installés dans l'ancien bloc des officiers, à l'entrée du site, seule adresse dans les parages, mais les prix pratiqués y sont tout à fait corrects et le service satisfaisant. Ouvert toute l'année. Chambres de 1, 2 et 3 personnes, à partir de 60 zl. Pour les plus courageux, il y a un terrain de camping assez sommaire juste en face, ouvert de juin à septembre.

■ **REPAIRE DES LOUPS,
A GIERŁOŻ (WILCZY SZANIEC)**
ℭ (089) 752 44 29
Fax : (089) 752 44 32
www.wolfsschanze.home.pl
(site prévu en anglais et en allemand)
kontakt@wolfsschanze.home.pl

ZAJAZD POD ZAMKIEM
Ul. Struga 3
✆ (089) 752 31 17
Petit hôtel bien situé, mais souvent complet en été. Les prix sont raisonnables, en rapport avec le cadre et la qualité. C'est le meilleur hôtel de Kętrzyn, qui abrite aussi un bon restaurant.

WANDA
Ul. Wojska Polskiego 27
✆ (089) 751 85 84 – Fax : (089) 751 00 88
Chambres à partir de 90 zl. Confort sommaire.

Restaurants
Pas grand-chose pour les gastronomes à Kętrzyn, voici les meilleures adresses que nous vous proposons :

ARIA
Ul. Daszynskiego 25 ✆ (089) 751 24 55

KOSMOS
Ul. Sikorskiego 22 ✆ (089) 751 28 50

Points d'intérêt

CHATEAU (ZAMEK KRZYŻACKI)
Ul. Dworcowa (à proximité de la gare)
Bâti à la deuxième moitié du XIVᵉ siècle et plusieurs fois reconstruit. Il est très bien conservé et abrite un musée consacré à l'histoire de la région, à partir des documents de Wojcieh Ketrzynski, patron de la ville. Y sont exposés des peintures, sculptures et divers objets datant du XVᵉ au XIXᵉ siècle.

MUSEE DE KĘTRZYN (MUZEUM IM. WOJCIECHA KĘTRZYNSKIEGO)
Plac Zamkowy 1 ✆ (089) 752 32 82
Ouvert du 15 juin au 15 septembre du lundi au vendredi de 9h à 18h, le samedi et le dimanche de 9h à 17h, hors saison le lundi et le samedi et le dimanche de 9h à 15h, du mardi au vendredi de 9h à 16h.

BASILIQUE SAINT-GEORGES (BAZYLIKA ŚW. JERZEGO)
A visiter surtout pour les décorations intérieures superbes car, vue de l'extérieur, cette église présente un aspect plutôt austère.

GIŻYCKO
Avec 30 000 habitants, c'est la ville la plus touristique de la région. Cela ne tient pas à son charme, qui n'a rien d'exceptionnel – la ville ayant été détruite à plusieurs reprises -, mais aux activités proposées sur les lacs et dans les forêts

alentour. L'afflux de touristes en été en a fait une véritable station de vacances et de loisirs, avec de nombreux logements et restaurants.

Transports
▶ **Train.** La gare est située en bordure du lac Niegocin. Nombreux trains pour les villes de la région ainsi que pour Białystok et Gdańsk. Par contre, en été, il n'y a qu'un seul train par semaine pour Varsovie.

▶ **Bus.** Terminal à côté de la gare. Départ pour toutes les villes de la Mazurie, ainsi que 3 bus quotidiens directs pour Varsovie.

▶ **Bateau.** Embarcadère proche de la gare. Possibilité de faire le tour du lac Niegocin et de rallier certaines villes du coin, jusqu'à Mikołajki.

Pratique

OFFICE DU TOURISME (MAZURSKA AGENCJA ROZWOJU I PROMOCJI TURYSTYKI)
Ul. Warszawska 7
✆ (087) 428 52 65/57 60
www.gizycko.turystyka.pl (site intéressant en allemand) – aggiz@promail.pl
Renseignements sur la ville et la région, utile pour les trajets en bateau dans les lacs.

COMPAGNIE DE NAVIGATION DE MAZURIE
Al. Wojska Polskiego 8 (à Giżycko)
✆ (087) 428 53 32
Fax : (087) 428 30 50
www.zeglugamazurska.com.pl
rejs@zeglugamazurska.com.pl

Ports – Location de voiliers

ALMATUR
Centre international de voile et de tourisme nautique. Ul. Moniuszki 24
✆ (087) 428 59 71
sail@almatur.pl
Lac Kisajno.

CENTRALNY OŚRODEK SPORTU ODDZIAŁ GIŻYCKO
Ul. Moniuszki 22 ✆ (087) 428 23 35
dyrekcja@gizycko.cos.pl
Lac Kisajno.

MIEJSKI OŚRODEK SPORTU I REKREACJI
Port Ul. Jeziorna ✆ (087) 429 27 53
Lac Niegocin.

■ **AKADEMICKI ZWIAZEK SPORTOWY OŚRODEK SPORTOWO-TURYSTYCZNY**
Ul. Niegocinska 5
℃ (087) 428 00 72
Fax : (087) 428 00 51
www.azs-wilkasy.com.pl (site en allemand)
biuro@azs-wilkasy.com.pl
Lac Niegocin.

■ **DALBA**
Ul. Nadbrzezna 11
℃ (087) 428 29 05
Lac Niegocin.

■ **MIEDZYSZKOLNA BAZA SPORTOW WODNYCH**
Ul. Nadbrzezna 15
℃ (087) 428 56 97
mbsw@gizycko.info.pl
Lac Niegocin.

■ **OŚRODEK ZEGLARSKI LOK**
Ul. Św. Brunona 4
℃ (087) 428 14 08/25
30. lokgizycko@post.pl
Lac Niegocin.

■ **ZAMEK**
Ul. Moniuszki 1
℃ (087) 428 24 19/39 58
www.cmazur.elknet.pl (site en allemand)
cmazur@elknet.pl – Canal Luczanski.
Généralement, chaque centre propose des logements (chambres ou terrains de camping).

Hébergement

■ **CAMPING ZAMEK**
Moniuszki 1
℃ (087) 428 24 19
Fax : (087) 428 39 58
Situé près de l'hôtel Zamek, à proximité du centre. Ouvert du 1er mai au 30 septembre.

■ **CAMPING MARINA EVELYN**
℃/Fax : (087) 428 06 47
info@camping-marina-evelyn.de
Situé en bordure de lac, c'est un camping agréable et bien équipé.

■ **ZAMEK**
Ul. Moniuszki 1 ℃ (087) 428 24 19
Fax : (087) 428 39 58 – www.cmazur.pl
info@cmazur.pl
Hôtel 2-étoiles avec le camping du même nom. Chambres simples : 134 zl, doubles : 180 zl. A proximité du Canal de Giżycko. Vous pourrez y faire de l'équitation et vous réchauffer devant une cheminée.

■ **WODNIK**
Ul. 3 Maja 2
℃ (087) 428 38 71
Grand et propre, mais assez cher pour sa catégorie.

■ **GAJEWO**
Ul. Suwalska 5
℃ (087) 428 58 46
Chambres à partir de 150 zl pour 2 personnes. En bord de lac, cet hôtel est aussi un centre d'équitation. Il est donc possible de profiter d'une promenade à cheval (*15 zl par heure*) ou en calèche (*50 zl par heure*). Location de vélo.

■ **YELLOW NEPTUN CLUB**
Al. Wojska Polskiego 35
℃ (087) 428 31 60
Appartements à 170 zl pour 2 personnes. Hôtel situé près du lac Kisajno. Dispose de six appartements, un sauna, une taverne et de l'accès au port. Réservation possible de bateau.

Restaurants

■ **KARCZMA POD ZŁOTĄ RYBKĄ**
Ul. Olsztynska 15
℃ (087) 428 55 10
Le meilleur restaurant de la ville, spécialisé dans les plats de poisson, dont l'anguille fumée « węgorz wędzony ».

■ **RESTAURACJA MAZURSKA**
Ul. Warszawska 2
℃ (087) 428 51 39
Spécialisé dans le poisson. Le meilleur plat ici est le sandre « sandacz ».

■ **JANTAR**
Ul. Warszawska 10
℃ (087) 428 54 15
Grand choix de plats traditionnels, notamment schab po mazursku (échine de porc), bigos, kasza gryczana z sosem (sarrazin).

Point d'intérêt

■ **FORT BOYEN (TWIERDZA BOYEN)**
Ul. Turystyczna 1
Construit au milieu du XIXe siècle par les Prussiens afin de contrôler la frontière avec la Russie, le fort Boyen est sorti indemne des combats de la Première Guerre mondiale (particulièrement intenses dans cette région alors frontalière entre deux belligérants – Allemagne et Russie). Pendant la Seconde Guerre mondiale, les Allemands en firent un poste avancé, et l'abandonnèrent sans

combattre en 1945. L'édifice est donc parfaitement conservé. Depuis la guerre, une partie de ses bâtiments sert de bureaux et de hangars. On peut y entrer (*billet : 3 zl, réduit : 2 zl*), mais l'endroit n'a rien d'exceptionnel comparé avec les nombreux châteaux médiévaux dont s'enorgueillit la Pologne. Des concerts et festivals y sont organisés.

MIKOŁAJKI

Vous entendrez beaucoup parler de ce village de 4 000 habitants si vous voyagez en Mazurie, car il s'agit là d'un centre important de tourisme.

En été, la population est largement plus importante, et donne à ce site agréable des allures de vacances et d'insouciance. Mikołajki offre de nombreuses possibilités d'excursions dans la région qui l'entoure, principalement en bateau sur les lacs de la Mazurie.

Le petit port devient le temps de quelques semaines en été le rendez-vous de tous les amoureux de la région et des promenades en bateau sur les lacs et les canaux. Nous vous conseillons de vous arrêter à Mikołajki plutôt qu'à Giżycko, mais les logements sont souvent bondés en été, aussi est-il préférable de réserver quelques jours à l'avance.

Transports

▶ **Train.** Gare située à 15 min à pied au nord du centre-ville. Trains pour Giżycko et Olsztyn.

▶ **Bus.** Terminal dans le centre. De nombreux bus pour toutes les directions locales, ainsi que plusieurs directs quotidiens vers Varsovie en été.

▶ **Bateau.** En été, des liaisons relient Mikołajki à Giżycko, Ruciane et le lac Śniardwy.

Pratique

▶ **Indicatif téléphonique :** 087.

■ **INFORMATION TOURISTIQUE (INFORMACJA TURYSTYCZNA)**
Pl. Wolności 3
✆ (087) 421 68 50
Ouvert de 9h à 18h.

La Mazurie en bateau

Les grandes étendues d'eau des lacs de Mazurie et de la région de Suwałki offrent les conditions idéales pour la pratique de la voile.
Ce sport est praticable sur tous les grands lacs de cette contrée, en particulier dans la région des grands lacs de Mazurie : les lacs Śniardwy, Mikoljskie, Beldany, Talty, Rynskie, Niegocin et Nidzkie, le lac Mamry et les lacs des environs d'Augustów, de Suwałki (lac Wigry, voir : la Podlachie), d'Ostróda (lac Drwęckie) et d'Iława (lacs Jeziorak et Płaskie).

▶ **Les centres de tourisme et de voile** sont localisés à Giżycko, Węgorzewo, Mikołajki, Ruciane-Nida, Augustów, Ostróda et Iława, ainsi que dans quelques autres localités plus petites telles que Stary Folwark, sur le lac Wigry, Kamień sur le lac Bałdany, Wilkasy près de Giżycko ou Stare Jabłonski sur le lac Szeląg. On trouve dans tous ces endroits une multitude de terrains de camping ainsi que des bases nautiques de toutes tailles, réparties sur tous les lacs et cours d'eau.

▶ **Les bateaux de la Compagnie mazurienne de navigation** font régulièrement la navette entre Giżycko et Węgorzewo, Giżycko et Mikołajki, Mikołajki et Ruciane-Nida, sur les grands lacs de la Mazurie reliés entre eux par des canaux. Une autre voie navigable ramifiée est l'itinéraire du canal d'Elbląg à Ostróda. Les randonnées sur la plus longue section de cet itinéraire conduisent d'Ostróda à Elbląg et constituent une attraction tout à fait particulière du fait de son installation technique unique en Europe (voir Elbląg). On se croirait dans une des scènes de Fitzcarraldo avec Klaus Kinski tentant de faire passer une montagne à son bateau dans la forêt amazonienne. Les bateaux de la flotte fluviale desservent également certains lacs de la région d'Augustów et le lac Wigry près de Suwałki. On trouve partout des endroits merveilleux, une flore superbe et de nombreux oiseaux aquatiques.

© S.NICOLAS

Mazurie, château

Hébergement

Nombreux logements chez l'habitant.

▓ **CAMPING CAMRAD**
Ul. Kajki 57
✆ (087) 421 61 98
www.camrad.pl (site en allemand)
camrad@interia.pl
Camping ombragé agréable en bord de lac.
Location de caravanes équipées et dotées
d'auvent (*4 personnes, à partir de 80 zl*).

Confort ou charme

▓ **PENSION MIKOŁAJKI**
Ul. Kajki 18
✆ (087) 421 64 37
Confort au bord du lac Mikołajskie.

▓ **PENSION WODNIK**
Ul. Kajki 130
✆ (087) 421 61 41
Proche de la précédente, mais encore plus
confortable. Elle dispose d'un petit ponton
privé, et le restaurant typique est délicieux.

Luxe

▓ **AMAX**
Al. Spacerowa 7
✆ (087) 421 90 00
Fax : (087) 421 90 01
amax@hotel-amax.pl
Chambres à partir de 350 zl l'été. Beau
complexe hôtelier comprenant des chambres,
appartements, bungalows et un institut de
soins.

▓ **GOŁĘBIEWSKI**
Ul. Mrągowska 34
✆ (087) 429 07 00
Fax : (087) 429 07 44
www.golebieski.pl
mikolajki@golebiewski.pl
Chambres à partir de 320 zl l'été. Très
luxueux, en bordure du lac, cet hôtel propose
de nombreuses excursions, y compris en
hélicoptère.

Points d'intérêt

▓ **RESERVE DE ŁUKNAJNO**
(REZERWAT JEZIORO ŁUKNAJNO)
Située à 5 km de Mikołajki en allant vers
l'est, cette réserve se présente sous la forme
d'un lac dans lequel vivent des dizaines
d'espèces animales. La réserve naturelle
du lac de Łuknajno est inscrite sur la liste
des réserves mondiales de la Biosphère
de l'Unesco. Ce lac représente l'habitat de
plusieurs espèces d'oiseaux, notamment un
nombre impressionnant de cygnes, qui s'y
installent en été. Il est très difficile d'accéder
au lac, car aucun moyen de transport n'y
conduit, et il faut se résigner à y aller par
soi-même. Pour connaître le meilleur accès,
il est préférable de demander à l'office du
tourisme de Giżycko.

Dans les environs

Popielno

Petit village situé à 7 km au sud-est de
Mikołajki, Popielno dispose d'une réserve
de tarpans, race de chevaux très rare
aujourd'hui, ainsi qu'une ferme de cerfs.
L'endroit se présente sous la forme d'un centre
de recherche, dont le personnel est disposé
à vous donner des informations.
Par politesse, ils chercheront toujours à vous
être agréables. Pour visiter le musée du centre
de recherche, il faut téléphoner avant au
✆ (087) 423 15 19.

La Podlachie

La traduction du nom Podlachie signifie « pays voisin de la forêt ». Comment mieux définir la Podlachie que par son nom ? L'immense forêt de Białowieża, avec son centre classé parc national, est la principale attraction touristique.

Plus encore que dans la Mazurie, on vient en Podlachie pour profiter de la nature. Il faut remarquer cependant que cette région est un véritable carrefour entre les cultures catholique et orthodoxe, si bien qu'il est parfois difficile, dans les petits villages, de deviner de quel côté de la frontière l'on se trouve.

La plupart des habitants de la campagne parlent encore le biélorusse, comme s'ils ignoraient qu'ils sont polonais depuis 1918. De plus, chaque village a créé son propre dialecte, basé sur ce mélange de cultures, de religions, d'origines. C'est une autre Pologne qui s'offre à vous ici, sans doute hors du temps, en tout cas hors du nôtre. Mais une Pologne belle, culturellement riche et accueillante…

RÉGION DE SUWAŁKI (SUWALSZCZYZNA)

AUGUSTÓW

Cette petite ville de 30 000 habitants date du XVIe siècle, mais n'a commencé réellement à se développer qu'au XIXe siècle, avec le canal et la voie ferrée. La ville a été complètement détruite pendant la Seconde Guerre mondiale, et ne présente donc pas d'intérêt particulier. Par contre, les alentours sont superbes, car Augustów est entourée de lacs et surtout de l'immense forêt qui porte son nom et se prolonge de l'autre côté de la frontière lituanienne. Grâce à ce potentiel unique, Augustów est aujourd'hui un véritable centre de tourisme, par lequel vous passerez certainement si vous faites escale dans la région, vous remarquerez alors son canal impressionnant.

Transports

▌ **Train.** Gare principale à l'est de la ville, à laquelle elle est reliée par des bus. Trains pour la plupart des villes de la région, ainsi que plusieurs directs quotidiens vers Varsovie.

▌ **Bus.** Terminal dans le centre-ville. De nombreux bus pour toutes les destinations de la région. Ce moyen de transport est ici préféré au train, car il est nettement plus rapide.

Pratique

Office du tourisme

▪ **CENTRE D'INFORMATION TOURISTIQUE (CENTRUM INFORMACJI TURYSTYCZNEJ)**
Ul. 3-go Maja 31
✆ (087) 643 28 83. www.augustow.pl

▪ **BUREAU TOURISTIQUE PTTK (BIURO OBSŁUGI RUCHU TURYSTYCZNEGO PTTK)**
Ul. Nadrzeczna 70A
✆ (087) 643 38 50/34 55

▪ **AGENCE DE VOYAGES ORBIS (BIURO PODRÓŻY LICENCJA ORBIS)**
Rynek Zygmunta Augusta 12
✆ (087) 643 31 18
Ouvert du lundi au vendredi de 8h à 16h (17h en été), le samedi de 10h à 15h.

▪ **BUREAU TOURISTIQUE (BIURO USŁUG TURYSTYCZNYCH SIROCCO)**
Ul. Zarzecze 5A
✆ (087) 643 31 18

▪ **BUREAU TOURISTIQUE (PRZEDSIĘBIORSTWO TURYSTYCZNE SZOT)**
Ul. Wojska Polskiego 5 ✆ (087) 643 43 99

▪ **BUREAU TOURISTIQUE (BIURO TURYSTYCZNE DOM NAUCZYCIELA)**
Ul. 29 Listopada 9 ✆ (087) 643 40 93
Fax : (087) 643 54 10
augustowdnznp@hot.pl
A proximité du port. Organise de nombreuses activités, dont des circuits en kayak. Parlent allemand et éventuellement anglais.

Location de bateaux

▪ **OŚRODEK ŻEGLARSKI**
Ul. Nadrzeczna 70A ✆ (087) 643 34 55
Ouvert du lundi au ven-dredi de 8h à 17h, le samedi de 8h à 14h.

■ **BIURO TURYSTYCZNE
DOM NAUCZYCIELA**
Ul. 29 Listopada 9 ✆ (087) 643 40 93

■ **BIURO USŁUG TURYSTYCZNYCH
SIROCCO**
Ul. Zarzecze 5A ✆ (087) 643 31 18

■ **SZOT**
Ul. Konwaliowa 2 ✆ (087) 644 67 58

■ **OŚRODEK ŻEGLARSKI PTTK**
Ul. Nadrzeczna 72 ✆ (087) 643 38 50

■ **NECKO**
Ul. Chreptowicza 3/39 ✆ (087) 644 56 39

■ **JAN WOJTUSZKO**
Ul. Nadrzeczna 62A ✆ (087) 64 47 540

■ **KANU**
Ul. Zarzecze 8A ✆ (087) 643 25 30

■ **TRAMP**
Plaga Borki au lac Necko
✆ (087) 644 65 08

■ **AGA – TO**
Ul. Wojska Polskiego 14A
✆ (087) 64 45 472

Hébergement

■ **MOTEL TURMOT**
Ul. Mazurska 4 ✆ (087) 643 28 67
www.turmot.superturystyka.pl
turmot@su.home.pl
*Chambres simples sans salle de bains : 55 zl,
doubles : 75 zl, avec salle de bains de 90 zl
à 120 zl.* Situé à 800 m du centre-ville. Vous
pourrez y griller au barbecue, il y a aussi un
restaurant. Location des kayaks et de yachts.
Excursion en bateau.

■ **HETMAN**
Ul. Sportowa 1 ✆ (087) 644 53 45
Situé en bordure du lac, cet hôtel dispose
également d'un camping en saison.

■ **DOM NAUCZYCIELA**
Ul. 29 Listopada 9
✆ (087) 643 40 93 – Fax : (087) 643 54 10
augustowdnznp@hot.pl
Chambres à partir de 85 zl. A proximité du
port. Accueil sympathique.

■ **DELFIN**
Ul. Turystyczna 81 ✆ (087) 644 31 12
Fax : (087) 644 35 88

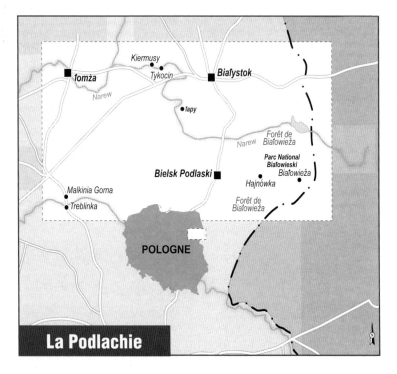

La Podlachie

www.hotel-delfin.com.pl
augustow@hotel-delfin.com.pl
atlantis@hotel-delfin.com.pl
Chambres à partir de 320 zl l'été. Situé en
bord de lac Białe. Bon confort. L'aquaparc
Atlantis compris dans le prix de la nuité.
Location de kayacs.

Restaurants

On trouve à Augustów toute une série de bars
autour du Rynek qui proposent une cuisine
simple à des prix corrects.

▓ ALBATROS
Ul. Mostowa 3 ℰ (087) 643 21 23
Avec des plats traditionnels, c'est le meilleur
restaurant de la ville.

▓ BEAST
Ul. Chreplowicza 17
ℰ (087) 644 78 25/087 643 69 00
www.pizzeriabest.augustow.pl
Ouvert de 9h à 23h. Ce restaurant offre 37
sortes de pizzas et lasagnes.

Points d'intérêt

▓ FORET D'AUGUSTÓW
(PUSZCZA AUGUSTOWSKA)
Couvrant plus de 1 100 km², elle s'étend
jusqu'à la frontière avec la Lituanie et la
Biélorussie. On y trouve de nombreuses
espèces animales sauvages dans un cadre
parfaitement préservé. Il est possible de
couvrir une partie du territoire en voiture,
car des routes la traversent. Pour le reste,
les excursions pédestres sur les sentiers sont
nombreuses, et il est possible de se procurer
une carte détaillée de tous les itinéraires à
l'office du tourisme et dans certains hôtels. En
effet, il peut être dangereux de s'y aventurer
sans être renseigné, car la partie sud est
couverte de marécages, et l'on trouve encore
des loups et des sangliers dans cet endroit.

▓ CANAL D'AUGUSTÓW
(KANAL AUGUSTOWSKI)
Creusé entre 1824 et 1830, ce canal devait
à l'origine permettre à la partie russe de la
Pologne d'avoir un accès sur la mer Baltique,
car la côte était contrôlée par les Prussiens qui
imposaient des tarifs douaniers exorbitants.
Il constitue un monument remarquable de
l'art des constructions hydrauliques, de
plus de 80 km sur le territoire polonais. Cet
ouvrage de génie civil est en instance de
dépôt d'une demande d'inscription sur la
liste du Patrimoine mondial de l'Unesco. Vers

l'est, il traverse toute une série de lacs dans
la forêt d'Augustów, et conduit tout droit à la
frontière, en proposant un périple superbe. Les
amateurs de canoë peuvent s'y promener sur
plus de 30 km entre Augustów et la frontière
biélorusse. Il est moins intéressant dans
sa partie sud, où se trouvent de plus gros
bateaux.

▓ MUSEE DE L'HISTOIRE
DU CANAL D'AUGUSTÓW
(MUZEUM KANAŁU AUGUSTOWSKIEGO)
Ul. 29 Listopada 5A ℰ (087) 643 23 60
*Ouvert du mardi au dimanche de 9h à
16h (de mai à septembre, sur demande
le reste de l'année, s'adresser au musée
ethnographique).*

▓ MUSEE REGIONAL D'ETHNOGRAPHIE
(MUZEUM ZIEMI AUGUSTOWSKIEJ
DZIAŁ ETNOGRAFICZNY)
Dans la bibliothèque publique, rue Hoża 7
ℰ (087) 643 27 54.
Ouvert du mardi au dimanche de 9h à 16h.

SUWAŁKI

Si vous pensiez trouver à Suwałki le charme
et l'authenticité de la plupart des autres villes
de la région, alors passez votre chemin. C'est
la plus grande ville de la région offrant des
moyens de transports plus importants que les petits
villages pittoresques, mais y passer n'est qu'un
prétexte pour s'évader dans la campagne.

Transports

▶ **Train.** Gare à 1,5 km à l'est du centre-ville.
Trains quotidiens vers les grandes villes de la
région, et Varsovie.

▓ GARE ROUTIÈRE.
Ul. Utrata, à 1 km à l'est du centre-ville
C'est le moyen de transport le plus pratique
pour rallier des petites villes proches, mais
l'on trouve également chaque jour des bus
pour Gdańsk et Varsovie.

Pratique

Il existe beaucoup de bureaux d'information
dans la ville. En voici quelques-uns.

▓ BIURO TURYSTYCZNO-USLUGOWO-
HANDLOWE GLOB
Ul. Kościuszki 37 ℰ/Fax : (087) 566 63 41

▓ PTTK
Ul. Kościuszki 37
ℰ (087) 566 59 61/79 47

LA MAZURIE, PODLACHIE

■ **ORBIS**
Ul. Noniewicza 48
✆ (087) 566 59 16/42 65
Fax : (087) 566 38 38

■ **AGENCJA TURYSTYCZNO-USLUGOWA GROMA-TOUR**
Ul. Kościuszki 86 ✆/Fax : (087) 566 27 04

Hébergement

■ **DOM NAUCZYCIELA**
Ul. Kościuszki 120 ✆ (087) 566 69 00/08
Fax : (087) 566 27 00
www.domnauczyciela.suwalki.pl
biuro@domnauczyciela.suwalki.pl
Chambres simples : 120 zl, doubles : 174 zl. Situé à quelques kilomètres à la sortie de la ville, en direction de Szybliszki et Puńsk (Lituanie). Également un bon restaurant de la cuisine polonaise.

■ **SUWALSZCZYZNA**
Ul. Noniewicza 71a
✆ (087) 565 19 29/087 566 59 22
www.hotel-suwalszczyzna.suwalki.com.pl
hotel-suwalszczyna@suwalki.com.pl

Chambres simples : 140 zl, doubles : 170 zl. Situé au centre-ville. Chambres avec salles de bains et tv sat. Possibilité de chasser dans la forêt d'Augustów.

■ **HANZA**
Ul. Wojska Polskiego 2
✆/Fax : (087) 566 66 33/44/62 23
Chambres à partir de 95 zl. Situé près de la rivière Hanza.

■ **CHAMBRE D'HOTE AGRO-TOURISME CHEZ TERESA ET ROMUALD KWATERSCY**
Bachanowo 14 (à Jeleniewo, à environ 27 km de Suwałki) ✆ (087) 568 31 86
www.bachanowo.com
Chambres fort bien tenues et à l'accueil tout simplement adorable.

Restaurants

■ **NA STARÓWCE**
Ul. Chłodna 2 ✆ (087) 563 24 24
www.foto-hela.com.pl
rozmarino94@o2.pl
Ouvert de 10h à 24h. Situé dans la vieille ville. Cuisine polonaise.

Itinéraires en canoë

Nous vous proposons ici quelques itinéraires intéressants à faire en Mazurie. Bien entendu, il est possible de pratiquer cette activité dans d'autres endroits, c'est d'ailleurs une activité très pratiquée dans toute la région, en raison du nombre impressionnant de lacs et de cours d'eau divers. On pourrait citer en plus les itinéraires sur les rivières Sapina, Pisa, Elk et Rospuda, également praticables.

Itinéraire de la Krutynia

Il commence à Sorkwity, sur le lac Lampackie, et mène jusqu'au lac Beldany dans la région des grands lacs de Mazurie après 91 km de parcours. Le trajet compte plus d'une dizaine de lacs reliés par des tronçons de la rivière Krutynia, qui portent des noms différents. Sur le chemin, on peut s'arrêter dans les bases nautiques de Sorkwity, Bienki, Babiety, Spychowo, Ukta et Nowy Moste. Chaque année, début juin, se déroule sur ce trajet une descente internationale en canoë assez populaire.

Itinéraire de la Czarna Hańcza

Il est sans doute l'un des plus pittoresques et intéressants itinéraires en canoë de toute la Pologne. Long de 97 km, il relie le lac Wigry à Augustów. Il passe par la rivière Czarna Hańcza sur 59 km, puis par le canal d' Augustów et les lacs qui y sont reliés. On traverse les plus grands lacs de la région de Suwałki, le parc naturel du lac Wigry, une partie de la forêt Puszcza Augustówska (la plus belle), des écluses et des embarcadères. On trouve des bases nautiques à Wysoki Most, Fracki, Jalowy Rog et Serwy.

Itinéraire de la Drweca

Il relie Ostróda à la Vistule sur plus de 200 km. On croise de nombreux embranchements possibles en chemin comme les rivières Iławka, Wel, Skarlanka, ou de plus petits cours d'eau, qui tous peuvent également offrir des itinéraires intéressants. Il y a de nombreux endroits dans lesquels il est possible de planter la tente en toute tranquillité.

▨ **PIZZERIA ROZMARINO**
Ul. Kościuszki 75 ✆ (087) 566 59 04
Cadre agréable pour prix raisonnables dans le centre-ville.

Points d'intérêt

▨ **MUSEE REGIONAL**
(MUZEUM OKRĘGOWE)
Ul. Kościuszki 81 ✆ (087) 66 57 50
Ouvert du mardi au vendredi de 8h à 16h, le samedi et le dimanche de 9h à 17h. Histoire de la région, principalement de la civilisation jatzvingienne, au début de l'ère chrétienne.

▨ **CIMETIERE (CMENTARZ)**
Situé à 500 m à l'ouest du centre-ville. On y trouve des tombes catholiques, protestantes, orthodoxes, musulmanes, juives, et de vieux croyants (religion très peu répandue proche de l'orthodoxie), qui témoignent de la diversité des croyances et des cultures dans l'histoire de la ville.

TREBLINKA

Si Auschwitz fut le plus grand camp d'extermination nazi, Treblinka vient en seconde position. Ce nom est donc synonyme d'horreur. Pourtant, si la visite d'Auschwitz passe par les deux camps assez bien préservés, Treblinka n'offre rien d'autre qu'une forêt et un monument du souvenir, car ici tout a été détruit.

▨ **MUZEUM WALKI I MĘCZEŃSTWA**
Lacki 76, à Kosów

Histoire

Le premier camp a été construit pendant l'été 1941, et resta en service jusqu'en juillet 1944. Au total, ce sont plus de 20 000 prisonniers, dont de nombreux Polonais, qui y moururent

en détention. On pense que plus de la moitié d'entre eux sont morts de mauvais traitements, de faim ou fusillés. C'est en juillet 1942 que le IIIe Reich installa un second camp, comme à Auschwitz, dans le but manifeste d'y exterminer les populations. On y comptait treize chambres à gaz, qui marchèrent à plein rendement pendant 16 mois. Près d'un million de personnes furent exterminées à Treblinka, dont 800 000 juifs venus de toute l'Europe, au rythme hallucinant de 5 000 à 6 000 morts par jour, jusqu'à 17 000 dans les périodes les plus dramatiques. Ce camp a été fermé dès novembre 1943, complètement détruit, et le site reboisé.

Transports

Le plus pratique pour se rendre à Treblinka est de venir de Małkinia, ville située sur la ligne ferroviaire entre Varsovie et Białystok, à 8 km au nord du site. De là, de nombreux bus conduisent à Treblinka et sont faciles à trouver. Par route, ce n'est accessible depuis Małkinia que pour un véhicule léger car il faut passer un pont étroit (une seule voie pour les deux sens et le train !) et l'accès est interdit aux gros véhicules. Attention au risque de vol sur le parking du camp, éviter d'y laisser son véhicule seul après fermeture de la caisse. Le lieu est isolé et prisé des voleurs.

Points d'intérêt

Ce lieu est davantage un lieu de recueillement que de visite. Dans une forêt presque déserte se trouvent un mémorial (*billet : 5 zl*), la route qui reliait les deux camps (Trebinka I et Treblinka II), la gare d'arrivée des convois de déportés reconstituée, ainsi qu'un cimetière symbolique fait de 17 000 rochers qui évoquent les 17 000 morts journalières, une inscription « *Plus jamais* » à l'emplacement des chambres à gaz… Poignant.

▨ LA RÉGION DE BIAŁYSTOK

BIAŁYSTOK

Ville assez récente, qui ne s'est développée qu'à partir du XVIIIe siècle, Białystok a été au XIXe siècle le deuxième plus grand centre industriel du pays. En 1920, le gouvernement bolchevique y séjourna un mois (dans le palais Branicki) pendant la guerre russo-polonaise. Rasée en 1945, la ville a été reconstruite pour subvenir aux besoins de logements,

sans tenir compte de l'esthétique. La moitié de la population a été décimée par les nazis, dont l'ensemble des juifs qui y vivaient assez nombreux. Cette ville n'est pas aujourd'hui particulièrement belle, mais elle comporte néanmoins un aspect intéressant, puisqu'elle dégage une atmosphère à mi-chemin entre les cultures polonaise et russe. En outre elle possède un très bel ensemble palais parc de style baroque tardif.

Plus grande ville de la région avec plus de 250 000 habitants, c'est aussi un bon point de départ pour explorer les villes et parcs proches.

Transports

▶ **Train.** Gare à 1 km du centre. Prendre la passerelle, car la ville se trouve de l'autre côté des voies. Pour rejoindre le centre, prendre à gauche, puis tourner à droite rue Swiętego Rocha. Trains pour Varsovie (2h30), Olsztyn et Gdańsk, mais également vers la Lituanie (Vilnius) et la Russie (Saint-Pétersbourg). Si vous souhaitez aller à Vilnius, vérifiez votre visa, car le chemin traverse une petite portion de la Biélorussie, où un visa est également obligatoire, en attendant une ligne directe entre la Pologne et la Lituanie (voir consulat).

▶ **Bus.** Terminal situé à côté de la gare (du bon côté des voies). De nombreux bus pour les villes de la région et celles plus éloignées partent de cet immense et lugubre terminal. Le bus pour Varsovie est aussi rapide que le train et moins cher.

Pratique

▪ **BUREAU D'INFORMATION TOURISTIQUE (INFORMACJA TURYSTYCZNA)**
Ul. Sienkiewicza 3
✆ (085) 653 79 50
itbialystock@poczta.onet.pl
Ouvert du lundi au vendredi de 9h à 18h, le samedi de 10h à 14h.

▪ **BUREAU TOURISTIQUE PTTK**
Ul. Lipowa 18
✆ (085) 652 25 02
Ouvert du lundi au vendredi de 9h à 16h.

▪ **ALLIANCE FRANÇAISE**
Ul. Curie Skłodowskiej 14
✆/Fax : (085) 745 71 31
alliance@noc.uwb.edu.pl

▪ **CONSULAT DE LA BIELORUSSIE**
Ul. Waryńskiego 4 ✆ (085) 744 55 01
Fax : (085) 744 66 6
konsulatblrbialystok@sitech.pl
Utile si vous voulez aller vers Vilnius ou Saint-Pétersbourg, car vous devrez alors traverser une petite partie de ce pays. Le consulat peut vous délivrer un visa touristique.

▪ **POSTE CENTRALE**
Ul. Warszawska 10

Presse internationale

▪ **EMPIK**
Ul. Sienkiewicza 3

▪ **SALON DE PRESSE RUCH**
Ul. Słonecznikowa 9

▪ **KSIĘGARNIA OXBOOK (LIBRAIRIE)**
Ul. Bohaterów Getta 3

Hébergement

▪ **CAMPING LEŚNY**
Al. Jana Pawła 77 ✆ (085) 651 16 57
Près de l'hôtel Gromada à l'extérieur du centre, en direction d'Augustów.

▪ **AUBERGE DE JEUNESSE PTSM**
Ul. Piłsudskiego 7B ✆ (085) 652 42 50
Fax : (085) 652 60 69
www.ssm.bialystok.ids.pl (informations en anglais) – ssm@ssm.bialystok.ids.pl
Chambres à partir de 25 zl. Ouvert du 1er juin au 30 septembre. Location de petites maisons en bois. Très confortable, dans un bâtiment typique tout en bois.

▪ **RUBIN**
Ul. Warszawska 7 ✆ (085) 677 23 35
Peu luxueux mais très bon marché.

▪ **GROMADA LEŚNY**
Al. Jana Pawła II 77 ✆ (085) 651 16 41
Fax : (085) 651 17 01
www.hotel-gromada-lesny.com.pl
gromada@hotel-gromada-lesny.com.pl
Chambres à partir de 165 zl (à 125 zl le week-end). Accessible des gares par les bus n° 4 et 103. Endroit agréable à l'extérieur du centre, en direction d'Augustów, dans une forêt de pins. Terrain de camping en saison.

▪ **CRISTAL**
Ul. Lipowa 3 ✆ (085) 742 50 61
Fax : (085) 742 58 00
www.cristal.com.pl – cristal@cristal.com.pl
Très confortable, restaurant, casino et boîte de nuit dans l'établissement.

▪ **GOŁĘBIEWSKI**
Ul. Pałacowa 7 ✆ (085) 643 54 35
Très moderne : deux restaurants et une piscine vous sont proposés.

Restaurants

▪ **ARSENAŁ**
Ul. Mickiewicza 2 ✆ (085) 742 85 65

www.arsenal.bialystok.pl
biuro@arsenal.bialystok.pl
Ouvert de 12h à 22h. Situé en centre-ville, dans l'ancien arsenal du palais Branicki. Cuisine régionale délicieuse, y compris la kiszka ziemniaczana (une sorte de saucisse de pomme de terre). Grand choix de poissons.

ASTORIA
Ul. Sienkiewicza 4 ✆ (085) 743 56 24
A proximité du palais, dans un cadre agréable typique de la région.

GRODNO
Ul. Sienkiewicza 28 ✆ (085) 743 52 40
Ouvert de 11h à 23h. Situé à 500 m du centre-ville. Spécialités biélorusses et polonaises. Salle de danse.

Points d'intérêt

PALAIS BRANICKI (PAŁAC BRANICKICH)
Détruit par les nazis en 1944 qui l'ont brûlé avant de fuir, cet édifice baroque a été admirablement reconstruit, et accueille aujourd'hui l'Académie de médecine. S'il ne se visite malheureusement pas, le jardin particulièrement agréable et bien entretenu qui l'entoure est, lui, ouvert au public. Créé au XVIIIᵉ siècle, il comporte des parties à la française, des parties en paysager. Cet ensemble palais-parc se situe en plein centre-ville, et constitue la principale attraction touristique de Białystok.

EGLISE SAINT-ROCH (KOŚCIÓŁ CHRYSTUSA KRÓLA I ŚW. ROCHA)
Construite à partir de 1927, et terminée en 1940, cette église aurait pu être détruite par la guerre quelques semaines après sa consécration, mais est finalement toujours là. Elle domine la ville, et se voit de particulièrement loin, parce qu'elle est très haute. Elle repose en effet sur une colline, et sa pointe est haute de 80 m. L'intérieur par contre est assez peu spacieux, et présente une originale forme octogonale. Cet édifice représente le plus pur esprit architectural des années trente.

EGLISE ORTHODOXE SAINT-NICOLAS (CERKIEW KATEDRALNA ŚW. MIKOŁAJA CUDOTWORCY)
Construite au XIXᵉ siècle, elle est sans doute la plus belle église de la ville, l'intérieur est décoré de fresques qui copient celles d'une église ukrainienne et abrite de superbes icônes.

CATHEDRALE (KOŚCIÓŁ KATEDRALNY WNIEBOWZIĘCIA NAJŚWIĘTSZEJ MARII PANNY)
Il s'agit à l'origine de deux églises qui ont été réunies pour n'en faire qu'une seule. La première, de style baroque, fut construite en 1617-1626, puis transformée entre 1751-1752. On lui a rajouté une seconde, de style néogothique, en 1900-1905. Elle se présente aujourd'hui sous la forme d'un large édifice en briques.

NOUVELLE EGLISE ORTHODOXE (NOWA CERKIEW)
Située à 3 km au nord-ouest du centre-ville, cet édifice gigantesque, commencé dans les années quatre-vingts, n'est pas encore terminé, et sera bientôt la plus grande église orthodoxe de Pologne.

MUSEE REGIONAL (MUZEUM OKRĘGOWE)
Ouvert du mardi au dimanche de 10h à 17h. Situé dans l'hôtel de ville, il accueille des toiles d'artistes polonais de grande qualité, ainsi que quelques vestiges de la civilisation jatzvingienne.

TYKOCIN

Place forte des ducs de Mazovie au XIIIᵉ siècle, cette petite ville de 2 000 habitants s'est développée à partir du XVᵉ siècle, avec l'installation de juifs qui en firent le plus important centre de négoce de la région. Pendant la Seconde Guerre mondiale, toute la population juive de Tykocin a été décimée par les nazis, et, pour clore le drame, devant le déclin de sa population, la ville perdit son statut de cité en 1950 pour n'être plus aujourd'hui qu'un simple village. C'est un haut lieu de la culture juive polonaise.

Transports

▶ **Bus.** On en compte une vingtaine par jour depuis Białystok, seule ville reliée régulièrement. Il n'y a pas de train à Tykocin.

Hébergement

AUBERGE DE JEUNESSE
Ul. Kochanowskiego 1
✆ (085) 718 16 85
Située dans l'école du village et ouverte du 5 juillet au 25 août.

Points d'intérêt

❱ **Au centre du Rynek,** entouré de maisons pour la plupart en bois se dresse l'un des plus anciens monuments civils de Pologne (ni religieux ni militaire), la statue de Stefan Czarniecki (pomnik hetmana Czarnieckiego), héros national, sculptée vers 1750.

❱ **Du château (zamek)** qui fut jadis la résidence du roi Zygmunt August au XVIe siècle, il ne reste aujourd'hui que les fondations, le reste ayant été détruit à peu près au moment où la statue de Stefan Czarniecki voyait le jour.

SYNAGOGUE (SYNAGOGA)

Ouverte de 10h à 16h. Fermé le lundi et jours de fête. Construite en 1642, dans un quartier autrefois juif, elle est étonnamment préservée. Elle abrite aujourd'hui un musée juif, à la fois intéressant et émouvant, dans lequel on réalise l'importance de la culture juive dans cette région qui n'en compte plus un seul aujourd'hui. Tout près d'elle se trouve un petit restaurant de cuisine juive.

LE MUSEE REGIONAL

Situé dans la maison talmudique (XVIIIe siècle), il présente des expositions temporaires sur l'histoire de la ville et de la région.

EGLISE DE LA SAINTE-TRINITE (KOŚCIÓŁ TRÓJCY ŚWIĘTEJ)

Construction baroque du XVIIIe siècle, avec un intérieur digne de ce style.

KIERMUSY

Minuscule village constitué de quelques fermes, situé à 4 km à l'ouest de Tykocin, qu'il faut rallier à pied, Kiermusy abrite une sorte de pension, meilleur logement du coin, avec une chambre triple et sept doubles. Le propriétaire organise des excursions guidées dans la région, et met des vélos à la disposition de ses clients. L'adresse du lieu est inutile, car il s'agit d'une des quatre maisons du village, il y a donc peu de chance de se tromper.

PARC NATIONAL DE LA NAREW

Ce parc couvre une surface de 227 km² au sud-ouest de Białystok, et est célèbre pour l'importance des zones marécageuses qui le composent. Par conséquent, le meilleur moyen de faire une excursion dans le parc est d'y aller en bateau. Du fait de l'importance du milieu aquatique, faune et flore sont souvent adaptées, et l'on trouve une très vaste représentation de plantes aquatiques, et d'espèces comme les castors ou les oiseaux. Pour les promeneurs qui n'ont pas de bateau, la visite est beaucoup plus limitée, car 25 % du territoire est couvert de marais infranchissables. Les deux villages les plus proches, points de départ des excursions, sont Kurowo et Waniewo. A Kurowo, on trouve un hôtel pas cher ainsi que des canoës que l'on peut louer à la journée. A Waniewo, village un peu plus grand et moins isolé, on trouve quelques logements chez l'habitant ainsi que des bateaux à louer. Il est important de noter qu'aucun de ces deux villages n'est relié par un quelconque moyen de transport, et que les villes les plus proches ne sont autres que Tykocin et Białystok. Il est donc nécessaire d'avoir une voiture ou des vélos, ou dans le cas contraire ne pas avoir peur de marcher plusieurs kilomètres pour rejoindre ces deux endroits.

INFORMATIONS

www.npn.pl

▬ RÉGION DE HAJNÓWKA

HAJNÓWKA

Cette ville n'a rien d'exceptionnel, mais c'est le point de passage obligé avant de se rendre dans le parc national de Białowieża situé juste à côté. Hajnówka, ville nouvelle de moins de 300 ans, servait autrefois de relais aux chasseurs de bisons et autre gibier de la forêt avoisinante.

Aujourd'hui, c'est une ville assez monotone, où le tourisme n'a pas encore fait son apparition, mais qui possède tout de même une très belle et singulière église orthodoxe, ainsi qu'un curieux temple de Lénine…

Transports

❱ **Train.** A 1 km du centre (on aperçoit le dôme de l'église orthodoxe). Quelques trains pour les grandes villes de la région, ainsi qu'un direct quotidien pour Varsovie.

❱ **Bus.** Terminal entre la gare et le centre. Plus pratique que le train, de nombreux bus pour toutes les destinations, dont un qui part de la gare et conduit au village de Białowieża.

Pratique

■ **BIURO OBSLUGI RUCHU TURYSTYCZNEGO PTTK**
Ul. 3 Maja 37 ℂ/Fax : (085) 682 27 85

■ **BIURO TURYSTYCZNE ZUBR**
Ul. 3 Maja 60/6 ℂ (085) 682 26 21

■ **BIURO TURYSTYKI GULIWER**
Ul. 3 Maja 16 ℂ (085) 682 56 50
Fax : (085) 681 23 66

■ **BIURO TURYSTYKI PEGAZ**
Ul. 3 Maja 12 ℂ (085) 682 20 89
Fax : (085) 682 32 02
et ul. Bialostocka 2
ℂ (085) 682 32 03
Fax : (085) 682 32 02.

Hébergement

■ **AUBERGE DE JEUNESSE**
Ul. Wróblewskiego 16 ℂ (085) 682 24 05
Ouvert en juillet et août dans les locaux d'une école.

■ **MUZEUM KULTURY BIAŁORUSKIEJ**
Ul. 3 Maja
Quelques chambres à louer au musée. Confort sommaire mais prix en conséquence.

■ **ORZECHOWSKI**
Ul. Piłsudskiego 14 ℂ (085) 682 27 58
Fax : (085) 682 23 94
www.hotel-orzechowski.com.pl
biuro@hotel-orzechowski.com.pl
Chambres à partir de 100 zl. Petit déjeuner : 15 zl. Espace jeux pour les enfants.

Points d'intérêt

■ **EGLISE ORTHODOXE (CERKIEW)**
Terminée au début des années quatre-vingt-dix, cette église est certainement l'une des plus belles constructions religieuses modernes que vous aurez l'occasion de voir. Située dans le centre, elle donne à la ville le centre d'intérêt qui lui manquait.

■ **U WOŁODZI**
Il s'agit d'un bar, situé en plein centre-ville, près du musée et du marché. Une véritable curiosité, **Temple de Lénine** : le patron part régulièrement en Biélorussie acheter des œuvres de l'époque du socialisme (peintures, sculptures et objets très variés) et les expose dans son local. Ensemble éclectique et curieux. N'hésitez pas à franchir la porte, accueil et découverte garantis.

Dans les environs

La région est connue surtout pour son parc et la réserve de bisons. Mais il est intéressant de parcourir les environs, riches de véritables petits trésors. Si vous n'êtes pas motorisé, l'idéal est de louer un vélo et de vous promener au hasard des routes, afin de découvrir les nombreux petits villages, calmes, qui ont su conserver l'architecture traditionnelle de la région. Voici quelques lieux à ne pas manquer.

Nowe Berezowo

A 5 km à l'ouest de Hajnówka, ce village abrite un petit skansen. Il représente un corps de ferme traditionnel, qui évoque la vie dans les villages au début du siècle et présente les constructions architecturales traditionnelles, le mobilier et les outils utilisés dans la vie quotidienne. En passant, quelques autruches de l'élevage du propriétaire du skansen vous salueront. Plus loin dans la rue principale du village, trônent deux églises orthodoxes des XVIIIe et XIXe siècle et au bout de la rue une petite chapelle. Autre trésor du village : deux cimetières orthodoxes, un vieux et un plus récent. Prendre le premier chemin à gauche, sur la route de Hajnówka, en sortant de Nowe Berezowo. Le vieux cimetière, le plus intéressant, se trouve dans le bois, en face du nouveau.

■ **BEREZÓWEK**
CHEZ ALICJA ET JAN SOBUN
Nowe Berezowo 107 ℂ (085) 686 4428
Portable : 0 501 262 031
www.softas.pl/berezowek (site en anglais, bientôt en français) – asobun@softas.pl
Chambre : 25 zl. Situé à l'entrée du village, à deux pas du skansen (à 25 km de Białowieża et 6 km de Hajnówka). Accueil garanti dans le cadre agréable d'une maison en bois. Chambres chez l'habitant, agrotourisme, possibilité de profiter de la cuisine, mais la maîtresse de maison peut vous préparer d'excellents plats régionaux à base de produits maison pour un prix dérisoire. Ne pas hésiter à accepter ! Possibilité d'emprunter des vélos.

■ **INKA**
Nowoberezowo 102 ℂ (085) 682 25 19
Trois chambres pour deux personnes, cuisine et salle de bains. 25 zl la nuit. Possibilité de commander des plats régionaux. Autre logement sous le signe agrotourisme. Location d'une vieille maison de style campagnard, voyage dans des temps anciens.

LA MAZURIE, PODLACHIE

Łady

A Łady, au nord-ouest de Nowe Berezowo, se cache un groupe de croix autour d'une petite église orthodoxe en bois. Lieu étonnant, isolé au milieu des champs.

Czyze

A quelques kilomètres de Łady, cette petite ville abrite une monumentale église orthodoxe. L'intérieur est magnifique, les décorations murales superbes. L'église est ouverte aux pratiquants, il est possible de la visiter en respectant leur prière.

PARC NATIONAL DE BIAŁOWIEŻA

Ce parc couvre la plus grande forêt de plaine vierge en Europe, sur une surface de 1 200 km² et abrite les derniers bisons d'Europe. Le village de Białowieża, qui se trouve au milieu, est le meilleur point de départ pour les excursions.

Transports

▶ **Bus.** Terminal proche du centre. Bus pour Hajnówka et Białystok. La gare ferroviaire est aujourd'hui désaffectée.

Pratique

■ **OFFICE DU TOURISME**
Ul. Kolejowa 17 ✆ (085) 681 26 24

■ **AGENCE TOURISTIQUE PTTK**
Ul. Kolejowa 17 ✆ (085) 68122 95
www.pttk.sitech.pl (site en allemand)

■ **POINT D'INFORMATION TOURISTIQUE DU PARC NATIONAL DE BIAŁOWIEŻA**
Park Pałacowy 5
✆/Fax : (085) 681 29 01/085 681 23 06
www.bpn.com.pl – infobpn@bpn.com.pl

Hébergement

■ **AUBERGE DE JEUNESSE**
Ul. Waszkiewicza 6
sm@paprotka.com.pl
Ouverte toute l'année et située dans le centre du village. Chambres à partir de 14 zl. Location de vélos.

■ **BIAŁOWIESKI**
Ul. Waszkiewicza 218B
✆ (085) 681 20 22/744 43 80 (numéro réservé à la réservation de groupes)
Fax : (085) 744 45 34

www.hotel.bialowieza.pl (site en anglais et en allemand)
incoming@hotel.bialowieza.pl
Chambres à partir de 130 zl l'été. Un peu à l'écart du centre-ville, sur une petite colline, grand complexe, au très bon confort, espace jeux pour les enfants et location de vélos.

■ **DOM MYŚLIWSKI**
Dans le parc du palais ✆ (085) 681 25 84
Chambres doubles avec salle de bains, confortables : 96 zl.

■ **PENSION GAWRA**
Ul. Gen. M. Polecha 3 ✆ (085) 681 28 04
Fax : (085) 681 24 84
Portable : 0 602 406 243
www.gawra.bialowieza.com
gawra@bialowieza. com
Les prix s'échelonnent de 60 zl à 120 zl. Comptez 100 zl pour une chambre double avec salle de bains, sans petit déjeuner. La pension compte cinquante chambres et pratique des tarifs spéciaux pour les groupes. Ce charmant petit chalet en bois se situe à deux pas du Parc national de Białowieża. L'intérieur est entièrement boisé, extrêmement douillet et vous trouverez çà et là des peaux de sangliers qui tapissent le mur ! Les chambres sont spacieuses, confortables, calmes et très propres. L'accueil, assuré par Alicja et Stefan, est extrêmement chaleureux. Le petit déjeuner, copieux, se prend dans une grande salle du rez-de-chaussée, « en famille ». Des abords agréables, dotés de grandes tables en bois sur une pelouse impeccable sont à votre disposition.

■ **ŻUBROWKA**
Ul. Olgi Gabiec 6
✆ (085) 681 23 03 – Fax : (085) 681 25 70
Sans doute le meilleur hôtel du village. Chambres magnifiques à partir de 170 zl.

Restaurants

■ **PENSION UNIKAT**
Comptez environ 30 zl à 40 zl. Située entre l'église orthodoxe et l'église catholique, cette pension propose des repas typiquement polonais à bon marché, dans une petite salle au sous-sol ou sur son agréable terrasse.

■ **ŻUBROWKA**
Ul. Olgi Gabiec 6 ✆ (085) 681 23 03
Fax : (085) 681 25 70
Dans un décor sympathique, assez luxueux, orné de tête de bisons, une cuisine savoureuse et un service excellent. Comptez de 60 zl

à 100 zl par personne selon que vos choix s'orienteront plutôt sur des plats traditionnels ou sur du caviar – gibiers. Si aucun dessert ne vous tente, laissez-vous tenter par leurs excellentes vodkas.

Points d'intérêt

▨ MUSEE D'HISTOIRE NATURELLE

✆ (085) 681 22 75
Fax : (085) 621 23 06
Ouvert de 9h à 17h (jusqu'à 15h30 en basse saison, d'octobre à mai). Dans le parc du palais. Ouvert du mardi au dimanche de 9h à 15h30 (17h en été). On y trouve toutes les informations nécessaires à la connaissance du parc, des espèces animales et végétales qui l'occupent, ainsi que l'histoire de la protection du site. Cet endroit mérite largement d'être visité avant de partir en excursion dans la forêt.

▨ RESERVE NATURELLE

✆ (085) 621 23 06
Le Parc national de Białowieża est inscrit sur la liste du Patrimoine mondial de l'Unesco et sur la liste des réserves mondiales de la Biosphère. Il permet de très belles promenades, en pleine forêt, au caractère primitif, à la découverte de sa faune et sa flore. On ne peut pas explorer cette partie de la forêt de Białowieża, sans doute la plus belle, située au nord du village, sans être accompagné d'un guide. Les agences de tourisme du village vous proposeront leurs services. On peut faire l'excursion en vélo, à pied ou en calèche. L'auberge de jeunesse organise parfois des excursions le soir ou à l'aube, qui sont les meilleurs moments pour observer les animaux.

▨ RESERVE DE BISONS

✆ (085) 681 23 98
Fax : (085) 621 23 06
Cet animal constitue la principale attraction touristique de la forêt de Białowieża. C'est en effet le seul endroit où l'on trouve encore des bisons d'Europe dans leur milieu naturel, espèce aujourd'hui protégée qui fut pendant longtemps menacée de disparition. Se trouvent ici aussi d'autres espèces animales singulières, comme le tarpan, cousin polonais du cheval sauvage, et le Żubroń, un croisement entre le bison et le bœuf. Il faut compter, au départ du village, environ 1h pour se rendre à pied dans cette réserve, à travers des sentiers balisés en jaune ou vert dans la forêt ou un quart d'heure en voiture.

▨ ALLEE DES CHENES ROYAUX

Par le sentier bleu au départ du village, ou le sentier jaune après la réserve de bisons, on arrive dans cet endroit superbe où se dressent des chênes centenaires, dont chacun a reçu le nom d'un roi de Pologne ou de Lituanie. C'est l'une des plus impressionnantes réserves de chênes centenaires connues.

GRABARKA (ŚWIĘTA GÓRA)

A environ 60 km au sud de Hajnówka, en direction de Siemiatycze, voilà un des endroits les plus insolites de Pologne. A la suite d'une épidémie miraculeuse éteinte au début du XVIIIe siècle, les survivants décidèrent, comme pour remercier le ciel de les avoir épargnés, de bâtir une église sur la colline où serait né le miracle. Ce lieu de culte orthodoxe est aussi célèbre pour les pratiquants de cette religion que Częstochowa pour les chrétiens. Des milliers de croix, plantées par les pèlerins, forment une véritable forêt à proximité de l'église. Il n'y a bien entendu rien d'autre à voir, et le village voisin de Sycze n'a rien de touristique, mais cet endroit est extraordinaire, et attire chaque année des milliers de pèlerins. L'église, autrefois en bois, a brûlé en 1990, et a depuis été reconstruite en briques. Si elle est fermée, il suffit pour en visiter l'intérieur de demander aux religieuses à côté qui vous ouvriront les portes. La plus grande fête de l'année a lieu le 19 août, et attire des milliers de pèlerins. Ce n'est sans doute pas le meilleur moment pour visiter le site en toute tranquillité.

Transports

Pour aller à Grabarka, le plus pratique est de prendre le train jusqu'à Sycze, situé à 1 km de la colline et de continuer à pied. De la gare, des trains partent dans la plupart des directions, dont Varsovie et Lublin, par des liaisons directes quotidiennes. Il n'y a pas de bus de grandes lignes à proximité de Grabarka. De la route, ne pas chercher le panneau Grabarka qui correspond au village minuscule, mais Święta Góra (le Mont Saint).

Hébergement

Pas de logements à Grabarka, ni rien d'intéressant à Siemiatycze. Pour séjourner dans la région, se diriger vers Serpelice, route qui longe la rivière Bug, vers la frontière. Les villages qui bordent cette route proposent de nombreux centres de vacances agréables, ouverts en saison d'été. Le plus souvent, il s'agit de chambres à louer dans des bungalows.

LA MAZURIE, PODLACHIE

LA GRANDE-POLOGNE

Toruń
© S.NICOLAS

La Grande-Pologne (Wielkopolska)

Cette région, la plus étendue de toute la Pologne, est le véritable berceau de la nation. A la fin du Xe siècle, le duc Mieszko 1er unifia les tribus slaves de la région, et établit en 966 sa capitale à Gniezno. Rapidement, ce fut la ville de Poznań qui connut la plus grande croissance, et devint le centre d'une Pologne aux dimensions comparables à celles d'aujourd'hui.La Grande-Pologne a, tout au long de son histoire, connu une importante influence allemande particulièrement au XIXe siècle quand la région était rattachée à l'Allemagne (jusqu'en 1945 pour une partie). La richesse de la région provient surtout de son passé et de son patrimoine architectural. Ses campagnes ne comptent pas parmi les plus belles de Pologne, mais certaines de ses villes et villages sont des joyaux.

POZNAŃ

Avec près de 600 000 habitants, la capitale de la Grande-Pologne est à la fois le centre industriel, commercial, économique, académique et culturel de la région. Capitale de la Pologne avant l'an 1000, Poznań a pourtant, comme Wrocław, connu l'occupation allemande, ce qui lui donne une tonalité particulière et différente des autres grandes villes du pays. Poznań est particulièrement réputée pour ses grandes foires internationales. Mais elle est aujourd'hui aussi l'une des principales destinations touristiques. Cette ville superbe, parmi les plus belles de Pologne, surtout par son centre historique, est l'une des étapes incontournables d'un voyage en Pologne.

Histoire

Fondée au IXe siècle, Poznań fut d'abord une bourgade avant d'être dès le Xe siècle, préférée à Gniezno comme capitale de la jeune Pologne. C'est ici que fut fondée la toute première cathédrale de Pologne en 968. La première invasion date de 1038, et est à mettre au crédit du prince de Bohême Bratislav. Dès lors, la capitale de la Pologne fut transférée à Cracovie, et ne revint jamais à Poznań.

Les incontournables de la Grande-Pologne

▶ **Visiter** le riche et superbe centre historique de Poznań.

▶ **Admirer** les richesses des palais et parcs de Kórnik et Rogalin.

▶ **Partir** sur la route des Piast, un retour aux sources de la nation polonaise…

▶ **En chemin sur cette route,** ne pas manquer Gniezno, ville de symboles pour la Pologne et Biskupin, village fortifié en bois.

▶ **Assister** à un concert en l'honneur de Chopin au palais d'Antonin.

▶ **Etudier** les bisons dans le parc du superbe château de Gołuchów, à la mode des châteaux de la Loire.

▶ **S'émerveiller** dans la ville natale de Copernic, Toruń, devant une telle concentration de beauté, sur une petite colline pittoresque surplombant la Vistule.

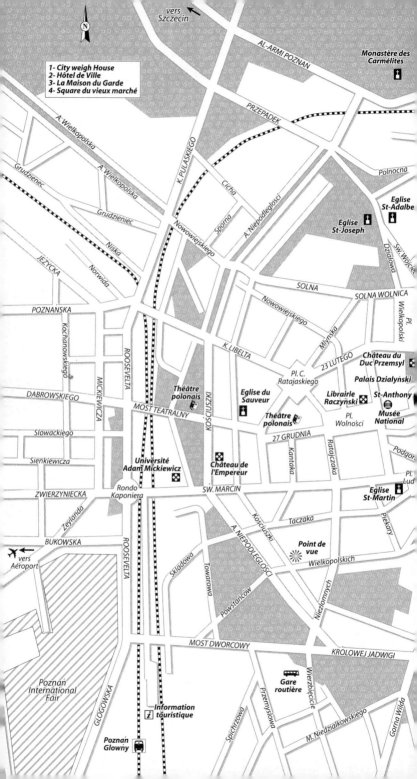

N

vers
Szczecin

AL-ARMI POZNAŃ

Monastère des
Carmélites

1- City weigh House
2- Hôtel de Ville
3- La Maison du Garde
4- Square du vieux marché

PRZEPADEK

A. Wielkopolska

A. Wielkopolska

Grudzienec

Grudzienec

Niska

Norwida

JEŻYCKA

K. PULASKIEGO

Nowowiejskiego

Cicha

Sporna

A. Niepodległości

Polnocna

Eglise
St-Adalbe

Eglise
St-Joseph

Św. Wojcie

Działowa

SOLNA

SOLNA WOLNICA

POZNANSKA

Kochanowskiego

ROOSEVELTA

MICKIEWICZA

Nowowiejskiego

Młynska

Wielkopolski

Pl.

DABROWSKIEGO

Słowackiego

Sienkiewicza

ZWIERZYNIECKA

MOST TEATRALNY

Théâtre
polonais

KOSCIUSZKI

K. LIBELTA

Eglise du
Sauveur

Pl. C.
Ratajskiego

Théâtre
polonais

23 LUTEGO

Château du
Duc Przemsyl

Palais Dzialyński

Librairie
Raczyński

Pl.
Wolności

St-Anthony

Musée
National

Rondo
Kaponiera

Université
Adam Mickiewicz

Château de
l'Empereur

SW. MARCIN

27 GRUDNIA

Kantaka

Ratajczaka

Podgor.

Pl.
Lud

Eglise
St-Martin

Zeylanda

BUKOWSKA

vers
Aéroport

ROOSEVELTA

Składowa

Towarowa

A. NIEPODLEGŁOŚCI

Kosciuszki

Taczaka

Point de
vue

Wielkopolskich

Piekary

Niezlomnych

MOST DWORCOWY

KROLOWEJ JADWIGI

Poznań
International
Fair

GLOGOWSKA

Powstańców

Gare
routière

Wierzbięcicie

Przemysłowa

Spichrzowa

M. Niedzialkowskiego

Gorna Wilda

Information
touristique

Poznań
Glowny

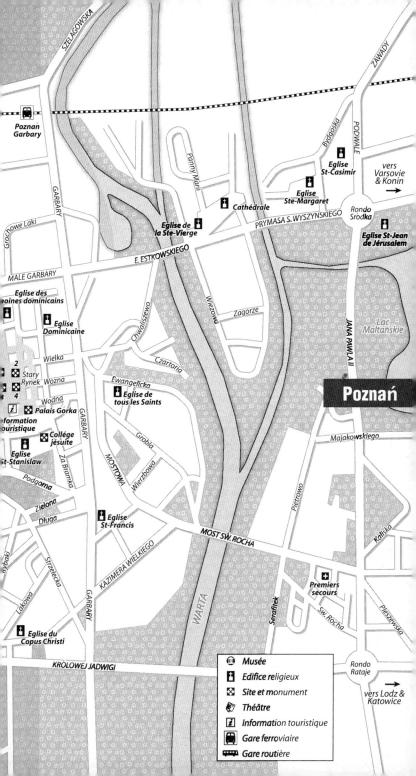

Poznań

Musée
SZELAGOWSKA
ZAWADY
Poznań Garbary
PODWALE
Bydgoska
Eglise St-Casimir
vers Varsovie & Konin
GARBARY
Panny Marii
Eglise Ste-Margaret
Grochowe Laki
Cathédrale
Rondo Śródka
Eglise de la Ste-Vierge
PRYMASA S. WYSZYNSKIEGO
Eglise St-Jean de Jérusalem
MALE GARBARY
E. ESTKOWSKIEGO
Eglise des moines dominicains
Wieżowa
Zagorze
Lac Maltańskie
Eglise Dominicaine
Chwaliszewo
JANA PAWLA II
Wielka
Czartoria
2
Stary Rynek
Woźna
Ewangelicka
4
Wodna
Eglise de tous les Saints
Palais Gorka
information touristique
Grobla
Majakowskiego
GARBARY
Collége jésuite
MOSTOWA
Wierzbowa
Eglise St-Stanisław
Za Bramka
Pietrowo
Podgorna
Zielona
Długa
Eglise St-Francis
MOST ŚW. ROCHA
Kaliska
rybaki
Lakowa
Strzelecka
KAZIMERA WIELKIEGO
WARTA
Serafitek
Premiers secours
Św. Rocha
Pleszewska
Eglise du Copus Christi
KRÓLOWEJ JADWIGI
Rondo Rataje
vers Lodz & Katowice

🏛	**Musée**
✝	**Edifice religieux**
✕	**Site et monument**
🎭	**Théâtre**
i	**Information touristique**
🚉	**Gare ferroviaire**
🚌	**Gare routière**

Les incontournables de Poznań

❱ **Visiter** le Stary Rynek (place du vieux marché) et son hôtel de ville, puis être à midi précise sous l'horloge aux boucs, symbole de la ville.

❱ **Succéder** à Napoléon et Chopin dans la magnifique et imposante église paroissiale de la vieille ville.

❱ **Se rendre** sur l'île d'Ostrów Tumski, à la rencontre de sa cathédrale.

Malgré les diverses persécutions, guerres, incendies, inondations, épidémies, la ville continuera son expansion industrielle, devenant un important centre commercial du pays, profitant de sa situation géographique entre Berlin, Prague et les villes de Pologne.

A partir du XVIIe siècle, Poznań fut tour à tour suédoise, prussienne et russe, mais son déclin le plus marquant date de 1793, quand la ville, rebaptisée « Posen », devint prussienne. Avant même que la Pologne ne soit recréée après la Première Guerre mondiale, des insurrections à Poznań, avaient libéré la ville de l'occupation allemande.

Fortement endommagée en 1945, Poznań fut reconstruite, mais en 1956 (28 et 29 juin), les chars écrasèrent une grève ouvrière massive, laissant 76 morts sur le pavé. Quelques jours plus tard, la Hongrie emboîtait le pas à Poznań en réclamant plus de liberté, avec les conséquences dramatiques que l'on connaît.

En 1998, le chancelier allemand Helmut Kohl et les présidents de France et de Pologne, Jacques Chirac et Aleksander Kwaśniewski se rencontrèrent à Poznań afin de parler de l'entrée de la Pologne dans l'Union européenne et dans l'OTAN. En l'an 2000, le Conseil de l'Europe décerna à Poznań le Drapeau d'honneur de l'Europe pour sa promotion des idées européennes.

Transports

Avion

■ **AEROPORT INTERNATIONAL ŁAWICA**
Ul. Bukowska 285
℃ (061) 849 20 00/868 17 01
Cet aéroport très moderne, qui comporte un nouveau terminal depuis 3 ans, à 7 km à l'ouest du centre-ville, est desservi par le bus n° 78 toutes les 30 min (comptez environ 20 min de trajet) ou par le bus n° 59, ou par des taxis (comptez environ 35 zl pour la course). Vols quotidiens vers Szczecin, Varsovie, Wrocław et Düsseldorf (Allemagne).

■ **COMPAGNIE LOT**
Ul. Św. Marcin 69
℃ (061) 852 28 47. www.lot.pl

Train

■ **GARE FERROVIAIRE PKP**
Ul. Dworcowa ℃ (061) 866 12 12
La gare centrale (Poznań Główny), à l'ouest de la ville, est reliée au centre en 10 min par le tramway n° 5 (un ticket d'1,30 zl). Une petite promenade de 15 min emmènera les marcheurs au centre-ville. Une course en taxi coûte environ 12 zl jusqu'au centre. Trains quotidiens pour la plupart des grandes destinations locales et internationales. Dans le hall central, les guichets spécifiques pour les trains InterCity ou Express, se situent aux numéros 1 à 4.

Bus

■ **GARE ROUTIERE PKS**
Ul. Towarowa 17/19 ℃ (061) 853 09 40
Le terminal « Dworzec Autobusowy PKS » est situé entre la gare PKP et le centre-ville. Il y a encore plus de bus que de trains pour la plupart des destinations principales, ainsi que des liaisons avec les villes proches.

Voiture

Location de voitures

■ **AVIS**
A l'aéroport ℃ (061) 849 23 35
Ul. Bukowska 12 ℃ (061) 865 38 94
www.avis.pl

■ **BUDGET**
Hôtel Mercure. Ul Roosevelta 20
℃ (061) 847 34 34. info@budget.pl
Ouvert de 8h à 16h.

■ **EUROPCAR**
A l'aéroport ℃ (061) 849 23 57
www.europcar.pl
Et ul. Bukowska 285 ℃ (061) 849 23 57
Ouvert de 9h à 18h et le samedi de 10h à 14h.

■ HERTZ

Hôtel Novotel, plac Andersa 1
✆ (061) 853 17 02
www.hertz.com.pl
poznan@hertz.com.pl
Ouvert de 8h à 18h, le samedi de 10h à 14h.

■ JOKA

A l'aéroport
✆ (061) 849 23 78.

Stationnement

Dans le centre, les places de parking délimitées en bleu sont autorisées et payantes du lundi au vendredi de 9h a 18h, par tickets de parcmètre.

Transports urbains

La ville est desservie par des bus et des tramways. Il existe différents types de tickets selon la durée du trajet avec possibilité de changer de bus et/ou de tramway pendant cette durée : le ticket de 10 min (1,30 zl), qui suffit pour aller de la gare à la vieille ville ; les tickets de 30 min (2,60 zl), 1h (3,90 zl). Des bus rapides existent et coûtent le double (ligne A et B). Sur le plan du centre-ville donné par office du tourisme, figurent les numéros et noms des arrêts des bus et tramways.
La police, quant à elle, circule à cheval dans la vieille ville !

Taxis

■ CENTRAL TAXI
✆ (061) 96 61/877 33 44

■ EB TAXI
✆ (061) 96 69/822 22 22

■ EXPRESS TAXI
✆ (061) 96 24/848 04 80

■ HALLO TAXI
✆ (061) 96 23/821 62 16

■ MPT
✆ (061) 919

■ RADIO LUX TAXI
✆ (061) 96 62/868 83 63

■ RADIO TAXI CLUB
✆ (061) 96 26/830 09 61

Pratique

■ **www.city.poznan.pl** – Site en anglais.

Tourisme

Informations touristiques

■ CENTRE D'INFORMATION TOURISTIQUE (WOJEWODZKIE CENTRUM INFORMACJI TURYSTYCZNEJ)

Stary Rynek 59/60
✆ (061) 852 61 56/98 05
Fax : (061) 855 33 79
wielopolska.mw.gov.pl – cit@
Ouvert du lundi au vendredi de 9h à 18h (17h en hiver), le samedi de 10h à 16h (14h en hiver). L'office propose des guides, selon la tarification suivante, pour un groupe (nombre maximum de 30 personnes conseillé) : 80 zl pour 1h, 160 zl pour 2h, 240 zl pour 3h, 300 zl pour 4h, 350 zl pour 5h, puis 50 zl par heure supplémentaire.

■ CENTRE D'INFORMATION MUNICIPALE (CENTRUM INFORMACJI MIEJSKIEJ, CIM)

Ul. Ratajczaka 44 (bâtiment Arkadia de la place Wolności)
✆ (061) 851 96 45
Fax : (061) 856 04 54
www.cim.poznan.pl – cim@man.poznan.pl
Information dans 7 langues, du lundi au vendredi de 10h à 19h, le samedi de 10h à 17h, et au cours des foires. Le CIM dispose d'une antenne au bâtiment de la Foire Internationale, bâtiment 50 (✆ 865 67 17).

■ BUREAU PTTK

Stary Rynek 90
✆ (061) 852 18 39/37 56
Ouvert de 9h à 15h.

■ BUREAU ORBIS D'ACCUEIL DES TOURISTES ETRANGERS

Plac Gen. Andresa 1
✆ (061) 833 02 21
Fax : (061) 833 22 11

▶ *In your pocket* – **www.inyourpocket. com** – Un guide complet sur la ville, très pratique mais en anglais, qui s'achète pour 5 zl ou est distribué gratuitement dans certains hôtels.

Guides francophones

Maria est l'une des meilleures guides parlant français de l'office du tourisme. Elle est souvent en déplacement à travers l'Europe qu'elle fait découvrir aux Polonais, mais reste à Poznań pendant l'été. Téléphonez-lui à l'avance pour réserver (✆ 0 607 071 603 portable).

LA GRANDE-POLOGNE (WIELKOPOLSKA)

Agences de voyages

■ BUREAU LOT
Ul. Piekary 6 ℂ (061) 858 55 00
et 0 801 300 952 (numéro gratuit)
Fax : (061) 858 55 15
Bureau ouvert de 9h à 18h en semaine. Pour
se procurer des billets d'avion au départ de
Poznań.

■ BUREAU GLOB TOUR
Dans le hall de la gare ferroviaire PKP
ℂ (061) 866 06 67
Ouvert 24h/24 tous les jours. Dispose de
dépliants gratuits (à demander) et de cartes
et guides payants, notamment un petit guide
en français des principaux points d'intérêts
de la ville pour 6 zl. Change les devises,
réserve des hôtels et vend des tickets de
bus international.

■ ORBIS
Al Marcinkowskiego 21
ℂ (061) 851 20 10/11
Fax : (061) 851 20 13
www.orbistravel.poznan.pl
Agence de voyages ouverte du lundi au
vendredi de 9h à 18h, le samedi de 10h à
14h, qui délivre surtout des billets d'avion,
de bateau, de train (pour la Pologne et
l'international) et de bus (internationaux
uniquement). Dispose aussi de locaux, rue
Piekary 501, davantage spécialisés dans les
visites de Poznań (ℂ (061) 851 36 99).

■ ALMATUR
Ul. Ratajczaka 3 ℂ (061) 855 76 33

■ BLUE SKY TRAVEL
Ul. Roosevelta 2 ℂ (061) 841 09 00

■ ERCOM
Ul. Św. Marcin 45 ℂ (061) 853 68 31

■ FLY AWAY TRAVEL
Ul. Wroniecka 17 ℂ (061) 853 03 57.

Présence française

■ CONSULAT DE FRANCE
Ul. Mielżyńskiego 27/29
ℂ (061) 851 94 90
consulat.honorowy@interpress.pl

■ ALLIANCE FRANÇAISE
Ul. 28 Czerwca 1956 r. nr 198
ℂ (061) 829 29 47. afpoznan@amu.edu.pl

■ MAISON DE LA BRETAGNE
Stary Rynek 37 ℂ (061) 851 68 51
Fax : (061) 851 68 60

www.dombretanii.org.pl
dom@dombretanii.org.pl
*Ouverte du lundi au vendredi de 8h30 à 20h
(en juillet et août de 8h30 à 18h).* Poznań est
jumelée à Rennes depuis la fin des années
quatre-vingts. Cette coopération se traduit
notamment par des journées de promotion de
la culture française ou bretonne, des cours
de français, des échanges économiques. Le
personnel parle français.

Poste et télécommunications

■ POSTE CENTRALE
Ul. Kościuszki 77 (près de l'université
et assez loin du centre-ville)
ℂ (061) 869 74 00
*Ouvert du lundi au vendredi de 7h à 21h, le
samedi de 8h à 19h, le dimanche de 10h
à 17h.*

■ POSTES SECONDAIRES
Dans le centre-ville, proches du Rynek :
Ul. 23 Lutego 28 (*du lundi au vendredi
de 7h à 21h, le samedi de 8h à 15h*)
ℂ (061) 852 59 56
Ul. Wodna 17/19

■ POSTE OUVERTE 24H/24
Ul. Głogowska 17 ℂ 869 70 61

Internet
Plusieurs cafés dans les rues perpendiculaires
ou parallèles au Rynek. A deux pas de la place,
deux adresses :

■ INTERNET CAFE
Ul Zamkova 5 (au coin du Rynek, au début
de la rue, sonnez, c'est au premier étage)
Un peu vieux, voire glauque à la tombée de
la nuit, mais ouvre 24h/24, 7j/7 et pratique
des prix intéressants. De 8h à 22h, l'heure
de connexion Internet coûte 3 zl, puis 2 zl/h
de 23h à 8h. Pour les insomniaques, de 22h
à 8h, les 10h sont facturées 10 zl. Possibilité
d'acheter et de graver CD et DVD.

■ KLIK – CAFE INTERNET
Ul Jaskółcza (du Rynek, descendre la rue
Szkolna, c'est au début de la troisième rue
à gauche). www.klik.pl
*Ouvert de 10h à minuit, et de 12h à minuit le
week-end.* Accueil agréable dans cet Internet
café, tout neuf et de rouge vêtu, doté d'un
bar où l'on commande boissons chaudes
et froides. Atmosphère plus conviviale que
l'adresse précédente, qui a un coût : 4 zl
de l'heure.

Presse internationale

▓ EMPIK MEGASTORE
Ul. Ratajczaka 44
Ouvert de 10h à 22h, le dimanche de 11h à 17h.

▓ SALON DE PRESSE RUCH
Ul. Działyńskich/Libelta
Ul. Słowiańska 55
Ul. Głogowska 18
Al. Niepodległości 36 (Hôtel Polonez)

▓ GLOBTROTER
Stary Rynek 98/100
(entrée par la rue Żydowska)
Librairie ouverte de 10h à 18h, le samedi de 11h à 14h.

Santé

Cliniques

▓ ARS MEDICA
Ul. Podgórna ✆ (061) 852 81 08
Ouvert de 8h à 18h.

▓ CELSUS
Ul. Unii Lubelskiej ✆ (061) 878 12 90
Ouvert de 7h à 18h.

▓ CERTUS
Ul. Grunwaldzka 156 ✆ (061) 867 58 51
Ouvert 24h/24.

▓ KORVITA
Ul. Piaskowa 5 ✆ (061) 820 55 17
Ouvert 24h/24.

▓ PHARMACIE OUVERTE 24H/24
Ul. Głogowska 118/124

▓ PEDIATRE FRANCOPHONE
Dr. Eva Drews. Ul. Kasztelanska 3
✆ (061) 867 14 14
Portable : 0 603 803 943.

Divers

▓ BANQUE SOCIETE GENERALE DE POZNAŃ
Ul. Roosevelta 18 (centre GLOBIS)
✆ (061) 845 45 10. www.sg.pl

▓ METEO
✆ (061) 92 21

Quartiers – Orientation

La plupart des centres d'intérêt et lieux de sorties sont concentrés dans le centre de la vieille ville (Stare miasto). Ce dernier est délimité à l'ouest par la voie de chemin de fer, au sud par l'avenue Królowej Jadwiga et le stade olympique, à l'ouest par les cours d'eau « Warta » et « Cybina », qui englobe l'île d'Ostrów Tumski où se trouve la cathédrale, et au nord par la voie de chemin de fer, la citadelle ou encore l'avenue Armii Poznań.
Un quartier proche compte notamment de nombreux logements, Grunwald, au sud-ouest de la vieille ville, puisqu'il contient notamment le centre international de foire, MTP (Międzynarodowe Targi Poznańskie). Pour cette raison aussi, ce quartier est très bien desservi par les transports urbains.
Le quartier Wilda se situe au sud de la vieille ville, le quartier Nowe Miasto (nouvelle ville), à l'est, où se trouve le lac Malta, le quartier Stare Miasto (vieille ville) au nord du centre de la vieille ville, à ne pas confondre, enfin le quartier Jeżyce, au nord-ouest, au-dessus de Grunwald.

Hébergement

Poznań est une ville relativement chère quant à l'hébergement, et il faudra parfois s'éloigner un peu du centre pour trouver des prix abordables. Le week-end, les hôtels pratiquent d'habitude d'intéressantes réductions (le plus souvent 10 %), mais attention aux jours de foires, surtout les plus réputées, pendant lesquels les prix grimpent et les hôtels affichent complets. Dans chaque hôtel, il est possible de parler anglais et allemand. Le français est encore peu développé.

Chambres chez l'habitant

▓ CHAMBRES CHEZ L'HABITANT : BIURO ZAKWATEROWANIA PRZEMYSŁAW
Ul. Głogowska 16 ✆ (061) 866 35 60
Fax : (061) 866 51 63
Bureau spécialisé dans la location de chambres chez l'habitant.

▓ MARWIT
Ul. Śniadeckich 12A (quartier Granwald)
✆ (061) 866 86 28
✆/Fax : (061) 661 10 44
www.republika.pl/hotelmarwit
marwit@icpnet.pl
Situé dans le quartier Grunwald, mais proche du centre-ville (200 m de la gare, 150 m du centre de foire et 1,50 km de l'aéroport), cet établissement propose des chambres simples de 80 zl à 120 zl et doubles de 120 zl à 200 zl. Facilement accessible par les tramways n° 5, 6, 8, 11, 13, 14 et 15.

ZŁOTY KŁOS

Ul. Starołęcka 183 (nouvelle ville)
✆ (061) 879 39 52
Fax : (061) 879 31 34
Situées à 8 km de la gare, accessible par le bus n° 58, et les tramways n° 4, 12 et 13, les 7 chambres sous le signe « agrotourisme » se louent pour 107 zl la double.

Dans le centre-ville

Confort ou charme

LECH

Ul. Św. Marcin 74 (centre-ville)
✆ (061) 853 01 51/52… à 58
Fax : (061) 853 08 80
www.hotel-lech.poznan.pl
rezerwacja@hotel-lech.poznan.pl
Depuis la gare, prendre le tramway n° 5 ou un taxi (de Radio Taxi) pour environ 10 zl. Chambres fonctionnelles avec peu de cachet, mais toutes dotées de salles de bains neuves. Chambres simples : 162 zl, doubles : 244 zl, respectivement : 122 zl et 194 zl le week-end et 72 zl et 124 zl pour les étudiants, petit déjeuner inclus, hors période de foires. Très bon rapport qualité-prix pour cet hôtel idéalement situé entre la gare, le Rynek et la foire internationale. Parking gardé 24h/24 à 70 m.

WIELOPOLSKA

Ul. Św. Marcin 67 (centre-ville)
✆ (061) 852 76 31
www.hotelwielopolska.ta.pl
Chambres simples sans salle de bains : 80 zl, avec vieille salle de bains : 120 zl, et rénovées : 150 zl doubles, respectivement 120 zl, 160 zl et 190 zl, petit déjeuner compris. Réductions le week-end d'environ 20 zl, augmentations pendant les foires. Très bons prix pour les étudiants, sur présentation de la carte et hors période de foires de 45 zl (simples sans salle de bains) à 140 zl (doubles avec salle de bains neuve). Juste en face, cet hôtel possède des parties communes et chambres plutôt modernes et sympathiques, par rapport à ce que laisse présager le hall de la réception. Plus de cent chambres sur quatre étages, avec ascenseur. Une distinction de prix bienvenue entre les chambres avec vieilles salles de bains (vraiment vieilles) et celles toutes neuves. Autre option moins coûteuse : la chambre sans salles de bains, sachant que certes la salle de bains commune est toute neuve et propre, mais qu'il n'en existe qu'une par étage pour dix chambres.

RZYMSKI

Al. K. Marcinkowskiego 22 (vieille ville)
✆ (061) 852 81 21 – Fax : (061) 852 89 83
www.rzymskihotel.com.pl (site en anglais)
hotel@rzymskihotel.com.pl
Chambres simples : 195 zl en semaine, 170 zl le week-end ; doubles : 250 zl en semaine, 220 zl le week-end, petit déjeuner inclus. 2 parkings gardés à proximité. Prix spéciaux pratiqués à la baisse pour les groupes à partir de 16 personnes. Prix spéciaux pratiqués à la hausse pendant certaines foires. L'hôtel dispose de 2 restaurants, le restaurant de Rome qui propose des plats polonais dans un décor moderne et agréable (repas environ 50 zl à 60 zl) et le Bistro, très sobre (repas environ 30 zl). A quelques mètres du Rynek, un hôtel familial, vieille réception, décor des chambres un peu décrépi, mais salles de bains neuves et propres… et 150 ans de tradition ! Attention aux nuisances sonores des chambres donnant sur la rue et la station de tramway. Les clients de l'hôtel bénéficient d'une réduction de 10 % sur le restaurant et de 5 % sur le Bistrot.

Luxe

BROVARIA

Stary Rynek 73-74 (vieille ville)
✆ (061) 858 68 68/78
Fax : (061) 858 68 69
www.brovaria.pl – brovaria@brovaria.pl
Ouvert du 11h à 1h du matin. Hôtel ouvert en mai 2004. Chambres simples : 230 zl, doubles : 290 zl (250 zl pour une personne) et l'appartement 390 zl, petit déjeuner buffet inclus. Lors des principales foires internationales, les prix grimpent jusqu'à 330 zl en chambres simples et doubles : 390 zl. Ces prix concernent les foires Polagra, Budma et Motor Show. A l'occasion des autres foires, les prix s'élèvent à 300 zl simples et doubles : 350 zl. Un excellent rapport qualité-prix à notre avis, pour cette catégorie haut de gamme. Sur plusieurs étages (sans ascenseur, dont la construction n'a pas été permise par la ville, pour préserver le côté historique de l'intérieur du bâtiment), deux chambres simples, quatorze chambres doubles et un appartement (avec chambre à coucher, salle de bains avec baignoire et salon). Nous conseillons de demander les chambres avec vue sur le Rynek et le plus haut possible (pour une vue encore plus superbe et le moins de bruit possible). Seulement quatre chambres n'ont pas la vue sur le Rynek. Des chambres

très modernes avec une touche classique, très confortables. Un séjour dans une de ces chambres feutrées, avec ce niveau de confort et la vue qu'elle offre, ne peut être qu'inoubliable. L'établissement dispose aussi d'une brasserie et de 4 salles de bars et restaurants, au rez-de-chaussée et sous-sol (voir rubrique « Restaurants »).

▓ IKAR

Ul. Kościuszki 118 (centre-ville)
✆ (061) 857 67 05
Fax : (061) 851 58 67
www.hotelikar.com.pl
reserwacja@hotelikar.com.pl
Bien situé en centre-ville, cet hôtel propose des chambres simples de 123 zl à 199 zl, des doubles de 182 zl à 273 zl. Bon confort, mais prix sans doute élevés par rapport aux décorations et à l'ameublement des chambres.

▓ MERCURE POZNAŃ

Ul. Roosevelta 20 (centre-ville)
✆ (061) 855 80 00 – Fax : (061) 855 89 55
www.orbis.pl – www.accorhotels.com
mer.poznan@orbis.pl
Proche de la gare ferroviaire PKP, dans le centre-ville. Chambres très luxueuses dans cet hôtel 4-étoiles, simples de 440 zl à 500 zl, et doubles de 500 zl à 564 zl.

▓ NOVOTEL POZNAŃ CENTRUM

Plac Wl. Andersa 1 (centre-ville)
✆ (061) 858 70 00 – Fax : (061) 833 29 61
www.orbis.pl (site en anglais)
ov.poznan@orbis.pl
Proche de la gare routière PKS. Situé dans le centre-ville, cet hôtel propose des chambres très confortables, simples de 90 zl à 141 zl, doubles de 107 zl à 166 zl.

▓ POLONEZ ORBIS

Al. Niepodległości 36 (centre-ville)
✆ (061) 864 71 00 – Fax : (061) 852 37 62
www.orbis.pl – www.accorhotels.com
polonez@orbis.pl
Tout près de la gare ferroviaire PKP, dans le centre-ville. Chambres confortables et luxueuses, simples de 266 zl à 390 zl, et doubles de 338 zl à 500 zl.

▓ ROYAL

Ul. Św. Marcin 71 (centre-ville)
✆ (061) 858 23 00
ax : (061) 853 78 84
www.hotel-royal.com.pl (site en anglais)
royal@hotel-royal.com.pl

Très bel hôtel, calme puisque situé en retrait de la rue, et bien placé, entre les gares et le centre-ville. Chambres chaleureuses de tout confort, simples : 320 zl, doubles : 420 zl et 450 zl le studio. Petit déjeuner et place de parking sont inclus. Prix plus élevés pendant les foires (de 20 zl à 115 zl de plus selon les foires). En dehors de ces périodes, réduction de 40 % le week-end. Bar ouvert 24h/24.

Aux alentours du centre-ville

Bien et pas cher

▓ CAMPING MALTA

Ul. Krańcowa 98 (nouvelle ville)
✆ (061) 876 62 03 – Fax : (061) 876 62 83
www.posir.poznan.pl
Pour 1 personne de 130 zl à 200 zl, pour 2 personnes de 145 zl à 240 zl, pour 3 personnes de 200 zl à 340 zl et pour 5 personnes de 300 zl à 480 zl. Ce camping 4-étoiles, accessible par le bus n° 57 et les tramways n° 6 et 8, est idéalement situé près du lac Malta. Il propose aussi des bungalows et des pavillons chauffés tout confort. *Excellent petit déjeuner buffet.*

▓ CAMPING STRZESZYNEK N° 111

Ul. Koszalińska 15 (quartier Jeżyce)
✆ (061) 848 31 45/29
Au nord-ouest de la ville (11 km). Ouvert d'avril à octobre. Propose des petits bungalows pour 3 à 5 personnes et des emplacements pour les tentes et caravanes.

▓ AUBERGE DE JEUNESSE DRUKTUR I

Ul. Wołowska 64
✆ (061) 868 55 52
www.druktur.w.pl
druktur_poznan@po.home.pl
Accessible par le bus n° 80. Située dans le quartier Grunwald, assez loin du centre-ville (à 6 km de la gare), cette auberge propose des lits de 56 zl (sans salles de bains) à 66 zl et dispose d'un parking.

▓ AUBERGE DE JEUNESSE N° 1 I

Ul. Głuszyna 127 (nouvelle ville)
✆ (061) 878 84 61
Fax : (061) 878 89 07
www.sm1.ta.pl – sp3xph@poczta.onet.pl
Très éloignée du centre (à 12 km de la gare, accès par le bus n° 58), cette auberge propose des chambres doubles de 38 zl à 56 zl, des triples de 57 zl à 84 zl et des quadruples de 76 zl à 112 zl.

■ AUBERGE DE JEUNESSE N° 2 HANKA I

Ul. Biskupińska 27 (quartier Jeżyce)
✆ (061) 822 10 63
Fax : (061) 822 10 63
www.schroniskohanka.com
schroniskohanka@onet.pl
Assez loin du centre et à 8 km de la gare, cette auberge dispose de chambres simples à 30 zl (sans salle de bains), doubles à 74 zl, triples à 99 zl (ou 90 zl sans salle de bains).

■ AUBERGE DE JEUNESSE N° 3 II

Ul. Berwińskiego 2/3 (quartier Grunwald)
✆/Fax : (061) 866 40 40
Cette auberge est située dans le quartier Grunwald, mais toutefois assez proche du centre (à 1 km de la gare) et bien desservie par de nombreux tramways (n° 5, 8, 11, 14), elle offre des lits à 47 zl.

■ AUBERGE DE JEUNESSE TPD I

Ul. Drzymały 3 (quartier Jeżyce)
✆ (061) 848 58 36 – Fax : (061) 849 09 82
www.schroniskoTPD.ta.pl
Assez proche du centre-ville et à 2,50 km de la gare, accessible par les bus n° 60, 64 et 78, cette auberge de jeunesse propose des chambres simples à 31 zl, doubles à 76 zl (ou 62 zl sans salles de bains) et triples à 114 zl.

Confort ou charme

■ PENSJONAT LECZO

Ul. Małeckiego 36 (quartier Grunwald, réception à l'agence de voyage)
✆ (061) 865 17 33 – Fax : (061) 865 17 16
www.ieczo.pnet.pl – leczo@info.com.pl
Situé à 300 m de la gare, à 5 km de l'aéroport et 250 m du centre de foire, cette pension est accessible par les tramways n° 5, 8, 11, 14. Chambres simples : 85 zl et doubles : 130 zl. Confort sommaire, mais chambres très correctes. Très proche du centre-ville.

■ NARAMOWICE

Ul. Naramowicka 150
(quartier Naramowice) ✆ (061) 822 75 43
Fax : (061) 820 27 81
www.naramowice.pl
hotel@naramowice.pl
A l'extérieur du centre, au nord, mais à seulement 5 km de la gare ferroviaire, on accède à cet hôtel par les bus n° 51, 67 et 69 ; peu de charme, mais bons prix : 170 zl pour les chambres doubles.

■ POMORSKI

Ul. Sierakowska 36 (quartier Grunwald)
✆ (061) 867 28 31   Fax : (061) 867 53 62
www.pshit.pl – www.infohotel.pl
otel_pomorski@naszemiasto.pl
Chambres simples : 130 zl, doubles : 170 zl. Situé à 2,50 km de la gare et 2 km du centre de foire, cet hôtel se situe sur les lignes 63, 69, 78, 82 et 91 des tramways.

■ PRZEDSIEDSIĘBIORSTWA ROBOT KOMUNIKACYJNYCH

Ul. Włczyńska 24 (quartier Grunwald)
✆ (061) 651 74 57 – Fax : (061) 651 74 60
Situé loin du centre-ville (6 km de la gare), accès par les bus n° 77 et 80). Chambres de 70 zl à 80 zl sans salle de bains, ou de 100 zl à 120 zl avec salle de bains.

■ PENSJONAT TOPAZ

Ul. Przemysłowa 34A (quartier Wilda)
✆ (061) 863 13 78. www.hotel-poznan.pl
topaz@simptest.poznan.pl
Chambres simples : 140 zl et doubles : 190 zl. Situé dans le quartier Wilda et malgré tout, cet hôtel est très proche du centre-ville (à 900 m de la gare, accès par le bus 71).

■ SPORT

Ul. Chwiałkowskiego 34 (quartier Wilda)
✆ (061) 833 05 91 – Fax : (061) 833 24 44
www.posir.poznan.pl
Prix (non étudiants) : chambres simples de 125 zl à 200 zl, doubles de 145 zl à 240 zl et triples de 200 zl à 340 zl. Pas trop éloigné du centre (à 1,50 km de la gare, accès par les tramways n° 2 et 9), cet hôtel convient parfaitement aux étudiants, puisque la clientèle est souvent jeune, l'établissement pratique des prix étudiants très intéressants et dispose d'une piscine et d'un solarium.

■ TANGO

Ul. Złotowska 82/84 (quartier Grunwald)
✆ (061) 868 44 33 – Fax : (061) 868 19 75
www.hotel-tango.pl
hotel@hotel-tango.pl
Chambres simples : 139 zl et doubles : 159 zl. Assez éloigné du centre-ville (6 km de la gare et du centre de foire), cet hôtel est tout de même accessible par les bus n° 59 et 77.

Luxe

■ DWOREK SKORZEWSKI

Ul. Poznańska 6 ✆ (061) 814 87 77
Fax : (061) 814 88 41
www.dworekskorzewski.pl (site en anglais)

recepcja@dworekskorzewski.pl
Chambres à partir de 320 zl. Très bel hôtel de style, à la sortie de Poznań, à 2 km de l'aéroport et 10 km des gares (l'hôtel dispose de taxis), restaurant de cuisine traditionnelle (dont cochon grillé et gibiers).

▓ GROMADA

Ul. Babimojska 7 (quartier Grunwald)
℡ (061) 866 92 07
Fax : (061) 867 31 61 – www.gromada.pl
poznan@gromada.pl
Hôtel à 3,50 km de la gare, à 4 km de l'aéroport et 3 km du centre de foire, accessible par les bus n° 63, 91 et tramways n° 1, 6, 13 et 15. Chambres simples de 136 zl à 170 zl, doubles de 164 zl à 204 zl.

▓ HP PARK

Ul. Majakowskiego 77
(nouvelle ville, près du lac Malta)
℡ (061) 874 11 00
Fax : (061) 874 12 00
ww.hotel-park.com.pl (site en anglais et en allemand) – hppoznan@beph.pl
Environ 30 % de réduction le week-end. Chambres simples de 350 zl à 454 zl et doubles de 416 zl à 561 zl. Cadre superbe pour grand confort, en bordure du lac Malta (bus n° 57 et 84).

▓ NOVOTEL POZNAŃ MALTA

Ul. Warszawska 64/66 (nouvelle ville, près du lac Malta)
℡ (061) 654 31 00
Fax : (061) 654 31 95
nov.malta@orbis.pl
Chambres simples de 225 zl à 430 zl, et doubles de 270 zl à 530 zl. Situé près du lac Malta (tramway n° 6 et 8), cet hôtel bénéficie d'un cadre très agréable et d'une piscine.

Restaurants

Tous ces établissements sont situés en centre-ville.

Bien et pas cher

Il existe plusieurs bars à lait (bar mleczny) à Poznań. Puisqu'ils représentent le meilleur compromis de cette catégorie (*repas entre 7 zl et 20 zl*), nous vous indiquons tous ceux situés en centre-ville ou tout proche.

▓ AVANTI

Stary Rynek 76
℡ (061) 852 32 85
www.avanti.poznan.pl

Self-service à l'ambiance froide dans un décor austère, mais qui permet de manger rapide, copieux et très bon marché, sur le Rynek. Différentes préparations de pâtes, servies dans des assiettes en plastique de 3 zl à 6 zl.

▓ CZEKOLADA

Ul. Żydowska 29
Ouvert de 11h à minuit. La carte, malheureusement seulement en polonais, propose un petit choix, mais change tous les jours, comme la soupe du jour « zupa dnia », la quiche du jour « tarta dnia » ou la salade du jour « sałatka dnia », pour environ 8 zl à 16 zl. Dans un décor moderne et chaleureux, des portions copieuses et joliment présentées dans de grands carres blancs (voir aussi rubrique « Cafés »).

▓ EURUS

Ul. Głogowska 18
Situé juste à côté de la gare ferroviaire (à gauche de la rue Towarowa, qui se trouve devant la gare principale), ce bar à lait ouvre du lundi au vendredi de 8h à 20h, le samedi et le dimanche de 9h à 19h.

▓ JEŻYCKI

Ul. Dąbrowskiego 39
De l'avenue Św. Marcin, prendre à droite au rond-point Kaponiera, puis la deuxième à gauche. Ouvert du lundi au vendredi de 8h à 19h, le samedi de 8h à 17h, le dimanche de 10h à 17h.

▓ POD ARKADAMI

Plac C. Ratajskiego 16
Du Rynek, prendre la rue 23 lutego qui part d'un coin et arrive sur cette place. Ouvert du lundi au vendredi de 7h à 21h, le samedi de 9h à 18h, le dimanche de 11h à 18h.

▓ POD KUCHCIKIEM

Ul. Św. Marcin 75
Sur une grande avenue, tout proche du précédent, ouvert du lundi au vendredi de 8h à 20h, le samedi de 8h à 17h, le dimanche, de 10h à 17h.

▓ PRZY BAŁTYKU

Ul. Bukowska 12A
De l'avenue Św. Marcin, prendre à gauche au rond-point Kaponiera, puis la première à droite. Ouvert du lundi au vendredi de 8h à 19h, le samedi et le dimanche de 11h à 18h. Davantage une cantine de cuisine de tous les jours qu'un bar à lait.

Bonnes tables

■ AVANTI

Stary Rynek 95

A ne pas confondre avec l'établissement de restauration rapide, du même nom, aussi situé sur le Rynek, ni avec un restaurant italien. Des boucs dans la vitrine rappellent la légende de la ville, des spécialités polonaises à petits prix comme les « pierogis » ou « naleśniki ». Rien d'exceptionnel, mais souvent un lieu choisi par les groupes de touristes puisqu'il permet de manger polonais sur le Rynek pour 10 zl à 40 zl.

■ BROVARIA

Stary Rynek 73-74 ② (061) 858 68 68/78 Fax : (061) 858 68 69 – www.brovaria.pl brovaria@brovaria.pl

Ouvert du 11h à 1h du matin. Nouvel établissement, qui possède sa propre mini-brasserie (d'où le nom Brovaria), le lieu branché du moment à Poznań, sur le Rynek. De l'entrée, un bar sur la droite, très moderne, et un restaurant sur la gauche où affluent les groupes d'hommes d'affaires. Puis un très bel escalier mène dans un vaste bar où se trouvent quelques cuves de la brasserie. On déguste la bière fabriquée sur place, une « Pils » nature ou au miel, très bonne à 5 zl le demi. Les cuisines, qui ferment à 23h30, proposent des snacks pour accompagner votre bière, comme une salade « d'oscypek » (fromage des montagnes, un peu élastique, mais au bon goût fumé), ou encore des saucisses locales à environ 14 zl, des soupes et des plats aussi à environ 20 zl. En dessert, goûter à l'étrange gâteau à la « Żubrowka », vodka à l'herbe de bison. Bon choix enfin de cocktails et spiritueux. Au sous-sol, des salles dotées de leur propre bar ouvrent à partir de 18h, dans des caves voûtées éclairées à la bougie, où il est également possible de se restaurer. Le soir, l'ensemble des lieux est bondé, s'en dégage une excellente ambiance. « *The place to be* » où l'on vient et revient, immanquablement. Voir aussi rubrique « Hébergement ».

■ CLUB ELITE

Stary Rynek 2 ②/Fax : (061) 852 99 17 Spécialités locales de grande qualité dans un endroit calme et agréable, mais assez cher.

■ DOM VIKINGÓW

Stary Rynek 62 ② (061) 852 71 53 www.domvikingow.pl comments@domvikingow.pl

Un endroit branché sur trois étages, un restaurant plus calme et feutré au premier. Serveuses affairées, efficaces et charmantes. Repas jusqu'à 23h, snacks le vendredi et le samedi jusqu'à 2h du matin. Le plat principal, accompagné de légumes, frites ou pommes de terre en lunes, est le hamburger à 18 zl ou son énorme pièce de steak savoureuse et ses 6 sauces au choix pour 58 zl. Brunch tous les jours de 9h à 15h, copieux pour 20 zl ou « light », en calories (salades de carottes, oranges et pommes, jus d'orange, pain, beurre) et en prix (8 zl). Egalement un café et bar discothèque (voir rubrique « Bar »).

■ KRESOWA

Stary Rynek 3 ②/Fax : (061) 853 12 91 www.kresowa.com.pl

Situé au centre du Rynek, cet établissement agréablement démodé sert une cuisine polonaise traditionnelle et quelques spécialités locales, très solides. Les modernes et amusantes caricatures au plafond de personnalités polonaises qui ont dîné ici, contrastent avec la vieille horloge qui sonne inlassablement le temps qui passe. Ne manque plus que la chanson « Les Vieux » de Jacques Brel. Commencer par des blinis « bliny », très différents des nôtres, au saumon, caviar ou hareng. Goûter à la spécialité « kluchy » ou « cepeliny » qui ressemble à de grosses quenelles de pain fourrées de viande, accompagnées de lardons, de choucroute et d'une bonne louche de crème. Comptez environ 50 zl à 70 zl pour un repas, et beaucoup moins si vous choisissez les classiques comme la « kotlet schabowy » ou le « golonka » (*plats à 20 zl*). C'est un peu lourd et gras, et convient surtout aux rudes soirées d'hiver… mais heureusement un comprimé de « Raphacholin » (probablement l'équivalent du citrate de Bétaïne) est disponible en cas de besoin auprès du responsable des vestiaires à la sortie. Ils ont vraiment tout prévu !

■ SPHINX

Stary Rynek 77 ②/Fax : (061) 852 80 25 Idéal pour les amateurs de viande et personnes pressées. Chaîne de restaurants prisée des Polonais. Bons prix, ambiance jeune.

■ STARA RATUSZOWA

Stary Rynek 55 ②/Fax : (061) 851 53 18 www. ratuszowa.pl

Ouvert de 13h à 23h. Restaurant vieillot avec des dentelles sur les tables et des photos d'ancêtres en noir et blanc sur les murs. La salle en sous-sol offre quelques touches de modernité, notamment grâce à des instruments de musique au mur qui remplacent fort bien les portraits, et un bar. Carte très polonaise, avec des plats typiques de 35 zl à 60 zl. Bons plats de viandes, notamment la « Ratuszowa plate ».

■ **TAPAS BAR**
Stary Rynek 60
(entrée par la rue Wrocławska)
Dans cette minuscule pièce, bondée le week-end, on mange des assiettes de tapas ou de viandes grillées avec de longues piques en bois pour environ 30 zl à 50 zl. Mais le repas sert surtout à prendre des forces pour ensuite aller danser dans la discothèque du sous-sol (voir chapitre « Sortir »).

■ **VERSA**
Stary Rynek 92 (entrée rue Wroniecka)
✆/Fax : (061) 855 09 39
Dans un décor simple et soigné, ce restaurant propose un petit choix de plats raffinés, dommage qu'en sortant les vêtements sentent un peu la friture. Fait aussi office de café. Un repas coûte dans les alentours de 30 zl à 50 zl.

Luxe

■ **BAŻANCIARNIA**
Stary Rynek 94 ✆ (061) 855 33 58/59
Fax : (061) 855 33 47
www.bazanciarnia.pl
info@bazanciarnia.pl
Une excellente adresse. Pour vous mettre l'eau à la bouche, quelques extraits : poêlée de bolets, anguille marinée et glacée au miel, foie gras flambé au cognac (un délice), loup de mer, faisan mariné au jus d'orange et ses champignons de la forêt (original et la spécialité de ce restaurant, dont le nom et l'emblème sont le faisan), le meilleur canard du tout Poznań (selon Jan Paweł, un serveur qui « se coupe la tête s'il ment », et que l'on croit bien volontiers), du sanglier ou un assortiment de gibiers grillés au vin et à l'oignon (léger et raffiné). Les plats, superbement présentés, sont exquis et s'accompagnent de très bons vins, une chance en Pologne. La carte propose des bouteilles de 60 zl à 6 000 zl, provenant de France (Alsace, Bourgogne et Bordelais avec quelques bouteilles de renom comme un château Mouton Rotschild, Margaux ou Petrus), Italie, Espagne, Chili, Liban, Australie et Californie. La carte, en anglais et en euros, comporte des prix au plat de 7 € à 26 €. En monnaie locale, cela se traduit par un repas

à environ 80 zl à 150 zl. Les serveurs se plient en quatre pour satisfaire vos moindres souhaits, dans un décor fleuri avec goût. Visitez les toilettes !

■ **CZERWONY FORTEPIAN**
Ul Wroniecka 18 (entrée par la rue Mokra)
✆ (061) 852 01 74 – Fax : (061) 853 09 59
www.czerwony-fortepian.pl
catering@czerwony-fortepian.pl
Comptez environ 60 zl à 100 zl pour un repas.
Situé au sous-sol dans des caves voûtées où trône un superbe piano rouge, ce club de jazz propose une cuisine de qualité. Vous pourrez commencer par un carpaccio ou d'exquises asperges, roulées dans du proscuitto et pannées, pour continuer avec le fameux canard aux pommes, le bœuf aux bolets, ou encore le saumon et écrevisses aux courgettes. Une impressionnante liste de desserts, peu commune pour la Pologne et une symphonie de coupes de glaces. Service impeccable. Concerts de jazz tous les soirs pour une clientèle de passionnés. Robert Roberson, un Français, chantait il y a peu, de délicieuses mélodies. Gageons qu'il reviendra. L'on peut faire ici en tout cas des rencontres étonnantes…

■ **LE PALAIS DU JARDIN**
Stary Rynek 37
✆ (061) 665 85 85 – Fax : (061) 825 78 91
www.lepalais.poznan.pl
Ouvert du lundi au samedi de 12h à 23h, le dimanche de 12h à 22h. Dans un décor moderne et sobre, une cuisine méditerranéenne de grande qualité. La carte en français, propose notamment des escargots aux larmes de Ricard, des huîtres, des figues, jambon de Parme et roquefort dans une enveloppe de miel, une terrine de fois gras de canard, du turbot, et autres plats de viande aux noms alléchants. De grands écarts de prix selon les plats et donc dans l'addition finale, oscillant entre 60 zl et 150 zl. Bien sûr, une superbe sélection de vins pour accompagner ces plats savoureux.

Sortir

Poznań est une ville qui bouge la nuit, surtout le week-end. Les principaux lieux de sorties, bars, cafés et discothèques sont concentrés sur le Rynek et dans les rues qui se trouvent autour.

▶ **Pour connaître les programmes des cinémas et théâtres** (✆ (061) 92 29).

▶ **Pour disposer de toute l'actualité des sorties et événements culturels :** le guide « *In Your Pocket* » (www. inyourpocket.com), en anglais, s'achète pour 5 zl, ou est distribué gratuitement dans certains hôtels.

Cafés

■ CARPE DIEM

Ul. Wodna 27 (mais entrée par la rue Klastorma)
℃ (061) 855 09 14
Derrière une lourde porte en fer forgé, se trouve un café dans un vaste hall du musée ethnographique, où se mêlent harmonieusement briques et arcades. C'est fort agréable, surtout après la visite du musée. Possibilité de petit déjeuner pour 12 zl, de manger un gâteau (*sernik ou szarlotka à 12 zl*) en buvant un thé ou un café, ou de dîner (mais plats assez chers).

■ COCORICO

Ul. Świętosławska 9 ℃ (061) 663 61 15
Ouvert de 10h à minuit, ce café ressemble à une belle brasserie parisienne de début de siècle. Glaces, gâteaux, petits en-cas tels que sandwichs, salades, croque-monsieur ou madame (*15 zl*), ou encore une fondue de fromage (*2 zl à 40 zl*).

■ CZEKOLADA

Ul. Żydowska 29
Ouvert de 11h à minuit. Cette version remixée de « Charlie et la chocolaterie » propose une alléchante sélection de chocolats chauds aux mille parfums. Ambiance tranquille et chaleureuse en journée. Le soir, l'ambiance s'électrise et ce café-restaurant se transforme en bar qui distribue des cocktails de toutes les couleurs, bleu, rouge, jaune, vert, blanc.

■ FARMA CAFFE

Ul. Wrocławska 25 ℃ (061) 853 13 98
Dans un décor de cuisine de vieilles fermes, il s'agit de choisir un café parmi la longue liste, frappé ou chaud, aromatisé ou avec une liqueur, qui accompagnera une très bonne pâtisserie faite maison, à petit prix. Juste à côté, le café Parasolka offre un décor moins typique, mais tout aussi chaleureux.

■ NASZ KLUB

Ul. Woêna 10
Une excellente pâtisserie française. Pour preuve, le pâtissier, Adam Nowak, a gagné un prix au championnat du monde des boulangers.

■ POD PRETEKSTEM

Ul. Św. Marcin 80/82 (entrée par l'avenue Niepodległości ou la rue Kościuszki) ℃ (061) 853 30 47
www.podpretekstem.poznan.pl
mca@mca.com.pl
Ouvert tous les jours, de 9h (12h le samedi et le dimanche) jusqu'à minuit. Café, restaurant, bar à cocktails, pub, cabaret, lieu de musique, de concerts live et de culture… le Pod Pretekstem prétend à tout cela. Sous prétexte que vous allez au Centre de la culture (dans le château), vous vous ruez dans ce bar au décor de style Art nouveau, parce que l'ambiance est chaleureuse, l'animation toujours au rendez-vous, la vue sur la cour du château plutôt agréable. Toutes les tranches d'âge se retrouvent ici, il suffit d'être un peu artiste ou intello et d'aimer cette atmosphère de bohème. En revanche, pour dîner c'est un peu bruyant, à l'étroit et le service est long. Tentez peut-être le petit déjeuner.

■ ROOM 55

Stary Rynek 80
Ouvert du lundi au samedi à partir de 9h, le dimanche de 12h jusqu'à minuit. Pour ceux qui n'auraient pas le courage de se rendre une ou deux rues plus loin pour trouver des cafés plus chaleureux, originaux et moins chers, ce café sur le Rynek est tout de même agréable, pour boire ou manger (même le petit déjeuner).

■ WERANDA CAFFE

Ul. Świętosławska 10 ℃ (061) 853 25 87
Ouvert de 10h30 à minuit. Café à l'ambiance chaleureuse, avec une touche de campagne et des anges qui tombent du ciel.

Bars et discothèques

Tout autour du Rynek, bars et cafés sont alignés, terrasses grandes ouvertes, jusque tard dans la nuit, et constituent le cœur de la vie de Poznań. Les lieux de sorties sont en effet facilement accessibles, concentrés sur le Rynek et dans les rues perpendiculaires. Les étudiants sortent de plus en plus aussi dans les rues Nowowiejskiego et Taczaka, un peu plus éloignées du Rynek.

■ BLUE NOTE

Ul. Kościuszki 76
℃ (061) 851 04 08
Bar discothèque très en vogue, mais à la musique et clientèle fort différentes selon les soirs : jazz, « black music night », house.

CZARNA OWCA

Ul. Jaskolcza 13

✆ (061) 853 07 92. www.czarnaowca.pl

Le fruit rouge (nom du bar) défendu... est sûrement à l'origine de l'ambiance chaude comme la braise de cette discothèque, située dans les bas-fonds du sous-sol. Au premier étage, un bar bondé et bruyant, enfin animé, diffuse de la musique commerciale.

CZERWONY FORTEPIAN

Ul. Wroniecka 18 (entrée par la rue Mokra) ✆ (061) 852 01 74 Fax : (061) 853 09 59 www.czerwony-fortepian.pl catering@czerwony-fortepian.pl Bar-restaurant de jazz (voir chapitre « Restaurants »).

DOM VIKINGÓW

Stary Rynek 62 ✆ (061) 852 71 53 www.domvikingow.pl comments@domvikingow.pl

Au rez-de-chaussée, un bar branché avec parfois des concerts de musique live. On peut déguster des coupes de glaces, gâteaux et smoothies en journée. Le soir, le choix se portera plutôt sur la longue liste de spiritueux (42 whiskies) et les nombreux cocktails (*8 zl à 27 zl*), notamment à base de vodka : le mad dog, qui décoiffe, le top gun qui recoiffe, le kamikaze ou mis polarny. Au sous-sol, un bar style viking sous des caves voûtées, où l'on peut également manger sur des tables en bois avec une bonne ambiance les soirs de week-end, connu aussi sous le nom de Fax Pub. Très fréquenté, surtout par des étudiants mais pas seulement (voir aussi chapitre « Restaurants »).

LIZARD KING

Stary Rynek 86

✆ (061) 855 04 72. www.lizardking.pl

Pub qui accueille des concerts de musique live (du blues au hard rock en passant par le rock et le jazz) lors des week-ends dans un décor psychédélique (jusqu'aux toilettes), sous le regard protecteur de l'énorme lézard au-dessus du bar.

MINOGE

Ul. Nowowiejskiego

Discothèque de musique rock sur deux étages, très fréquentée par des étudiants.

▶ **Autour du Rynek,** signalons enfin le **Londoner Pub** (au n° 90), aux accents anglais, et le **Gulliver Pub** (aux n° 38-39), aux accents plutôt marins (avec une belle vue sur l'hôtel de ville).

MUCHOS PATATO

Ul Szewska 2

✆ (061) 851 91 73

konczal@konczal-szwarc.pl

Quelques mosaïques au mur, quelques tables et une chaude ambiance. On vient visiblement ici pour s'amuser et pour danser sur un gai mélange de musiques latinos et années quatre-vingt, dans la petite salle voûtée du sous-sol, bondée. Entraînant en tout cas.

PROLETARYAT

Ul. Wrocławska 9

✆ 0508 173 608. www.proletaryat.pl

Ce café-bar récemment ouvert s'apparente à une exposition de l'époque communiste, avec ses bustes de Staline et Lénine et autres symboles rouges. Décor singulier, ambiance calme en journée qui peut s'intensifier le soir venu, au rythme des chants de l'armée soviétique.

TAPAS BAR

Stary Rynek 60

(entrée par la rue Wrocławska)

✆ (061) 852 85 32

www.tapas.pl – tapas@tapas.pl

Au sous-sol, bar et piste de danse pris d'assaut les soirs de week-end. Ambiance électrique. Clientèle branchée, l'on vient ici visiblement pour boire, danser parmi de superbes Polonaises et des Polonais pas mal du tout, et aussi un peu pour regarder et se faire voir.

Théâtres et opéras

PHILHARMONIQUE

Ul. Św. Marcin 81 ✆ (061) 852 47 08/09 Fax : (061) 852 34 51 Caisse (vente de billets) ✆ (061) 853 69 35 www.filharmonia.poznan.pl Salle de concerts : Aula Uniwersytecka, Ul Wieniawskiego 1.

TEATR WIELKI IM. STANISŁAWA MONIUSZKI (GRAND THÉÂTRE)

Ul. Fredy 9

✆ (061) 659 02 00. www.opera.poznan.pl *Guichets ouverts du lundi au samedi de 13h à 19h, le dimanche de 16h à 19h.*

TEATR MUZYCZNY

Ul. Niezłomnych 1E

✆ (061) 852 17 86

Guichets ouverts du mardi au vendredi de 10h à 19h et le week-end, 2h avant les spectacles. Théâtre musical.

■ POLSKI TEATR TAŃCA
BALET POZNAŃSKI
Ul. Kosia 4 ℰ (061) 852 42 41/42
Spectacles de danse, ballets.

■ TEATR POLSKI
Ul. 27 Grudnia 8/10 ℰ (061) 852 56 27
*Guichets ouverts du mardi au samedi de 10h
à 19h, le dimanche de 16h à 19h.*

■ TEATR NOWY
Ul. Dąbrowskiego 5 ℰ (061) 848 48 85
*Guichets ouverts du mardi au samedi de 13h
à 19h, le dimanche de 16h à 19h.*

■ TEATR ÓSMEGO DNIA
Ul. Ratajczaka 44 ℰ (061) 855 20 86
*Guichets ouverts du lundi au vendredi de 11h
à 14h ou avant les spectacles.*

■ TEATR STREFA CISZY
Ul. Konarskiego 6/4
ℰ/Fax : (061) 879 93 39

■ TEATR ANIMACJI
Al. Niepodległości14 ℰ (061) 646 52 18
*Guichets ouverts du mardi au dimanche
de 10h à 12h, puis de 14h à 17h.* Théâtre
d'animations.

Manifestations

▶ **24 juin :** foire pittoresque de la Saint-Jean,
sur le Rynek.

▶ **Début juillet :** festival Malta qui se traduit
par de nombreux théâtres de rue.

▶ **Foires :** Poznań, réputé pour ses foires
internationales, accueille près de 45 foires
par an, aux thèmes aussi divers que variés.
Les plus connues sont : Budma, foire de
matériaux de construction, début janvier ;
les semaines de la Mode, en mars et en
septembre ; Infosystem en avril sur les
télécommunications et multimédia ; la foire
de l'automobile « Poznań Motor Show » en
mai ; la foire agricole, Polagra-Farm, début
octobre, une des plus grandes d'Europe ; mais
aussi la foire des plus chiens de race, ou même
de concours hippique. La liste complète est
disponible à l'office du tourisme.

Points d'intérêt

Vieille ville – Centre-ville

■ PLACE DU VIEUX MARCHE
(STARY RYNEK)
Comme dans pratiquement toutes les villes

polonaises, elle est située au centre de la
vieille ville et de forme carrée. A Poznań,
des bâtiments en occupent le centre. Elle est
superbement entourée de vieilles maisons des
XVe et XVIe siècles abritant des boutiques et
des cafés restaurants. Les façades les mieux
conservées sont les numéros 37 et 41 de style
baroque, et le 40 de style classique. Au centre,
dans des bâtiments plus modernes (certains
dénaturent un peu la beauté de la place), il
est possible de visiter **le musée militaire
et la galerie d'art contemporain Arsenal,**
ouverte du mardi au samedi de 11h à 18h,
le dimanche de 10h à 15h (Galeria Miejska
Arsenał ℰ (061) 852 95 01). Elle est, par sa
dimension, la troisième plus grande place de
Pologne, après celles de Cracovie et Wrocław.
Aux quatre coins de cette place, se trouvaient
autrefois quatre fontaines en bois, qui n'ont
malheureusement pas résistées à l'usure du
temps. Il a donc été décidé de les reconstruire.
La fontaine rococo, devant l'hôtel de ville, qui
représente l'enlèvement de Proserpine, est
dédiée à Pluton. Il y a plusieurs années, la
fontaine d'Apollon fut reconstruite, puis celle
de Neptune l'an passé, reste à reconstruire
celle dédiée à Mars.

■ HOTEL DE VILLE (RATUSZ)
Ce superbe et imposant bâtiment, situé au
centre du Rynek, fut construit au XIIIe siècle,
de style gothique, et reconstruit dans un
style Renaissance après un incendie au
XVIe siècle. En 1945, il fut encore fortement
endommagé. Cet hôtel de ville s'est imposé
comme l'exemple de l'architecture laïque
bourgeoise, puisqu'il était la propriété de la
ville et non de l'Eglise. Dans l'hôtel de ville,
se trouve **le Musée historique de la ville** qui
permet de visiter les superbes intérieurs de
l'hôtel de ville, notamment ses caves gothiques
et ses salles du premier étage (ℰ (061) 852
56 13/856 80 00. *Ouvert le lundi, le mardi, le
vendredi, de 10h à 16h, le mercredi de 12h à
18h, le dimanche de 10h à 15h. Billets : 5,50 zl
ou 3,50 zl au tarif réduit, et gratuit le vendredi).*
Le rez-de-chaussée comprend des expositions
permanentes, mais c'est surtout le premier
étage qui compte deux magnifiques salles :
la salle Renaissance d'origine (épargnée
pendant la guerre), coiffée d'un plafond de
1555 et connue sous le nom de « Wielka
Sień » (Grand Hall) et la salle de la Justice,
aussi de Renaissance italienne.
Au deuxième étage, se trouvent des expositions
temporaires moins intéressantes.
Lorsque l'horloge de l'hôtel de ville sonne

les douze coups de midi, deux petits boucs apparaissent et se donnent douze coups de cornes. Ces boucs sont le symbole de la ville, ils sont en vente partout sur le Rynek, petits, grands, en bois, en métal. Plusieurs légendes expliquent leur présence. La plus simple raconte que deux boucs s'étaient échappés dans la tour de l'hôtel de ville. En allant les récupérer, les habitants du haut de la tour, ont aperçu un début d'incendie dans un quartier. Aussi grâce aux boucs, les habitants ont sauvé la ville. Ils ont alors immortalisé ces deux boucs par le biais des automates de cette horloge.

Des petites maisons à arcades, de style Renaissance, longent l'hôtel de ville. Il s'agit d'anciennes boutiques du XVIe siècle.

■ LE PANORAMA DU VIEUX POZNAŃ

Ul. Ludgardy (entrée discrète,
dans la crypte de l'église des franciscains
✆ (061) 855 14 35
www.makieta.poznan.pl)

Cette maquette sur laquelle est projeté un son et lumière, explique l'histoire mouvementée de la construction de la ville de Poznań. La maquette, réduite au 1/150e est impressionnante de détails et occupe 50 m². On voit notamment les fortifications d'antan et combien la ville était colorée. L'attraction dure 27 min, commentaires en français (pour les groupes, réservez à l'avance). Les séances, qui coûtent 8 zł (6 zl pour les 3 à 18 ans) débutent tous les jours à 9h30, 10h15… toutes les 45 min, jusqu'à 19h15 dernière séance du 1er juin au 30 septembre, hors saison jusqu'à 17h. Intéressant pour une première vue d'ensemble lors de votre arrivée à Poznań, et ludique.

■ PUITS DE LA BAMBERGEOISE (STUDZIENKA BAMBERKI, 1915)

Ce puits, situé au centre du Rynek, derrière l'hôtel de ville, tient sa spécificité de la statue en airain d'une jeune fille en costume de la région de Bamberg (Haute Franconie) qui porte deux cruches. Cette petite porteuse est en fait dédiée aux colons allemands venus remplacer les habitants décédés pendant la guerre du Nord (début du XVIIIe siècle). Aujourd'hui à Poznań, un quart de la population possède des origines allemandes.

■ EGLISE PAROISSIALE DE LA VIEILLE VILLE (KOŚCIÓŁ FARNY)

Ul. Gołębia
Sanctuaire de Notre-Dame du Perpétuel Secours, ancienne église jésuite dédiée à

Proposition d'itinéraires

Visite des principaux lieux de Poznań en une bonne journée.

▶ **Ostrów Tumski** et sa cathédrale.

▶ **La place du vieux marché (Stary Rynek),** l'hôtel de ville, son musée historique et le mécanisme des boucs à midi (environ 30 min à 45 min).

▶ **L'église paroissiale** de la vieille ville.

▶ **La maquette du vieux Poznań** et/ou le musée des instruments de musique.

▶ **Si vous êtes motorisés,** un tour dans les alentours de la vieille ville : lac Malta, place Mickiewicza où se déroulèrent les premières manifestations ouvrières le 29 juin 1956, l'université, le monument de Solidarność, l'Opéra, le château impérial, la rue Saint-Martin.

▶ **Et/ou** la palmeraie pour se détendre en fin de journée.

---

saint Stanisław, évêque de la ville, elle fut construite entre 1649 et 1705, mais subit quelques transformations au cours des années qui suivirent. Elle fait partie d'un ensemble religieux gigantesque, de style baroque flamboyant. La parure extérieure monumentale de cet édifice de 55 m de longueur, 35 m de largeur et 27 m de hauteur, est complétée de riches décorations intérieures sous formes de stucs, de sculptures et de peintures. Cette église abrita des célébrités, puisque Napoléon résida ici en 1806, et que Chopin donna un concert en ces lieux en 1828. Les orgues de Ladegast datent de 1876. En été, des concerts de musique d'orgue ont lieu tous les jours vers 12h15, durent environ une 30 min et sont gratuits.

■ CHATEAU IMPERIAL (ZAMEK CESARSKI)

Ul. Św. Marcin 80/82
✆ (061) 853 60 81
De style néoroman, ce bâtiment impressionnant était la résidence de l'empereur prussien Guillaume II pour qui il a été construit en 1910. Les habitants de Poznań ont en effet vécu 127 ans sous domination prussienne. Il abrite aujourd'hui le centre culturel de la ville.

LA GRANDE-POLOGNE (WIELKOPOLSKA)

■ **MONUMENT A LA MEMOIRE
DES EVENEMENTS DE JUIN 1956
(POMNIK POZNANSKIEGO CZERWCA
1956r)**

Plac A. Mickiewicza, près du château
Construit en 1980 sous la pression de
Solidarność, ce monument imposant
commémore le souvenir des victimes des
émeutes de 1956, et a été pendant les années
quatre-vingt, le lieu de rassemblement des
manifestants et opposants au régime.

L'île d'Ostrów Tumski

■ **OSTRÓW TUMSKI**

De l'autre côté de la Warta après avoir
passé le pont Chrobrego, se trouve l'île où
naquit la ville de Poznań. Selon la légende,
trois frères slaves (Lech, Czech et Rus) s'y
rencontrèrent après plusieurs années. Poznań
représenterait la commémoration de leurs
retrouvailles « poznać » signifie en polonais
se reconnaître. Au IXe siècle, on y construisit
un château, qui devint le point stratégique
des Piast. Mieszko Ier aurait probablement
été baptisé sur cette île en 966.

▌ **La cathédrale de Poznań** est aujourd'hui
l'élément le plus important de l'île. Bâtiment
gigantesque de style roman, édifié au
XIIe siècle, elle a au cours des ans, subi de
nombreux dégâts, et lors des reconstructions,
beaucoup de modifications de style. D'ailleurs
dans la crypte, des restes de fondations et
d'anciens murs sont visibles. A l'intérieur,
se trouvent quelques éléments dignes d'être
signalés comme l'autel de style gothique tardif,
sculpté et peint ; un pentaptyque de 1512, une
chaire baroque de 1720, et des stalles gothiques
tardives. Les chapelles sont richement
décorées, aménagées d'autels, d'épitaphes
et de tombeaux (principalement Renaissance
et baroque, la plupart réalisés par des artistes
de Cracovie et Gdańsk), et notamment la
chapelle dorée tout au fond de la cathédrale,
remarquable, de style néo-byzantin, décorée
de peintures et mosaïques, œuvres d'artistes
Polonais, Italiens et Allemands. Les orgues, à
52 registres, datent de 2001. La tradition veut
que les premiers rois de Pologne (Mieszko Ier,
Boleslas le Vaillant, Mieszko II, Casimir le
Restaurateur et Przemysł II) soient enterrés
ici. Entrée à environ 3 zl.

▌ **Autour de la cathédrale.** En face de
la cathédrale, s'élève un obélisque à la
mémoire du poète Jan Kochanowski. Tout
près de la cathédrale, se tient la pittoresque
église gothique Notre-Dame (Kościół NMP)
du XVe siècle. Du côté ouest, la Psauterie
(Psalteria) du début du XVIe siècle de style
gothique tardif, servait de logis aux religieux
choristes de la cathédrale. De l'autre côté
de la rue, se dresse le monument au pape
Jean-Paul II.

Musées

■ **MUSEE DES INSTRUMENTS
DE MUSIQUE (MUZEUM
INSTRUMENTÓW MUZYCZNYCH)**

Stary Rynek 45 ✆ (061) 852 08 57
*Ouvert du mardi au samedi de 11h à 17h,
le dimanche de 10h à 15h. Billets : 5,50 zl,
réduit : 3,50 zl et gratuit le samedi. Comptez
de 40 min à 60 min pour le visiter.* Ce musée
unique en Pologne expose une collection
impressionnante d'instruments du monde
entier (violons italiens, instruments de musique
de Chine, du Japon, d'Afrique…), avec comme
pièce maîtresse le piano à queue, utilisé par
Chopin lui-même.

■ **MUSEE NATIONAL
(MUZEUM NARODOWE)**

Al. Marcinkowkiego 9
✆ (061) 856 80 00
Fax : (061) 851 58 98
*Ouvert le mardi de 10h à 18h, le mercredi de
9h à 17h, le jeudi de 10h à 16h, le vendredi,
le samedi de 10h à 17h et le dimanche de 10h
à 16h. Billets : 10 zl, réduit : 6 zl.* A l'ouest du
centre-ville, ce musée se divise en quatre
galeries : art polonais, art étranger, affiches
et design, puis art contemporain. Il possède
notamment une collection de peintures de
grands maîtres Polonais et Flamands, ainsi
que quelques toiles italiennes des XVIIe et
XVIIIe siècles. Des annexes du musée sont
réparties dans la ville.

■ **MUSEE DES ARTS DECORATIFS OU
DOMESTIQUES
(MUZEUM SZTUK UŻYTKOWYCH)**

Góra Przemysła 1
✆ (061) 852 20 35
*Ouvert le mardi, le mercredi, le vendredi et le
samedi, de 10h à 16h, le dimanche de 10h à
15h. Billet : 5,50 zl, réduit : 3,50 zl et gratuite
le samedi.* Situé dans l'ancien château royal,
originellement du XIIIe siècle puis reconstruit
après guerre, à côté de la très belle église
rococo des franciscains, ce musée expose
horloge, meubles et autres objets, datant d'à
travers les siècles, surtout baroques.

MUSEE ETHNOGRAPHIQUE (MUZEUM ETNOGRAFICZNE)

Ul. Grobla 25 ℰ (061) 852 30 06
Fermé le jeudi. Ouvert du mardi au samedi de 10h à 16h, le dimanche de 10h à 15h. Billet : 5,50 zł, réduit : 3,50 zł. Il présente des objets et des scènes évoquant la culture traditionnelle de la région de la grande Pologne.

MUSEE D'ARCHEOLOGIE (MUZEUM ARCHEOLOGICZNE)

Ul. Wodna 27 ℰ/Fax : (061) 852 82 51
www.muzarp.poznan.pl (site en anglais)
Ouvert du mardi au vendredi de 10h à 16h, le samedi de 10h à 18h, le dimanche de 10h à 15h. Billet : 5 zl, réduit : 2 zl et gratuit le samedi. Le musée se situe dans le palais de la famille Górka, datant des années 1545-1549, et plusieurs fois remodelé à la suite de destructions. Le portail Renaissance d'origine du palais est conservé. Le musée présente des objets de la préhistoire, ainsi que des scènes de la vie quotidienne (chasse, pêche, guerre, habitat…), une exposition sur l'Egypte ancienne et des expositions temporaires.

Autres curiosités

PALMERAIE (PALMIARNIA)

Ul. Matejki 18 (Park Wilsona)
ℰ (061) 865 89 07
Ouverte du mardi au samedi de 9h à 16h, le dimanche de 9h à 17h (16h hors saison). Billet : 5,50 zl, réduit : 4 zl. Située dans le parc Wilsona (rue Głogowska), de l'autre côté de la gare, cette serre géante composée de 8 pavillons sur environ 3 700 m², propose depuis le début du XIXᵉ siècle, une collection exceptionnelle de plantes tropicales, une des plus grandes d'Europe (17 000 espèces différentes).

JARDIN BOTANIQUE (OGRÓD BOTANICZNY)

Ul. Dąbrowskiego 165
ℰ (061) 841 15 18/847 58 54
Ouvert de 9h à 18h. Créé en 1925, il comprend plus de 8 000 espèces végétales, provenant de toute région climatique.

BRASSERIE LECH (BROWAR LECH)

Ul. Szwajcarska 11 ℰ (061) 87 87 460
Fax : (061) 87 87 850 – swiatlecha@kp.pl
La fameuse bière Lech, distribuée dans toutes les villes de Pologne est fabriquée dans la banlieue de Poznań. La brasserie propose une visite intéressante de son processus de fabrication, ainsi qu'une dégustation gratuite !

LAC MALTA (JEZIORO MALTAŃSKIE)

A l'est de la vieille ville, ce lac artificiel de 64 ha, créé en 1952, sert notamment à des régates et comporte des abords agréables, bien aménagés en terrains de loisirs. Sur ses rives, a lieu chaque année le festival International de Théâtre Malta. Voir chapitre « Sport et Loisirs ».

TERTRE DE LA LIBERTE (KOPIEC WOLNOŚCI)

Au sud du lac, créé en 1919, il fut endommagé pendant la guerre, puis réaménagé en piste de ski et de luge artificielle, ouverte toute l'année.

PETIT TRAIN

Près de l'église Saint-Jean, aux abords du lac Malta, se trouve le point de départ du petit train pour enfants, qui long le lac jusqu'au nouveau zoo, installé sur les terrains pittoresques de la colline Biała Góra.

Parcs

PARK CITADELA

Wzgórze Cytadela
Au nord de la vieille ville.

PARK WILSON

Entre les rues Głogowska, Matejki et Biedrzyckiego
Fermé le lundi, entrée : 5,50 zl, réduit : 3,50 zl. Ouvert depuis 1902, il contient une belle et large fontaine de 1891.

Shopping

MARCHE

Sur la place Wielkopolski, au bord de la rue 23 Lutego, à deux pas du Rynek, se trouve un marché aux fleurs, fruits et légumes, offrant un doux mélange de couleurs. A l'extrémité aussi des stands d'épicerie, d'ustensiles de cuisine et de vêtements (pas de la dernière mode, mais il est possible de dénicher quelques bonnes affaires, notamment pour les enfants). A lieu tous les jours du matin (environ 7h, 8h) jusqu'à 16h, 17h, le dimanche plus restreint. Quelques stands de fleurs restent normalement 24h/24.

MARCHE DU CUIR ET DE LA LAINE

Ul. 27 Grudnia
Sur la petite place devant la rotonde, quelques étals tous les jours, vendent des articles de cuir et de laine : des chaussons aux peaux de mouton pour mettre devant la cheminée (très douce, mais un peu odorante…).

■ **GALERIE D'ART SCENA**
I GALERIA ANNY KAREŃSKIEJ
Ul. Kramarska 15 ✆ (061) 852 08 85
Ouvert de 10h à 18h, le samedi jusqu'à 14h.
Sculptures et peintures contemporaines
polonaises.

Antiquaires

■ **ANTYKI**
Stary Rynek 52A ✆ (061) 848 36 15
*Ouvert de 10h à 18h (14h le samedi). Entrée
par la rue Wodna.*

■ **ANTYKI**
Ul. Dominikańska 4 ✆ (061) 855 76 32
Ouvert de 10h à 18h (15h le samedi). Meubles
et horloges notamment.

■ **ANTYKI**
Ul. Woźna 17 ✆ (061) 852 85 11
Ouvert de 10h à 18h.

Centres commerciaux et rues commerçantes

Rue Św. Marcin, place Wolności et rue
27 Grudnia. Le récent et luxueux centre
commercial Stary Browar, au bout de la
rue Półwiejska, au croisement avec la rue
Kościuszki (environ 10 min à pied du Rynek),
abrite aussi des galeries d'art et deux lieux
de sorties : le Słodownia (disco, house) et le
Piano-Bar (jazz). Un des plus riches hommes
de la Pologne l'aurait offert à sa femme comme
cadeau, sympa !

Supermarchés et hypermarchés

■ **AUCHAN KOMORNIKI**
Ul. Głogowska 432 ✆ (061) 656 86 00

■ **REAL**
Ul. Szwajcarska 14 ✆ (061) 874 56 00

■ **TESCO**
Ul. Serbska 7 ✆ (061) 829 97 00

Sports et loisirs

■ **LAC MALTA « JEZIORO MALTAŃSKIE »**
*Du Rynek en centre-ville pour rejoindre le lac,
comptez environ 20 min à pied ou prenez le
tramway n° 1, 4 ou 16.* Un lac qui offre de
nombreuses activités comme une mini-piste
de ski et une luge sur un toboggan, ouvertes
toute l'année (voir ci-dessous). Un centre de
sport aquatique et nautique accueille souvent
des compétitions d'aviron, voire même les
championnats du monde. Plages en été.

■ **CENTRE DE SPORT**
ET RECREATION MALTA SKI
(CENTRUM SPORTOWO
REKREACYJNE « MALTA SKI »)
Ul. Wiankowa 2
✆ (061) 855 74 27/30
Situé sur le bord sud du lac, à l'extrémité
la plus éloignée de la vieille ville, ce centre
de sport et récréations tire sa plus grande
fierté de sa piste de ski artificielle d'environ
150 m de long, ainsi qu'une piste de luge
d'été sur un toboggan de 560 m. Possibilité de
louer ici des équipements de ski (expérience
troublante en plein été), des vélos ou rollers,
pour notamment faire un tour du lac très
plaisant, ou encore de s'essayer à leur mur
d'escalade.

■ **DECOUVERTE A VELO**
La région de Wielkopolska propose des
chemins balisés pour les cyclistes. Sept
chemins parcourent la région comme :
l'anneau de Poznań, la route des Piast, la
route des 100 lacs, la route de Warta (le
long du cours d'eau « Warta »). Un plan
est disponible à l'office du tourisme. **Pour
davantage d'information,** contactez le
département Sport et Tourisme de la région.
Ul. Piekary 17 (✆ (061) 647 52 70/855 35
22. sport@wielkopolska.mw.gov.pl).

■ **NOUVEAU ZOO**
Ul. Krańcowa 25
✆ (061) 877 35 17
www.zoo.poznan.pl
Ouvert de 9h à 16h. Entrée : 9 zl, réduit : 6 zl.
Installé au milieu de la forêt, ce zoo comporte
plus de 2 000 animaux de 140 espèces
différentes.

■ **ANCIEN ZOO**
Ul. Zwierzyniecka 19 ✆ (061) 848 08 63
Ouvert de 9h à 16h. Entrée : 9 zl, réduit : 6 zl.
L'un des plus vieux zoos de Pologne, de 1874
qui compte sur plus de 4 ha, des girafes, lions,
zèbres, hippopotames, singes…

■ **PISCINE POSIR PŁYWALNIA**
Ul. Chwiałkowskiego 34
✆ (061) 833 05 11. www.posir.poznan.pl

■ **PISCINE RATAJE**
Os. Piastowskie 53
✆ (061) 877 57 26. www.posir.poznan.pl

Golf

■ **BACHALSKI SPORT PARK**
Ul. Wichrona ✆/Fax : (061) 663 85 75

www.golf-bachalski.pl – golf@bachalski.pl
Possibilité aussi de prendre des cours de golf.

Équitation

■ **HIPODROM WOLA**
Ul. Lutycka 34 ℂ (061) 848 30 97
*20 zl de l'heure, le week-end à 9h, 10h15 et
11h30.* Courses le vendredi soir.

Bowling

■ **CENTRUM REKREACJI NIKU**
Ul. Piàtkowska 200
ℂ (061) 826 33 66. www.niku.com.pl
*Du lundi au vendredi, de 11h à 18h, pour 7 zl, le
samedi et le dimanche pour 9 zl. De 18h à 2h du
matin, le jeu coûte 12 zl du lundi au jeudi, 15 zl
le vendredi et le samedi, 9 zl le dimanche.*

▥ LES ENVIRONS DE POZNAŃ ▨▨▨▨

KÓRNIK

Cette petite ville de 6 000 habitants, située
à 20 km au sud de Poznań, facilement
accessible, est connue pour son château
qui mérite le déplacement. Véritable palais,
Kórnik possède également un superbe parc
de style anglais, vrai catalogue de la flore
des pays de l'hémisphère Nord, parfaitement
entretenu et qui fait la fierté des habitants.
Kórnik mérite une excursion au départ de
Poznań. En échange, il offre le calme et la
beauté de ses trésors !

Transports

▶ **Bus.** La station de Kórnik est située sur le
Rynek. Il y a de nombreux bus en direction
de Poznań, distante de 20 km, ainsi que vers
Rogalin. Il n'existe pas de gare ferroviaire
à Kórnik.

Hébergement

■ **CAMPING OŚRODEK
SPORTU I REKREACJ**
Ul. Lesna 6 ℂ/Fax : (061) 817 01 83
Centre de vacances disposant également
de chambres à louer et de petites maisons,
situé près d'un lac.

Points d'intérêt

■ **CHATEAU**
*Toujours fermé le lundi. Ouvert de février à avril
de 9h à 15h30, de mai à octobre de 9h à 17h30
et de novembre au 15 décembre de 9h à 15h30.*
Construit au XVe siècle, il fut la propriété de
la famille Górka, avant d'être remanié au
XIXe siècle par Tytus Dzialynski dans un style
tout à fait particulier, néogothique anglais,
dessiné par l'architecte allemand Karl Friedrich
Schinkel. En 1924, le neveu de Działynski,
Władysław Zamoyski, a fait don de l'édifice à
l'Etat polonais. Ce château abrite aujourd'hui

un musée qui permet d'en visiter les intérieurs
superbes, dont l'originale salle maure.

■ **ARBORETUM**
*Ouvert de mai à septembre tous les jours de
9h à 17h, d'octobre à avril tous les jours de
9h à 15h.* Ce nom est donné au jardin anglais
qui s'étend derrière le château. On peut le
visiter, et découvrir les milliers d'espèces
qui le composent.

ROGALIN

Autre étape intéressante pour quelques
heures : le minuscule village de Rogalin
(*environ 700 habitants*), situé à moins de
15 km de Poznań, et à peu près autant de
Kórnik. Il possède un palais du XVIIIe siècle
transformé en musée, entouré d'un jardin et
de dépendances qui se visitent également.
Rogalin était au XVIIIe siècle le siège de
la famille Raczyński qui fit construire
le palais.

Proposition d''itinéraires, dans les environs proches de Poznań

Les trois centres d'intérêt qui valent le
détour sont :

▶ **Le château de Kórnik,** ainsi que le
parc de chênes, **et le palais de Rogalin**
(l'extérieur seulement, puisque ce sont
les intérieurs du château de Kórnik les
plus impressionnants), environ 3h trajet
inclus.

▶ **La route des Piast** en une journée
(voir encadré plus loin).

Transports

En ce qui concerne les transports, il est préférable de disposer d'une voiture, car si plusieurs bus partent de Poznań et de Kórnik, les retours sont parfois plus rares, et il vaut mieux consulter les horaires de retour avant même de s'y rendre.

Points d'intérêt

■ PALAIS

Ouvert du mardi au dimanche de 10h à 16h.
Construit à la fin du XVIIIe siècle, dans le style baroque, cet imposant palais a été pillé pendant la Seconde Guerre mondiale, mais épargné. Il abrite aujourd'hui une annexe du musée national de Poznań. On y trouve une belle collection de peintures des grands maîtres polonais des XIXe et XXe siècle et des toiles européennes des écoles françaises, espagnoles, viennoises et allemandes, du mobilier et des tapisseries d'époque. Derrière le palais, se trouvent un jardin à la française, et un jardin anglais qui compte des chênes centenaires. Les plus vieux chênes ont été baptisés : Lech, Rus et Czech. La remise abrite quelques voitures anciennes (fiacre et carrosses).

▐ **En quittant Rogalin,** il faut également passer par la chapelle Raczyński, construite en 1820, sous le modèle de la Maison Carrée de Nîmes. La crypte abrite plusieurs tombes de la famille.

▐ **Rogalin peut être un point de départ pour des excursions** très agréables vers le parc

---

Partez sur la route des Piast !

L'itinéraire des Piast permet de mieux appréhender l'origine de la Pologne et de la nation polonaise. C'est un intéressant parcours, jalonné de très belles constructions et quelques attractions. Les étapes proposées ci-dessous sont les principales, ce tour dure environ 9h en bus.

Poznań

La route débute là où tout a commencé, dans le quartier d'Ostrów Tumski et plus précisément dans la cathédrale et sa chapelle d'or des rois polonais.

Pobiedziska (par beau temps)

Un ensemble de miniatures présente toutes les plus magnifiques constructions dispersées sur l'itinéraire des Piast. Sanctuaires, palais et manoirs sont reconstruits avec soin et précision.

Lednica

Un Musée ethnographique en plein air (skansen), très intéressant, reconstruit le schéma du village type de la région au XIXe siècle (avec quelques constructions plus vieilles et plus anciennes). Un beau voyage dans le temps qui donne l'impression de se promener dans un vrai village peuplé. Puis sur une jolie île du lac que l'on atteint à l'aide d'un bateau, le musée des premiers Piast, résultat de longs travaux archéologiques présente quelques objets du Xe siècle, de l'époque de Mieszko Ier, premier véritable souverain de Pologne.

Gniezno

A l'instar de Poznań, Gniezno, première capitale de Pologne, possède une superbe cathédrale.

Biskupin

Pour un voyage dans le passé lointain… Si vous souhaitez effectuer la route des Piast entièrement, voici la boucle complète : Poznań, Ostrów Lednicki (sur le même site : Pobiedziska, Moraczewo, Lednogóra, Dziekanowice), Gniezno, Trzemeszno, Mogilno, Strzelno, Kruszwica, Inowrocław, Biskupin, Gniezno, Giecz et retour à Poznań. Evidemment, il est plus aisé d'effectuer cette route en voiture ou avec un guide qu'avec les transports en commun, qui desservent assez mal ces lieux.

national tout proche. Chaque bureau PTTK propose des cartes où figurent les différents circuits selon les régions.

PARC NATIONAL DE LA GRANDE-POLOGNE (WIELKOPOLSKI PARK NARODOWY)

Situé à une quinzaine de kilomètres au sud-ouest de Poznań, ce Parc unique dans la région couvre une surface de 76 km², dont 80 % de forêts. Facilement accessible par train ou bus (axe Poznań-Wrocław), ce cadre naturel, parfaitement préservé jusqu'à aujourd'hui, pourrait être menacé dans l'avenir par la pollution de l'agglomération urbaine qui l'entoure. Mais pour l'instant, le parc de Grande-Pologne reste un endroit agréable, un havre de paix à proximité de Poznań, où l'on peut venir se reposer une journée en se promenant dans la plus belle forêt de la région. Il propose de nombreux circuits, agrémentés de paysages magnifiques (lacs, étangs, nombreuses variétés d'arbres et de plantes, des animaux, les ruines d'un château, des églises en bois…).

▶ **A Mosina, au cœur du Parc, un Musée naturel (Muzeum Przyrodnicze)**, ouvert depuis 1998, présente, en quatre salles d'exposition, les différentes formes de vie qui existent dans le parc : poissons, oiseaux, insectes. (Adresse : Jeziory ✆ (061) 813 22 06. *Ouvert du mardi au vendredi de 10h à 15h, le samedi, le dimanche et jours fériés de 10h à 16h, fermé le lundi et le lendemain de jours fériés*).

Hébergement

On trouve quelques hôtels dans les villes proches du parc, comme Mosina ou Puszczykowo.

▪ **MORENA**
Ul. Konopnickiej 1 (à Mosina)
✆ (061) 813 27 46
Assez confortable et pas très cher, restaurant correct.

▪ **DOM WYCIECZKOWY SADYBA**
Puszczykowko ✆ (061) 813 31 28
Confort similaire.

▪ **SANTA BARBARA**
Ul. Niwka Stara 8,
à Puszczykowo-Puszczykowko

✆ (061) 819 34 33
Un peu plus cher, mais le plus confortable des trois, et le meilleur restaurant.

SWARZĘDZ

A une dizaine de kilomètres à l'est de Poznań, cette ville, connue pour sa fabrication de meubles, abrite un skansen depuis 1963.

▪ **SKANSEN PSZCZELARSKI**
Ul. Poznańska 35 ✆ (061) 817 31 47
Ouvert tous les jours de 9h à 15h. Ce skansen (Musée ethnographique en plein air) regroupe une collection singulière de ruches en bois, sculptées en forme de personnages, d'animaux, de monuments. Ces ruches, du XIVᵉ siècle à nos jours, sont toujours en activité.

LEDNICA

Transports

Comptez environ 25 min de Poznań pour le trajet, puis environ 2h de visite. Les bus fréquents pour Gniezno s'arrêtent à Lednogóra, où vous pouvez descendre et finir le chemin à pied (environ 10 min).

Points d'intérêt

▪ **LE PARC PAYSAGER DE LEDNICA**
Il fut créé en 1988 pour protéger le paysage et les monuments liés aux débuts de l'histoire du pays polonais.

▪ **MUSEE DES MINIATURES**
Letnisko, à Pobiedziska ✆ (061) 817 78 22
Ouvert du mardi au dimanche de 8h à 20h.
Pobiedziska, est la première ville que l'on croise en venant de Poznań, au début de la route des Piast. Cette ville abrite un musée des miniatures de la Grande Pologne (Wielkopolska). Toutes les plus magnifiques constructions de la région, et notamment celles de la route des Piast sont présentes en modèle réduit. Les premières miniatures furent construites en 1994. Palais, sanctuaires, manoirs, maisons, sont reconstruits avec un soin et une précision impressionnante. Les cathédrales de Poznań et de Gniezno sont superbes. Aussi ce musée constitue-t-il une bonne introduction, ludique, à la découverte des Piast…

▪ **PARC ETHNOGRAPHIQUE DE WIELKOPOLSKA**
Dziekanowice à Lednogóra
✆ (061) 427 47 11/20

Ouvert du mardi au samedi de 9h à 15h, le dimanche de 10h à 15h. En avril, mai, juin, septembre et octobre jusqu'à 17h, en juillet et août jusqu'à 18h. Presque tous ces édifices, la plupart en bois, sont des originaux. Ce skansen reproduit un village type de la région au XIXᵉ siècle, avec tous ses éléments caractéristiques : clôtures, puits, chapelle, statues, jardins, chapelle et même un petit cimetière avec deux tombes retrouvées sur ce site même par des archéologues. Tous les intérieurs des maisons et manoirs, sont équipés, ce qui donne réellement l'impression de circuler dans un village peuplé. Ce musée en plein air (skansen) est encore plus beau en été.

■ **MUSEE DES PREMIERS PIAST A LEDNICA**
Dziekanowice 32 à Lednogóra
℃ (061) 427 47 80
Ouvert du mardi au samedi de 9h à 15h, le dimanche de 10h à 15h. En avril, mai, juin, septembre et octobre jusqu'à 17h, en juillet et août jusqu'à 18h. Situé sur une île du lac Lednica, ce musée est accessible par bac à partir du petit parc ethnographique (Mały Skansen). Sur la rive orientale, s'étend le skansen de Grande Pologne (cité ci-dessus). Cette réserve archéologique témoigne de l'histoire la plus ancienne de Pologne. Des remparts entourent les vestiges de constructions du Xᵉ (époque de Miesko Iᵉʳ) et XIᵉ siècles. Une grande émotion s'est produite parmi le peuple polonais lors de la découverte, en 1988 et 1989 de fonts baptismaux en forme de croix, desquels deux historiens ont déduit que c'était peut-être là, à Ostrów Lednicki, que Miesko Iᵉʳ fût baptisé. Les objets extraits par les archéologues sont visibles à Skarbczyk, au Mały Skansen, situé près du passage à l'île, comme le plus ancien moulin à vent de Pologne.

GNIEZNO

Cette petite ville de 70 000 habitants fut au IXᵉ siècle la première capitale de Pologne, et s'il n'en reste aujourd'hui que peu de traces, Gniezno entretient avec fierté ce souvenir d'un passé glorieux.
La légende de la ville est celle de l'Histoire de la Pologne. Lech, petit-fils légendaire de Piast et grand-père de Mieszko Iᵉʳ (premier roi polonais) aurait fondé Gniezno après avoir découvert le nid d'un aigle blanc en chassant à cet emplacement. De cet endroit, ses deux frères Czech et Rus, partirent s'installer respectivement vers le sud et l'est de Gniezno. Cela explique le nom de cette ville et l'aigle blanc comme emblème de l'Etat polonais. Quelle que soit la vérité sur cette belle légende, Gniezno est restée un symbole de l'histoire polonaise, en plus d'être une ville agréable.
En fait, cette ville a tous les atouts pour devenir un centre touristique de premier plan. De solides racines culturelles, un patrimoine préservé et une atmosphère chaleureuse la rendent particulièrement attrayante. Pourtant, Gniezno, peut-être trop proche de l'imposante Poznań, est restée jusqu'à maintenant une petite ville tranquille, où l'on vient se détendre autant que s'instruire.
Gniezno est une cité calme, mais pas une ville morte ! La rue principale, Bolesława Chrobrego, est une allée bordée de commerces et de petits bars agréables. Piétonne sur une portion, c'est le véritable centre de la ville. Le Rynek, entouré de maisons baroques typiques, est un lieu de passage obligatoire, intersection de toutes les artères. La ville est jumelée avec Saint-Malo.

Transports

▶ **Trian.** Gare située au sud du centre-ville, facilement accessible à pied. Nombreux trains quotidiens de et vers Poznań (45 min à 1h de trajet), ainsi que Toruń et Wrocław.

▶ **Bus.** Terminal situé à côté de la gare. Bus pour la plupart des destinations locales, mais assez rares pour les longues distances, pour lesquelles le train est conseillé.

Pratique

▶ **Indicatif téléphonique :** 061.

■ **BUREAU D'INFORMATION TOURISTIQUE (BIURO INFORMACJI TURYSTYCZNEJ)**
Ul. Tumska 12 ℃ (061) 428 41 00
Ouvert du lundi au vendredi de 9h à 17h, le samedi de 10h à 16h, le dimanche de 10h à 14h.

Hébergement

■ **AUBERGE DE JEUNESSE**
Ul. Pocztowa 11 ℃ (061) 426 46 09
Proche de la gare, ouverte toute l'année.

■ **GEWERT**
Ul. Paczkowskiego 2 ℃ (061) 428 23 75
Fax : (061) 425 33 43
www.gewert.gniezno.pl

recepcja@gewert.gniezno.pl
Hôtel 2-étoiles, conftorable. Chambres simples : 110 zl, doubles de 130 zl à 160 zl. Situé pas loin du centre-ville, dans un quartier calme. Vous pourrez admirer, de ses fenêtres, un beau panorama de la ville.

PIETRAK
Ul. Chrobrego 3 ✆ (061) 426 14 97
www.pietrak.pl – gniezno@pietrak.pl
Hôtel 3-étoiles. Chambres simples : 160 zl, doubles : 190 zl (réductions pendant les week-ends). Situé au centre-ville, à proximité des plus grands monuments de Gniezno. Dispose de trois restaurants, bar, grill-bar, banque, piscine, sauna, jacuzzi.

Restaurants

GWARNA
Ul. Mieszka I 18 ✆ (061) 426 16 16
Ouvert de 9h à 20h. Situé au centre-ville. Rien d'exceptionnel, mais le lieu et les prix sont appréciables. Cuisine polonaise.

KRESOWIANKA
Ul. Roosevelta 123 ✆ (061) 428 23 93
www.kresowianka.pl
restauracja@kresowianka.pl
Ouvert de 10h à 20h. Située à 2 km du centre-ville, sur la route à Toruń. Intérieur agréable, belle terrasse. Cuisine polonaise et lituanienne.

Points d'intérêt

CATHEDRALE
Ul. Kolegiaty 2 ✆ (061) 426 13 62
Visites tous les jours de 9h à 11h et 13h à 17h, en dehors des offices. Visites de groupe seulement accompagnées d'un guide. Le bâtiment religieux qui fait la fierté de la ville, est en fait le troisième ou quatrième au même emplacement depuis le Xe siècle, les autres ayant été détruits. La cathédrale actuelle date du XIVe siècle, et a, par la suite, été agrandie de chapelles sur les côtés. Détruite pendant la Seconde Guerre mondiale, elle fut ensuite reconstruite à l'identique. A l'intérieur, richement décoré à différentes époques, on trouve le sarcophage de saint Adalbert, enseveli sous la cathédrale, à la fin du Xe siècle après avoir été martyrisé par les Prussiens, qu'il avait tenté de convertir au christianisme. Ce saint incarne un grand symbole pour la ville et la Pologne en général. On trouve aussi une statue du cardinal Wyszynski, autre symbole de la Pologne, originaire de Gniezno, ainsi

qu'une statue de Jean-Paul II, à l'extérieur de l'édifice. Une œuvre de Wit Stwosz également (qui a réalisé le retable de l'église Notre-Dame de Cracovie) se trouve au-dessous du chœur de musique, une dalle funéraire en marbre. Cinq rois polonais furent couronnés ici. Le trésor de cette cathédrale est les portes de bronze datant de la seconde moitié du XIIe siècle, un des plus grands chefs-d'œuvre de l'art roman en Pologne. Elles illustrent la vie de saint Adalbert (lire de bas en haut sur l'aile gauche, puis de haut en bas sur l'aile droite des portes).

MUSEE DE L'ARCHEVECHE
MUZEUM ARCHIDIECEZJALNE)
Ul. Kolegiaty 2 ✆ (061) 426 37 78
Ouvert du mardi au samedi de 9h à 16h et jusqu'à 15h, de décembre à février. Billets : 4 zl, réduit : 2 zl. Derrière la cathédrale, dans le complexe de maisons construites pour les religieux, se trouve une intéressante collection d'objets d'art sacré.

MUSEE DES ORIGINES
DE L'ETAT POLONAIS
(MUZEUM
POCZĄTKÓW PAŃSTWA POLSKIEGO)
Ul. Kostrzewskiego 1 ✆ (061) 426 46 41
www.muzeum.gniezno.pl
Ouvert du mardi au dimanche de 10h à 17h. Billets : 5,50 zl, réduit : 3,50 zl. Situé sur l'autre rive du lac Jelonek, dont une promenade aux alentours est également très agréable. De nombreux objets, peintures et vidéos retracent l'histoire de la Pologne de son origine, pendant le règne de la dynastie des Piast, jusqu'au XIXe siècle.

PLACE DE LA VIEILLE VILLE (RYNEK)
Rénovée dans les années quatre-vingt-dix.

EGLISE SAINT-JEAN
(KOŚCIÓŁ ŚW. JANA)
Bâtiment gothique en briques rouges du XIVe siècle. C'est une des rares églises ayant conservé ses fresques sur ses murs. Elles représentent la vie du Christ et de Marie. Un véritable trésor…

BISKUPIN

Voilà l'endroit connu le plus ancien de Pologne. Biskupin était habitée vers 550 avant J.-C. par une tribu lusacienne et édifiée près d'un lac. Le site a été découvert en 1933 par un instituteur, Walenty Szwajcer, partiellement reconstitué, et ouvert au public.

On peut visiter l'ensemble du site, qui se présente sous la forme d'un village entouré de remparts en bois, épais de 3 m à 8 m, dans lequel ont vécu jusqu'à 1 000 personnes (on compte aujourd'hui 320 habitants). Un musée archéologique présente les nombreux objets découverts sur le site par les archéologues, et expose la vie quotidienne de ces Polonais d'hier, à travers leurs habitudes alimentaires et vestimentaires, leur mode de vie ainsi que leurs croyances. Biskupin propose un étonnant voyage dans le temps, qui nous ramène à la vie quotidienne de nos ancêtres, tellement différente de la nôtre et pourtant déjà si évoluée.

Transports

▶ **Bus.** Arrêt près de l'entrée du parc. Quelques bus quotidiens pour les destinations proches, et surtout Gniezno. De Poznań, il faut prendre le bus pour Znin (environ 4 bus par jour), puis de Znin à Biskupin (plus de bus en semaine, mais pas le week-end). Environ 6 bus par jour effectuent le trajet de Żnin à Wenecja puis Biskupin (40 min de trajet) et Gąsawa. De Poznań, une autre possibilité consiste à prendre un bus direct pour Gąsawa, à 2 km ou 3 km de Biskupin et de terminer le trajet a pieds.

▶ **Train à voie étroite.** Ce train touristique circule en été (de mai à septembre) et relie Znin, Biskupin, Wenecja et Gasawa. Il est conseillé pour une promenade, mais pas comme moyen de transport rapide.

Points d'intérêt

■ **VILLAGE DE L'AGE DE FER MUSEE ARCHEOLOGIQUE**
Biskupin 17 ✆ 052 302 50 25,
052 302 50 55 pour la caisse et les guides
www.biskupin.pl – muzeum@biskupin.pl
Toutes les visites sont regroupées dans un parc, qui ouvre d'avril à novembre tous les jours de 8h à 18h, et jusqu'à la tombée de la nuit le reste de l'année. Billets : 7 zl, réduit : 5 zl. Ce site expose une reconstitution de certaines maisons telles qu'elles devaient être il y a environ 2 750 ans, ainsi que leurs intérieurs qui peuvent être visités. Un musée expose les objets archéologiques découverts dans la région de Biskupin attestant de l'authenticité du site.

▶ **Tous les ans en septembre, se tient un festival archéologique.** Il s'agit, pendant plusieurs jours, de retracer la vie de l'époque au travers des mises en scène réelles en costume et des présentations de diverses activités (fabrication du pain, de la monnaie, travail du fer…). Des concerts animent les festivités.

WENECJA

Petit village de 280 habitants, tout près de Biskupin. Son positionnement entre les deux lacs de Venise et de Biskupin a créé sa ressemblance avec Venise, du fait de l'eau qui circule au cœur du village.

▶ **Le village est notamment connu pour les ruines de son château gothique de 1390.**
Une légende court sur ce château : à la fin du XIVe siècle, le dernier propriétaire, Mikołaj Nałecz Chwałowic, possédait une énorme richesse. On parlait de lui de différentes façons. Tantôt il passait pour un homme bon, intelligent, juste, tantôt pour la représentation même du mal, en relation avec Satan (d'où le surnom du lieu, Diable de Venise). Le château aurait été détruit par la foudre un soir d'orage, enfouissant toute la richesse en ses murs. Depuis, on entendrait un bruit de chaînes : le diable, enfermé avec son trésor, attend d'être libéré. Un jour, un berger s'amusait à lancer sa casquette en l'air à proximité du château. Au bout d'un moment, celle-ci disparut en terre. Le jeune homme commença à se lamenter de l'avoir perdue, quand elle réapparut tout à coup remplie de pièces d'or. Quand la nouvelle se propagea dans le village, de nombreux hommes en firent de même dans l'espoir d'obtenir un sort identique, mais en vain… Depuis, un mystère règne sur ce lieu, mais nul ne peut répondre aux multiples questions concernant l'origine du lieu et la part de vérité de la légende.

▶ **Le second point d'intérêt de Wenecja est son Musée du train à voie étroite** (Muzeum Kolei Wąskotorowej ✆ 052 302 51 50). Il est ouvert tous les jours de 9h à 18h de mai à août, de 9h à 16h en septembre et octobre, de 10h à 14h de décembre à février et de 10h à 15h en mars, avril et novembre. Il présente matériel, objets divers, locomotives à vapeur et wagons anciens.
La meilleure façon de se rendre à Wenecja est de profiter d'une promenade en petit train. Il est également possible de prendre le bus depuis Znin (direction Gąsawa, environ 5 km).

■ **SECTION DU CHEMIN DE FER A VOIE ETROITE DE ŻNIN**
Ul. Potockiego 4 ✆ 052 302 04 92
Il circule du 15 avril au 28 octobre.

À L'EST DE POZNAŃ

▸ **Konin et Licheń.** En direction de Varsovie, route 2, E30, et A2.

▸ **Kalisz, Gołuchów et Antonin.** En direction de Łódź ou Wrocław, route 11).

KONIN

▓ MINE DE CHARBON LIGNEUX

C'est dans les environs de Konin qu'on a fait la découverte du charbon ligneux (et non pas noir). Son extraction est assez technique. Il est possible de visiter une mine à ciel ouvert de charbon ligneux.

LICHEN

A environ 1h de Poznań, à côté de Konin, Licheń est un haut lieu de pèlerinage, le deuxième de Pologne après Częstochowa. Historiquement, lieu de pèlerinage du fait de l'apparition de la Vierge en 1813. Au cours des guerres napoléoniennes, un soldat polonais fut sauvé par cette apparition de la Vierge, pendant la bataille de Leipzig. Il a trouvé l'icône de l'apparition, puis cette dernière fut un peu oubliée… jusqu'à ce qu'un berger en 1852, voit une nouvelle fois l'apparition de la Vierge de cette icône. L'église originelle est celle de Sainte-Dorothée, église en bois néogothique, qui abrite un tableau du XVIIIe siècle de Notre-Dame de Licheń. Depuis 1994, un nouveau sanctuaire a été construit, la basilique de Licheń, prévue pour accueillir jusqu'à 10 000 pèlerins et qui possède la tour la plus haute de Pologne (128 m). La basilique est la 12e plus grande au monde.

A proximité se trouve un calvaire, réalisé avec des pierres envoyées par des mineurs, des ouvriers, depuis toute la Pologne. Cela peut paraître un peu kitch pour certains, intéressant pour d'autres.

▓ INFORMATIONS : SANCTUAIRE NOTRE-DAME DE LA DOULEUR

Licheń Stary, Ul. Klasztorna 4
✆ 063 270 81 00 – Fax : 063 270 77 10
www.lichen.pl – lichen@lichen.pl

Hébergement

▓ HOTEL MAGDA

Ul. Toruńska 27, Licheń Stary
✆ 063 27 08 700 – Fax : 063 27 08 900
www.hotelmagda.com.pl

recepcja@hotelmagda.com.pl
Grand luxe dans cet imposant hôtel flambant neuf, à 800 m du sanctuaire Licheń, qui dispose aussi d'un restaurant et d'une vaste salle de conférence.

KALISZ

Cette ville de plus de 100 000 habitants, quoique très mignonne (elle possède une jolie place du marché et un beau théâtre), ne vaut pas le détour, mais constitue un bon point de départ pour une visite dans les palais proches de Gołuchów et d'Antonin. L'office du tourisme fournit des brochures sur ces deux sites qui font la fierté de Kalisz.

Kalisz est la première ville polonaise citée dans les textes. Cela remonterait au IIe siècle après J.-C., lorsque le géographe grec Claude Ptolémée note son existence sur les terres polonaises, sous le nom de Kalisia. Certains prétendent qu'elle est la plus ancienne ville de Pologne, puisque sur une carte des Romains, dans l'Antiquité, figure sur la route de l'Ambre, une ville du nom de Calisia (en latin). Les Polonais ont supposé que c'était Kalisz, mais qui sait… Plusieurs fois détruite par des incendies, elle a toujours été reconstruite et s'est développée jusqu'au XVIe siècle. Son moment le plus tragique a été sa destruction par les Allemands en août 1914. En revanche, elle est restée relativement indemne lors de la Seconde Guerre mondiale.

Transports

▸ **Train.** La gare se trouve à 2 km au sud de la ville, Ul. Dworcowa 1, et est reliée au centre par les bus n° 1 et 10. Nombreux trains quotidiens vers Poznań, Łódź et Varsovie.

▸ **Bus.** Terminal proche de la gare, Ul. Górnośląska 82-84. Bus pour les destinations régionales, ainsi que pour Poznań et Wrocław.

Pratique

▸ **www.stary.kalisz.pl** – Petite présentation de l'histoire de la ville en français).

▓ OFFICE DU TOURISME

Ul. Garbarska 2
✆ (062) 764 21 84 – Fax : (062) 264 21 84
Ouvert du lundi au samedi de 10h à 17h (14h le samedi).

Hébergement

■ AUBERGE DE JEUNESSE
Wał Piastowski 3 ℰ (062) 757 46 50
Située dans le sud-est de la ville, dans un cadre agréable au bord de la rivière. Elle est ouverte toute l'année.

■ CALISIA
Ul. Nowy Świat 1-3
ℰ (062) 767 91 00
Fax : (062) 767 91 14
www.hotel-calisia.pl
rezerwacja@hotel-calisia.pl
Chambres simples : 160 zl, doubles : 220 zl.
Bon rapport qualité-prix.

■ EUROPA
Al. Wolności 5
ℰ (062) 767 20 32
Fax : (062) 767 20 33
www.hotel-europa.pl
biuro@hotel-europa.pl
Hôtel 2-étoiles. Chambres simples : 150 zl, doubles : 190 zl. Situé au centre-ville, ce bâtiment a été construit au début du XIXᵉ siècle. Bon confort. A la demande, journaux étrangers dans les chambres. Dispose d'un sauna et jaccuzzi.

■ PROSNA
Ul. Górnośląska 53/55
ℰ (062) 768 91 00
Fax : (062) 768 91 99
prosna@orbis.pl
Sur le chemin de la gare en venant du centre, c'est le meilleur hôtel et restaurant de la ville.

Restaurants

On trouve pas mal de petits restaurants dans le centre-ville, tout autour du Rynek, généralement spécialisés dans la cuisine polonaise, ainsi que quelques cafés agréables.

■ BACÓWKA
Al. Wolności 12
ℰ (062) 503 10 35 – Fax : (062) 538 69 11
Ouvert de 11h à 23h. Situé à 300 m du centre-ville. Intérieur dans un style montagnard de Zakopane. Cuisine polonaise, grand choix de viandes (barbecue).

■ KALMAR
Ul. Śródmiejska 26
Spécialités de poissons, très abordables également.

■ PIWNICA RATUSZOWA
Główny Rynek 20 ℰ (062) 757 05 03
Fermé le dimanche. Ouvert de 10h à 22h, le week-end jusqu'à 2h. Bien localisé dans la cave de l'hôtel de ville, en centre-ville et offre des plats de la cuisine polonaise.

■ PIZZERIA SINALCO
Ul. Śródmiejska 16
Bonnes pizzas pour les petits budgets.

Sortir

■ TEATR IM. W. BOGUSŁAWSKIEGO
Plac Bogusławskiego 1
ℰ (062) 502 32 22/33 83
Réservation des billets du lundi au vendredi de 8h à 15h.

Points d'intérêt

■ MUSÉE RÉGIONAL
(MUZEUM OKRĘGOWE ZIEMI KALISKIEJ)
Ul. Kościuszki 12
Ouvert le mardi, le jeudi, le samedi et le dimanche de 10h à 14h30, le mercredi et le vendredi de 12h à 17h30. Ce musée retrace l'histoire des origines de la région, à travers les objets et les rites des premiers peuples de la Grande Pologne.

■ HOTEL DE VILLE (RATUSZ)
Ouvert du lundi au vendredi de 9h à 15h.
Bâtiment gothique de 1281, il est situé au centre du Rynek, l'intérieur de ce bâtiment ne se visite pas, mais il est possible de monter au sommet, d'où l'on a une vue sur toute la ville.

■ EGLISE SAINT-NICOLAS
(KOŚCIÓŁ ŚW. MIKOŁAJA)
D'abord construite au XIIIᵉ siècle, en style gothique – ce qui en fait la plus vieille église de la ville – elle a ensuite été transformée à plusieurs reprises, d'où la coexistence des styles Renaissance et baroque.

■ COLLEGIALE
Construite au XIVᵉ siècle et remaniée ensuite, son architecture est un mélange de styles gothique et baroque. Le triptyque, des années 1500, en est la pièce maîtresse.

■ EGLISE DES BERNARDINS
(KOŚCIÓŁ POBERNARDYŃSKI)
Aujourd'hui propriété des jésuites, cette église baroque de 1607 n'est pas impressionnante vu de l'extérieur, mais les décors intérieurs sont exceptionnels et valent la peine d'être vus.

Palais sur l'eau dans le parc de Lazienki, Varsovie.

Remparts de Barbacane (vieille ville de Varsovie).

Cour du château royal du Wawel, Cracovie.

Place du Marché, Rynek, Varsovie.

Rue Długa, Gdańsk.

Quais et grue de Gdańsk.

Fontaine de Neptune, Gdańsk.

Mine de sel, Wieliczka.

GOŁUCHÓW

■ RESIDENCE SEIGNEURIALE ET MUSEE DU CHATEAU DE GOŁUCHÓW
Ul. Działynskich 1 ✆/Fax : (062) 761 50 94
www.mnp.info.poznan.pl
Un château du XVIe siècle, reconstruit au XIXe siècle sur le style des châteaux de la Loire ou le style propre à la Renaissance française. Le musée abrite une filiale du musée national de Poznań, qui expose une collection de reliefs italiens, vases antiques, une salle espagnole, une salle italienne, etc. Autour de cette résidence, s'étend un joli parc paysager où se trouve notamment un enclos de bisons européens.

ANTONIN

■ PALAIS DE CHASSE D'ANTONIN
Ul. Pałacowa 1
✆ (062) 734 81 14/69
Fax : (062) 736 16 51
www.ckis.kalisz.pl – ckis@ckis.kalisz.pl
Un impressionnant palais de chasse, en bois de mélèze, octogonal. Un grand hall orné d'un vieux poêle s'élève à travers tous les étages. C'est ici que Frédéric Chopin venait jouer, à la demande du prince Antoni Radziwill. Aussi de nombreux festivals et concerts sont-ils donnés, notamment en son honneur, durant l'été. Ce petit palais dispose de quelques chambres d'hôtel et d'un restaurant.

▬ AU SUD DE POZNAŃ

A environ 80 km au sud de Poznań, la région de Leszno offre le calme d'un coin de nature préservée, des activités et des visites culturelles.
De nombreuses fermes proposent des hébergements, consultez le site : www.agroturystyka.pl

Pratique

■ CENTRE D'INFORMATION TOURISTIQUE DE LA REGION DE LESZNO
Ul. Słowiańska 24
✆/Fax (065) 529 81 91
infotur@leszno.pl

LESZNO

■ www.leszno.pl
Leszno tient son origine du nom de la puissante famille aristocratique qui la détenait au Moyen Age, les Leszczyński.

Points d'intérêt

■ RYNEK (PLACE DU MARCHÉ)
Leszno possède un agréable Rynek, de style baroque, à l'instar de son bel hôtel de ville et son église paroissiale. L'édifice religieux le plus remarquable est en effet l'église baroque Saint-Nicolas, magnifique ensemble d'autels et belle chaire du XVIIIe siècle. Près de l'église Sainte-Croix, une collection lapidaire rassemble des stèles funéraires des XVIIe et XIXe siècles, qui proviennent d'un vieux cimetière calviniste.

■ CENTRE DE VOL A VOILE
Leszno est le plus grand centre de Pologne de vol à voile, d'aéromodélisme et d'aérostation.

■ AQUAPARC (AKWAWIT)
Une piscine, entretenue à température chaude, par les eaux chauffées par la fabrication industrielle d'eau-de-vie de l'entreprise d'à côté. Une des attractions majeures de la ville, avec ses deux toboggans de 52 m et 136 m !

RYDZYNA

▶ www.rydzyna.pl

■ CHATEAU DE RYDZYNA
Plac Zamkowy 1
✆ (065) 529 50 40
Fax : (065) 529 50 26
www.zamek-rydzyna.com.pl
zamek@zamek-rydzyna.com.pl
A 9 km de Leszno (route 5) se trouve le château de Rydzyna. La résidence du dernier représentant des Leszczyński, Stanislas (1677-1766), est un magnifique palais rococo. Edifice baroque de quatre niveaux et quatre ailes, ses intérieurs comportent notamment la salle de bal à deux niveaux et au plafond ornée d'une peinture baroque. Il abrite un hôtel et le musée du château. Rydzyna offre également une belle place du marché et un hôtel de ville baroque, doté d'une figure rococo de la Sainte Trinité. Enfin, l'église baroque Saint-Stanislas renferme une stèle funéraire gothique de 1422.

WIJEWO

A environ 35 km au nord-ouest de Leszno en passant par l'Allemagne (route 12 puis 322), un ensemble de petits lacs avec possibilité de faire des sports nautiques (canoë-kayak, voile) ou du farniente sur les plages.

PAKOSLAW

■ **www.pakoslaw.pl**

▶ **Plusieurs haras de chevaux.** Possibilité de faire des promenades à cheval ou en calèches.

GOSTYŃ

■ **www.gostyn.pl**

A 30 km à l'est de Leszno (route 12). Superbe sanctuaire baroque, aux couleurs éclatantes.

KRZEMIENIEWO

■ **www.krzemieniewo.pl**

Palais de Pawłowice et superbes intérieurs, faits de marbre, de stucs et de lustres.

■ À L'OUEST DE POZNAŃ

ZIELONA GÓRA

Cette ville, proche de la frontière allemande, est dynamique et agréable, et dispose de nombreux centres de loisirs, sans être pour autant riche en monuments et en visites culturelles.

Epargnée par les désastres de la guerre, elle accueille de nombreux touristes allemands qui viennent l'enrichir, et propose depuis 1842, chaque année fin septembre, une fête des vendanges (Winobranie), car ce fut autrefois le centre viticole de la Pologne, même si la production de vin s'est éteinte au XIXe siècle.

Transports

▶ **Train.** Gare au nord du centre-ville. Trains quotidiens vers les destinations proches ainsi que pour Wrocław, Poznań, Cracovie, Szczecin, Varsovie et même Berlin.

▶ **Bus.** Terminal situé en face de la gare. De nombreux bus pour les destinations régionales, où ils sont plus rapides et plus nombreux que les trains.

Pratique

■ **CENTRE D'INFORMATION**
Ul. Kupiecka 15
✆/Fax : (068) 323 22 22
www.zielona-gora.pl
turystyka@zielona-gora.pl

■ **AGENCE LUBTOUR**
Ul. Pod Filarami 3
✆ (068) 325 59 42
Ouvert du lundi au vendredi de 8h à 16h.

Hébergement

■ **AUBERGE DE JEUNESSE PTSM**
Ul. Wyspiańskiego 58 ✆ (068) 327 08 40
Située à l'est de la ville. Ouverte l'année, mais souvent complète en été ; dans ce cas on vous laisse planter votre tente dans le jardin.

■ **CAMPING LEŚNY**
Ul. Sulechowska 39
✆/Fax : (068) 325 36 36
A 2 km au nord de la gare, ouvert en été.

■ **LEŚNY**
Ul. Sulechowska 39
✆/Fax : (068) 325 36 36
Situé près du camping (même propriétaire). Chambres à partir de 80 zl. Confort dans un endroit calme et agréable. Le seul problème majeur est l'éloignement du centre-ville (2 km).

■ **SRÓDMIEJSKI**
Ul.Żeromskiego 23
✆/Fax (068) 325 44 71
lubtour@zetozg.pl
Chambres à partir de 90 zl (réductions le week-end). Un peu plus cher, mais situé dans le centre, à deux pas du Rynek.

■ **POD WIEŻĄ**
Ul. Kopernika 2 ✆/Fax : (068) 327 10 91
Chambres à partir de 85 zl. Assez confortable et bien situé à côté du Rynek. Restaurant correct.

■ **POLAN ORBIS**
Ul. Staszica 9A ✆ (068) 327 00 91
Fax : (068) 327 18 59
www.orbis.pl – polan@orbis.pl

Chambres à partir de 224 zl. Situé à l'est de la ville, c'est le meilleur et un des plus chers de tous les hôtels de Zielona Góra.

Restaurants

▪ KAWIARNIA LA PALOMA
Ul. Kupiecka 30 ✆ (068) 325 54 40
Dans le centre, bons petits plats à prix très réduits.

▪ RESTAURACJA NIEBOSKA KOMEDIA
Al. Niepodległołości 3 ✆ (068) 327 20 56
Bonne cuisine polonaise pas chère.

▪ RESTAURACJA POD ORŁEM
Ul. Gen. Sikorskiego 4 ✆ (068) 325 33 39
A peine plus cher et tout aussi bon.

Points d'intérêt

▪ HOTEL DE VILLE (RATUSZ)
Construit au XVIIe siècle, il domine le Rynek depuis sa tour de 54 m, autour duquel se dressent de belles demeures de style baroque aux façades colorées.

▪ EGLISE SAINTE-EDWIGE (KONKATEDRA P.W. ŚW. JADWIGI)
Ul. Św. Jadwigi 14A,
Juste derrière le Rynek, vers l'est, cette église, à l'origine du XIIIe siècle, a été reconstruite à plusieurs reprises après des incendies qui la ravagèrent, et la dernière fois au XVIIIe siècle. Elle est de style baroque, et on peut simplement déplorer que sa tour, haute de 90 m, se soit effondrée en 1776.

▪ EGLISE NOTRE-DAME-DE-CZESTOCHOWA (KOŚCIÓŁ P.W. MATKI BOSKIEJ CZĘSTOCHOWSKIEJ)
Ul. Mickiewicza
Uu nord du Rynek, cette église du XVIIe siècle, anciennement protestante et affectée aujourd'hui au culte catholique, est partiellement en bois et joliment décorée.

▪ MUSEE REGIONAL (MUZEUM ZIEMI LUBUSKIEJ)
Al. Niepodległości 15
Ouvert du mercredi au vendredi de 11h à 17h, le samedi de 10h à 15h, le dimanche de 10h à 16h. Au nord du centre-ville, ce musée possède surtout une collection d'œuvres contemporaines, tandis que les objets plus ou moins anciens de la vie courante, sont localisés dans les villes voisines de Świdnica et Drzonów.

▪ SKANSEN
Ouvert du mercredi au dimanche de 10h à 15h (16h en été). Pour s'y rendre, il faut prendre le bus n° 27 et aller jusqu'à Ochla, à 7 km au sud de Zielona Góra. Il s'agit de la visite la plus intéressante de toute la ville, car ce skansen a été très bien reconstitué.

STOBNICA

▪ RESERVE DE LOUPS
De Poznań, prendre la route numéro 11 pendant 21 km, puis à Oborniki, bifurquer à gauche, direction Obrzycko, Stobnica est sur le chemin.

▪ RÉSERVE DE LOUPS AVEC DES TARPANS
✆ (061) 291 36 39

MIĘDZYRZECZ

▪ REGION FORTIFIEE ET RESERVE DE CHAUVE-SOURIS
« Pro Nature » à Boryszyn ✆ 095 741 13 20
Fax : 095 381 30 70
www.bunkry.mru.webpark.pl
bunkry.mru@wp.pl
et le bureau de tourisme de Malgorzata, à Międzyrzecz. Ul. Młyńska 8
✆/Fax : 095 742 91 75
www.mru.pl – malgorzata@mru.pl
Lignes de fortifications construites par Hitler en 1934, et bunkers reliés par des souterrains formant un ensemble de défense considéré comme l'un des plus longs au monde. Seul un guide peut vous conduire dans ce véritable labyrinthe. Dans ces souterrains, hibernent des chauves-souris. Quelque 30 000 chauves-souris d'environ 14 espèces différentes se regroupent ici.

▪ CHATEAU, MANOIR ET VIEILLE VILLE DE MIĘDZYRZECZ
Information touristique et agro-touristique
Ul. Podzamcze 2 ✆/Fax : 095 741 18 58
www.turystyka-lubuskie.com
biuro@turystyka-lubuskie.com
Un château médiéval, un manoir du XVIIIe siècle, qui abrite un musée doté de collections archéologiques, historiques et ethnographiques. Sur le Rynek (place du marché), un bel hôtel de ville du XVIe siècle orné d'un aigle, ainsi qu'une église paroissiale gothique et une église évangélique de style classique.

▓ AU NORD-EST DE POZNAŃ ▬▬▬▬▬

TORUŃ

Ville importante de l'ordre Teutonique qui en bâtit, au début du XIIIe siècle, tous les édifices importants, lieu de naissance de Copernic, dont le nom est cité partout, Toruń est sans doute l'une des plus belles villes de Pologne. Le traité de 1466 qui amorça le déclin de l'ordre Teutonique et le rayonnement de la Pologne y fut signé, et si Toruń connut les invasions suédoises et prussiennes, avant de redevenir polonaise après la Première Guerre mondiale, son centre-ville a été superbement préservé, et dévoile ses merveilles aux visiteurs assoiffés de culture et d'art. On découvre la ville telle que le petit Copernic lui-même devait la connaître, et marche dans les pas de cet enfant qui deviendra le plus grand réformateur de toute l'histoire de l'astronomie. Ses découvertes ont changé la face du monde, mais l'endroit où il est né et où il a grandi est resté le même. Toruń est également réputée pour son piernik (sorte de gâteau sec au gingembre). On en mange dans toute la Pologne, mais c'est à Toruń qu'il est fabriqué. Spécificité polonaise à goûter absolument, surtout si on vient à Toruń. Il est très facile de trouver des boutiques qui le vendent, sous différentes formes, sous forme de pâtes souple ou dure. A Toruń, la meilleure boutique est celle de l'entreprise Kopernik (sklep Kopernik) qui se trouve sur la place de la vieille ville. Elle est facile à trouver, et généralement une longue file impatiente attend d'acheter ces incontournables pierniki.

Les incontournables de Toruń

▌ **Flâner** des ruelles de la vielle ville avec Rynek et Ratusz.

▌ **Visiter** la maison de Nicolas Copernic, aujourd'hui le musée du grand astronome.

▌ **Observer** des étoiles dans le Planétarium.

▌ **Voyager** dans le temps sur les ruines du château de chevaliers Teutoniques.

▌ **Manger** un piernik et visiter le Musée de piernik de Toruń.

L'ensemble architectural de la vieille ville, qui a conservé son ordonnance urbanistique médiévale, est inscrit sur la liste du Patrimoine mondial de l'Unesco.

Transports

▓ GARE FERROVIAIRE CENTRALE (TORUŃ GŁÓWNY)

Elle est située dans le sud. Prendre le bus n° 22 ou 27 du côté du quai 4 (opposé à la gare), ou marcher pendant 2 km à gauche, puis sur un pont à droite. Trains vers la plupart des destinations principales polonaises, à part Chełmno. Quand on arrive en train par le sud, en passant par Aleksandrów (10 km au sud de Toruń), on traverse un paysage de dunes et de forêts de pins, assez insolite dans cet endroit, rappelant les forêts des Landes.

▓ DWORZEC PKS (GARE ROUTIÈRE)

Ul. Dąbrowskiego 26
Terminal situé dans le Nord, proche du centre-ville. Bus pour de nombreuses destinations, y compris Chełmno.

▓ BUS POLSKI EXPRESS

Arrêt Ul. Szosa Chełmniska, près de la place du Théâtre, du côté du square. Bus en direction de Bydgoszcz et Varsovie.

Pratique

▶ **Indicatif téléphonique :** 056.

▓ OFFICE DU TOURISME

Rynek Staromiejski 1
℡ (056) 621 09 31
Fax : (056) 621 09 30
www.it.torun.com.pl (site en français)
it@it.torun.com.pl
Dans le bâtiment de l'hôtel de ville, il est ouvert le lundi de 9h à 16h, du mardi au vendredi de 9h à 18h, le samedi de 9h à 16h, le dimanche de 9h à 13h (en été).

Hébergement

▓ CAMPING TRAMP

Ul. Kujawska 14
℡/Fax : (056) 654 71 87
Ouvert en été (du 1er mai au 30 septembre).
Situé de l'autre côté de la Vistule, près de la gare. Le site est agréable, au bord de la rivière. Dispose également de bungalows.

▣ DOM WYCIECZKOWY PTTK

Ul. Legionów 24 ✆/Fax : (056) 622 38 55
Ouvert toute l'année. Confort correct pour
petits prix.

▣ PETITE FLEUR

Ul. Piekary 25
✆ (056) 663 44 00
Fax : (056) 663 54 54
www.petitefleur.pl – hotel@petitefleur.pl
Chambres simples : 190 zl, doubles : 250 zl.
Hôtel récent, situé à proximité de la vieille
ville, dans deux maisons de style. Beaucoup
de charme.

▣ POD ORŁEM

Ul. Mostowa 17
✆ (056) 622 50 24 – Fax : (056) 622 50 25
Proche du centre. Confort assez agréable,
mais souvent plein en été.

▣ TRZY KORONY

Rynek 21 ✆ (056) 622 60 31
Très bel emplacement, mais confort modeste.
Dans le passé, quelques reines et rois ont
visité cet hôtel.

▣ HELIOS

Ul. Kraszewskiego 1/3
✆ (056) 619 65 50/60
Fax : (056) 619 62 54
www.orbis.pl – helios@orbis.pl
Chambres à partir de 320 zl en saison (280 zl
hors saison). Le meilleur hôtel de la ville, très
confortable, avec le meilleur restaurant au
rez-de-chaussée.

▣ ZAJAZD STAROPOLSKI HOTEL GROMADA

Ul. Żeglarska 10/14
✆ (056) 622 60 60
Fax : (056) 622 53 84
zstaropolski@gromada.pl
Situé dans une des vieilles maisons de style
de la vieille ville.

Restaurants

▣ KAFETERIA ARTUS

Café installé dans la cour intérieure de la
maison Artus (Dom Artusa). Propose des plats
variés pour un prix correct, dans un décor
original alliant l'ancien et le moderne.

▣ KAWIARNA POD ATLANTEM

Ul. Ducha Św. 3
Ce café-salon de thé est très réputé dans toute
la ville pour son cadre et ses dégustations.

▣ PETITE FLEUR

Ul. Piekary 25
✆ (056) 663 44 00
Bonne cuisine polonaise et française.

▣ RESTAURACJA RATUSZ

Dans la cave de l'hôtel de ville
✆ (056) 621 02 92
Bonne cuisine polonaise traditionnelle pour
des prix raisonnables.

▣ RESTAURACJA STAROMIEJSKA

Ul. Szczytna 2/4
Ce n'est pas le meilleur restaurant de la ville,
mais l'on y vient surtout pour l'ambiance
sympathique.

Sortir

Toruń est une ville dynamique qui propose de
nombreux pubs, très sympathiques, surtout
sur la place du Marché.

▣ PIWNICA POD ANIOŁEM

Rynek 1 (Ratusz)
Il faut descendre dans les caves du bâtiment
de l'hôtel de ville. Entrée reconnaissable grâce
à l'ange qui accueille le client. Grand pub
aménagé dans les caves, voûtes de briques
rouges. Bonne ambiance.

▣ U SZWEJKA

Ul. Rynek Staromiejski 36
✆ (056) 621 11 17
Brasserie prisée des habitants. Bonne
ambiance.

Points d'intérêt

▣ REMPARTS ET TOURS

Ancienne ville médiévale. Au bord de la Vistule,
on distingue tout un ensemble de remparts et
de tours médiévales, dont la plupart sont pour
l'instant abandonnés et ne peuvent donc être
visités. La tour penchée (Krzywa Wieża) tire
son nom de son inclinaison de près d'1,50 m,
visible à l'œil nu. De l'autre côté des remparts,
un jardin donne directement sur la Vistule.
En allant vers l'est, on trouve les ruines du
château des chevaliers Teutoniques, détruit en
1454 et jamais reconstruit. Il se tient parfois
des manifestations culturelles dans les caves
toujours en état. Les trois portes médiévales
encore entières sont les portes du Monastère
(Brama Klasztorna), du Pont (Brama Mostowa)
et des Matelots (Brama Żeglarska). Sur la
Vistule, accostent souvent des bateaux qui
font office de bars, très agréables avec une
belle vue sur les remparts de la ville.

■ HOTEL DE VILLE (RATUSZ STAROMIEJSKI)

Construit en style gothique au XIIIe siècle, il fut remanié au XVIIe siècle. Il abrite aujourd'hui le Musée régional (Muzeum Okręgowe), où l'on trouve surtout des objets d'art et de la vie quotidienne de Toruń au Moyen Age. On peut monter au sommet de la tour, haute de 40 m, d'où on domine toute la ville. Ouvert du mardi au dimanche de 10h à 16h.

■ STATUE DU JOUEUR DE VIOLON

Située à l'ouest du Rynek. Construite en 1914 par le sculpteur allemand Georg Wolf, cette fontaine évoque une légende. A la suite d'un sort jeté par une sorcière, la ville fut envahie de grenouilles. Seul un petit joueur de violon de milieu modeste réussit à libérer la ville, enchantant les grenouilles par sa musique et les conduisant au-delà des murs de la ville.

■ STATUE COPERNIC

Elle se trouve sur le Rynek, près de l'hôtel de ville. Installée en 1853 à la demande d'une association allemande, et réalisée par le sculpteur allemand Fryderyk Abraham Tieck.

■ KAMIENICA POD GWIAZDĄ (MAISON SOUS L'ÉTOILE)

Ouvert du mardi au dimanche de 10h à 16h. C'est l'une des plus belles maisons de Toruń. Maison de style gothique, du XVIIe siècle. La façade est richement décorée de motifs floraux. Elle porte son nom de l'étoile à huit branches installée à son sommet. Aujourd'hui, elle abrite le musée d'Art d'Extrême-Orient.

■ HOTEL ARTUS (DWÓR ARTUSA)

Situé sur le Rynek 6 ✆ (056) 655 49 39 Ce bâtiment de 1891 contient notamment une grande salle de concert et de bal, fidèle au projet d'origine. C'est aujourd'hui le centre culturel de la ville proposant de nombreux concerts, récitals, spectacles. On y admire l'harmonieux mélange d'ancien et de contemporain. La décoration est superbe, ne pas hésiter à lever la tête pour admirer la beauté des plafonds.

■ EGLISE NOTRE-DAME (KOŚCIÓŁ NAJŚWIĘTSZEJ MARII PANNY)

Située à proximité du Rynek, construite à la fin du XIIIe siècle par l'ordre des Franciscains, elle est austère vu de l'extérieur, mais superbement décorée à l'intérieur de fresques d'époque et de longs vitraux. Probablement en bois à l'origine, sa construction en briques rouges daterait de la seconde moitié du XIVe siècle. C'est un bâtiment de taille impressionnante, et très spacieux à l'intérieur.

■ EGLISE DU SAINT-ESPRIT (KOŚCIÓŁ ŚW. DUCHA)

Situé à l'ouest du Rynek, elle date du XVIIIe siècle. A l'origine (1756), les plans ne prévoyaient pas de tour. La tour actuelle, construite en 1897-1899 mesure 64 m de haut. L'autel rococo date de 1756. En 1989, un incendie a détruit le bel orgue du XVIIIe siècle.

■ CATHEDRALE SAINT-JEAN-BAPTISTE (KATEDRA ŚWIĘTYCH JANÓW)

Ul. Żeglarska 16 Située au sud du Rynek, elle a été construite au début du XIIIe siècle, ce qui en fait une des plus anciennes églises gothiques de la région. C'est le plus vaste édifice religieux de la ville qu'elle domine. Son attraction principale est sa cloche, la deuxième plus grande de Pologne après celle de la cathédrale du Wawel de Cracovie. Elle mesure 217 cm de diamètre pour un poids de 7,2 tonnes.

■ PLANETARIUM

Ul. Franciszkańska 15/21 ✆ (056) 622 60 66 www.planetarium.torun.pl office@planetarium.torun.pl Installé dans un des trois anciens réservoirs à gaz de 1860-1890, construits en centre-ville. Après la Première Guerre mondiale, un nouveau grand réservoir fut installé ailleurs, et ce bâtiment ne servait plus à rien. En 1982, la ville commença la restauration afin d'y installer le planétarium. Il ouvrit ses portes le 18 février 1994, pour le 521e anniversaire de la naissance de Copernic. Il peut accueillir 150 personnes. La visite est intéressante, mais ne s'effectue qu'en anglais.

■ MUSEE COPERNIC (MUZEUM KOPERNIKA)

Ul. Kopernika 17 *Ouvert du mardi au dimanche.* Situé dans la maison natale de l'astronome, on y trouve rassemblés les objets de sa vie, même s'il convient de rappeler qu'il n'a passé à Toruń que son enfance.

■ GRENIER A BLE (SPICHLERZ)

Ul. Piekary 2 Non loin de la Tour penchée. Construit dans la première moitié du XVIIe siècle, il est un des plus grands et plus intéressants bâtiments de ce type en Pologne. Il existe plusieurs greniers à Torun.

◼ TOUR PENCHEE (KRZYWA WIEŻA)

Construite au XIVe siècle, et alors droite, elle servait à l'origine de mur de défense de la ville. Au XVIIIe siècle, elle perdit cette fonction pour devenir cachot pour femmes. Au XIXe siècle, elle servit de forge et d'appartements pour les armuriers. Son affaissement est dû à la poussée de son poids sur le sol sableux.

◼ CHATEAU DES CHEVALIERS (ZAMEK KRZYŻACKI)

Situé à l'est de la ville, au bord de la Vistule, il est le premier château de la région. Les recherches archéologiques de 1958-1966 ont prouvé que des fortifications existaient à cette place au Xe siècle. Il aurait tout d'abord été construit en bois, puis en briques rouges. Détruit en 1954, il n'en reste aujourd'hui que les ruines. Toutefois, les fosses et la partie basse du château sont encore conservées.

◼ EGLISE SAINT-JACQUES (KOŚCIÓŁ ŚW. JAKUBA)

Située sur la place de la Nouvelle Ville (Rynek Nowomiejski), à l'est du centre-ville, de style gothique, construite au XIVe siècle. La façade extérieure présente d'intéressantes décorations en céramique, et l'intérieur est superbement décoré. Selon les inscriptions gothiques dans le presbytère, les travaux auraient commencé en 1309.

◼ MUSEE ETHNOGRAPHIQUE (MUZEUM ETNOGRAFICZNE)

Ul. Wały Generała Sikorskiego 19
✆ (056) 622 80 91
Ouvert du 1er octobre au 30 avril, du mardi au vendredi de 9h à 16h, le samedi et le dimanche de 10h à 16h, du 1er mai au 30 septembre, le lundi, le mercredi, le vendredi de 9h à 16h, les autres jours de 10h à 18h. Situé au nord de la vieille ville, dans un parc. On y trouve des représentations de l'art et de l'artisanat de la région. Derrière le musée, on trouve un skansen, reconstitution de maisons anciennes en plein air.

CHEŁMNO

A 40 km au nord de Toruń, avec 20 000 habitants, cette petite ville épargnée par la dernière guerre, est un important centre de la culture médiévale polonaise. En plus de ses fortifications, on y compte de nombreuses églises gothiques en brique, ainsi que de belles maisons préservées. Mais la ville de Chełmno reste écartée du développement actuel de la Pologne, comme figée à une époque révolue. Cela ne lui enlève pas son charme, et en fait une étape incontournable, particulièrement pour les amateurs d'architecture médiévale et teutonique (les chevaliers de l'ordre hésitèrent entre Chełmno et Malbork pour y établir leur capitale).

Jusqu'au XIXe siècle, Chełmno comptait son propre système de pesée et de mesure, dont on peut encore voir le « pręt chełminski » derrière l'hôtel de ville, d'une longueur de 4,35 m, à partir duquel toutes les mesures de la ville ont été définies.

Transports

▸ **Bus.** Terminal situé à l'est de la ville, Ul. Dworcowa 41. Quelques bus quotidiens pour les destinations locales et Toruń. Depuis 1991, il n'y a plus de train passant à Chełmno.

Pratique

◼ OFFICE DU TOURISME (CHEŁMINSKA INFORMACJA TURYSTYCZNA)

Rynek 28 (ratusz) ✆ (056) 686 21 04
Ouvert le lundi de 8h à 15h, du mardi au vendredi de 8h à 16h, le samedi de 10h à 15h, le dimanche de 10h à 13h.

◼ **www.chelmno.pl** – Site en anglais et en allemand. Informations sur la ville.

◼ **www.gmina-chelmno.pl** – Site en anglais. Informations sur la ville et la région.

Hébergement

◼ OŚRODEK WYPOCZYNKOWY

Camping 32. Au bord du lac Starogrodzkie
✆ (056) 686 12 56
A 2 km au sud de la ville. Emplacements de camping en été, et chambres dans des petites maisons.

Bien et pas cher

◼ OŚRODEK REKREACJI GÓRKA

Ul. Wybudowanie 1/7 ✆ (056) 686 44 87
Propose des chambres de 1 à 4 personnes et accueille des groupes. Plusieurs activités sont offertes : cheval, promenade en roulotte et calèche, cochon grillé (la meilleure !), circuit touristique sur les traces des fortifications prussiennes du début du XXe siècle.

Confort ou charme

■ CENTRALNY
Ul. Dworcowa 23
℡ (056) 686 02 12
Situé entre le centre et le terminal de bus.
Chambres simples et avec plusieurs lits, avec
ou sans salle de bains. Bon restaurant.

■ CHATA WUJA TOMA
(LA CASE DE L'ONCLE TOM)
Osnowo 13
℡ (056) 686 17 27
Chambres d'hôte sous le signe
« agroturystyka ». Propose des chambres pour
2 personnes avec salle de bains et possibilité
de repas sur place. Les propriétaires parlent
français et anglais. Possibilité de faire du
cheval.

Points d'intérêt

■ PORTE DE GRUDZIĄDZ
(BRAMA GRUDZIĄDZKA)
Elle signale l'entrée de la vieille ville. Elle date
du XIVe siècle. Vers 1620, on lui a rajouté une
chapelle de style Renaissance néerlandais
abritant une belle pietà.

■ HOTEL DE VILLE (RATUSZ)
*Ouvert du mardi au vendredi de 10h à 16h,
le dimanche de 10h à 13h.* Reconstruit
dans les années 1567-1572 dans un style
Renaissance polono-italien sur une base
gothique du XIIe siècle. En 1589-1595, on lui
a rajouté la tour, puis une horloge. Il abrite
aujourd'hui **le Musée régional** (Muzeum Ziemi

Chelminskiej ℡ (056) 686 16 41. *Ouvert du
mardi au vendredi de 10h à 16h, le samedi de
10h à 15h, le dimanche de 10h à 13h).* Sorte
de dépôt de tout ce qui a pu être recueilli dans
la région. Sont donc exposés pêle-mêle, des
objets d'artisanat ancien et d'art moderne
– prétexte à venir découvrir les intérieurs –
superbes dans certaines salles.

■ EGLISE PAROISSIALE
(KOŚCIÓŁ PARAFIALNY)
Construite à la fin du XIIIe siècle, de style
gothique. Son intérieur a été remanié en
style baroque au XVIIIe siècle, ce qui offre un
mélange assez intéressant. On peut admirer
des peintures polychromes du XIVe siècle.

■ LE TOUR DES REMPARTS
Sur un peu plus de 2 km (2 270 m), une
agréable promenade sur les seuls remparts
pratiquement intacts de toute la Pologne.
Terminez par la descente de la colline jusqu'au
bord de la Vistule.

■ EGLISE SAINT-JEAN-BAPTISTE-
ET-SAINT-JEAN-L'EVANGELISTE
(KOŚCIÓŁ ŚW. JANA CHRZCICIELA
I JANA EWANGELISTY)
Construite au XIIIe siècle à côté du château
(aujourd'hui disparu), elle abrite de superbes
fresques du XIVe siècle, une pierre tombale
de 1275, en marbre noir, un grand crucifix.
Comme elle est souvent fermée, demandez
l'autorisation de la visiter rue Dominikańska
40 (en général, cette demande n'est pas
refusée, mais allez-y avec le sourire…).

LA POMÉRANIE

Gdańsk,
les quais,
la porte Notre Dame
et le musée
archéologique

© S.NICOLAS

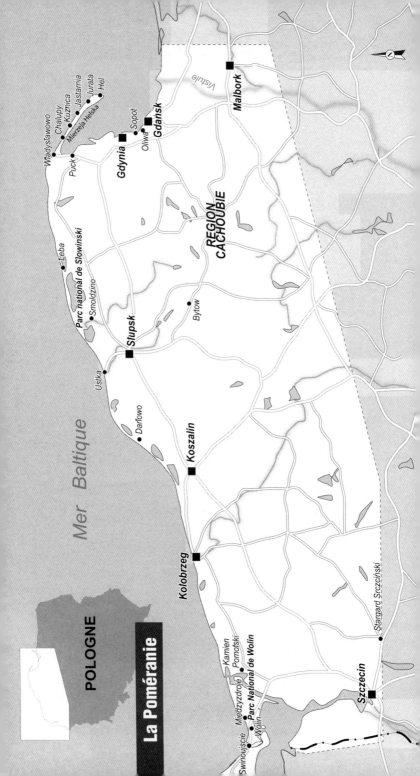

La Poméranie

Cette région couvre toute la côte polonaise le long de la mer Baltique, entre Szczecin à l'ouest et Gdańsk à l'est. La Poméranie a connu l'occupation allemande pendant longtemps, et cela se retrouve dans l'architecture (surtout à Gdańsk) et dans l'importance de l'allemand, seconde langue parlée par les autochtones. Très largement endommagée pendant la Seconde Guerre mondiale, cette région n'a pas toujours le charme traditionnel d'autres endroits de Pologne comme la Silésie ou les Carpates, mais les stations balnéaires sont devenues pour la plupart d'importants centres de tourisme, et Gdańsk est la ville de Pologne la plus prisée des touristes occidentaux après Cracovie. La Poméranie est la région de Pologne la plus tournée vers l'extérieur, prise entre l'Allemagne, la Russie et les Etats baltes, et ouverte au nord en direction des Etats scandinaves que de nombreux ferries relient aujourd'hui.

GDAŃSK

Cette ville est un véritable symbole de l'histoire de la Pologne. Pourtant, il s'agit sans doute de la « moins polonaise » des grandes villes du pays, puisque Gdańsk a toujours été un peu à l'écart. Comme un port qui se respecte, ouverte sur le monde et tournée vers le grand large, cette ville est surnommée la perle de la Baltique tant elle recèle de trésors d'architecture et d'art. Gdańsk est une ville unique, la seule dont les deux noms (Gdańsk et Danzig) sont aussi célèbres l'un que l'autre, symboles de l'autonomie et d'un statut particulier. Et pourtant, cette ville est aujourd'hui indissociable de ses deux voisines, Sopot et Gdynia. A toutes les trois, elles forment une agglomération de 35 km de long et de 800 000 habitants, la « Triville » (Trójmiasto). On vient à Gdańsk à la fois pour y côtoyer le passé, le présent et l'avenir, car ceux-ci sont présents en chaque recoin, comme pour signifier que la ville est éternelle, et que rien ne pourra l'empêcher de rayonner, puisqu'elle a déjà traversé tant d'épreuves. Et malgré cela, elle se dresse toujours aussi fière, à l'image de la grue du port, enrichie de ses expériences et encore plus forte pour affronter le futur.

Histoire

Les premières traces de vie à Gdańsk remontent au Xe siècle, et son premier nom fut Gyddanyzc.

Les immanquables de la Poméranie

▶ **Flâner** dans les ruelles de la perle de la Baltique, Gdańsk.

▶ **Se pavaner** sur le Molo (la jetée) de Sopot le jour puis expérimenter sa vie nocturne.

▶ **Savourer** la quiétude et le farniente ou s'exercer aux sports nautiques sur la presqu'île de Hel, une merveille de la nature.

▶ **Découvrir** le folklore cachoube, unique, ainsi que son art populaire et son artisanat ; pratiquer voile et canoës-kayaks dans la région lacustre de Cachoubie.

▶ **Assister** à un son et lumière dans le château de Malbork, le plus grand ouvrage médiéval d'Europe et la capitale des chevaliers Teutoniques.

▶ **Arpenter** les côtes de la Baltique et ses superbes plages, armé d'un tamis, à la recherche d'ambre.

▶ **Découvrir** les stations balnéaires de la Baltique, telles que Międzyzdroje, où la forêt côtoie de très belles plages, à proximité du parc national de Wolin où paissent des bisons, ou encore le parc national de Slovinie et ses dunes mouvantes.

Dès le début, de nombreux colons allemands vinrent s'y installer avant que, en 1308, les chevaliers Teutoniques ne s'en emparent. Gdańsk connut la prospérité pendant un siècle d'occupation, puis fut rattachée à la Pologne en 1410, après la bataille de Grunwald qui marqua la victoire des Polonais lituaniens sur l'ordre Teutonique. A partir de cette époque, Gdańsk eut droit à un statut particulier, principalement en ce qui concerne le contrôle des prix et des importations dans le port, ce qui lui apporta dynamisme et autonomie. Aux XVIe et XVIIIe siècles, ce furent surtout des Hollandais qui vinrent s'y installer, et qui donnèrent à Gdańsk son allure de port des Flandres, avec ses maisons hautes caractéristiques. La Prusse prit possession de la ville en 1793, mais en 1807, les troupes de l'Empire napoléonien libérèrent Gdańsk qui redevint alors polonaise. Napoléon lui-même aurait déclaré Gdańsk est la clé de tout, tant sa situation géographique était capitale pour le contrôle du nord de l'Europe et de la mer Baltique. Après la défaite de l'Empire, les Prussiens reprirent place, et le XIXe siècle vit une période d'essoufflement de la croissance. Au traité de Versailles, en 1919, Gdańsk (alors Danzig) devint une ville libre. La période d'entre-deux-guerres fut marquée par le retour de la croissance et du rayonnement, mais déjà un certain Adolf Hitler – qui sans doute connaissait cette citation de Napoléon – songeait à reprendre ce port pour pouvoir contrôler la région. Le 1er septembre 1939, la Seconde Guerre mondiale commença à Gdańsk, première cible des troupes du IIIe Reich. En 1945, Staline s'acharna sur cette ville allemande, qui fut, après Varsovie, l'une des plus endommagées de Pologne. Pourtant, avec courage et obstination, les Polonais la reconstruisirent totalement.

En 1970, une première révolte, étouffée dans le sang, éclata dans le chantier naval aux cris de « *plus de liberté et de pain* ». 10 ans plus tard, les ouvriers s'organisèrent autour d'un électricien, Lech Wałęsa, qui rallia tous les mécontents, c'est-à-dire tous les Polonais, et fit connaître le mouvement syndical dont il était le chef, Solidarność, dans le monde entier. Pendant près de 10 ans, cet homme connut la douleur de l'emprisonnement, la gloire d'un prix Nobel de la paix, et la satisfaction d'assister, en 1989, à la fin du régime communiste. Il devint président de la République polonaise un an plus tard. Depuis, Gdańsk attire des touristes de plus en plus

nombreux, et est, en 1997, entrée dans le deuxième millénaire de son histoire, fêtant l'événement avec faste.

Transports

Avion

■ **INFORMATION LOT**
Ul. Wały Jagiellońskie 2/40
℮ 0 801 703 703 (numéro gratuit)
L'aéroport se trouve à 14 km à l'ouest de Gdańsk à Rebiechowo. Le bus B relie l'aéroport et la gare centrale. Vols quotidiens pour Varsovie, Copenhague et Hambourg, deux par semaine pour Londres.

Train

■ **INFORMATION PKP**
Ul. Podwale Grodzkie 1
℮ (058) 94 36/328 52 60
La gare est située à l'ouest de la ville, mais assez proche du centre. Lorsque vous arrivez par le train, devant la gare, prendre le souterrain devant le restaurant KFC, puis à droite, pour ressortir de l'autre côté de la voie rapide et alors parvenir au centre-ville.
De nombreux trains partent dans toutes les directions. Ceux qui viennent du sud ont pour terminus Gdynia, ceux qui viennent de la côte passent par Gdynia et ont pour terminus Gdańsk. Si vous souhaitez aller vers le sud, pour être certain d'avoir une place assise, il peut être judicieux de prendre un train de banlieue pour Gdynia (20 min) et de là prendre le train pour la destination désirée.

Bus

■ **INFORMATION PKS**
Ul. 3 Maja 12 ℮ (058) 302 15 32
Terminal situé à côté de la gare. Bus directs pour de nombreuses destinations, y compris celles qui ne sont pas accessibles par train, comme Frombork (il faut changer à Elbląg pour y aller en train). De nombreuses lignes internationales assurent des liaisons avec les grandes villes d'Europe occidentale.

Tramway

Symbole de Gdańsk, ils circulent sur toutes les grandes artères, et vont jusqu'en banlieue. Il est parfois difficile de s'y retrouver, mais ils peuvent être très utiles pour se rendre d'un point à un autre dans la ville. Peu chers, ils constituent une promenade amusante et typique.

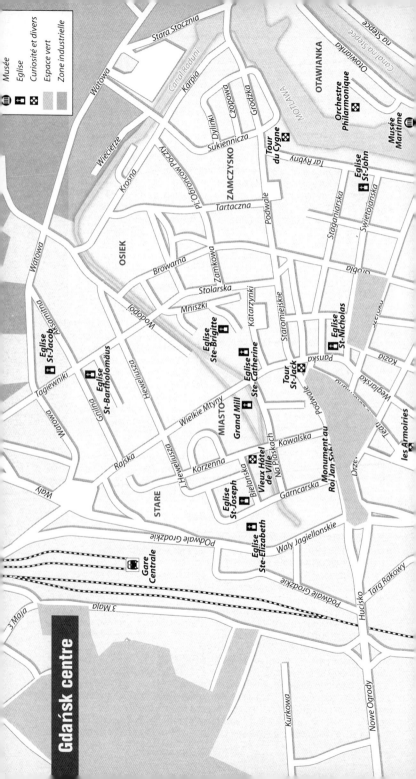

Gdańsk centre

Musée
Eglise
Curiosité et divers
Espace vert
Zone industrielle

Stara Stocznia
Canal Raduni
Wałowa
Watowa
Wiecierze
Krosna
Pl. Obrońców Poczty
Karpia
Czopowa
Grodzka
Dylinki
Sukiennicza

Tour du Cygne

ZAMCZYSKO
Tartaczna
Podwale
Tar Rybny

Eglise St-John

Staganiarska
Swietojańska

OSIEK
Browarna
Stolarska
Zamkowa
Mniszki
Katarzynki
Staromiejskie

Eglise Ste-Brigitte

Eglise Ste-Catherine

Eglise St-Nicholas

Pańska

Tour St-Jack

Podwale

Tagiewniki
Aksamitna

Eglise St-Jacob

Gnilna

Eglise St-Bartholomäus

Hewelinsza
Wodopoj
Wielkie Młyny

MIASTO
Grand Mill

J. Hewelliusza
Korzenna
Rajska
Bielańska
Na Piaskach
Kowalska

Eglise St-Joseph

Vieux Hôtel de Ville

Monument au Roi Jan Sob.

STARE
Garncarska

Wałowa
Wroma
Wały
Podwale Grodzkie

Eglise Ste-Elizabeth

Waly Jagiellonskie

Gare Centrale

3 Maja
3 Maja
Podwale Grodzkie
Hucisko
Targ Rakowy

les Armoiries

Kozia
Węglarska
Dzieci
Drze

Kurkowa
Nowe Ogrody

MOTLAWA
Oławianka
Canal na Stepce
na Stepce

OTAWIANKA

Orchestre Philarmonique

Musée Maritime

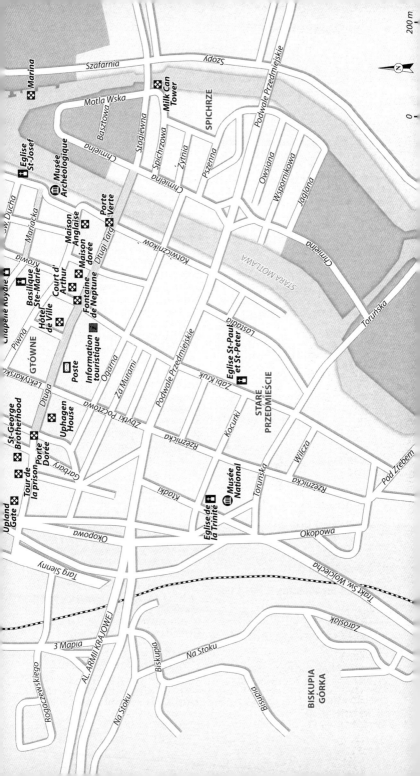

Ferry

Quelques ferries assurent des liaisons avec les villes de Scandinavie. L'embarcadère se trouve au Nowy Port, accessible par le train depuis la gare centrale.

Bateau

Au départ du centre de Gdańsk, des bateaux assurent des excursions touristiques sur l'ensemble des sites jusqu'à la presqu'île de Hel. On peut entre autres, visiter l'immense chantier naval, assez vétuste depuis qu'il est entré en concurrence avec ceux du monde entier (alors qu'hier il était présenté comme le fer de lance de l'industrie navale). La rumeur prétend qu'il va être racheté par des grandes compagnies internationales.

Taxi

Peu coûteux, il faut cependant se méfier et bien vérifier si le compteur a été remis à zéro avant chaque course. Quelques compagnies :

▓ **ARTUS MPT**
✆ (058) 96 33

▓ **CITY TAXI**
✆ (058) 91 93

▓ **ESCORT RADIO TAXI**
✆ (058) 96 24

▓ **HALLO TAXI**
✆ (058) 91 97

▓ **MILANO TAXI**
✆ (058) 96 27

▓ **NEPTUN TAXI**
✆ (058) 92/96 26

▓ **SUPER HALLO TAXI**
✆ (058) 91 91

▓ **TAXI PLUS**
✆ (058) 305 35 35

Location de voitures – Parking

▓ **AVIS**
Ul. Słowackiego 200
✆ (058) 348 12 89/301 88 18.

▓ **BUDGET**
Ul. Słowackiego200 ✆ (058) 348 12 98
et ul. Szeroka 74/76 ✆ (058) 305 61 65

▓ **EUROPCAR**
Ul. Słowackiego200
✆ (058) 341 98 43

▓ **HERTZ**
Ul. Brygidki 14B ✆ (058) 301 40 45

▓ **SIXT**
Słowackiego200 ✆ (058) 348 13 98

▓ **PARKING GARDE**
Air Gdansk. Ul. Toruńska 10
✆ (058) 301 39 12

Pratique

Tourisme

▓ **CENTRE D'INFORMATION TOURISTIQUE (GDAŃSKI OŚRODEK INFORMACJI TURYSTYCZNEJ)**
Ul. Heweliusza 29 ✆ (058) 301 43 55
Fax : (058) 301 66 37
www.got.gdansk.pl – got@got.gdansk.pl
Ouvert du lundi au vendredi de 8h à 17h (16h hors saison). Tout près de la gare et un peu excentré du centre-ville. Depuis la gare, continuez tout droit, passez l'hôtel Mercure, continuez encore, c'est sur votre gauche. Une annexe de cet office du tourisme se trouve dans un petit kiosque vert, devant la gare ferroviaire. Même numéro de téléphone. Ouvert de 10h à 15h, et en juillet et septembre, tous les jours de 10h à 18h. Propose les services d'un guide, en français, pour 150 zl par groupe (de maximum 40 personnes) pour 3h. En été, téléphoner au moins 3 ou 4 jours en avance pour réserver.

▓ **PTTK**
Ul. Długa 45 ✆ (058) 301 91 51/37 52
Fax : (058) 301 60 96
www.pttk-gdansk.pl
biuro@pttk-gdansk.pl – it@pttk-gdansk.pl
Centre d'information touristique, ouvert du lundi au dimanche, de 9h à 20h, et hors saison du lundi au vendredi, de 9h à 17h. Possibilité de réserver un guide pour groupe ou touriste individuel (15 langues différentes). Plus particulièrement pour la réservation de guides (✆ (058) 320 33 15. pzrewodnictwo@pttk-gdansk.pl). Les services d'un guide coûtent 80 zl par personne pour 3h (hors entrées dans les bâtiments et musées visités).

▓ **PTTK**
Ul. Zakopiańska 40 ✆ (058) 306 38 65
Fax : (058) 301 48 18 – pttk@trojmiasto.pl
Propose un service de guide pour Gdańsk et la région, fournit des adresses de logements, fait la réservation de billets (spectacle, traversées en bateau).

▌ *In your pocket* – www.inyourpocket.com
– Petit fascicule d'informations pratiques sur
la Triville : Gdańsk, Sopot, Gdynia, payant
(5 zl) ou offert par certains hôtels (uniquement
en anglais).

Présence française

▨ **ALLIANCE FRANCAISE**
Ul. Sienkiewicza 5A
✆/Fax : (058) 341 49 02
www.af.gda.pl – alliance@univ.gda.pl

Poste et télécommunications

▨ **POSTE CENTRALE**
Ul. Długa 22/28 ✆ (058) 301 80 49
*Ouvert du lundi au vendredi de 8h à 20h, le
samedi de 9h à 15h.*

▨ **INTERNET CAFE SPACJA**
Ul. Motławska 14 ✆ (058) 301 62 12
www.spacja.internetdsl.pl
*Ouvert tous les jours, de 11h à 20h. 1 zl pour
10 min, 2 zl pour 30 min et 4 zl pour 1h.* Depuis
la porte verte (Zielona Brama), traverser le
pont, c'est au bout de la rue sur cette île, sur
la droite, au sous-sol d'une tour, dans une
jolie petite salle voûtée en briques.

Pharmacies

▨ **APTEKA AKSAMITNA**
Ul. Łagiewniki 52 ✆ (058) 305 15 22
*Ouverte tous les jours de 8h à 22h, le samedi,
le dimanche et fêtes de 10h à 22h.*

Pharmacies ouvertes 24h/24

▨ **APTEKA PLUS**
Gare centrale ✆ (058) 763 10 74

▨ **APTEKA
PRZY POGOTOWIU RATUNKOWYM**
Ul. Zwycięstwa 49 ✆ (058) 302 47 01

Fêtes

▌ **Foire Saint-Dominique :** pendant les
trois premières semaines d'août a lieu un
immense marché en plein air : antiquités,
ambre, marché aux puces.

Quartiers

Le centre historique est nommé Główne
Miasto (ville principale), situé le long du cours
d'eau « Motława », il concentre les principaux
points d'intérêt, restaurants et lieux de sortie.
Nous considérerons comme faisant partie du
centre également la vieille ville (Stare Miasto),
quartier au nord-ouest, dans les environs de la
gare ferroviaire. Deux autres quartiers méritent
d'être repérés dans les alentours du centre,
le Nowy Port (Nouveau Port), et Oliwa. Le
premier, à environ 20 min du centre, est tout
naturellement situé sur la baie de Gdańsk et
le long du canal, avec en face Westerplatte.
Oliwa au nord-ouest, à environ 30 min du
centre-ville de Gdańsk, compte quelques
curiosités qui valent le détour.
Gdańsk ne possède pas de Rynek
contrairement aux autres villes polonaises,
mais une voie royale, cœur de la ville historique
et touristique : rues Długa et Długi Targ.

▌ **Attention,** les rues changent curieusement
de noms, à chaque intersection, au bout de
quelques mètres seulement. Par exemple,
partant de Długa, une rue devient tour à tour,
soudainement, Garbary, Tkacka, Kołodziejska,
Węglarska, Pańska, Podmłyńska, Wielkie
Młyny puis Rajska.

▌ **Un plan de la ville,** tout petit (environ 4 cm
x 6 cm), plastifié, très pratique et qui regroupe
aussi Sopot et Gdynia, de la marque Express
Map Polska, est en vente un peu partout
pour 4,90 zl. Vous le trouverez notamment
chez Empik, dans le souterrain qui mène
à la gare.

Hébergement

Compte tenu de l'affluence touristique, Gdańsk
propose peu d'offres en termes d'hébergement
au centre-ville. En revanche, si tout est
complet, il est possible de se loger :

▌ **Au nord du centre, dans le nouveau port
(quartiers Nowy Port et, à l'ouest en bord
de mer, Brzeźno).** Idéalement situé, surtout
pour les personnes motorisées, les chambres
souvent vue sur la Baltique. En effet, si ce
quartier se situe à 15 min en voiture du centre
de Gdansk et 5 min de Sopot, les transports en
commun quant à eux sont beaucoup plus longs
(jusqu'à 45 min) et moins pratiques.

▌ **Dans les quartiers autour du centre-ville**
qui proposent de nombreuses pensions ou
chambres chez l'habitant. Très agréables,
peu chères, souvent seulement à quelques
arrêts de tramway, les principales sont
concentrées à Suchanino, à l'ouest de Gdańsk,
sur les rues Ludwika Beethovena (artère
principale) et J.-S. Bacha (petite rue parallèle
à L. Beethovena). Le quartier Oliwa davantage
éloigné du centre offre l'avantage d'être doté
de lieux touristiques.

▶ **Dans les villes alentours, moins touristiques (mais moins jolies), comme Gdynia.** Par ailleurs la région de Gdańsk est riche en chambres agrotouristiques, qui offre souvent de bons rapports qualité-prix et l'avantage du contact avec la population locale (et leur cuisine bien souvent…). Consulter le site Internet pour se renseigner et réserver : www.agroturystyka.pl

Dans le centre de Gdańsk

Bien et pas cher

■ **DOM HARCERZA**
Ul. Za Murami 2-10 ℂ (058) 301 36 21
Fax : (058) 301 24 72
www.domharcerza.pl
rezerwacje@domharcerza.pl
Chambres simples sans salle de bains de 40 zl à 50 zl, doubles de 75 zl à 100 zl. Chambres doubles avec une salle de bains de 190 zl à 210 zl (petit déjeuner inclus). Dortoirs pour 5 à 12 personnes. L'hôtel, localisé au coeur de la vieille ville de Gdańsk, ressemble aux bâtiments du XVIIe siècle.

Confort ou charme

■ **BALTIC HOSTEL**
Ul. 3 Maja 25 ℂ (058) 328 16 57
www.baltichostel.com
baltihostel@hotmail.com
A 3 min à pied de la gare (prendre direction Gdynia, l'hôtel se situe après un haut bâtiment vert). Dans un vieux bâtiment, mais tout refait à neuf à l'intérieur, fin 2004. Un living-room rouge vif et des chambres de toutes les couleurs : vertes, bleues, roses, orange, jaunes… Même système que l'hôtel précédent. Réception ouverte 24h/24.

■ **DOM AKTORA**
Ul. Straganiarska 55/56
ℂ/Fax : (058) 301 59 01/61 93
www.domaktora.pl – biuro@domaktora.pl
Idéalement situé en centre-ville mais dans une rue tranquille, cet hôtel dispose de 12 appartements, pouvant accueillir de 1 à 6 personnes sur quatre étages (sans ascenseur). Chambres simples : 150 zl, doubles : 220 zl, de 250 à 400 zl pour les appartements, ajouter 15 zl en saison (à partir du 1er mai), possibilité de négocier les prix. Situé dans un immeuble, les escaliers font un peu HLM, mais les chambres sont neuves et spacieuses. Presque toutes disposent de salles de bains, très correctes et d'une cuisine équipée. Idéal

notamment pour les familles ou pour les longs séjours. Ici on revendique l'ambiance comme à la maison (même si la vôtre n'a certainement pas la même décoration). Les chambres n° 4 et 6 disposent de balcon, très agréable. Evitez la chambre n° 10A dont la salle de bains, un peu vieille, dégage des odeurs désagréables. Grande salle, récemment rénovée, qui accueille le petit déjeuner et la réception, ouverte de 8h à 23h. Parking privé. Presque en face de cette maison un restaurant du nom d'un lointain prince Cachoubien, offre des plats cachoubiens de base pour pas cher (*10 zl à 20 zl*).

■ **DOM MUZYKA**
Ul. Łąkowa 1-2 ℂ (058) 326 06 00
Fax : (058) 326 06 01
www.dom-muzyka.pl
biuro@dom-muzyka.pl
Presque au centre ; de Długi Targ, à environ 500 m, passez l'île (rue Stagiewna), puis continuez rue Długie Ogrody, à droite rue Łąkowa ; comptez environ 10 min à pied. Au numéro 1 (hôtel principal, ouvert toute l'année), les chambres simples coûtent de 170 zl à 180 zl, les doubles de 240 zl à 122 zl, les doubles luxes de 260 zl à 275 zl (chambre plus spacieuse et qui donne sur la cour et non pas sur la 2 voies) et un appartement 380 zl (moins 20 zl environ en basse saison). Dans un beau bâtiment, anciennement militaire, qui date de 100 ans. Chambres décorées et meublées très simplement mais avec goût, accueillantes et toutes neuves. Sobre et agréable. Salles de bains assez classes et propres. Puisque l'hôtel est accolé à l'académie de musique, en journée pendant les cours, on peut entendre les répétitions de piano. Un très bon rapport qualité-prix. Dans la cour un grand complexe de concerts en construction (donc un peu de gadoue).

▶ **Il existe un Dom Muzyka n° 2,** pour les étudiants, ouvert de juin à septembre seulement : chambres simples : 130 zl, doubles : 190 zl et triples : 230 zl. Parking non gardé mais tout de même une barrière et un gardien, notamment la nuit, garantissent une certaine sécurité. **Dispose d'un restaurant, Maestro** (ℂ (058) 326 06 03 – restauracja. maestro@wp.pl – *Ouvert de 12h à 23h*). Rien d'exceptionnel mais il permet de manger sur place à bon marché. L'été par contre il organise des barbecues très conviviaux sur la terrasse.
A priori même possibilité de vous faire votre propre BBQ…

■ NOVOTEL GDAŃSK CENTRUM

Ul. Pszenna 1 ✆ (058) 300 27 50/28 50
Fax : (058) 300 29 50 – www.orbis.pl
rez.nov.gdansk@orbis.pl
A 5 min de la place principale, sur une île tranquille, à 5 arrêts de tramway de la gare (prendre les n° 8 ou 13). Chambres simples à 295 zl (240 zl hors saison), doubles à 355 zl (300 zl). Petit déjeuner inclus mais parking en sus (environ 30 zl par jour). Location idéale avec un jardin où l'on peut boire un verre au bord de l'eau. Heureusement car les chambres sont plutôt de piètre qualité. Vieille moquette marron, vieux mobilier en formica, chaises en plastiques, literie qui s'effondre, et certaines avec de vieilles salles de bains, vraiment vieilles (d'autres avec les « rénovées »). Seul point fort : des chambres aménagées pour les handicapés. Restaurant avec quelques bons plats sur une carte traduite en français, pas très cher (*environ 40 zl à 60 zl*) mais dans une grande salle un peu blafarde.

■ PRZY TARGU RYBNYM

Ul Grodzka 21 ✆ (058) 301 56 27
www.gdanskhostel.com
A 8 min de la gare, proche du bout du quai, à 4 min de la place principale du centre, une maison propose des chambres et des dortoirs à un bon rapport qualité-prix : 40 zl par personne en dortoirs et 60 zl par personne en chambre privée, petit déjeuner inclus. Dans le dortoir du sous-sol, les lits sont très serrés, quasiment côte à côte. En revanche dans les étages se trouvent des petits dortoirs de 4 à 6 places en lits superposés dans de jolies chambres de toutes les couleurs avec deux salles de bains, neuves et propres, par étage et toilettes séparées. Des chambres doubles ou pour 3 personnes, avec ou sans salles de bains, affichent également des couleurs très gaies en vert, orange, bleu ou mauve. En général, chambres mignonnes mais de petite taille. Sont mis à disposition des locataires et gratuitement, vélos, kayak, machine à laver, thé, café et Internet (un poste en libre accès). Réception ouverte 24h/24. Grand salon bleu accueillant, où les contacts se nouent et les impressions s'échangent. Même propriétaire que le Baltic Hostel.

Luxe

■ HANZA

Ul. Tokarska 6 ✆ (058) 305 34 27
Fax : (058) 305 33 86
www.hanza-hotel.com.pl
hotel@hanza-hotel.com.pl
Hôtel 4-étoiles, dans un bâtiment récent, ouvert il y a environ 7 ans. Chambres simples : 665 zl (395 zl en basse saison), doubles : 695 zl (465 zl en basse saison), suites et appartements de 685 à 1 090 zl, petit déjeuner inclus ainsi qu'Internet haut-débit dans les chambres et place de parking gardée. Même dans les chambres simples, les lits semblent faits pour deux personnes, les doubles disposent d'environ 35 m². Chambres neuves, élégantes et luxueuses, avec pour certaines, une très belle vue sur la Motława et le port, dotées parfois d'un balcon (mais apparemment qui se monnaie 100 zl supplémentaires). Excellente situation, sur les quais au cœur de la ville historique, élégantes parties communes. Atmosphère calme et plaisante. Un grand écrivain polonais, Czesław Miłosz, y a séjourné. Petite salle au sous-sol avec massage, sauna et jacuzzi, payant. Excellent restaurant (voir chapitre « Restaurant »), dans lequel les clients de l'hôtel bénéficient d'une réduction de 15 %.

■ HOLIDAY INN

Ul. Podwale Grodzkie 9 ✆ (058) 300 60 00
Fax : (058) 300 60 03
www.holiday-inn.com
www.gdansk.globalhotels.pl
En basse saison, chambres simples : 515 zl doubles : 630 zl, en haute saison (du 1ᵉʳ avril au 31 octobre), simples : 640 zl, doubles : 770 zl. Situé en face de la gare, à la sortie du souterrain qui mène en ville, cet hôtel dispose de tout le confort et le luxe qu'offrent les standards de la chaîne.

■ KRÓLEWSKI

Ul. Ołowianka 1 ✆ (058) 326 11 11
Fax : (058) 326 11 10
www.hotelkrolewski.pl
office@hotelkrolewski.pl
Chambres simples : 260 zl, doubles : 310 zl, doubles avec petit salon et possibilité de rajouter un lit supplémentaire (+ 40 zl) : 350 zl, appartements de 450 zl à 570 zl. Réductions le week-end et petit déjeuner inclus. Parking devant l'hôtel. Dans un grand bâtiment de briques, au bord de l'eau, en face de la vieille ville, ouvert depuis l'été 2004, cet hôtel offre un intérieur moderne et flambant neuf. Du 3ᵉ étage une vue superbe sur le port et la vieille ville (et l'Hôtel Mercure !). Dans les chambres des fenêtres en arc de cercle, des vieilles malles qui confèrent une atmosphère marine de cabine de bateau.

Dispose d'un restaurant avec des portes-fenêtres qui descendent jusqu'au sol, presque au niveau de l'eau, fantastique. Dans un décor moderne, des serveurs professionnels, proposent de bons plats comme des cuisses de grenouilles ou des poissons pour environ 50 zl à 80 zl.

■ **MERCURE HEVELIUS**
Ul. Jana Heweliusza 22 ℰ (058) 321 00 00
Fax : (058) 321 00 20 – www.orbis.pl
mer.hevelius@orbis.pl
Chambres simples à partir de 300 zl, doubles à partir de 380 zl et appartements de 679 zl à 756 zl. Tout le confort requis dans ce monolithe ultramoderne qui domine le centre-ville. Le 7e ou le 8e étage offrent une vue superbe sur toute la vieille ville et le port.

■ **PODEWILS**
Ul. Szafarnia 2 ℰ (058) 300 95 60
Fax : (058) 300 95 70 – www.podewils.pl
gdansk@podewils-hotel.pl
Chambres simples à partir de 732 zl (580 zl en basse saison), doubles à partir de 896 zl (de 690 zl en basse saison), appartements à partir de 1 968 zl (1 800 zl en basse saison). Cet hôtel 5-étoiles pourrait réaliser des rêves de princesse… Dans une maison bourgeoise en bordure des quais, mais sur la petite île, donc éloigné de l'agitation, avec sa terrasse au bord de l'eau. Les chambres donnent pour la plupart sur la vieille ville. Elles possèdent chacune un cachet particulier, des meubles d'antiquités différents, une salle de bains avec baignoire et douches à jets d'eau, un doux peignoir. La maison pratique des prix spéciaux pour les séjours longs (comme cinq nuits pour le prix de quatre) et les week-ends (20 %). Sont compris petit déjeuner et parking gardé (et bien sûr le monsieur qui vous ouvre la porte et vous monte vos bagages…). Organise des événements au cours de l'année comme cuisine irlandaise aux alentours de la Saint-Patrick, la semaine des imaginations autour de l'asperge en mai, le jour de la cuisine hongroise, le week-end du sommelier, les jours de la haute cuisine française. Propose aussi des séjours thématiques tels que : Un week-end romantique avec petites attentions comme coupe de champagne, dîner aux chandelles, décoration romantique, fleurs et coupe de fruits, 1h autour de la ville en limousine, sauna… pour la modique somme de 2 090 zl ou 1 765 zl hors saison. D'autres tentations existent comme séjour culinaire, séjour shopping, ou séjour golf, au prix de 725 zl à 2 770 zl par personne. Quel

qu'il soit, un séjour que l'on n'oublie pas. Le restaurant est du même standing (voir chapitre « Restaurants »).

Dans les alentours du centre de Gdańsk

■ **CAMPING GDAŃSK BRZEŹNO**
Ul. Gen. Hallera 234 ℰ (058) 343 55 31

■ **CAMPING GDAŃSK JELITKOWO**
Ul. Jelitkowska 23 ℰ (058) 553 27 31
Situé à proximité de l'hôtel Marina.

■ **CAMPING GDAŃSK STOGI**
Ul. Wydmy 1 ℰ (058) 307 39 15

Bien et pas cher

■ **GRAND TOURIST**
Ul. Podwale Grodzkie 8 (grande avenue devant la gare) ℰ (058) 301 26 34
www.gt.com.pl
Bureau qui propose quarante chambres privées dans les alentours de Gdańsk, pour 50 zl à 60 zl la simple et 80 zl à 100 zl la double.

Confort ou charme

■ **DWOREK ŚW. ANTONIEGO**
Sławutowo 35 à côté de la ville de Puck
ℰ (058) 673 24 47
www.turystyka.org.pl/dworek
dworek-antoniego@o2.pl
Chambres d'hôtes dans une ferme située dans le nord de Gdańsk, qui offre un très bon rapport qualité-prix (*chambres doubles à 50 zl par personne*). Pour d'autres bonnes adresses Agrotourisme, consulter le site : www.agroturystyka.pl

■ **LIDO**
Ul. Brzeźnienska 4 (quartier Brzeźno, au nord du nouveau Port)
ℰ (058) 522 16 77
recepcja@lido.neostrada.pl
Hôtel situé près de la mer, juste une piste cyclable à traverser et une vingtaine de mètres… qui propose des chambres, à 100 zl pour 1 personne, 120 zl pour deux personnes, 130 zl pour trois personnes et 200 zl pour quatre personnes, petit déjeuner suédois et très copieux inclus. Le confort est sommaire, mais le rapport qualité-prix très correct, surtout si vous êtes de passage seulement quelques nuits, et que vous bénéficiez de la vue sur la mer (à demander lors de la réservation). Personnel très agréable. Parking fermé à disposition.

ROKO

Ul. Traugutta 29 (au nord-ouest du centre)
℃ (058) 347 77 88 – Fax : (058) 347 77 88
www.roko.pl – roko@roko.pl
*Chambres doubles de 110 zl, pour 3 personnes
à 130 zl et 4 personnes : 150 zl, avec salles
de bains et sans petit déjeuner. Parking. Hôtel
situé près du stade, au nord-ouest de Gdańsk,
3e ou 4e arrêt après la gare ou le centre-ville,
par les tramways n° 2, 6, 12, 13, devant le
grand monument de l'avenue Al. Zwyciestwa.*
Standard correct et propre.

Luxe

LIVAL

Ul. Młodzieży Polskiej 10/12
(quartier Brzeźno, au nord-ouest du centre)
℃ (058) 52 20 200. www.hotel-lival.pl
info@hotel-lival.pl
*En haute saison, prix pour 1 personne de
350 zl, pour 2 personnes de 400 zl, studio :
550 zl (pour 4 personnes) et studio luxe :
700 zl, petit déjeuner inclus.*

POSEJDON ORBIS

Ul. Kapliczna 30 ℃ (058) 511 30 00
*Chambres simples : 290 zl, doubles : 380 zl
et 230 zl le week-end, réductions aussi à
négocier lors d'un séjour long.* Situé en bord
de mer, à 5 min en voiture de Sopot et 15
min de Gdańsk, donc excellente situation.
Si vous n'êtes pas motorisés, beaucoup
moins pratique, car mal desservi et un trajet
jusqu'au centre-ville pourra prendre jusqu'à
trois quarts d'heure.

Restaurants

En plus des nombreux fast-foods et restaurants
bon marché que vous trouverez à Gdańsk,
nous vous donnons ici la liste des restaurants,
où vous pourrez déguster une cuisine de
qualité, à des prix parfois très raisonnables,
souvent un peu plus élevés. Les restaurants
de Gdańsk sont assez traditionnels, peu
d'entre eux ont su évoluer vers un décor ou
une cuisine plus modernes, pour le pire et
le meilleur…

Bien et pas cher

BAR MLECZNY NEPTUN

Ul. Długa 33/34 ℃ (058) 301 49 88
*Ouvert du lundi au vendredi de 7h30 à 18h,
le samedi de 9h à 16h.* Idéalement situé, le
1er étage offre d'ailleurs une très belle vue

sur la place principale. Cadre assez agréable
pour sa catégorie bar à lait, grâce notamment
à de jolies mosaïques, et le prix ne grimpe
pas pour autant (*environ 10 zl à 20 zl*). Très
ingénieux et pratique : les plats sont disposés
le long du self-service, avant la caisse, il
suffit d'indiquer du doigt le plat désiré ou de
se servir s'il est encore chaud. Le plus tôt,
le plus de choix…

BAR MLECZNY SYRENA

Al. Grunwaldzka 71/73 ℃ (058) 341 01 53
*Ouvert du lundi au vendredi de 7h30 à 18h,
le samedi de 9h à 16h.* Plus propre que
la moyenne des bars à lait que l'on peut
fréquenter, mais sans les mosaïques et la
vue du précédent.

BAR TURYSTYCZNY

Ul. Węglarska 1-4
*Ouvert du lundi au vendredi de 8h à 18h, le
samedi et le dimanche de 9h à 26h.* Dans
un décor rudimentaire fait de Formica et
chaises de cantine, une nourriture bonne
et bon marché à l'instar de tous les bars
à lait.

KUCHNIA ROSYJSKA

Ul. Długi Targ 11 ℃ (058) 301 88 45/27 35
www.kuchnia-rosyjska.aleks.pl
*Ouvert de 11h à 23h. Plats russes de 5 à 15 zl,
sauf le caviar à 75 zl.* Idéal pour une pause-
déjeuner rapide au court de la longue et belle
visite de la place principale de Gdańsk. Petite
salle, avec décor russe et coloré, avec bien
sûr des poupées de partout et une musique
de fond russe ; adorable. Pas de la grande
cuisine, mais les plats sentent le fait maison
et restent très bon marché.

LEZZETLI

Ul. Podwale Grodzkie 8 ℃ (058) 324 88 32
*Ouvert tous les jours de 8h au dernier client
(environ minuit en semaine et 2h du matin
les week-ends). Près de la gare, à la sortie
du souterrain qui mène au centre-ville.* Ce
kebab de luxe, tenu par un Turc et dont le
nom signifie bon appétit en turc, offre des
kebabs, pâtes et pizzas bon marché (*kebab
à 7,50 zl, plats entre 12 zl et 18 zl*) dans un
très beau décor oriental. Rien à voir avec nos
kebabs graisseux, minuscules, à la lumière
crue des néons. L'intérieur du Lezzetli, sur
deux étages (rez-de-chaussée non-fumeur)
n'est que fontaines, couleurs, mosaïques,
tentures, lampes orientales. Accueil jeune et
chaleureux. En été terrasse agréable.

■ POD RYBĄ

Ul. Długi Targ 35/38
(entrée sur la rue de côté)
Ouvert de 11h à 19h. Un petit snack de restauration rapide à la polonaise, avec saucisses, salades pour manger vite et pas cher (*environ 10 zl à 15 zl*).

■ POD STRZECHĄ

Ul. Pańska 4 © (058) 305 49 99
Ouvert du lundi au samedi de 11h à 21h, le dimanche de 12h à 20h. Plats entre 4 zl et 15 zl. Petit restaurant très convivial, surtout sa salle au sous-sol avec une cheminée. Très pratique pour ceux qui ne parlent pas la langue puisque les photos des plats sont affichées avec leur prix. Il suffit alors de les pointer du doigt pour commander, payer puis aller s'asseoir, et attendre, des spécialités polonaises, bonnes, copieuses et peu chères, comme le kulebiak (chausson fourré aux champignons, viande et choucroute), une soupe urek servie dans du pain, une dorade panée (dorsz), un goulasch…

Bonnes tables

■ BARYŁKA

Długie Podrzeże 24 © (058) 301 49 38
www.willaweneda.info1.pl
Beaucoup moins bien que son voisin Goldwasser (catégorie luxe). Vieilles tapisseries assorties aux chaises, salle plus grande au premier étage, avec deux tables qui disposent de la vue sur la rivière. Cuisine correcte mais chère pour le souvenir qu'elle laisse (environ 60 zl à 90 zl).

■ CZERWONE DRZWI
(LA PORTE ROUGE)

Ul. Piwna 52/53 © (058) 301 57 64
www.reddoor.gd.pl – reddor@gd.pl
Ouvert tous les jours à partir de 11h. Comptez entre 60 zl et 90 zl. Dans une très belle maison XVIIe, avec une belle porte rouge encadrée par de hautes fenêtres. Un menu concis mais étudié avec soin. Quelques conseils pour choisir parmi les alléchantes propositions de la carte, sachant qu'elle varie en fonction des saisons et de l'humeur : un pâté au sanglier, puis une escalope au Gorgonzola, enfin un sabayon de framboises. Petite salle d'environ cinq tables (mieux vaut donc réserver), meublée et décorée avec goût, à l'atmosphère conviviale.

■ EURO

Ul. Długa 79/80 © (058) 305 23 83

Repas à environ 70 zl à 100 zl. Pour une occasion et si l'on aime ce type de décor, très formel et un brin rococo, une très bonne cuisine européenne, avec des valeurs sures comme un foie gras à la mousse fantaisiste, du saumon, une omelette du Roussillon et une crème brûlée.

■ KUBICKI

Ul. Wartka 5 © (058) 301 00 50
Comptez environ 40 zl à 60 zl. Bel emplacement dans le vieux port au bout de la promenade, après Długie Pobrzeze, puis Rybackie Pobrzeze, pour une cuisine simple et traditionnelle, avec quelques bons vins à prix raisonnables, dans un bel intérieur classique, avec un piano.

■ PALOWA

Ul. Długa 47
© (058) 301 55 32. www.palowa.pl
Ouvert à partir de 11h. Décor de château avec ses voûtes, chaises massives, pour certains sûrement un peu trop vieille Pologne. Et le personnel, en costume médiéval, n'arrange rien. Assez cher, environ 60 zl à 90 zl mais dispose d'une bonne situation.

■ PIEROGARNIA U DZIKA

Ul. Piwna 59/60. www.pirogarniaudzika.pl
Un intérieur d'un goût douteux avec des peaux de sangliers et têtes empaillées un peu partout sur des murs tous neufs peints en saumon. A la carte, du sanglier bien sûr mais surtout de très bons pierogis, avec un large choix et pas chers. Plats à environ 50 zl mais beaucoup moins chers si l'on choisit les pierogis, ce que nous conseillons.

■ POD JASZUREM

Ul. Długa 47/49
© (058) 301 91 13 – Fax : (058) 551 78 63
Portable : 0 501 111 203
www.balticonline.com
Ouvert de 12h à 22h. Des steaks d'Amérique, du Kansas ou de New York, de 300 g à 400 g (30 zl), ou une cuisine internationale : poulet asiatique, goulasch mexicain, pizzas italiennes. Dans une petite salle sans âme à la décoration acceptable.

■ SWOJSKI SMAK

Ul. Jana Heweliusza 25/27
© (058) 320 19 12
Ouvert depuis début 2004, ce restaurant de cuisine polonaise traditionnelle, dans de vastes salles en bois, très conviviales pratique de bons prix. Petite salle au fond pour les fumeurs. Jeunes serveurs très aimables. De

très bonnes soupes (*7 zl*), des plats de porc ou volaille (*18 zl*), dont un, excellent, accompagné d'une sauce aux cèpes ou chanterelles (*pour seulement 23 zl*). Des plats de poissons tous les vendredis. Une compote « kompot » (boisson) faite maison, délicieuse.

▪ TAWERNA
Ul. Powroźnicza 19/20
✆ (058) 301 41 14
Fax : (058) 301 23 45
www.tawerna.pl
tawerna@tawerna.pl
Ouvert tous les jours dès 11h. Spécialités de poissons, de cuisine polonaise et revendique aussi de la cuisine française, du Limousin. Au bout rue Długa Tard, côté quai, après la porte verte, à droite, un peu à l'écart du passage incessant de la foule des touristes. Entrée aussi rue Powroznicza (depuis la rue Długi Targ). Décor maritime avec tableaux et maquettes de bateaux. Poisson et fruits de mer sont à l'honneur. Si vous êtes d'humeur « soyons fous, on ne vit qu'une fois », commandez le caviar original d'Astrakkhan (*251 zl*). Sans le caviar (sic !), comptez entre 80 zl et 110 zl. Des desserts très français, et donc très bons, mais très chers (*environ 40 zl*), comme la crème brûlée, le soufflé au citron ou le gâteau au chocolat.

▪ T.G.I. FRIDAY'S (THANKS GOD IT'S FRIDAY'S)
Ul. Wspólna 62
✆ (058) 629 52 42
Fax : (058) 625 52 35
www.fridays.com.pl – tgifgdansk@it.com.pl
Excellents cocktails de 15 zl à 20 zl. Plats américains comme gros steaks, cuisine tex-mex, pour environ 30 zl. A la sortie du tunnel de la gare, un restaurant de la chaîne américaine (donc prisé des Polonais), tout en blanc et rouge, jusqu'aux tenues des serveurs.

▪ ZŁOTA RYBKA
Ul. Piwna 50/51
✆ (058) 301 39 24
fame@neostrada.pl
Décor très sommaire agrémenté de quelques filets de pêche. Carte en français qui propose notamment une bonne formule avec six types de poissons au choix (flétan, limande, saumon…), différentes sauces et un accompagnement composé de crudités et frites ou riz ou purée, pour 14 zl à 18 zl. Egalement 101 pizzas différentes de 10 zl à 17 zl.

Luxe

▪ GDAŃSKA
Ul. Św. Ducha 16 ✆/Fax : (058) 305 76 71
www.gdanska.pl
Cette maison peut donner l'impression au client de prendre part à un banquet médiéval, de manger dans un château ou de visiter le musée du kitch. Même la carte fait un peu kitch avec son hareng présidentiel « Wałęsa », ou des côtes de porc « Lech Wałęsa ». Ce dernier est à l'honneur en photo sur la carte et dans l'entrée. Un très large choix de spécialités polonaises, de gibiers (du faisan notamment) et de poissons, pour un prix moyen de 50 zl, mais dans une fourchette de 16 zl à 170 zl. Donc il est possible de manger à bon marché dans un décor peu commun, servis par des serveurs en costumes à épaulettes dorées, avec serviettes brodées et plats servis sous cloche (même un bigos à 18 zl). En dessert goûtez les excellentes crêpes « naleśniki » aux mandarines et chocolat, flambées à la liqueur d'advocat.

▪ GOLDWASSER
Długie Podrzeze 22
✆/Fax : (058) 301 88 78/12 44
www.goldwasse.pl
kamienica@goldwasse.pl
Ouvert tous les jours de 10h à 23h. Restaurant 4-étoiles dans un joli décor feutré et chaleureux à la fois, sur les quais. Trois petites salles pour davantage d'intimité (surtout celle à l'étage). Un piano s'anime parfois. Une fondue au fromage ou Bourguignonne, du gibier, du poisson et le fameux canard aux pommes, tout y est. Pour terminer en douceur cette explosion de saveurs, une petite Goldwasser ! Coffret d'une bouteille de Goldwasser 22 carats et ses deux verres vendu sur place à 69 zl.

▪ HANZA
Ul. Tokarska 6
✆ (058) 305 34 27
Fax : (058) 305 33 86
www.hanza-hotel.com.pl
hotel@hanza-hotel.com.pl
Spécialités de poissons, mais les plats de viandes sont également très raffinés. Une entrée et un plat vous coûteront environ 100 zl. En dessert, la tarte de Hanza, élaborée selon une recette du XVIIᵉ siècle, est divine. Service impeccable, avec vue sur les quais et la Motława, dans une ambiance luxueuse et feutrée. Les chanceux qui logent à l'hôtel bénéficient d'une réduction de 15 %.

LA POMÉRANIE

■ **PODEWILS**

Ul Szafarnia 2

✆ (058) 300 95 60 – Fax : (058) 300 95 70

www.podewils.pl

gdansk@podewils-hotel.pl

Plats entre 70 zl et 120 zl, sauf le caviar :
220 zl, desserts alléchants pour environ
30 zl. Service impeccable. Au sous-sol de
cet hôtel 5-étoiles, un restaurant de même
standing (voir rubrique « Hébergement »),
avec terrasse tranquille au bord de l'eau.
Cuisine excellente et raffinée, avec un petit
choix parmi le meilleur de la cuisine polonaise
(gibiers, canard). Une adresse d'exception
pour des occasions spéciales.

■ **POD ŁOSOSIEM**

Ul. Szeroka 52/54

(dans la rue de la Porte Grue)

✆ (058) 301 76 52 – Fax : (058) 301 56 48

www.podlososiem.com.pl

Ouvert à partir de 12h. Spécialiste du poisson
depuis 1598, et reconnu comme l'un des
meilleurs de sa catégorie, avec notamment
du homard, des fruits de mer, des pinces de
crabe au safran. Des desserts peu commun et
très réussi comme la poire au camembert et
coulis de myrtilles. Décor très classe et rococo,
de dorures et de velours rouges, dans cette
maison originelle des vodkas Goldwasser.
Une soirée mémorable.

Sortir

Bars et pubs

Malgré ses attraits touristiques indéniables,
Gdańsk semble pauvre en pubs, bars et lieux
de sortie modernes ou branchés. Sa voisine
et concurrente, Sopot, en tire son épingle du
jeu, et ses nombreux bars et boîtes attirent
des clients de toute la région.

■ **BLACK BULL PUB**

Ul. Kołodziejska 4 ✆ (058) 301 67 56

Ouvert de 12h à minuit. Pub typiquement
anglais, au sous-sol, avec une bonne
ambiance, mais que l'on peut quand même
vérifier depuis la rue avant d'entrer.

■ **CELTIC PUB**

Ul. Lektykarska 3 ✆ (058) 320 29 99

www.celticpub.pl – celticpub@celticpub.pl

Ouvert de 8h au dernier client. Situé dans le
centre, c'est un bon endroit pour se détendre
dans une ambiance irlandaise. Le vendredi et le
samedi, concerts et musique pour danser toute
la nuit. Possibilité de grignoter sur place.

■ **IRISH PUB**

Ul. Korzenna 33/35

✆ (058) 320 24 74. www.irish.pl

Ouvert de 17h au dernier client. Un endroit pour
boire plus que pour faire connaissance. Dans
les caves de l'hôtel de ville de la vieille ville.
Chaque jour il s'y passe quelque chose.

■ **PUB U SZKOTA**

Ul. Chlebnicka 9/12 ✆ (058) 301 49 11

Fax : (058) 305 49 47

Ouvert de 12h à minuit. Dans un décor écossais
avec des serveurs en kilt traditionnel qui
servent des bières irlandaises, de la Guinness
et quelques plats, dont la truite écossaise,
aux alentours de 35 zl.

Cafés

Les quais offrent les plus belles et agréables
terrasses de café, en période estivale.
Notamment celle de l'hôtel-restaurant
Hanza, sur une petite terrasse surélevée,
qui bénéficie au mieux de la vue. De jolies
terrasses également au Goldwasser (n° 29)
et plus petite, celle du Bryłka (n° 30) à côté,
avec une réplique miniature de la fontaine de
Poséïdon. Sinon quelques cafés sympathiques
se trouvent sur la voie royale, le long des rues
Długa et Długi Targ.

■ **AMERICANA COFFEE HOUSE**

Ul Tracka 27/28 ✆ (058) 305 26 44

Ouvert de 10h à minuit, plus tard le vendredi et
le samedi soir. Confortablement installé dans
de gros fauteuils en cuir, dans une déco et
ambiance sympathiques, surtout au sous-sol,
qui fait davantage pub que café.

■ **CAFE KAMIENICA**

Ul. Mariacka 37/39 ✆ (058) 301 12 30

Ouvert de 10h à 23h tous les jours. Eclairage
aux bougies seulement, avec de belles
photos noir et blanc de Gdańsk et d'étranges
peintures des maisons de la ville aux murs.
Quelques snacks, mais l'on vient ici surtout
pour boire de très bonnes bières ou un thé,
vautré dans les fauteuils du rez-de-chaussée
ou les rares du 1er étage.

■ **DAILY CAFE**

Ul. Długa 6-8 ✆ (058) 320 42 28

Portable : 0 509 686 966

www.dailycafe.pl

Ambiance jeune et cool, dans ce café qui
appartient à une chaîne, avec de la musique à
fond et des jeux de société en libre-service…
et en polonais. Carte de fidélité.

■ MARASKA

Ul. Długa 31/32 ℰ (058) 301 42 89
www.maraska.pl – maraska@o2.pl
Joli petit salon de thé, convivial et non-fumeur, qui vend principalement des thés et cafés aromatisés (coco, amande, fruits…), mais aussi d'excellents gâteaux (une fois n'est pas coutume en Pologne) et de bonnes glaces. Comptoir en bois où se vendent café, théière et tasses et où il faut passer commande. **Possède deux autres magasins à Gdańsk,** dans le quartier de Wrzeszcz (Ul. Szymanowskiego 2 ℰ (058) 521 90 38 et dans le quartier Morena, dans le centre commercial Carrefour ℰ (058) 324 97 64).

Club de jazz

■ COTTON CLUB

Ul. Złotników 25/29
Ouvert de 18h à 1h. Un peu démodé. Des concerts sont organisés régulièrement.

■ JAZZ CLUB

Ul. Długi Targ 39/40
Ouvert de 14h à 1h. Ferme à 4h le week-end. Les avis sont partagés sur la question. Le bar passe de trop vide à trop plein en fonction de la programmation. Les concerts sont souvent de rock classique plutôt que jazzy.

Discothèques

■ GGOG

Ul. 3 Maja 9a ℰ (058) 762 99 00
C'est l'un des incontournable de la Triville. Ici sont organisées des soirées électro, trance ou drum'n'bass dans une ambiance décontractée.

■ INFINIUM

Ul. Wyspiańskiego 9
ℰ (058) 344 04 98. www.infinium.pl
Ouvert de 18h à 1h, pendant le week-end à 4h. Un club d'étudiant, live music et bonne cuisine. Local climatisé.

■ KLUB 3MIASTO

Ul. Straganiarska 18/19
ℰ (058) 320 70 78
Ouvert de 16h à 3h. Au sous-sol de l'église Saint-Jean. Musique pas très originale mais dansante.

■ NEGATYW

Ul. Do Studzienki 34a
ℰ/Portable : 0698 205 475
www.negatyw.gda.pl
negatyw@negatyw.gda.pl

Ouvert du mardi au dimanche. Cette discothèque organise des concerts de musique de styles différents : rock, ragga, house, dark electro, pop.

■ OLIMP

Ul. Czyżewskiego 29
ℰ (058) 554 73 27
Ouvert de 21h à 5h, sauf le lundi, le mardi et le dimanche. Entrée de 2 zl à 10 zl. Un club d'étudiant. C'est pas mal. La musique n'a rien d'exceptionnel, mais reste plutôt entraînante. Seul hic : la piste de danse est recouverte d'un sol antidérapant.

■ PARLAMENT 2-05

Ul. Św. Ducha 2 (l'angle de
la rue Kołodziejska)
ℰ (058) 320 13 65
Ouvert du mercredi au samedi de 20h au dernier client. Soirées organisées. Entrée de 5 zl à 10 zl. Le club le plus populaire de la ville. La clientèle est jeune et dansante.

■ RONDO

Ul. Zakopiańska 12
ℰ (058) 302 01 10
Ouvert de 20h à 2h et jusqu'à 5h le vendredi et le samedi. Toute petite, la boîte est particulièrement intimiste avec ses alcoves et ses recoins confortables. Pas de baskets ici non plus.

Théâtres

■ ATELIER

81-718 Ul. Mamuszki
ℰ (058) 550 10 01. www.teatratelier.pl
Un théâtre avant-gardiste qui propose quelques pièces en anglais.

■ OPERA I FILHARMONIA BAŁTYCKA

Al. Zwyciestwa 15 ℰ (058) 341 05 63
www.operabaltycka.pl
Opéra classique qui propose la programmation régulière de *Carmen, Roméo et Juliette, Rigoletto,* ou encore quelques ballets.

■ WYBRZEŻE

Ul. Św. Ducha 2
ℰ (058) 301 13 28
www.teatrwybrzeze.pl
Il s'agit du théâtre principal de la ville et aussi le plus classique. Au programme des pièces étrangère et polonaise classiques. Ne vous laissez pas impressionner par l'extérieur du bâtiment plus proche d'un bunker que d'un théâtre.

Cinémas

CINEMA CITY KREWETKA
Ul. Karmelicka 80-851 ℰ (058) 769 30 00
C'est en face de la station principale. Attention les prix sont assez élevés !

KINO BAŁTYK
Ul. Boh. Montecassino 30
ℰ (058) 551 18 56
Le Bałtyk a une programmation particulièrement intéressante pour les amateurs de cinémas d'art. Vous y trouverez un grand nombre de films étrangers primés à différents festivals en VO. La sortie se fait sur une petite rue. Prendre à gauche pour retomber sur Montecassino.

KINOPLEX
Kolobrzeska 41 C
ℰ (058) 767 99 99. www.kinoplex.pl
A l'intérieur du centre commercial près de la station Prsymorseskm.

KINO POLONIA
Ul. Boh. Monte Cassino 55/57
ℰ (058) 551-05-34
C'est LE cinéma pour les amateurs de films étranger (français, russe, anglais, espagnol et allemand) hors des grosses productions. Ils passent en V. O. non sous-titré. L'ambiance est plus intime que dans les grands multiplex, mais le son n'est pas vraiment à la hauteur.

Points d'intérêt

Mieux vaut commencer la visite de Gdańsk par le centre-ville historique. Il est intéressant également d'aller faire un tour à l'est de ce centre, de l'autre côté de la Motława, sur l'île Spichlerze (l'île aux greniers, puisqu'elle était autrefois dotée de plus de 300 greniers à blé). Enfin visitez le quartier de Westerplatte et Nowy Port au nord du centre, quartier du port vers la baie de Gdańsk.

Główne Miasto (centre-ville le quartier historique principal)

Cette partie de la ville est considérée aujourd'hui comme le centre historique de Gdańsk, alors que les habitations les plus anciennes ne s'y trouvent pas. Très endommagée pendant la Première Guerre mondiale, elle a été superbement reconstruite à l'identique et attire aujourd'hui de plus en plus de touristes. Les principales attractions de la ville y sont regroupées, et en été il est parfois difficile de se frayer un passage dans les rues noires de monde, surtout quand tous les marchands de la ville se retrouvent sur le trottoir et proposent une sorte de marché gigantesque dans un cadre pittoresque où souvenirs et bijoux en argent et ambre ne manquent pas. Mieux vaut cependant délaisser les étals de marchands. Regardez plutôt derrière eux les sublimes façades flamandes. N'hésitez pas à entrer, les musées y sont nombreux.

RUE DŁUGA
C'est le cœur de Gdańsk. On y trouve de superbes maisons bourgeoises, qui ont chacune un style et une histoire. Au numéro 1, le palais de l'armateur George Hewl, qui permit entre autres au roi Wladislas IV d'armer une flotte. Au numéro 12, le palais de Jan Uphagen, doté de superbes intérieurs. Au numéro 28, le palais du bourgmestre Feber, construit au XVIᵉ siècle. Au numéro 29, la maison du maire Czirenberg, construite au XVIIᵉ siècle. Au numéro 47, la maison de style gothique tardif construite au XVᵉ siècle.

RUE DŁUGI TARG
Dans la continuité de la rue Długa, en allant vers le port, cette rue est plus large, et ses maisons sont tout aussi belles.

MAISON DOREE (ZŁOTA KAMIENICA)
Ul. Długi Targ 41
Maison construite au début du XVIIᵉ siècle pour un riche marchand de la Hanse. Sa façade

---

Les immanquables de Gdańsk

▷ **La voie royale :** de la porte dorée à la porte verte (les rues Długa et Długi Targ, dans le prolongement), la fontaine de Neptune.

▷ **L'hôtel de ville** et son musée.

▷ **L'église Sainte-Marie** et sa tour pour le point de vue.

▷ **La promenade le long des quais,** au bord de la Motława.

▷ **La grue** et le musée maritime.

est ornée de bustes de rois de Pologne et de personnages plus anciens comme Cléopâtre, Oedipe ou Achille.

▣ HOTEL DE VILLE (RATUSZ GŁÓWNY)

Ouvert le mardi, le mercredi, le jeudi et le samedi de 10h à 16h, le dimanche de 11h à 16h. Ce vaste bâtiment est situé entre les rues Długa et Długi Targ. Cet édifice a d'abord été construit au XIVe siècle, dans le style gothique, mais les transformations successives, particulièrement pendant la Renaissance, lui ont donné cet aspect si spécial qui le rend unique. Détruit complètement en 1945, il fut reconstruit courageusement par les habitants de Gdańsk, et abrite aujourd'hui la partie principale du **Musée historique de la ville** (muzeum historyczne). On y trouve, dans des intérieurs superbes, réalisés à différentes époques par les plus grands artistes polonais et flamands, une exposition sur l'histoire passionnante et tourmentée de cette ville millénaire.

▣ MAISON D'ARTUS (DWOR ARTUSA)

Ouverte du mardi au samedi de 10h à 16h. Construite au XVe siècle, puis améliorée au XVIIe siècle, cette gigantesque demeure servait de siège à un tribunal indépendant de tout pouvoir. Détruite pendant la guerre, elle fut superbement reconstruite et peut aujourd'hui être visitée.

▣ FONTAINE NEPTUNE (FONTANNA NEPTUNA)

Ul. Długi Targ
Située devant la maison d'Artus, elle a été réalisée par le Flamand Abraham Van der Block en 1633, et représente Neptune, symbole de la relation entre Gdańsk et la mer. Une légende raconte que c'est dans cette fontaine que serait née, du bout du trident de Neptune, la vodka Goldwasser aux feuilles d'or 22 carats !

▣ PORTE HAUTE

De l'autre côté de la rue Długa, cette porte, construite au XVIe siècle marquait autrefois l'entrée de la ville.

▣ AVANT PORTE

Construite au XVe siècle, de style gothique, elle formait un ensemble avec la porte Haute, située juste à côté.

▣ PORTE DOREE (ZŁOTA BRAMA)

Ul. Długa
Située dans le prolongement des deux précédentes, construite au XVIIe siècle, sa fonction était assez mal définie. Sa vocation

était plus esthétique que défensive. C'est en effet la plus belle des trois.

▣ HOTEL DE LA CONFRERIE DE SAINT-GEORGES (DWOR BRACTWA ÂW. JERZEGO)

Superbe palais construit au XVe siècle et arrangé au XVIe siècle. Les riches bourgeois de la ville se retrouvaient dans la demeure de cet ordre secret.

▣ GRAND ARSENAL (WIELKI ARSENAŁ)

Ul. Piwna
Construit au XVIIe siècle dans le plus pur style architectural flamand, ce bâtiment a été complètement détruit en 1945, et reconstruit depuis. Il est maintenant ouvert à une galerie de commerces touristiques en tout genre.

▣ GRUE DE GDAŃSK (ŻURAW)

Billets : 4 zl, réduit : 2,50 zl, horaires du Musée maritime. Située dans le port, c'est la plus grande grue construite au Moyen Age en Europe (et donc certainement dans le monde). C'est le symbole de Gdańsk et de son ouverture sur la mer et le commerce maritime. Ce bâtiment sert également de porte pour mener au reste de la vieille ville. En passant dessous, on imagine les ouvriers du XIVe ou du XVe siècle, occupés à charger et décharger des marchandises de toutes sortes.

▣ TOUR DU CYGNE (BASZTA ŁABĘDŹ)

Plac Targ Rybny
Reste de l'enceinte médiévale disparue.

▣ QUAIS

Une promenade pour piétons s'étend tout le long des quais de Gdańsk, et toutes les portes qui la bordent permettent de rentrer au cœur de la ville. Ces quais sont aujourd'hui occupés par des cafés, des boutiques, et attirent tous les touristes.

▣ PORTE VERTE (BRAMA ZIELONA)

Ul. Długi Targ
Elle marque l'entrée de la voie royale en venant des quais. Au départ, il s'agissait d'une solide porte médiévale, mais elle fut détruite au XVIe siècle et remplacée par celle qui est toujours là aujourd'hui, et qui ressemble davantage à une demeure princière qu'à une simple porte.

▣ PORTE DU PAIN (BRAMA CHLEBNICKA)

Elle marque l'entrée de la rue Chlebnicka. Construite au XVe siècle, ses armoiries témoignent de l'attachement, à cette époque, de la ville à l'ordre Teutonique.

PORTE NOTRE-DAME (BRAMA MARIACKA)

Elle marque l'entrée de la rue Mariacka. Elle est identique à la porte du Pain, construite à la même époque.

PORTE DU SAINT-ESPRIT (BRAMA ŚW. DUCHA)

Elle marque l'entrée de la rue du même nom. Complètement détruite après 1945, cette porte du XVe siècle a été entièrement reconstruite depuis.

PORTES ŚWIĘTOJAŃSKA (BRAMA ŚWIĘTOJAŃSKA) ET STRAGANIARSKA (BRAMA STRAGANIARSKA)

En continuant vers le nord en longeant les quais, on croise les portes Świętojańska et Straganiarska, toutes deux construites au XVe siècle, mais moins impressionnantes que les précédentes par leur taille et la qualité de leur architecture. Situées dans les rues des mêmes noms.

EGLISE NOTRE-DAME (KOŚCIÓŁ MARIACKI)

Ul. Podkramarska

Il s'agit de la plus grande église de Pologne, avec 105 m de long, 66 m de large (au niveau du transept), 27 m de haut, et 5 000 m² de surface au sol. Le toit occupe une surface d'un hectare. Cette église a une taille comparable à celle de Notre-Dame de Paris. Il a fallu 160 années de travail, entre 1343 et 1502, pour achever sa construction. Au départ catholique, elle devint dès 1572 protestante, avant de redevenir catholique en 1945. Elle a été endommagée pendant la Seconde Guerre mondiale, mais a depuis été reconstruite. L'intérieur, peint en blanc, est particulièrement clair et lumineux, et donne une impression encore plus grande de gigantisme. On peut également escalader les 405 marches qui permettent d'accéder au sommet de la tour, et ainsi profiter d'une vue exceptionnelle de toute la ville.

CHAPELLE ROYALE (KAPLICA KRÓLEWSKA)

Ul. Św. Ducha, à côté de l'église Notre-Dame Cette église a été construite au XVIIe siècle (1678-1681) à l'initiative du roi Jan III Sobieski et du primat Andrzej Olszowski, pour donner un nouveau lieu de culte aux catholiques après la perte de Notre-Dame (accordée aux protestants). C'est la seule église baroque de Gdańsk, mais si l'extérieur est superbe, les parties intérieures ont été moins bien restaurées, faute de budget.

MAISON SCHLIEFF

Ul. Chebnicka 14

Cette sublime maison du XVIe siècle a été démontée en 1820 à la demande de l'empereur de Prusse Wilhem III, et emportée à Potsdam. Elle a été reconstruite à l'identique, et l'on peut encore l'admirer aujourd'hui là où l'originale aurait dû rester.

MAISON ANGLAISE (DOM ANGIELSKI)

Ul. Chebnicka 16

C'était la plus grande maison lors de sa construction à la fin du XVIe siècle. Elle témoigne des relations commerciales alors étroites avec l'Angleterre.

EGLISE SAINT-NICOLAS (KOŚCIÓŁ ŚW. MIKOŁAJA)

Eglise gothique, construite au XIVe siècle, épargnée par la guerre, et donc l'un des rares bâtiments authentiques de toute la ville. Elle est située au croisement des rues Pańska et Świętojańska.

EGLISE SAINT-JEAN (KOŚCIÓŁ ŚW. JANA)

Ul. Świętojańska

Elle date du XIVe siècle. Cette église a été profondément marquée par la guerre. Les longs travaux de rénovation ont été ralentis par l'effondrement en 1986 d'un des piliers principaux et d'une partie de la voûte. Une grande partie des équipements (dont l'orgue et la chaire) sont installés dans l'église Notre-Dame.

EGLISE DE LA SAINTE TRINITE (KOŚCIÓŁ ŚW. TRÓJCY)

Ul. Św. Trójcy

(au sud, à côté du musée national)

Construite à la fin du XVe siècle, elle est réputée pour ses triptyques de toute beauté.

Stare Miasto (quartier de la vieille ville)

Au nord du centre actuel de Gdańsk s'élève ce qui fut l'emplacement de la première cité, qui malheureusement se vit rapidement dépassée par sa voisine plus au sud, car en dehors des remparts. Complètement détruite pendant la guerre, elle ne fut pas aussi bien reconstruite que le centre, et l'on y trouve, éparpillés, bâtiments anciens et immeubles des années cinquante.

HOTEL DE VILLE DE LA VIEILLE VILLE (RATUSZ STAROMIEJSKI)

Ul. Korzenna

Ouvert tous les jours de 9h à 23h. Ce bâtiment du XVIe siècle a été épargné par la guerre, et héberge aujourd'hui le centre culturel balte, ce qui est un bon prétexte pour visiter les intérieurs richement décorés, où on peut même s'asseoir et boire un verre.

▪ GRAND MOULIN (WIELKI MŁYN)

Construit en 1350, il était alors le plus grand d'Europe, et servit jusqu'en 1939, soit pendant près de 600 ans. Détruit puis reconstruit, il sert maintenant d'abri à une galerie de boutiques.

▪ EGLISE SAINTE-CATHERINE (KOŚCIÓŁ ŚW. KATARZYNY)

Ul. Podmłynska
Construite au XIVe siècle, et située en face du moulin, cette église gothique a été détruite partiellement pendant la guerre, mais grâce à des donations, venues d'Allemagne pour la plupart, elle a pu être reconstruite.

▪ EGLISE SAINTE-BRIGITTE (KOŚCIÓŁ ŚW. BRIGIDY)

Ul. Profesorka
Construite au XVIe siècle, de style gothique, elle a été complètement détruite pendant la guerre, et a dû attendre 1973 pour être reconstruite. En 1980, les ouvriers grévistes s'y réfugièrent, et cette église servit alors de décor à ces manifestations retransmises par les télévisions du monde entier.

▪ MUSEE ARCHEOLOGIQUE (MUZEUM ARCHEOLOGICZNE)

Ul. Mariacka 25/26 (centre-ville)
✆ (058) 322 21 00. www.archeologia.pl
Ouvert hors saison le mardi, le jeudi et le vendredi de 9h à 16h, le mercredi de 10h à 17h, le samedi et le dimanche de 10h à 16h, en saison d'été, tous les jours de 10h à 18h. Billets : 4 zl, réduit : 3 zl, entrée dans la tour : 2 zl. Tout petit, il est consacré aux peuples qui occupèrent la région avant que Gdańsk ne soit une ville polonaise – soit il y a plus de mille ans. La rue Mariacka dans son ensemble est l'une des plus belles et typiques de Gdańsk, aujourd'hui habitée de petits marchands de souvenirs et de bijouteries.

▪ MUSEE MARITIME (CENTRALNE MUZEUM MORSKIE)

Ul. Ołowianka 9-13
✆ (058) 301 86 11. www.cmm.pl
Ouvert hors saison du mardi au vendredi de 9h30 à 16h, le samedi et le dimanche de 10h à 16h, en saison d'été, tous les jours de 10h à 18h. Billets : 6 zl, réduit : 4 zl. Situé à l'intérieur de la grue, et dans la plupart des bâtiments voisins, ce musée est véritablement

exceptionnel. D'une part, il permet de visiter ces bâtiments superbes et de voir entre autres le mécanisme de la fameuse grue. D'autre part, il présente non seulement l'histoire de la Pologne dans ses relations avec la mer, des origines à nos jours, mais également une reconstitution de bateaux du monde entier, de la faune et de la flore de tous les océans. Ce musée dépasse largement le cadre géographique de la mer Baltique, d'où sa réputation. Possibilité aussi de prolonger la visite du musée sur l'île d'en face en empruntant un petit bateau.

▪ MUSEE NATIONAL (MUZEUM NARODOWE)

Ul. Toruńska 1 (centre-ville, au sud)
✆ (058) 301 70 61
www.muzeum.narodowe.gda.pl
Ouvert du mardi au vendredi de 9h à 16h, samedi et dimanche de 10h à 16h. Billets 10 zl, réduit : 6 zl. Il s'agit d'un musée assez grand qui présente à la fois des œuvres d'art, dont de nombreux tableaux de grande qualité, telle la fameuse œuvre *Le Jugement dernier*, de Hans Memling, et des objets plus traditionnels et simples.

Quartiers nord : Westerplatte et Nowy Port

▪ CHANTIER NAVAL DE GDAŃSK

Situé dans le nord de la ville, assez proche du centre et de la gare, il est le symbole de la résistance au régime communiste, alors qu'il s'appelait, jusqu'en 1980, chantier Lénine. Son avenir est aujourd'hui très incertain, car la compétition internationale, qu'il n'a pas connue pendant tant d'années, ne l'épargne pas. Les acheteurs se font rares, car ses installations ne sont pas les plus modernes au monde, loin de là. On peut le voir en prenant le bateau en direction des villes situées plus au nord, comme Sopot, Gdynia et Hel.

▪ BIBLIOTHEQUE MUNICIPALE

Ul. Łegiewniki
A proximité de l'entrée du chantier naval. Il s'agit d'un immense bâtiment en briques, la plus grande bibliothèque de la région.

▪ FORTERESSE DE GDAŃSK

Située à 6 km au nord de la ville, il faut prendre le bus n° 106 depuis la gare pour s'y rendre, aller ou en direction de Westerplatte pour les automobilistes. Ce fort du XVe siècle gardait autrefois l'entrée de la Vistule, et donc de la majeure partie de la Pologne, puisque ce fleuve la traverse complètement.

Monument aux morts des ouvriers du chantier naval (Pomnik Poległych Stoczniowców)

Situées à l'entrée du chantier naval, sur une place qui s'appelle aujourd'hui Solidarnóśći, trois croix mesurant 40 m de haut se dressent en mémoire des ouvriers tombés à cet emplacement, sous les balles de la milice, lors des émeutes de 1970. Pendant les dix années qui suivirent, les ouvriers placèrent des pierres en secret pour rendre hommage à leurs compagnons et, chaque fois, les autorités nettoyèrent ce symbole. Finalement, en 1980, le Parti communiste – lui-même – accepta la construction de ce monument, signe d'ouverture avant les événements que l'on connaît. A côté du monument, une série de plaques commémoratives déposées par des syndicats du monde entier témoignent de leur sympathie pour Solidarność. Parmi elles, on distingue celle de la CFDT Champagne-Ardenne. Derrière le mur où sont disposées toutes ces plaques, on aperçoit les baraquements destinés au personnel du chantier naval, où vivait, dans les années quatre-vingts, un certain Lech Wałęsa.

On peut y entrer et faire le tour des remparts, d'où l'on a une vue imprenable sur le chantier naval, situé juste de l'autre côté de la Vistule. A partir des bateaux qui partent de Gdańsk en direction du nord, on peut l'apercevoir.

■ WESTERPLATTE

Située au nord de la forteresse de Gdańsk, cette presqu'île est également accessible par le bus n° 106 (environ 30 min depuis le centre de Gdańsk), ou par des bateaux qui partent du port de Gdańsk. C'est ici que la Seconde Guerre mondiale a commencé, et l'on trouve aujourd'hui un monument aux soldats polonais, gigantesque. Se rendre dans ce lieu est l'occasion de quitter la ville de Gdańsk pour un endroit plus calme, qui offre également une vue superbe sur la mer Baltique.

■ MUSEE DE LA POSTE

Ul. Obrońców Poczty Polskiej 1
℗ (058) 301 76 11 – www.mhmg.gda.pl
Billets : 3 zl, réduit : 2 zl. On y trouve un historique du rôle de la poste dans les échanges entre Gdańsk et les autres grandes villes – qui a permis son développement –, mais aussi l'histoire de la résistance des cinquante employés de la poste qui, en septembre 1939, se réfugièrent dans le bâtiment, refusant de se rendre aux Allemands, avant d'être tous exécutés.

■ LE PHARE DE NOWY PORT (LATARNIA MORSKA NOWY PORT)

Ul. Przemysłowa 6A
℗ 0 693 125 932 (portable)
www.lighthouse.pl – adm@lighthouse.pl
Accessible par les tramways n° 13 (ligne Stogi-Brzeźno) depuis le centre-ville et n° 15 (ligne Oliwa – Nowy Port). Situé à l'embouchure du port, ce phare se visite et permet une très belle vue sur Westerplatte, la baie de Gdańsk et la presqu'île de Hel. Construit en 1893, il entra dans l'histoire le 1er septembre 1939 lorsque la mitrailleuse de l'armée allemande, installée dans son embrasure, ouvrit le feu sur les positions de l'armée polonaise, déclanchant ainsi la Seconde Guerre mondiale. Le phare servit le port jusqu'en 1984, où un autre plus moderne fut construit dans le port du nord.

Promenades en bateau depuis Gdańsk

Se prennent devant la porte verte, pour aller Westerplatte, Sopot ou Hel. De gros bateaux ou un hydroglisseur (plus rapide et parfois plus cher) font la traversée 3 ou 4 fois par jour. Mais vous pouvez fort bien vous rendre à Sopot en bateau et rentrer ensuite en train. Les prix : 43 zl pour un aller-retour à Westerplatte (vieux port), 75 zl pour un aller à Hel, 61 zl pour l'aller-retour. Ensuite il existe des trajets entre Gdynia et Hel, entre Gdynia et Sopot et entre Sopot et Hel.

Shopping

▶ **Centre commercial, magasins et galeries marchandes** sont concentrés autour de la gare (à la sortie du souterrain).

▶ **Centre commercial** au coin des rues Hevweliusza et Rajska, à la sortie de la gare, sur plusieurs étages, avec au centre une jolie fontaine futuriste.

▶ **Marché** tout autour de la Hala Targowa : fruits et légumes, miel, produits d'artisanat.

▶ **Vieux moulin reconverti en centre commercial,** qui abrite plusieurs magasins de tous styles.

La région de Cachoubie

Peu connue et peu fréquentée, cette région très pittoresque offre une certaine authenticité, la découverte d'une culture à part, très forte et encore très vivante, et d'un folklore, ceux des Cachoubiens, ainsi que calme et verdure. La partie la plus belle de cette région, qui compte un grand nombre de forêts et lacs, parmi les collines moraïniques, est la région lacustre de Cachoubie : ses lacs se prêtent à la pratique de la voile et ses cours d'eau sont de merveilleux itinéraires pour canoës-kayaks.

▶ **Où loger ?** Dans de petites pensions familiales, nombreuses, conviviales et bon marché.

Que visiter ?

Le parc ethnographique de Cachoubie à Wdzydze Kiszewskie, à 70 km (facilement accessible en bus), pour commencer… et pour faire connaissance avec la culture cachoube.

▪ **PARC ETHNOGRAPHIQUE**
Wdzydze Kiszewskie
✆/Fax : (058) 686 11 30/12 88
www.muzeum-wdzydze.gda.pl –muzeum@muzeum-wdzydze.gda.pl

Que faire ?

Des excursions en vélo ou en kayak, autour et sur les lacs de Cachoubie (Kaszuby), lacs Golun et Wdzydze, ainsi que dans son parc national.

Qu'acheter ?

La cachoubie est réputée pour son art populaire, principalement pour ses artisanats d'art. A Chmielno, il est possible d'admirer et d'acheter des objets d'art populaire, en particulier des objets de céramique.

La langue cachoube

Le cachoube est une langue slave, proche du polonais avec quelques emprunts à l'allemand (5 %) et qui possède une parenté avec le vieux prussien. Elle n'est parlée que dans la région de Cachoubie (à l'ouest de Gdańsk), où la population cachoube s'élèverait aujourd'hui à 150 000 personnes, dont 50 000 qui parleraient le cachoube dans la vie de tous les jours.

▬ LES ENVIRONS DE GDAŃSK ▬▬▬

OLIWA

Cette banlieue de Gdańsk, à 8 km au nord du centre, sur la route de Sopot, possède un véritable joyau de l'art religieux : son église gothique de 107 m (la plus longue de Pologne), décorée de style baroque. Elle possède un orgue extraordinaire. Ce fut, à l'époque de sa construction, le plus grand du monde avec ses 6 338 tuyaux. Il faut impérativement venir à Oliwa pour admirer cet instrument ainsi que son église entourée par un parc calme et magnifique.

Transports

▶ **Train.** Prendre le train en direction de Sopot et Gdynia au départ de Gdańsk, et s'arrêter à la gare de Gdańsk Oliwa. L'église n'est pas très éloignée.

▶ **Tramway.** Depuis le centre de Gdańsk, quelques tramways qui vont vers le nord s'arrêtent à Oliwa (notamment les n° 6 et 12), mais il est conseillé de faire attention car les arrêts sont mal indiqués. N'hésitez pas à demander aux Polonais qui connaissent l'endroit et sauront vous renseigner sur l'endroit où descendre. Comptez environ 20 min de trajet.

Points d'intérêt

Toutes les visites d'Oliwa sont regroupées autour du parc du palais, endroit où les gens de Gdańsk aiment à se réunir pour se reposer et se cultiver.

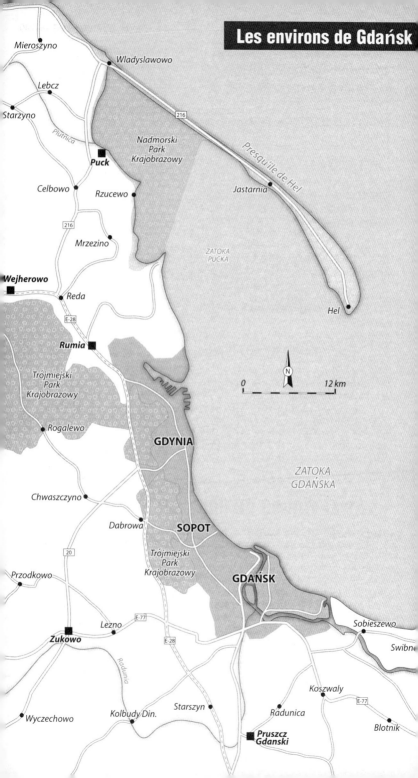

Les environs de Gdańsk

◼ LE PARC DU PALAIS

Partagé en plusieurs parties représentant chacune un style différent, il fait le bonheur des promeneurs tant il est parfaitement entretenu.

◼ CATHEDRALE (KATEDRA OLIWSKA)

Ul. Cystersów 15 ✆ (058) 552 47 65
La plus longue église de Pologne a été élevée en 1925 au rang de cathédrale. Construite au XIVe siècle dans le plus pur style gothique, elle fut améliorée au début du XVIIe siècle, et présente l'étonnante particularité de réunir les styles gothique et baroque. Sa façade principale se présente sous la forme de deux tours gothiques encadrant une entrée baroque. Ce mélange a été fait avec harmonie, et n'a rien enlevé au charme et à la beauté de la cathédrale.

◼ ORGUE

De style complètement baroque, cet instrument extraordinaire fut réalisé entre 1763 et 1788 par le jeune organiste Jan Wulf, qui ensuite entra dans les ordres sous le nom de frère Michel. Cet orgue a le pouvoir d'imiter le son de tous les instruments à vent, à cordes, ainsi que les cris de certains animaux et le son du vent. D'un point de vue esthétique, il offre un cadre exceptionnel à un vitrail représentant la Vierge Marie. Par ailleurs il est composé de 7 000 tuyaux et de petits automates (des anges qui s'animent). Cet orgue est sans doute, encore aujourd'hui, le plus accompli, tant sa sonorité et son esthétique sont parfaites. Chaque jour, des concerts sont donnés à un prix dérisoire (environ 3 zl) ; à ne manquer donc sous aucun prétexte. Il est conseillé d'être à l'heure car les portes restent fermées pendant la représentation qui dure environ 20 min.

▶ **Calendrier des concerts.** *En juillet, février, mars, du lundi au samedi à 12h, le dimanche à 15h. En avril, du lundi au samedi à 11h et 12h, le dimanche à 15h et 16h. En mai, du lundi au samedi à 10h, 11h, 12h, 13h, le dimanche à 15h et 16h. En juin, du lundi au vendredi à 10h, 11h, 12h, 13h, 15h, 16h, le samedi à 10h, 11h, 12h, 13h, 14h, 15h, le dimanche à 15h, 16h, 17h. En juillet et en août, du lundi au vendredi à 10h, 11h, 12h, 13h, 15h, 16h, 17h, le samedi à 10h, 11h, 12h, 13h, 14h, 15h, le dimanche à 15h, 16h, 17h. En septembre, du lundi au samedi à 10h, 11h, 12h, 13h, le dimanche à 15h et 16h. En octobre, du lundi au samedi à 11h et 12h, le dimanche à 15h. De novembre à mars, du lundi au samedi à 12h, le dimanche à 15h.*

◼ MUSEE D'ART MODERNE

Ouvert du mardi au dimanche de 9h à 15h. Situé à l'arrière de la cathédrale, dans le palais des Abbés.

◼ MUSEE ETHNOGRAPHIQUE

Ul. Opacka 12
Dans l'ancien grenier à blé du palais. Ouvert du mardi au samedi de 9h à 15h, le dimanche de 10h à 16h. Présentation de l'histoire de la région avec exposition d'objets utilisés sous différentes époques.

◼ MOSQUEE

Vous passerez devant cet édifice si vous arrivez à Oliwa par le tramway. Construite dans les années 1980 pour la petite communauté musulmane de Gdańsk, elle est la seule mosquée construite depuis le XVIIIe siècle dans toute la Pologne.

SOPOT

Pourtant célèbre dans toute la Pologne, cette ville ne compte que 45 000 habitants. Sopot est la station balnéaire la plus réputée de tout le pays, même si le voisinage de Gdańsk et Gdynia la rendent assez polluée.
Un Français, Jean-Georges Haffner, ancien médecin des armées de l'Empire, créa en 1823 la station balnéaire, qui connut un essor important après la Première Guerre mondiale, et attire aujourd'hui toutes les stars de Pologne.
Ce Saint-Tropez local constitue une étape importante si vous visitez la région (rien que pour venir voir la plus longue jetée de tout le continent), mais certainement pas un endroit où l'on vient se reposer, surtout en été.

Transports

▶ **Train.** La gare est proche du centre-ville. Située sur la ligne Gdańsk-Gdynia, les trains pour ces 2 destinations sont très fréquents, et il est rare d'attendre plus de 5 min ou 10 min sur le quai.

▶ **Bateau.** Depuis la jetée, en été, des bateaux partent pour Gdańsk ou Hel, et proposent des excursions ou des trajets en aller simple.

Pratique

◼ CONSULAT HONORAIRE DE FRANCE

Ul. Kościuszki 16
✆ (058) 550 32 49
Fax : (058) 551 44 43
Ouvert de 10h à 14h.

▓ OFFICE DU TOURISME CIT

Ul. Dworcowa 4 ✆ (058) 550 37 83
Situé près de la gare. Ouvert de mai à
septembre de 8h à 20h, le reste de l'année
de 8h à 16h.

▓ PHARMACIE DR GEPERT

Apteka. Ul. Kościuszki 7 ✆ (058) 551 32 89
Ouvert du lundi au vendredi de 7h45 à 20h45,
le samedi de 9h à 17h, le dimanche de 9h
à 15h.

Hébergement

▓ CAMPING NR 67 PRZY PLAŻY

Ul. Bitwy Pod Płowcami 73
✆ (058) 551 65 23
www.camping67.sopot.pl
Ouvert de juin à août. Au sud de la ville, près
de la plage.

Confort ou charme

▓ MARYLA

Ul. Sępia 22
✆ (058) 551 00 34
Fax : (058) 551 00 35
Situé à 200 m de la plage, avec un petit
restaurant, cuisine polonaise (ouvert de 8h à
22h). Chambres à partir de 130 zl l'été (95 zl
hors saison), mini-appartement avec balcon
220 zl (180 zl hors saison) + 15 zl le petit
déjeuner.

▓ HÔTEL SOPOT

Ul. Bitwy Pod Płowcami 62
✆ (058) 551 32 01 – Fax : (058) 551 55 33
www.hotel-sopot.pl (site en anglais).
Situé à proximité de la plage. Bon confort pour
le prix. Chambres simples de 60 zl à 99 zl,
doubles de 120 zl à 198 zl.

▓ PENSJONAT IRENA

Ul. Chopina 36
✆ (058) 551 20 73 – Fax : 551 34 90
biuro@pensjonat-irena.gda.pl
Situé entre la gare et les quais, dans une villa
de 1906. Chambres à partir de 130 zl. Sur
place restaurant et auberge, spécialisé dans
le cochon grillé et le sanglier.

▓ VILLA SEDAN

Ul. Pułaskiego 18-20
✆ (058) 551 06 17
www.sedan.pl (site en anglais)
sedan@sedan.pl
Villa charmante avec de belles chambres, à
partir de 185 zl.

▓ VILLA SOPOT

Ul. Sępia 22 ✆ (058) 550 01 10
www.willasopot.pl
(site en anglais et en allemand)
Chambres à partir de 120 zl (2 personnes).
Possibilité de louer des vélos. Bon confort dans
une villa située à 250 m de la plage.

Luxe

▓ GRAND

Ul. Powstańcow Warszawy 12/14
✆ (058) 551 00 41 – Fax : (058) 551 61 24
www.orbis.pl (site en anglais)
rez.sogrand@orbis.pl
Chambres à partir de 340 zl en été. Véritable
tradition à Sopot, il est idéalement situé sur le
bord de la plage et propose une vue superbe sur
la mer. Très grand restaurant dans l'enceinte,
cuisine polonaise et internationale mais aussi
hongroise, italienne et allemande.

▓ OPERA LEŚNA

Ul. Moniuszki 10 ✆ (058) 555 56 00
Fax : (058) 555 56 01 – hotel@hotel.pl
Chambres à partir de 434 zl en été. Joli
bâtiment de caractère, situé un peu à l'écart
de la foule.

Restaurants

▓ HARNAŚ GÓRALSKA CHATA

Ul. Moniuszki 9 ✆ (058) 555 14 37
www.restauracja-harnas.pl
Auberge de style montagnard, située près du
lac Morskie Oczko, dans l'enceinte de l'hôtel
Opera Lesna. Laissez-vous guider par les
célèbres fromages (oscypek), le vin chaud
et les bons pierogi.

▓ FUKIER VILLA HESTIA

Ul. Władislawa IV 3/5
✆ (058) 551 21 00
Sans doute le meilleur restaurant de toute
la région.

▓ KLUB WIELORYB

Ul. Podjazd 2
✆ (058) 551 57 22
www.klub-wieloryb.com.pl – en anglais,
pour avoir un aperçu de la décoration
Ouvert de 13h à 2h. Pub-restaurant à la
décoration TRES originale. Cuisine variée et
également originale. On trouve également
de nombreux bars et cafés à Sopot qui
proposent nourriture ou boissons. En général,
ils pratiquent des prix tout à fait raisonnables,
et sont répartis dans le centre-ville.

▪ **ROOSTER**
Ul. Boh. Monte Cassino
Dans le bas de la rue, restaurant américain aux serveuses plus alléchantes que la carte… Voir description dans les restaurants de Cracovie (qui possède le même).

Sortir

Les lieux de sortie à Sopot sont concentrés le long de l'avenue Monte Cassino, que vous ne pouvez pas rater. En été de nombreuses terrasses très animées, des spectacles de rue, des vendeurs de saucisses et de gaufres assurent à cette avenue principale une animation presque 24h/24. Partez aussi sur les plages à la recherche de restaurant de poissons avec vue sur la mer, de bars et discothèques.

Bars et pubs

▪ **BŁĘKITNY PUDEL**
Ul. Boh. Monte Cassino 44
℗ (058) 551 16 72
Ouvert de 12h à 1h. Situé près de la zone piétonne. L'intérieur est intéressant, un peu nostalgique qui fait penser aux marchés aux puces. Boissons et plats délicieux.

▪ **CLUB CAFE NR 5**
Ul. Boh. Monte Cassino 5
Il paraît que c'est le pub le plus populaire de Sopot. Vous y rencontrez des gens de 20 à 40 ans. Le décor vous transmettra dans l'ambiance des années vingt et trente. Bonne cuisine. Grand choix des boissons alcoolisées.

Cinémas

▪ **KINO BAŁTYK**
Ul. Bohaterów Monte Cassino 30

▪ **KINO POLONIA**
Ul. Bohaterów Monte Cassino 55/57

Discothèque

▪ **VIVA CLUB SOPOT**
Ul. Mamuszki 2 ℗ (058) 551 53 23
et 058 551 62 68. www.vivaclub.pl
Situé près de l'hôtel Grand et de la plage, ce club est considéré comme le plus sûr et le meilleur de la ville. Nombreuses soirées à thème organisées.

Points d'intérêt

A Sopot, il n'y a ni musée ni site historique. La petite ville est exclusivement consacrée aux loisirs, et la plage est le rendez-vous de tous les touristes qui viennent profiter des distractions de la mer. Des terrains de sports (beach-volley et beach-football en tête) sont installés sur le sable particulièrement fin de la large plage de Sopot, et ouverts à tous.
La ville entière est agréable pour la promenade, car elle possède de nombreuses demeures superbes datant de l'entre-deux-guerres sur le bord de la plage ou en centre-ville.

▪ **LA JETEE (MOLO)**
Construite en 1928 et fraîchement rénovée, elle est la plus longue du continent européen, avec une avancée de 511 m dans la mer. Quelques jeux et boutiques agrémentent une promenade de plus de 1 km aller-retour. En été, l'accès est payant, pour quelques zlotys.

▪ **DWOREK SIERAKOWSKICH**
Ul. Czyżewskiego 12
℗ (058) 551 07 56 – dworek@eps.gda.pl
Une des plus anciennes gentilhommières de la ville. Elle abrite une galerie d'art contemporain, organise des soirées littéraires et, tous les jeudis à 18h, un concert de musique de chambre.

▪ **CHAMP DE COURSE**
Dans le sud de la ville, cet endroit construit à la fin du XIXe siècle accueille, les dimanches d'été, des courses hippiques qui attirent de nombreux passionnés et curieux.

▪ **RUE BOHATEROW MONTE CASSINO**
Cette rue qui part de la jetée traverse toute la ville. Toutes les boutiques et autres activités y sont concentrées. C'est le cœur de Sopot.

GDYNIA

Deuxième port de Pologne, et deuxième ville de l'agglomération, Gdynia est une cité moderne (qui ne comptait que 1 000 habitants avant la Première Guerre mondiale) et très active. C'est la plus dynamique des villes de la région d'un point de vue économique, à défaut d'être touristique. On y vient cependant pour se promener le long du port, complètement reconstruit après la Seconde Guerre mondiale.

Transports

▪ **Bateau.** On peut de Gdańsk aller directement par cargo en Grande-Bretagne, à Tilbury ou Middlesbrough, une fois par semaine. D'autres bateaux vous emmènent à Hel, Sopot et à Gdańsk, tous les jours en été.

▶ **Bus.** Le terminal est situé à côté de la gare centrale. On trouve des bus pour la plupart des directions, mais le train couvre généralement les mêmes distances avec des tarifs avantageux. Bus pour Hel.

▶ **Train.** La gare de Gdynia est le terminus de tous les trains qui viennent du sud de la région (c'est-à-dire pratiquement de tout le pays), et une étape sur la ligne qui part de Gdańsk et longe la côte baltique. On trouve des trains pour la plupart des directions souhaitées, en fait les mêmes qu'à Gdańsk, puisque tous les trains qui passent à Gdańsk passent également à Gdynia. Trains pour Hel.

Pratique

■ **CENTRE D'INFORMATION TOURISTIQUE (MIEJSKA INFORMACJA TURYSTYCZNA)**
Plac Konstytucji 1 ✆ (058) 628 54 66
Dans le hall de la gare ferroviaire. Ouvert du lundi au vendredi de 10h à 17h, le samedi de 10h à 15h, le dimanche de 9h à 15h, en saison.

■ **POSTE CENTRALE**
Ul. 10 Lutego 10 ✆ (058) 621 89 11

Pharmacies

Ul. Starowiejska 34 ✆ (058) 620 19 82
Ouvert 24h/24.

■ **PRZYJAZNA**
Apteka. Ul. 10 Lutego 6
✆ (058) 661 79 32
Ouvert tous les jours de 8h à 22h

■ **U ŹRÓDŁA APTEK**
Ul. Świętojańska 5-7 ✆ (058) 620 76 68
Ouvert tous les jours de 9h à 22h.

Hébergement

Bien et pas cher

Possibilité de chambres chez l'habitant. Se renseigner à l'office de tourisme.

■ **OŚRODEK WYPOCZYNKOWY KLIF**
Ul. Szyprów 26
✆ (058) 624 80 04 – Fax : (058) 621 80 98
www.osrodek.razem.org
razem@razem.org
24 bungalows de 4-5 personnes avec cuisine et salle de bains, situés à 700 m de la plage et 5 min en voiture du centre de Gdynia ou de Sopot. Le lieu se trouve dans la Réserve naturelle de Kępa Redłowska.

Confort ou charme

■ **ANTRACYT**
Ul. Korzeniowskiego 19D
✆/Fax : (058) 620 68 11
www.hotel-antracyt.pl
gdynia@hotel-antracyt.pl
Chambres simples de 160 zl à 180 zl, doubles de 200 zl à 240 zl. Situé en bordure de la mer, entouré d'une agréable forêt. Accès facile au centre-ville. Confort correct.

Luxe

■ **GDYNIA HOTEL ORBIS**
Al. Armii Krajowej 22 ✆ (058) 620 68 44
Fax : (058) 661 17 47
www.orbis.pl – gdynia@orbis.pl
Chambres à partir de 270 zl. Grand confort dans cet hôtel, le meilleur de la ville.

■ **HOTEL WILLA LUBICZ**
Ul. Orłowska 43
✆ (058) 668 47 40 – Fax : (058) 668 47 41
www.willalubicz – info@willalubicz.pl
Situé dans la partie sud de la ville, à proximité de la mer. Chambres à partir de 360 zl.

Restaurants

■ **AMERYKA**
Ul. 10 Lutego 21 ✆ (058) 621 91 90
Cuisine classique européenne de qualité.

■ **POLONIA**
Ul. Świętojańska 92/94
✆ (058) 620 58 48
Cuisine traditionnelle polonaise.

■ **RÓŻA WIATRÓW**
Ul. Zjednoczenia 2 ✆ (058) 620 06 48
Cuisine polonaise dans un décor classique. Discothèque le week-end.

■ **SWOJSKI SMAK**
Ul Władysława IV 1/5 ✆ (058) 621 85 75
Voir description du restaurant du même propriétaire à Gdańsk.

Sortir

Cinéma

■ **SILVER SCREEN**
Ul. Waszyngtona 21

Bars et pubs

■ **AMERYKA**
Ul. 10 Lutego 21
Le restaurant fait également pub.

BLUE PUB
Ul. Slaska 38

SAX CLUB
Ul. Bema 26

Discothèques

HEAVEN
Ul. Szarych Szeregow 3

CISOWIANKA
Ul. Chylonska 250.

MAXIM
Ul. Orlowska 13

TABOO
Ul. 3-go Maja 27/31

VIP CLUB
Ul. Waszyngtona 21

Points d'intérêt

DAR POMORZA
Nabrzeże Pomorskie ✆ (058) 620 23 71
Ouvert du mardi au dimanche de 10h à 15h30.
Ce trois-mâts frégate du début de siècle,
situé dans le port, est un bateau-musée. Il
fait partie du Musée maritime.

BŁYSKAWICA
Al. Zjednoczenia (Skwer Kościuszki)
✆ (058) 626 37 27/058 626 36 58
Billet : 8 zl, réduit : 4 zl. Autre bateau musée,
destroyer cette fois, avec les mêmes heures
de visite.

**MUSEE DE LA MARINE
(MUZEUM MARYNARKI WOJENNEJ)**
Skwer Kościuszki ✆ (058) 626 36 58
www.mw.mil.pl – muzeum@mw.mil.pl
*Ouvert du mardi au dimanche de 10h à
16h. Billet : 4 zl, tarif réduit : 2 zl.* Superbe
présentation de l'histoire de la relation
entre les habitants de la côte et la mer à
travers l'histoire et de nombreux objets. Très
intéressant.

**MUSEE OCEANOGRAPHIQUE
ET AQUARIUM (AKWARIUM GDYŃSKIE)**
Al. Jana Pawła II 1 ✆ (058) 621 70 21
www.akwarium.gdynia.pl
akwarium@mir.gdynia.pl
*Ouvert du mardi au dimanche de 10h à 17h,
en été de 9h à 20h. Billet : 11 zl, réduit :
7 zl.* Faune et flore de la mer Baltique sont
présentées et expliquées dans cet endroit
agréable.

**DOMEK ABRAHAMA
(MUZEUM MIASTA GDYNI)**
Ul. Starowiejska 30 ✆ (058) 621 90 73
Ouvert du mardi au dimanche de 11h à 17h.
Musée de l'Histoire des Origines de Gdynia.

MALBORK

Ancienne capitale des chevaliers Teutoniques,
cette petite ville est fière de son château,
l'un des plus imposants de l'architecture
médiévale, symbole de l'autorité de l'ordre,
dont la construction s'est étalée entre 1274
et 1457. Le château est inscrit sur la liste du
Patrimoine mondial de l'Unesco. A part ce
site fabuleux, il ne reste pas grand-chose
de Malbork, littéralement anéantie en 1945,
et reconstruite comme une banlieue triste.
Malgré le nombre impressionnant de touristes
qui viennent admirer le château (qui a été
admirablement reconstruit), Malbork ne
semble pas en profiter, et reste une ville
éteinte, miroir de la Pologne d'hier.

Transports

▶ **Train.** Gare à 1 km à l'est du centre-ville.
Trains pour Gdańsk, Varsovie, Toruń, et pour
la plupart des villes de la région.

▶ **Bus.** Terminal situé à côté de la gare. Bus
pour la plupart des destinations régionales,
ainsi que pour les grandes villes.

Pratique

**CENTRE D'INFORMATION
TOURISTIQUE
(CENTRUM INFORMACJI
TURYSTYCZNEJ)**
Ul. Piastowska 15
✆/Fax : (055) 272 92 46.

SITE DE LA VILLE EN FRANÇAIS
www.malbork.pl

**SITE DU CHÂTEAU
EN ANGLAIS ET EN ALLEMAND**
www.zamek.malbork.pl

Agences de voyages

MALTUR
Ul. Sienkiewicza 15
✆ (055) 272 55 99/26 14/36 82
maltur@pit.org.pl

BUTRYN TRAVEL
Ul. Kościuszki 5A
✆ (055) 272 08 08/94 44

■ **CEZAR**
Ul. Dworcowa 15 ✆ (055) 647 42 4

Hébergement

■ **CAMPING OSIR**
Ul. Portowa 3
✆ (055) 272 24 13
Petites maisons en location.

■ **PENSJONAT U BŁAŻEJA**
Ul. Saperów 4
✆ (055) 272 30 81
Ouvert toute l'année. Chambres à partir de 20 zl. Possibilité d'y planter sa tente.

Confort ou charme

■ **ZBYSZKO**
Ul. Kościuszki 43
✆ (055) 272 33 94
Confort acceptable au centre de la ville.

■ **DEDAL**
Ul. Général de Gaulle 5
✆ (055) 272 68 50/51
Fax : (055) 272 31 37.
Situé dans le centre de la ville. Confort sommaire. Chambres à partir de 130 zl.

Restaurants – Sortir

La plupart des hôtels mentionnés disposent de leur propre restaurant, mais en dehors de cela, il n'existe pas vraiment d'endroit agréable où se restaurer à Malbork.

■ **PARADISE**
Ul. Mickiewicza
Ouvert du mardi au dimanche de 17h à minuit. Le meilleur club de musique de la ville.

Points d'intérêt

■ **LE CHATEAU**
L'unique centre d'intérêt à Malbork, mais il est tellement grand qu'il vous faudra plusieurs heures pour le visiter. Prévoyez un minimum de 3h de visite. Après l'entrée, marquée par un pont-levis, on pénètre dans la cour du château moyen (zamek Średni). Bon à savoir : en basse saison, les visites se font uniquement en polonais.

■ **MUSEE DU CHATEAU DE MALBORK**
Ul. Starościńska 1
✆ (055) 647 09 76 (caisse)
www.zamek.malbork.pl
Visites libres ou guidées en groupe. Ouverture du musée château du mardi au dimanche de 10h à 15h, en été jusqu'à 19h. Billets : 30 zl, pour les étudiants et enfants : 17,50 zl, gratuit pour les moins de 7 ans. Ajouter 10 zl pour le permis photo. Entrée dans la tour : 12 zl, tarif réduit : 8 zl. Possibilité des visites nocturnes et des spectacles son et lumière (le spectacle commence entre 21h et 22h selon la saison). On peut séparer les principaux bâtiments qui le composent : le château moyen (zamek Średni), le palais du grand maître (pałac wielkiego mistrza), le château supérieur (zamek wysoki), l'église du château et la tour carrée.

■ **PALAIS DU GRAND MAITRE (PAŁAC WIELKIEGO MISTRZA)**
A droite de l'entrée dans la cour. Les intérieurs y sont superbes, et principalement la salle des chevaliers (sala rycerska) qui couvre une surface de 450 m².

■ **COLLECTION D'AMBRE (WYSTAWA BURSZTYNU)**
On trouve des objets superbes taillés dans cette pierre semi-précieuse, ainsi que le plus gros morceau à l'état brut, qui pèse 2,3 kg. Cette collection d'ambre est la plus impressionnante du monde.

■ **CHATEAU SUPERIEUR (ZAMEK WYSOKI)**
Aussi gigantesque que le château moyen, il présente les salles des chevaliers, et on peut avoir une idée de leur existence en visitant dortoirs et réfectoire.

■ **EGLISE DU CHATEAU**
De style gothique également, lieu de rencontre et de prière des chevaliers.

■ **TOUR CARREE**
On peut accéder au sommet et avoir une très belle vue de l'ensemble du site et de la campagne autour. On se rend compte que les chevaliers pouvaient voir venir l'ennemi de très loin tant le paysage est plat dans cette région de Poméranie.

▦ PRESQU'ÎLE DE HEL

Longue de 34 km, sa largeur n'excédant jamais 3 km (300 m à sa base), cette presqu'île, superbe et calme, est une merveille de la nature, un endroit que l'on vient savourer en toute quiétude.

Transports

Le meilleur moyen de s'y rendre au départ des villes de Gdańsk, Sopot et Gdynia est de prendre le train, le bus ou le bateau qui tous vous y mènent pour une somme tout à fait abordable, et vous ramènent ensuite.

Hébergement

On trouvera de nombreux logements chez l'habitant à moindres frais à Hel et à Jastarnia. Les pensions sont également nombreuses. Compter en moyenne 100 zl la nuit. Le mieux est de se renseigner à l'office de tourisme, surtout pour ces types de logements.

Sur toute la longueur de la presqu'île, il est également possible de trouver des campings et des centres de vacances. Ils ne manquent pas.

■ **BRYZA HOTEL**
Ul. Świętopełka 1, à Jurata (10 km de Hel)
✆ (058) 675 23 43/24 86
Fax : (058) 675 24 26
Très grand confort près de la mer, tennis, fitness, sauna, etc. Chambres à partir de 290 zl (2 personnes).

Points d'intérêt

On visite essentiellement le site naturel ici, qui n'est pas considéré comme parc national, mais n'en est pas moins protégé. La presqu'île compte six villages : Władysławowo, Jastarnia, Chałupy, Kuźnica, Jurata, et Hel. Cet endroit est paradoxalement, sans posséder de site historique, riche en histoire. En septembre 1939, ce fut la dernière partie de la Pologne à se rendre à l'Allemagne. En 1945, les Allemands s'y réfugièrent par milliers et continuèrent de s'y battre jusqu'au 9 mai, le lendemain de l'armistice, devenant ainsi le dernier endroit d'Europe à être libéré du nazisme.

Pour les amateurs d'activités nautiques, la presqu'île est un véritable paradis. La plupart des centres de loisirs et de vacances qui longent ce bout de terre proposent des cours de voile et de Windsurf et la location de matériel.

HEL

À l'extrémité de la presqu'île, Hel est la plus ancienne ville de la région de Puck car elle date de 1260 et c'est aussi l'un des plus grands ports de la côte.

Pratique

■ **BUREAU DE PROMOTION DE LA VILLE DE HEL**
Ul. Wiejska 50 ✆ (058) 675 05 45
Fax : (058) 675 04 10 – info@hel-miasto.pl

■ **OFFICE DE TOURISME**
Ul. Wiejska 78 ✆ (058) 675 10 10

Restaurants

Une multitude de petits restaurants pratiquent des prix corrects en été, mais sont en général fermés le reste de l'année.

Points d'intérêt

■ **MUSEE DE LA PECHE (MUZEUM RYBOŁÓWSTWA)**
Ul. Bulwar Nadmorski 2
✆ (058) 675 05 52/12 54
Ouvert de juin à août de 9h30 à 18h, de septembre à mai de 9h30 à 16h. Installé dans la plus ancienne église gothique de Hel. L'histoire de la région est vue au travers de l'histoire des relations des hommes avec la pêche et la mer. Il est possible d'y voir un skansen montrant les différents bateaux de pêche.

■ **PHARE (LATARNIA MORSKA)**
Ul. Bałtycka 3 ✆ (058) 675 06 17
Ouvert de 10h à 14h et de 15h à 19h. Phare de 41,50 m de haut, construit en 1942, sur l'emplacement de l'ancien phare de 1872. Les habitants firent sauter ce dernier le 19 septembre 1939 pour défendre la ville contre les attaquants allemands. Par beau temps, la lampe du nouveau phare est visible jusqu'à 18 miles marins.

■ **STATION MARITIME DE L'UNIVERSITE DE GDAŃSK**
Ul. Morska 2 ✆ (058) 675 08 36
Ouvert dès 8h, mais les moments les plus intéressants sont 9h et 15h, heures des repas des pensionnaires. L'intérêt touristique de cette place est la possibilité de voir des phoques gris que la station réimplante dans la région.

LA POMÉRANIE

Les phoques séjournent dans trois grands bassins (plus deux réservés aux jeunes et une autre aux malades). L'entrée est fixée au złoty symbolique. Pour plus d'informations sur les recherches de la station, Internet : www. hel.univ.gda.pl (site avec quelques documents en anglais).

JASTARNIA

Au centre de la presqu'île, c'est une petite ville où reste très présente la culture cachoube. L'été, la ville se transforme en grand centre touristique, surtout pour son emplacement à deux pas des plages, ouvertes sur la Grande Mer, plus fraîche (la Baltique) et la Petite Mer chaude (la baie de Puck – Zatoka Pucka).

■ OFFICE DU TOURISME

Ul. Ks. Stefańskiego 47
✆ (058) 675 20 97
Fax : (058) 675 23 40 – jastarnia@home.pl

Restaurants

Comme à Hel, Jastarnia propose un grand nombre de petits restaurants pas chers ouverts l'été.

Points d'intérêt

■ BOSMANAT PORTU

✆ (058) 675 20 13
Petit musée dirigé par le bosman du port (maître d´équipage). Y sont présentés divers objets traditionnels évoquant la vie des pêcheurs.

■ CIMETIERE DES PECHEURS (CMENTARZ RYBACKI)

Ul. Bałtycka
Tombes de plusieurs générations de pêcheurs et de soldats polonais au temps de la défense de la presqu'île en 1939.

■ PORT

Il date de 1926-1930. Il occupe deux fonctions, la pêche et les loisirs. Possibilité d'y louer un canot à moteur pour aller jusqu'à Puck ou d'emprunter un bateau en direction de Gdynia. Quand l'eau de la baie gèle l'hiver, l'activité de pêche se déplace à Hel.

■ CABANE DE PECHEURS (ZABYTKOWA CHËCZ RYBACKA)

Ul. Rynkowa 10 ✆ (058) 675 23 04
Cabane datant de 1881, elle se visite du mardi au dimanche de 14h à 18h.

■ CÔTE DE LA BALTIQUE JUSQU'À SZCZECIN ■

ŁEBA

Ce village, entouré des plus belles plages de la côte, date du XIIe siècle, mais après avoir été totalement détruit en 1558 par une tempête, il a été reconstruit un peu plus loin. De l'original, il ne reste qu'une partie de l'église gothique. Łeba est aujourd'hui une station balnéaire à la mode, particulièrement agréable. Seul inconvénient le nombre impressionnant de moustiques qui peuvent perturber vos nuits.

Transports

▶ **Train.** Gare au sud du village. Trains pour Lębork, d'où l'on peut rejoindre Gdańsk ou Szczecin.

▶ **Bus.** Terminal proche de la gare. Plus nombreux que les trains, les bus desservent la plupart des villes de la région, y compris Gdynia.

Hébergement

Sur toute la côte, il est possible de trouver une multitude de logements chez l'habitant.

■ CAMPING CHABER PTTK 275

Ul. Turystyczna 1 ✆ (059) 866 14 35/24 35
www.leba_chaber.webpark.pl
Beau cadre à 50 m de la plage. Au total, Łeba compte plus de 10 campings fermés en dehors de l'été, plus ou moins grands, plus ou moins agréables et bien situés. Celui-ci est sans doute le meilleur.

Confort ou charme

■ DOM WCZASOWY FONIKA

Ul. Sportowa 3
✆ (059) 866 11 86 – Fax : (059) 866 12 71
lebfonica@poczta.onet.pl
Chambres à partir de 60 zl en saison. Petit déjeuner : 9 zl. Situé à 150 m de la plage. Bon confort pour le prix, mise à disposition d'un emplacement de jeux pour enfants, d'une cuisine équipée et d'un grill (et une cheminée pour l'hiver).

■ MARINA

Ul. Jachtowa 1
✆ (059) 866 12 65 – Fax : (059) 866 18 66

biuro@hotel-marina.pl
*Chambres à partir de 120 zl en saison, 80 zl
pour les enfants de moins de 14 ans. Situé
à 50 m de la plage, près d'un bois de pins et
du port de plaisance.* Bon confort.

■ NEPTUN
Ul. Sosnowa 1 ✆ (059) 866 14 32
hotel@neptun.2com.pl
Proche de la plage, superbe vue sur la mer
depuis la terrasse.

■ OŚRODEK ARKUN
Ul. Wróblewskiego 11 ✆ (059) 866 24 19
Fax : (059) 866 24 95 – www.arkun.ta.pl
Le meilleur hôtel de la ville, très confortable,
et vraiment pas cher.

■ OŚRODEK WYPOCZYNKOWY RELAKS
Ul. Nadmorska 13 ✆/Fax : (059) 866 12 50
www.relaks.maxmedia.pl
*Situé à 200 m de la plage, dans une forêt.
Location de chambres en bungalows en bois,
équipés. 1 bungalow pour 4 personnes de
180 zl à 300 zl (selon la saison).*

Luxe

■ SOPLICA
Ul. Jeziorna 2
✆ (059) 866 16 15. Fax : (059) 866 19 47
www.soplica.com.pl (site en anglais
et en allemand) – soplica@dwor.com.pl
*Chambres à partir de 200 zl en saison, 20 zl
pour votre chien (en laisse et avec muselière).
Petit château du XVIIe siècle, situé près du
lac Sarbsko.*

Restaurants

Que ce soit pour manger ou prendre un verre,
Łeba propose une quantité de petites adresses
estivales qui pratiquent des prix tout à fait
raisonnables.

■ KARCZMA SŁOWINSKA
Ul. Kościuszki 28
*Cuisine polonaise, ouvert toute l'année, de
12h à minuit.*

Points d'intérêt

On vient ici pour profiter de la plage, de la mer,
et de tous les loisirs qui s'y rattachent. En été,
la population est largement plus importante
qu'en temps normal, et le village se vide ensuite
pendant 9 à 10 mois. Comme toute station
balnéaire, Łeba est plus agréable que belle,
et son tourisme est tourné essentiellement
vers les loisirs. On peut bien entendu choisir

ce village comme point de départ pour se
promener dans le parc national de Slovinie.

PARC NATIONAL DE SLOVINIE (SŁOWIŃSKI PARK NARODOWY)

Sur une surface de 186 km², ce Parc naturel
est le plus grand de Poméranie. Il s'étend
depuis Leba jusqu'à plus de 30 km à l'ouest
le long de la côte maritime. Le parc est inscrit
sur la liste des Réserves mondiales de la
Biosphère de l'Unesco. On pourrait penser
que les paysages y sont homogènes, et
comparables aux forêts landaises, mais le
parc de Slovinie contient, en plus de quelques
petits villages, des dunes côtières, des forêts,
des lacs, et même une étendue complètement
désertique. Plus de la moitié du parc est
occupée par les eaux, des lacs ¸ebsko et
Gardno en l'occurence. A Łeba, on peut se
procurer une carte détaillée qui permet de
visiter le parc.

■ PARC NATIONAL DE SLOVINIE (SŁOWIŃSKI PARK NARODOWY)
Ul. Bohaterów Warszawy 1, à Smołdzino
✆/Fax : (059) 811 72 04/73 39/68/75 09
www.slowinskipn.pl
sekretariat@slowinskipn.pl

Points d'intérêt

■ SMOŁDZINO
*Ouvert du mardi au vendredi de 8h à 16h,
le samedi et le dimanche de 9h à 16h.* Petit
village situé à l'ouest du parc. On y trouve
un musée d'Histoire naturelle qui présente la
faune et la flore du parc. On y trouve également
le plus haut sommet de la région, le mont
Rowokół, haut de 115 m (n'oublions pas que
nous sommes au bord de la mer), d'où l'on
peut avoir une vue assez intéressante de
tout le parc.

■ KLUKI
A environ 5 km à l'est de Smołdzino, ce
minuscule village est un véritable skansen
de maisons traditionnelles qui n'ont pas été
modifiées depuis des siècles. Superbe. Dans
ce village des manifestations folkloriques sont
organisées : présentation des occupations
quotidiennes, des artisanats et des techniques
significatives des populations slovines.

■ DUNES MOUVANTES
Les dunes mouvantes sont la conséquence
d'une déforestation à outrance du littoral.

Tout le long de la côte, les dunes progressent sous le souffle du vent vers l'intérieur des terres, ensevelissant la forêt sur leur passage, qui diminue un peu chaque année. Le lac Lesko, lui aussi un peu en retrait, rétrécit également année après année, alors qu'il s'agissait autrefois d'une baie en contact direct avec la mer, aujourd'hui à plus de 1 km.

■ POINT DE VUE

Deux très beaux points de vue existent dans le parc, le phare sur la haute dune de Czołpino et la tour au sommet du mont Rowokół.

SŁUPSK

Ville de plus de 100 000 habitants, Słupsk n'est pas en soi une étape touristique, mais un bon point de départ pour explorer les régions environnantes (la mer n'est qu'à 18 km). La ville compte tout de même un intéressant château-musée gothique.

Transports

▶ **Train.** Gare centrale à l'ouest et proche du centre-ville. Nombreux trains quotidiens vers Gdańsk, Szczecin, Varsovie, et Berlin.

▶ **Bus.** Terminal assez proche de la gare. De nombreux bus vers la plupart des stations balnéaires de la côte, ainsi que des trajets plus longs, et certains bus internationaux vers Berlin, Hambourg et Cologne en Allemagne.

Pratique

■ www.slupsk.pl

■ INFORMATION TOURISTIQUE (INFORMACJA TURYSTYCZNA)

Ul. Wolska Polskiego 16
✆/Fax : (059) 842 43 26,
et ul. Sienkiewicza 19
✆ (059) 842 07 91

Hébergement

■ PRZYMORZE

Ul. Szczecinska 41
✆ (059) 845 33 66
Ce motel, qui offre restaurant, café et boîte de nuit, est situé sur la route de Szczecin, à la sortie de la ville.

■ ZAMKOWY

Ul. Dominikanska 4 ✆ (059) 842 52 94
Chambres à partir de 102 zl. Situé dans le quartier historique, avec un petit restaurant correct.

Restaurants

■ KARCZMA POD KLUKA

Ul. Kaszubska 22 ✆ (059) 842 34 69
Auberge réputée sur la route de Leba, spécialités locales.

■ METRO RESTAURACJA

Ul. 9 Marca 3 ✆ (059) 842 25 83
Dans le centre-ville. Spécialités polonaises et hongroises.

Manifestation

▶ **Festival de piano polonais.** Tous les ans au mois de septembre, pendant une semaine, ce festival de musique rassemble autour du château les meilleurs pianistes du pays pour des concerts exceptionnels.

Points d'intérêt

■ MUSEE DE POMERANIE CENTRALE (MUZEUM POMORZA ŚRODKOWEGO)

Ouvert du mercredi au dimanche de 10h à 16h (et mardi en été). Situé dans le château datant du XVIe siècle. On y trouve des objets anciens ou plus récents significatifs de la société et de l'art de cette région, entre autres les sarcophages en étain des ducs de Poméranie et la plus grande collection en Pologne d'œuvres de Stanisław Ignacy Witkiewicz, dit Witkacy.

■ MOULIN (MŁYN)

Situé en face du château, ce moulin est l'un des plus vieux de Pologne. Daté de 1320, doté d'une porte gothique de l'an 1400 environ, il abrite aujourd'hui une annexe du musée qui présente les collections ethnographiques.

■ EGLISE SAINTE-HYACINTHE (KOŚCIÓŁ ŚW. JACKA)

Construite au XVe siècle, remaniée au XVIIe siècle.

■ MURAILLES

En fait, il reste des vestiges en trois points : Porte du Moulin (Brama Młyńska), Tour des Sorcières (Baszta Czarownic) et Porte Neuve (Brama Nowa). On y trouve aujourd'hui des galeries d'art temporaires.

USTKA

Petit port de pêche directement relié à Słupsk, Ustka est une station balnéaire peut-être moins attrayante que Łeba, mais plus grande et avec donc un plus grand nombre d'infrastructures touristiques. Comme toutes les stations de la côte, elle regorge de touristes en été, tandis que le reste de l'année est nettement plus calme.

Transports – Pratique

▶ **Train.** La gare d'Ustka est le terminus des trains qui s'arrêtent à Słupsk. Ce qui ne veut pas dire que tous les trains qui passent à Słupsk vont également à Ustka !

▶ **Bus.** Environ toutes les 15 min, des bus assurent la liaison entre Ustka et Słupsk, seule ville reliée par ce moyen de transport.

■ OFFICE DU TOURISME (BIURO PROMOCJI MIASTA)
Ul. Marynarki Polskiej 87
✆ (059) 814 99 26/059 814 71 70

Hébergement

■ CAMPING MORSKI 101
Ul. Armii Krajowej 4
✆ (059) 814 44 26
A la sortie de la ville, au sud-est.

■ HOTEL STACH
Ul. Słowianska 4B
✆/Fax : (059) 815 22 00
www.hotelstach.pl (site en anglais et en allemand) – hotel@hotelstach.pl
Hôtel situé à 100 m de la plage et de la promenade. Chambres à partir de 130 zl en saison. Beaucoup de charme dans le décor.

DARŁOWO

Contrairement à une idée communément admise, cette ville ne se situe pas en bordure de la mer Baltique, mais à 2,5 km en retrait dans les terres. Le petit port qui y est rattaché s'appelle Darłówko. Ces deux localités se complètent. Si Darłowo est une ville culturelle, avec des édifices intéressants, Darłówko est devenue une petite station balnéaire agréable. C'est une étape complète qui permet de concilier ces deux activités.

Transports

▶ **Train.** Gare située dans le sud de Darłowo, à 500 m du centre-ville. Trains uniquement pour Slawno, où on peut rattraper la liaison Gdańsk-Szczecin.

▶ **Bus.** Terminal situé à côté de la gare. Bus pour la plupart des villes voisines et un peu plus éloignées sur la côte.

Hébergement

■ CAMPING NR 243
Ul. Konrada 20 ✆ (094) 314 28 72
Ouvert en été, proche de la plage à Darłówko.

■ MONIKA
Ul. Tynieckiego 43 ✆ (094) 314 10 17
Pension de 30 lits répartis dans 6 appartements agréables et confortables, avec cuisine, salon et 2 chambres chacun.

Points d'intérêt

Toute la ville de Darłowo, cité médiévale, mérite une visite, mais voici les lieux les plus importants à ne pas manquer.

■ MUSEE REGIONAL (MUZEUM ZAMEK KSIĄŻĄT POMORSKICH)
✆ (094) 314 23 51
www.muzeumdarlowo.pl
biuro@muzeumdarlowo.pl
Ouvert du mardi au dimanche de 10h à 16h.
Situé dans le château gothique du XIVe siècle, lieu de résidence des ducs de Poméranie jusqu'à la guerre de Trente Ans. Collection de meubles et de portraits d'art civil et religieux de la région. Belle collection d'armures.

■ EGLISE NOTRE-DAME (KOŚCIÓŁ NMP)
Ul. Franciszkańska 4
Construite en briques au XIVe siècle. L'intérieur reflète le style gothique, même si de nombreuses transformations ont été effectuées au cours des siècles. On y trouve la tombe d'Erik de Poméranie, roi du Danemark, de Suède et de Norvège, de 1396 à 1438, mort à Darłowo où il s'était réfugié en 1459.

■ HOTEL DE VILLE
Situé sur le Rynek, construction de style baroque.

■ PORTE EN PIERRE (BRAMA KAMIENNA)
Dernier vestige des fortifications, construction en brique (et non en pierre comme son nom l'indique).

■ CHAPELLE SAINTE-GERTRUDE (KAPLICA ŚW. GERTRUDY)
Contrairement aux autres églises de Pologne, cette superbe chapelle n'est ouverte qu'aux heures de messe, à 18h tous les jours et à plusieurs reprises le dimanche. C'est vraiment un trésor de Darłowo à ne pas manquer.

KOSZALIN

Plus grande ville de la côte entre Gdańsk et Szczecin, Koszalin fut un grand port de la Hanse avant que l'ensablement ne vienne anéantir ses illusions maritimes. La destruction totale lors de la Seconde Guerre mondiale a laissé des traces indélébiles, et Koszalin est aujourd'hui une ville sans âme. Elle est le produit des architectes réalistes communistes d'après-guerre, visiblement peu ou mal inspirés.

Transports

▶ **Train.** Gare à 500 m à l'ouest du centre-ville. Trains quotidiens vers les villes proches ainsi que Gdańsk, Szczecin et Poznań.

▶ **Bus.** Terminal situé près de la gare. Bus vers les stations de la région et les grandes villes desservies par les trains.

Pratique

▪ **OFFICE DU TOURISME
(WOJEWÓDZKIE CENTRUM INFORMACJI TURYSTYCZNEJ)**
Ul. Dworcowa 10
✆ (094) 342 73 99
Fax : (094) 346 23 39
Ouvert du lundi au vendredi de 8h à 17h, le samedi de 10h à 14h. Situé près de la gare, il donne des renseignements sur la ville.

Hébergement

▪ **AUBERGE DE JEUNESSE**
Ul. Gnieźnienska 8
✆ (094) 342 60 68
Très confortable et ouverte toute l'année, à partir de 17h.

▪ **AUBERGE DE JEUNESSE PTSM**
Ul. Morska 108A ✆ (094) 341 68 10
Ouvert en période de vacances.

▪ **GROMADA**
Ul. Zwycięstwa 20/24 ✆ (094) 342 79 11
www.gromada.koszalin.pl
recepcja@gromada.koszalin.pl
Grand hôtel luxueux situé dans le centre-ville. Certaines chambres sont assez abordables.

Restaurants

▪ **MAREDO**
Ul. Zwycięstwa 45 ✆ (094) 341 10 57/60
En face de la cathédrale. Spécialités polonaises à des prix très abordables.

▪ **RATUSZOWA**
Rynek Staromiejski 11 ✆ (094) 342 34 09
Plats locaux de bonne qualité à des prix corrects.

▪ **ZIELONY MŁYN**
Ul. Młyńska 33 ✆ 098 342 35 79
Situé dans un moulin vert, spécialités locales de qualité.

Points d'intérêt

▪ **MUSEE REGIONAL
(MUZEUM OKRĘGOWE)**
Ul. Piłsudskiego 53,
au nord-est du centre-ville
Ouvert du mardi au dimanche de 10h à 16h. On y trouve retracée toute l'histoire de la région à travers des objets divers, historiques ou plus personnels.

▪ **CATHEDRALE**
Ul. Chrobrego 7
Seule rescapée des destructions de la Seconde Guerre mondiale dans le centre-ville, restaurée dans ses parties endommagées, elle est de style gothique et constitue la principale attraction touristique de la ville.

KOŁOBRZEG

Contrairement à ce que l'on peut croire en y allant, Kołobrzeg est l'une des plus anciennes villes de Pologne, et date de plus de 1300 ans. C'était, en l'an mille, un évêché, égal de Cracovie ou Wrocław. Mais l'emplacement de ce port l'exposa à toutes sortes d'invasions : suédoise, russe, napoléonienne, prussienne. Elle fut détruite à chaque reprise. En 1945, Kołobrzeg fut anéantie totalement, et sa reconstruction fut axée sur les activités balnéaires et la plage, tandis que le centre-ville ne retrouvait pas son éclat d'antan. Aujourd'hui, cette ville est plus une halte balnéaire que culturelle, mais le visiteur ne doit pas oublier que Kołobrzeg est un haut lieu de l'histoire de la Pologne. Kołobrzeg est aussi une ville liée au thermalisme et à la thalassothérapie, trente établissements se trouvent en bord de mer. Ils soignent notamment les maladies du système circulatoire et des voies respiratoires, ainsi que les rhumatismes, en utilisant six eaux médicinales différentes et des boues curatives.

Transports

▶ **Train.** Gare située dans le centre, avec d'un côté la plage et de l'autre ce qui reste du centre historique. Trains pour Koszalin, d'où l'on peut rattraper la ligne Gdańsk-Szczecin. Deux trains quotidiens pour Varsovie.

▌ **Bus.** Terminal proche de la gare. Les bus ne sont pas très nombreux, mais permettent de rejoindre quelques stations sur la côte.

Pratique

POINT D'INFORMATION TOURISTIQUE (PUNKT INFORMACJI TURYSTYCZNEJ)
Ul. Dworcowa 1
℗/Fax : (094) 352 79 39
www.kolobrzeg.turystyka.pl (site en anglais et en allemand)
turystyka@home.pl
Ouvert en saison de 8h à 18h, hors saison de 8h à 16h
Et un autre bureau :
Al. Armii Wojska Polskiego 6C
℗/Fax : (094) 354 72 20 – cepit@post.pl
Ouvert toute l'année, du lundi au vendredi de 8h à 16h.

Hébergement

Il est possible de trouver de multiples logements chez l'habitant et des pensions dans les villes et aux alentours.

CAMPING BALTIC NR 78
Ul. IV Dywizji Wojska Polskiego 1
℗ (094) 352 45 69
baltic78@poczta.onet.pl
A 400 m de la plage, il est ouvert de mai à septembre et accessible par le bus n° 8.

CAMPING 88 BIAŁA MEWA
Ul. Wyzwolenia à Dzwirzyno
℗ (094) 358 54 02/60 08
Quelques maisons en bois à louer (120 zl par 3 personnes, 144 zl par 4 personnes). Location de kayaks et bateaux. Camping agréable situé à quelques kilomètres de Kołobrzeg, sur l'axe principal.

Confort ou charme

HOTEL HEBAN BOLERO
Ul. Borzymowskiego 3 ℗ (094) 352 48 41
Situé dans le centre et à proximité de la plage.

PALAIS DE BUDZISTOWO (PAŁAC BUDZISTOWO)
Ul. Pałacowa 19, à Kołobrzeg, Budzistowo
℗ (094) 354 72 12
Fax : (094) 354 66 45 – www.palac.afr.pl
Chambres à partir de 150 zl. Palais situé à quelques kilomètres de Kołobrzeg, à

Budzistowo, près de la rivière Parsęta. Equipement confortable dans un cadre historique.

Luxe

HOTEL ETNA
Ul. Portowa 18 ℗ (094) 355 00 12
Fax : (094) 355 00 13 – www.hoteletna.pl
recepcja@hoteletna.pl
Chambres à partir de 190 zl en saison. En centre-ville, bel établissement qui propose des chambres spacieuses. Aménagement pour personnes handicapées. Chambres avec vue sur mer ou sur ville (celles-ci sont particulièrement agréables le soir).

NEW SKANPOL
Ul. Dworcowa 10 ℗ (094) 352 82 11
Fax : (094) 352 44 78
www.newskanpol.pl – info@newskanpol.pl
Chambres à partir de 205 zl en saison. Anciennement l'un des plus beaux hôtels de la côte, objet de propagande communiste, symbole de la coopération avec les pays scandinaves (d'où son nom, qui signifie Scandinavie Pologne).

ORBIS SOLNY
Ul. Aleksandra Fredry 4
℗ (094) 354 57 00 – Fax : (094) 354 58 28
www.orbis.pl (site en anglais)
solny@orbis.pl
Chambres à partir de 160 zl. De nombreux services dans un cadre très agréable, à 500 m de la plage.

Restaurants

CHATA RYBAKA
Ul. Morska 7a/II
℗ (094) 354 63 13. www.chata.rybaka.pl
Ouvert de 9h à 22h. Bar situé dans un passage souterrain, à proximité du phare et du parc. L'intérieur fait penser à une cabane de pêcheur. Cuisine polonaise, beaucoup de poissons.

FREGATA
Ul. Dworcowa 12 ℗ (094) 352 37 87
Ouvert de 10h à minuit. Cuisine polonaise traditionnelle pour des prix corrects avec une terrasse en été.

NOTTINGHAM
Ul. Reymonta 3a ℗ (094) 354 62 99
www.restauracja-nottingham.webpark.pl
restauracja-nottingham@wp.pl
Ouvert de 10h à minuit. Situé près de la plage. Vous y ressentirez l'ambiance d'un château médiéval. Bonne cuisine polonaise.

Points d'intérêt

■ **MUSEE DE L'ARMEE POLONAISE
(MUZEUM ORĘŻA POLSKIEGO)**
Ul. Armii Krajowej 13 (Palais Brunszwicki)
✆ (094) 352 5253
www.powiat.kolobrzeg.pl/muzeum
On y trouve toute l'histoire de l'armée
nationale, à travers les uniformes, les grandes
dates et les épopées.

■ **CATHEDRALE**
Ul. Mariacka 5
Construite au XIVe siècle, de style gothique,
très endommagée pendant la Seconde Guerre
mondiale, mais assez bien reconstruite ensuite.
On y trouve encore à l'intérieur de nombreux
objets et œuvres de l'époque qui ont été
restaurés ou miraculeusement épargnés.

■ **HOTEL DE VILLE**
Ouvert du mardi au dimanche de 10h à 17h.
Reconstruit en 1830 après que le précédent
a été détruit en 1807 par les troupes de
l'Empire, cet édifice propose une galerie
d'art moderne.

▐ **De l'autre côté de la voie ferrée,** la plage
est l'attraction principale, avec tous les loisirs
qui l'accompagnent. Le port de plaisance
attire également curieux et passionnés. Au
loin, on peut voir les ruines de l'ancien fort
qui surveillait la mer.

KAMIEŃ POMORSKI

Vieux de plus de mille ans, ce village fut suédois
et prussien avant de devenir polonais à l'état
de ruines, en 1945. Tout a été reconstruit, mais
Kamień Pomorski, port autrefois important,
a perdu de sa splendeur, tout en restant
cependant une étape intéressante.

Transports

▐ **Train.** La gare est située au sud de la ville.
Les trains ne vous emmèneront pas très loin,
et ne constituent pas une bonne solution pour
aller ou repartir de Kamień Pomorski.

▐ **Bus.** Le terminal est situé en face de la
gare. Des bus quotidiens et assez nombreux
permettent de rallier les villes de Szczecin,
Świnoujście ou Kołobrzeg.

Pratique

▐ **Indicatif téléphonique :** 091.

■ **INTERNET DE LA VILLE**
www.kamienpomorski.pl

■ **SOCIETE DES AMIS
DU PAYS DE KAMIEŃ POMORSKI**
Ul. Wolińska 9 ✆ (091) 382 05 41
Fax : (091) 382 50 28

Hébergement

■ **CAMPING NAD ZALEWEM**
Ul. Lipowa 1, sur les bords du lac,
à côté de la cathédrale ✆ (091) 382 12 80
Ouvert en été.

■ **HOTEL RESTAURACJA POD MUZAMI**
Ul. Gryfitow 1 ✆ (091) 382 22 40/08 25
Fax : (091) 382 22 41
Petit hôtel de style situé dans la vieille ville, à
proximité du lac. Chambres à partir de 85 zl en
saison (*75 zl hors saison*). Le petit déjeuner,
non inclus, coûte 12 zl.

■ **HOTEL STAROMIEJSKI NAD ZALEWEM**
Ul. Rybacka 3 ✆ (091) 382 26 44
Fax : (091) 382 26 43
www.hotel-staromiejski.pl
(site en anglais et en allemand)
kamien@hotel-staromiejski.pl
*Chambres à partir de 109 zl en saison (89 zl
hors saison). Le petit déjeuner, non inclus,
coûte 13 zl.* Joli hôtel situé sur les bords du
lac, dans la vieille ville.

Restaurants

■ **BISTRO MAGELLAN**
Ul. Wysockiego 5 ✆ (091) 382 14 54
Spécialités de la mer dans un décor
approprié.

■ **KAWIARNIA RATUSZOWA**
Stary Rynek 1 ✆ (091) 382 11 31
Café situé sous l'hôtel de ville.

■ **POD MUZAMI**
Rynek ✆ (091) 382 22 40/08 25
Dans le même bâtiment que l'hôtel. Spécialités
polonaises de qualité.

Points d'intérêt

■ **CATHEDRALE (KATEDRA)**
Edifice d'abord de style roman, commencé au
XIIe siècle, puis remanié dans le style gothique
au XIVe siècle. Quelques modifications ont été
également apportées au XVIIe siècle, mais
n'ont pas détérioré le site. C'est le plus bel
endroit de la ville à visiter. La cathédrale abrite
de grandes orgues du XVIIe siècle, dotées de
figurines mobiles. Des concerts ont lieu lors du
Festival de musique d'orgue et de chambre,
de mi-juin à fin août.

▪ HOTEL DE VILLE (RATUSZ)

Situé sur le Rynek, construit au XIVe siècle, c'est le seul bâtiment de la place à ne pas avoir été détruit par la guerre.

▪ EGLISE SAINT-NICOLAS (KOŚCIÓŁ ŚW. MIKOŁAJA)

Construite au XIVe siècle, elle est redevenue un lieu de culte depuis que l'autorité communiste n'est plus au pouvoir en Pologne, car elle servait autrefois de musée.

MIĘDZYZDROJE

En plus d'être située à proximité du parc naturel de Wolin, cette ville est une superbe station balnéaire, où les forêts côtoient les plages. La mer y est chaude et propre, mais les touristes très nombreux en été. Chaque année, un festival de chorale a lieu, de fin juin à début juillet.

Transports

▶ **Train.** Gare à la sortie de la ville au sud. Les trains pour Szczecin et Świnoujscie sont nombreux, certains vont à Gdynia, Poznań, Wrocław et Varsovie, faisant de Międzyzdroje une petite ville particulièrement bien desservie.

▪ TERMINAL ROUTIER

Ul. Niepodległości, au nord du centre-ville On trouve des bus pour la plupart des destinations locales, mais aucun pour Szczecin.

Hébergement

En dehors des hôtels, il existe de nombreuses possibilités de logements chez l'habitant et de pensions qui pratiquent des prix intéressants. Attention, ils sont généralement ouverts l'été uniquement.

▪ AMBER BALTIC

Promenada Gwiazd 1 ✆ (091) 328 08 00
Fax : (091) 328 10 22
www.hotel-amber-baltic.pl
reservation@hotel-amber-baltic.pl
info@hotel-amber-baltic.pl
Chambres (avec balcons) à partir de 360 zl en saison. Le meilleur hôtel de la ville, qui comporte le meilleur restaurant, Chopin, ainsi qu'un des plus grands golfs d'Europe.

▪ AURORA

Ul. Boh. Warszawy 17
✆ Fax : (091) 328 12 48
www.hotelaurora.pl – info@hotelaurora.pl

Chambres avec vue sur la mer, prix à partir de 190 zl en saison. Situé en bord de mer, tout près de la jetée.

▪ CAMPING GROMADA

Ul. Bohaterów Warszawy 1
✆ (091) 328 07 79
Bon rapport qualité-prix. Bungalows de 2-3 personnes à proximité de la plage.

▪ MARINA

Ul. Gryfa Pomorskiego 1
✆ (091) 328 04 49
Fax : (091) 328 23 82
www.marinahotel.az.pl
marinahotel@az.pl
Situé dans le centre, à 500 m de la plage. Chambres à partir de 216 zl en saison (144 zl hors saison).

▪ SLAVIA

Promenada Gwiazd 34
✆ (091) 328 01 06. www.hotelslavia.pl
Chambres simples : 280 zl (100 zl à 140 zl en basse saison), doubles : 340 zl (140 zl à 100 zl en basse saison). Confort et restaurant de qualité. Situé juste à côté de la plage avec des fenêtres qui donnent sur la mer.

Restaurants

On trouve de nombreux snacks par chers le long de la promenade Bohaterow Warszawy, surtout en été.

▪ MARINA

Ul. Gryfa Pomorskiego 1
✆ (091) 328 04 49
Spécialités polonaises, italiennes et françaises, ouvert toute l'année. Le restaurant le plus agréable.

Points d'intérêt

▪ MUSEE D'HISTOIRE NATURELLE (MUZEUM PRZYRODNICZE WOLIŃSKIEGO PARKU NARODOWEGO)

Ul. Niepodleglości 3
(au coin de la rue Kolejowa)
Ouvert de mai à septembre, du mardi au dimanche de 9h à 17h, d'octobre à avril du mardi au dimanche de 9h à 15h. On y trouve une superbe représentation de la faune et de la flore du Parc naturel voisin de Wolin. A l'extérieur du musée, dans une cage, on peut voir un aigle blanc, le plus grand de Pologne (et emblème de la nation), en voie de disparition.

La plage constitue également une visite agréable à Międzyzdroje, car elle y est particulièrement belle.

■ RESERVE DE BISONS (REZERWAT ŻUBRÓW)

Dans le parc de Wolin, Ul. Leśna
Ouvert de 8h à 16h, fermé le dimanche et le lundi.

■ PARC NATIONAL DE WOLIN

Ce petit parc de 50 km², situé à côté de Międzyzdroje, possède la seule falaise de la côte polonaise, sur 11 km de long. La forêt peut être visitée en empruntant un des trois sentiers (rouge, vert et bleu), qui tous partent de Międzyzdroje et sont assez courts et faciles. Il peut être agréable de passer une journée dans cet endroit, mais il est encore préférable de se procurer une carte détaillée pour pouvoir en explorer les recoins. On peut obtenir une de ces cartes à Międzyzdroje, point de départ de toutes les excursions.

ŚWINOUJŚCIE

Située à cheval sur deux îles, Wolin et Uznam, et à 2 km de l'Allemagne, Świnoujście est un port avancé de Szczecin, d'où l'on peut prendre un ferry en direction du Danemark ou de la Suède. Tout comme Szczecin, elle fut allemande jusqu'en 1945. C'est aujourd'hui un grand port de pêche et de commerce, mais également une importante base navale. Il y a également une plage qui est l'attraction touristique principale.

Transports

▶ **Bus.** Terminal situé à côté de la gare, également rive droite. Les bus partent tous en direction de l'est, en longeant la côte, mais aucun ne rallie Szczecin.

▶ **Ferry.** Depuis quelques années, des liaisons quotidiennes sont assurées avec la Suède. 1 ferry par jour part pour Ystad, et 2 pour Malmö. 5 ferries par semaine partent pour Copenhague (Danemark). Les prix de traversée ne sont pas excessifs, et les réductions sont nombreuses. Comme Świnoujście est située sur une île et qu'aucun pont ne la relie à la terre ferme, il faut prendre un bac pour y accéder en voiture. S'ils sont gratuits, il faut, surtout en été, s'armer de patience car les files d'attente peuvent parfois être longues.

▶ **Train.** La gare est située en face de la ville, sur la rive droite de la Swina. Des bacs gratuits pour les piétons traversent la rivière toute la journée. Nombreux trains pour Szczecin, Varsovie, Poznań, Wrocław et Cracovie. La gare de Świnoujście sert de terminus à de nombreux trains qui traversent tout le pays.

Pratique

■ CENTRE D'INFORMATION TOURISTIQUE (CENTRUM INFORMACJI TURYSTYCZNEJ)

Wyb. Władysława IV (débarcadère)
✆/Fax : (091) 322 49 99
cit@um.swinoujscie.pl
Ouvert hors saison du lundi au vendredi de 9h à 17h et en saison du lundi au vendredi de 8h30 à 17h30, le samedi de 9h à 16h.

■ www.swinoujscie.pl – En anglais et en allemand.

Hébergement

■ CAMPING RELAX

Ul. Słowackiego1
✆/Fax : (091) 321 39 12
www.camping-relax.com.pl
relax@fornet.com.pl
Proche de la plage, ouvert en été, propose des chalets agréables.

■ DELFIN

Ul. Piłsudskiego 35
✆ (091) 321 39 17
Fax : (091) 322 23 93
www.hotel-delfin.pl (site en anglais et en allemand) – recepcja@hotel-delfin.pl
Chambres à partir de 109 zl hors saison et 179 zl en pleine saison. Bel hôtel situé en centre-ville. Dispose d'un parking gardé, d'un sauna, d'un court de tennis et de vélos pour les clients.

■ PENSJONAT 4 PORY ROKU

Ul. Ujejskiego 8
✆/Fax : (091) 321 16 94
www.4poryroku.com.pl
pensjonat@4poryroku.com.pl
Situé à 50 m de la plage, chambres très agréables et chaleureuses, à partir de 200 zl pour 2 personnes, en saison.

■ POLARIS

Ul. Słowackiego33
✆/Fax : (091) 321 54 12/24 37
www.hotelpolaris.pl
hotelpolaris@hotelpolaris.pl
Chambres à partir de 140 zl. Confortable, situé au bord de l'eau.

Restaurants

■ ALBATROS
Ul. Żeromskiego 1 ✆ (091) 321 36 44
Situé sur la promenade de Świnoujście.
Restaurant et pub. Une belle terrasse d'été
où vous pourrez danser.

■ DELFIN
Ul. Piłsudskiego 35 ✆ (091) 321 39 17
Restaurant de l'hôtel du même nom, pour
déguster des bons fruits de mer et des gâteaux
maison dans une jolie salle.

Points d'intérêt

■ MUSEE DE LA PECHE EN MER (MUZEUM RYBOŁÓWSTWA MORSKIEGO)
Plac Rybaka 1
✆ (091) 321 24 26
Ouvert du mardi au dimanche de 10h à 16h. Ce
lieu peut intéresser les passionnés, et amuser
les curieux, car l'on y trouve une quantité de
références à la pêche et au milieu marin.

■ LA PLAGE
L'attraction principale de cette station
balnéaire. C'est une des plus grandes
plages de Pologne, avec du sable doré et
des morceaux d'ambre. Le front de mer est
un endroit agréable pour les promenades en
toute saison.

SZCZECIN

Ancienne capitale du duché de Poméranie
occidentale, Szczecin a été habitée par des
Polonais, des Allemands, des Suédois, des
Danois et des Français.
Sa position géographique, proche de la
frontière allemande et de la mer Baltique,
en fait naturellement une ville d'échanges
commerciaux. La plupart des attractions
touristiques sont rassemblées dans le centre,
tandis que les faubourgs, plus industriels, ne
présentent pas un grand intérêt.
L'origine de la ville remonte à 2 500 av. J.-C.,
mais c'est en 967 que Szczecin devint ville
polonaise. Elle fit ensuite partie du Saint
Empire romain germanique au XIIe siècle, fut
danoise au XIIIe siècle, à nouveau germanique,
suédoise au XVIIe siècle, prussienne en 1720
(vendue par la Suède), puis resta allemande
jusqu'en 1945. Autant dire que Szczecin
n'appartient que depuis peu à l'histoire de
la Pologne.
La population qui la compose, polonaise en
grande majorité, est venue s'y installer après
la Seconde Guerre mondiale. On comptait
en effet 300 000 habitants avant la guerre,
mais seulement 6 000 en 1945. Les autres,
des Allemands en majorité, ayant fui devant
la perspective des nouvelles frontières.

Transports

Avion
Le petit aéroport de Goleniów, situé à 45 km
au nord de Szczecin, est relié 4 fois par jour
avec Varsovie, et 1 fois avec Londres.

Train
La gare centrale est au sud de la ville. Quand
on arrive en train, on cherche la gare tant elle
est éloignée des quais. Le quartier est peu
engageant, mais ce n'est qu'une apparence.
Trains vers Berlin (2h), Cracovie (10h), Poznań
(3h), Toruń (5h30).

Bus
Le terminal se trouve à proximité de la gare
ferroviaire. De nombreux bus vers les villes
de la côte, mais aucun pour Świnoujście et
Międzyzdroje, reliées seulement par train.

Location de voitures

■ HERTZ
Plac Zwycięstwa 1
✆ (091) 488 93 50

■ AVIS
Plac Rodła 10
✆ (091) 359 51 27

Taxis

■ RADIO TAXI
✆ (091) 919

■ EB TAXI
✆ (091) 822 22 22

Pratique

■ CONSULAT DE FRANCE
Ul. Skłodowskiej-Curie 4
✆ (091) 486 15 42
Fax : (091) 486 15 44

■ OFFICES DU TOURISME
Centralny Ośrodek Informacji Turystycznej
(COIT). Al. Niepodległości 1
✆ (091) 434 04 40
*Office du tourisme ouvert du lundi au vendredi
de 9h30 à 17h et en saison le samedi de
10h à 14h.*

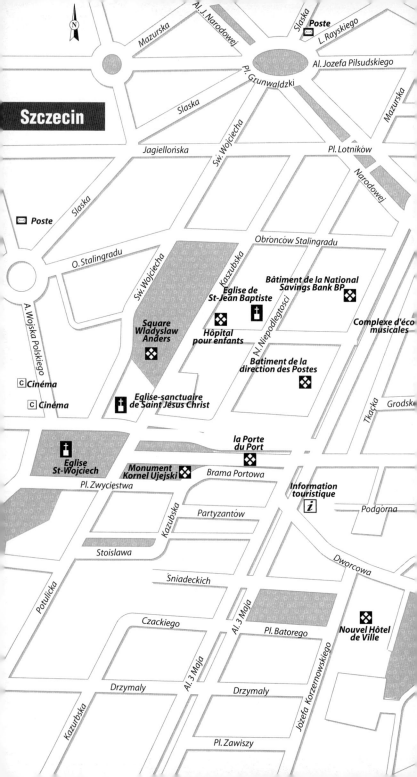

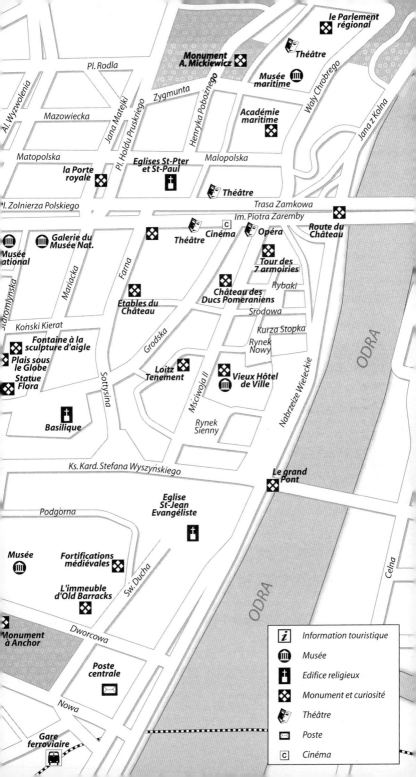

■ **INFORMATION TOURISTIQUE
(CENTRUM INFORMACJI KULTURALNEJ I
TURYSTYCZNEJ)**
Ul. Korsarzy 34 (château)
℃ (091) 489 16 30
Fax : (091) 434 02 86
www.zamek.szczecin.pl
cikit@zamek.szczecin.pl
Ouvert de 10h à 18h.

■ **AGENCE LOT**
Al. Wyzwolenia 17 ℃ (091) 433 50 58
On peut y réserver et acheter des billets
d'avion.

■ **POSTE CENTRALE**
Ul. Bugurodzicy 1 ℃ (091) 440 14 20
*Ouverte du lundi au vendredi de 7h30 à 20h,
le samedi de 9h à 14h.*

■ **PHARMACIE – APTEKA
PZF CEFARM-SZCZECIN**
Ul. Więckowskiego 1-2 ℃ (091) 434 26 27
Ouvert de 8h à minuit.

■ **ALLIANCE FRANCAISE**
Ul. Żubrów 6 lok. 13
℃ (091) 424 00 01 (ext. 311 ou 312)

Presse internationale

■ **EMPIK MEGASTORE**
Al. Niepodległości 60
et al. Wojska Polskiego 2

■ **SALON DE PRESSE RUCH**
Plac Hołdu Pruskiego 8

Hébergement

■ **CAMPING MARINA PTTK**
Ul. Przestrzenna 23 ℃ (091) 460 11 55
*A 7 km au sud-est du centre-ville, à 2 km
de la gare Szczecin Dąbie. Ouvert de juin à
septembre.*

■ **AUBERGE DE JEUNESSE PTSM**
Ul. Monte Cassino 19A ℃ (091) 422 47 61
*A 2 km au nord-ouest du centre-ville. Tramway
n° 1. 120 lits en chambres simples et dortoirs
jusqu'à 12 places.*

Bien et pas cher

■ **JACHTOWA**
Ul. Lipowa 5
℃ (091) 421 55 25. www.jachtowa.v.pl
*Chambres doubles sans salle de bains : 80 zl,
avec salle de bains : 120 zl. Un peu éloignée
du centre-ville, mais dans un endroit agréable,*

à côté d'un petit port de yachts. Une belle
vue sur l'Oder.

Confort ou charme

■ **BOŃCZA**
Ul. Anieli Krzywoń 18 ℃ (091) 469 35 04
Fax : (091) 469 35 37
hotel-boncza.szczecin.pl
office@hotel-boncza.szczecin.pl
*Situé sur l'eau, dans l'ancien moulin, 10 min.
en voiture du centre-ville, à proximité du lac
Dąbie. Chambres à partir de 180 zl. Accès
Internet. Bon restaurant.*

■ **CAMPANILE**
Ul. Wyszyńskiego 30 ℃ (091) 481 77 00
Fax : (091) 481 77 01 – www.campanile.pl
szczecin@campanile.com.pl
*Situé à côté de la cathédrale, au centre de
Szczecin. Chambres climatisées. Prix de la
nuitée : 190 zl.*

■ **IBIS**
Ul. Dworcowa 16 ℃ (091) 480 18 00
www.orbis.pl – h3369@accor.com
*Hôtel près de la gare ferroviaire. Toutes
chambres climatisées, à 185 zl par nuit.
Un restaurant dans une sorte de bistro
français.*

■ **PODZAMCE**
Ul. Sienna 1-3 ℃ (091) 812 14 04
Fax : (091) 814 38 99
biuro@podzamcze.szczecin.pl
rezerwacja@podzamcze.szczecin.pl
*Situé près du château. Chambres à partir de
185 zl (réductions pendant les week-ends).*

■ **STATEK ŁADOGA**
Ul. Jana z Kolna (Wały Chrobrego)
℃ (091) 488 47 10.
www.ladoga.pl – ladoga@ladoga.pl
*12 petites chambres situées sur un bateau.
Nuitée à partir de 125 zl. Restaurant russe,
toujours sur le bateau.*

Luxe

■ **NOVOTEL SZCZECIN**
Al. 3 Maja 31 ℃ (091) 480 14 00
Fax : (091) 480 14 44 – www.orbis.pl
H3367@accor.com
*Situé au centre-ville, des offres spéciales
pour des familles avec des enfants. Chambres
doubles : 370 zl (réductions possibles si vous
réservez par Internet). Dispose d'un centre
fitness et d'une piscine.*

ORBIS NEPTUN

Ul. Matejki 18
☎ (091) 488 38 83 – Fax : (091) 488 41 17
www.orbis.pl – neptun@orbis.pl
Chambres à partir de 266 zl. Bon confort à proximité du centre.

ORBIS REDA

Ul. Cukrowa 2 ☎ (091) 482 24 61
Fax : (091) 482 63 23 – www.orbis.pl
reda@orbis.pl
Chambres à partir de 190 zl. Bien mais trop éloigné, au sud de la ville (5 km).

RADISSON SAS

Plac Rodła 10 ☎ (091) 359 55 95
Fax : (091) 359 45 94
info.szczecin@radissonsas.com
Chambre simples : 380 zl, doubles : 430 zl.
Dispose de salle de musculation, piscine, sauna, salon de beauté. Le meilleur hôtel de la ville, mais très cher.

Restaurants

CHIEF

Ul. Rajskiego 16
☎ (091) 434 37 65
Spécialités de poissons dans ce lieu réputé.

▷ **Des Polonais nous ont aussi recommandé les restaurants** Baracuda (dans la vieille ville), et Chata, qui propose de la bonne cuisine traditionnelle, un peu campagnarde, à l'instar de la chaîne bien connue Chłopskie Jadło.

FUGA PUB

Ul. Bohaterow Warszawy 3
☎ (091) 464 62 62. fugapub@szin.pl
Ouvert du lundi au samedi de 11h à 1h, le dimanche de 15h à 1h. Pub restaurant installé dans une cave superbement aménagée. Très bonne cuisine et jolis noms de plats. Si les patrons sont présents, il est possible de parler français, sinon le personnel parle anglais. Pour y aller depuis les gares prendre le tramway n° 9, du centre n° 7, 9 et 5.

RESTAURACJA ZAMKOWA

Ul. Rycerska 3
☎ (091) 434 04 48/812 37 98
Cuisine traditionnelle polonaise. Situé dans le château.

Sortir

TEATR LALEK

Ul. Kaszubska 9 ☎ (091) 488 31 71
Opéra et théâtre.

FILHARMONIA

Plac Armii Krajowej 1
☎ (091) 422 00 79/12 52
Opéra et théâtre.

BAILA DISCO

Pl. Rodła 8 ☎ (091) 359 5187-89
Ouvert de 18h à 2h. Discothèque située à proximité de l'hôtel Radisson SAS avec une musique plutôt sud-américaine.

ROCKER PUB

Ul. Partyzantów 2
☎ (091) 488 55 00. www.rocker.szin.pl
Ouvert à partir de 17h. Pub et discothèque, même parfois karaoké, cet établissement est situé à proximité de l'hôtel Campanile.

Points d'intérêt

CHATEAU DES PRINCES DE POMERANIE
(ZAMEK KSIĄŻĄT POMORSKICH)

Ul. Korsarzy 34 ☎ (091) 433 88 41
Fax : (091) 434 79 84
www.zamek.szczecin.pl
zamek@zamek.szczecin.pl
Ouvert du mardi au dimanche de 10h à 18h.
Ce vaste ensemble construit au XIVe siècle se dresse autour d'une agréable cour centrale. Il a été sérieusement endommagé au cours de la Seconde Guerre mondiale, mais reconstruit tel qu'il était au XVIe siècle, après que les princes lui eurent donné son style Renaissance. En montant au sommet de la tour, on observera une vue d'ensemble du site et du reste de la ville et du port. Dans la cour, on remarquera une superbe horloge, ainsi qu'une inscription en mosaïque sur une des façades, qui mentionne Carpe Diem (de quoi rappeler de bons souvenirs aux cinéphiles). Dans un des bâtiments, rue Rycerska, se trouve une annexe de l'université de Szczecin consacrée aux langues germaniques. Remarquez la taille de l'entrée, minuscule (mais superbe), comme si on ne voulait pas faire entrer trop de monde dans cet endroit où l'on apprend une langue aussi impopulaire que parlée.

MUSEE DU CHATEAU
(MUZEUM ZAMKOWE)

Ouvert du mardi au dimanche de 10h à 16h.
Il se trouve dans une des ailes du site. On y trouve les principaux meubles et objets ayant appartenu aux princes, et principalement les sarcophages, réalisés au XVIIe siècle, et retrouvés en 1946.

■ **MUSEE D'HISTOIRE
(MUZEUM MIASTA SZCZECINA)**
Ul. Mściwoja 8
℅ (091) 431 52 55
www.muzeum.szczecin.pl
ratusz@muzeum.szczecin.pl
*Ouvert le mardi et le jeudi de 10h à 17h, le
mercredi et le vendredi de 9h à 15h30, le
samedi et le dimanche de 10h à 16h. Billets :
6 zl, réduit : 3 zl.* Situé dans l'hôtel de ville,
construction du XVe siècle.

■ **MUSEE NATIONAL
(MUZEUM NARODOWE)**
Ul. Staromłyńska 27
℅ (091) 431 52 00
Dans un palais du XVIIIe siècle. On y trouve
de nombreux objets laïques et religieux
d'art médiéval et moderne. Les horaires
d'ouverture sont les mêmes que celles du
musée d'Histoire.

■ **CATHEDRALE SAINT-JACQUES
(BAZYLIKA ARCHIKATEDRALNA
ŚW. JAKUBA)**
Cette vaste église en briques a été
complètement détruite par la guerre, mais
admirablement construite. A l'intérieur, on
peut lire « En 1187, sur une colline à l'extérieur
des remparts de Szczecin, fut consacrée
l'église Saint-Jacques, fondée par un riche
bourgeois originaire de Bamberg... ». Le
texte, en français, se poursuit en évoquant

les travaux de restauration du XVIe siècle et
surtout la reconstruction commencée en 1945
et terminée en 1972.

■ **EGLISE GARNIZONOWY
(KOŚCIÓŁ GARNIZONOWY)**
Cette église, construite entre 1606 et 1609,
offre la particularité étonnante d'être peinte à
l'intérieur en jaune et vert pâle, ce qui la rend
évidemment, extrêmement claire, mais ne lui
donne pas l'aspect d'une église classique.

■ **EGLISE SAINT-PIERRE
ET-SAINT-PAUL
(KOŚCIÓŁ ŚW. PIOTRA I PAWLA)**
La première église à cet emplacement date de
1124, mais le bâtiment actuel a été construit
au XVe siècle. Le plafond, en bois, est peint.
Au centre, on remarquera une représentation
de la Sainte Trinité.

■ **PORTE ROYALE
(BRAMA KRÓLEWSKA)**
Plac Holdu Pruskiego
Construite entre 1725 et 1727, il s'agit
d'un des rares monuments gothiques de la
ville, marquant ce qui reste des anciennes
fortifications.

■ **PORTE DU PORT (BRAMA PORTOWA)**
De la même époque, elle possède en plus
quelques traits de style classique.

Cracovie,
tour de l'Hôtel
de ville
© S.NICOLAS

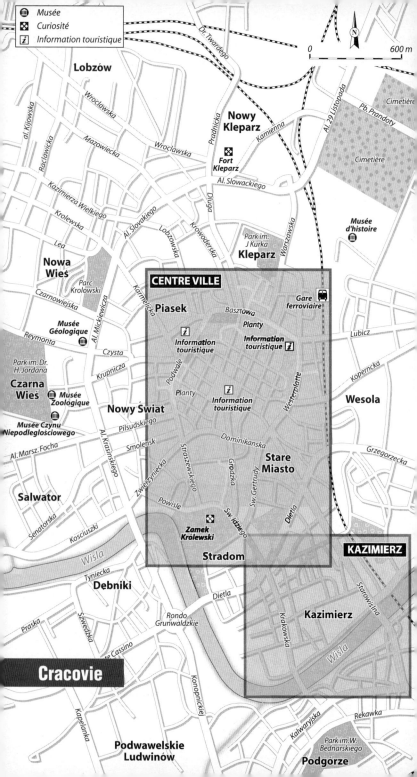

Cracovie

Cracovie, honorée du titre de Ville européenne de la Culture, la ville historique par excellence avec son superbe centre-ville et son légendaire château du Wawel, sur sa colline surplombant la Vistule, compte près d'un million d'habitants. Elle est aussi un centre dynamique de la vie scientifique, économique et sociale. Elle dispose d'un imposant patrimoine historique et son centre est inscrit depuis 1978 sur la liste du Patrimoine mondial de l'Unesco. Ville épargnée par les destructions massives du XXᵉ siècle, qui affiche avec fierté un nombre impressionnant de merveilles dans un espace restreint, elle reste sans nul doute la destination favorite des touristes polonais ou étrangers. Cracovie est devenue depuis quelques années, à l'instar de Prague et Budapest, un véritable carrefour touristique d'Europe centrale. Si ses infrastructures sont nombreuses, certains lui reprochent d'avoir perdu un peu de son authenticité. Pourtant elle figure parmi les rares villes non reconstruites à l'identique (comme le centre historique de Varsovie ou une bonne partie de Wrocław), mais bien authentique. Cracovie est aussi une ville « jeune » en perpétuel mouvement, comme en témoignent ses 130 000 étudiants et ses lieux de sortie aussi innombrables qu'agréables. En tout état de cause, il s'agit d'une étape incontournable qui ravira tous les visiteurs.

Histoire

Vers le VIIᵉ siècle, Cracovie était le centre de la tribu des Wiślanie (de la Vistule), avant d'être rattachée à la Pologne par Mieszko Iᵉʳ. L'évêché, ainsi que la première cathédrale, remonte à l'an mille. Dès 1038, sous l'impulsion du roi Kazimierz Odnowiciel (Casimir le Rénovateur), Cracovie devenait capitale et 100 ans plus tard le roi s'installait dans le Wawel. Dévastée en 1241 par les Tatars, la ville a ensuite été reconstruite selon le plan qu'elle occupe encore aujourd'hui, et de cette époque datent la plupart de ses édifices autour de la place du marché.

Les fortifications ont été édifiées entre le XIIIᵉ et le XVᵉ siècle. Il reste encore de nos jours 4 beffrois (sur 47) ainsi que la barbacane. L'université a été fondée en 1364 par Casimir le Grand. Au XVIIᵉ siècle, la capitale fut transférée à Varsovie, et Cracovie fut dévastée par les Suédois en 1655. Annexée par les Autrichiens en 1794, puis autonome de 1815 à 1846, la ville redevint autrichienne jusqu'en 1918. Pendant cette période, la culture polonaise continua de s'exprimer dans Cracovie l'Autrichienne (rappelons que la Pologne n'existait plus à cette époque). Pendant la Seconde Guerre mondiale, la ville, sous le commandement du gouverneur général allemand Hans Frank, fut marquée par l'extermination des juifs du quartier de Kazimierz (il y avait à Cracovie en 1939, 70 000 juifs sur 260 000 habitants).

Les immanquables de Cracovie

▸ **S'émerveiller** de la richesse de la vieille ville, ancienne cité des rois.

▸ **S'attarder** sur le grand et beau Rynek, le cœur de la ville, qui offre un superbe abri de marché artisanal, la Halle aux Draps et une multitude de terrasses animées.

▸ **Découvrir** les couleurs et le retable de l'église Notre-Dame (Kościół Mariacki).

▸ **Revivre** l'attaque des Tatars avec le joueur de trompette du haut de la tour de l'église Notre-Dame.

▸ **Assister** à un opéra dans le superbe théâtre Słowacki, inspiré de l'opéra Garnier.

▸ **Affronter** le dragon cracheur de feu, symbole de Cracovie, pour atteindre, au sommet de la colline du Wawel, le château royal et la cathédrale.

▸ **Admirer** l'œuvre de grands hommes, Nicolas Copernic, au Collegium Maius, Léonard de Vinci au musée Czartoryski.

▸ **Embrasser** une vue d'ensemble de Cracovie, d'un des singuliers tertres de Cracovie ou depuis la tour de la nouvelle Basilique du sanctuaire de la miséricorde divine.

▸ **S'enivrer** de l'atmosphère chaleureuse et des intérieurs incomparables des nombreux cafés et bars qu'offre Cracovie.

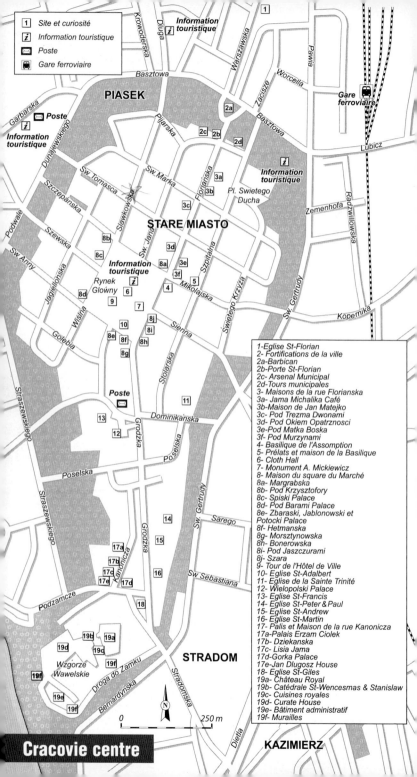

Les Soviétiques libérèrent la ville le 18 janvier 1945, sans que des dégâts majeurs ne soient à déplorer, contrairement à toutes les autres grandes villes du pays. Depuis la fin de la guerre, Cracovie a connu une importante industrialisation de ses faubourgs, tandis que la voix d'un prélat s'élevait, plus tard écoutée dans le monde entier, celle du plus célèbre des Cracoviens : Jean-Paul II, premier pape polonais élu en 1978.

TRANSPORTS

Arrivée à Cracovie

Avion

▶ **L'aéroport se trouve à Balice,** à 18 km à l'ouest de Cracovie. Il s'appelle Jana Pawła II – Balice (Jean-Paul II). Ul. Kpt. Medweckiego 1
✆ (012) 285 51 20, (012) 639 31 27
Fax : (012) 285 51 20
www.lotnisko-balice.pl

▶ **Le bus n° 192 assure une liaison fréquente avec le centre-ville et la gare centrale** avec 3 à 4 bus par heure, d'environ 5h à 23h. Le bus n° 208 dessert lui aussi l'aéroport avec quelques liaisons dans la journée et un terminus à la gare centrale. Comptez entre 30 min et 45 min de trajet entre la gare et l'aéroport, selon votre heure de départ. Notez que prendre l'avion pour Varsovie présente peu d'intérêt puisque les deux villes sont reliées par des trains express (InterCity) et la durée du trajet n'excède pas 3h.

▶ **L'aéroport de Cracovie dessert en direct les principales grandes villes européennes,** telles que Varsovie, Paris, Londres, Vienne, Rome, Milan, Amsterdam, Budapest, Prague, Copenhague, Zurich, Francfort et Munich et quelques villes à l'international comme New York (JFK et EWR, de juin à septembre), Chicago et Tel Aviv. Pour davantage d'information, consulter le site Internet : www.lotnisko-balice.pl
Outre la compagnie LOT, de nombreuses compagnies aériennes, notamment à bas coûts, ont ouvert des lignes régulières entre Cracovie et Londres, Amsterdam, Paris, Milan et Rome (Skyeurope), Stuttgart et Cologne/Bonn (Germanwings) et Berlin (Easyjet). En revanche des changements dans les horaires et la tarification sont fréquents. Aussi consultez leurs sites : www.skyeurope.com – www.easyjet.com – www.wizzair.com (davantage depuis Varsovie) – www.germanwings.com (tous en français).

Compagnies aériennes

■ **AUSTRIAN AIRLINES**
Ul. Krakowska 41
✆ (012) 429 66 66

■ **BRITISH AIRWAYS**
Ul. Św. Tomasza 25
✆ (012) 422 86 21

■ **DELTA AIRLINES**
Ul. Szpitalna 36
✆ (012) 421 46 40

■ **LOT**
Ul. Basztowa 15
✆ (012) 952/0801 300 952
Ouvert du lundi au vendredi de 8h à 18h, le samedi de 9h à 15h. Agence de voyages de la compagnie aérienne LOT.

■ **LUFTHANSA**
Ul. Sienna 9
✆ (012) 422 41 99

Bateaux

Des bateaux, accostés devant la colline du Wawel, vers le pont Grunwaldzki, proposent des circuits sur la Vistule, de mai à septembre.

■ **ŻEGLUGA KRAKOWSKA**
✆ (012) 422 08 55
Fonctionne du lundi au vendredi, de 9h30 à 19h30, les samedis et dimanches, de 9h30 à 16h. En semaine, les croisières s'effectuent en direction de Kazimierz, jusqu'au pont Kotlarski, durent environ 1h et partent toutes les 90 min, premier départ à 10h, dernier à 19h30. Le week-end, les croisières partent de l'autre côté jusqu'à l'abbaye bénédictine de Tyniec, à 10h, 13h et 16h et durent environ 3h.

■ **PIOTRUŚ PAN PLEASURE BOATS**
✆ (012) 626 81 40
Portable 0 605 677 013
Cette compagnie propose des croisières jusqu'à Tyniec et Bielany.

▪ RIVER TRAM

✆ 0 503 900 218 (portable)

Les bateaux de cette agence partent d'en face du dragon au pied de la colline du Wawel, et effectuent un petit tour jusqu'à la basilique des Paulins d'environ une demi-heure. Possibilité aussi de réserver pour un tour plus long jusqu'à Kazimierz ou Tyniec.

Bus

Le terminal est situé devant la gare centrale. Les bus partent pour des destinations assez semblables au train, mais sont plus recommandés pour les destinations proches. Des bus assurent les liaisons avec des villes étrangères : Prague, Budapest, Vienne, Paris, Rome, Amsterdam, et de nombreuses villes allemandes.

Train

❱ **La gare centrale, Kraków Główny,** est située en lisière de la vieille ville, vers le nord. Un immense complexe se construit juste à côté et devrait accueillir d'ici quelques années cinéma, magasins, bureaux. Cette gare, récemment rénovée, propose des trains pour la plupart des destinations à l'intérieur du pays, ainsi que des trains quotidiens vers Berlin, Leipzig, Francfort, Vienne, Bratislava, Budapest, Bucarest, Kiev et Odessa. Pour aller à Prague, il faut changer à Katowice.

❱ **L'autre gare de Cracovie, Kraków Plaszów,** est située à 4 km au sud du centre-ville, et reliée avec la gare centrale.

Circuler en ville

Transports urbains

Bus et tramway

Ce moyen de transport permet de circuler dans toute la ville et la banlieue, à l'exception du centre historique réservé aux piétons. Les billets s'achètent dans les kiosques qui portent l'enseigne MKP, ou directement auprès du conducteur, à prix majoré. Les tramways circulent entre 5h30 et 23h, puis des bus de nuit assurent la relève.

❱ **Tarification :** un billet coûte 2,50 zl (pour un aller seulement, sans notion de durée) ; un billet pour 24h s'élève à 10,40 zl ; pour 48h à 18,80 zl et pour 72h à 25 zl. Les tarifs réduits sont réservés aux Polonais !

Calèches

De très belles calèches arpentent les ruelles pavées du centre de Cracovie, qui lui confèrent d'autant plus de charme. Très agréables en été, pour un tour romantique, une promenade ludique pour les enfants, pour les jambes fatiguées ou pour se mettre dans la peau d'une princesse et saluer les foules ! Elles se prennent notamment devant la Hall aux draps et vous conduiront, en fonction de la durée demandée, autour du centre ou jusqu'au quartier de Kazimierz. Une demi-heure coûte environ 50 zl et n'hésitez pas à discuter le prix.

« Petites voitures écologiques »

Des petits véhicules électriques, verts, circulent autour du Rynek et proposent des visites guidées du centre-ville, de la colline du Wawel et du quartier de Kazimierz.

Le prix d'un véhicule pouvant accueillir de 1 à 5 personnes s'élève à 50 zl pour une demi-heure, 80 zl pour 1h, 150 zl pour 2h, avec un supplément de 25 zl pour les personnes qui souhaitent s'équiper d'un casque audio-guide disponible en français. Une autre option consiste à prendre place dans de plus long convoi pouvant accueillir de 6 à 60 personnes, avec les audio-guides en haut-parleurs, pour 15 zl par personne pour une demi-heure, 25 zl pour 1h, 40 zl pour 2h.

▪ INFORMATIONS

✆ 0 506 832 999
0 508 832 999 (portables)
Fax : (012) 659 90 07 – www.omega.civ.pl
omega@civ.pl – ainsi que dans l'agence de voyages Jordan. Ul. Sławkowska 12
✆ (012) 422 20 33
et Ul. Długa 9 ✆ (012) 421 21 25

Voiture

Location de voitures

▪ AVIS

Ul. Lubicz 23 ✆ (012) 629 61 08
Portable : 0 601 354 669
Fax : (012) 629 67 54
Ouvert de 9h à 17h.

▪ BUDGET

Ul. Radzikowskiego 99/101,
dans l'hôtel Krak
✆ (012) 637 00 89
Portable : 0 601 354 669
Aéroport ✆ (012) 285 50 25.

DOMA
Al. Jan Pawła II 33 ✆ (012) 292 41 09

EUROPCAR
Ul. Szlak 2 ✆ (012) 633 77 73/632 73 65
Fax : (012) 632 73 62
Ouvert de 9h à 17h.

EXPRESS
Ul. Rzemieślnicza 31 ✆ (012) 260 76 50

EXPRESS RENT A CAR
Ul. Marii Konopnickiej 28,
dans l'hôtel Forum
✆ (012) 266 64 68/75 90
Fax : (012) 266 79 13
Ouvert de 8h à 17h.

GLOBAL POLAND RENT A CAR
Ul. Wadowicka 3/230 ✆ (012) 259 15 90.

HERTZ
Al. Focha 1, dans l'hôtel Cracovia
✆ (012) 429 62 62
Fax : (012) 422 29 39.
Ouvert de 8h à 18h.

JOKA RENT A CAR
Ul. Starowiślna 13 ✆ (012) 429 66 30
Portable : 0 601 545 368
Ouvert de 8h à 17h.

LUPUS
Ul. Wadowicka 6E ✆ (012) 263 78 20

NATIONAL RENT A CAR
Ul. Głowackiego 22, dans l'hôtel Demel
✆ (012) 636 71 79
Portable : 0 505 761 461
Fax : (012) 636 86 30
Ouvert de 8h à 17h.
Aéroport ✆ (012) 639 32 86

PAYLESS CAR RENTAL
✆ (012) 259 15 90
Portable : 0 501 233 394
Fax : (012) 259 15 91.

WEGA
Ul. Żmudzka 10A ✆ (012) 411 00 34

WEST
Ul. Markuszyńskiego 4 ✆ (012) 648 75 44
Portable : 0 601 098 786.

Garage

GARAGE PEUGEOT AUTO CENTRUM GOLEMO
Ul. Grota Roweckiego 6 ✆ (012) 269 22 52
Ouvert du lundi au vendredi de 6h30 à 21h30, le samedi de 8h à 16h.

Stationnement

Les parkings sont payants du lundi au vendredi de 10h à 18h. Les tickets de stationnements peuvent s'acheter notamment aux bornes prévues à cet effet lorsqu'il y en a, ou dans les kiosques à journaux, au bureau central des parkings (Ul. Retoryka 1) ou auprès des contrôleurs (reconnaissables à leur veste jaune fluo, mais qui souvent ne parlent que le polonais).

Automobilistes, attention les parkings situés en centre-ville ou aux abords directs sont bien souvent interdits aux touristes, seulement autorisés aux Cracoviens munis d'une autorisation spéciale, à l'instar de tous les parkings des zones A et B. Il existe peu de places autorisées pour les visiteurs vraiment très proches du centre-ville, demandez un plan des parcs de stationnement à l'office du tourisme.

Dans la zone C, autour de la vieille ville, le stationnement est limité à 2h et coûte 1 zl la première demi-heure et 3 zl pour 1h.

Taxi

Stanislas, un chauffeur de taxi très disponible et serviable, a vécu plusieurs années en France et parle donc français. Vous pouvez le contacter : 0 606 341 108 (portable).

RADIO TAXI
✆ (012) 919

TELE DWOJKI
✆ (012) 96 22

Rabatteurs

Autour de la gare et du terminal de bus, vous serez accostés par une quantité de rabatteurs qui vous proposeront des hôtels dans la ville, et ne vous laisseront en général pas le temps de réfléchir. Il faut se méfier, car ce qu'ils proposent ne sont pas toujours les endroits les mieux placés ni les plus confortables. Avant de les suivre, vérifiez les prix ainsi que l'emplacement, car une fois que vous les avez suivis, il est difficile de faire marche arrière.

A côté de ces rabatteurs, des habitants de Cracovie proposent des chambres chez eux. Cette option, souvent intéressante financièrement (en moyenne 50 zl par personne), reste le meilleur moyen de vivre à la polonaise.

■ **ROYAL TAXI**
✆ (012) 96 23/423 23 23

■ **MEGA**
✆ (012) 96 25/636 33 33

■ **TAXI**
✆ (012) 96 26

■ **LAJKONIK**
✆ (012) 96 28/267 35 35

■ **EXPRESS TAXI**

✆ (012) 96 29/644 41 11

■ **BARBAKAN**
✆ (012) 96 61/423 80 00

■ **ROTUNDA**
✆ (012) 96 62/633 33 33

■ **MPT**
✆ (012) 9663

■ **TAXI WAWEL**
✆ (012) 96 66/266 66 66

▬ PRATIQUE

■ **www.krakow.pl**

Adresses utiles

■ **CONSULAT GENERAL DE FRANCE**
Ul. Stolarska 15
✆ (012) 422 30 25/424 53 00
Fax : (012) 422 33 90/424 53 20
fransulat@mps.krakow.pl

■ **INSTITUT FRANÇAIS**
Ul. Stolarska 15 ✆ (012) 424 53 00/50
Fax : (012) 424 53 70
if.craco@bci.krakow.pl

■ **ASSOCIATION D'AMITIE POLOGNE – FRANCE**
Ul. Św. Tomasza 1 ✆/Fax : (012) 421 28 23 – www.tppf.krakow.pl
Propose des séjours dans des familles polonaises parlant le français, des cours de polonais, des séjours touristiques et une aide aux entreprises françaises désirant s'implanter sur le territoire polonais (recherche de locaux, de partenaires commerciaux).

■ **CRACOVIE ACCUEIL**
www.cracovieaccueil.com
accueil@cracovieaccueil.com
Lancé en janvier 2005, ce site répertorie entre autres des adresses de restaurants, cafés, bars et des informations pratiques. Cette association réunissant tous les Français et francophones de Cracovie et de sa région vise à créer, animer et faciliter les échanges au sein de la communauté francophone par les leviers suivants : servir de point d'appui aux nouveaux arrivants afin de leur faciliter l'adaptation à leur nouvel environnement, se retrouver lors de rencontres mensuelles et de soirées, aider à tirer parti des richesses

de la Pologne par des activités culturelles et sportives, aider à la résolution des problèmes de la vie courante. Permanence au consulat général de France tous les premiers vendredis du mois de 10h à 12h.

■ **KSIĘGARNIA EDUKATOR**
Ul. Św. Jana 15
✆ (012) 421 53 17. www.edukator.cc.pl
Ouvert du lundi au vendredi de 10h à 18h, le samedi de 10h à 14h. Librairie francophone, au fond de la cour à gauche.

▶ **Presse internationale** dans les magasins « EMPIK » (Rynek Główny 5, Rynek Główny 46, Ul. Sienna 2, Ul. Gen. B. Komorowskiego 37), les librairies spécialisées en langues étrangères « Hurtownia Językowa » (Ul. Bonarka 5, Ul. Krupnicza 3), les kiosques de presse « Ruch » (Ul. Litewska, Ul. Gronostajowa 7), à l'aéroport et dans la galerie commerciale Zakopianka.

Tourisme

Office du tourisme

■ **CENTRE D'INFORMATION TOURISTIQUE DE MAŁOPOLSKA (RÉGION DE LA PETITE-POLOGNE)**
Rynek Główny 1/3 Sukiennice
(Hall aux draps du côté de l'église Notre-Dame) ✆ (012) 421 77 06/30 51
Fax : (012) 428 36 00
www.mcit.pl – info@mcit.pl

■ **CENTRE D'INFORMATION CULTURELLE**
Ul. Św. Jana 2 ✆ (012) 421 77 87
Fax : (012) 421 77 31
www.karnet.krakow2000.pl
www.krakow2000.pl
karnet@krakow2000.pl

*Ouvert du lundi au vendredi de 10h à 18h,
le samedi de 10h à 16h.* Edite un carnet des
événements culturels : « *Karnet* ».

■ CENTRE D'INFORMATION TOURISTIQUE SITUE DANS LE QUARTIER DE KAZIMIERZ

Ul. Józefa 7 ✆ (012) 422 04 71
*Ouvert du lundi au samedi de 10h à 18h, le
dimanche de 10h à 16h.*

■ CENTRE D'INFORMATION TOURISTIQUE ET D'HEBERGEMENT « BIURO JORDAN »

Ul. Pawia 8 ✆ (012) 422 60 91
Fax : (012) 429 17 68 et aussi
Ul. Długa 9 ✆ (012) 421 21 25
Fax : (012) 422 82 26 – www.it.jordan.pl
(en anglais) – it@jordan.pl

Agence de voyage

■ JARDEN TRAVEL AGENCY

Ul. Szeroka 2, à Kazimierz
✆/Fax : (012) 421 71 66
www.jarden.com.pl – jarden@jarden.pl
jarden@nova.kki.krakow.pl
Ouvert de 10h à 18h. Cette agence, spécialisée
dans l'histoire juive, dispose de guides parlant
français, anglais et allemand, notamment
pour la visite du quartier juif. Les passionnés
pourront se procurer des ouvrages spécialisés
dans l'espace librairie de l'agence.

■ EWA WRZESIŃSKA

Guide interprète à Cracovie, sympathique
et compétente, qui propose des visites du
centre historique, de la colline du Wawel ou
du quartier de Kazimierz en français ✆ (012)
632 20 40 – Portable : 0 501 425 012.

■ MP MARKETING PROJECTS

biuro@mp-mp.pl - www.mp-mp.pl
✆ (012) 600 061 707
MP Marketing Projects vous invite à découvrir
Cracovie et ses alentours sous un autre angle.
Vous pourrez visiter le meilleur de la ville,
partager des soirées mémorables dans les
bars dans lesquels on vous conduira. Vous
n'avez qu'à vous laisser guider !

■ PROMENADA

Ul. Kościuszki 44/2
✆ /Fax: (012) 427 17 70
✆ (012) 427 24 93,
biuro@promenada.pl - www.promenada.pl
Créée il y a 15 ans, Promenada est une agence
organisatrice de courts et longs séjours en
Pologne. Basée à Cracovie, elle est la seule

véritable spécialiste francophone des séjours
culturels et découverte dans le pays. Elle
étudie toutes vos demandes rapidement et
vous présente des offres sur mesure. Guides
accompagnateurs francophones, tous types
d'hébergement, séjours à la carte.

■ ZOFIA SZATAN

✆ (012) 636 46 37
Portable : 0 606 292 886
Bonne guide francophone de Cracovie.

Guides touristiques

De nombreux autres guides francophones
proposent leurs services tels que : **Aleksandra
Bacewicz** ✆ (012) 412 04 43/0 602 285
225 (portable) – hydromark@megapolis.pl –
Amelia Dunin ✆ (012) 633 76 61 et ✆ 0 608
474 686 (portable), **Maria Gardyła** ✆ (012)
270 12 37/0 501 768 237 (portable), **Artur
Grzybowski** ✆ (012) 421 19 17/0 606 783 549
(portable), **Henryk Konarski** ✆ (012) 633 56/0
501 039 360 (portable) ou konarska@kki.net.
pl – **Jacek Szulc** ✆ (012) 658 01 33/0 608
804 634 (portable), **Czesława Zajączkowska**
✆ (012) 411 79 07.

■ ASSOCIATION DES GUIDES DE CRACOVIE

www.guide-cracow.pl

Poste et télécommunications

■ BUREAU DE POSTE PRINCIPAL (EN POLONAIS « POCZTA GŁÓWNA »)

Ul. Westerplatte 20 (entrée aussi par
la rue Wielopole) ✆ (012) 422 03 22
*Ouvert du lundi au vendredi de 7h30 à 20h30,
le samedi de 8h à 14h, le dimanche de 9h à
14h.* A proximité de la vieille ville, son vaste
hall d'entrée agrémenté de nombreuses et
longues files d'attente vaut le coup d'œil.

■ BUREAU DE POSTE 53

Ul. Lubicz 4
Ouvert 24h/24. Situé près de la gare
centrale.

■ BUREAU DE POSTE 6

Pl. Wszystkich Świętych 9
Ouvert du lundi au vendredi de 8h à 20h. Petit
bureau de poste dans le centre historique,
à deux pas de la place du Rynek, une rue
perpendiculaire à Ul. Grodzka.

Cybercafés

Très nombreux, ils pratiquent presque tous le
même tarif, soit environ 4 zl par heure.

Quelques adresses en centre-ville

■ **CAFÉ INTERNET**
Ul. Sienna 14 ✆ (012) 431 23 94

■ **CAFE INTERNET IMS**
Ul. Szewska 22 ✆ (012) 623 73 44

■ **CENTRUM INTERNETOWE**
Rynek Główny 9 (passage Bielaka)
✆ (012) 431 21 84

■ **CYBER ARS CAFE**
Ul. Św. Jana 6 ✆ (012) 421 41 99

■ **INTERNET CAFE BRACKA. PL**
Ul. Bracka 3-5 ✆ (012) 430 24 00

■ **INTERNET CLUB**
Ul. Floriańska 30 ✆ (012) 422 03 19

■ **KLUB INTERNETOWY PLANET**
Rynek Główny 24 ✆ (012) 292 76 85

■ **KLUB U LOUISA**
Rynek Główny 13 (au sous-sol de
la galerie marchande) ✆ (012) 617 02 22

Cybercafés situés dans le quartier de Kazimierz

■ **KAFEJKA INTERNETOWA**
Ul. Miodowa 26

■ **LABIRYNT**
Ul. Józefa 15 ✆ (012) 292 13 00

Argent

Les « kantor » (bureau de change) sont nombreux à Cracovie, comme dans toutes les grandes villes de Pologne. Ils pratiquent des taux de change en général plus intéressants que les banques.

▶ **Pour les chèques de voyages,** le bureau American Express Poland se trouve Ul. Św. Marka 15 ✆ (012) 423 12 02.

Banques

Il existe aujourd'hui de nombreux distributeurs automatiques dans les rues de Cracovie, qui acceptent les principales cartes de crédit. La liste de tous les guichets de retraits se trouve sur Internet : www.krakow.pl

■ **SOCIETE GENERALE KRAKÓW**
Ul. Starowiślna 13
✆ (012) 422 84 41/012 429 50 00
Fax : (012) 422 85 11

Urgences

■ **POLICE**
✆ (012) 997 (appel gratuit)
ou ✆ 112 depuis un portable

■ **STATIONS PRINCIPALES DE POLICE**
Ul. Szeroka 35
(dans le quartier de Kazimierz)
✆ (012) 615 77 11
et sur la place principale de la vieille ville.
Ouvert 24h/24 et 7j/7.
Rynek Główny 29 ✆ (012) 615 73 17
24h/24 et 7j/7.

■ **GARDE MUNICIPALE (STRAŻ MIEJSKA)**
✆ (012) 986

■ **POMPIERS (STRAŻ POŻARNA)**
✆ (012) 998 (appel gratuit)

■ **SERVICE D'ASSISTANCE MEDICALE D'URGENCE (AMBULANCE)**
✆ (012) 999 (appel gratuit)

■ **SERVICE DE DEPANNAGE**
✆ (012) 981

Santé

Etablissements médicaux

■ **DENT AMERICA**
Plac Szczepański 3 ✆ (012) 421 89 48
Ouverte du lundi au vendredi de 9h à 20h, le samedi de 9h à 14h. Clinique dentaire américano-polonaise.

■ **CENTRE MEDICAL FRANCO POLONAIS**
Ul. Reymonta 21A ✆ (012) 633 33 68
Entre 9h et 17h (malheureusement accueil téléphonique en polonais). Ce centre est notamment spécialisé en radiologie avec le Dr Dorota Szymoniak qui parle anglais. La gynécologue, Dr Dorota Sitko, parle couramment le français et peut venir en aide même pour d'autres problèmes médicaux.

Médecins francophones

■ **DR. JACEK TOPA, HOPITAL BONIFRATÓW**
Ul. Trynitarska 11
✆ 0 606 247 504 (portable)

■ **OSTHEOPATHE JACEK BIECHOWICZ**
Ul. Centralna 32 (Nowa Huta)
✆ (012) 644 82 92

Traditions de Noël en Pologne et à Cracovie

Les festivités débutent avec la Saint-André le 30 novembre, la dernière soirée où l'on est autorisé « à faire la fête ». Cette soirée, souvent bien arrosée, donne l'occasion de prévoir les grands événements de l'année future. Pour cela chaque convive verse au travers d'une clef de la cire chaude au-dessus d'une casserole d'eau froide. La forme obtenue en cire figée, devient, selon l'imagination de chacun, un mariage, un voyage, une naissance, de l'argent...

Le 1er décembre début l'Avent, période religieuse de préparation à Noël. C'est aussi une période d'effervescence où malgré le froid et les journées courtes, les familles font leurs achats, souvent au marché de Noël, sur le Rynek. On y fait provision d'amandes et de noisettes, de croix et d'étoiles de paille, de vin chaud et de convivialité.

Typiquement de Cracovie, le concours des crèches de Noël se déroule le 1er jeudi du mois de décembre. Chaque participant, de tout âge, réalise artisanalement une crèche en carton, recouverte de papier d'aluminium multicolore, avec de nombreux détails kitsch. Foisonnantes de couleurs, toutes se doivent de rappeler un symbole de l'architecture de la ville. Cette coutume remonte au XIXe siècle lorsque les maçons, qui ne travaillaient pas l'hiver, fabriquaient et exposaient leurs œuvres miniatures afin d'être engagés sur leurs talents. Le musée d'histoire de Cracovie, qui organise ce concours, en possède plus de 170, qui sillonnent régulièrement toute la Pologne et l'Europe, où elles illustrent l'art de la crèche cracovienne.

Le 6 décembre, comme dans d'autres régions de l'Est de l'Europe (ou en Alsace), saint Nicolas vient distribuer des friandises et cadeaux aux enfants.

Dès le 23 décembre débutent les préparatifs culinaires pour la veillée de Noël. Afin de respecter la tradition, il faut préparer 12 plats qui évoquent les 12 apôtres. Le sapin est dressé le 24 décembre, décoré de petits objets en paille tressée et de guirlandes en papier de couleur.

La veillée de Noël débute à l'instant où la première étoile apparaît dans le ciel. A minuit, la plupart des gens se rendent à l'église. Le 25 décembre, tout le monde reste habituellement à la maison et le 26 on rend visite à la famille. A partir du 27 décembre débute le carnaval. L'atmosphère change pour reprendre un air plus païen avec les préparatifs du nouvel an. Les rayons des magasins laissent place à une quantité impressionnante de bouteilles d'alcool. La nuit de la Saint-Sylvestre, entre minuit et 1h du matin, de nombreuses personnes sont rassemblées sur le Rynek pour admirer Cracovie, couverte de feux d'artifices. Depuis plusieurs années, des stars de la musique se produisent cette nuit-là en un concert sur le Rynek.

Cracovie, folklore

■ **PEDIATRE DR. FARINA**
℡ 0 601 408 858 (portable)
ou le Dr Strozik, qui parle anglais mais
est joignable 24h/24
℡ (012) 656 12 82
Portable : 0 602 794 339.

Pharmacie

■ **APTEKA NA STAWACH**
Ul. Komorowskiego 12
℡ (012) 427 10 48
*Ouverte de 8h à 20h du lundi au vendredi
et le samedi de 8h à 14h.* Pharmacie où le
personnel parle français.

Sécurité

Pour une grande ville, Cracovie n'est pas
dangereuse. Cela tient au fait que les quartiers
dans lesquels vous serez amenés à vous
rendre sont essentiellement touristiques. Le
soir, sur le Planty se regroupent souvent des
clochards, inoffensifs. La nuit tombée, évitez
seulement certaines banlieues, notamment
Nowa Huta.

Urgences

■ **SERVICE MEDICAL D'URGENCE ET
AMBULANCE A CRACOVIE 24H/24, 7J/7**
Ul. Łazarza 14
℡ (012) 424 42 00 (urgences)
422 29 99 (ambulance)
012 656 59 99 (centre-ville,

Rynek Podgórski 2)
012 633 39 99 (quartier Kowodrza)
012 644 49 99 (quartier Nowa Huta)

■ **SERVICES PRIVES D'INTERVENTIONS
CHIRURGICALES 24H/24, 7J/7**
Falck
℡ (012) 96 75/639 54 01
et Scanmed
℡ (012) 412 07 99

■ **FALCK
ÉQUIVALENT DE SOS MÉDECINS)**
℡ (012) 639 54 00
Spécifier que vous désirez un médecin
anglophone ou francophone.

Pharmacies ouvertes 24h/24

■ **EURO APTEKA**
Ul. Krowoderska 31 ℡ (012) 430 00 35

■ **CEFARM**
Ul. Kalwaryjska 94 ℡ (012) 656 18 50

■ **APTEKA**
Ul. Galla 26 ℡ (012) 636 73 65

■ **HERBAPHARM**
Ul. Dunajewskiego 2

■ **A NOWA HUTA**
Os. Centrum A bl. 3 ℡ (012) 644 17 36

▶ **Et aussi :** Ul. Komandosów 1 ℡ (012) 269
08 94. Ul. Kapelanka 56 (dans la galerie
commerciale de Tesco) ℡ (012) 296 42 39.

▬ QUARTIERS

Une ville pleine de charme, d'histoires et de
légendes, ancienne capitale de la Pologne et
siège royal, qui chaque année attire de plus
en plus de touristes. Les principaux points
de repère dans la ville sont : le château royal
de Wawel au style Renaissance ; la basilique
de Notre-Dame en style gothique ; la Halle
aux Draps et ses boutiques historiques ;
Kazimierz, ancien quartier juif ; et le quartier
de Nowa Huta avec son architecture socio-
réaliste. Cracovie représente tout ce qui
est typiquement polonais, étant à la fois
traditionnelle et moderne. Les centres
d'intérêt, restaurants, cafés, bars et hôtels se
concentrent dans le centre historique – Rynek
Główny – et le quartier de Kazimierz. Vous
y trouverez une ambiance extraordinaire
évoquant les siècles passés.

La vieille ville

Le centre historique n'est pas très grand, il se
parcourt facilement à pied, de toute façon la
plupart de ses artères sont piétonnes.
Il est très bien délimité par son enceinte verte,
surnommée le « Planty ».
Même s'il est très aisé de se situer dans le
centre, les points de repère y sont le Planty
(autour de la vieille ville), la colline du Wawel
(à une extrémité de la vieille ville, proche
du quartier de Kazimierz) et la Vistule, qui
serpente autour de Kazimierz et du Wawel.

Kazimierz

Situé au sud du centre historique et très bien
relié par les transports en commun, même
s'il est plus agréable de le rejoindre à pied
(environ 10 min à 15 min).

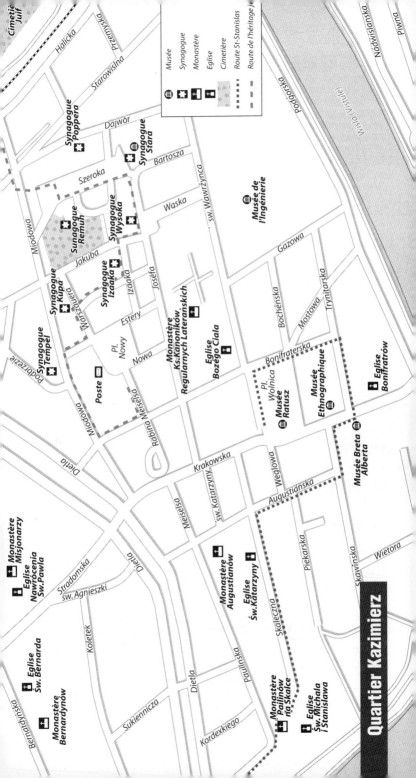

Légende

Musée
Synagogue
Monastère
Eglise
Cimetière
Route St-Stanislas
Route de l'héritage juif

Cimetière Juif

Halicka
Starowiślna
Przemyska

Synagogue Poppera
Dajwór

Synagogue Stara
Szeroka
Bartosza
Waska
Miodowa

Synagogue Remuh
Synagogue Wysoka
Jakuba

Synagogue Kupa
Synagogue Izaaka
Warszauera
Izaaka
Józefa
Estery

Synagogue Tempel
Podbrzezie

sw. Wawrzyńca

Musée de l'Ingénierie
Gazowa

Bocheńska
Mostowa
Trynitarska

Pl. Nowy
Nowa

Monastère Ks.Kanoników Regularnych Lateranskich

Eglise Bożego Ciała

Bonifraterska

Poste
Miodowa
Rabina Meiselsa

Pl. Wolnica
Musée Ratusz

Musée Ethnographique

Eglise Bonifratrów

Dietla

Krakowska

Musée Breta Alberta

Meiselsa
sw. Katarzyny
Augustiańska
Węglowa

Skawińska
Wietora

Monastère Misjonarzy
Eglise Nawrócenia Sw.Pawła

Stradomska

sw. Agnieszki

Dietla

Monastère Augustianów
Eglise Św.Katarzyny

Piekarska
Skałeczna

Eglise Św. Bernarda

Koletek

Monastère Bernardynów

Bernardyńska

Dietla
Paulińska

Sukiennicza

Monastère Paulinów na Skalce
Eglise Św. Michała i Stanisława

Kordexkiego

Wisła (Vistule)
Podgórska

Nadwiślańska
Piwna

Quartier Kazimierz

HÉBERGEMENT

Les établissements hôteliers pratiquent des prix assez élevés à Cracovie, première destination touristique de Pologne, surtout pendant la haute saison. Ils sont concentrés à l'intérieur et autour de la vieille ville, quelques-uns se situent à Kazimierz, plus au calme. Vous pouvez tenter votre chance dans les banlieues de Cracovie, en évitant celle de Nowa Huta, peu sûre par endroits.

Pour une offre actualisée et des réservations en ligne, consultez Internet, notamment : www.infohotel.pl qui offre un large choix de logements peu coûteux comme des chambres chez l'habitant, auberge de jeunesse et chambres d'étudiants à louer en été.

La vieille ville

Bien et pas cher

▪ UNIWERSYTET JAGIELLOŃSKI
Ul. Garbarska 7A ✆ (012) 422 30 08
Ouvert l'été dans les locaux de l'université de Cracovie, située juste au nord de la vieille ville (rue qui relie le Planty à la rue Karmelicka). Assez confortables, les chambres ne sont pas les moins chères, mais elles sont très bien situées.

▪ DOM STUDENCKI ALFA
Ul. Reymonta 17
✆ (012) 622 26 00/012 637 43 25
Fax : (012) 637 24 16
www.miasteczko.agh.edu.pl
hotele@agh.edu.pl
Ouvert l'été. Chambres simples : 60 zl, doubles de 80 zl à 90 zl, avec salle de bains, cuisine, accès Internet. Locaux de l'université minière, rénovés et entourés du parc municipal (1 500 m de la vieille ville).

▪ HOSTEL TRZY KAFKI
Al. J. Słowackiego 29
✆ (012) 632 88 29/012 632 94 18

Fax : (012) 631 76 35
www.trzykafki.pl – info@trzykafki.pl
Chambres simples : 60 zl, doubles : 80 zl. Une douche pour deux ou quatre chambres, cuisine. Situé 15 min à pied de la vieille ville. Bon rapport qualité-prix.

▪ LEMON HOSTEL
Ul.Grabowskiego 6,
✆ (012) 633 51 48 – Fax (012) 397 23 84
Portable 515 130 935
lemon@lemonhostel.pl
www.lemonhostel.pl
Situé en plein centre-ville, chambres sont décentes et bon marché, à partir de 45 zl par lit en dortoir; des doubles à 160 zl, des triples à 210 zl, des quadruples à 240 zl (sans salle de bains). Petit déjeuner inclus.

▪ PERGAMIN APARTMENTS
Brackast 3-5
Situé à deux pas du Rynek, le Pergamin Apartments est l'endroit idéal où passer la nuit : air conditionné, petit déjeuner avec room service et wifi disponible. Un endroit parfait où séjourner car il vous permettra de vous rendre à pieds à tous les bars, clubs et cafés les plus branchés de la ville.

Confort ou charme

▪ B&B LA FONTAINE
Sławkowska 1
✆ (012) 422 65 64 – fax: (012) 431 09 55
www.bblafontaine.com
biuro@ bblafontaine.com
En plein coeur de la vieille ville, au centre de toutes les principales activités culturelles et touristiques, le Bed and Breakfast Hostel La Fontaine vous accueille dans une de ses 12 chambres modernes, confortables et joliment décorées. Réparties en 8 chambres de 2 à 4 personnes, 3 appartements de 2 chambres d'environ 50 m2 de 2 à 6 personnes et

2 grands appartements d'environ 100 m²/150 m² de 4 chambres pour 4 à 8 personnes, vue sur la Place Centrale, la cathédrale St Marie et la Halle aux Draps.

Chaque chambre ou appartement dispose d'une climatisation individuelle, d'un petit coin repas et détente avec frigo, micro-ondes, vaisselle, bouilloire, de TV satellite et de point d'Internet Adsl. Les salles de bain sont équipées de baignoire ou Jacuzzi, sèche cheveux, WC, serviettes de bain et de toilettes, gel main et douche. Les clients de l'hôtel ont à leur disposition une cuisine moderne avec four, plaques électriques, lave linge, lave vaisselle, frigo, planche et fer à repasser.

Le B&B Hostel La Fontaine vous invite à découvrir son restaurant 80 places, son bar et petit jardin d'été.

30% moins cher que l'hôtel avec les mêmes prestations: Réception 24h/24h, personnel trilingue, ménage quotidien. A partir de 20 euros par jour (base chambre double basse saison) avec un petit déjeuner inclus servi sous forme de buffet de 7h à Midi.

■ CAMPANILE

Ul. Św Tomasza 34 ☎ (012) 424 26 00
Fax : (012) 424 26 01
www.campanile.com.pl
krakow@campanile.com.pl

Chambres à partir de 260 zl en semaine et 220 zl le week-end, ce qui reste un bon rapport qualité-prix pour le centre de Cracovie. Bien situé en plein centre-ville, mais à l'écart du bruit car il donne sur le Planty, cet hôtel Campanile offre l'avantage des standards français bien connus.

■ ORBIS CRACOVIA

Al. Focha 1
☎ (012) 422 86 66/424 56 00
Fax : (012) 421 95 86
www.orbis.pl (site en anglais et en allemand) – cracovia@orbis.pl
Réservation : rez.cracovia@orbis.pl

Chambres : 160 zl sur Internet, 270 zl pour une standard, 302 zl pour une catégorie supérieure. Un des premiers hôtels de Cracovie construit dans les années soixante, de style communiste.

■ EUROPEJSKI

Ul. Lubicz 5 ☎ (012) 423 25 10
Fax : (012) 423 25 29
www.he.pl – he@he.pl

Situé tout près des gares. Chambres à partir de 195 zl sans salle de bains, 290 zl avec salle de bains.

Chambres et appartements en plein centre ville à partir de 20€ par personne

En plein coeur de la vieille ville, au centre de toutes les activités culturelles et touristiques, 8 chambres (2 à 4 personnes) et 5 appartements (4 à 10 personnes) modernes et confortables (Climatisation, frigo, micro-ondes, vaisselle, bouilloire, TV satellite, Internet Adsl et SDB avec baignoire)

B&B La Fontaine
Sławkowska 1
☎ : **(012) 422 65 64**
fax : (012) 431 09 55
www.bblafontaine.com
biuro@ bblafontaine.com

POLLERA

Ul. Szpitalna 30
✆ (012) 422 10 44
Fax : (012) 422 13 89
www.pollera.com.pl (site en anglais et en allemand) – rezerwac@pollera.com.pl
Chambres à partir de 320 zl (210 zl en basse saison). En face du théâtre-opéra. Très beau cadre et service correct.

Luxe

COPERNICUS

Ul. Kanonicza 16 ✆ (012) 424 34 00
Fax : (012) 424 34 05 – www.hotel.com.pl
Chambres : 750 zl simples et 850 zl doubles, 1 200 zl pour les chambres panoramiques et 1 500 zl pour la suite. Là tout n'est qu'ordre et beauté, luxe, calme et volupté… Cet hôtel 4-étoiles, un des plus luxueux de Cracovie, est idéalement situé puisque au pied de la colline du Wawel et dans l'une des plus belles rues pavées de Cracovie, qui reste assez calme. Sa superbe façade gothique cache un intérieur étonnant, qui allie parfaitement le moderne et l'art médiéval, les mosaïques et autres décorations de goût. Ouvert depuis plusieurs années, il fait partie depuis 2004 de la prestigieuse liste des Relais et Châteaux. Le président Bush a séjourné dans cet hôtel, qui possède vingt-neuf chambres (seulement quatre chambres simples) avec climatisation, ainsi que huit appartements (deux appartements panoramiques). Les chambres panoramiques possèdent une baie vitrée et un petit balcon avec vue imprenable sur le château du Wawel, ainsi qu'un canapé-lit qui permet deux couchages supplémentaires (pour le même prix). Au sous-sol, une petite piscine, un sauna et une salle de sport restent à disposition des clients 24h/24. Egalement un excellent restaurant doté d'une riche carte des vins, orné d'un superbe plafond (même standard et donc même niveau de prix que l'hôtel). Au dernier étage, une terrasse avec bar offre une vue merveilleuse sur Cracovie.

GRAND HOTEL

Ul. Sławkowska 5/7
✆ (012) 421 72 55
Fax : (012) 421 83 60
www.grand.pl – hotel@grand.pl
Chambres à partir de 706 zl. Superbe cadre dans cet ancien hôtel particulier 5-étoiles, dans le centre de la vieille ville. Le restaurant se trouve dans la salle « Lustrzana », une ancienne salle de bal, superbe.

HOLIDAY INN

Ul. Wielopole 4
✆ (012) 619 00 00/01 00
Fax : (012) 619 00 05
www.holidayinn.pl/krakow
Chambres simples : 635 zl (510 zl le week-end), doubles : 700 zl (590 zl le week-end). Hôtel de grand confort près de la poste centrale, donc très proche du Rynek, toutefois assez à l'écart pour conserver une certaine tranquillité. Parking gardé.

IBIS KRAKÓW CHOPIN

Ul. Przy Rondzie 2
✆ (012) 299 00 00
ax : (012) 299 00 01
www.chopinhotel.com – ibiskrk@kr.onet.pl
h1646@accor-hotels.com
Chambres à partir de 280 zl. Situé à 10 min du centre. Accueil en français et confort moderne.

HOTEL JAN

Ul. Grodzka 11
✆ (012) 430-19-69 – (012) 431-23-89
Fax : (012) 430-19-92
www.hotel-jan.com.pl
Simple à partir de 230 zl, double à partir de 300 zl, triple à partir de 360 zl, appartement à partir de 400 zl. Taxes et petit-déjeuner inclus. Hôtel situé dans un bel immeuble vieux de cinq siècles, à quelques mètres de la place du marché. Chambres agréables et confortables avec salle de bain, TV satellite et connection internet. Petit-déjeuner servi dans la charmante cave récemment restaurée.

■ NOVOTEL KRAKÓW CENTRUM

Ul. Tadeusza Kościuszki 5
℡ (012) 299 29 00
Fax : (012) 299 29 99 – www.orbis.pl
rez.nov.krakow@orbis.pl
h3372@accor-hotels.com
*Chambres à partir de 320 zl. Réductions
pour une réservation en ligne.* Possède un
parking, une piscine et surtout des chambres
qui donnent sur le Wawel.

■ ORBIS

www.orbis.pl
Cette fameuse chaîne d'hôtels est très connue
en Pologne. A Cracovie, elle regroupe les
hôtels : Francuski, Cracovia, Wanda, Ibis et
Novotel. De larges possibilités sur Internet :
comparer les prix, bénéficier de tarifs spéciaux
Internet avantageux et réserver en ligne.

■ ORBIS FRANCUSKI

Ul. Pijarska 13 ℡ (012) 422 51 22
Fax : (012) 422 52 70 – www.orbis.pl
francuski@orbis.pl
rez.francuski@orbis.pl (pour réserver)
*Chambres simples à partir de 430 zl, doubles
à partir de 470 zl et appartements de 555 zl
à 635 zl.* Bonne localisation (près de la porte
Floriańska) et grand luxe pour cet hôtel qui était
il y a encore peu de temps considéré comme le
meilleur de la ville, la France y est honorée.

■ POD RÓŻĄ

Ul. Floriańska 14
℡ (012) 424 33 00
Fax : (012) 424 33 51
www.hotel.com.pl (site en anglais)
Situé en plein centre-ville, dans un très
beau cadre. Balzac y a séjourné. Chambres
confortables mais sans climatisation et
bruyantes pour celle qui donnent sur la
rue Floriańska, simples : 550 zl, doubles :
650 zl. Abrite un restaurant très classe sous
une verrière. Cuisine aux accents italiens
et raffinée, de bons vins, mais addition un
peu salée par rapport à l'assiette (environ
100 zl).

■ RADISSON SAS

Ul. Straszewskiego 17
℡ (012) 618 88 88
Fax : (012) 618 88 89
www.radissonsas.com
*Chambres : 127 € (plus 16 € pour le petit
déjeuner.* Cet hôtel, qui appartient à un groupe
suédois, est à proximité du Wawel et du Rynek.
Dispose d'un sauna, un parking en sous-sol
et de deux restaurants.

■ SENACKI

Ul. Grodzka 51 ℡ (012) 422 86 49
Fax : (012) 422 79 34
www.senacki.krakow.pl
*En semaine : 430 zl (105 €), chambres simples
(89 en basse saison) : 490 zl (120 €) chambres
doubles (100 € en basse saison), petit déjeuner
inclus. Réduction le week-end où chambres
simples en saison : 390 zl (95 €), doubles :
450 zl (110 €).* Un petit hôtel (vingt chambres
dont deux chambres luxe) 3-étoiles, au service
impeccable et très bien situé. Se trouve en
effet dans l'une des rues principales, la rue
« Grodzka », et certaines fenêtres donnent sur
l'église Saint-Pierre-et-Saint-Paul. Toutes les
chambres possèdent une salle de bains avec
douche ou baignoire, ainsi qu'une connexion
Internet. A disposition des hôtes, un élégant bar
aménagé dans ses caves médiévales du XIIIe et
XIVe siècle. Parking à 200 m de l'hôtel.

■ SHERATON

Ul. Powiśle 7 ℡ (012) 662 10 00
Fax : (012) 662 11 00
www.sheraton.com/krakow
850 zl chambres simples et 930 zl doubles.
L'hôtel le plus luxueux de Cracovie, doté de 5
étoiles, qui a ouvert ses portes en 2004, construit
au bord de la Vistule, selon une architecture
singulière très moderne, dans laquelle se reflète
le château du Wawel. Même si vous ne choisissez
pas de loger ici, la façade vaut le coup d'œil. Vous
passerez un séjour inoubliable dans cet hôtel,
en profitant aussi de sa piscine, son atrium et
sa terrasse au dernier étage avec bar et vue sur
la Vistule et la colline du Wawel.

CRACOVIE

WENTZL

Rynek Główny 19 ✆ (012) 430 26 64
Fax : (012) 430 26 65 – www.wentzl.pl
L'hôtel se trouve dans une des plus belles maisons du XVᵉ siècle, appelée fréquemment par les Cracoviens « Pod Obrazem » (Au Tableau). C'est ici qu'en 1792 Jan Wentzl ouvrait le restaurant Wentzl, très apprécié depuis et jusqu'à aujourd'hui (voir rubrique « Restaurants »). Douze appartements simples ou doubles, dont les fenêtres donnent sur le Rynek (la Place du Marché principale) : vue incomparable donc et ambiance magique de la place qui s'élève jusqu'à vous. Les prix pratiqués se rapprochent de ceux des hôtels Senacki ou Maltański. En basse saison, le prix de la chambre simple s'élève à environ 600 zl alors que la double coûte 660 zl, petit déjeuner inclus. Dans le restaurant se trouve une très belle collection de tableaux.

Kazimierz

Bien et pas cher

■ MOMOTOWN

28 Miodowa Street
✆ / Fax : +48 (12) 429 69 29
info@momotownhostel.com
www.momotownhostel.com
Hostel de mieux en mieux considéré par les spécialistes, récompensé aux derniers hostels awards (classé en 2007 parmi les 10 premiers hostels européens). Accueil et chambres de qualité, communications vers la France offertes. Situé idéalement dans le quartier à la mode de Cracovie.

Confort ou charme

■ EDEN

Ul. Ciemna 15 ✆ (012) 430 65 65
Fax : (012) 430 67 67 – www.hoteleden.pl
C'est cet hôtel que Steven Spielberg a choisi pour tourner son film *La Liste de Schindler*.

■ KLEZMER HOIS

Ul. Szeroka 6 ✆ (012) 411 12 45

www.klezmer-hois.cracow.pl
www.klezmer.pl
A 70 m de la Synagogue Remuh, cet hôtel traditionnel n'a pas changé depuis le XIXᵉ siècle. Chambres simples et doubles, respectivement de 200 zl à 250 zl en haute saison (d'avril à octobre) avec le petit déjeuner buffet compris. Dans l'hôtel-restaurant et café, en saison, ont lieux des concerts de musique traditionnelle juive.

Luxe

■ ALEF

Ul. Szeroka 17 ✆ (012) 421 38 70
Fax : (012) 424 31 32 – www.alef.pl
Chambres à partir de 200 zl. Cet hôtel luxueux dispose également d'un restaurant.

■ ESTER

Ul. Szeroka 20 ✆ (012) 429 11 88
Fax : (012) 429 12 33
www.hotel-ester.krakow.pl
En haute saison, chambres climatisées simples environ 300 zl, doubles environ 350 zl, petit déjeuner inclus. Au rez-de-chaussée son restaurant climatisé sert des plats de cuisine européenne et juive. Un parking gardé se trouve à 150 m de l'hôtel.

■ KAZIMIERZ

Ul. Miodowa 16 ✆ (012) 421 66 29
Fax : (012) 422 28 84
www.hk.com.pl – hotel@hk.com.pl
Dans une maison historique, 35 chambres rénovées, dotées de salle de bains et de climatisation pour la plupart se louent pour 200 zl simples, 240 zl doubles, en basse saison et respectivement 240 zl et 280 zl en haute saison (1ᵉʳ avril au 31 octobre), petit déjeuner compris.

■ RT REGENT

Ul. Bożego Ciała 19
✆ (012) 430 62 34
Fax : (012) 430 59 77
www.rthotels.com.pl
Dans une maison historique et restaurée se

trouvent 39 chambres, 250 zl simples *(200 zl hors saison)* et 350 zl doubles (*300 zl hors saison*), petit déjeuner compris. L'hôtel dispose aussi d'un restaurant, le Piwnice Regenta.

▪ SECESJA
Ul. Paulińska 24 ℰ (012) 430 74 64
Fax : (012) 430 74 05
www.hotelsecesja.krakow.pl
Du 1ᵉʳ janvier au 31 mars, chambres simples : 250 zl, doubles : 300 zl, du 1ᵉʳ avril au 31 octobre, simples : 330 zl, doubles : 400 zl, petit déjeuner compris. L'hôtel, situé dans une rue calme à 5 min à pied du Wawel offre des chambres climatisées, un restaurant, une salle de sport et un sauna.

Dans les environs

Campings

▪ CAMPING N° 171 KRAKOWIANKA
Ul. Żywiecka Boczna 2 ℰ (012) 268 14 17
www.krakowianka.com.pl
Camping 1-étoile. A 6 km au sud de la ville, sur la route de Zakopane, à droite, au terminus de la ligne de tramway n° 8 qui mène au centre, ce terrain de camping se trouve facilement. Par exemple un emplacement de camping-car pour deux personnes avec électricité coûte environ 60 zl.

▪ SMOK KEMPING
Ul. Kamedulska 18 ℰ (012) 429 72 66
www.smok.krakow.pl
Camping 3-étoiles. Nuitée à partir de 20 zl.

▪ CLEPARDIA KEMPING
Ul. Pachońskiego 28a ℰ (012) 415 96 72
www.clepardia.pl
Camping 1-étoile. Situé à 12 min en voiture du centre de Cracovie. Ouvert en été.

▪ KRAK KEMPING
Ul. Radzikowskiego 99 ℰ (012) 637 21 22
Fax : (012) 637 25 32 – www.krak.com.p (site en anglais) – krak@krak.com.pl
Camping situé à 4 km à l'ouest du centre-ville, sur la route de Katowice. Relié par des bus au centre. Camping agréable, ouvert uniquement l'été. Propose aussi des chambres dans un motel.

Bien et pas cher

▪ AUBERGE DE JEUNESSE
Ul. Oleandry 4 ℰ (012) 633 88 22
Fax : (012) 633 89 20
schronisko@smkrakow.pl

Ouverte toute l'année, mais souvent complète en été. Située un peu à l'ouest de la ville, mais assez proche du centre. De la gare, prendre le bus n° 179 ou le tramway n° 15 (5 arrêts). Chambres à partir de 20 zl, chambres de 1 à 3 personnes : 32 zl. Petit déjeuner : 5 zl.

▪ AUBERGE DE JEUNESSE EXPRESS
Ul. Wrocławska 91, à 5 arrêts des gares centrales (bus ligne 130)
ℰ/Fax : (012) 633 88 62
www.express91.pl (site en anglais)
Auberge de jeunesse dans des bungalows. Offre des logements dans 4 pavillons, chambres à partir de 33 zl.

▪ AUBERGE DE JEUNESSE PTSM
Grochowa 21 (quartier Płaszów)
ℰ/Fax : (012) 653 24 32
Chambres à partir de 22 zl. Assez loin de la vieille ville, au sud-est, près du lac Bagry. Prendre le bus n° 115, au bout de la rue pour rejoindre le centre.

▪ DW PTTK
Ul. Bulwarowa
ℰ/Fax : (012) 644 08 63
Ouvert toute l'année, chambres à partir de 24 zl. Loin du centre, dans une longue rue qui encercle le quartier de Nowa Huta, qui n'a pas bonne réputation mais l'avantage d'être bien relié avec le centre.

▪ HOTEL STUDENCKI ŻACZEK
Al. 3 Maja 5 ℰ (012) 633 19 14/622 11 02
Fax : (012) 632 87 35
www.zaczek.com.pl (site en anglais)
zaczek@zaczek.com.pl
Chambres à partir de 75 zl. A proximité de l'auberge de jeunesse, cet hôtel pour jeunes, pas cher (mais qui n'a pas l'appellation auberge de jeunesse) est également ouvert toute l'année. Pas très loin du centre, près du grand parc de Błonia, du Planty, prendre l'avenue Marsz J. Piłsudskiego pour rejoindre l'avenue 3 Maja où circulent les tramways 15 et 18.

▪ POKOJE GOŚCINNE W OGRODACH
Ul. Radziwillowska 12
ℰ 0502 402 225
et 0692 248 583 (portables)
www.pwo.prv.pl – www.eudg.com
pokoje-w-ogrodach@wp.pl
Chambre d'hôte chez l'habitant, à 5 min à pied du centre et de la gare centrale, avec toilettes et cuisine communes, qui coûtent de 40 zl à 120 zl par jour, petit déjeuner inclus.

Confort ou charme

▪ BONA
Ul. Tyniecka 167 B
✆ (012) 267 59 87/28 93
Fax : (012) 267 57 73
www.hotelbona.pl – bonah@kr.onet.pl
recepcja@hotelbona.com.pl
*Chambres simples de 110 zl à 135 zl, doubles :
180 zl et triples : 230 zl, petit déjeuner inclus.*
Comme son adresse le présuppose, l'hôtel se
trouve à proximité de l'abbaye de Tyniec, à
6 km du centre-ville, dans un coin calme de
verdure. Vieille maison sur deux étages, au
premier, les chambres sont dotées de balcon,
avec un restaurant au rez-de-chaussée.

▪ KRAK (MOTEL)
Ul. Radzikowskiego 99
✆/Fax : (012) 637 21 22
*Chambres à partir de 180 zl, chien accepté avec
supplément.* Cadre pas terrible et localisation
non plus (à environ 10 min à 15 min en voiture
de la vieille ville).

Luxe

▪ CROWN PIAST
Ul. Radzikowskiego 109
✆ (012) 683 26 00 – Fax : (012) 683 26 65
www.hotelpiast.pl – info@hotelpiast.pl
A l'extérieur du centre mais peu éloigné
(prendre les rues Długa puis Wrocławska),
cet hôtel est l'unique hôtel doté d'un grand
jardin. Il dispose d'un restaurant et d'une
taverne. A proximité se trouvent un court de
tennis et l'aqua-parc.

▪ NOVOTEL KRAKÓW BRONOWICE
Al. Armii Krajowej 11 ✆ (012) 637 50 44
Fax : (012) 637 59 38 – www.orbis.pl
nov.bronowice@orbis.pl
Chambres à partir de 348 zl (80). Très
grand confort de style moderne, mais
malheureusement à 4 km du centre (en
direction de l'aéroport).

Appartements

Lorsque vous êtes au moins deux personnes
et que votre séjour à Cracovie dure plus de
trois ou quatre jours (ce que nous conseillons),
l'option de l'appartement s'avère parfois une
aubaine, rapport à l'offre hôtelière souvent très
chère ou bon marché mais de piètre qualité
(vieil hôtel, chambres peu confortables).

▪ APPARTEMENTS TANIE SPANIE
Localisés à divers endroits du centre

✆ 0 608 477 334/0 608 595 225 (portables) – www.e-kwatery.pl
noclegi@krakoof.net
*Une quarantaine d'appartements, au
centre-ville, disponibles à partir de 30 zl par
nuit et par personne (comptez en moyenne
50 zl la nuit par personne), qui accueillent de 2
à 8 personnes. Les prix varient en fonction de la
saison et de la durée du séjour. Tous équipés,
tous de styles différents, la plupart cossus.*
Le site Internet (en anglais) fournit toutes
les informations avec un souci du détail :
localisation, distance des points de repère
(Rynek, gare centrale…), surface, photos
et description de l'appartement (nombre
de chambres, nombre de lits, équipement
de la cuisine en vaisselle, électroménager,
etc.), langues parlées du propriétaire, prix,
calendrier des réservations.

▪ APPARTEMENT
DE MAGDALENA KOMENZA-REGNAR
Ul. Bogusławskiego 7/19 (entre le centre
historique et Kazimierz) ✆ (012) 422 67 97
*En haute saison (d'avril à août, Pâques, Noël
et nouvel an), pour 1 ou 2 personnes, 200 zl,
pour 3 personnes, 220 zl et pour 4 personnes,
240 zl, et en basse saison (de septembre à
mars), respectivement, 140 zl, 160 zl et 180 zl.
Réductions en cas de séjours longs (plus
d'une semaine). Parking possible dans la rue,
parkings gardés à 200 m (35 zl à 50 zl pour
24h).* Cet appartement, refait à neuf dans un
immeuble de 1890 rénové, sur cour, possède
l'avantage de sa situation, entre les deux
centres touristiques de Cracovie que sont la
vieille ville et le quartier de Kazimierz, à 20 min
à pied de la gare centrale. Deux pièces (38 m²,
coin cuisine, salle de bains) accueille de 1 à
4 personnes. Un équipement minimal mais un
très beau parquet dans la salle principale, qui
fait office de cuisine, salon et deux chambres
(canapé-lit), et un carrelage original noir et
blanc dans une salle de bains neuve avec
baignoire. Service de ménage une fois par
semaine (avec changement des draps).

▪ APPARTEMENT LUBICZ
Ul. Lubicz 3
*4 appartements pour 2 personnes, de 24 m²
à 170 zl par appartement en basse saison et
210 zl en haute saison (1er avril au 31 octobre)
et 1 appartement pour 3 personnes de 41 m²
à 210 zl et 245 zl, tous situés près de la
gare centrale.* Ils comprennent l'équipement
nécessaire : coin cuisine, coin salon, machine
à laver, fer à repasser.

■ RESTAURANTS

La vieille ville offre une palette très large de restaurants, polonais ou de cuisine du monde, à tous les prix. Les spécialités culinaires de Cracovie sont notamment les « oscypek », fromage des régions montagneuses autour de Cracovie et le « sernik krakowski », gâteau au fromage blanc aromatisé à la vanille. Les restaurants de Kazimierz permettent de goûter à la cuisine juive. Enfin le « krakowski obwarzanek », un bretzel décliné sous plusieurs formes se vend auprès de stands ambulants dans la rue (voir rubrique « La Pologne en 30 mots-clés »).

La vieille ville

Cuisine polonaise

Bien et pas cher

■ BAR MLECZNY POD TEMIDĄ
Ul Grodzka 43 ✆ (012) 422 08 74
Un repas copieux coûte environ 10 zl à 15 zl.
Dans un décor minimaliste propre aux bars à lait avec tout de même le poêle à charbon typiquement polonais, piochez au hasard dans le grand tableau noir qui affiche les plats en polonais ou faites-vous aider par les nombreux étudiants sur place qui parlent anglais ou français. Une excellente localisation et une cuisine de qualité concourent à ce que le restaurant ne désemplisse pas.

■ CHIMERA BAR SALAD
Ul. Św. Anny 3 ✆ (012) 292 12 12
www.chimera.om.pl
Un self-service dont le principe est le suivant : choisir son assiette, petite (*6 portions à 8 zl*) ou grande (*8 portions à 10 zl*) puis désigner les salades qui vous donnent le plus envie, enfin s'installer dans une charmante cour intérieure l'été ou dans l'une des salles très joliment décorées par mauvais temps. Un large choix de salades et quelques portions chaudes du style part de quiche, tortillas, crêpes fourrées aux haricots, poêlées de pommes de terre, ainsi que des jus pressés maison, classiques comme orange, pomme, carotte et plus « exotique » comme persil, céleri, basilic ! **Dispose aussi d'un restaurant plus classique au sous-sol,** mais plus cher, le Chimera (✆ (012) 292 12 13 – Fax : (012) 423 21 78 – kontakt@chimera.com.pl).

■ DOMOWE PRZYSMAKI
Ul. Sławkowska 24A ✆
(012) 422 57 51
Ouvert de 10h à 20h. Un petit snack avec quelques tables en bois pour manger vite à un bon rapport qualité-prix. Des soupes (5 zl), des crêpes végétariennes, mexicaines, aux bolets ou fromage des montagnes « oscypek » (*8 zl*), des « pierogis » (*7 zl*) ou encore des « zapiekanka » aux garnitures peu communes (*4 zl à 6 zl*). De bons jus de fruits frais (*5 zl seulement*).

■ POLAKOWSKI 1899
Ul. Miodowa 39
✆ (012) 421 07 76
Ouvert tous les jours de 9h à 22h. Une bonne adresse pour déguster des plats typiques de la cuisine polonaise, à bons prix dans un décor simple mais chaleureux. Le repas, qui se commande au comptoir, coûte environ 15 zl. Révisez votre lexique ; carte en polonais ! Ici la fierté réside dans un article paru dans le fameux journal polonais, « Gazeta Wyborcza », qui affirme que le « Polakowski 1899 » propose le meilleur rapport qualité-prix de la ville.

■ SMACZY BAR
Ul. Św. Tomasza 24
Ouvert de 11h à 19h en semaine, et de 12h à 17h le samedi. Repas à environ 10 zl. Décor sobre, semblable à un bar à lait. Nourriture typiquement polonaise, basique mais de qualité.

■ U BABCI MALINY
Ul. Sławkowska 17/4 ✆ (012) 422 76 01
Ouvert tous les jours jusqu'à 20h. L'impression de rentrer chez Mamie Framboise (le nom du restaurant), après avoir traversé le couloir et descendu quelques marches, en découvrant une armoire massive dans l'entrée, qui fait place à une salle chaleureuse avec des boiseries. Une cuisine typiquement polonaise, c'est-à-dire pas très raffiné mais typique et copieuse (*pour environ 15 zl*).

Bonnes tables

■ BOHEMA
Ul. Gołębia 2
Situé dans une maison du XVe siècle, où se jouent des concerts de musique polonaise, juive, ukrainienne et tsigane.

■ CHŁOPSKIE JADŁO

3 enseignes dans Cracovie :
Ul. Grodzka 9
✆ (012) 429 61 87/60 17
Fax : (012) 429 60 17)
Ul. Św. Jana 3
✆ (012) 429 51 57/63 19)
et Ul. Św. Agnieszki 1 (au sud du Wawel,
donne sur l'artère Stradomska)
✆ (012) 421 85 20/87 74)
www.chlopskiejadlo.com.pl
restauracje@chlopskiejadlo.com.pl
*Ouvert de 12h au dernier client. Comptez entre
30 zl et 50 zl pour un repas, souvent un peu
gras.* Des saucisses qui pendant dans la vitrine,
un décor rustique et des spécialités paysannes
très copieuses à prix raisonnables. Il est
conseillé de réserver (lors de la réservation,
demandez la table du lit !).

■ HAWEŁKA

Rynek Główny 34
✆ (012) 422 06 31. www.hawelka.pl
Repas entre 50 zl et 70 zl. Celui du bas (ne pas
confondre avec celui du 1er étage, Restauracja
Tetmajerowska qui propose une cuisine assez
semblable, dans un cadre plus chic et raffiné
mais aux prix beaucoup plus élevés). Cuisine
principalement polonaise assez raffinée.
Excellentes soupes aux champignons ou Żurek
servies dans un gros pain, bons pierogis,
large choix de poissons, viandes et gibiers.
Le décor peut rappeler une époque faste du
communisme, grandes draperies, tableaux
impressionnants, vaste salle où les tables sont
séparées par des paravents pour davantage
d'intimité. Service impeccable.

■ JAREMA

Plac Matejki 5 ✆ (012) 429 36 69
Portable : 502 207 666. www.jarema.pl
Ce restaurant est situé sur la place derrière
la Barbacane, d'où la vue est superbe de
jour comme de nuit avec l'enfilade de la
statue, la Barbacane, la porte Florian et
l'église Notre-Dame. Il propose une cuisine
typique de l'est de la Pologne, assez raffinée,
dans un intérieur très bien décoré et une
atmosphère chaleureuse. Les serveuses,
en habit traditionnel, servent un très large
choix de plats polonais et quelques plats de
poissons, comme l'excellent roulé de sole et
de saumon, sauce citron. Le prix du repas
est un peu élevé, (environ 70 zl), mais se
justifie par le raffinement de la cuisine. Par
ailleurs, et comme dans bien des restaurants
en Pologne, l'éventail des prix est très large et

permet ainsi d'ajuster l'adition à son budget.
Tous les soirs des concerts de musique (plutôt
dans la salle du fond).

■ KAWALERIA

Ul. Gołębia 4 ✆ (012) 430 24 32
Fax : (012) 430 26 73
Excellent restaurant flambant neuf puisqu'il
existe depuis 8 mois. Deux salles très
agréables, la première plus « intime », la
deuxième dotée d'une verrière et de baies
vitrées, très claire donc (ce qui est rare dans
les restaurants, le plus souvent aux ambiances
tamisées et/ou en sous-sol). Accrochées aux
parois de cette dernière salle, une série de
photos anciennes et plus récentes de chevaux,
qui rappelle le nom du restaurant Kawaleria.
Au fond de cette même salle se dresse
également un vieux poêle rénové. Cuisine
raffinée, présentation dans les assiettes très
soignée et service impeccable. Plats uniques
servit pour le repas de midi à des prix très
raisonnables, de 12h à 15h. Sinon la carte offre
de nombreuses variétés de salades, viandes,
plats végétariens, (*15 zl à 30 zl*), ainsi qu'une
sélection de vins français. Les quelques plats
agrémentés de cèpes ou chanterelles sont
délicieux, à l'instar de la plupart des bons
restaurants polonais.

■ OGNIEM I MIECZEM

Plac Serkowskiego 7 ✆ (012) 656 23 28
www.ogniemimieczem.pl
*Ouvert tous les jours de 12h à minuit, le
dimanche jusqu'à 22h.* Depuis le Wawel,
prendre la rue Stradomska, qui se prolonge
en Krakowska, passer le pont qui traverse la
Vistule, prendre la première route à droite, le
restaurant se trouve sur la gauche, éclairé.
En entrée, faites honneur à la tradition en
choisissant le saindoux (smalec), c'est ici
qu'il est le moins gras, continuez avec des
côtes de porc au mètre, de délicieuses
brochettes (szaszliks), un très bon canard
aux airelles ou un assortiment de pierogis.
Et si vous êtes plusieurs, pourquoi ne pas
festoyer sur ces grandes tables en bois, autour
d'un cochon (sur commande) ? Vous l'aurez
compris, ici la cuisine, bien que relativement
raffinée, est gargantuesque ! Ne partez pas
sans avoir goûté la délicieuse vodka au miel
faite maison (Miodowa), introuvable ailleurs
qu'ici, où la bouteille peut s'acheter à prix d'or
(*150 zl environ*). Comptez entre 60 zl et 90 zl,
selon votre appétit et beaucoup plus si vous
succombez à la tentation de leur fameuse
vodka, à boire sans modération…

ORIENT EKSPRES
Ul. Stolarska 13
℡ (012) 428 05 95/422 66 72
www.orient-ekspres.krakow.pl
Repas environ 40 zl à 50 zl. Dans la rue des ambassades (et du consulat français), dans un joli décor de train, l'on s'installe dans un wagon et part en voyage... à travers l'Europe, grâce à une cuisine raffinée et variée. Quelques spécialités polonaises, d'autres plats aux influences italiennes, d'excellents desserts, comme le « gundelpalacsinta » hongrois (crêpes avec une sauce chocolat alcoolisée).

POD ANIOŁAMI
Ul. Grodzka 35. Réservation (conseillée) :
℡ (012) 421 39 99 – Fax : (012) 430 21 13
restauracja@podaniolami.pl
Ouvert de 13h à minuit. Repas entre 50 zl et 70 zl. Situé dans une des rues commerçantes principales de Cracovie, qui relie le Rynek au château du Wawel, ce restaurant propose une large palette de mets polonais typiques et raffinés. « Pod Aniołami » signifie sous les anges et l'on s'y croirait... avec le décor chaleureux de sa véranda et de ses salles voûtées, le chant des oiseaux (des vrais en volière) et une cuisine proche de la cuisine des dieux. Possibilité de déguster d'exquises poêlées de champignons, de bonnes soupes traditionnelles, une large variété de pierogis, un choix de viandes grillées et brochettes szaszlyk cuisinées devant vous dans un grand four, et quelques plats de gibiers. Pour les appétits gargantuesques terminez par une « szarlotka » maison (tarte aux pommes), des pommes chaudes à la cannelle ou une coupe de glace. L'accueil est bon, le personnel parle anglais. Le restaurant dispose d'un traiteur attenant avec du bon pain et des sandwichs polonais, et en été d'une péniche faisant office de bar-restaurant sur la Vistule, en bas de la colline du Wawel.

POD SŁOŃCEM
Rynek Główny 43
Ouvert de 12h à minuit. Décor amusant de vieilles photos, parfois coquines, dans cet endroit qui se veut calme et convivial. Cuisine espagnole, italienne, polonaise et grill, plats végétariens.

REDOLFI
Rynek Główny 38
Une bonne adresse pour prendre son petit déjeuner sur la terrasse, sur des tables en bois, au choix, français, anglais, américain ou polonais pour environ 23 zl.

SZLACHECKIE JADŁO
Ul. Sławkowska 32 ℡ (012) 422 74 95
www.hawelka.pl (puisqu'il appartient au même groupe de restaurant que « Hawełka » situé sur le Rynek)
www.szlacheckiejadlo.pl
hawelka. szlacheckie@hawelka.pl
Repas entre 50 zl et 70 zl. Excellent cadre, service et cuisine. Cadre, vaisselle, musique et tenue des serveurs appartiennent à l'époque médiévale. Absolument commander au moins un plat pour 2 personnes, les szaszlyk (brochettes) ou le canard : tout un cérémonial les entoure à coups de hache et de sabre ! Si les brochettes paraissent un peu légères pour les gros appétits, ces derniers en revanche viendront difficilement à bout du canard, aussi délicieux soit-il.

WIERZYNEK RESTAURANT
Rynek Główny 15,
℡ (012) 424 96 00 – Fax (012) 424 96 01
www.wierzynek.com.pl
rezerwacja@wierzynek.com.pl
Ouverture à 13h. Prix de 70 à 160 zloty.

CRACOVIE

Le restaurant « Wierzynek » est le plus ancien restaurant de Cracovie. Il est établi dans 2 bâtiments historiques et dispose de 8 salles qui ont toutes un décor différent, mais toujours traditionnel et élégant, et qui donnent presque toutes sur la place du marché de la ville, lieu très réputé pour son architecture et les nombreux événements qui y ont lieu. Au menu: soupe de langouste, cailles, cerf, sanglier, canard rôti aux pommes et pour les gourmands un excellent fondant au chocolat. Egalement café – salon de thé.

Luxe

◼ COPERNICUS

Ul. Kanonicza 16 ✆ (012) 424 34 00
Fax : (012) 424 34 05 – www.hotel.com.pl
Un nom choisit en l'honneur du célèbre savant qui fait partie des fiertés des Cracoviens et qui paraît-il choisissait ce lieu comme résidence lors de ses passages à Cracovie. Un excellent restaurant doté d'une riche carte des vins, orné d'un superbe plafond. Même standard et donc même niveau de prix que l'hôtel luxueux qui l'abrite (voir chapitre « Hébergement »).

◼ METROPOLITAN

Ul. Sławkowska 3 ✆ (012) 421 98 03
www.metropolitan-krakow.com
Repas environ 80 zl. Cuisine polonaise et internationale (française, italienne, américaine) de bonne qualité mais un peu chère. Jolies serveuses agréables qui parlent parfaitement anglais. Très beau cadre avec notamment de vieilles affiches françaises. Excellent brunch le dimanche, qui offre un buffet de 7h à 10h30 puis pour les lève-tard, toute la journée, à la carte des petits déjeuners américains ou anglais, très bons, copieux et bon marché (*20 zl*). Il n'est pas exclu aussi de piocher dans le reste de la carte, pour goûter par exemple à la succulente quiche au fromage et aux épinards.

◼ NA WAWELU

Wzgórze Wawelskie 9 ✆ (012) 421 19 15
Fax : (012) 411 65 98 – www.nawawelu.pl
restauracja@nawawelu.pl
Situé dans le Wawel, ce restaurant, apprécié par un certain Jacques Chirac, n'est pas le plus cher de la ville, mais la cuisine y est excellente, notamment les desserts.

Cuisines d'ailleurs

Cracovie permet de très bonnes alternatives au visiteur fatigué du sempiternel porc choux patates et autres spécialités polonaises : de très bons restaurants de cuisines exotiques et surtout de nombreux restaurants italiens qui valent la peine d'être soulignés et deux excellents restaurants français.

◼ BODEGA MARQUES

Ul. Sławkowska 12
✆ (012) 425 49 80/81
www.bodega.pl
Ouvert tous les jours de 10h à minuit. Bar à tapas et vinothèque dans le fond du bar. Tapas de 2,50 à 25 zl l'assiette plus ou moins copieuse. Peu de choix mais de bonne qualité. Quand le bigos vient à lasser, cette petite touche méditerranéenne, légère et savoureuse fait un bien fou ! Par ailleurs, excellents vins, à la carafe de 10 cl, 25 cl ou 50 cl ou à la bouteille. Sublime carte des vins blancs et rouges, qui proviennent d'Espagne, d'Italie, du Portugal, d'Autriche, d'Allemagne, du Chili, d'Argentine, d'Australie, des USA et d'Afrique du Sud. Une rubrique « vins connaisseurs » avec des bouteilles entre 130 zl et 615 zl. Beau choix de digestifs également.

◼ CAFE MANGGHA

Ul. Konopnickiej 26
✆ (012) 267 14 38/09 82
Fax : (012) 267 40 79
centrum@manggha.krakow.pl

Cracovie, colline de Wawel, cathédrale

© S.NICOLAS

Situé presque en face de la colline du Wawel, sur la berge opposée, ce restaurant japonais offre une cuisine de qualité et une vue superbe sur la Vistule.

■ GRUZIŃSKIE CHACZAPURI

Au coin des rues Floriańska et Św. Marka
℗ 0 509 542 800 (portable)
www.chaczapuri.com
Restaurant géorgien qui, selon l'entrée, propose une salle fumeur (rue Floriańska) et une non-fumeur (rue Św. Marka), dans un joli décor. Des plats bons, copieux, peu raffinés et peu onéreux qui finalement ressemblent à la cuisine polonaise (*9 zl à 16 zl*).

■ IPANEMA

Ul. Św. Tomasza 28 (à l'angle avec la rue Św. Krzya) ℗ (012) 422 53 23
Ce restaurant brésilien à la décoration exotique sert une bonne cuisine pour environ 40 zl à 60 zl.

■ ROOSTER

Ul. Szczepańska 4 (rue qui part d'un coin du Rynek)
℗ (012) 411 36 72. www.rooster.pl
Ouvert 7j/7, de 11h à minuit. Terrasse au premier étage ouverte en été. Salle fumeur et salle non-fumeur. Cuisine américaine copieuse et de bonne qualité. Outre une décoration très américaine soignée, la principale attraction réside dans la tenue seyante et sexy des jolies serveuses polonaises ! Possibilité même d'acheter la tenue sur place. Plats recommandés : le « cheesburger 225 g » (20 zl) ou « rooster's platter » (*40 zl*) pour les gros appétits ou à partager à deux personnes, au menu également des spaghettis, des salades et un menu enfant.

■ SMAKI ŚWIATA

Ul. Szpitalna 38 (face au théâtre Słowacki)
℗ (012) 428 27 70. www.smakiswiata.pl
(en anglais)
Ne vous laissez pas tromper par son entrée étriquée et sombre ; fiez-vous plutôt à son nom « Saveurs du Monde », puisque ce restaurant propose des plats savoureux et du monde entier. Le sous-sol dispose de quatre salles, non-fumeurs, à la décoration soignée et exotique. Impossible qu'aucun de ces plats végétariens ne vous donnent envie : soupes égyptiennes, plats malaisiens, salades grecques, bruschettas d'Italie, burritos mexicain, plats de fruits de mer (rare en Pologne). A arroser d'un banana lassi, boisson indienne à base de yaourt, bananes et

cardamome. Bon service, large choix et menu qui change tous les mois, repas à environ 30 zl et demi de Żywiec à 6 zl. **Possibilité de se faire livrer** (℗ (012) 421 17 21).

Cuisine italienne

■ CHERUBINO

Ul. Św. Tomasza 15 (centre-ville, rue parallèle au Rynek et perpendiculaire ux rues Floriańska et Św. Jana)
℗ (012) 429 40 07
Fax : (012) 429 41 47
Comptez entre 40 zl et 60 zl. Service efficace. Petite entrée à côté du café Camelot, qui cache en fait deux salles assez grandes, où trône une calèche, où l'on peut dîner en amoureux (le romantisme faisant oublier l'inconfort). Très bon restaurant italien, avec quelques plats polonais sur la carte.

■ CORLEONE

Ul. Poselska 19 (centre-ville, rue perpendiculaire à la rue Grodzka)
℗ (012) 429 51 26
Ouvert de 12h à minuit. Comptez environ 50 zl à 70 zl. Très bon restaurant italien (mais qui ne sert pas de pizzas), dans un décor feutré et soigné.

■ LEONARDO

Ul. Szpitalna 20-22 (centre-ville, rue du théâtre Słowacki)
℗ (012) 429 68 50
www.leonardo.com.pl
Ouvert dès 11h. Situé dans la rue de l'Opéra, au sous-sol de la galerie marchande chic Pod Słoncem, qui signifie sous le soleil. Dans un décor chaleureux qui rappelle l'intérieur des maisons italiennes, doté de belles boiseries, joliment meublé, vous assisterez à un défilé de plats, aussi créatif que savoureux. Quelques exemples de plats pour vous donner l'eau à la bouche. Pour débuter des petites boules de beurre à l'ail et aux fines herbes accompagnées de pain moelleux, suivi d'un amuse-bouche, le tout offert par la maison. Comme hors d'œuvres vous pourrez choisir notamment des petits carrés de bœuf à l'huile de truffe et aux champignons frais, ou une sélection de fromages italiens, ou encore parmi les entrées chaudes, du sandre sur lit d'épinard.
Une belle sélection de soupes, dont celle aux champignons à l'essence de truffe, délicieuse. Se pose ensuite le difficile choix du plat principal entre les pages des plats de compétition, de poisson, de cuisine polonaise, de viandes ou de pâtes.

Parmi les plats de compétition, un risotto aux fruits de mer ou du sandre au caramel, oignons rouges braisés et vinaigre balsamique (second prix à l'Euro Gastro 2002) ou du canard au gingembre et prunes séchées ou encore une « *inspiration sur le thème de l'agneau et des écrevisses* » qui s'est vu décerner la 4e place à l'Art de la cuisine Martell 2004 (et qui coûte environ 90 zl). Arrivage de poisson frais ici, chose très rare à Cracovie. En dessert coupe de sorbet et glaces selon l'inspiration du chef, et croyez-moi, il fut inspiré ! Sur fond de musique italienne, l'arrivée successive d'assiettes ressemble à un ballet, tant la décoration des assiettes est soignée et inventive. Comptez environ 80 zl par personne pour un repas complet sans le vin, qui coûte cher ici, puisque le plus petit prix est une demi-bouteille à 40 zl et le plus grand s'élève à 1 700 zl, pour une bouteille entière tout de même ! Belle carte de vins principalement italiens, très bons. Serveuses charmantes, certaines parlent français, puisque la carte n'est proposée qu'en polonais ou anglais. D'autres petites attentions vous toucheront comme le chant des oiseaux dans les toilettes ou la rose offerte à votre départ. Parmi les meilleurs restaurants au classement Newsweek et ils le méritent.

■ TRATTORIA SOPRANO

Ul. Św. Anny 7 (centre-ville, rue qui part du Rynek) ✆ (012) 422 51 96
Ouvert tous les jours de 10h à minuit. Réservation recommandée. Comptez environ 50 zl pour un repas, un très bon rapport qualité-prix. Restaurant italien dans une décoration chaleureuse (d'ailleurs il fait parfois un peu chaud à l'étage) qui régale les papilles avec des plats délicieux comme le carpaccio ou le feuilleté d'aubergines, des pizzas et pâtes délicieuses. Une bonne adresse, vraiment. Samuel, un expatrié fin gourmet, dîne ici presque tous les vendredis soir, la preuve !

Cuisine française

■ CYRANO DE BERGERAC

Ul. Sławkowska 26 (centre-ville, rue qui part du Rynek) ✆ (012) 411 72 88 et 429 54 20. www.cyranodebergerac.pl
Ouvert de 12h à minuit. Ce restaurant offre une excellente cuisine française dans un décor typiquement polonais de très bon goût.

■ LA FONTAINE

Ul Sławkowska 1 (centre-ville, rue qui part du Rynek) ✆ (012) 431 09 30 www.lafontaine.com.pl

Ouvert de 12h à 23h. Dans la même rue, un autre restaurant de cuisine française haut de gamme, tenu par un couple franco-polonais. Plusieurs salles dans de belles caves voûtées, notamment le salon des amoureux (pour 2 personnes) très prisé. Primé 2 fois par le Choucas d'Or, le chef français propose une cuisine raffinée.

■ PAESE

Ul. Poselska 24 (centre-ville, près de l'église des Dominicains)
Spécialité corse. Cuisine raffinée mais dépaysement limité lorsqu'on entend parler français à quatre tables sur cinq. Carte des vins alléchante, mais expérience plutôt décevante.

Kazimierz

Les restaurants de Kazimierz, moins nombreux que dans le centre historique, sont l'occasion de goûter à la cuisine juive en écoutant des concerts de musique juive. La plupart se trouvent sur la large rue Szeroka, alors que des restaurants plus traditionnels bordent la place Nowy.

Bonnes tables

■ ALEF

Ul. Szeroka 17 ✆ (012) 421 38 70
Très bon restaurant de spécialités juives dans un décor magnifique. En soirée des concerts de musique, aux accents russes ou tziganes.

■ ARIEL

Ul. Szeroka 18 ✆ (012) 421 79 20
Fax : (012) 421 47 17
Ouvert de 10h à minuit. Sur la même place, dans une jolie maison du début du XIXe siècle, rénovée en 1990, ce restaurant est l'occasion de goûter à la cuisine juive ou de boire un café en terrasse. Des concerts de musique juive commencent tous les soirs à 20h (comme dans les autres restaurants de Kazimierz, l'entrée à ces concerts est payante).

■ ARKA NOEGO

Ul. Szeroka 2 ✆ (012) 429 15 28
Cuisine et concert de musique juives tous les soirs pendant la haute saison de quoi passer un excellent moment.

■ CAFE NIETOPERZ

Ul. Szeroka 13. www.knajpa.krakow.pl
Dans un décor effrayamment chaleureux, quelques tables rondes éclairées à la seule

lumière de bougies, sous des ogives et le regard d'une énorme statue de chauve-souris. Un café qui sert aussi des toasts, plats de pâtes et très bonnes pizzas (*pour environ 15 zl*).

RESTAURANT HORAI
Plac Wolnica 9
✆ (48) (12) 43 00 358
horai@horairestaurant.pl
www.horairestaurant.pl
Ouvert tous les jours du lundi au dimanche de 12 à 23h. Situé dans l'ancien quartier juif de Kazimierz, le restaurant Horai est le spécialiste de Cracovie des sushis et sashimis et de la cuisine thaïlandaise. Il est le premier et seul grill cantonnais traditionnel de Pologne à ce jour. Disposant de trois magnifiques salles, décorées dans un style japonais, thaïlandais et chinois, il est recommandé par les connaisseurs internationaux.

KLEZMER HOIS
Szeroka 6 ✆ (012) 411 12 45
www.klezmer-hois.cracow.pl
Ouvert de 7h au dernier client. Comptez environ 40 zl à 60 zl. Aux murs des gravures, tableaux anciens et photos d'hôtes célèbres tels que Polański et Spielberg, sur chaque table des nappes en dentelles. Ce restaurant juif propose tous les soirs des concerts de musique juive (*entrée environ 20 zl*) et des mets typiquement juifs préparés dans le respect des règles casher. Vous pourrez déguster de l'oignon farci à la viande, puis une casserole de bœuf à l'ail et au cumin ou encore du poulet au miel et au gingembre. Pour terminer par une agréable note sucrée, le Charoset mêle morceaux de pommes, raisins et noix, dans un sirop de champagne.

LA BRASSERIE
Ul. Gazowa 4 (donne sur
la grande rue Podgórska,
qui longe la Vistule)
✆ (012) 292 19 98 – Fax : (012) 292 19 97
www.restaurants.pl
Comptez environ 40 zl à 60 zl. Service agréable et efficace. Dans une petite rue calme et

un décor de bois, de briques et d'affiches françaises, ce restaurant propose un large choix de plats français de qualité, tel qu'un gratin d'escargots aux épinards, une onctueuse crème de crevettes, un filet de bœuf au bleu ou à la normande, un gigot d'agneau sauce basilic, des cuisses de grenouilles, des moules frites à la provençale ou encore du sandre sur aubergine. La carte propose aussi des plats végétariens et de bons desserts comme la crème brûlée ou la tarte aux poires. Pour les nostalgiques, les chansons françaises, le pichet d'eau gratuit et le bon pain vous transporteront au pays. Dommage qu'en hiver, on ressorte avec une odeur de friture, heureusement en été les portes-fenêtres sont grandes ouvertes, côté rue, ainsi qu'un petit jardin calme derrière le restaurant.

STUDNIA
Plac Nowy 6 ✆ (012) 429 53 37
L'un des nombreux pubs-restaurants situés sur la place animée du quartier de Kazimierz. Décor fait de bois et bougies, très chaleureux, tout comme le service. Pizzas excellentes. Idée sympathique : la pizza familiale très copieuse avec ingrédients au choix, pour seulement 30 zl, à partager en famille ou entre amis.

Dans les environs

Bien et pas cher

JADŁODAJNIA TALEJA
Plac Gen. Sikorskiego 1
✆ 0 600 44 99 69 (portable)
Ouvert du lundi au vendredi de 10h à 18h. Une bonne adresse pour qui souhaite manger polonais à bon marché mais se lasse des bars à lait. L'entrée n'est pas facile à trouver, à un angle de la place, où il faut passer la porte cochère, monter quelques marches puis tourner à gauche. Dans un décor plus soigné que celui des bars à lait, une ambiance plus feutrée aussi, ce restaurant sert une bonne cuisine typiquement polonaise, un peu plus chère, soit environ 15 zl à 20 zl.

■ BAR MLECZNY ZACZEK

Ul Czarnowiejska 85
Ouvert du lundi au vendredi, de 8h à 19h, le
samedi jusqu'à 16h, le dimanche de 11h à 15h.
Ce bar à lait un peu en dehors de la ville est
l'un des plus vieux restaurants de Cracovie, de
cette époque où il en existait peu et où les bars
à lait étaient une référence. La preuve en est
qu'un Polonais d'une cinquantaine d'années
fréquente régulièrement les lieux… puisqu'il
avait l'habitude déjà de venir déjeuner ici
lorsqu'il était étudiant à l'université technique,
située juste en face !

Ce bar à lait assure un repas copieux à des
prix défiants toute concurrence, entouré
exclusivement de polonais. Après avoir passé
commande et payé, il convient d'attendre ses
plats juste à côté, que vous porterez à la table
de votre choix. Il est naturel de s'installer à
une table déjà partiellement occupée. Service
très rapide, en revanche possibilité que le
3e plat refroidisse pendant que les premiers
sont dégustés.

De nombreuses variétés de plats, de viande
notamment, affichés sur une ardoise, en
polonais. Les soupes, délicieuses, coûtent
de 1 zl à 4 zl, alors que les plats principaux
oscillent entre 2 zl et 9 zl. Une des spécialités
est le « gołąbki », sorte de paupiette au riz et
viande hachée, entourée de chou. En polonais
« gołąbki » signifie pigeon, mais le restaurant
nous a assuré que la farce ne provenait pas
de ces mêmes bêtes ! Une adresse qui vaut
le détour. Le détour peut même faire l'objet
d'une promenade agréable en passant par
la rue Karmelicka, puis le parc Krakowski,
sinon prenez le bus, arrêt Kawiory, en face
du restaurant.

Bonnes tables

■ KARCZMA RZYM

Ul. Tyniecka 118H ✆ (012) 266 17 29
Fax : (012) 269 05 11
www.karczmarzym.krakow.pl
Ouvert tous les jours de 10h à 22h. Situé sur la
route de Tyniec, depuis le centre-ville, à environ
un quart d'heure en voiture, avant de passer
sous l'autoroute A4, ce restaurant est l'endroit
idéal pour faire halte en allant ou revenant du
monastère de Tyniec (voir rubrique « Dans les
environs de Cracovie »). Cette auberge en
bois, très chaleureuse, dispose d'une salle de
restaurant et d'une salle bar-grill. L'intérieur
rappelle la nature et les montagnes, avec ses
têtes de sangliers et ses faisans empaillés. Un
service impeccable qui apporte sur les tables
soupes, truite, saumon, pierogis, jarret de porc,
sernik et szarlotka. Petits prix (8 zl pour les
soupes et pierogis, environ 15 zl pour les plats,
4 zl pour les gâteaux), sauf pour la belle carte
des vins et champagnes.

■ U ZIYADA

Ul. Jodłowa 13 ✆ (012) 429 71 05
Fax : (012) 429 70 90
www.uziyada.krakow.pl – www.dwor.pl
estauracja@uziyada.krakow.pl
Situé à 5 km du centre-ville, sur la route
de l'aéroport (prendre les rues Kościuszki
puis Księcia Józefa, puis emprunter une
petite route escarpée à droite), sur une
colline, ce bar-restaurant offre un cadre et
une vue magnifiques. Décor d'un château
et vue panoramique sur la Vistule. Cuisine
traditionnelle et internationale dans un cadre
ancien, bar moderne dans des caves voûtées,
mais surtout petites terrasses avec la vue où
se dégustent volontiers gâteaux et glaces.

■ SORTIR

Cracovie offre une multitude de cafés, bars qui
rivalisent de charme et de nombreux lieux de
sortie nocturne très animés. Ils sont concentrés
dans le centre historique, notamment sur le
Rynek et dans les rues Floriańska, Św. Jana,
Sławkowska, Szewska, Bracka et Grodzka.
Le quartier de Kazimierz offre, lui aussi, de
nombreux cafés et bars typiques, ainsi qu'une
animation certaine les soirs de week-end,
autour des places Nowy et Szeroka.

▶ **Pour connaître l'actualité des sorties,**
consulter l'office du tourisme ou Internet :

www.karnet.krakow2000.pl (site des
manifestations culturelles, en anglais),
et www.cracow-life.com (calendrier des
concerts, soirées et expositions, très détaillé
et bien conçu).

Cafés

Dans la vieille ville

La vieille ville regorge de cafés, aux ambiances
diverses, toujours chaleureux. En été vous
n'aurez que l'embarras du choix devant la
succession de terrasses autour du Rynek et de

la Hall aux draps. Ceux-là ont l'avantage de la vue sur le Rynek et son animation, beaucoup d'autres pourtant méritent une halte.

■ A. BLIKLE. UL

Wiślna 3 (au coin du Rynek, au début de la rue, juste après le grand magasin Galeria Centrum) ✆ (012) 422 19 72
Une pâtisserie très classe, annexe de la célèbre pâtisserie Blikle de Varsovie, un peu à la française, comme le témoignent les tenues des vendeuses et certaines pâtisseries. Petit salon de thé composé de quatre ou cinq gros fauteuils en cuir. Très bonnes pâtisseries, assez chères.

■ BAR PERGAMIN

Brackast 3-5 – www.pergamin.pl
✆ (012) 600 395 541
Situé en plein coeur de la vieille ville, le Bar Pergamin et son décor élégant et moderne est l'endroit idéal pour se retrouver entre amis à toute heure de la journée, café du matin ou cocktail du soir ! Un des endroits les plus branchés de la ville.

■ CAFE ZAKĄTEK

Ul. Grodzka 2 ✆ (012) 429 57 25
Ouvert de 9h à 19h. Petit café au fond de la cour. Ambiance très chaleureuse et décoration singulière avec petites tables rondes en bois et bougies, vieille machine à écrire, machines à coudre Singer. Le plus étonnant reste le vieux tourne-disque encore en « activité » qui assure le fond sonore grâce à une collection de vinyles impressionnante dans laquelle notamment Mireille Matthieu côtoie Ray Charles ! Possibilité de manger des sandwichs, salades et pâtisseries polonaises.

■ CAMELOT

Ul. Św. Tomasza 17
✆/Fax : (012) 421 01 23
Un des cafés les plus prisés de Cracovie, mais peu spacieux, où il est donc souvent difficile de trouver une place. Une terrasse en été, deux petites salles, puis une troisième au fond, pour les fumeurs. Décor singulier fait de nombreuses sculptures en bois, de grandes armoires, de petits poêles et lourds rideaux. Fréquentés par de nombreux touristes et aussi quelques Polonais qui espèrent apercevoir l'un des grands poètes contemporains, Szymborska, qui a ses habitudes ici.

■ COFFE REPUBLIC

Ul. Bracka 4
✆ (012) 430 24 13

Un café qui propose aussi des snacks et des salades, dans un décor et une ambiance branchés. Des jeux de société (en polonais) sont à la disposition des clients, comme le Tabu, Scrabble ou encore le Monopoly pour se familiariser avec le nom des rues de Varsovie !

■ COPERNICUS

Kanonicza 16
✆ (012) 424 34 00
Fax : (012) 424 34 05 – www.hotel.com.pl
Au dernier étage de ce luxueux hôtel une terrasse avec une merveilleuse vue sur tout Cracovie, notamment le château du Wawel, qui propose essentiellement des boissons. Ouvert seulement en haute saison (d'avril à octobre) de 11h à 22h.

■ EUROPEJSKA

Rynek Główny
(au coin avec la rue Szczepańska)
Pub anglais typique et chaleureux où il convient de se tenir droit sans être tenté de s'avachir dans d'énormes canapés moelleux en velours bordeaux… et lever le petit doigt en dégustant un thé et un sernik (gâteau au fromage blanc).

■ JAMA MICHALIKA

Floriańska 45
✆/Fax (012) 422 15 61
www.jamamichalika.pl
Ce café-restaurant-cabaret pourrait figure aussi dans les curiosités de la ville (voir rubrique « Points d'intérêt »). Depuis le XVe siècle, il a appartenu à plusieurs familles. Sa décoration intérieure, très chargée, fut réalisée par un artiste scénographe Karol Frycz. Avec une scène… puisque c'était un cabaret. C'est l'occasion de faire une pause-café, de profiter d'un menu en français pour déguster quelques plats (*soupes, cuisine polonaise, petit déjeuner à 16 zl*) dans de confortables sièges ou de seulement « visiter » l'intérieur sans s'y arrêter, le personnel a l'habitude. Parce qu'en effet l'endroit est un peu sombre, mais l'a sans doute toujours été, puisque « Jama » signifie tanière !

■ SIESTA CAFE

Ul. Stolarska 6
✆ (012) 431 14 88
Situé dans la rue des ambassades, ce café offre une possibilité de halte agréable. Entièrement non-fumeur. Ambiance tamisée, éclairage aux bougies.

LIKUS CONCEPT STORE

Bar 13, Vinoteka 13
Delikatesy 13. Rynek Główny 13,
au sous-sol, dans la galerie commerciale
Pasaż Handlowy ✆ (012) 617 02 27
Les trois établissements ouvrent de 9h à 21h
du lundi au samedi, de 11h à 18h le dimanche,
sauf pour l'épicerie qui ferme ses portes à 17h.
S'asseoir au Bar 13 peut donner l'impression
de boire un café en plein milieu d'un centre
commercial... mais chic tout de même ! Le
centre commercial et les sièges, un peu dans
le passage, sont relativement éloignés des
autres magasins. Très bonnes tartes, Tatin, au
chocolat ou à la framboise, pour environ 7 zl
(cher pour la Pologne). Ensuite vous pourrez
faire d'autres folies en visitant l'épicerie fine
et la vinothèque attenantes. L'épicerie fine
s'apparente au Fauchon polonais et propose
un large choix de fromages, charcuteries,
pâtes fraîches, chocolats fins. Les prix sont
élevés.

PANORAMA KLUB

Ul. Zwierzyniecka 50
✆ (012) 422 28 14. www.panoramaklub.pl
Cette terrasse située au dernier étage de
l'imposant immeuble Jubilat offre une vue
imprenable sur la colline du Wawel, la Vistule
et une partie du centre-ville. Etonnement peu
fréquenté, sans doute parce que l'entrée se
repère difficilement (juste à côté du magasin
Jubilat, entrée rouge, au fond du couloir
– certes, un peu glauque avec ses lumières
bleues – prendre l'ascenseur et appuyez sur
le numéro un qui mène au dernier étage). Le
bar dispose de tables à l'intérieur avec baie
vitrée ou sur la terrasse (un peu bruyant
car au-dessus du carrefour de grands axes
routiers). Possibilité de se restaurer : cuisine
polonaise à prix moyens, notamment une
bonne soupe aux champignons servie dans
un pain ou le plat du jour à 17 zl, coupes de
glace ; mais l'on vient ici surtout pour siroter
un verre et admirer la vue.

SZUFLADA

Ul. Wiślna 5 ✆ (012) 423 13 34
zbigniew@morawiec.com
szuflada@go2.pl
Accueilli par une rangée de zèbres, qui
annoncent le décor tout aussi surréaliste du
sous-sol, où les tables abritent notamment
des petites voitures et les murs des tiroirs.
Une bière rafraîchissante en été, une bière
chaude aux épices, un vin chaud ou une soupe
żurek en hiver, peu importe, ici c'est le décor

qui prime. Café et restaurant ouvert de midi
à 1h du matin.

TRIBECA

Rynek Główny
(à l'angle avec la rue Św. Anny)
Ce café offre une alternative au café
polonais qui ressemble souvent à du jus de
chaussettes ; ici le vrai espresso est de mise.
Délicieux « smothies » également, tel que
le « strawberies for ever », dont le souvenir,
s'il ne dure pas toujours, reste agréable. Si
la terrasse n'offre plus de place libre, l'issue
sera la salle fumeur (la première) ou la salle où
sont confectionnés les cocktails et cafés (donc
assez bruyante). L'hiver, sans la terrasse, les
tables « dans » les fenêtres offrent une très
belle vue sur le Rynek.

WENTZL

Rynek Główny 19 ✆ (012) 429 57 12
D'excellentes glaces et une terrasse sur le
Rynek, que demander de plus...

Dans le quartier de Kazimierz

▶ **Une multitude de cafés très singuliers**
et chaleureux autour des places « Nowy »
et « Szeroka » dont il ne faut pas hésiter
à pousser la porte. Les plus connus sont le
« Singer » (rue Estery, place Nowy), avec de
vieilles machines à coudre Singer en guise
de tables ; le café Ariel (n° 18 de la place
Szeroka) ; la terrasse, ouverte uniquement en
période estivale, en bordure de la rue Meiselsa
juste avant d'arriver place Nowy.

Bars

Dans la vieille ville

BASTYLIA

Ul. Stolarska 3
✆ (012) 431 00 09
Ouvert du mercredi au samedi de 15h à 3h du
matin, du dimanche au mardi de 15h à 1h du
matin. Ne vous arrêtez pas au rez-de-chaussée
peu avenant qui cache 4 étages ! Ce décor de
prison a un succès fou, il faut se battre pour
obtenir une table.

CLUB RDZA

Brackast 3-5   www.rdza.pl – info@rdza.pl
✆ 600 395 541
Musique variée et de bon goût. Excellent son
acoustique dans une cave où l'atmosphère
est très festive et chaleureuse. Un endroit à
ne manquer sous aucun prétexte !

Pergamin chill out music bar

Situé en plein coeur de la vieille ville, le Bar Pergamin et son décor élégant et moderne est l'endroit idéal pour se retrouver entre amis à toute heure de la journée, café du matin ou cocktail du soir! Un des endroits les plus branchés de la ville.

Bracka street 3-5 Cracow
www.pergamin.pl +48.600.395.541

Musique variée et de bon goût. Excellent son acoustique dans une cave où l'atmosphère est très festive et chaleureuse. Un endroit à ne manquer sous aucun pretexte!

Bracka street 3-5 Cracow
www.rdza.pl info@rdza.pl +48.600.395.541

Pergamin Apartments

Situé à deux pas du Rynek, le Pergamin Apartments est l'endroit idéal où passer la nuit: Air conditionné, petit déjeun er avec room service et wifi disponible. Un endroit parfait où séjourner car il vous permettra de vous rendre à pieds à tous les bars, clubs et cafés les plus branchés de la ville.

Bracka street 3-5 Cracow

HARRIS PIANO JAZZ BAR

Rynek Główny 28 ✆ (012) 421 57 41
Dans une salle voûtée, éclairée à la bougie et envahie de fumée, on se sert assis sur des tabourets autour de petites tables en bois. Dans cette cave, l'une des plus réputée pour sa programmation de jazz se retrouve une clientèle de tous les âges pour écouter des concerts, tous les soirs en fin de semaine.

KAWIARNIA MASKA

Ul. Jagiellońska 1 ✆ (012) 429 60 44
Ouvert du lundi au samedi, de 9h à 3h du matin, le dimanche de 11h à 3h du matin. Un décor hors du commun, « théâtral » assurément. Service impeccable, ambiance feutrée, très bons cocktails (assez chers, environ 15 zl), choix impressionnant de whisky et cognac (8 zl à 45 zl le verre). Un cocktail, le trzy-kolory (3 couleurs à 9 zl) rend hommage à la trilogie du cinéaste polonais, Krzysztof Kieślowski, tournée en partie à Cracovie : « *Trois couleurs Bleu, Blanc, Rouge* », conçue autour des thèmes liberté, égalité, fraternité. Attention le trzy-kolory se boit cul sec !

KLUB RE

Ul. Św. Krzya 4 ✆ (012) 431 08 81
A deux pas du Rynek, terrasse intérieure à l'abri des arbres… et des touristes. Beaucoup d'étudiants. Agréable en fin de journée ou début de soirée, avant que la terrasse ne ferme vers 22h, heure à laquelle vous devez vous rapatrier à l'intérieur (moins sympathique), ou essayer un nouveau bar.

OLDSMOBIL

Ul. Św. Tomasza 31 ✆ (012) 425 40 00
Ouvert du lundi au vendredi, de 12h à minuit et le week-end de 16h à minuit, aux personnes âgées de plus de 21 ans. Bar Pub. Pour les passionnés de vieilles voitures, une multitude d'affiches, et aussi des cocktails, quatre variations de chocolat chaud et quelques snacks.

PAPARAZZI

Ul. Mikołajska 9 ✆ (012) 429 45 97
www.paparazzi.com.pl
Ouvert du lundi au vendredi de 11h à minuit, le samedi et le dimanche, de 16h à minuit. Clientèle chic, pas mal d'expatriés, malheureusement peu de paparazzi. Murs tapissés de photos de star, possibilité donc de boire un bon cocktail à côté d'Alain Delon pour 15 zł ou de grignoter des sandwichs (camembert-baguette !), soupes, salades, pâtes.

PAUZA

Ul. Floriańska 18/3 ✆ (012) 422 16 19
Ouvert de 10h au dernier client. Bar très branché à la mode, où seuls les connaisseurs se rendent et pour cause, il est caché au 1er étage ! De la bonne musique et des expositions de photos.

PIEC ART

Ul. Szewska 12 ✆ (012) 429 64 25
Ouvert de 17h au dernier client. Bar situé en sous-sol, salles voûtées où la pierre se mêle aux instruments de musiques éclairés en guide de décoration. L'établissement accueille souvent des concerts, notamment de jazz. Bonne ambiance et service chaleureux. Dans un coin du bar, un grill puisque la carte propose aussi quelques encas, tels que des salades (*9 zl*), du bigos (*11 zl*) ou du saumon grillé (*18 zl*).

PUB REKTYWACJA

Ul. Grodzka 34
En sous-sol, dans une ambiance très sympa et tamisée. Une spécialité : la bière Stroumpf, toute bleue, composée de bière et de jus de framboise bleue ! Demandez « *piwo z sokiem malinowy niebiesky* » et prononcez « *pivo z sokiem malinovai niébiéski* ».

ROENTGEN

Plac Szczepańska 3 ✆ (012) 431 11 77
Ouvert de 19h au dernier client. Cet endroit bourré de monde est le rendez-vous des jeunes qui projettent de finir leur nuit en boîte, et viennent ici d'abord pour se remplir le ventre de bières. Ce n'est pas la meilleure adresse de la ville, sauf si vous voulez faire comme eux.

Dans le quartier de Kazimierz

▶ **Place Nowy** compte de nombreux bars, tous très animés. Ne vous fiez pas à la tranquillité diurne de cette place, ambiance assurée le soir surtout les week-ends.

Discothèques

Dans la vieille ville

CIEŃ KLUB

Ul. Św. Jana 15
✆ (012) 422 21 77
www.cienklub.com – klub@cienklub.com
Entrée sous le porche, avant-cour qui abrite terrasses, un autre bar et la librairie française, juxtaposé au Bar Stalowe Magnolie. Vous aurez davantage de chance de rentrer si vous ne

portez pas de baskets, vous êtes accompagnés de filles (en jupe) et vous montrez que vous êtes étrangers (la promesse de consommer sans compter). Le samedi soir, la boîte est bondée, il faut parfois attendre qu'elle se vide pour pouvoir entrer. Pourtant ses petits salons, quatre bars et trois pistes de danse permettent souvent un peu d'intimité ! Sièges en cuir, décoration moderne, assez classe. Clientèle middle age, 25-35 ans. Entrée libre et prix des consommations raisonnable.

◼ PIWICA POD BARANAMI
Rynek Główny 27
✆ (012) 421 25 00
www.piwnicapodbaranami.krakow.pl
Ce bar-cabaret au décor étonnant est assez réputé dans toute la ville et se transforme en discothèque certains soirs.

◼ POD JASZCZURAMI – TEATR 38
Rynek Główny 8
✆ (012) 429 18 83/45 38
Ouvert de 10h à 4h du matin. Autant le bar n'est pas très animé ni convivial en journée, autant la discothèque est bondée les soirs de week-end. Ambiance très festive, plutôt jeune. Attention au goulot d'étranglement le samedi soir, situé dans l'escalier qui descend juste après l'entrée… en fait le seul escalier qui mène à la fois aux vestiaires et aux toilettes hommes et femmes ! D'où une attente assez longue ponctuée de nombreuses bousculades, pas toujours très agréable !

◼ PROZAK
Plac Dominikanski 6 ✆ (012) 429 11 28
www.prozak.pl – prozak@prozak.pl
Ouvert de 17h au dernier client. Une discothèque qui appartient au propriétaire du Kebab attenant, une très bonne adresse d'ailleurs ! Un dédale de nombreuses salles et bars, à la décoration extravagante mêlant le métal, les draperies indiennes et l'ambre et aux éclairages subtils, toutes très animées. Clientèle éclectique, parfois un peu déjantée.

◼ STALOWE MAGNOLIE
Ul. Św. Jana 15
✆ (012) 422 84 72
Fax : (012) 422 60 84
www.stalowemagnolie.pl
Ouvert tous les jours de 18h au dernier client. Cet établissement se vaut plutôt un club musique live qu'une discothèque mais on finit souvent par y danser en se frayant une minuscule piste de danse au milieu des tables,

devant les musiciens ou dans la pièce voisine où les concerts sont retransmis en direct live sur grand écran. Concerts de jazz à pop-rock, tous les vendredis et samedis et souvent les autres soirs. Les concerts débutent à 21h en semaine et 22h le week-end. Prévoir d'arriver avant pour dénicher une table libre et bien placée (dans la 1re salle, et devant la scène pour les personnes munies de boule Quiès).

Entrée payante uniquement le week-end et pour les hommes. Parfois fermé car soirées privées (possibilité de louer tout ou partie du club). Clientèle à 50 % étrangère, entre 25 et 50 ans, peu d'étudiants. Personnel agréable tous bilingue anglais, service parfois un peu long. Consommations un peu plus chères que dans un bar normal, comptez par exemple 10 zl le demi de Żywiec, 8 zl les shots et environ 15 zl à 20 zl le cocktail. Ambiance assurée. Quand vous en aurez assez de la foule et du bruit, essayez le club privé, dont l'entrée se situe au fond à côté des toilettes. Un imposant vigile à l'entrée demande votre carte de membre ou d'invités ! Ce salon VIP style fin de siècle impressionnant, comme dans un conte de fée, avec banquettes, lits (!), draperies, riches coussins moelleux, lumières tamisées, dont se dégage une certaine sensualité. Privé très intime, déco très spéciale, tout en rouge, petites lumières et bougies de partout. Design exceptionnel. Atmosphère particulière. Rappellerait ce que pouvait être une maison close chic du temps où elles étaient autorisées. Afin d'y accéder sans carte de membre, essayer de demander le manager. Elu comme l'un des meilleurs clubs par *Newsweek*.

Dans le quartier de Kazimierz

▶ **Place Nowny.** Tout le quartier bouge beaucoup le vendredi et le samedi soir. L'assurance d'une soirée réussie et peu onéreuse (taxi du centre-ville pour 8 zl, souvent entrée libre et prix des consommations semblables à celles pratiquées en journée). Les lieux qui bougent se repèrent facilement, tout autour de la place Nowy. Deux adresses où particulièrement sûr de trouver de l'ambiance et pouvoir danser, très en vogue en ce moment :

◼ DRUKARNIA
Pl. Nowy
En sous-sol, souvent bondé le week-end donc peut devenir une fournaise !

OPIUM

Ul. Jakuba 19 ✆ (012) 421 94 61

Entrée libre, seulement 1 zl pour les vestiaires par pièce déposée. Cocktails à environ 10 zl.
Ambiance festive, clientèle assez jeune, musique variées, plutôt pop-rock et années quatre-vingts ! Terrasse agréable, en été comme en hiver. Danse sur les tables. Parfois des animations comme de superbes femmes qui proposent des cocktails avec glaçons phosphorescents !

Cinéma

ARS

Sztuka, Aneks sztuki, Reduta, Kiniarnia
Ul. Św. Jana 6 ✆ (012) 421 41 99
www.ars.pl
Projette de nombreux films étrangers, dont français, dans plusieurs salles, de la grande salle confortable classique, au petit café avec chaises, tables et bruit de la bobine qui défile.

CINEMA CITY KRAKOW

Al. Pokoju 44 ✆ (012) 290 90 90
où se trouve aussi un cinéma en trois dimensions (IMAX),
et Ul. Zakopiańska 62
✆ (012) 295 95 95. www.cinema-city.pl
Grands complexes cinématographiques en dehors de la vieille ville.

MIKRO

Ul. Lea 5 ✆ (012) 634 28 97
Diffuse de nombreux films français, notamment le mercredi à 20h.

MULTIKINO

Ul. Dobrego Pasterza 128
✆ (012) 617 63 99. www.multikino.pl

POD BARANAMI

Rynek Główny 27 ✆ (012) 423 07 68
Cinéma situé sur la place principale (Rynek).

ROTUNDA DKF

Ul. Oleandry 1
✆ (012) 633 35 38. www.rotunda.org.pl
Cinéma dans un centre culturel.

Gay et Lesbien

Actuellement trois clubs principaux, près du centre, dans le sud de Kazimierz, près de la Vistule. Outre l'hôtel et le sauna cités ci-dessous, il existe de fréquentes ouvertures et fermeture de clubs.

▶ **Renseignez-vous sur Internet (en anglais et polonais) aux adresses suivantes :**
www.gay.pl – www.gayguide.net – et aux rubriques « gays et lesbiennes » des guides tels que www.warsawinsider.pl – www.inyourpocket.com

COCON

Ul. Gazowa 21 (quartier de Kazimierz)
✆ 0501 350 665 (portable)
Ouvert tous les jours à partir de 20h. Entrée : 15 zl, gratuite le mercredi. Bar, discothèque et concerts réservés exclusivement aux gays et lesbiennes. Le deuxième vendredi du mois, spectacle de drag-queen et strip-tease, le mardi dédié aux lesbiennes, le jeudi house musique et le dimanche musique disco.

FRIENDS (HÔTEL)

Ul. Wrzesińska 11 ✆ 0601 24 34 44
ou 0501 803 560 (portable)
www.gay.pl/friendscracow
friends@gay.pl
Situé entre la vieille ville et le quatier de Kazimierz, dans une rue tranquille (depuis la poste centrale, prendre la grande avenue Starowiślna, puis J. Dielta sur la gauche, c'est ensuite à droite), cet établissement se prévaut d'être le premier hôtel en Pologne géré par un homosexuel et réservé exclusivement aux homosexuels. Il comporte deux chambres doubles, l'une meublée dans le style Art déco, une autre plus sommaire, style chambre universitaire, qui partagent douche et toilettes. Une personne paiera 160 zl, 2 personnes paieront 200 zl. Un appartement, plus spacieux, meublé avec goût dans le style Art déco, coûte 240 zl, peut importe le nombre d'hôtes. Dispose aussi d'une enseigne à Varsovie.

KITSCH

Ul. Wielopole 15/4 (au 2e étage)
✆ (012) 422 52 99. www.kitsch.pl
Ouvert tous les jours de 19h, jusqu'à 4h du matin, 6h le vendredi et le samedi. Dans un décor kitsch, ce complexe, en dehors du centre-ville, propose sur 380 m², du théâtre, une galerie d'art, un bar et un club.

SPARTAKUS SAUNA

Ul. Konopnickiej 20 (grande route située en face du Wawel et de Kazimierz mais de l'autre côté de la Vistule)
✆ (012) 266 60 22. spartakus.queer.pl
sauna@spartacus.gej.net
Ouvert du lundi au samedi, de 11h à 23h, le dimanche de 14h à 21h et réservé exclusivement

à une clientèle homosexuelle. Entrée : 25 zl.
Seul établissement de ce genre dans toute la région, il offre un sauna finlandais, solarium l'été, petite salle de sport et un bar qui sert des boissons non alcoolisées.

Théâtre

■ MOLIER
Ul. Szewska 4
✆ (012) 292 64 00
Comprend aussi un bar sympathique en sous-sol dans des caves voûtées.

■ OPERA KRAKOWSKA
Ul. Lubicz 48 ✆ (012) 628 91 13
www.opera.krakow.pl
Répertoire traditionnel.

■ PHILARMONIQUE DE CRACOVIE
Ul. Zwierzyniecka 1 (au bout de la rue, qui fait l'angle avec le Planty)
✆ (012) 422 94 77

■ TEATR BAGATELA
Ul. Karmelicka 6 ✆ (012) 292 72 19
Guichets ouverts de 10h à 19h le lundi, de 9h à 19h du mardi au samedi et 3h avant les spectacles le dimanche.

■ TEATR GROTESKA
Ul. Skarbowa 2 ✆ (012) 633 48 22/37 62
Guichets ouverts de 8h à 12h, puis 15h à 17h.

■ TEATR KTO
Ul. Gzymsików 8 ✆ (012) 633 89 47
Guichets ouverts de 12h30 à 16h, de 18h à 19h.

■ TEATR LUDOWY
Os. Teatralne 34 ✆ (012) 680 21 12
Une scène aussi sur le Rynek
Rynek Główny 1 ✆ (012) 643 71 01

■ TEATR SCENA STU
Al. Krasinskiego 16/18 ✆ (012) 422 27 44
Pièces en général plus contemporaines.

■ TEATR SŁOWACKI
Plac Św. Ducha 1 ✆ (012) 422 40 22
Le guichet de caisse pour les spectacles de l'Opéra (différent de celui pour les pièces de théâtre) est ouvert le lundi, le vendredi et le samedi de 10h à 13h puis de 16h à 19h, le mardi, le mercredi et le jeudi de 13h à 18h, le dimanche de 12h à 19h, ainsi que 2h avant les représentations. Le prix des places oscille entre 30 zl et 50 zl par personne. Classiques polonais uniquement. Aussi de superbes opéras de qualité, à prix modique, dans un décor somptueux. Les billets s'achètent directement aux caisses du théâtre.

■ TEATR STARY
Ul. Jagiellońska 1
✆ (012) 422 85 66. www.kinomikro.pl
Répertoire traditionnel.

▨ MANIFESTATIONS

Janvier

▶ **Soirées au wawel** organisées par le Philharmonique de Cracovie.

Février

▶ **Festival international de chansons marines** (manifestation artistique avec participation d'ensembles et de chanteurs polonais). Organisé par la fondation cracovienne pour la voile, les sports et le tourisme « Hals », ul. Straszewskiego 27 ✆ (012) 423 22 36.

Mars

▶ **Festival polonais et international de film publicitaire et de publicité.**
▶ **Marché de Pâques.**
▶ **Fin mars, festival de Pâques Ludwig Van Beethoven.**

Avril

▶ **Journées de la musique d'orgue.**
▶ **Revue de cabarets PaKa.**

Mai

▶ **Festival du Film de Cracovie** – Festival international et polonais de films documentaires et de court-métrage. Organisateurs : Apollo Film, ul. Pychowicka 7 ✆ (012) 267 13 55/44 40 – Fax : (012) 267 23 40 – www.cracowfilmfestival. pl – festiwal@apollofilm.pl

▶ **Rencontres cracoviennes avec la musique de l'église orthodoxe (églises de Cracovie).** Organisé par la maison de la culture Podgórze, ul. Krasickiego 18/20 ✆ (012) 656 36 70 – Fax : (012) 656 45 43 – www.dkpodgorze.krakow.pl – podgorze@pkpodgorze.krakow.pl

▶ **Fête du dragon du Wawel,** parade des dragons. Organisé par le Théâtre de la Marionnette, du masque et de l'acteur Groteska, ul. Skarbowa ℰ (012) 633 48 22/96 04 – www. groteska.pl – groteska@groteska.pl

Juin

▶ **Défilé du Lajkonik :** passage solennel de Lajkonik et de son cortège dans les rues de Cracovie, évocation de la légende qui raconte l'irruption des Tatares dans Cracovie en 1247. Organisé par le musée historique (Rynek Główny 35 ℰ (012) 422 99 22. www.mhk. pl – mhk@polished.net).

▶ **Wianki :** spectacle traditionnel de la Saint-Jean, jet de couronnes de fleurs et de bougies dans la Vistule (par les jeunes filles et jeunes hommes non mariés), feu d'artifice. Organisé par le bureau du Festival Cracovie (2000, ul. Św. Krzya 1 ℰ (012) 429 34 87 – Fax : (012) 429 35 06 – www.krakow2000. pl – biuro@krakow2000.pl).

▶ **Rencontres internationales de musique d'orchestres militaires** (défilés et manifestations de tenues militaires traditionnelles de plusieurs nationalités).

Juillet

▶ **Festival international de théâtre de rue (sur le Rynek).** Organisateurs : Centre culturel Dworek Białoprądnicki – Théâtre KTO, ul. Gzymsików 8 ℰ (012) 633 89 47. teatrkto@wp.pl

▶ **Festival d'été de jazz à Piwinica Pod Baranami** (concerts en plein air). Organisé par Cracovia Music Agency, ul. Warszawska 18 ℰ (012) 423 40 16 – Fax : (012) 634 10 16 – www.cracoviamusic.com – cracoviamusic@hotmail.com

Juillet – Août

▶ **Festival de la Culture juive (parfois même dès le mois de juin) :** concerts de musique traditionnelle et contemporaine, représentations cinématographiques, théâtrales, expositions d'arts plastiques, rencontres. Organisateurs : Association festival de la culture juive, ul. Józefa 36 ℰ (012) 431 15 17 – Fax : (012) 431 24 27 – www. jewishfestival.pl – office@jewishfestival.pl

▶ **Récitals d'orgue de Tyniec** (abbaye bénédictine).

Août

▶ **Festival international de musique dans la vieille ville de Cracovie :** festival international de musique réunissant des artistes remarquables du monde entier. Organisé par Capella Cracoviensis, ul. Zwierzyniecka 1 ℰ (012) 421 45 66 – Fax : (012) 429 43 28 – www.capellacracoviensis. art.pl – capellac@ispid.com.pl

▶ **Foires de l'art populaire :** événement folklorique et commercial qui rassemble une centaine d'artisans qui présentent leur savoir faire.

Septembre

▶ **Journée de patrimoine culturel de Małopolska** (région de la Petite-Pologne).

▶ **Concours international de musique de chambre contemporaine Krzysztof Penderecki.**

Septembre – Octobre

▶ **Mois de rencontres avec la culture juive :** un vaste panorama de l'histoire et de la culture juives ; l'accent est mis sur les traditions de Kazimierz (quartier juif de Cracovie). Organisé par le Centre de la culture juive, ul. Rabina Meiselsa 17 ℰ (012) 430 64 49/52 – Fax : (012) 263 50 34 – www.judaica. pl – info1@judaica.pl

Octobre

▶ **Festival international de musique ancienne.** Organisateur : Société polonaise de musique ancienne, ul. Mieszka I 25A ℰ/ Fax : (012) 417 20 14.

Novembre

▶ **Festival international du film « Etiuda ».** Organisé par le Centre de la culture Rotunda, ul. Oleandry 1 ℰ (012) 633 35 38/61 60 – Fax : (012) 633 76 48 – dkf@rotunda.pl

▶ **Rencontres cracoviennes de Ballets.** Organisateur : centre de la culture de Nowa Huta, al. Jana Pawła II 232 ℰ (012) 644 12 33 – Fax : (012) 644 76 00 – www.nck. krakow.pl – imprezy@nck.krakow.pl

▶ **Fête des morts du jazz à Cracovie :** le plus ancien festival de jazz en Europe de l'Est.

Décembre

▶ **Concours de la plus belle crèche de Noël :** chaque année, le premier jeudi de décembre, sur la place du marché, à côté de la statue

A. Mickiewicz. Les lauréates sont ensuite exposées au Musée historique. Organisé par le Musée historique.

▶ **Pour de plus amples renseignements sur les fêtes et manifestations culturelles de Cracovie,** consultez le centre d'information culturelle (ul. Św. Jana 2 ℰ (012) 421 77 87 – Fax : (012) 421 77 31. Ouvert du lundi au vendredi de 10h à 18h, le samedi de 10h à 16h), ou www.krakow2000.pl

POINTS D'INTÉRÊT

Cracovie est une ville où il fait bon flâner, notamment dans son vieux centre. Vous serez toujours surpris ou émerveillé au détour de l'un de ses rues pavées et piétonnes. Si vous souhaitez toutefois être un peu aiguillé, vous pouvez suivre les intéressants itinéraires indiqués par la municipalité, sur des panonceaux. Citons par exemple la voie royale qui débute devant l'église Saint-Florian et se termine dans la merveilleuse cour à arcades du château du Wawel, résidence des rois polonais. La voie universitaire longe les bâtiments universitaires, du plus ancien, le Collegium Maius (1400) jusqu'au Collegium Novum néogothique et Collegium de Witkowski. Cracovie bruisse de légendes, le dragon, les pigeons, les corbeaux, le Hejnał, Lajkonik, la cloche, les deux tours de Notre-Dame, et bien d'autres. Partez à leur rencontre, ils régaleront votre imaginaire.

La vieille ville

La vieille ville de Cracovie, entourée de sa ceinture verte (le Planty), dont les ruelles qui fourmillent de belles maisons, palais et églises, aux charmes tantôt italianisant, tantôt flamand, souvent baroques, mènent à la mythique et gigantesque place du marché (Rynek) où s'élancent avec majesté les deux tours de Notre-Dame. Pour mieux la découvrir, parcourez le Planty, puis la voie royale, enfin, partez à la découverte de ses autres merveilles.

Autour de la vieille ville, le parc Planty

■ PARC PLANTY

Cette oasis de verdure entoure complètement la vieille ville de Cracovie, là où se dressaient autrefois des fortifications médiévales. Rien n'a jamais été reconstruit à cet endroit, ce qui permet de distinguer le quartier historique du reste de la ville. La visite de Cracovie peut commencer par une promenade le long de ce parc, bien aménagé et très agréable, qui donne une idée de la taille de la ville au Moyen Age et qui permet déjà d'entrevoir quelques beaux monuments. Un tour du Planty représente 4 km.

■ THEATRE J. SŁOWACKI (TEATR IM. J. SŁOWACKIEGO)

Plac Św. Ducha 1 ℰ (022) 422 40 22
Situé sur le parc Planty, à quelques pas de la porte Florian, c'est le premier bâtiment de la ville devant lequel on passe quand on arrive de la gare principale. Ce théâtre-opéra construit à la fin du XIXe siècle, dont l'architecture s'est largement inspirée de l'opéra Garnier, propose des pièces de théâtre et surtout d'excellents opéras. Consultez les programmes et si vous en avez l'occasion assistez à une représentation, qui, à un prix très raisonnable, vous laissera un souvenir impérissable. L'intérieur du bâtiment, richement décoré, est fastueux. Admirez notamment le rideau de la scène, œuvre de Henryk Siemiradzki, qui représente une superbe allégorie des drames, tragédies et comédies qui peuvent avoir lieu sur cette même scène.

■ EGLISE SAINTE-CROIX (KOŚCIÓŁ ŚW. KRZYŻA)

Plac Św. Ducha. Située derrière le théâtre Słowacki, cette église du XVe siècle, assez simple vue de l'extérieur, possède de précieuses fresques gothiques, qui furent restaurées par Stanisław Wyspiański. Elle mérite largement d'être visitée, si vous avez la chance de la trouver ouverte, car elle ne laisse entrer les visiteurs que pendant les offices (dont les horaires sont affichés à l'entrée).

■ RUE SZPITALNA

Cette rue, qui part du théâtre Słowacki et rejoint le centre de la vieille ville (Mały Rynek), malheureusement non piétonne, possède un charme désuet. Avis aux photographes pour des prises plus originales qu'à l'accoutumée, dans cette ruelle où passent les calèches avec en toile de fond les tours de la basilique du Wawel qui se dessinent. Dans cette rue, beaucoup plus calme et moins fréquentée par les touristes, les boutiques et les restaurants sont moins nombreux mais généralement plus luxueux.

■ **EGLISE ORTHODOXE
(KOŚCIÓŁ PRAWOSLAWNY)**
Ul. Szpitalna 24
Il s'agit d'une ancienne synagogue qui a été affectée au culte orthodoxe après la Seconde Guerre mondiale. Les décorations intérieures justifient une visite, qui ne peut malheureusement se faire que pendant les offices religieux, car l'église est fermée au public le reste du temps.

La voie royale, de la Barbacane à la colline du Wawel

C'est autrefois des cortèges impressionnants de monarques et hôtes illustres qui empruntaient cette voie royale, depuis la place Matejki, derrière la Barbacane jusqu'à la butte du Wawel, parcourez-la à votre tour ! Votre itinéraire commencera à l'ouest de la vieille ville, par la Barbacane gothique, puis la commerçante rue Floriańska, la place du marché avec ses superbes maisons aux façades et attiques Renaissance, la riche rue Grodzka, à l'architecture classique et baroque, et finalement la pittoresque rue Kanonicza qui s'achève au pied de la colline du Wawel.

■ **BARBACANE**
Récemment rénové, ce petit fort circulaire a été ajouté aux fortifications au XVe siècle pour assurer une défense de la ville plus efficace. C'est l'une des Barbacane les mieux conservées d'Europe, une merveille de l'architecture militaire du Moyen Age. Elle se visite et parfois en saison estivale, tient lieu de décor de spectacles moyenâgeux (batailles d'épées et danses folkloriques, de qualité discutable, mais amusant).

■ **LA PORTE FLORIAN
(BRAMA FLORIAŃSKA)**
A l'extrémité de la rue Floriańska, cette porte médiévale du XIIIe siècle est, avec les deux tours qui l'entourent, la seule chose qui reste des fortifications qui autrefois ceinturaient toute la vieille ville et qui furent démolies au début du XIXe siècle par les Autrichiens, alors maîtres de la ville. L'enceinte comportait alors sept portes et quarante-sept tours. Aujourd'hui il subsiste un petit fragment de fortification, accroché à la porte Florian. Ce mur fait office de galerie de peinture à ciel ouvert. Qu'il pleuve, qu'il vente, qu'il neige, restent accrochés ces tableaux, d'un certain style dirons-nous…

■ **RUE FLORIAŃSKA**
Cette artère, l'une des principales de la vieille ville, conduit du Rynek à la porte Florian, principale entrée de la ville autrefois. Elle a toujours eu une vocation commerçante, qui s'est qu'amplifiée aujourd'hui. Dans la rue Floriańska se trouvent notamment :

► **Le café Jama Michalika.** Au numéro 45 de la rue Floriańska, se dresse fièrement le premier cabaret politique de Pologne. S'il paraît peut-être un peu défraîchi désormais, il fut le premier à accueillir au début du XIXe siècle les crèches satiriques, où des marionnettes jouaient des personnages politiques. Lieu de prédilection des artistes de l'époque, ces derniers n'avaient pas le sou et laissaient donc leurs peintures, gravures et autres œuvres afin de régler l'adition. Ces œuvres sont celles-là même accrochées aujourd'hui sur les murs du café (voir rubrique « Cafés »).
La rue Floriańska débouche sur la place principale de Cracovie, le Rynek.

■ **LE RYNEK GŁÓWNY
(LA PLACE PRINCIPALE DU MARCHÉ)**
Située au cœur de la vieille ville, point de convergence de toutes les artères touristiques, cette place est l'une des plus vastes de l'Europe médiévale. De cette époque, il ne reste plus de maisons, toutes détruites pour faire place à d'élégantes demeures du XIXe siècle, qui assurent une homogénéité architecturale. Comme à Paris, les anciennes demeures ont disparu, mais celles qui les ont remplacées font aujourd'hui partie du paysage et du patrimoine, et sont de toute beauté. En été, une foule incroyable sur cette place profite des nombreuses terrasses de café, qui se disputent la vedette et des animations de rue. Partout se dressent des étals de marchands, comme pour nous rappeler que l'héritage du Moyen Age se transmet encore aujourd'hui par cette tradition commerciale. La plupart des bâtiments qui encerclent la place ont une histoire. Au n° 6, dans l'immeuble surnommé « la maison grise », séjourna en 1572 le premier roi élu de Pologne, un certain Henri de Valois (voir rubrique « Histoire »). Au n° 7, la première poste de Pologne élue domicile à cet endroit, appelé le palais Montelupi. Au n° 9, le palais Bonerowska. Au n° 27, un centre culturel, dans les murs du palais Pod Baranami (qui signifie sous les moutons !), construit au XVIe siècle. Dans les années cinquante, ce lieu abritait le meilleur des cabarets politiques, le célèbre Cabaret de Piotr Skrzynecki.

■ **SUKIENNICE**
Désigne la Halle aux Draps qui se dresse

fièrement au centre du Rynek, véritable symbole de la ville. Cet édifice est un des rares rescapés des reconstructions de la place au XIXᵉ siècle. Construit au XIVᵉ siècle en style gothique, il fut remanié à la Renaissance et a depuis conservé cet aspect. A l'intérieur, on trouve dans un décor pittoresque une quantité incroyable de marchands de souvenirs de l'artisanat polonais. L'ancienne halle aux draps, véritable vitrine de l'artisanat local, perpétue sa tradition marchande, offrant aux visiteurs un large choix de souvenirs.

■ TOUR DE L'HOTEL DE VILLE (WIEŻA RATUSZOWA)

Ouvert seulement pendant la haute saison (mai à octobre), tous les jours de 10h à 17h. Autre édifice gothique situé au centre du Rynek, ce beffroi du XIVᵉ siècle est tout ce qui reste de l'hôtel de ville, détruit en 1820, car jugé insalubre. Pour quelques złotys et un peu d'effort, montez au sommet, d'où la vue sur la vieille ville et notamment l'église Notre-Dame est superbe.

■ STATUE D'ADAM MICKIEWICZ

Sur le Rynek, entre la Halle aux Draps et l'église Notre-Dame se dresse cette statue du poète romantique, œuvre de Teodor Rygier (1898) et lieu de rassemblement chaque année du grand concours de crèches de Noël. Le reste de l'année, la statue sert de lieu de rendez-vous aux Cracoviens ; ils conviennent de se rencontrer sous la statue, ou de plus en plus, à quelques pas, devant le magasin EMPIK.

■ EGLISE SAINT-ADALBERT (KOŚCIÓŁ ŚW. WOJCIECHA)

Rynek Główny

Ouvert du lundi au samedi de 10h à 15h. Située sur le Rynek, au sud de la Halle aux Draps, cette petite église construite au Xᵉ siècle est la plus ancienne de la ville. On peut visiter sa superbe crypte qui raconte l'histoire de saint Adalbert, martyrisé par les Prussiens, et l'histoire de la ville.

■ EGLISE NOTRE-DAME (KOŚCIÓŁ MARIACKI)

Rynek Główny

Entrée : 4 zl, réduit : 2 zl. Attention ! Il existe deux entrées, puisque l'église est bien divisée à l'intérieur, pour les personnes qui viennent se recueillir et pour les touristes. Choisir celle pour les touristes, située sur le côté droit de l'église. A l'entrée demandez la feuille explicative gratuite, en français, de l'église et du retable. Eviter de visiter l'église un dimanche où de nombreuses messes ont lieu, parfois des mariages, l'église est alors fermée aux visiteurs (a priori ouverture après la messe de midi, vers 14h). Cette église gothique est l'un des symboles incontournables de l'histoire de Cracovie. Construite au XIIᵉ siècle, elle fut détruite par les Tatars au XIIIᵉ siècle, puis reconstruite au XIVᵉ siècle. Depuis, elle n'a pas changé. L'intérieur de l'église est richement décoré. Vue de l'extérieur, Notre-Dame est une église gothique typique de Pologne, en briques, dont la particularité est la différence de hauteur de ses deux tours, et la décoration au sommet de la plus haute : un chapiteau surmonté d'une couronne pesant 350 kg, et au-dessus une boule dorée qui contiendrait l'histoire écrite de la ville. Toutes les heures du jour et de la nuit, depuis la plus haute des deux tours, retentit un air de trompette, le « Hejnał », qui s'entend dans toute la vieille ville et s'interrompt brusquement, comme si le musicien était mort subitement. Toute une légende…

▶ Le célèbre retable de Wit Stwosz (Veit Stoss) contribue à la renommée de cette église. Il est intéressant de s'installer devant le retable vers 11h40 pour l'étudier fermé puis assister à son ouverture à 11h50 très précise. Ce cérémonial a lieu tous les jours, sauf en cas de messes spéciales, par exemple pendant le carême. Le retable, installé dans le chœur de l'église, possède une taille impressionnante : 11 m x 13 m, un des plus grands retables d'Europe. Les amoureux du bois (comme Domi), aimeront savoir que le retable a été exécuté en chêne et les sculptures en tilleul. Les personnages centraux, aux expressions saisissantes, mesurent 2,70 m. Les scènes de l'intérieur du retable représentent les mystères joyeux et glorieux du rosaire, alors que les panneaux de la face extérieure des volets (retable fermé) représentent les 12 scènes de douleurs de la Vierge. La statue monumentale en pierre du Christ en Croix qui se trouve à droite de l'entrée (celle pour les touristes), sur l'un des autels latéraux, est également l'œuvre de Veit Stoss.

■ TOUR DE L'EGLISE NOTRE-DAME

Ouvert seulement le mardi, le jeudi et le samedi. Entrée : 5 zl. Depuis 2004, les plus courageux escaladent les nombreuses marches qui mènent tout en haut de la plus haute tour de l'église, d'où la vue est splendide. Tentez d'y accéder aux alentours d'une heure fixe afin de voir sortir le joueur de trompette.

CRACOVIE

La légende du joueur de trompette de l'église Notre-Dame

Chaque heure du jour et de la nuit, chaque jour de l'année, quoi qu'il advienne, le joueur de trompette se montre aux fenêtres de la plus haute tour de l'église Notre-Dame pour jouer la mélodie du Hejnał. Cette mission emploierait plus de vingt musiciens. Cet air de trompette, joué aux quatre points cardinaux, depuis 1810, s'interrompt brusquement, comme si le musicien était mort subitement. Il s'agit de la commémoration de l'invasion des Tatars en 1241, la seule qui ait marqué la destruction de la ville. Une légende, très populaire, raconte que la tour de l'église Notre-Dame servait alors de tour de guet, et lorsque le veillant de garde aperçut l'ennemi, il se mit à souffler dans sa trompette pour avertir la population. Le sonneur d'alerte reçut une flèche dans la gorge et fut alors interrompu, s'arrêtant brusquement sur une note de sa mélodie, celle-là même qui est jouée aujourd'hui et qui donc s'interrompt brusquement…Ce symbole de Cracovie s'étend à toute la Pologne puisque le programme numéro 1 de la radio nationale diffuse depuis 1927 cette mélodie tous les jours à midi pile afin de donner l'heure exacte et de permettre aux auditeurs de régler leur montre.

▉ PLACE DE NOTRE-DAME (PLAC MARIACKI)

Cachée derrière l'imposante église, cette petite place bien reposante était un cimetière jusqu'au siècle dernier.

▉ EGLISE SAINTE-BARBE (KOŚCIÓŁ ŚW. BARBARY)

Plac Mariacki 5

Située sur la place Notre-Dame, et donc derrière l'église du même nom, cette construction du XIVe siècle était autrefois la chapelle du cimetière. Un peu délaissée par les touristes, elle n'en demeure pas moins très jolie.

▉ MAŁY RYNEK

Cette place se situe de l'autre côté de l'église

Sainte-Barbe et derrière l'église Notre-Dame, où règne un calme surprenant, si proche du Rynek animé. A cet emplacement se tenait autrefois le marché à la viande, relégué sur la Petite Place (Mały Rynek) car moins « pur « que les marchés d'autres produits, qui se tenaient sur la place Principale (Rynek Główny). Cette place sert aujourd'hui de parking (attention interdit aux touristes, seulement autorisé aux Cracoviens munis d'une autorisation spéciale, à l'instar de tous les parkings des zones A et B. Il existe peu de places autorisées pour les visiteurs vraiment très proche du centre-ville, demandez un plan des stationnements à l'office du tourisme).

Depuis le Rynek, empruntez ensuite la rue Grodzka, surnommée les Champs-Elysées de Cracovie, où se trouvent 4 églises.

▉ EGLISE DES DOMINICAINS (KOŚCIÓŁ DOMINIKANÓW)

Ul. Stolarska 12 (Plac Dominikański)

Encore plus grande que sa rivale, l'église des franciscains, qui lui fait pratiquement face, cette église, construite au XIIIe siècle, selon le style gothique, fut également détruite par l'incendie de 1850 puis reconstruite. N'omettez pas de visiter aussi son cloître, situé à gauche de l'entrée principale.

▉ EGLISE DES FRANCISCAINS (KOŚCIÓŁ FRANCISZKANÓW)

Ul. Franciszkańska 4

Située au sud du Rynek, en empruntant la rue Bracka, en face du palais des évêques, cette énorme église construite au XIIIe siècle fut en partie endommagée par un incendie en 1850, mais les travaux de rénovation furent assez bien réalisés. Dans le cloître gothique du XVe siècle qui lui est accolé, et qui n'a pas souffert de l'incendie, on trouve une étonnante collection de portraits de tous les évêques de Cracovie depuis le XVe siècle jusqu'à nos jours. Cette église vaut le détour grâce aux sept vitraux d'art moderne de Stanisław Wyspiański : un de chaque côté du retable, quatre représentent les quatre éléments et celui au-dessus de la porte, le Dieu créateur.

Pendant le carême, chaque vendredi vers 16h30, une très étonnante procession a lieu, comme au Moyen Age : des hommes vêtus de noir portent un vrai crâne à l'extrémité d'un bâton, jusqu'à la chapelle de gauche de cette église, où ils s'étendent alors sur le sol en forme de croix. Impressionnant.

■ EGLISE SAINT-PIERRE-ET-SAINT-PAUL (KOŚCIÓŁ ŚW. PIOTRA I PAWLA)

(Concerts)

Ul. Grodzka 54

On reconnaît facilement cette large église de la rue Grodzka aux statues représentant les 12 apôtres qui se dressent devant la façade. Ce que peu savent : ces statues sont en fait des copies ! A cause de la forte pollution, qui émanait de Nowa Huta, les statues originales commençaient à se dégrader, elles ont donc été cachées et remplacées par des copies. Ce bâtiment a été construit à la fin du XVIe siècle en style baroque par les jésuites qui étaient alors venus à Cracovie pour endiguer le développement de la religion protestante. L'intérieur est typiquement de style baroque, mais pas encore superbement décoré, comme c'est le cas des églises du XVIIe siècle. Une crypte contient la dépouille de Piotr Skarga, un prêtre visionnaire, avait prédit le partage de la Pologne. L'entrée de la crypte est payante et sévèrement gardée !

■ EGLISE SAINT-ANDRE ET COUVENT DES CLARISSES (KOŚCIÓŁ ŚW. ANDRZEJA)

Ul. Grodzka 56

Située juste à côté de l'église Saint-Pierre et Saint-Paul, cette petite église a été construite au XIe siècle. Lors des invasions tatares de 1241 et 1259, les habitants de Cracovie qui s'y étaient réfugiés furent épargnés. En 1318, le roi Ladislas Lokietek l'offrit aux sœurs Clarisses qui occupaient le couvent mitoyen. L'intérieur, de style baroque, transformé au XVIIIe siècle, est superbement décoré. Seul l'extérieur a conservé en grande partie son style roman d'origine.

■ CROIX EN HOMMAGE AUX VICTIMES DE KATYŃ

A l'extrémité de la rue Grodzka, avant d'arriver devant le Wawel, cette croix en bois, installée en 1990, commémore la mémoire des victimes du massacre de Katyn en 1940. Rappelons brièvement cet événement tristement célèbre. En avril 1940, 25 000 personnes sont fusillées dans la forêt, sur ordre de Staline. Ce sont pour la plupart des officiers ou des cadres, des personnes instruites que craignait Staline. Leurs familles sont déportées au Kazakhstan pour « étouffer » l'affaire. Un an après les Allemands découvrent le massacre et les autorités russes font croire que ce sont eux les responsables. Il aura fallu attendre les années quatre-vingt-dix pour que Boris Eltsine reconnaisse enfin la responsabilité de la Russie dans le massacre de Katyń. Revenez par la charmante rue Kanonicza.

■ PALAIS DŁUGOSZ

Ul. Kanonicza 25

Cette superbe demeure du XVe siècle, qui fut la demeure de l'historien Jan Długosz, fut autrefois le siège des bains des rois de Pologne. Au XIXe siècle, Stanisław Wyspiański passa son enfance dans cette maison et fut marqué à vie par la vue du Wawel qui s'offrait alors à lui.

La voie universitaire

■ COLLEGIUM MAIUS

Ul. Jagiellońska 15

℡ (012) 422 05 49/10 33

Fax : (012) 422 27 34

www.uj.edu.pl/muzeum

info@maius.in.uj.edu.pl

Ouvert du lundi au samedi de 10h à 14h30. Visites guidées de 20 personnes maximum, toutes les 20 min pour 12 zl, réduit : 6 zl par personne, le samedi tous les billets : 6 zl. Cet édifice gothique du XVe siècle est le bâtiment principal de la prestigieuse université de Cracovie, fondée au XIVe siècle, qui a accueilli entre autres Nicolas Copernic et Jean-Paul II. La cour intérieure à elle seule vaut le détour. Un musée très intéressant permet de découvrir le plus ancien globe terrestre du monde, daté de 1510, sur lequel, à l'emplacement de l'Amérique actuelle, est indiqué « pays nouvellement découvert », ainsi que de nombreux instrument de mesure, ou encore les instruments astronomiques de Nicolas Copernic, et bien d'autres richesses dans de superbes salles. Puisque les visites s'effectuent en petit groupe, il est souvent préférable de réserver. Visite spéciale, des expositions principales ainsi que des collections d'instruments scientifiques et de quelques pièces d'art exceptionnelles (notamment peintures de Rubens et Rembrandt), seulement du lundi au vendredi à 13h sur réservation.

■ EGLISE SAINTE-ANNE (KOŚCIÓŁ ŚW. ANNY)

Ul. Św. Anny 13

Située à proximité du Collegium, cette coquette église du XVIIIe siècle, de style baroque, superbement décorée, servait autrefois de chapelle universitaire, où étaient célébrées toutes les cérémonies officielles.

Notez le trompe-l'œil sur le mur : la peinture donne l'impression que c'est en fait une sculpture : il est souvent nécessaire de toucher les colonnes pour s'assurer qu'elles sont bien peintes et non sculptées. Alors que l'église Saint-Pierre-et-Saint-Paul fut la première église baroque édifiée en Pologne par les jésuites, l'église Sainte-Anne fut la dernière construite en style baroque, intéressant de comparer les deux.

■ **THEATRE STARY**

Situé au sud de la place Szczepański, rue Jagiellonska, ce bâtiment était l'ancien théâtre de Cracovie avant que le théâtre Słowacki ne soit construit. On y donne encore quelques représentations, souvent sélectionnées parmi les meilleures, ce qui fait que jouer dans cet endroit pour un metteur en scène polonais est un véritable honneur. C'est en effet le meilleur théâtre de toute la Pologne, mais bien sûr les pièces sont jouées en polonais.

■ **EGLISE DES FRANCISCAINS REFORMES (KOŚCIÓŁ REFORMATÓW)**

Ul. Reformacka
(rue qui part de la place Szczepański)

Cette église a été construite au XVIIᵉ siècle sur le même emplacement qu'une ancienne église, détruite à cette époque par les Suédois. Dans la crypte, que vous ne pourrez malheureusement pas visiter (à moins de trouver un arrangement avec les autorités religieuses locales), reposent des corps momifiés. C'est assez sinistre, mais vraiment étonnant.

La colline du Wawel

■ **LE CHATEAU (ZAMEK)**

Le château actuel est l'œuvre des architectes italiens Francesco Florentino et Bartholomeo Berecci qui, au début du XVIᵉ siècle, transformèrent la puissante forteresse du XIVᵉ siècle brûlée en 1499. L'architecture du château est donc le fruit de la tradition locale et des concepts italiens de la Renaissance. Cette superbe demeure accueillit les rois de Pologne jusqu'au XVIIᵉ siècle, quand ils déménagèrent vers Varsovie. Les Autrichiens, maîtres du terrain au XIXᵉ siècle, lui donnèrent un triste aspect de caserne, tandis que les nazis y installèrent le gouverneur de Cracovie, Hans Frank. Heureusement, les trésors purent être évacués avant l'arrivée de l'envahisseur vers le Canada, dont ils sont progressivement revenus. Aujourd'hui, après d'importants travaux de restauration, le château est ouvert au public sous la forme de plusieurs visites très intéressantes ✆ (012) 422 51 55.

▶ **Tarification et horaires d'ouverture.** *La colline du Wawel est ouverte tous les jours, du 1ᵉʳ avril au 30 septembre entre 6h et 20h et du 1ᵉʳ octobre au 30 mars entre 6h et 17h. Prix du billet d'entrée et horaires d'ouverture des curiosités, en haute saison (mai à octobre).*

▶ **Salles de représentation :** *15 zl, réduit : 8 zl. Fermé le lundi. Ouvert de 9h30 à 15h, à partir de 10h le dimanche. Nombre de tickets vendus par jour limités (lors des hautes affluences touristiques, arrivez le plus tôt possible).*

▶ **Appartements royaux :** *18 zl, réduit : 13 zl. Fermé le lundi et le dimanche. Ouvert de 9h30 à 15h. Visites guidées en anglais à heures fixes (à 12h en basse saison). Nombre de tickets vendus par jour limités (lors des hautes affluences touristiques, arrivez le plus tôt possible).*

▶ **Trésorerie et armurerie :** *14 zl, réduit : 8 zl. Fermé le lundi et le dimanche. Ouvert de 9h30 à 15h.*

▶ **Wawel disparu :** *6 zl, réduit : 4 zl. Fermé le mardi. Ouvert de 9h30 à 15h, à partir de 10h le dimanche.*

▶ **Art oriental :** *6 zl, réduit : 4 zl. Fermé le lundi et le dimanche. Ouvert de 9h30 à 15h.*

▶ **La cathédrale (sa cloche et ses tombeaux royaux) :** *10 zl, réduit : 5 zl. Guichet différent de celui du château, presque en face de la cathédrale, un peu plus haut. Ouvert tous les jours, de 9h à 15h, le dimanche à partir de 12h15.*

▶ **Grotte du dragon :** *5 zl, à partir du 30 avril. Ouverte tous les jours de 10h à 17h.*

En basse saison les prix pratiqués sont d'environ 2 zl moins chers. En hiver le château ferme successivement ses salles afin de les entretenir. Le Trésor est traditionnellement fermé en février, les appartements royaux en mars, si vous visitez entre décembre et mars, renseignez-vous. Les horaires sont variables d'une saison sur l'autre. Pour confirmation, consulter le site en français : www.wawel.krakow.pl

▶ **Visites guidées.** Le château ne propose pas de guide, exception faite pour la visite du 1ᵉʳ étage, mais en polonais ou anglais uniquement. Etant donné le peu d'explication à l'intérieur, il est préférable de prendre un guide. Adressez-vous au bureau touristique (dans ce cas nul besoin d'acheter de billet)

Château de Malbork.

Lac Morskie Oko, Tatras.

Folklore montagnard dans la région de Zakopane, Tatras.

Ancien campement, Biskupin.

Montagnes des Carpates.

Lac Smreczynski, Tatras.

Maisons en bois du village de Chocholow, Tatras.

Architecture traditionnelle de Zakopane.

qui se trouve entre la cathédrale et le château, juste avant l'entrée dans la cour :
BOT (Biuro Obsługi Turystów)
✆ (012) 422 16 97
www.wawel.krakow.pl (site en français)
zamek@wawel.krakow.pl
Vous pouvez réserver de Pologne ou de France, et en été, longtemps en avance pour un groupe de plus de deux personnes. Cette agence propose les visites dans de nombreuses langues (même en japonais) et notamment de très bons guides francophones.

Le coût du guide BOT dépend du nombre de participants et du nombre de visites souhaitées. Les prix varient d'environ 60 zl pour un petit groupe et une seule visite, à 200 zl pour un grand groupe et plusieurs visites (prix indiqués pour le groupe et non pas par personne).

Si vous disposez de peu de temps pour découvrir toutes les richesses qu'offre la colline du Wawel, consacrez-le à la visite de la cathédrale et des salles de représentation du château (visite n° 1).

▌ **La cour du château.** Admirez la superbe cour du château et sachez qu'elle fut d'un esthétisme encore bien supérieur. En effet, au XVIe siècle, les fûts des arcades étaient peints en pourpre, les chapiteaux étaient dorés, les arcades trônaient en bleu, toute la cour était entourée d'une frise (dont quelques fragments sont encore visibles) et le toit miroitait grâce aux tuiles vernies multicolores.

▌ **Visite n° 1 :** les salles de représentation. On pénètre ici dans la partie du château qui servait de logement aux monarques polonais, et qui propose les salles les plus richement décorées : une superbe collection de 136 tapisseries ainsi que des objets plus beaux et luxueux les uns que les autres. Les plafonds sont décorés de caissons, et dans la salle des Députés les têtes de trente habitants de Cracovie du XVIe siècle sont représentées dans les caissons. A l'époque existaient cent quatre-vingt-quatorze têtes, mais seules trente furent sauvées par Isabelle Czartoryska, une collectionneuse qui donna son nom au fameux Musée Czartoryski de Cracovie. Le deuxième étage du château comporte une aile Renaissance et une aile baroque.

▌ **Visite n° 2 :** les appartements royaux (Prywatne Apartamenty Królewskie). On découvre ici les appartements privés du roi.
Trésor de la Couronne (Skarbiec) et Armurerie (Zbrojownia). Toutes les armes et armures dont disposait la Couronne sont

Donations

En montant sur la colline du Wawel, vous verrez des noms de personnes inscrits le long du mur, avec leur ville d'origine, parfois très éloignée de Cracovie. Il s'agit des personnes qui ont fait des donations (argent, tableaux, biens…) pour racheter le château alors tombé aux mains des Autrichiens au XIXe siècle et pour effectuer les travaux de restauration nécessaires. Les Cracoviens ont décidé de les remercier de cette manière, en les incluant dans leur patrimoine. La liste est chaque année de plus en plus longue, chacun ayant une pierre à son nom. Cherchez la plaque des « Amis français » ! Allez, nous vous aidons : depuis le haut, elle se situe en face du deuxième arbre !

regroupées ici, notamment les canons autrefois situés sur l'esplanade, ainsi qu'une superbe collection de bijoux. Les trésors présentés ici sont des présents de monarques de toute l'Europe, ainsi que des objets fabriqués pour célébrer des événements importants. Cette visite ravira les amateurs du genre, et intéressera les curieux.
Exposition d'art oriental (Sztuka Wschodu). Cette exposition originale permet de connaître l'influence de l'art oriental sur l'art polonais. En effet, les objets exposés ici sont les trophées ramenés de la bataille de Vienne (1683) par Jean III Sobieski (et oui, Sobieski n'est pas seulement une marque de vodka et de cigarettes !). Ce valeureux roi a sauvé l'Europe contre les invasions turques. Se côtoient donc les bannières et superbes tentes turques du XVIIe siècle d'une finesse de travail exceptionnelle (rapportées par Jean III Sobieski) et de la porcelaine chinoise et japonaise.
Wawel perdu (Wawel Zaginiony). Cette visite commence sur l'esplanade du château à l'extérieur. Dans les cuisines du château, en sous-sol, se trouve une étonnante exposition archéologique de ce qui a disparu, comme la rotonde Sainte-Marie. Ce sont les vestiges ressortis de terre, dont la plupart remontent au Xe siècle. Des maquettes et représentations sur ordinateur illustrent les parties de bâtiments aujourd'hui disparus, d'où le nom insolite de ce musée.

CRACOVIE

■ **CATHÉDRALE (KATEDRA)**

Son architecture bizarre s'explique par le fait que cette église a été rebâtie à plusieurs reprises, la première fois au début du XIe siècle, une seconde fois au XIIe siècle, puis enfin sous la forme actuelle au XIVe siècle, après un incendie en 1305. Les rois qui se succédèrent firent chacun des embellissements à l'édifice, sous la forme de chapelles, dont la plus somptueuse est la chapelle Sigismond (Kaplica Zygmuntowska), construite au XVIe siècle par l'architecte florentin Bartholomeo Berecci (le même qui a refait le château).

> # Histoires entre la France et la Pologne...
>
> Dans le fameuse bataille de Vienne (1683) menée par Jean III Sobieski, ce valeureux roi a sauvé l'Europe contre les invasions turques. Sa femme était française, Marie-Casimir d'Arquin. Cette dernière était arrivée en Pologne à l'âge de quatre ans pour accompagner Marie-Louise Gonzague, qui fut elle-même la femme française de deux rois de Pologne.
>
> En France, Marie-Louise Gonzague était la maîtresse de Cinq Mars, qui fut accusé de manigancer un complot contre le roi. Il fut alors condamné à mort et elle aussi par là même. Elle s'enfuit donc en Pologne et emmena avec elle une petite fille de sa cour pour qui elle portait beaucoup d'affection (certains disaient même qu'elle était le fruit de sa liaison avec Cinq Mars).
>
> En Pologne elle épousa Wadislas IV Waza, puis à la mort de ce dernier, son frère, Jean-Casimir Waza. Nous sommes alors au XVIIe siècle et la Pologne ne connaît que des guerres. Aussi Jean-Casimir Waza fut le seul roi à abdiquer, afin de montrer son désaccord avec ces guerres incessantes. Il partit à Paris avec sa femme, où il mourut. Selon la tradition française de l'époque, existent trois sarcophages. Jusqu'à la fin Jean-Casimir Waza aura été partagé entre la France et la Pologne, puisque son cœur est à l'église Saint-Germain-des-Prés, alors que ses entrailles et sa dépouille reposent au Wawel.

Au centre de la cathédrale, on ne peut pas manquer le mausolée de saint Stanisław (Mauzoleum Św. Stanisława), construit au XVIIe siècle en hommage au saint, qui vécut au XIe siècle, et fut canonisé au XIIIe siècle. La visite des cryptes royales (Krypty Krolewskie) permet de visiter l'endroit où reposent les monarques et les héros nationaux depuis le XVIIe siècle. La crypte de Saint-Léonard est le seul vestige de la deuxième cathédrale qui avait brûlé. Avant de partir, on peut monter au sommet de la tour Sigmund, construite au XIVe siècle, d'où l'on a une vue splendide sur la vieille ville, mais également sur les cloches impressionnantes, dont la plus grosse mesure 2,50 m de diamètre pour 2 m de haut et un poids de 11 tonnes. Toucher la cloche permet à ses rêves de se réaliser…

▶ **Le musée de la Cathédrale (Muzeum Katedralne)** expose différents objets religieux faisant partie de l'histoire de la cathédrale, et qui ont résisté aux Prussiens (ceux-ci avaient en effet confisqué une partie du trésor, et ne l'ont jamais restituée).

■ **ESPLANADE DU WAWEL**

Dans cet endroit situé au centre de la colline reposent les ruines de deux églises du XIVe siècle, Saint-Michel et Saint-Georges, détruites par les Autrichiens quand ils en firent un arsenal.

■ **GROTTE DU DRAGON (SMOCZA JAMA)**

Située de l'autre côté de l'esplanade du Wawel, cette grotte était autrefois, selon la légende, l'antre d'un dragon. Au VIIe siècle, celui-ci exigea des Cracoviens, sous peine de tous les exterminer, sept garçons et sept filles pour son repas. Le roi Krak, fondateur de Cracovie, eut recours au génie du cordonnier Dratewka qui donna à manger au dragon une peau de mouton bourrée de soufre. La bête fut prise d'une telle soif qu'elle bu tant d'eau de la Vistule qu'elle explosa. De cette légende naquit le dragon en bronze dressé à la sortie de la grotte, au pied du Wawel devant la Vistule, qui toute la journée crache du feu pour effrayer les enfants dissipés. La grotte constitue une visite sans grand intérêt mis à part cet aspect folklorique pour les petits et les grands enfants.

Du Wawel à Kazimierz

Depuis la colline du Wawel, une promenade agréable le long de la Vistule mène jusqu'au quartier de Kazimierz. En chemin, juste après le

Wawel, sur l'autre rive, le musée d'art japonais à l'architecture moderne et singulière, se fond pourtant dans le décor. Puis après le pont, sur votre gauche, la très majestueuse église des Paulins (dite sur le rocher) fait face à une bâtisse imposante, aux allures très communistes. Ce bloc de béton sert aujourd'hui de support publicitaire (Żywiec actuellement, marque de la fameuse bière). Or ce bâtiment a connu son heure de gloire. Ce fut le plus grand et le plus prestigieux hôtel de tous les environs, qui fit successivement partie des luxueuses chaînes d'hôtel Intercontinental puis Sofitel. Suite à un problème de construction, les locaux ont été abandonnés. Désormais vide, le bâtiment est en projet de démolition. Symbole d'un temps passé où le béton était prestigieux... il n'existera bientôt plus.

▪ CENTRE MANGGHA
DES ARTS ET TECHNIQUES DU JAPON
Ul. Konopnickiej 26
✆ (012) 267 27 03/37 53
Fax : (012) 267 40 79
centrum@manggha.krakow.pl
Ouvert du mardi au dimanche de 10h à 18h. Entrée : 5 zl, réduit : 3zł. Ce bâtiment moderne abrite depuis novembre 1994 la collection personnelle de Feliks Manggha Jasieński, écrivain polonais mort en 1926, grand collectionneur d'art et amoureux de la culture japonaise. C'est aussi grâce au cinéaste Andrzej Wajda qu'il a pu voir le jour. En effet, il a versé l'intégralité de la somme reçue à l'occasion de son prix de Kyoto (340 000 dollars) pour la construction du bâtiment. Ce dernier, dessiné par le célèbre architecte japonais Arata Isozaki, accueille un musée et un centre culturel. Des expositions se consacrent à l'art japonais à travers les époques, jusqu'aux nouvelles technologies. Le centre, très dynamique, propose aussi des spectacles de théâtre japonais, des conférences, des cours de langue japonaise, de calligraphie, d'origami ou d'ikebana. Vous pourrez enfin vous initier aux rites de la cérémonie du thé. C'est l'occasion de changer d'atmosphère, et de se retrouver transporté à 10 000 km de Cracovie, au pays du Soleil-Levant, pour une visite très intéressante et de profiter de son restaurant avec vue sur la Vistule.

▪ BASILIQUE DES PAULINS
(BAZYLIKA OJCÓW PAULINÓW
« NA SKAŁCE »)
Dite sur le rocher appelée aussi parfois Saint-Michel et Saint-Stanislas l'évêque et monastère des Paulins de Skałka Ul. Skałeczna 15 ✆/Fax : (012) 423 09 48 Cette basilique baroque du XVIIIe siècle, qui surplombe majestueusement la Vistule, a été construite à l'emplacement d'une première église romane. Son intérieur est une véritable perle de l'art baroque. La légende raconte que saint Stanisław y aurait été décapité par le roi Boslesław Smiały en 1079. A la suite de cette tragique histoire, la malédiction s'abattit sur les rois, et les souverains polonais portant le nom de Stanisław (il y en eut deux) refusèrent de se faire ensevelir dans la crypte de la cathédrale du Wawel, où repose saint Stanisław. Devant l'église un plan d'eau avec une statue de saint Stanislas, puisque c'est là où aurait été jeté son corps. Dans la crypte des Méritants reposent de grands hommes tels que Jan Długosz (1415-1480), célèbre chroniqueur, fondateur du couvent des Paulins et Stanisław Wyspiański (1869-1907), dramaturge et artiste peintre, ainsi que des personnalités moins connues sur la scène internationale, comme Wincenty Pol (1807-1872), poète, Lucjan Siemieński (1809-1877), écrivain et critique littéraire, Józef Ignacy Kraszewski (1812-1887), écrivain romancier, Teofil Lenartowicz (1822-1893), poète et sculpteur, Adam Asnyk (1838-1897), poète, Henryk Siemiradzki (1843-1902), artiste peintre, Jacek Malczewski (1855-1929), artiste peintre, Karol Szymanowski (1882-1937), compositeur, Ludwik Solski (1855-1954), acteur et Tadeusz Banachiewicz (1882-1954), mathématicien et astronome. Bien éclairée, cette église resplendit aussi de nuit.

Le quartier de Kazimierz

Dans le labyrinthe de ses étroites ruelles pavées, le quartier de Kazimierz offre la découverte d'une culture différente et fascinante, dans une atmosphère très spéciale. Lieu d'histoire et de mémoire, Kazimierz concentre aujourd'hui l'un des plus grands nombres de monuments et de souvenirs de la culture juive.
Plusieurs synagogues en témoignent. Dans un tout autre registre, ce quartier fait partie des lieux de prédilection pour les sorties nocturnes de la jeunesse cracovienne. Atmosphère très spéciale de jour, ambiance électrique de nuit...

▶ **Histoire.** Kazimierz fut fondée au XIVe siècle par le roi Casimir le Grand (d'où elle tire son nom), comme une ville à part entière, pour concurrencer la ville voisine de Cracovie.

Les immanquables de Kazimierz

A Kazimierz, ne pas manquer la vieille synagogue (Stara), par laquelle il est intéressant de commencer pour un premier aperçu de la culture juive et de l'histoire des juifs, notamment à Cracovie.

La deuxième visite incontournable est la synagogue Remuh et son cimetière.

Si vous disposez d'un peu plus de temps, visitez aussi la synagogue d'Isaak qui diffuse en boucle des documentaires poignants et passionnants, passez par la place Nowy, puis terminez par la charmante et fraîche synagogue Tempel.

A ce titre elle disposait d'un hôtel de ville, l'actuel musée ethnographique, d'une place principale, un Rynek, aujourd'hui la place Wolnica ainsi que de deux grandes églises, Sainte-Catherine et l'église du Très-Saint-Corps-du-Christ. Casimir le Grand prévoyait même de construire l'université dans cette ville de Kazimierz, alors chrétienne, puisqu'il était fâché contre les Cracoviens (les bourgeois de Cracovie avaient organisé un complot contre son père). Ce roi, ayant lui-même deux enfants de sa maîtresse juive, aimait particulièrement la population juive, alors regroupée rue Św. Anny. Mais les juifs furent accusés de l'incendie de l'église Saint-Anne et Jean Adalbert les obligea à déménager à Kazimierz à la fin du XVᵉ siècle. C'est à ce moment que Kazimierz est devenu le quartier juif de Cracovie, où la population juive a donc vécu de la fin du XIVᵉ siècle à la Seconde Guerre mondiale. Après la tragédie de la Seconde Guerre mondiale et l'extermination massive du peuple juif, envoyé dans les camps d'Auschwitz (à quelques kilomètres) et de Belzec (à l'est de la Pologne, à la frontière ukrainienne), le lieu fut abandonné. Puis dans les années quatre-vingts et quatre-vingt-dix, un vent de rénovation et de vie a soufflé sur ce quartier. C'est alors que Steven Spielberg l'a choisi comme lieu de tournage pour son fameux film La Liste de Schindler et que le festival de la culture juive, réputé dans le monde entier, a vu le jour.

VIEILLE SYNAGOGUE ET MUSEE DE L'HISTOIRE ET DE LA CULTURE DES JUIFS DE CRACOVIE (SYNAGOGA STARA MUZEUM HISTORYCZNE MIASTA KRAKOWA)

Ul. Szeroka 24
✆ (012) 422 09 62
Fermé le mardi. D'avril à octobre, ouvert le lundi de 10h à 14h, du mardi au dimanche de 10h à 17h. En basse saison, ouvert le lundi de 10h à 14h, le mercredi, le jeudi, le samedi et le dimanche de 9h à 16h, le vendredi de 11h à 18h. La vieille synagogue, construite à la fin XVᵉ siècle, lors de l'installation des juifs dans Kazimierz, fut reconstruite en style Renaissance après l'incendie de 1557, puis détruite par les nazis avant d'être reconstruite en 1956. La plus ancienne synagogue de Pologne abrite le musée de l'Histoire et de la Culture juive, qui expose entre autres une armoire pour les rouleaux de la Torah, des objets de culte et divers souvenirs. Une salle à part se consacre à l'histoire de l'extermination des juifs, avec notamment une série de photos sur la vie dans le quartier juif avant et pendant la Seconde Guerre mondiale.

RUE SZEROKA

Cette rue, qui fut dans le passé le centre commercial du quartier, reste au cœur de Kazimierz. De nombreux monuments, hôtels, bars et restaurants se trouvent ici même où se déroule le festival annuel. Sa largeur fait davantage penser à une place qu'une véritable rue.

SYNAGOGUE REMUH

Ul. Szeroka 40 ✆ (012) 429 57 35
Ouverte du lundi au vendredi de 10h à 16h. Construite au XVIᵉ siècle, elle est encore en service aujourd'hui, et accueille les rares fidèles qui vivent encore dans cet endroit.

CIMETIERE REMUH (CMENTARZ REMUH)

Situé derrière la synagogue du même nom, ce magnifique cimetière de style Renaissance avait été fermé par les Autrichiens au XIXᵉ siècle pour des raisons sanitaires. Des fouilles ont permis de mettre au jour plus de 700 stèles dont la plupart remontent au XVIᵉ siècle. Des sarcophages ornés d'inscriptions énigmatiques sont progressivement rénovés. Le plus grand culte est voué au tombeau du rabbin Remuh. *Le billet pour la visite de la synagogue et du cimetière Remuh coûte 5 zl.*

SYNAGOGUE TEMPEL (SYNAGOGA POSTĘPOWA)
Ul. Miodowa 24

Il s'agit de l'autre synagogue encore en service aujourd'hui, mais beaucoup plus irrégulièrement que la synagogue Remuh. Cet édifice, construit en 1860-1862 et entièrement restauré possède de très beaux vitraux, ainsi qu'un plafond richement orné de stucs et de fresques de style oriental et mauresque.

NOUVEAU CIMETIERE JUIF
Ul. Miodowa 55
(après avoir passé la voie ferrée)
Ouvert tous les jours de 9h à 18h, sauf le samedi. Ouvert en 1800, à la suite de la fermeture du cimetière Remuh, ce cimetière, beaucoup plus vaste, complètement laissé à l'abandon, présente peu d'intérêt.

EGLISE SAINTE-CATHERINE (KOŚCIÓŁ ŚW. KATARZYNY)
Ul. Augustiańska 7

Il s'agit d'une des plus grandes églises de Cracovie, construite au XIVᵉ siècle, de style gothique. L'intérieur est un peu décevant, car les Autrichiens en ont fait un arsenal au XIXᵉ siècle, et ont tout détruit. En revanche elle dispose d'une excellente acoustique et accueille donc souvent des concerts.

EGLISE DU TRES-SAINT-CORPS-DU-CHRIST OU FETE-DIEU (KOŚCIÓŁ BOŻEGO CIAŁA)
Ul. Bożego Ciała 25

Cette église fut bâtie au XIVᵉ siècle, ce qui en fait la plus ancienne de Kazimierz. Son superbe intérieur de style baroque fut décoré à nouveau au XVIIᵉ siècle.

De l'autre côté de la Vistule

L'histoire de la population juive se poursuit de l'autre côté de la Vistule. Pour davantage d'information sur ce quartier, consultez le site : www.podgorze.pl

LE GHETTO
De l'autre côté de la Vistule fut entassée, entre 1941 et 1943, la population juive de Kazimierz, employée aux travaux forcés, avant d'être exterminée. Le ghetto, ridiculement petit, s'étendait du Rynek Podgórski (porte d'entrée principale), jusqu'à la rue Lwowska, ou subsiste un fragment du mur du ghetto.

Proposition d'itinéraire pour un tour complet du quartier

Comptez environ 5h pour le tour proposé ci-dessous ou 3h si vous commencez rue Szeroka pour seulement la visite des sept synagogues.

Arrivé du Wawel, visitez l'église des Paulins au bord de la Vistule.

Remonter la rue Skaleczna, visitez l'église Sainte-Catherine.

Prenez à droite puis à gauche pour arriver place Wolica et visitez le musée ethnographique dans l'ancien hôtel de ville.

De l'autre côté de la place, à l'angle des rues Bożego Ciała et Św Wawrzynca, visitez l'église Fête-Dieu.

Remontez la rue Bożego Ciała, prenez à droite la rue Józefa, qui comprend de nombreuses galeries et antiquaires. Arrivé rue Szeroka, visitez la vieille synagogue et son musée.

Revenez un peu sur la rue Józefa, notez la synagogue haute (Wysoka), fermée au public. Prenez à droite la rue Jakuba, puis à droite pour visiter la synagogue Izaaka, visionnez tout ou partie des documentaires qu'elle diffuse. La rue Kupa mène logiquement à la synagogue Kupa, fermée au public. Tournez alors à gauche pour arriver place Nowy, où vous pourrez faire une pause dans un de ses nombreux cafés.

Prenez la rue Estery, au bout se trouvent la rue Miodowa et la synagogue Tempel.

Prenez la rue Miodowa ou les rues Podbrzezie puis à droite Brzozowa, afin de retourner rue Szeroka où vous visiterez la synagogue et le cimetière Remuh.

Presque en face terminez par la synagogue Popper (Poppera), qui ne se visite pas puisqu'elle est aujourd'hui une maison de culture pour les enfants, mais où en été il est agréable de se reposer et de prendre une collation.

Sur les traces de Schindler

Le film de Steven Spielberg *La Liste de Schindler* a été tourné en partie à Cracovie, dans le quartier de Kazimierz. Si vous avez vu le film avant de venir, ce que nous vous conseillons, vous reconnaîtrez des endroits qui ont servi de décor. Depuis le succès de ce film (de nombreux oscars et une renommée internationale), l'ancien quartier juif attire de plus en plus de touristes et de curieux qui viennent découvrir cette autre Cracovie.

Afin de marcher sur les traces d'Oscar Schindler, prenez la rue Szeroka où les scènes du ghetto furent filmées. En effet, Spielberg ne pouvait tourner à l'endroit réel du ghetto où existent désormais trop d'immeubles et de constructions. Il a donc choisi cette place ou le temps semble s'être arrêté. Continuez rue Ciemna où l'hôtel Eden a servi de lieu au tournage. Puis de la place Nowy, prenez la rue Meiselsa et empruntez la grande cour qui la relie à la rue Józefa. Reconnaissez-vous le lieu d'une des scènes poignantes du film ? Puis marchez jusqu'au ghetto et escaladez la colline rue Rekawka, celle de la scène du film où Schindler observe la liquidation du ghetto. Rendez-vous au pied du fragment de mur du ghetto, rue Lwowska et finissez par l'usine de Schindler, rue Lipowa.

■ **USINE D'OSCAR SCHINDLER**
Ul. Lipowa 4
L'aspect de cette petite usine est toujours le même depuis le film de Steven Spielberg. A côté, une petite exposition de photos des prises de vue du film.

■ **LA PHARMACIE DU GHETTO**
Plac Bohaterów Getta
(place des Héros du Ghetto) 18
Cette boutique toujours ouverte fut la propriété pendant la guerre de Tadeusz Pankiewicz, un docteur non juif qui soigna pendant des années les malades du ghetto, de façon clandestine. Aujourd'hui c'est le musée de la mémoire nationale où se trouve l'ancienne pharmacie, des photos du ghetto pendant l'occupation allemande très intéressantes car la pharmacie donnait sur la place principale du ghetto, des photos également du camp de Plaszów et les lettres de remerciement émouvantes reçues par Tadeusz Pankiewicz. Les mémoires de ce dernier sont disponibles en français.

■ **CAMP DE TRAVAIL DE PŁASZÓW**
Un peu plus loin, dans le quartier Podgorze, après l'avenue Al. Powstancow Slaskich, se trouvent les vestiges du camp de travail de Plaszów. C'est dans cet endroit que les juifs étaient condamnés aux travaux forcés. L'endroit se trouve sur l'emplacement d'un ancien cimetière dont les pierres tombales avaient été utilisées par les nazis pour faire des routes. Depuis 1960, un monument honore la mémoire des victimes de ces travaux inhumains, le monument H. Kamienskiego (en face du magasin Castorama…).

Musées

Musées incontournables

■ **MUSEE CZARTORYSKI** ✗
(MUZEUM CZARTORYSKICH)
Ul. Św. Jana 19 (à côté de la Porte Florian)
✆ (012) 422 55 66
www.muzeum.krakow.pl
Ouvert du mardi au vendredi de 9h à 16h, le samedi et le dimanche de 10h à 15h30. Billets : 9 zl, réduit : 6 zl. Dans le musée, tous les commentaires sont traduits en français. Ce musée, initialement installé à Pulawy, a déménagé à Paris en 1830, avant de revenir à Cracovie, puis d'être dispersé pendant l'occupation de la ville par les nazis. Toute la collection n'est pas entièrement reconstituée, mais les objets restitués sont de véritables merveilles. On trouve de l'art ancien de diverses civilisations depuis l'Egypte à la Grèce, mais également des peintures de Léonard de Vinci (dont le célèbre tableau *La Dame à l'Hermine*) ou de Rembrandt. Quatre ou cinq autres villes dans le monde seulement peuvent s'enorgueillir d'exposer une peinture de Léonard de Vinci, il serait donc dommage de manquer cela. D'autant plus que le tableau possède une histoire… Peint en 1482, Adam Czartoryski l'achète en 1800 lors d'un voyage en Italie. Puis au moment de l'insurrection de Varsovie, il est caché à Paris, d'où il revient en 1876. Au cours de la Seconde Guerre mondiale, il sera propriété de Hitler, puis de Hans Frank, commandant nazi, basé au

Wawel. A l'arrivée des Soviétiques, le tableau est remporté en Allemagne, où les Américains le confisquent et le retourne finalement à Cracovie en 1946. Depuis, il est l'un des trésors les plus adulés.

◼ MUSEE DE L'UNIVERSITE JAGELLONE, COLLEGIUM MAIUS

Ul. Jagiellońska 15
✆ (012) 422 05 49
Voir rubrique « Points d'intérêt ».

Musées de la vieille ville

◼ MUSEE HISTORIQUE DE LA VILLE DE CRACOVIE (MUZEUM HISTORYCZNE MIASTA KRAKOWA)

Rynek Główny 35 (place de la vieille ville)
✆ (012) 422 99 22
Ouvert le mercredi, le vendredi, le samedi et le dimanche de 9h à 15h30, le jeudi de 11h à 18h. Situé dans le palais Krzysztofory, ce musée retrace l'histoire de Cracovie et présente une belle collection d'objets anciens. Si vous êtes amateurs d'objets anciens, une belle collection d'horloges se trouve non loin, dans le Dom Mieszczanski, une maison avec un intérieur du XVIIIe et XIXe siècle, rue Kamienica Hipolitów (celle qui part à gauche de l'église Notre-Dame). Le musée d'Histoire de Cracovie abrite aussi les fameuses crèches de Noël du mois de décembre à mi-février.

◼ MUSEE DE LA PEINTURE POLONAISE DU XIXᴱ SIECLE

Sukiennice
(halle aux draps, place de la vieille ville)
Ouvert le mardi, le mercredi, le vendredi, le samedi, le dimanche de 10h à 15h30, le jeudi de 10h à 18h. Situé au premier étage de la Halle aux Draps, côté église Notre-Dame, ce musée, souvent oublié des touristes (sans doute trop bien situé) présente une très intéressante collection d'art, principalement les œuvres de Jan Matejko.

◼ MUSEE STANISŁAW WYSPIAŃSKI

Ul. Szczepańska 11
(vieille ville, rue qui part du Rynek)
Ouvert du mercredi au dimanche de 10h à 15h30, le jeudi de 10h à 18h. Cette superbe demeure du XVIᵉ siècle accueille depuis mars 2004 les œuvres de cet artiste de la ville (1869-1907) qui fut écrivain, auteur de pièces de théâtre, peintre et photographe. Pour l'anecdote, il produisit des aquarelles, des vitraux (voir certaines églises de Cracovie), des pastel, mais pas de peinture à l'huile, car il était allergique à l'un de ses composants. Sa

pièce de théâtre la plus connue, Les Noces, fut adaptée au cinéma par le cinéaste Andrzej Wajda (ce dernier gagna d'ailleurs un prix important au Japon grâce à ce film, qu'il décida d'offrir à Cracovie pour permettre la construction de l'actuel musée d'art japonais, Manggha, situé sur l'autre bord de la Vistule, en face du château du Wawel). Les collections sont autant d'hommages à Cracovie au XIXᵉ siècle. Stanisław Wyspiański, cet artiste génial comparait alors volontiers le Wawel à une acropole polonaise. Les Noces sont toujours étudiées à l'école en Pologne et des citations de la vie de tous les jours ou proverbes populaires sont tirés de son œuvre. Par exemple « il faut porter des chaussures pendant les noces », qui signifie qu'il convient de bien s'habiller pour une occasion. Wyspiański est surtout associé à ses portraits d'enfants (lui-même a eu trois enfants). Un tableau connu se nomme Maternité et représente une mère qui allaite, ce qui est rare puisque les tableaux représentaient plutôt la Vierge Marie et l'Enfant.

◼ PALAIS DES ARTS

Plac Szczepański 4 (vieille ville, place à proximité du Rynek)
✆ (012) 422 66 16 – Fax : (012) 423 12 55
www.palac-sztuki.krakow.pl
Ouvert tous les jours de 10h à 17h. Bel immeuble du XIXᵉ siècle, qui accueille seulement des expositions temporaires, de gravures, peintures, mais aussi de photos, de toutes les époques et de tous pays.

◼ LE MUSEE DE LA PHARMACIE (MUZEUM FARMACJI)

Ul. Floriańska 25 (vieille ville)
✆ (012) 421 92 79 – Fax : (012) 422 42 84
www.cm-uj.krakow.pl
Ouvert le mardi de 14h à 19h, du mercredi au dimanche de 11h à 14h. Billets : 6 zl, réduit : 3 zl. Situé au numéro 25 de la rue Floriańska, ce petit musée insolite ouvert tous les jours vous propose une intéressante collection d'objets anciens utilisés par les pharmaciens, dont certains remontent au XVIᵉ siècle.

◼ MUSEE DU THEATRE DE CRACOVIE (DZIEJE TEATRU KRAKOWSKIEGO)

Ul. Szpitalna 21 (vieille ville)
✆ (012) 422 68 64. teatr@mhk.pl
Ouvert du jeudi au dimanche de 9h à 15h30, le mercredi de 11h à 18h. Billets : 6 zl, réduit : 4 zl. On y trouve une très belle collection de tous les objets et costumes qui ont trait au théâtre, de plusieurs époques.

LE MUSEE JAN MATEJKO (DOM JANA MATEJKI)

Ul. Floriańska 41 (vieille ville)
✆ (012) 422 59 26
Fax : (012) 292 10 05
www.muzeum.krakow.pl
dommatejki@muz-nar.krakow.pl
Ouvert du mardi au dimanche de 10h à 15h30, sauf le vendredi de 10h à 18h. Billets : 6 zl, réduit : 4 zl. Situé rue Floriańska au numéro 41, dans la maison natale du peintre, ce musée permet de découvrir les appartements dans lesquels le fameux peintre a vécu et travaillé jusqu'en 1893, date de sa mort.

MUSEE ARCHEOLOGIQUE (MUZEUM ARCHEOLOGICZNE)

Ul. Senacka 3 (vieille ville, entre le Rynek et le Wawel)
✆ (012) 422 71 00, 422 75 60
www.ma.krakow.pl – mak@ma.krakow.pl
Ouvert du lundi au mercredi de 9h à 14h, le jeudi de 14h à 18h, le vendredi et le dimanche de 11h à 14h. Billets : 7 zl, réduit : 5 zl. Dans ce bâtiment du XVIIᵉ siècle, qui avant de servir de musée fut successivement un couvent puis une prison, on trouve une présentation de la Petite-Pologne depuis ses origines, ainsi que les fouilles du site de Nowa Huta avant que les industries n'y soient installées. Autre objet insolite, la seule statue d'un dieu païen slave (un phallus mesurant 2,50 m !).

MUSEE DU DIOCESE (MUZEUM ARCHIDIECEZJALNE)

Ul. Kanonicza 19/21 (vieille ville, rue qui mène à la colline du Wawel)
✆ (012) 421 89 63/628 82 11
www.diecezja.krakow.pl
Ouvert du mardi au samedi de 10h à 15h. Billet : 6 zl. Ce superbe musée récemment ouvert au public propose une collection d'art sacré très intéressante, avec une impressionnante collection de peintures et objets ayant appartenu aux églises de la région, ainsi que la reconstitution de la place dans laquelle vécut Karol Wojtyla (Jean-Paul II) entre 1951 et 1958, avec ses objets personnels, et même sa paire de skis (le souverain pontife était en effet adepte de ce sport).

Musées du quartier de Kazimierz

MUSEE ETHNOGRAPHIQUE (MUZEUM ETNOGRAFICZNE)

Plac Wolnica 1
(le long de l'avenue Krakowska)
✆ (012) 430 55 63/75

Fax : (012) 430 63 30
Ouvert le lundi, le mercredi, le vendredi de 10h à 17h, le samedi et le dimanche de 10h à 15h. Situé au sud du quartier juif, dans l'ancien hôtel de ville de Kazimierz construit au XIVᵉ siècle (avant que la ville ne soit rattachée à Cracovie), ce musée, très instructif, est le plus grand du genre en Pologne. Il initie à la vie dans les campagnes d'autrefois, à l'art populaire polonais et expose une collection d'objets artisanaux et de costumes traditionnels.

MUSEE DE LA CULTURE JUIVE

Ul. Dajwór 18 ✆ (012) 421 68 42
www.galiciajewishmuseum.org
Ouvert du lundi au dimanche de 9h à 20h. Billet d'entrée : 8 zl. Ce musée situé près de la rue Szeroka présente une nouvelle vision de la culture juive et de son histoire, non pas à travers l'holocauste comme la plupart du temps, mais réellement à travers la vie et les œuvres de son peuple. Des photographies (150 photographies couleurs en grand format, disponibles à la vente), des poèmes, de la musique. Ce musée se veut vivant est propose régulièrement conférences, festivals, concerts et autres événements culturels. Il dispose également d'une boutique et d'un café.

Musées à proximité de la vieille ville

MUSEE NATIONAL (MUZEUM NARODOWE)

Al. 3 Maja 1 (en dehors du Planty, depuis lequel part l'artère
Marsz J. Piłsudskiego qui rejoint l'avenue)
✆ (012) 295 55 00/56 72
www.muzeum.krakow.pl
Le bâtiment principal du musée national abrite une galerie d'arts décoratifs, une galerie d'art polonais du XXᵉ siècle ainsi qu'une collection d'armes et d'uniformes. Les pièces les plus remarquables de la collection du musée national sont deux tableaux de Rembrandt et Vinci qui se trouvent au musée Czartoryski, dans le centre historique. **Ses autres annexes** sont le musée de Jan Matejko, celui de Stanisław Wyspiański, la maison de Józef Mehoffer (Ul. Krupnicza 26 ✆ (012) 421 11 43 – Fax : (012) 295 55 55), la galerie de peinture polonaise de la Halle aux Draps et le musée Manggha.

CENTRE MANGGHA DES ARTS ET TECHNIQUES DU JAPON

Ul. Konopnickiej 26

✆ (012) 267 14 38/09 82
Fax : (012) 267 40 79
centrum@manggha.krakow.pl
Ouvert du mardi au dimanche de 10h à 18h.
Entrée : 5 zl, réduit : 3zl. Situé presque en
face du Wawel, de l'autre côté de la Vistule
(voir « Points d'intérêt », « Du Wawel à
Kazimierz »).

▣ MUSEE DE L'HISTOIRE DE LA PHOTOGRAPHIE
Ul. Józefitów 16 ✆ (012) 634 16 87
Fax : (012) 633 06 37
www.mhf.krakow.pl
Peu éloigné du centre dans une rue
perpendiculaire à Królewska.

▣ MUSEE DE L'AVIATION POLONAISE
Al. Jana Pawła II 39 ✆ (012) 412 90 00
Fax : (012) 642 87 00
www.muzeumlotnictwa.pl

Galeries

▣ BUNKER D'ART
Plac Szczepański 3A ✆ (012) 421 38 40
Galerie d'art contemporain.

▣ GALERIE DU CENTRE DE LA CULTURE JUIVE
Ul. Rabina Meiselsa 17 ✆ (012) 430 64 49

▣ GALERIE THE OTHER WAY
Ul. Józefa 26 (Kazimierz)
Belle galerie d'objets d'art contemporain, de
peintures et de céramiques.

Points de vue
De superbes points de vue pour contempler
Cracovie s'offrent à vous :

▶ **depuis la plus haute tour** de l'église
Notre-Dame,

▶ **du beffroi** de l'ancien hôtel de ville,

▶ **du haut de la tour** de la cathédrale du
Wawel,

Et de plus loin...

▶ **d'un des tertres** de Cracovie,

▶ **de la tour** de la nouvelle basilique du
sanctuaire de la miséricorde divine.

▶ **Tertres :** Kościuszko (Krowodrza, al.
Waszyngtona), Piłsudski (Krowodrza, Las
Wolski, Wzgórze Sowiniec), du roi Krak
(Podgórze, ul. Wielicka), Wanda (Nowa
Huta, ul. Ujastek). Voir aussi « Dans les
environs ».

Jardins, parcs et zoo

▣ JARDIN BOTANIQUE
Ul. Kopernika 27
(à deux pas de la vieille ville,
rue qui part du Planty) ✆ (012) 663 36 11
Ouvert tous les jours de 9h à 19h.

▣ ZOO
Forêt de Las Wolski ✆ (012) 425 35 51
Ouvert tous les jours de 9h à 18h. Très beau
zoo, en pleine nature, où les animaux semblent
en bonne santé. Accessible du centre par le
bus n° 100.

▣ PARC JORDANA
*Entrées par la rue Reymonta ou du parc de
Błonia.* Aire de jeux pour enfants, location
de bateaux, canoës et vélos.

▣ FORET DE LAS WOLSKI
Située sur la colline sur la route de l'aéroport,
cette forêt qui entoure le zoo est idéale pour
des promenades, à pied ou en vélo. Accessible
par le bus n° 134.

▬ SHOPPING

Dans la vieille ville

Rues commerçantes
Les rues Floriańska, Szewska et Grodzka (un
peu plus classe, appelée par certains Polonais
les Champs-Elysés de Cracovie !).
La galerie marchande la plus chic du centre
se trouve sur le Rynek, à l'angle rue Grodzka :
des magasins chics ou chers, au sous-sol un
café U Louisa avec de grandes tables en bois,
bougies et voûtes, ainsi que trilogie du chic
gourmand : vinothèque, épicerie fine et bar.
Magasins utiles ou de souvenirs

▣ SZAMBELAN
Au milieu de la rue Bracka, qui donne sur le Rynek,
cette boutique propose un concept singulier : de
jolies bouteilles à acheter, puis à remplir avec
l'alcool de votre choix, tirés de bonbonnes.
Plusieurs liqueurs et vodkas aromatisées, de
haute qualité, que l'on peut goûter auparavant !
Une idée pour des cadeaux originaux.

■ SUKIENNICE

Bien sûr la plus grande vitrine de l'artisanat local est abritée sous la Halle aux Draps. Mais si vous cherchez une petite boutique un peu à l'écart, plus tranquille, celle-là, même si elle porte le même nom, se situe dans la rue Bracka.

■ KOPERNIK, TORUŃSKIE PIENIKI

Ouvert du lundi au vendredi, de 11h à 19h, le samedi et le dimanche de 10h à 18h. Situé dans la rue Grodzka, à côté du Yves Rocher, ce magasin vend les fameux pains d'épice originaires de Torun et les conditionne dans de belles boîtes en carton à l'effigie des principaux monuments de Cracovie.

■ GALERIA PLAKATU

Ul. Stolarska 8/10
Ouvert du lundi au vendredi, de 11h à 17h, le samedi et le dimanche de 11h à 14h. Cette petite boutique située presque en face de l'Institut français vend un très grand nombre d'affiches et quelques cartes postales artistiques, de tous les styles. Certaines, de Cracovie notamment, constituent un souvenir ou un cadeau original.

■ MIKOŁAJCZYKI AMBER

Des bijouteries qui vendent de très beaux bijoux en ambre, à 3 adresses : Sukiennice (halle aux draps) 23, 29, 36 ✆ (012) 423 10 81 – Portable : 0 601 485 073. Ul. Kanonicza 22 ✆ (012) 422 19 69 – Portable : 0 607 449 775. Ul. Floriańska 42 ✆ (012) 431 07 50 – Portable : 0 607 449 775. *Ouvert tous les jours de 9h à 21h en saison estivale.*

■ MAGASIN DE VERRE

Entre le Rynek Główny et le Mały Rynek (rue Mikołajska), une petite boutique qui ne semble pas gênée par sa situation touristique idéale, pour surtout ne rien changer. Aussi les vendeuses ne parlent que le polonais. Des verres traditionnels, des vases modernes, des verres à vodka et des pièces qui proviennent de l'usine Krosno, à des prix modérés.

■ EMPIK

La Fnac locale, sur 4 étages où vous trouverez notamment des pellicules photos, des cartes de la Pologne ou de Cracovie (les plastifiées sont très pratiques) et des cartes postales peu chères (1 zl). Vous trouverez aussi de beaux livres sur Cracovie, en français, qui constitue un cadeau ou souvenir intéressant. Un très beau livre d'ailleurs, édité par le centre culturel de Cracovie, qui retrace les grandes étapes de son histoire avec de nombreuses photos peu courantes est en vente pour environ 90 zl, au centre culturel, sur le Rynek, à côté du restaurant Sphinx.

Magasins ouverts 24h/24

■ KEFIREK 15

Supérettes ouvertes 24h/24. Vente d'alcool à bons prix (moins chers que dans magasins d'alcool ou Delicatessy), où par exemple une bouteille de Wisnówka (vodka cerise) de 0,50 l coûte environ 22 zl, de Żubrowska de 0,70 l coûte 30 zl et de Goldwasser (aux feuilles or) de 0,50 l coûte 28 zl. **Dans le centre historique, deux adresses :** Ul. Szpitalna 38 (en face du théâtre J. Słowacki) et Ul. Grodzka.

■ OCZKO

Ul. Stradomska 21
Ul. Podwale 6, Ul. Karmelicka 44
Ul. Kalwaryjska 25
Ul. Stradom 21

■ TESCO

Ul. Kapelanka 56
Hypermarché situé en dehors de la vieille ville.

Centre commercial

Près de la gare centrale, un immense complexe est en construction.

Dans le quartier de Kazimierz

A Kazimierz se trouvent de nombreuses boutiques d'antiquaires ou de dépôt-vente (souvent avec la dénomination « komis »). Un centre commercial, Galeria Kazimierz, a ouvert ses portes en 2005 (assez agréable, de nombreuses boutiques, de luxe notamment).

Dans les environs

Les centres commerciaux sont l'occasion d'une sortie pour les Polonais, notamment le week-end et sont donc très animés. Vous pouvez acheter des bouteilles de vodka, spécialités culinaires, et cigarettes, à des prix moins élevés qu'en centre-ville. La plupart de ces centres commerciaux, qui prennent souvent le nom de l'hypermarché qu'ils abritent, sont facilement accessibles en tramway.

■ CARREFOUR

Ul. Zakopiańska 62 ✆ (012) 29 37 100 et Ul. Medweckiego 2 ✆ (012) 29 77 100

Les marchés de Cracovie

A Cracovie de multiples marchés offrent la possibilité de flâner, de vivre « à la polonaise », de s'émerveiller devant des étals et de dénicher de bonnes affaires.
Parmi les plus réputés ou intéressants :

▪ LE MARCHE AUX FLEURS
Incontournables sur la place du marché, Rynek Główny. Fonctionnne presque 24h/24.

▪ LE STARY KLEPARSK
Sur le Rynek Kleparski, parallèle à la place Matejki, qui se trouve en face de la Barbacane. Et le nowy kleparsk, au bout de la rue Długa. Ces marchés ouvrent de 8h et ferment entre 16h et 18h.

▪ LE MARCHE AUX PUCES ET A LA BROCANTE
Le dimanche matin. A 5 min de la poste centrale, d'où il faut prendre la rue Starowiślna qui vous éloigne du Planty, puis à gauche la première grande artère, la rue J. Dielta, qui forme ensuite un coude pour se prolonger en rue Grzegorzecza, le marché est là.

▪ **REAL**
Ul. Bora Komorowskiego 37

▪ **TESCO**
Ul. Kapelanka 56 et Ul. Wielicka 259

▪ **CENTRUM M1**
Al. Pokoju 67

▪ **CENTRUM KRAKÓW PLAZA**
Al. Pokoju 44

Centre commercial récent, qui comprend entre autres de nombreuses boutiques de luxe, un bowling et un complexe cinématographique.

▬ SPORTS ET LOISIRS

Stades et clubs de sport

Pour les amateurs de foot, Cracovie possède une excellente équipe, Wisła, et les matchs sont généralement très animés.

▪ **WISŁA**
Ul. Reymonta 22 ✆ (012) 637 37 60

▪ **CRACOVIA**
Ul. Kałuży 1. Bureaux : ul. Kraszewskiego ✆ (012) 421 52 88.

▪ **KORONA**
Ul. Parkowa ✆ (012) 656 29 09

▪ **WAWEL**
Ul. Bronowicka 5 ✆ (012) 613 44 03

Autres centres de sport

▪ **MKS CRACOVIA – PATINOIRE**
Ul. Siedleckiego 7 ✆ (012) 421 13 17
www.cracovia.krakow.pl
Ouvert à 20h30 le mardi et le mercredi, à 17h le jeudi, et le samedi et le dimanche à 8h30, 10h30, 12h30, 14h30, 16h30, 18h30 et 20h30 le samedi. Entrée : 9,50 zl, vestiaire : 2 zl,

location de patins : 7 zl. A chaque horaire, ouverture au public pendant 1h30.

▪ **KRAKOWSKI KLUB KAJAKOWY : CANOE-KAYAK**
Ul. Kolna 2 ✆/Fax : (012) 259 35 40
www.kkk.krakow.pl

▪ **NADWIŚLAN**
TENNIS, FOOTBAL ET CANÖE
Ul. Koletek 20 ✆ (012) 422 21 22

▪ **OLSZA : COURTS DE TENNIS**
Ul. Siedleckiego 7 ✆ (012) 624 14 98

▪ **PARK WODNY – AQUAPARK : PARC AQUATIQUE**
Ul. Dobrego Pasterza 126
✆ (012) 616 31 02 – www.parkwodny.pl

▪ **WKS WAWEL :**
TENNIS, SALLE DE SPORTS, GYM
Ul. Podchoràych 3 ✆ (012) 637 06 45
www.wawel-klub.pl

▪ **PACZÓŁTOWICE – PRACTICE DE GOLF**
Près de Krzeszowice ✆ (012) 282 94 67
www.krakow-valley.com

Les environs de Cracovie

Cracovie est très souvent le point de départ d'excursions pour les mines de sel de Wieliczka, le camp de concentration d'Auschwitz et l'ensemble de Kalwaria Zebrzydowska, ces trois sites étant inscrit sur la liste du Patrimoine mondial de l'Unesco. Certaines banlieues plus proches sont aussi l'occasion de s'aérer, se mettre au vert, ou d'admirer la ville de plus loin et de plus haut, comme Zwierzyniec, Bielany ou Łagiewniki. D'autres lieux sont dignes d'intérêt dans les environs comme Tyniec, son abbaye et ses concerts d'orgue, Wadowice, la ville natale du pape Jean-Paul II, ou encore les régions montagneuses plus au sud, telles que les Tatras.

ŁAGIEWNIKI

Situé dans le quartier Łagiewniki, à la sortie de Cracovie, en direction de Zakopane, juste avant le centre commercial Carrefour, un sanctuaire offre notamment une très belle vue sur Cracovie.

Transports

▶ **Tramway** n° 8, 19, 22 et 23, arrêt Sanktuarium Bożego Miłosierdzia.

▶ **Pour aller au sanctuaire de Łagiwniki,** vous pouvez prendre un train spécial « Train de pape » qui part au moins deux fois par jour de la gare ferroviaire de Cracovie (Kraków Główny) vers Wadowice via Kraków-Łagiewniki et Kalwaria Zebrzydowska. Une belle excursion pour le prix 18 zl (aller-retour). Mais attention, en été il y a beaucoup de monde ! Plus d'informations : www.pociag-papieski.pl

Points d'intérêt

■ **LE SANCTUAIRE DE LA MISERICORDE DIVINE (SANKTUARIUM BOŻEGO MIŁOSIERDZIA)**
Ul. Siostry Faustyny 3/9
✆ (012) 252 33 11/33
Le sanctuaire est connu pour abriter les reliques de sainte Faustina, canonisée en 2000, dans l'ancienne chapelle. Des sœurs vivent toujours dans ce couvent et deux en particulier se chargent de la visite. Une mince qui se contente de faire la visite, et une, plus enrobée, qui rend votre visite merveilleuse et passionnante ! Elle parle parfaitement bien français et sa façon théâtrale d'expliquer vous laissera bouche bée. Du fait du nombre trop élevé de visiteurs, s'est construit une nouvelle basilique, immense, qui pourra accueillir jusqu'à 5 000 personnes. Cette dernière sera dotée de chapelles dans différentes langues, la hongroise existe déjà, la française devrait bientôt être terminée.

▶ **La tour de la nouvelle Basilique** a ouvert ses portes aux visiteurs durant l'automne 2004. Dotée d'un ascenseur, elle permet une très belle vue panoramique de la ville de Cracovie.

ZWIERZYNIEC

Cette banlieue proche de Cracovie, à 2 km à l'ouest du centre-ville, composée essentiellement d'une colline boisée, une forêt agréable, la forêt Wolski, et un zoo représente l'un des lieux de prédilection des Cracoviens pour se mettre au vert rapidement et pour leurs promenades du week-end, entre amis, en amoureux ou en famille. Elle est également riche en sites intéressants à visiter.

Transports

De Cracovie, on peut prendre le bus n° 100 qui conduit directement au haut de la colline.

Restaurant

■ **U ZIYADA**
Ul. Jodłowa 13 ✆ (012) 429 71 05
Fax : (012) 429 70 90
www.uziyada.krakow.pl – www.dwor.pl
restauracja@uziyada.krakow.pl
Sur une colline, dans un ancien château, ce bar restaurant offre un cadre agréable et une vue panoramique magnifique sur la Vistule. Cuisine traditionnelle et internationale dans un décor ancien, bar moderne dans des caves voûtées, mais surtout petites terrasses avec une jolie vue où se dégustent volontiers gâteaux et glaces.

Points d'intérêt

▓ TERTRE DE KOŚCIUSZKO

Ouvert tous les jours de 10h à 17h, et jusqu'au crépuscule en été. Cette visite constitue l'attraction principale de Zwierzyniec. On ne sait pourquoi, les habitants de la région de Cracovie du VIIe siècle élevaient des monticules de terre de forme conique (Kopiec). Il en reste aujourd'hui deux de cette époque, situés à Nowa Huta et à Podgórze. Au XIXe siècle, en hommage au héros patriote Tadeusz Kościuszko, les Cracoviens décidèrent de renouer avec cette tradition et dressèrent un monticule de 34 m de haut, au sommet duquel la vue est splendide. A ses pieds, une petite chapelle construite en même temps accueille un musée qui raconte les faits d'armes de ce héros national qui s'illustra en Amérique dans la guerre d'Indépendance avant de lutter contre les envahisseurs en Pologne, malheureusement en vain.

▓ MUSEE DE PEINTURE POLONAISE DU XXe SIECLE

Al. 3 maja 1

Ouvert le mercredi de 12h à 17h30, du jeudi au dimanche de 10h à 15h30. Ce musée présente une très importante collection de toiles des artistes polonais contemporains, pas toujours très connus des touristes étrangers, mais très talentueux. C'est l'occasion rêvée de parfaire ses connaissances artistiques et culturelles concernant ce pays.

▓ EGLISE ET COUVENT DES PREMONTREES (KOŚCIÓŁ I KLASZTOR NORBERTANEK)

Ce vaste ensemble religieux, construit au XIIe siècle, a été largement modifié au XVIIe siècle, et est aujourd'hui de style baroque.

▓ EGLISE DU SAINT-SAUVEUR (KOŚCIÓŁ ŚW. SALWATORA)

Située au sommet de la colline qui domine la Vistule, cette église repose sur la plus ancienne construction religieuse de Cracovie, qui remonte au Xe siècle.

▓ ZOO

Forêt de Las Wolski ✆ (012) 425 35 51
Ouvert tous les jours de 9h à 18h. Très beau zoo, en pleine nature, où les animaux semblent en bonne santé. Accessible du centre par le bus n° 100.

BIELANY

Située à environ 5 km à l'ouest du centre de Cracovie, après Zwierzyniec, le quartier de Bielany est intéressant surtout pour son église, qui se dresse au sud de la forêt Wolski.

Transports

Le meilleur moyen pour se rendre dans cet endroit depuis Cracovie est de prendre le bus n° 134 jusqu'au zoo, qui se trouve au nord de la forêt.
Il ne reste plus alors qu'à traverser cette forêt, ce qui déjà constitue une promenade agréable.

Points d'intérêt

▓ L'EGLISE ET L'ERMITAGE DES CAMALDULES (KOŚCIÓŁ I EREM KAMEDULÓW)

Un ordre religieux italien du début du XVIIe siècle, aujourd'hui pratiquement disparu. En effet les candidats sont de moins en moins nombreux au regard des règles très sévères imposées. Les moines qui habitent cet endroit sont végétariens, et ne prennent leurs repas non pas en communauté, mais seuls – ne se réunissant que cinq fois par an autour d'une table. On racontait, à une époque où l'ordre était plus répandu, que les moines dormaient dans des cercueils, mais cela semble être une légende. Par contre, il est vrai qu'ils n'ont pas le droit de parler et méditent devant les crânes de leurs prédécesseurs, car la règle très stricte de l'ordre prône un contact méditatif avec la mort. Les moines décédés ne sont donc pas enterrés, mais mis dans des petites cellules en attendant leur décomposition, puis leurs crânes servent d'objets de méditation. Ce n'est donc pas un monastère classique, mais plutôt une communauté d'ermites qui pratiquent un culte assez étrange.
Seuls les hommes sont admis à visiter cet endroit calme et superbe, et seront même amenés à croiser les ermites dans leur méditation, tandis que les femmes ne sont autorisées à la visite que 12 jours par an à des dates très précises : le 7 février, le 25 mars, à Pâques, le dimanche et le lundi de Pentecôte, à la fête-Dieu, le 19 juin et le dimanche suivant, le 15 août, le 8 septembre, le 8 et le 25 décembre.
On trouve également un tertre à Bielany, le plus récent de tous, élevé en hommage à Piłsudski, mort en 1935.

CRACOVIE

TYNIEC

Située à environ 10 km du centre de Cracovie, cette ville intéressera surtout les amateurs de concerts d'orgue qui se déroulent souvent dans son abbaye.

En été aussi, possibilité d'accéder à l'abbaye en barque, par la Vistule, depuis le bas de la colline du Wawel. L'abbaye en elle-même ne vaut pas forcément le détour, mais cela constitue une très belle promenade sur la Vistule.

Transports

▶ **Bus** n° 112, arrêt Tyniec.

▶ **Bateau** depuis la colline du Wawel (voir rubrique « Transports » de Cracovie).

Restaurant

■ **KARCZMA RZYM**
Ul. Tyniecka 118H ✆ (012) 266 17 29
Fax : (012) 269 05 11
www.karczmarzym.krakow.pl
Ouvert tous les jours de 10h à 22h. Situé entre Tyniec et Cracovie, ce restaurant est l'endroit idéal pour faire halte en allant ou en revenant du monastère. Cette auberge en bois, très chaleureuse, dispose d'une salle de restaurant et d'une salle bar-grill. L'intérieur rappelle la nature et les montagnes, avec ses têtes de sangliers et ses faisans empaillés. Un service impeccable qui apporte sur les tables soupes, truite, saumon, pierogis, jarret de porc, sernik et szarlotka. Petits prix (8 zl pour les soupes et pierogis, environ 15 zl pour les plats, 4 zl pour les gâteaux), sauf pour la belle carte des vins et champagnes.

Point d'intérêt

■ **L'ABBAYE BÉNÉDICTINE DE TYNIEC**
Tyniec compte parmi les plus anciens couvents de Pologne encore actifs de nos jours. Puisque l'abbaye se perche au sommet d'un rocher, il suffit de se promener le long de la Vistule pour en apprécier la beauté et la prestance. Certains bâtiments ne sont pas accessibles aux visiteurs puisque le couvent héberge toujours une communauté religieuse. En entrant dans la cour, il est possible de découvrir des portions d'anciens murs et un puits datant du XVIIe siècle. Dans la basilique se trouvent les tombeaux de 7 abbés.

A Tyniec, la chorale des moines interprète encore les magnifiques chants grégoriens. Et les orgues de Tyniec jouent régulièrement pendant tout l'été.

NOWA HUTA

Cette triste banlieue, située à 10 km à l'est du centre de Cracovie, intéressera seulement les amateurs d'art socialiste ou les amoureux du béton.

Transports

▶ **De nombreux bus et tramways** se rendent à Nowa Huta depuis le centre. Citons par exemple les tramways n° 4, 5, 10 et 15 depuis la gare centrale et le bus n° 511.

Points d'intérêt

Construite au début des années cinquante, sur ordre de Staline afin de développer une classe ouvrière à Cracovie, ville qu'il jugeait trop bourgeoise et donc dangereuse. Dans ce but, les autorités communistes ont rasé beaucoup de petits villages de campagne pour construire un imposant complexe industriel et minier, qui pollue aujourd'hui encore Cracovie, et dans lequel vivent 200 000 personnes. Ce royaume de béton et de grisaille, contraste total avec les trésors de Cracovie si proches. Certains Polonais voudraient y installer le Palais de la Culture de Varsovie, et ouvrir un skansen du communisme, sorte de parc d'attractions qui rassemblerait toutes les horreurs construites pendant le régime communiste. Nowa Huta devient de plus en plus la cité-dortoir de Cracovie, soyez donc davantage vigilants et évitez de vous rendre là-bas le soir. L'idéal reste de louer les services d'un guide, afin

de mieux saisir l'historique de ce quartier et afin d'éviter tout désagrément. La municipalité édite aussi une brochure en anglais avec itinéraires et explications « *The Nowa Huta Route* », disponible à la mairie, à côté de l'église des franciscains (Plac Wszystkich Świętych 3).

Au sud-est de Nowa Huta, il reste deux églises anciennes, seuls vestiges de la vie avant que le béton ne recouvre tout : l'église Saint-Barthélémy (Kościół Św. Bartlomieja), construite au XIVe siècle, modifiée au XVIIIe siècle, de style baroque ; l'église de l'abbaye cistercienne (Opactwo Cystersow), juste à côté, appartient quant à elle plutôt au style Renaissance.

WIELICZKA

A environ 15 km au sud de Cracovie, cette petite ville possède une mine de sel célèbre dans tout le pays, si ce n'est plus.

C'est une mine unique au monde, en activité depuis le Moyen Age, classée au Patrimoine mondial de l'Unesco.

Transports

▶ **En navette et minibus** devant la gare centrale, Place Kolejowy ou à deux pas, aux croisements des rues Pawia et Worcella (coin de la place). Un aller coûte 2 zl et dure environ 40 min (arrêts fréquents). L'arrêt des mines de sel n'est pas très bien indiqué donc signalez-le au chauffeur en montant : kopalnia soli, en polonais comme ça se prononce… pour une fois, ou « salt mine » en anglais.

Points d'intérêt

■ **MINES DE SEL (KOPALNIA SOLI WIELICZKA)**
Ul. Daniłowicza 10
✆ (012) 278 73 02/66
Fax : (012) 278 73 33
www.kopalnia-wieliczka.pl (site en anglais et en allemand) – turystyka@kopalnia.pl
Ouverte du 1er avril au 31 octobre tous les jours de 7h30 à 19h30, du 2 novembre au 31 mars tous les jours de 8h à 16h. Billets d'entrée de 44 zl à 46 zl, réduit de 30 zl à 32 zl. En saison seulement juillet et août, guide parlant français à 12h. Des guides en anglais en juillet et août, à 10h, 11h30, 12h30, 13h45, 15h et 17h. En juin, septembre et octobre, à 10h, 12h30 et 15h, de novembre à mai, à 10h et 12h30. Des guides en allemand en mai, juin et septembre à 16h, en juillet et août, à 10h45, 14h15 et 16h.

Un restaurant accueille le client à la fin de sa visite. Le gisement de sel gemme de Wieliczka-Bochnia est exploité depuis le XIIe siècle. Dans la mine, entièrement souterraine, il y a au total neuf niveaux sur 300 km de tunnels, à une profondeur maximale de 327 m. La visite s'arrête aux trois premiers niveaux, mais ils descendent déjà à 135 m de profondeur, et permettent de voir des lacs souterrains, des galeries, et surtout une chapelle taillée dans le sel, celle de la bienheureuse Kinga (Kaplica Blogoslawionej Kingi), dont la légende vous sera contée, réalisée en 30 ans au début du XXe siècle, d'une longueur totale de 57 m. Ce travail incroyable demanda l'extraction de 20 000 tonnes de blocs de sel, mais surtout une patience incroyable, tant la finesse des sculptures est remarquable. Au cours de la visite, défilent aussi des autels, statues et autres œuvres d'art, étapes d'un pèlerinage passionnant dans le passé d'une grande entreprise industrielle. Enfin, un musée, installé au 3e niveau, raconte l'histoire de la mine et des travaux incroyables et insolites qui s'y sont déroulés. Cette mine peut être visitée en groupes, qui partent en général toutes les 5 min sous la conduite d'un guide polonais, mais on peut en été demander les services d'un guide parlant français ou anglais. La visite dure en général 3h.

■ **OŚWIĘCIM (AUSCHWITZ)**
La visite des camps d'Auschwitz et Birkenau (à environ 70 km du centre de Cracovie) s'effectue souvent au départ de Cracovie. Pour davantage d'information, reportez-vous à la ville d'Oświęcim (voir plus loin, dans la région « Petite-Pologne »).

KALWARIA ZEBRZYDOWSKA

Située à 40 km au sud de Cracovie, cette petite ville de 5 000 habitants est le deuxième grand lieu de culte catholique de Pologne après Częstochowa. Un monastère de bernardins, installé au début du XVIIe siècle dans ce site, fut le point de départ du développement de la ville, et rapidement des dizaines de lieux de culte se dressèrent sur toutes les collines avoisinantes.

Une légende à Kalwaria Zebrzydowska raconte que la Vierge aurait pleuré, et que des miracles se seraient alors produits.

Depuis, les pèlerins affluent lors des grandes fêtes de la Vierge. Dans ces moments-là, la population de la ville est multipliée par vingt ou trente.

CRACOVIE

■ **ENSEMBLE ARCHITECTURAL MANIERISTE ET PAYSAGER ET PARC DE PELERINAGE**
Inscrit au Patrimoine mondial de l'Unesco)
Centre culturel © (033) 876 64 29
Kalwaria Zebrzydowska est un paysage culturel d'une grande beauté et d'une grande importance spirituelle. Le site permet au visiteur ou au pèlerin d'effectuer le chemin de croix et calvaire de la Vierge Marie et de Jésus-Christ, grâce aux lieux symboliques de dévotion relatifs à la Passion de Jésus-Christ et à la vie de la Vierge Marie. Ces monuments, notamment une quarantaine de chapelles, s'inscrivent dans un très beau cadre naturel resté quasi inchangé depuis le XVIIe siècle. Ici les éléments naturels et ceux dus à l'homme se marient harmonieusement.
Il convient d'abord de visiter l'église Baroque du XVIIe siècle, remarquez son retable et sa chapelle au fond à gauche. Rendez-vous ensuite dans le couloir adjacent à l'église, à droite de l'entrée, où vous pourrez visualiser le plan des différents chemins proposés. Selon l'itinéraire choisi il faut compter environ une demi-journée à une journée entière pour cette excursion.

WADOWICE, LA VILLE NATALE DU PAPE JEAN-PAUL II

A environ 60 km de Cracovie et à 14 km de Kalwaria Zebrzydowska, se trouve la petite ville industrielle Wadowice, célèbre dans toute la Pologne car l'un de ses enfants s'appelait Jean-Paul II.

Transports

▶ **Bus.** L'arrêt se situe dans le centre-ville. Les bus rejoignent Cracovie, et certains continuent jusqu'à Wadowice, où l'on peut aller visiter le musée du pape.

▶ **Train.** Gare dans le centre (Kraków Główny). Il faut prendre le train à Wadowice, environ 1h30 de voyage.
Vous pouvez aussi prendre un train spécial « Train de pape » qui part au moins deux fois par jour de la gare Kraków Główny via Kraków-Łagiewniki et Kalwaria Zebrzydowska vers Wadowice. Le prox de billet, c'est 18 zl (aller-retour). Plus d'informations : www.pociag-papieski.pl

Point d'intérêt

■ **MAISON NATALE DU PAPE JEAN-PAUL II (DOM RODZINNY JANA PAWŁA II)**
Ul. Kościelna 7
©/Fax : (033) 823 26 62
www.domrodzinnyjanapawla.pl
La maison natale du souverain pontife, aujourd'hui transformée en musée, a même été agrandie pour répondre au trop grand nombre de visiteurs. De très bonnes explications en français. Entrée libre (offrande).
Sur le Rynek (place principale de la ville), vous trouverez l'église où le pape Jean Paul II a été baptisé. La maison natale se trouve à quelques pas, dans la rue à droite de l'église.

*Kazimierz Dolny,
place du marché*
© S.NICOLAS

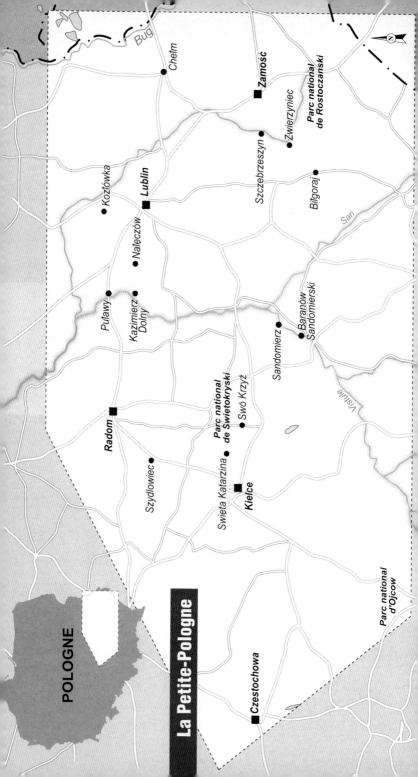

La Petite-Pologne (Małopolska)

Située au Sud-Est du pays, cette région constitue avec la Grande-Pologne le berceau de la nation polonaise. C'est, depuis le Moyen Age, grâce au statut qui faisait de Cracovie la capitale de la Pologne, un véritable point de rencontre entre l'Est et l'Ouest, dernière étape avant l'Orient et ses mystères. Si cette région est la plus polonaise du pays, et aussi la plus préservée par les guerres du XXe siècle, c'est aussi la plus orientale.

On distingue trois ensembles géographiques qui forment la Petite-Pologne : le plateau de Cracovie-Częstochowa à l'ouest, le plateau de Petite-Pologne au centre et la région de Lublin à l'est.

Ici plus qu'ailleurs, il faut profiter des excursions dans les petits villages qui ont conservé tout leur charme, et qui tous comptent de splendides églises et châteaux, sans oublier les villes plus importantes qui font l'orgueil culturel de la région.

Hébergement en Petite-Pologne

Sur l'ensemble de la région, le type d'hébergement fermes-auberges est très répandu, généralement en pleine nature, convivial et bon marché. Afin d'obtenir des renseignements sur les membres de l'association Chambres d'hôtes de Galicie, contactez : l'Association Agrotouristique. Ul. Meiselsa 1. Cracovie ✆ 0 601 495 734 (portable). www.ggg-katalog.gminyrp.pl – at.ggg@inetia.pl

OŚWIĘCIM (AUSCHWITZ)

Le plus grand camp d'extermination nazi est aujourd'hui un gigantesque musée qui incite à la réflexion sur les égarements de la nature humaine. Le reste de la ville offre peu d'intérêt, et les infrastructures touristiques sont pratiquement inexistantes. Qui voudrait en effet passer plus de quelques heures dans un tel endroit ?

Histoire

En 1939, la ville d'Oświęcim ainsi que les villages environnants furent incorporés au IIIe Reich. En même temps, les nazis changèrent le nom d'Oświęcim en Auschwitz. L'idée d'y installer un camp de concentration naquit rapidement et, dès avril 1940, Rudolf Höss fut placé à sa tête, et accueillit le premier groupe de prisonniers – 728 Polonais transférés de la prison de Tarnów. Le nombre de détenus ne cessa de croître pour arriver en 1942 à un total de plus de 20 000. Parallèlement, le camp s'étendait de plus en plus, et devint un camp principal pour tout un ensemble de nouvelles structures. La construction de Birkenau (appelé plus tard Auschwitz II) a commencé en 1941, dans le village de Brzezinka, à 3 km du premier camp. Quarante autres camps, plus ou moins importants, furent construits à la même époque et rattachés à l'autorité de celui d'Auschwitz, souvent à proximité de mines ou d'usines métallurgiques, où les prisonniers valides étaient engagés comme main-d'œuvre bon marché.

Les immanquables de la Petite-Pologne

▸ **Suivre** l'itinéraire des nids d'aigle, à pied, à vélo ou à cheval, et s'engouffrer dans l'une des 1 000 grottes concentrées autour d'Ojców et d'Olsztyn.

▸ **Participer** à un pèlerinage à Częstochowa, la capitale spirituelle de la Pologne.

▸ **Profiter** des étapes charmantes et calmes de la ville de Sandomierz et du château de Baranów Sandomierz.

▸ **Se promener** sur les bords de la Vistule à Kazimierz Dolny, perle de la Pologne, ville authentique, où le temps semble s'être arrêté.

▸ **Faire connaissance** avec le joyau de la Renaissance polonaise, Zamość.

En août 1944, on comptait à Birkenau plus de 100 000 détenus dans un espace de 300 baraquements sur 175 ha, vivant et mourant dans des conditions d'hygiène inhumaines.

Transports

▶ **Bus.** L'arrêt se trouve directement à l'entrée du camp d'Auschwitz, et le suivant devant la gare. Le terminal, quant à lui, se situe dans le village. Bus pour la plupart des destinations régionales.

▶ **Train.** Les deux camps-musées et la gare forment un triangle. Les camps sont distants l'un de l'autre de 3 km, et la gare est éloignée de chacun d'entre eux de 2 km. Pour aller à pied à Auschwitz depuis la gare, tourner à droite, et suivre les indications affichées 500 m plus loin. Les bus n° 2, 3, 4 et 5 partent de la gare vers le camp d'Auschwitz, et une navette gratuite assure ensuite la liaison entre les deux camps, car Birkenau n'est pas relié par bus à la gare. Sinon, de nombreux taxis se proposent de vous acheminer de l'un à l'autre à des prix exorbitants, qu'il convient de discuter. Trains pour Cracovie et Katowice principalement, mais aussi Prague, Bratislava et Vienne.

Pratique

Agences touristiques

▦ **AORT**
Ul. Obozowa 18E ✆ (033) 843 38 72

▦ **COM-TOUR**
Rynek Główny 8 ✆/Fax : (033) 842 33 28

▦ **JAGIELLONA**
Ul. Dàbrowskiego 11A ✆ (033) 844 16 00

▦ **JANINA**
Ul. Kolbego 12 ✆ (033) 846 14 00

▦ **KAPCIŃSKI J.**
SERVICES TOURISTIQUES
Rynek Główny 2 ✆ (033) 842 35 44

▦ **TURYSTA**
Ul. Solskiego 2 ✆ (033) 842 27 19
Fax : (033) 842 59 94

▦ **WAGABUNDA**
Ul. Łukasiewicza 4/43
✆ (033) 842 57 23. Fax : (033) 844 10 71

▦ **GUIDES PTTK**
Association des guides des Beskidy et de la région d'Oświęcim
Ul. Mickiewicza 6 ✆ (033) 842 21 72

Points d'intérêt

▦ **CAMP D'AUSCHWITZ**
(PAŃSTWOWE MUZEUM
AUSCHWITZ-BIRKENAU W OŚWIĘCIMIU)
Ul. Więźniów Oświęcimia 20
✆ (033) 843 20 22 – Fax : 843 19 34
www.auschwitz.org.pl (site en anglais et en allemand) – muzeum@auschwitz.org.pl
Horaires d'ouverture des camps de décembre à février de 8h à 15h, en mars et en novembre jusqu'au 15 décembre de 8h à 16h, avril et octobre de 8h à 17h, mai et septembre de 8h à 18h, de juin à août de 8h à 19h. Entrée libre. Comptez environ de 3h à 6h de visite sur place, selon que vous fassiez les deux camps ou un seul, une visite guidée ou pas de tous les pavillons (baraquement avec expositions de chaque pays concerné). La visite peut être éprouvante.

▶ **Auschwitz I.** Ce camp de concentration, le plus célèbre de tous, a été pratiquement épargné par les destructions. Les nazis n'ont pas eu le temps de le détruire avant de fuir. L'entrée est gratuite, mais nous vous conseillons de louer les services d'un guide ou au moins d'acheter le petit guide. Sinon, vous risquez d'être vite désorienté et déboussolé.

Un film poignant est diffusé en boucle, juste après les guichets. La visite commence par les baraquements où étaient entassés les prisonniers. Les biens de ces derniers, confisqués, ainsi que leurs photos, sont visibles. Des documents de dirigeants allemands démontrent aussi le mécanisme implacable et méticuleux de cette machine infernale. La visite se termine par les chambres à gaz et les fours crématoires.

Des baraques ont été aménagées en musée, un pour chaque pays touché par l'holocauste, dans lesquelles les explications sont dans les deux langues. Le bâtiment franco-belge est situé dans le bloc 20. Il montre une carte du pays pendant la Seconde Guerre mondiale, avec les points de départs pour Auschwitz. Tout a été conservé tel que les nazis l'ont abandonné, exception faite de la potence installée devant l'entrée de la chambre à gaz, où fut pendu le directeur du camp, quelques années après la fin de la guerre. La visite se poursuit dans le deuxième camp, qui se trouve à 3 km plus au nord.

▶ **Auschwitz II Birkenau.** Ce camp gigantesque, largement détruit par les nazis avant leur fuite, fut une véritable usine de mort.

En arrivant, se dessine au loin la sinistre façade du bâtiment de garde qui marque l'entrée du camp. Il s'agit d'un bâtiment surplombé d'une tour, tout en longueur, au milieu duquel un passage laissait entrer les trains. Montez au sommet de la tour pour une vue d'ensemble du camp. C'est le meilleur moyen de se rendre compte de la taille du lieu, absolument indescriptible. La plupart des baraquements ont été détruits, mais les cheminées, toujours élevées, témoignent de leur emplacement.

Quelques baraquements se visitent. Birkenau, camp d'extermination, se distingue d'Auschwitz, camp de concentration, puisque ici les détenus étaient exterminés. Au fond du camp, les fours crématoires, où brûlaient chaque jour des milliers de personnes. Il n'en reste que des ruines.

A proximité se dresse un monument en hommage aux victimes du camp ainsi que des plaques, traduites dans de nombreuses langues avec l'inscription suivante : « *Que ce lieu où les nazis ont assassiné un million et demi d'hommes, de femmes et d'enfants, en majorité des juifs de divers pays d'Europe, soit à jamais pour l'humanité un cri de désespoir et un avertissement* ».

▪ PLATEAU DE CRACOVIE – CZĘSTOCHOWA ▪

Cette région est très riche en curiosités, peut-être aussi parce que les deux villes qui la bordent sont les mères spirituelles du pays. Ses paysages sont superbes, principalement le long de la route des nids d'aigle (Szlak Orlich Gniazd), avec ses cavernes (on en compte près de 1 000) et ses ruines médiévales.

Cette région de plateaux calcaires, formés à la période jurassique, d'où son nom de montagnes jurassiques, au relief vallonné porte le nom de Jura cracovien (Jura Krakowsko-Częstochowska). L'érosion est à l'origine de la présence de diverses formations géologiques qui dessinent des colonnes, massues, portails ou a-pics très appréciés des grimpeurs.

La route des nids d'aigle s'étend sur 164 km entre Cracovie et Częstochowa, et mérite largement d'être parcourue, à vélo, ou à pied pour les plus courageux. Les offices du tourisme de Cracovie et de Częstochowa proposent des cartes détaillées mentionnant les hébergements et les infrastructures touristiques.

CZĘSTOCHOWA

Cinquième lieu de pèlerinage le plus visité au monde (après Varanasi, La Mecque, Lourdes et Rome), Częstochowa est un véritable symbole pour les Polonais, depuis que la célèbre Vierge noire fut proclamée en 1717 reine de Pologne. Les communistes se sont efforcés de détourner le rôle religieux de la ville en y installant de nombreuses industries, mais aujourd'hui encore le monastère de Jasna Góra est l'un des endroits les plus visités de Pologne. Częstochowa, aujourd'hui 12e ville de Pologne, n'offre pas grand intérêt à part ce lieu incontournable, mais grâce aux millions de pèlerins qui viennent chaque année, les infrastructures touristiques sont nombreuses et de qualité.

Histoire

Petite ville au départ bien calme, Częstochowa a accueilli à la fin du XIVe siècle un monastère de l'ordre des pauliens au sommet d'une colline appelée Jasna Góra (montagne de lumière). Dès le départ, le tableau représentant la Vierge noire vint le décorer. L'origine exacte du tableau reste très partagée entre Byzance, l'Italie, l'Ukraine et la Hongrie, et la date de sa réalisation est évaluée (avec grande exactitude) entre le VIe et le XIVe siècle. En 1430, des hussites lacérèrent le visage de l'icône de deux coups de couteau. Au cours de la restauration de la toile, les traces ont été laissées volontairement, comme pour symboliser ce crime qui a fait pleurer la Vierge. En 1655, le monastère, véritable fortification, résista miraculeusement à l'invasion suédoise, alors que les Polonais se croyaient perdus. Depuis lors, les pèlerins viennent par centaines de milliers en remercier la Vierge (tous les ans, Częstochowa accueille 4 millions de catholiques). En 1717, après une cérémonie religieuse, elle fut intronisée reine de Pologne, fonction qu'elle occupe encore aujourd'hui dans le cœur des Polonais. Après la Seconde Guerre mondiale, les autorités communistes ont tenté d'industrialiser la ville et d'en affaiblir l'autorité religieuse par diverses répressions. Son pouvoir est pourtant resté intact. Aujourd'hui, la reine de Pologne règne sur un monastère magnifique, preuve que l'esprit est toujours le même, et que la foi demeure.

Outre l'image religieuse de Częstochowa, la ville a obtenu différents prix pour son activité dans la coopération internationale et la propagande de l'idée d'intégration européenne, notamment en 1993, le Drapeau d'honneur du Conseil de l'Europe, et en tant que première ville d'Europe centrale et orientale, le Prix de l'Europe 1998, la plus haute distinction du Conseil de l'Europe.

Transports

▶ **Voiture.** A 1h30 de Cracovie.

■ GARE ROUTIÈRE

Terminal à côté de la gare
De nombreux bus desservent les destinations locales, plus rares au fur et à mesure qu'on s'éloigne.

■ GARE FERROVIAIRE

Al. Piłsudskiego, dans le centre-ville

La route des nids d'aigle

Cette voie touristique, de 164 km de longueur, relie Cracovie à Częstochowa. Elle est constituée d'une succession de forteresses construites sur des pics rocheux, par Casimir le Grand entre 1333 et 1346, destinées à se défendre des agressions de Jean de Luxembourg. Ces châteaux se situent de telle sorte que les habitants de chacun d'entre eux pouvaient communiquer avec les deux plus proches, par transmission et réception de signaux lumineux. La forteresse de Pieskowa Skała servait d'intermédiaire entre Ojców, qui communiquait à son tour avec le château du Wawel, et ceux situés au nord d'Olsztyn et d'Ogrodzieniec. L'itinéraire des nids d'aigle, qui mène de Częstochowa à Cracovie, en passant par Olszytyn, Potok, Złoty, Ostrónik, Mirów, Bobolice, Podlesice, Ogrodzieniec, Pilica, Smoleń, Bydlin, Klucze, Rabsztyn, Olkusz et Ojców, se parcourt à pied, à vélo ou à cheval.

■ POUR DAVANTAGE D'INFORMATION

Union des communes du Jura
Plac Wolności 42 (à Ogrodzieniec)
✆/Fax : (032) 673 33 64
www.jura.info.pl – biuro@jura.info.pl

De nombreux trains pour la plupart des grandes destinations partent de cette gare superbe, récemment construite pour accueillir les nombreux pèlerins.

Pratique

■ OFFICE DU TOURISME (CENTRUM INFORMACJI TURYSTYCZNEJ)

Al. Najświętszej Marii Panny (NMP) 65
✆ (034) 368 22 50
Fax : (034) 368 22 60
www.czestochowa.um.gov.pl (site en anglais et en allemand)
mci@czestochowa.um.gov.pl
Ouvert du lundi au vendredi de 9h à 17h, le samedi de 9h à 14h.

■ CENTRE D'INFORMATION DU SANCTUAIRE (JASNOGÓRSKIE CENTRUM INFORMACJI)

Ul. Kordeckiego 2 ✆ (034) 365 38 88
Fax : (034) 365 43 43 – www.jasnagora.pl
(le site, en anglais, reprend l'historique du monastère et propose de belles photos)
jci@jasnagora.pl

■ POSTE CENTRALE

Ul. Orzechowskiego 7 ✆ (034) 324 11 25

Presse internationale

■ EMPIK

Ul. NMP 63/65 et Ul. NMP 17

Hébergement

■ CAMPING OLEŃKA

Ul. Oleńki 10/30 ✆/Fax : (034) 324 74 95
Ouvert toute l'année. 50 % de réduction pour les enfants de moins de 10 ans.

Bien et pas cher

■ DOM PIELGRZYMA

Ul. Wyszyńskiego 1/31 ✆ (034) 377 75 64
Fax : (034) 365 18 70
www.jasnagora.pl/dompielgrzyma
(site en anglais) – dp@jasnagora.pl
Confort moderne, immense, chambres doubles et quadruples avec lavabo ou douche.

Confort ou charme

■ PAŁAC NIEZNANICE

Ul. Sobieskiego 22A, Kłomnice
✆ (034) 328 19 98 – Fax : (034) 329 78 87
nieznanice.gold.pl (site en français)
palac@nieznanice.gold.pl

Chambres à partir de 140 zl. Cet hôtel ne se trouve pas à Częstochowa, mais à 20 km vers Radomsko. Prendre le bus PKS en direction de Witkowice ou Nieznanice. Les propriétaires parlent français. Très bon confort dans un cadre magique (superbe manoir dans un parc avec étang). Au restaurant, cuisine polonaise et française.

■ **POLONIA**
Ul. Piłsudskiego 9 ✆ (034) 324 23 88/40 67
Fax : (034) 365 11 05
Proche de la gare. Confortable, mais un peu vétuste.

Luxe

■ **IBIS CZĘSTOCHOWA**
Ul. Jaskrowska 22 ✆ (034) 377 45 00
Fax : (034) 377 45 55
h3368@accor-hotels.com

■ **MERCURE PATRIA CZĘSTOCHOWA**
Ul. Ks. Jerzego Popieluszki 2
✆ (034) 324 70 01 – Fax : (034) 324 63 32
www.orbis.pl – mer.patria@orbis.pl
Idéalement placé au pied du monastère. Souvent complet en été, grand confort et très bon restaurant. Chambres à partir de 266 zl.

■ **TRANZYT ORBIS**
Al. Wojska Polskiego 281/291
✆ (034) 361 02 33
Fax : (034) 365 56 07 – www.orbis.pl
mczest@orbis.pl – tranzyt@orbis.pl
A la sortie de la ville, sur la route de Varsovie. Chambres à partir de 160 zl. Excellent restaurant, cadre agréable, mais trop excentré.

Restaurants

■ **CLEOPATRA**
Al. NMP 71 ✆ (034) 368 01 01
Situé au centre-ville. Cuisine et décoration orientales. Bon rapport qualité-prix. Goûtez une des spécialités de la maison : les gyros.

■ **POLONUS**
Al. Najświętszej Maryi Panny 73/75
✆ (034) 365 58 19
Cuisine polonaise pas très chère.

■ **VIKING**
Ul. Nowowiejskiego 10/12
✆ (034) 324 57 68
Situé à 300 m de la colline de Jasna Góra. Spécialités scandinaves et polonaises de qualité.

Sortir

■ **CINEMA WOLNOŚĆ**
Ul. Kościuszki ✆ (034) 324 13 21

■ **THEATRE A. MICKIEWICZ**
Ul. Kilińskiego 15
✆ (034) 324 50 75/366 98 54/55
Fax : (034) 360 56 52
www.teatr-mickiewicza.pl

■ **PHILARMONIE
(FILHARMONIA CZĘSTOCHOWSKA)**
Ul. Wilsona 16 ✆ (034) 324 42 30/18 54
www.filharmonia.com.pl

Points d'intérêt

■ **MONASTERE DE JASNA GÓRA**
Ul. O. A. Kordeckiego 2 ✆ (034) 365 38 88
Fax : (034) 365 43 43 – www.jasnagora.pl
information@jasnagora.pl
Les deux entrées se trouvent sur les côtés, et permettent toutes deux d'accéder au monastère. Outre la Vierge noire qu'il ne faut pas rater, et qui se trouve dans la chapelle de l'Icône miraculeuse (Kaplica Cudownego Obrazu), il convient de visiter la basilique (Bazylika) qui lui est accolée, d'un style baroque très luxueux, où l'on remarquera le nombre impressionnant de références à des religieux déportés à Auschwitz. On peut également visiter la salle des chevaliers (Sala Rycerska) de 1647, la seule du monastère ouverte au public, construite au XVIIe siècle, dans laquelle vous verrez 9 peintures représentant les grandes étapes de la vie du monastère. Le musée du 600e anniversaire (Muzeum Szescsetlecia), présente une superbe collection d'objets d'art sacré et de magnifiques tableaux religieux. Il fut créé dans l'ancienne imprimerie, supprimée par les Russes en 1864. Le trésor (Skarbiec) est un endroit à ne pas manquer, car la richesse de la collection est vraiment impressionnante. Les précieux objets, ex-voto et offrandes des pèlerins à la Vierge de Częstochowa y sont assemblés depuis le XVe siècle. La tour (Twierdza), érigée en 1620-1644, puis agrandie dans la deuxième moitié du XVIIe et la première moitié du XVIIIe siècle, constitue un dernier point de passage permettant d'admirer depuis le sommet (106 m de hauteur) l'ensemble du site, ainsi que le reste de la ville, et de constater que la région qui entoure Częstochowa est essentiellement industrielle.

LA PETITE-POLOGNE (MAŁOPOLSKA)

Enfin, en sortant du monastère, dans le parc qui l'entoure, on trouve les 14 statues en bronze du chemin de croix, fondé en 1900-1913. Il n'est pas rare d'y voir les pèlerins circuler d'une figure à l'autre à genoux.

MUSEE DE LA DIOCESE (MUZEUM ARCHIDIECEZJI CZĘSTOCHOSKIEJ)
Ul. Św. Barbary 41 ℰ (034) 368 33 61

MUSEE REGIONAL (MUZEUM OKRĘGOWE)
Plac Biegańskiego
Ouvert du mardi au dimanche de 11h à 18h.
Situé dans l'hôtel de ville, de style néoclassique, il offre une présentation de l'histoire de la ville, depuis les origines jusqu'à nos jours. On trouve juste à côté une galerie de peintures polonaises du XXe siècle, ouverte aux mêmes heures.

EGLISE SAINT-JACQUES KOŚCIÓŁ ŚW. JAKUBA)
Construite au XIXe siècle, cette église orthodoxe est devenue catholique en 1918, et ne présente pas un grand intérêt architectural.

CATHEDRALE
Ce bâtiment est complètement triste et oublié, à l'est de la gare, construit à partir de 1900, dont les tours n'ont jamais été terminées.

GALERIE LONTY PETRY
Ul. Św. Rocha 206
ℰ (034) 362 04 45. www.lontypetry.pl
Galerie d'art, beau jardin et architecture de l'intérieur intéressante.

Shopping

Hypermarchés et supermarchés

AUCHAN
Ul. Krakowska 10 (ville : Poczesna)

REAL
Ul. Kisielewskiego 8/16

Sports et loisirs

CENTRE DE LOISIRS ET DE SPORTS (MIEJSKI OŚRODEK SPORTU I REKREACJI)
Ul. Dekabrystów 43 ℰ (034) 372 07 83
Fax : (034) 372 07 85
www.mosir.iplus.pl

AEROCLUB (AEROKLUB CZĘSTOCHOWSKI)
Ul. Polskiej Organizacji Wojskowej 4
ℰ (034) 360 57 72/327 97 55 (aéroport)
acz@aeroklub-czestochowa.org.pl

OLSZTYN

Cette ville, à une vingtaine de kilomètres de Częstochowa, est un des lieux de détente adorés des Polonais. Tous les week-ends sont des occasions de promenades autour d'Olsztyn et de ses ruines. C'est un lieu idéal pour les randonnées à vélo, les promenades en traîneau ou le ski l'hiver. De plus, tous les ans la ville organise un festival international de feux d'artifice et lasers, animé de concerts des plus grands artistes polonais.

Point d'intérêt

LE CHATEAU
On ne sait pas par qui et quand a été construit le premier château, mais c'est certainement un des plus anciens du Jura. Casimir le Grand aurait ordonné de démolir le précédent, ou l'aurait transformé à partir de la base. Il se composait au début d'une tour de 20 m, d'habitations et d'une petite cour, le tout encerclé de fortifications. On y enfermait notamment ceux condamnés à mourir de faim. Les souterrains se composent de nombreux passages et couloirs, qui en font de vrais labyrinthes. Le château a dû supporter de nombreux assauts et a été incendié par les troupes suédoises. Depuis lors, il n'a jamais retrouvé sa splendeur et en 1772, les ruines abandonnées se sont désintégrées. Il est aujourd'hui en cours de restauration.

KOZIEGLOWY

Le village se situe au bord du Jura cracovien, sur le plateau Slask, région dominée par des plaines et des vallées, sur les bords de la Warta. Il est né au XIIe siècle d'une partie extra-muros d'un château fort. On le mentionne pour la première fois en 1106. Ce château était la propriété de Krystyn (Chrétien) Kszczor de Koziegiowy, cofondateur de l'Académie Jagellon et compagnon de la reine Jadwiga et du roi Ladislas Jagellon lors de leur voyage en Lituanie. Le droit de cité a été octroyé à cette ville par Jan Koziegiowski (de Koziegiowy), staroste de Lelów qui l'a cédée ensuite à l'évêque de Cracovie, Jan Konarski. Jusqu'en 1792, la ville faisait partie du duché de Siewierz. En 1792, le roi Stanislas Auguste a confirmé le droit de cité de cette ville incorporée à la Couronne, et lui a attribué des armoiries. La ville a gardé son plan des XIVe et XVe siècles. Le Rynek est occupé par des maisons de la première moitié du XIXe siècle. Le village est connu pour les ruines de son château

Une des légendes du château de Bobolice

Deux frères s'adoraient et ne pouvaient vivre l'un sans l'autre. Le premier régnait sur Bobolice et le second sur Mirów (à 1,5 km à l'est). Le maître de Bobolice dut partir à la guerre et en revint avec des trésors et une très belle jeune fille, dont son frère devint également amoureux. Ils se partagèrent le trésor et le sort devait décider qui épouserait la belle. Le frère de Bobolice gagna. Ce fut alors la fin de l'amour fraternel, d'autant plus que la jeune fille était amoureuse de l'autre frère. A chaque absence du mari, les amoureux se rencontraient dans les souterrains qui reliaient les deux châteaux. Quand celui-ci l'apprit, il tua son frère et emmura sa femme. Au XIXe siècle, on découvrit un énorme trésor dans les souterrains. Certaines personnes pensent que tout n'a pas été découvert, et que la plus grande partie du trésor se cache encore dans la galerie reliant Bobolice et Mirów. La seconde légende reprend les mêmes personnages, mais dit que la princesse vit encore. De temps en temps, elle sort du château et effraie les personnes se trouvant sur son chemin.

des XIIIe et XIVe siècles. Construit dans un style gothique, il fut détruit en 1452-1457, reconstruit, puis démoli pendant l'invasion suédoise en 1655. Il n'en reste aujourd'hui que les fondements et le tracé de la douve.

BOBOLICE

Le château a été bâti par Casimir le Grand au XIVe siècle, probablement sur une ancienne construction en bois. Une légende parle d'un superbe trésor caché par les chevaliers… Aujourd'hui, il reste les ruines de la partie habitation et un fragment de la tour. Le château a subi de nombreuses destructions, la dernière en 1657 est due aux Suédois. Il se trouvait dans un état tel que Jan II Sobieski, lors de sa visite au château en 1683, dut dormir sous une tente.

Transports

Pour se rendre à Bobolice, le mieux est de prendre le train ou le bus jusqu'à Myszków. Ensuite, soit vous prenez un bus PKS de Myszkow à Bobolice (qui circule assez rarement) puis vous suivez le circuit touristique rouge sur environ 0,5 km – le château domine le village ; soit vous prenez un bus PKS jusqu'à Niegowa (par Warek) et vous suivez le circuit touristique rouge sur environ 5 km.

Hébergement

■ **AUBERGE DE JEUNESSE (SZKOLNE SCHRONISKO MŁODZIEŻOWE)**
Bobolice 3 ✆ (034) 315 10 36
Ouvert en été seulement. Une nuitée : 15 zl par lit.

MIRÓW

Ce château, de style gothique, est l'un des plus vieux de la route des nids des aigles, situé dans un paysage très pittoresque. La partie supérieure du château et un fragment de la partie inférieure ont été sauvés. Le haut des ruines propose une belle vue sur les environs. Mirów tient son nom de la famille Mir, qui l'occupait en 1360, et qui était aussi propriétaire du château de Kozieglowy. Comme les autres fortifications de la région, il a connu de gros dommages lors de l'invasion suédoise, mais est en cours de restauration depuis 1961.

Transports

Pour se rendre à Mirów, le mieux est de partir de Bobolice et de suivre le circuit touristique rouge sur environ 2 km – le château domine le village – ou de se rendre à Niegowa (bus réguliers) et suivre le circuit touristique rouge sur environ 3 km. Autostop facile aussi dans cette région. En voiture, possibilité d'aller jusqu'au château.

Hébergement

■ **COMPLEXE OSTANIEC**
✆ (034) 315 50 01
Fax : (034) 315 20 24
www.ostaniec.com.pl
biuro@ostaniec.co.pl
Il est situé à Podlesice k Kroczyc (tout près de Bobolice et Mirów). Se compose d'un hôtel coquet, assez cher (chambre à partir de 200 zl en saison), d'un centre de vacances au confort plus sommaire, mais d'un très bon prix et qui offre un bon service et un camping équipé pour tentes, caravanes et camping-cars. A disposition également, un restaurant à la polonaise et diverses activités (tennis, vélo, sport extrême, balades en traîneau…).

OGRODZIENIEC ET PODZAMCZE

La petite ville d'Ogrodzieniec aussi est connue pour les ruines de son château. En fait, le château se trouve plus précisément à Podzamcze, à 2 km du centre d'Ogrodzieniec. Situé au cœur de la route des nids des aigles, ce village est un excellent point de départ pour visiter toute la région. Il est facile d'y trouver des logements chez l'habitant à petits prix et de bon confort. A partir d'Ogrodzieniec et de Podzamcze, on trouve un grand nombre de circuits touristiques variés.

Pendant quelques mois de l'année 2002, le village a connu une animation particulière. Les cœurs ont vibré au rythme du tournage du film d'Andrzej Wajda : « *Zemsta* » (*La Vengeance*), avec quelques-uns des meilleurs acteurs polonais : Janus Gajos, Andrzej Seweryn, Roman Polanski, Daniel Olbrychski, Katarzyna Figura, Agata Buzek... Le tournage se faisait justement dans le château.

Transports – Pratique

▶ **Bus.** Ligne 101 ou PKS au départ de Zawiercie. Bus réguliers.

■ **UNION DES COMMUNES DU JURA**
Plac Wolności 42 (à Ogrodzieniec)
✆/Fax : (032) 673 33 64
www.jura.info.pl – biuro@jura.info.pl

Hébergement – Restaurant

Podzamcze propose un grand nombre de logements sous le signe agroturystyka. Parmi eux, quelques-uns valent le détour.

■ **M.W. FIREK**
Ul. Wojska Polskiego 31A
✆ (032) 673 23 18
Propose la location d'une petite maison pour 5 personnes. 25 zl par personne. Coquet, propre, bien chauffé l'hiver. La maison a un accès au jardin avec grill et terrasse et vue directe sur les ruines. Réserver longtemps à l'avance, car elle est souvent prise.

■ **H. PILARCZYK**
Ul. Skałkowa 4
✆ (032) 673 31 66
jura.tur.pl/pilarczyk
Chambres pour 2, 3, 4 personnes et cuisine commune. 20 zl par personne. Propre et bon standard. Possibilité de faire des grillades l'été. Situé dans une rue calme entre les ruines et le mont Birów.

■ **Z. MAKOWSKI**
Ul. Partyzantów 8
✆ (032) 673 33 17. www.tur.pl/skalny
25 zl par personne. Intéressant pour le nombre de chambres, mais moyen pour l'accueil et la propreté.

■ **BONER**
Ul. Wojska Polskiega 21
✆ (032) 673 21 45
Seul hôtel du village, mais confort très limité pour le prix, sans restaurant ni possibilité de cuisiner.

■ **KARCZMA JURAJSKA**
Plac Juraski 1 ✆ (032) 673 20 79
Chambres au-dessus du restaurant. Bon confort et situé tout près du château, sur la place du village. Egalement un restaurant proposant une bonne cuisine polonaise dans un cadre sympathique et aux prix intéressants.

Points d'intérêt

■ **LE CHATEAU**
Le plus grand et le plus beau du Jura. Un volume de 32 000 m³ ! A l'entrée après avoir franchi les grilles, sur la gauche se trouvent les anciennes écuries. Devant ces mêmes grilles, il reste un petit fragment de la douve. La cour du château est impressionnante, par sa taille, par son mur protecteur et les quelques énormes rochers blancs qui s'intègrent au mur. Un chemin nous amène jusqu'aux ruines auxquelles on accède par une porte bien conservée. Le bâtiment possède plusieurs étages accessibles par des escaliers restaurés. Chaque aile du château est aménagée pour la visite. L'utilisation de chaque pièce est précisée par une pancarte, mais, hélas, seulement en polonais. On accède au château par une tour qui donne sur la cour intérieure. Celle-ci donne accès notamment à la cuisine et à son puits, aux chambres et toilettes, au réfectoire... Le château contient aussi des sous-sols qui servaient par exemple de réserves, et une tour du haut de laquelle on peut admirer les environs. Sa construction s'intègre parfaitement dans la roche naturelle. Il est possible de faire le tour extérieur du château, occasion d'une promenade dans la nature.

■ **GÓRA BIRÓW**
Aussi appelé château fort du roi. Il est situé au nord des ruines. Il ne reste aujourd'hui plus grande possibilité d'imaginer comment était le site lors de sa création, mais un dessin de la reconstitution hypothétique du château est proposé. Le château fut détruit par un

incendie dans la première moitié du XIVe siècle. Par la suite, il servit de défense du château d'Ogrodzieniec.

▪ SANCTUAIRE SAINTE-MERE-DES-ROCHES (SANKTUARIUM MATKI BOŻEJ SKAŁKOWEJ)

Ul. Wojska Polskiego
Petite chapelle ouverte intégrée dans la roche. Messes extérieures.

PARC NATIONAL D'OJCÓW (OJCOWSKI PARK NARODOWY)

Couvrant 19 km² au nord de Cracovie par la route de Częstochowa, le parc d'Ojców, sur la fameuse route des nids d'aigle, est le parc national le moins étendu mais le plus pittoresque. Dans le Parc national, se trouvent deux châteaux, celui d'Ojców et celui de Pieskowa Skała, médiéval, mais remanié à la Renaissance. Les grottes qui les entourent sont particulièrement intéressantes, et peuvent être visitées en général tous les jours de mai à septembre. Des sentiers balisés sont à votre disposition, et quand bien même vous vous laisseriez guider par vos pas, vous ne seriez pas déçus. Pour s'y rendre au départ de Cracovie, le meilleur moyen est de prendre un bus en direction d'Ojców, l'unique village du parc, qui se trouve dans sa partie sud, de moins de 8 km de long.

Transports – Pratique

▶ **Bus** au départ de la gare ferroviaire de Cracovie en direction d'Ojców.

▶ **Voiture.** A une trentaine de kilomètres de Cracovie, comptez 45 min de trajet. Prendre la route 94 en direction de Bytom, puis 20 km après Jerzmanowice, tourner en direction d'Ojców (virage serré). Au village de Wola Kalinowska, suivre Kaplica Wola Kalinowska, une route sinueuse vous mène au château de Pieskowa Skała, à gauche et au Parc national d'Ojców à droite. Notez que la circulation est interdite dans le village, possibilité d'un parking payant à l'entrée (assez cher) ou du parking sauvage.

▪ PARC NATIONAL D'OJCOW

Ojców 9 ✆ (012) 389 10 39
Fax : (012) 389 20 06
www.opn.pan.krakow.pl
opnar@pro.onet.pl

Hébergement

▪ DOM WYCIECZKOWY ZOSIA

A Ojców ✆ (012) 389 20 08
Grande bâtisse de style montagnard, située à 500 m du village sur le versant de la Złota Góra (montagne dorée). Propose un petit déjeuner (hors prix de la chambre) et le déjeuner.

▶ **Nombreux logements chez l'habitant,** sous le signe agroturystyka, « wolne pokoje » ou « pokoje goscinne « . Prix moyen de la chambre de 35 zl par personne de nuit (*moins de 10 €*) généralement sans petit déjeuner, mais la cuisine est à disposition.

Restaurants

▪ PIWNICA POD NIETOPERZEM

Ojców 15 ✆ (012) 389 20 89
Ouvert de 9h à 22h. Situé dans un lieu agréable. Bonne cuisine à bas prix.

▪ POD KAZIMIERZEM GOSPODA

Ojców 12 ✆ (012) 389 20 71
Ouvert de 8h à 20h. Cuisine polonaise traditionnelle.

▪ ZAZAMCZE (ZAJAZD)

Ojców 1B ✆ (012) 389 20 83
Ouvert de 9h à 21h. Un petit restaurant dans un joli cadre qui propose aussi des chambres à louer (*environ 140zl*) pour 2 personnes.

Points d'intérêt

▪ LE MUSEE D'HISTOIRE NATURELLE (MUZEUM PRZYRODNICZE)

Ce musée, abrité dans l'un des deux bâtiments blancs qui se font face à côté du parking payant du village, expose des collections de géologie, archéologie, zoologie et botanique du parc. De là, partent des sentiers balisés qui conduisent aux différentes curiosités naturelles (rochers, grottes, gorges). Les deux grottes les plus intéressantes et qui se visitent sont situées au sud du village, la grotte Ciemna (balisage vert) et la grotte ,okietka (balisage noir).

▪ LE CHATEAU DE PIESKOWA SKAŁA

A 8 km d'Ojców ✆ (012) 389 60 04
Ouvert toute l'année du mardi au dimanche de 10h à 15h30. En saison, le samedi et le dimanche jusqu'à 17h30. Billets : 7 zl, réduit : 4 zl. Le château, aussi appelé « le petit Wawel », se visite et dispose d'un musée (filiale des collections nationales d'arts du Wawel), qui présente de nombreux objets, peintures et mobiliers du Moyen Age au XIXe siècle.

LA PETITE-POLOGNE (MAŁOPOLSKA)

L'origine de ce château est également due à Casimir Le Grand, au XIVᵉ siècle. Il fut habité du XIVᵉ jusqu'à la moitié du XXᵉ siècle. Au début de style gothique, il prit progressivement une apparence Renaissance avec des galeries en arc, des mascarons autour de la cour et une loggia près de la porte d'entrée. Il a subi de nombreuses destructions, notamment à cause d'incendies, mais il fut à chaque fois restauré, et il est aujourd'hui proche de son état d'origine. La légende raconte que Krzysztof Szafraniec, décapité en 1580 sur la place du marché de Cracovie, s'y promène la nuit ! A proximité, se dresse la massue d'Hercule.

▪ LA MASSUE D'HERCULE (MACZUGA HERKULESA)

Grosse masse pierreuse qui mesure près de 25 m de hauteur, située en bas du château. Selon la légende, cette massue fut apportée ici par le diable sur l'ordre du sorcier Twardowski. En suivant ensuite la vallée de la Pradnik, la route conduit au village d'Ojców.

▪ LE CHATEAU D'OJCÓW

On ne sait pas très bien de quand date ce château. Il y aurait eu d'abord une fortification aux XIIᵉ et XIIIᵉ siècles. Le premier château en pierre aurait été construit par Casimir Le Grand (Kazimierz Wielki). Il l'aurait probablement fait bâtir sur l'emplacement d'un ancien, servant de refuge à son père, Wladyslaw Lokietek et pour l'honorer, l'appela « Ojców », nom dérivé du mot père : « ojciec ». Détruit et pillé de ses richesses pendant l'invasion suédoise, il connut par la suite plusieurs propriétaires. Il reste aujourd'hui de ce château une porte cochère et une tour de deux étages, dont l'intérieur est de forme ronde.

▪ LA CHAPELLE SUR L'EAU (KAPLICA NA WODZIE)

A proximité des ruines du château d'Ojców, se trouve une jolie petite chapelle en bois, de 1901, construite au-dessus de la rivière. Du temps du Tsar Nicolas II, les habitants d'Ojców, n'ayant pas l'autorisation de construire d'édifices religieux sur terre, ont détourné cette interdiction en installant la chapelle sur l'eau. Toujours utilisée, elle peut se visiter le jour des messes le dimanche et les jours fériés, entre chaque office.

▪ LA GROTTE DE ŁOKIETEK (JASKINIA ŁOKIETKA)

Ouverte du 1ᵉʳ mai au 31 octobre, de 9h à 18h, et jusqu'à 17h en octobre. Une des plus connues de Pologne, au cœur du Parc d'Ojców (balisage noir). Selon la légende, Władyslaw Łokietek, roi de Pologne, poursuivi par le roi tchèque Wacław II, y serait resté caché six semaines et doit sa sauvegarde à une araignée dont la toile voilait l'entrée de la grotte. La grotte mesure 270 m de long.

▪ LA GROTTE DES CHAUVES-SOURIS (JASKINIA NIETOPERZOWA)

De plus de 300 m de long, cette grotte tient son nom d'une énorme colonie de chauves-souris qui y vit. Elle se trouve grâce au balisage bleu et se visite avec un guide. A la différence des deux autres grottes, qui appartiennent au Parc national d'Ojców, celle-là a pour propriétaire M. Zygmunt Ferdek (à Jerzmanowice ✆ (012) 389 53 95.

▪ LA GROTTE CIEMNA (JASKINIA CIEMNA)

Cette grotte se situe à l'extrémité du balisage vert.

▦ LE PLATEAU DE KIELCE

S'étirant tout autour de Kielce, sa ville principale, le plateau, coincé entre deux superbes régions, ne manque pas d'intérêt. Plutôt que d'y passer rapidement pour aller de Lublin à Częstochowa, le voyageur pourra y faire quelques escales culturelles dans un cadre naturel agréable, sans oublier la perle touristique : Sandomierz.

KIELCE

Plus importante agglomération de la région avec 215 000 habitants, Kielce n'est pas une étape touristique par excellence, mais la proximité du Parc national de Swiętokrzyski en fait un point de halte intéressant, ce qui n'exclut pas de visiter la ville elle-même.

Transports

▶ **Train.** Gare à l'ouest du centre-ville. Trains quotidiens vers Varsovie, Cracovie, Częstochowa, Lublin et Katowice, car Kielce est idéalement situé entre ces villes. Un seul train va vers Sandomierz.

▶ **Bus.** Terminal proche de la gare. Si le train est plus pratique pour les destinations importantes, les villes régionales sont mieux reliées par les bus, Sandomierz en tête.

Pratique

▓ CENTRE D'INFORMATION TOURISTIQUE (OŚRODEK INFORMACJI TURYSTYCZNEJ)

Rynek 1 (rez-de-chaussée de l'hôtel de ville)
✆ (041) 367 60 11/64 36
Fax : (041) 345 86 81
www.um.kielce.pl – moit@um.kielce.pl
Ouvert du lundi au vendredi de 7h30 à 19h, le samedi de 10h à 15h.

Hébergement

▓ AUBERGE DE JEUNESSE WEDROWNIK

Ul. Szymanowskiego 5
✆/Fax : (041) 342 37 35
Ouverte toute l'année, et située à environ 1 km à l'est du centre-ville.

▓ LEŚNY DWÓR

Ul. Szczepaniaka 40 ✆ (041) 362 10 88
www.lesnydwor.com.pl (site en anglais)
hotel@lesnydwor.com.pl
Chambres à partir de 160 zl. Joli manoir de style dans un cadre très agréable. Excellent confort pour le prix. Un peu à l'écart du centre vers la rue Krakowska.

▓ BRISTOL

Ul. Sienkiewicza 21 ✆ (041) 368 24 66/60
Fax : (041) 366 30 65
Chambres à partir de 190 zl. Situé dans le centre, très confortable, c'est le meilleur hôtel de toute la ville.

▓ ŁYSOGÓRY

Ul. Sienkiewicza 78 ✆ (041) 366 25 11/94
ax : (041) 366 29 48
www.lysogor.com.pl
hotel@lysogory.com.pl
Situé près des gares, assez cher (*chambres à partir de 240 zl*) pour un confort correct, mais pas inoubliable, jusqu'à 30 % de réduction le week-end. Le restaurant est correct. Possède également une agence de voyage et d'informations touristiques. On peut y réserver les billets pour la grotte Raj (voir Environs de Kielce).

Restaurants

▓ JADŁODAJNIA BARTOSZ

Ul. Glowackiego 1 ✆ (041) 344 33 18
Prix très bas pour une cuisine classique et simple, mais bonne.

▓ RESTAURACJA WINNICA

Ul. Winnicka 4 ✆ (041) 344 45 76
Situé à l'est du centre-ville, ce restaurant spécialisé dans la cuisine ukrainienne est sans doute le meilleur de la ville, et les prix y sont très raisonnables.

Points d'intérêt

▓ LE PALAIS DES EVEQUES DE CRACOVIE (PAŁAC BISKUPÓW KRAKOWSKICH)

Plac Zamkowy 1
✆ (041) 344 40 14
www.muzeumkielce.net
Ouvert du mardi au dimanche de 9h à 16h. Billets : 10 zl, réduit : 5 zl. Ce superbe bâtiment baroque, construit entre 1637 et 1641, abrite aujourd'hui le Musée national (muzeum narodowe) dont la visite est un bon prétexte à visiter les intérieurs aux plafonds et murs couverts de polychromies, aussi beaux que la façade extérieure. Les décorations témoignent de la richesse des évêques de Cracovie, autrefois propriétaires des lieux. En fait, ce palais était l'une de leurs résidences. Le musée contient l'une des plus riches galeries de peinture polonaise des XIXe et XXe siècle, des tableaux, meubles et gobelins des XVIIe et XVIIIe siècle, et divers objets d'artisanat retraçant la riche vie des aristocrates de cette époque. On peut aussi y voir des armes polonaises et étrangères, le sanctuaire du maréchal Piłsudski et des expositions temporaires variées, ethnographiques et géologiques.

▓ CATHEDRALE DE L'ASSOMPTION DE LA SAINTE-VIERGE (KATEDRA WNIEBOWZIĘCIA NAJSWIETSZEJ MARII PANNY)

Située en face du palais, cette église d'abord romane a été reconstruite au XVIIe siècle, en même temps que le palais épiscopal, et a été modifiée depuis à plusieurs reprises, pour être aujourd'hui un mélange de styles, dans lequel le baroque domine incontestablement. A l'intérieur, un triptyque gothique de 1490, une tombe de style Renaissance de 1553.

▓ MUSEE DU JOUET (MUZEUM ZABAWKARSTWA)

Ul. Kościuszki 11 ✆ (041) 344 40 78
Créé en 1979, ce musée possède une grande collection de jouets anciens et contemporains polonais et étrangers. Agréable visite d'une heure environ.

■ LES RESERVES NATURELLES (REZERWAT PRZYRODY)

Kielce possède deux réserves naturelles : Kadzielna, une colline et Slichowice, une corniche, toutes deux composées de calcaire.

Dans les environs

■ LA GROTTE DU PARADIS (JASKINIA RAJ)

À 10 km de Kielce

Ouverte de mai à septembre de 10h à 17h. Billets : 9 zl, réduit : 13 zl. Découverte en 1964, la grotte mesure 240 m, mais seulement 180 m se visitent en environ 45 min. La visite débute par une exposition qui rassemble des objets découverts pendant les travaux archéologiques. Puis, une galerie conduit à différentes salles superbes, riches de stalactites et stalagmites. Accessible par le bus municipal n° 31 (Ul. Żytnia) de Kielce, puis par une marche de 20 min. Pour les groupes, réservation possible des billets à l'hôtel Łysogóry (voir hébergement Kielce) ou pour les individuels (✆ (041) 346 55 18).

■ SKANSEN TOKARNIA (PARK ETNOGRAFICZNY W TOKARNI)

Tokarnia 303, à Chęciny

✆ (041) 315 41 71

Situé sur la route Kielce-Cracovie ou plus largement Varsovie-Cracovie, près du village Checiny. Fondé en 1977, il possède 70 ha de terrain, mais continue de s'étendre. Aujourd'hui, on peut voir environ trente bâtiments, il est prévu d'en restaurer 80. C'est l'un des plus beaux et des plus grands musées de plein air. Il retrace la vie dans la région en présentant les divers habitats, riches et pauvres, église, chapelle, calvaire, moulin, pharmacie… Les intérieurs sont magnifiques. Chaque bâtiment présente avec d'innombrables détails les corps de métiers et la richesse de l'architecture intérieure. Note pour ceux qui circulent en camping-car : il est possible de passer la nuit sur le parking, avant ou après la visite.

PARC NATIONAL SWIĘTOKRZYSKI (ŚWIĘTOKRZYSKI PARK NARODOWY)

Cette chaîne de collines, étendue sur une surface de 80 km², à 20 km à l'est de Kielce, est pratiquement entièrement couverte de forêts superbes. On peut y faire des promenades intéressantes dans un cadre naturel préservé, et quelques haltes culturelles. Deux monts dominent le parc qui couvre aujourd'hui 7 626 ha : Łysica (612 m) et Łysa Góra (595 m).

Points d'intérêt

■ SWIĘTA KATARZYNA

Ce village, situé à 20 km de Kielce, auquel il est relié par le bus, est un bon point de départ pour les randonnées dans le parc naturel. On y trouve une auberge de jeunesse ouverte toute l'année.

■ SWIĘTY KRZYŻ

Ouvert tous les jours de 10h à 16h. Au sommet d'un des monts, se dresse une abbaye bénédictine du début du XIIe siècle, parfaitement préservée et de style gothique. A l'intérieur, on trouve également un petit musée d'histoire naturelle consacré au parc national. On peut depuis Swięta Krzyz se rendre en bus directement à Kielce ou mieux, suivre le sentier rouge jusqu'à Swięta Kataryna.

■ NOWA SŁUPIA

Ce village est la troisième entrée du Parc national, la plus à l'est de toutes. On y trouve un petit musée de la métallurgie ancienne (Muzeum Starożytnego Hutnictwa), ouvert du mardi au dimanche de 9h à 16h, qui malgré son nom, ne ravira pas que les amateurs du genre. On trouve à Nowa Slupia, également relié à Kielce par bus, une auberge de jeunesse ouverte toute l'année, et située juste à côté du musée et plusieurs logements chez l'habitant (sous le signe Agroturystyka).

SZYDŁOWIEC

Située à mi-chemin entre Kielce et Radom, cette petite ville est certainement la plus intéressante de la région, car elle dispose d'un centre historique préservé et d'un château resté absolument intact.

Transports

▶ **Bus.** Terminal situé au nord du centre-ville. La plupart des bus vont vers Radom ou Kielce.

▶ **Train.** Il y a une gare à Szydlowiec, mais elle est située à 5 km à l'est de la ville. Les trains se font rares, et desservent les mêmes destinations que les bus.

Hébergement – Restaurants

▓ AUBERGE DE JEUNESSE
Ul. Kolejowa 16 ✆ (048) 617 59 55
28 chambres pour 2, 3 personnes, ou plus.

▓ KAWIARNIA PIWNICA SZYDOWIECKA
Ul. Rynek Wielki 1
*Ouvert de 12h à 22h (au sous-sol du « Ratusz »,
hôtel de ville).* Cuisine internationale dans un
décor original.

▓ MYSLIWSKA
Ul. Kościuszki 297
✆ (048) 617 57 53
*Ouvert de 8h à 21h30, sur la route
Cracovie-Varsovie, à 2 km de Szydlowiec.*
Cuisine traditionnelle polonaise avec une
spécialité : les galettes de pommes de terre
(placki po wegiersku).

Points d'intérêt

▓ HOTEL DE VILLE (RATUSZ)
Situé au centre du Rynek, ce très beau bâtiment
construit entre 1602 et 1626, ressemble à
un château de style Renaissance.

▓ EGLISE
Construite à la fin du XVe siècle en style
gothique, elle a conservé son aspect
d'origine. Seules, quelques modifications
ont été apportées à l'intérieur au cours du
XVIe siècle, ainsi que le clocher. Elle se trouve,
elle aussi, sur le Rynek.

▓ CHATEAU (ZAMEK)
*Ouvert du mardi au dimanche de 9h à 15h
(le samedi de 10h à 17h).* Situé au nord
du Rynek, cet édifice construit entre 1510
et 1526, remanié au XVIIe siècle, n'a pas
été modifié depuis. Les intérieurs sont
également restés intacts. On y a installé un
musée des instruments de musique populaires
(Muzeum Polskich Ludowych Instrumentów
Muzycznych), dont la superbe collection peut
intéresser autant les curieux que les initiés.

▓ CIMETIERE JUIF
Il s'agit d'un des plus grands du genre dans
toute la Pologne, et on ne peut aujourd'hui en
visiter qu'un quart, car le reste a été détruit
pendant la Seconde Guerre mondiale. On
dénombre aujourd'hui environ 3 000 tombes
que les Allemands n'ont pas eus le temps
d'enlever, datant pour la plupart du
XIXe siècle.

SANDOMIERZ

Ville d'histoire, Sandomierz a été, comme
Cracovie, épargnée par les destructions de
la Seconde Guerre mondiale. C'est un des
endroits les plus typiques de tout le pays,
village fortifié dominant la vallée de la Vistule,
guère modifié depuis des siècles, comme
pour nous prouver que la Pologne possède
également des endroits préservés de toutes
les invasions, de toutes les destructions, et de
toutes les aberrations architecturales.

Transports – Pratique

▶ **Train.** Gare située à 3 km au sud-est
de la ville, reliée par des bus fréquents au
centre. Trains pour la plupart des destinations
proches, ainsi que pour Varsovie, mais aucun
vers Zamość.

▶ **Bus.** Terminal situé au nord-ouest de la ville,
reliée également au centre par des bus. De
nombreux bus pour la région, et une douzaine
de bus quotidiens vers Varsovie, mais un seul
pour Zamość.

▓ CENTRE D'INFORMATION TOURISTIQUE PTTK
Rynek 12 ✆/Fax : (015) 832 26 82/23 05
www.pttk-sandomierz.pl
poczta@pttk-sandomierz.pl

Hébergement

▓ AUBERGE DE JEUNESSE
Ul. Krępianki 6
*Située à l'ouest de la vieille ville, elle n'est
ouverte que l'été dans une école.*

▓ PENSJONAT JUTRZENKA
Ul. Zamkowa 1 ✆ (015) 832 22 19
Située dans le centre, pas chère mais très
petite, et donc souvent complète en saison.

Chez l'habitant

▓ W. I K. MATEROWSCY
Ul. Podgorze 6 ✆ (015) 832 47 96
Chambres chez l'habitant, à proximité du
Rynek, possibilité d'installer sa tente ou sa
caravane dans le jardin.

Confort ou charme

▓ HOTEL BASZTOWA
Plac Ks. J. Poniatowskiego 2
✆ (015) 833 34 50 – Fax : (015) 833 34 70
www.opiwpr.org.pl
Un des meilleurs hôtels de la ville, idéalement
situé tout près du Rynek.

▪ HOTEL PENSJONAT DICK

Ul. Sokolnickiego 3 ☏ (015) 832 31 30
Chambres sans salle de bains, mais assez confortables, dans le centre-ville.

▪ HÔTEL OSCAR

Ul. Mickiewicza 17A ☏ (015) 832 11 44
Situé au nord-ouest du centre, confortable et moderne. Le restaurant est sans doute un des meilleurs de la ville.

Luxe

▪ ZAJAZD POD CIŻEMKĄ

Rynek 27 ☏ (015) 832 05 50
ax : (015) 832 05 52
biuro@sandomierz-hotel.com.pl
Chambres confortables et spacieuses avec salle de bains dans un bâtiment de caractère. Idéalement placé, c'est sans doute l'hôtel le plus luxueux de la ville.

Restaurants

▪ ZAJAZD POD CIŻEMKĄ

Restaurant de l'hôtel, excellente cuisine dans un cadre historique.

▪ PIZZA

Ul. Sokolnickiego 8 – Proche du Rynek
De bonnes pizzas pas chères et copieuses.

▪ KAWIARNIA KASZTELANSKA

Rynek 13
Idéalement placé, c'est le meilleur restaurant de la ville, sans être exceptionnel pour autant. Cuisine polonaise.

▪ TRZYDZIESTKA

Rynek 30
Grillades dans une maison de style, joli décor et belle vue sur le Ratusz.

Points d'intérêt

▪ RYNEK

Très belle place du marché posée sur une pente singulière, et dotée d'un superbe hôtel de ville au milieu, un des plus beaux de style Renaissance en Pologne.

▪ HOTEL DE VILLE (RATUSZ)

Ouvert du mardi au vendredi de 9h à 16h, le samedi de 9h à 15h, le dimanche de 10h à 15h. Son origine remonterait au XIIIᵉ siècle. C'était probablement alors une construction en bois, qui aurait brûlé en 1349 lors des attaques lituaniennes. Reconstruit en briques à la seconde moitié du XIVᵉ siècle, le bâtiment avait la forme d'une tour à base carrée, puis

octogonale. Par la suite, il subit de nombreuses destructions. Jusqu'en 1873, la ville ne pouvait faire de gros travaux, mais depuis il est bien restauré. Situé au centre du Rynek, il abrite aujourd'hui un musée historique de la ville, assez intéressant bien que tout petit et vite visité (*billets : 4 zl, réduit : 3 zl*). Les caves sont le point de départ d'une voie touristique souterraine.

▪ PARCOURS DANS LES SOUTERRAINS

L'entrée se trouve dans l'ancienne maison de la famille Oleśnicki, qui part du Rynek. Ouvert tous les jours de 10h à 17h, en saison 18h. Billets : 7 zl, réduit : 4 zl. Un véritable réseau de caves a été creusé dans les maisons qui entourent le Rynek entre le XVᵉ et le XVIIᵉ siècle. Les marchands entreposaient ici leurs denrées. Consolidées au cours des années soixante-dix, car elles menaçaient de s'effondrer, elles sont aujourd'hui ouvertes aux visiteurs. Malheureusement, les visites guidées se font en polonais uniquement. Parfois, vous pourrez trouver un Polonais parlant une autre langue, qui se fera une joie de vous traduire les explications, fort intéressantes.

▪ LA PORTE D'OPATÓW (BRAMA OPATOWSKA)

Entrée : 3 zl. Du temps de Casimir Le Grand, quatre portes furent construites, avec les remparts. C'est aujourd'hui la seule qui reste. Datant du XIVᵉ siècle, elle marque l'accès à la vieille ville. Possibilité de monter en haut de la tour pour voir la vieille ville.

▪ CATHEDRALE (KATEDRA)

Ouverte du mardi au samedi, de 10h à 14h, puis de 15h à 17h, le dimanche, seulement de 15h à 17h. Construite au XIVᵉ siècle, et remaniée pendant la Renaissance, la façade extérieure a conservé son authenticité, mais l'intérieur a été refait à plusieurs reprises. Les artistes du XVIIIᵉ siècle, véritables ennemis de l'art gothique, sont passés par là et ont modifié l'aspect des décorations. Il faut quand même reconnaître leur travail, parfois superbe, principalement en ce qui concerne les peintures. Sur les murs latéraux, 12 peintures prédiraient la façon dont on va mourir. Chaque tableau symbolise dans l'ordre, les mois de l'année, puis cherchez bien sur chaque représentation (tête coupée à la hache, pendus et autres réjouissances… toutefois un peu démodées !) un chiffre, celui du jour du mois.

▣ COUVENT DES DOMINICAINS

Ul. Zamkowa
Très beau couvent avec un riche décor intérieur et un campanile fortifié.

▣ EGLISE SAINT-JACQUES (KOŚCIÓŁ ŚW. JAKUBA)

Ul. Staromiejska
Construite au début du XIIe siècle, c'est sans doute la plus vieille église romane en briques rouges de toute la Pologne. L'extérieur a conservé son aspect d'origine, mais l'intérieur a été refait en style baroque. Malheureusement, la décoration a été saccagée au début des années quatre-vingt-dix pour lui donner une apparence moderne. Ceux qui ont connu l'église avant, pleurent aujourd'hui ce désastre, même s'il reste toujours quelques vestiges superbes, comme un sarcophage taillé dans un seul bloc de chêne.

▣ CHATEAU ROYAL (ZAMEK KRÓLEWSKI)

Ouvert du mardi au vendredi de 9h à 16h, le samedi de 9h à 15h, le dimanche de 10h à 15h. Galla Anonima mentionne déjà une fortification au XIe siècle. Construit à son origine en bois, l'édifice en pierre ne serait apparu qu'à la moitié du XIVe siècle sur la commande de Casimir Le Grand. Aujourd'hui transformé en musée régional, cet édifice a subi les destructions des guerres successives, avant de servir de prison au début du XIXe siècle. Le musée, modeste, est plutôt un prétexte pour entrer dans le château (*billets : 4 zl, réduit : 2 zl*). De la cour, une superbe vue sur la ville, le vieux port et la Vistule.

▣ MUSEE DIOCESAIN (MUZEUM DIECEZJALNE)

Ul. Długosza 9

Ouvert du 1er avril au 31 octobre, du mardi au samedi de 9h à 12h et de 13h30 à 16h, le dimanche et fêtes de 13h30 à 16h. Du 1er novembre au 31 mars, du mardi au samedi de 9h à 12h, le dimanche et fêtes de 13h30 à 15h. Installé dans la maison Długosz, construite en 1476 pour le chanoine du même nom. Petite collection d'art religieux assez intéressante.

▣ PROMENADES EN BATEAU

Billets allant de 6 zl pour une simple promenade, à 70 zl pour la journée. Plusieurs traversées sont proposées sur la Vistule, plus ou moins longues.

Dans les environs

Baranów Sandomierski

Situé à environ 30 km au sud de Sandomierz se trouve la petite ville de Baranów Sandomierski qui possède une superbe résidence seigneuriale Renaissance.

▣ ENSEMBLE DE PARC ET DE PALAIS DE BARANÓW SANDOMIERSKI

Ul. Zamkowa 20 ✆ (015) 811 80 39
Fax : (015) 811 80 40
www.baranow.motronik.com.pl
zamek.baranow@motronik.com.pl
Au centre d'un immense parc, très bien entretenu, avec des jardins en terrasses et des fontaines, se dresse une magnifique résidence seigneuriale, très bien conservée de style Renaissance tardive, du XVIe et XVIIe siècles. La cour intérieure du château est entourée de superbes galeries à arcades et de colonnes. Le château abrite aussi un musée et un hôtel.

▤ LA RÉGION DE LUBLIN

La région de Lublin est située entre la Vistule et la rivière Bug (qui délimite la frontière avec l'Ukraine).
C'est un pont qui relie l'Europe de l'Est à l'Ouest, non seulement en termes de politique, mais aussi d'un point de vue géographique, naturel, culturel et religieux. Depuis le Moyen Age, les routes commerciales passent par cette région. L'architecture locale, dessinée principalement par des architectes italiens, propose un style unique appelé le Renaissance de Lublin, que les églises et les édifices municipaux reflètent parfaitement.

LUBLIN

C'est, avec 350 000 habitants, la principale ville de la région, dont les origines remontent au VIe siècle. Souvent citée dans les livres d'histoire, sa charte municipale date de 1317. L'union qui fut signée en 1569 entre la Pologne et la Lituanie porte son nom. Le premier gouvernement de la Pologne indépendante y fut formé en 1918. Les Soviétiques y installèrent en 1944 un gouvernement provisoire, et enfin le mouvement de grèves de 1980 y prit naissance.

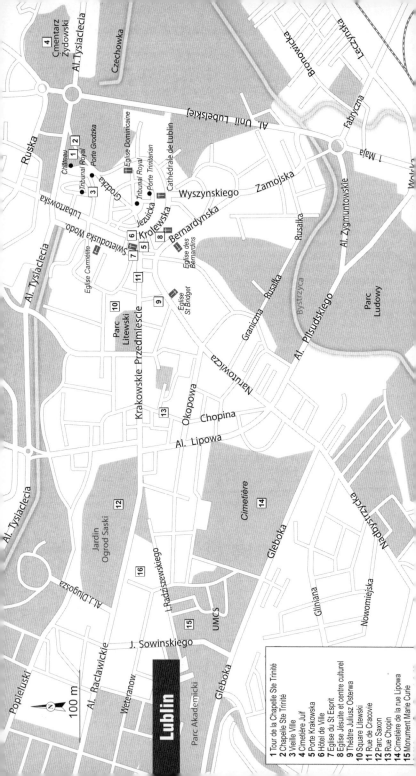

Lublin

1 Tour de la Chapelle Ste Trinité
2 Chapelle Ste Trinité
3 Vieille Ville
4 Cimetière Juif
5 Porte Krakowska
6 Hôtel de Ville
7 Église du St Esprit
8 Église Jésuite et centre culturel
9 Théâtre Juliusz Osterwa
10 Square Litewski
11 Rue de Cracovie
12 Parc Saxon
13 Rue Chopin
14 Cimetière de la rue Lipowa
15 Monument Marie Curie

100 m

Cmentarz Żydowski
Al. Tysiąclecia
Czechowka
Czechówka
Bronowicka
Leczyńska
Al. Unii Lubelskiej
Fabryczna
1 Maja
Wola
Ruska
Château
Tribunal Royal
Porte Grodzka
Eglise Dominicaine
Grodzka
Tribunal Royal
Porte Trinitaian
Cathédrale de Lublin
Wyszynskiego
Zamojska
Lubartowska
Jezuicka
Krolewska
Bernardynska
Rusalka
Al. Zygmuntowskie
Świetoduska Wodo.
Eglise des Bernardins
Eglise Carmélite
Rusalka
Bystrzyca
Al. Piłsudskiego
Parc Ludowy
Eglise St Bridget
Parc Litewski
Krakowskie Przedmieście
Narutowicza
Graniczna
Al. Tysiąclecia
Okopowa
Chopina
Al. Lipowa
Cimetière
Głęboka
Nadbystrzycka
Jardin Ogrod Saski
Al. Długosza
J. Radziszewskiego
UMCS
Gliniana
Nowomiejska
Al. Tysiąclecia
Popiełuszki
Al. Racławickie
Weteranow
J. Sowinskiego
Głęboka
Parc Akademicki

Les immanquables de Lublin

▶ **Se promener** dans la cour du château et s'arrêter à la chapelle de la Sainte-Trinité.

▶ **Voir** les portes : Brama Grodzka et Brama Krakowska.

▶ **Boire** un café sur la place du marché (Rynek).

▶ **Visiter** la cathédrale de Lublin.

La vieille ville, particulièrement préservée, est très agréable, bien que sa visite se fasse assez rapidement. En fait, Lublin possède un patrimoine touristique très important, mais qui reste encore assez méconnu. Les infrastructures touristiques sont encore modestes, comme dans la plupart des autres villes de la région, même si le tourisme commence à se développer.

Le centre-ville gravite autour de la rue Krakowskie Przedmieście, rue piétonne allant de la porte de la vieille ville (Brama Krakowska) à la place Litewski. Elle offre toutes sortes de commerces, services et restaurants. Seul regret dans cette ville agréable, la plupart des palais et belles demeures sont aujourd'hui des banques, et il est donc impossible de les visiter. On trouve également à Lublin une université Marie Curie, en hommage à la célèbre physicienne et chimiste, née à Varsovie, qui quitta la Pologne pour la France.

Transports

Train

■ **GARE CENTRALE**
Plac Dworcowy 1
A 2 km au sud du centre-ville (bus n° 13 et 150 pour la vieille ville, n° 1 et 34 pour le terminal de bus). Trains vers Zamość (3h), Varsovie (2h30), Cracovie (4h30), Kiev (19h), Wrocław (8h).

Bus

■ **TERMINAL**
Ul. Tysiaclecia 6
Ouvert tous les jours de 5h à 22h30. Bus vers Varsovie (3h) et Cracovie (7h).

■ **LUBLIN TRANSPED**
✆ (081) 747 67 46
Transport en minibus dans la région de Lublin.

■ **POLSKI EXPRESS**
Arrêt à la gare PKS, Ul. Tysiąclecia 6
✆ (081) 747 89 22
Ligne de bus de Varsovie. Plusieurs bus confortables au départ de Lublin, direction Varsovie et Rzeszów.

Transports urbains

Les tickets peuvent s'acheter à l'extérieur du terminal de bus.

▶ **Prix des billets,** 10 min : 1,80 zl, 30 min : 2 zl, 60 min : 2,20 zl, 7 jours : 36,00 zl.
Un bagage encombrant nécessite l'achat d'un ticket supplémentaire. Billets achetés au chauffeur majorés de 0,20 zl.

Pratique

■ **ALLIANCE FRANÇAISE**
Plac Litewski 5
✆ (081) 532 47 31
Fax : (081) 532 47 31
alliance@sokrates.umcs.lublin.pl

Tourisme

■ **CENTRE D'INFORMATION TOURISTIQUE DE LUBLIN (LUBELSKI OŚRODEK INFORMACJI TURYSTYCZNEJ)**
Ul. Jezuicka 1/3
✆ (081) 532 44 12
Fax : (081) 442 35 56 – www.loit.lublin.pl
infotur@loit.lublin.pl
Ouvert du lundi au vendredi de 10h à 17h, le samedi de 10h à 16h.

■ **AGENCE TOURISTIQUE PTTK**
Ul. Krakowskie Przedmieście 78
✆ (081) 532 96 54
Ouvert du lundi au vendredi de 9h à 17h, le samedi de 10h à 14h. Propose de nombreuses brochures de Lublin et de la région, y compris en français, mais toutes sont payantes (à des prix très raisonnables).

▪ AGENCE TOURISTIQUE PTTK

Rynek 8 ✆ (081) 532 49 42
Fax : (081) 532 37 58

▪ AGENCE DE VOYAGE ORBIS

Ul. Narutowicza 31 ✆ (081) 532 22 56
*Ouvert du lundi au vendredi de 9h à 17h,
le samedi de 10h à 14h.* Vend des billets
de train et de bus et propose des services
touristiques.

▪ POSTE CENTRAL

Ul. Krakowskie Przedmieście 50
✆ (081) 532 87 36

Presse internationale

▪ EMPIK

Ul. Królewska 4
(labo photos ✆ (081) 532 89 42
www.e-foto.pl)
Ul. Krakowskie Przedmieście 59

Hébergement

▪ AUBERGE DE JEUNESSE

Ul. Jana Długosza 6 ✆ (081) 533 06 28
*Située à 2 km de la vieille ville. 82 lits répartis
en dortoirs de 12 places et plus (à partir de
12 zl).*

▪ CAMPING MARINA

Ul. Krecznicka 6 ✆ (081) 744 10 70
Au bord du Zalew Zemborzycki (lac artificiel)
à 8 km du centre, vers le sud. Prendre le bus
n° 8 en face du théâtre Osterwa, ou le train
jusqu'à la station Lublin Zalew.

Bien et pas cher

▪ DOM NOCLEGOWY PIAST

Ul. Pocztowa 2 ✆ (081) 532 25 16/17
*A côté de la gare centrale. Chambres simples,
doubles, triples et dortoirs (à partir de 42 zl).*
Confort sommaire à petits prix.

Confort ou charme

▪ CAMPANILE LUBLIN

Ul. Lubomelska 14 ✆ (081) 531 84 00
Fax : (081) 531 84 01
www.campanile.com.pl
lublin@campanile.com.pl
*Chambres doubles à 239 zl en semaine, et
160 zl le week-end.* Ouvert en 2004, cet hôtel
aux standards connus offre des chambres
doubles à un bon rapport qualité-prix.

▪ HUZAR

Ul. Spadochroniarzy 7 (rue perpendiculaire
à l'avenue Racławickie)
✆/Fax : (081) 533 05 36/081 718 37 87
www.hotelhuzar.pl
hotel.huzar@wam.net.pl
A 3 km du centre-ville, dans une rue calme
et un bâtiment de béton triste. Assez bon
rapport qualité-prix, chambres simples et
doubles avec salle de bains à partir de 160 zl.
Certaines chambres sont rénovées (surtout la
salle de bains) d'autres pas, l'hôtel pratique
donc deux tarifications en fonction de l'état
des chambres. Petit restaurant au rez-de-
chaussée.

▪ MOTEL PZMOT

Ul. Prusa 8 ✆ (081) 533 42 32
*Depuis la rue Krakowskie Przedmieście, prendre
la rue 3-go Maja jusqu'à l'enseigne PZM (à
partir de 110 zl).* Annexe de l'Association
automobile polonaise, offre des chambres
simples et doubles avec ou sans salle de
bains, à des prix corrects.

Luxe

▪ MERCURE ORBIS UNIA

Al. Racławickie 12 ✆ (081) 533 20 61
Fax : (081) 533 35 01/30 21
www.orbis.pl
unia@orbis.pl – mer.unia@orbis.pl
Les prix pratiqués sont assez excessifs *(à
partir de 414 zl)*, mais la concurrence dans
cette catégorie est inexistante à Lublin. Les
tarifs sont minorés de 20 % le week-end.

▪ VICTORIA

Ul. Narutowicza 58/60 ✆ (081) 532 70 11
Fax : (081) 532 90 26
victoria@lublin.top.pl
Confortable, mais bruyant. Chambres simples
et doubles avec salle de bains *(à partir de
220 zl).*

Restaurants

▪ KARCZMA SŁUPSKA

Al. Racławickie 22
✆ (081) 533 88 13
Proche de l'auberge de jeunesse. Atmosphère
folklorique pour cuisine simple et plutôt
abordable. Ambiance jeune avec le soir des
concerts de groupes du coin.

▪ KAWIARNIA SARMATA

Ul. Grodzka 16/3 ✆ (081) 534 63 89
Ouvert de 11h à 24h. Pub. Pizzas du pub de
la rue Szewca. Décor très agréable. Terrasse
en été.

■ PRZEZ KRESY

Rynek 18 ✆ 0 501 346 106 (portable)
Sur la place du Rynek, ce nouveau restaurant
propose une bonne cuisine typique de la région,
dans un cadre agréable et sympathique. La
patronne parle très bien français. Ils organisent
des soirées littéraires et des concerts de
musique du grand Est.

■ ULICE MIASTA

Ul. Władysława Łokietka
(près de Brama Krakowska)
✆ (081) 534 05 92.
www.ulicemiasta.pl
restauracja@ulicemiasta.com.pl
*Ouvert de 10h à 23h. Comptez environ 20 zl
par personne.* Pub et restaurant situé au
centre-ville. Décor stylé, cuisine polonaise.

Points d'intérêt

■ MUSEE DE L'HISTOIRE
DE L'HOTEL DE VILLE ET DU TRIBUNAL
DE LA COURONNE (MUZEUM HISTORII
RATUSZA I TRYBUNALU KORONNEGO)

Rynek 1
✆ (081) 532 68 66
*Ouvert du mercredi au samedi de 9h à 16h,
le dimanche de 9h à 17h.* Installé dans l'hôtel
de ville, au centre du Rynek, ce musée est un
prétexte pour visiter cet édifice du XIVe siècle,
remanié au XIXe siècle. Il raconte l'histoire du
lieu, qui était le siège du pouvoir municipal
de 1578 à 1794, ainsi que du Tribunal de la
Couronne, dans de jolies caves voûtées.

■ EGLISE DES DOMINICAINS

Située à l'est du Rynek, cette imposante
église du XIVe siècle fut en 1569 le lieu de la
signature du fameux traité. Aujourd'hui de
style Renaissance, elle est malheureusement
fermée en dehors des offices, en général le
matin et le soir.

■ MUSEE HISTORIQUE DE LUBLIN
(MUZEUM HISTORII MIASTA LUBLINA)

Plac Łokietka 3 (Brama Krakowska)
✆ (081) 532 60 01
*Ouvert du mercredi au samedi de 9h à 16h,
le dimanche de 9h à 17h.* Installé dans la
porte de Cracovie, solide bâtisse médiévale
remaniée à plusieurs reprises, au sud du
Rynek, ce musée vous propose une collection
de gravures et de photos retraçant l'histoire
de la ville. Du sommet de la porte, on a une
vue intéressante sur la vieille ville, dont ce
point marque l'entrée principale.

■ MUSEE DE L'ARCHEVECHE
(MUZEUM ARCHIDIECEZJALNE)

Ul. Filaretów 7 ✆/Fax : (081) 444 74 50
www.kuria.lublin.pl
muzeum.archidiecezjalne@kuria.lublin.pl
*Ouvert du 25 mars au 15 novembre, tous les
jours, de 10h à 17h.* Installé dans la tour de la
Trinité (wieza trynirtaska), au sud du Rynek, à
côté de la cathédrale, ce musée est spécialisé
dans l'histoire religieuse de la ville. La vue sur
le centre-ville depuis le sommet de la tour est
très belle, la plus intéressante.

■ CATHEDRALE

Si la façade extérieure est austère, les
décorations intérieures sont en revanche
superbes, surtout les peintures qui ornent
murs et voûtes, réalisées à la seconde moitié
du XVIIIe siècle par Josef Mayer, à la suite d'un
incendie. La richesse des décorations témoigne
de l'opulence de l'évêché à cette époque.

■ CHATEAU (ZAMEK)

*Ouvert du mercredi au samedi de 9h à 16h, le
dimanche de 9h à 17h.* Bâti au nord de la vieille
ville, on y accède soit par un grand escalier, soit
par une promenade sur un pont. Ce château a
initialement été construit au XIVe siècle, mais
détruit depuis, et remplacé par une prison au
XIXe siècle, dans laquelle, pendant la Seconde
Guerre mondiale, des milliers de personnes
ont été incarcérées avant d'être déportées. Il a
tenu son rôle de prison jusqu'en 1954, pour se
tourner alors vers la culture. Depuis 1957, cet
édifice accueille le musée de Lublin (Muzeum
Lubelskie) qui rassemble des collections ayant
trait à l'histoire de la ville et de ses habitants
depuis l'époque archéologique, plus une
exposition de pièces de monnaie. Il s'agit du
musée le plus intéressant de la ville et le plus
grand de la région (*billet : 5 zl, réduit : 3 zl*).

■ CHAPELLE DE LA SAINTE-TRINITE
(KAPLICA ŚW. TRÓJCY)

*Visites tous les jours de 9h à 10h, 10h10 à
11h10, 11h20 à 12h20, 12h30 à 13h30, 13h40 à
14h40, 14h50 à 15h50 et le dimanche, une heure
supplémentaire 16h à 16h50. Le lundi et le mardi,
la visite est à part de celle du musée (billets : 6 zl,
réduit : 4 zl), du mercredi au dimanche la visite
est comprise dans celle du musée (billets : 9 zl,
réduit : 5 zl).* Appelée aussi chapelle du château,
cette petite chapelle du XIVe siècle parfaitement
préservée est un trésor d'architecture médiévale.
Elle est classée comme l'une des plus riches et
plus grandes chapelles du Moyen Age de Pologne
et d'Europe. Elle retrace le mélange de deux
cultures, celle de l'Est et celle de l'Ouest.

■ **MUSEE DU MARTYRE (MUZEUM MARTYROLOGII POD ZEGAREM)**
Ul. Uniwersytecka 1 ✆ (081) 533 36 78
Ouvert du mercredi au samedi de 9h à 16h, le dimanche de 9h à 17h, fermé le premier dimanche du mois. Le musée est installé dans l'ancienne maison d'arrêt de la Gestapo. L'exposition est consacrée au martyre des habitants de Lublin et de la région pendant la Seconde Guerre mondiale.

■ **MAJDANEK**
✆ (081) 744 26 40/47
Ouvert du mardi au dimanche de 8h à 15h.
Un camp de concentration fut installé à 4 km au sud de la cathédrale de Lublin, et fut le lieu d'extermination de plus de 350 000 personnes, dont 100 000 juifs entre 1941 et 1944. Aujourd'hui, ce sinistre endroit parfaitement conservé, un peu dans le style d'Auschwitz (voir rubrique « Oświęcim »), a été aménagé en musée dans lequel l'horreur est perceptible. Dans un monument élevé aux victimes, un mausolée renferme les cendres des martyrs. L'entrée du musée est libre, mais interdite aux moins de 14 ans. Pour s'y rendre depuis Lublin (devant la cathédrale), prendre les bus n° 153, 156 ou 158 qui vous conduiront directement devant l'entrée du camp.

■ **SKANSEN DE LUBLIN (MUZEUM WSI LUBELSKIEJ**
Al. Warszawska 96
Ouvert de 9h à 17h, en saison de 10h à 18h, dernière entrée 1h avant la fermeture, compter 2h de visite. Pour se rendre dans ce musée en plein air, situé à 5 km à l'ouest de la ville, le meilleur moyen est de prendre le bus n° 18. Ce lieu rassemble d'anciennes demeures, dont la plupart datent du XVIIe siècle, et continue petit à petit de s'agrandir, devenant un véritable petit village traditionnel reconstitué.

KOZŁÓWKA

Situé à 35 km au nord de Lublin, à 9 km à l'ouest de Lubartów, le village de Kozłówka vaut le détour pour son splendide musée et palais de style baroque. La plupart des infrastructures touristiques se trouvent dans la petite ville proche de Lubartów. Il est également possible de faire une excursion d'une journée depuis Lublin.

Transports

▶ **Train.** Depuis Lublin, descendre à Lubartów, puis prendre un bus, car il n'y a pas de train à Kozłowka.

▶ **Bus.** Au départ de Lublin (avenue Tysiąclecia), prendre la direction de Michów ou de Puławy. Les bus s'arrêtent à Kozłówka.

Hébergement

▶ **Le musée propose deux types d'hébergement,** un appartement magnifique dans le style du palais (plus de 400 zl la nuit, nécessité de réserver) ou cinq chambres de style dans un petit manoir du XVIIIe siècle (*70 zl la chambre, toutes avec salle de bains et tv, cuisine à disposition*).
E. i K. Kornaccy
✆ (081) 852 82 20. ek-kornaccy@wp.pl

Points d'intérêt

■ **MUSEE DE ZAMOYSKI – PALAIS**
✆ (081) 852 83 00
Ouvert du mardi au vendredi de 10h à 16h, le samedi et le dimanche de 10h à 17h, billets : 15 zl, réduit : 8 zl, parking payant. Il est préférable de visiter le musée le week-end, car les jours de semaine sont généralement réservés aux groupes (auxquels il est possible de se joindre). La visite se fait par groupes de 35 personnes, qui partent toutes les heures pour 45 min de visite guidée (en anglais et en allemand avec supplément). Tous les guides sont des femmes qui portent des costumes d'époque. Possibilité de restauration sur place.
Le palais, en fait un groupe de bâtiments, a été construit dans les années 1736-1742 pour le voïvode de Chełmno, Michal Bieliński, et présente en plus d'un parc somptueux de style français, des intérieurs baroques qui ont été parfaitement préservés, après l'acquisition en 1799 du site par la famille Zamoyski. Les amoureux du style rococo devront impérativement passer par Kozlowka. Le musée a été ouvert en 1977.
On trouve également dans le musée une collection de peintures et de sculptures du réalisme socialisme, avec des représentations des grandes figures du socialisme mondial, Staline et Mao Zedong en tête, mais aussi des scènes de la vie quotidienne sous le communisme. Amusant contraste que de voir de telles œuvres dans un endroit comme celui-là.

NAŁĘCZÓW

Petit village situé à 30 km de Lublin environ, sur la route de Kazimierz Dolny, Nałęczów est connu pour ses sources d'eau minérale et sa station thermale très réputée à la fin du XIXe siècle. Bénéficiant d'un microclimat, son air convient parfaitement aux personnes souffrant de troubles du système circulatoire (surtout du cœur). Vous trouverez des informations complètes sur la station thermale à l'office du tourisme de Lublin.

Hébergement – Restaurant

Il existe un grand nombre de chambres chez l'habitant.

▪ PENSJONAT POLESIE
Ul. Prusa 3A ✆ (081) 501 41 72
Chambres à partir de 20 zl. Chambres pour 1 ou 2 personnes dans une grande maison en bois avec jardin.

▪ PENSJONAT ORLE GNIAZDO
Ul. Kolejowa 17
✆ (081) 501 61 11. orle@02.pl
Chambres à environ 30 zl sans le petit déjeuner.

▪ KAWIARNIA JAŚMINOWA
Wąwóz Chmielewskiego 1B,
par la rue Klonowa 7,
dans le bois Las Wąwozy
✆/Fax : (081) 501 58 50
Ouvert dès 14h dans la semaine, 10h le week-end. Superbe café dans une agréable maison en bois. Le chocolat est excellent !

Points d'intérêt

▪ PALAIS MALACHOWSKI
Ul. Lipowa
Construit probablement en 1771-1775, dans un style baroque. Il protège un décor intérieur néoclassique magnifique.

▪ PETIT TRAIN TOURISTIQUE
Son histoire a débuté en 1892-1893, alors que les voies étaient encore faites en bois. Il propose aujourd'hui un tracé touristique : Naleczów, Wawolnica, Karczmiska, Opole, Poniatowa, Wilków. Les billets sont à acheter au conducteur.

KAZIMIERZ DOLNY

Petite ville située au sud de Puławy, oubliée du réseau ferroviaire, Kazimierz Dolny est une des perles de Pologne. Artistes et personnalités de Varsovie viennent y respirer l'air sain et l'atmosphère chaleureuse. Ancien port sur la Vistule, cette ville fondée au XIIIe siècle, a traversé toutes les grandes dates, plus ou moins glorieuses, de l'histoire de la Pologne. Aux invasions et aux destructions, ont succédé les périodes de faste et d'essor de la culture. La période la plus sombre fut la Seconde Guerre mondiale, puisque toute la population juive de Kazimierz Dolny, importante comme dans le reste de la région, fut envoyée dans les camps d'extermination. Aujourd'hui, cette destination des touristes Polonais se fait connaître au monde, tout en restant authentique, calme, presque endormie, et comme un des nombreux tableaux qui la représentent, elle ne bouge pas, prête à traverser le temps et d'autres épreuves. Dès les premiers beaux jours, Kazimierz Dolny est le but des promenades dominicales. Proche de la capitale, elle est le refuge des Varsoviens. Le Rynek se couvre alors de terrasses où il fait bon déguster une bonne bière polonaise et se détendre. Ne pas quitter la ville sans avoir goûté le pain en forme de coq (symbole de la ville). Ce pain (brioché) peut représenter différents autres motifs.

Transports

▪ **Bus.** Terminal proche du Rynek, et donc du centre. De nombreux bus pour Puławy (où on peut prendre le train), ainsi que pour d'autres destinations importantes comme Lublin ou Varsovie (attention, très long). Il n'y a en effet pas de train à Kazimierz Dolny.

Pratique

▪ **www.kazimierz-dolny.pl** – En anglais et en allemand.

▪ CENTRE D'INFORMATION TOURISTIQUE (CENTRUM INFORMACJI TURYSTYCZNEJ)
Ul. Lubelska 4A ✆ (081) 882 13 11
Fax : (081) 882 13 12
informacja@kazimierz-dolny.com.pl
Ouvert de 9h à 19h (pause entre 13h et 15h), et hors saison de 9h à 15h. Propose des informations sur la ville et la région, ainsi que des adresses de logements chez l'habitant ou dans les hôtels, ou dans les enseignes agroturystyka.

▪ BUREAU TOURISTIQUE PTTK
Rynek 27 ✆/Fax : (081) 881 00 46
www.kazimierz-news.com.pl
kazimierz-dolny@poczta.onet.pl

Hébergement

On trouve de nombreuses chambres chez l'habitant à Kazimierz Dolny, dont la liste est donnée au bureau PTTK.

■ **CAMPING**

Ul. Krakowska 59/61 ℰ (081) 881 00 36
Situé au sud-ouest de la ville, il est ouvert en
été seulement. Voir « hôtel Spichlerz ».

■ **AUBERGE DE JEUNESSE
POD WIANUSZKAMI**

Ul. Puławska 80 ℰ (081) 881 03 27
wianuszki@poczta.onet.pl
*Pour les étudiants, chambres collectives à
partir de 25 zl, 30 zl pour les chambres de
2 ou 3 personnes ; pour les non étudiants de
39 zl à 45 zl. Proche de la Vistule, dans un
ancien grenier du XVIIe siècle.*

Confort ou charme

■ **DOM ARCHITEKTA**

Rynek 20 ℰ (081) 881 05 44
Confort correct pour un emplacement idéal.

■ **DOM DZIENNIKARZA**

Ul. Malachowskiego 17
ℰ (081) 881 01 62 – Fax : (081) 881 01 65
info@domdziennikarza.top-net.pl
Chambres à partir de 52 zl. Mêmes prestations
pour cet endroit légèrement plus éloigné
du Rynek.

■ **HOTEL SPICHLERZ
DOM TURYSTY PTTK**

Ul. Krakowska 59/61
ℰ/Fax : (081) 881 00 36/04 01
Chambres à partir de 80 zl. Dispose d'un
camping, d'un restaurant, d'un parking gardé
et d'une discothèque.

■ **PENSJONAT POD WIETRZNĄ GÓRĄ**

Ul. Krakowska 1 ℰ (081) 881 05 43
Fax : (081) 881 06 40 – wietrzna@wp.pl
*Comptez 160 zl pour une chambre double
avec petit déjeuner en haute saison.* Cet hôtel
ne possède pas de charme particulier, mais
est très bien situé, à deux pas du Rynek, un
peu au calme. Il détient aussi un restaurant,
ouvert de 9h à 22h, dont une partie se trouve
à l'arrière dans une jolie petite cour intérieure,
où il est très agréable de prendre son petit
déjeuner (par ailleurs bon et copieux). Parking
gardé à quelques mètres, très avantageux
à Kazimierz Dolny, où seuls des parkings
payants et éloignés du centre permettent de
garer sa voiture.

Luxe

■ **VENUS**

Ul. Tyszkiewicza 25A
ℰ/Fax : (081) 882 04 00

Chambres à partir de 200 zl. Joli hôtel entouré
d'arbres et à proximité de la Vistule. Bon
confort.

Restaurants

Nombreux restaurants agréables l'été pour
leurs jardins.

■ **CEZARY SARZYŃSKI**

Ul. Nadrzeczna 6
Boulangerie et restaurant. C'est là que l'on
fabrique le célèbre pain en forme d'oiseau
de Kazimierz.

■ **KNAJPA U FRYZJERA**

Ul. Witkiewicza 2
ℰ (081) 881 04 26
www.ufryzjera.pl – knajpa@ufryzjera.pl
Ouvert de 9h30 à 0h, jusqu'à 2h le week-end.
Cuisine juive dans le charmant décor d'une
maison en bois chaleureuse. Terrasse en
été. Possibilité d'y prendre le petit déjeuner
à toute heure.

■ **NALEŚNIKI FRANCUSKIE**

Ul. Krakowska 26
ℰ (081) 882 03 35
Pour déguster des crêpes à la française et
de bonnes soupes.

■ **ZIELONA TAVERNA**

Ul. Nadwiślańska 4 ℰ (081) 881 03 08
Comptez de 30 zl à 50 zl. Service impeccable.
Dans un décor cossu, à l'intérieur où tout est
en bois, ou à l'extérieur sur une jolie terrasse
verdoyante, des plats extrêmement bien
présentés, aux couleurs alléchantes raviront
vos papilles. Une cuisine finalement assez
simple, mais fraîche et saine, savoureuse
surtout, aux accents méditerranéens.

Points d'intérêt

■ **RYNEK**

Au centre de la vieille ville, cette place en
forme de trapèze est entourée de superbes
façades de style Renaissance. Parmi les plus
belles maisons, sans doute celles des frères
Przybyla (Kamienice Przybyłów), situées l'une
à côté de l'autre aux n° 1 et 2, richement
décorées de bas-reliefs représentant des
scènes de la vie quotidienne et biblique. Au
centre du Rynek, se dresse un puits en bois,
un des symboles de Kazimierz. En face, de
l'autre côté du Rynek, se tient la maison de
Gdańsk (Kamienica Gdańska), la plus belle de
style baroque, de la fin du XVIIIe siècle.

■ EGLISE REFORMEE DES FRANCISCAINS (KOŚCIÓŁ REFORMATÓW)

Au sommet d'une colline au sud du Rynek, cette église du XVIe siècle, modifiée par la suite à plusieurs reprises, permet d'avoir une belle vue d'ensemble de la ville.

■ MUSEE DE L'ORFEVRERIE (MUZEUM SZTUKI ZŁOTNICZEJ)

Sur le Rynek, au n° 19

Ce musée expose une splendide collection d'objets en métaux précieux, or et argent, provenant de toutes les régions de la Pologne.

■ ANCIENNE SYNAGOGUE

Aujourd'hui transformée en cinéma, cet édifice construit en 1677, situé à proximité de l'église paroissiale, témoigne de l'importance de la communauté juive dans la région avant la Seconde Guerre mondiale.

■ EGLISE PAROISSIALE (FARA)

Construite au XIVe siècle, elle fut remaniée pendant la Renaissance après un incendie en 1561, dans le style dit de Lublin. A l'intérieur, elle abrite un orgue de 1620. Elle est fermée en dehors des offices, qui se tiennent deux fois par jour vers 9h et 18h.

■ CHATEAU (ZAMEK)

Un peu plus au nord, en suivant la rue Zamkowa. Construit au XIVe siècle pour assurer la défense de la région, il fut détruit par les Suédois au XVIIe siècle. Il n'est reste que des ruines, mais depuis ce mont, la vue sur la vallée de la Vistule est splendide.

■ TOUR DE GUET (BASZTA)

Située derrière le château, construite probablement au tournant des XIIIe et XIVe siècles, elle peut être visitée, et la vue qu'elle offre de son sommet, à 20 m, est encore plus belle.

■ MONT DES TROIS CROIX (GÓRA TRZECH KRZYŻY)

Au-dessus du château, un mont est planté de trois croix rendant hommage à la population de Kazimierz Dolny, décimée par la peste en 1708. Il s'agit du point le plus élevé de la ville, et de là la vue est la plus impressionnante.

■ CLOITRE DES REFORMES (KLASZTOR REFORMATÓW)

Il date du XVIIe siècle. On y accède par un escalier couvert de 1699.

■ MUSEE MUNICIPAL (MUZEUM KAZIMIERZA DOLNEGO)

Ul. Senatorska 11/13

℡ (081) 881 02 89, dans la maison des Celej (Kamienica Celejowska)

Ouvert du 1er mai au 30 septembre, du mardi au dimanche de 10h à 17h, et du 1er octobre au 30 avril de 10h à 15h. Billets : 4 zl, réduit : 2 zl.

La meilleure adresse pour tout connaître de la ville et de son histoire. Nous vous conseillons de commencer par là.

■ MUSEE D'HISTOIRE NATURELLE (MUZEUM PRZYRODNICZE)

Ul. Puławska 54 ℡ (081) 881 03 26

Ouvert de 10h à 15h, sauf le lundi et jours de fêtes. Au nord de la ville, ce musée installé dans un superbe grenier du XVIe siècle, nous propose une présentation de la faune et la flore de la région.

■ EXCURSIONS AU DEPART DE KAZIMIERZ DOLNY

De nombreux sentiers sillonnent la région, classée parc paysager, et proposent des promenades très agréables de quelques heures au départ de la ville. Il est possible également de faire des excursions en bateau sur la Vistule (se renseigner à l'office de tourisme ou sur place sur les rives) et de louer des vélos (adresse : Ul. Sadowa 7A).

PUŁAWY

A la fin du XVIIIe siècle, cette petite ville comptant aujourd'hui environ 50 000 habitants, était le deuxième centre politique du pays après Varsovie, grâce à la famille Czartoryski. On y trouvait également une grande bibliothèque et une impressionnante collection d'œuvres d'art expédiée en 1830 à Paris, avant de revenir en Pologne vers 1870, en partie à Cracovie. Bon point de départ pour visiter Kazimierz Dolny (distante de 13 km), Puławy est une agréable étape, où l'on ne s'attarde pas toutefois...

Transports

▶ **Train.** La gare de Puławy Miasto se trouve à 2 km au nord-ouest du centre-ville, et relie Lublin (1h), Varsovie (2h), Cracovie et Zamość (4h).

▶ **Bus.** Terminal proche du centre-ville. Bus toutes les 30 min pour Lublin, liaisons avec Varsovie, Łódź, Zamość, et Kazimierz Dolny (bus PKS ou bus n° 12 en face du terminal).

■ BUS POLSKI EKSPRESS

Départ près du terminal des bus pour Varsovie. Attention ! Le dernier bus du dimanche soir est souvent plein (billets achetés à l'avance par les habitués). Il faut donc prévoir son billet ou partir plus tôt.

Hébergement – Restaurant

■ AUBERGE DE JEUNESSE

Ul. Włostowicka 27 ℰ (081) 886 33 67
A 2 km du centre sur la route de Kazimierz Dolny. Chambres avec salle de bains : 43 zł, sans salle de bains : 25 zl.

■ WISŁA

Ul. Wróblewskiego 1 ℰ (081) 886 27 37
Dans le centre-ville, propre et confortable. Chambres doubles et triples avec salle de bains. Un des meilleurs restaurants de la ville.

Points d'intérêt

■ PALAIS CZARTORYSKI

Cet endroit n'est pas un site touristique, mais un institut agronomique. Et pourtant, ce palais du XVIIe siècle, remanié à plusieurs reprises, compte deux salles superbes, le salon de musique et le salon gothique.

■ PARC ANGLAIS

Créé au XVIIIe siècle, ce superbe espace vert compte de nombreux pavillons qui abritent des expositions temporaires en été, ou des concerts de musique classique. L'endroit est enchanteur.

■ MAISON GOTHIQUE (DOM GOTYCKI)

Ouvert de 9h à 16h. Ouverte en 1809, c'était un pavillon du parc. Elle servait principalement aux expositions d'objets de l'étranger.

■ TEMPLE DE LA SYBILLE (SWIATYNIA SYBILLI)

Ouvert de 9h à 16h. Construit en 1798-1801 sur le modèle du temple de Tivoli, près de Rome.

■ CHAPELLE CZARTORYSKI

Ul. Piłsudskiego
Copie du début du XIXe siècle du modèle de panthéon romain, cette église est unique en son genre. Il est dommage simplement que les parties intérieures ne soient plus d'origine.

CHEŁM

Cette ville de 70 000 habitants, proche de la frontière ukrainienne, mérite le détour avant de se rendre à Lublin ou Zamość. L'essor

de Chełm date du XIVe siècle, lorsqu'elle fut rattachée à la couronne polonaise, et que les juifs vinrent y développer le commerce. Ceux-ci ont représenté jusqu'à 60 % de la population de la ville. Victimes des invasions et des destructions successives entre le XVIIe siècle et le XIXe siècle, cette ville tranquille n'est redevenue polonaise qu'après la Première Guerre mondiale. La suite de l'histoire est plus tragique encore, puisque la communauté juive de Chełm fut totalement anéantie, exécutée ou déportée, pendant l'occupation des nazis. Aujourd'hui, cette ville a retrouvé – à l'image de la région – un peu de son authenticité, mais certaines plaies ne guérissent pas aussi facilement, et le souvenir de la population juive martyre est présent partout. Les principaux centres d'intérêts de la ville sont une galerie souterraine crayeuse unique au monde et l'église remarquable des Piaristes.

Transports

▶ **Train.** La gare de Chełm Miasto est au nord-ouest du centre-ville, rue Lubelska. Trains vers Lublin, Varsovie, Cracovie et Kiev (Ukraine).

▶ **Bus.** Terminal : Ul. Lwowska, au sud du centre-ville. Les bus desservent généralement les mêmes destinations que le train, pour des tarifs assez similaires.

Pratique

■ CENTRE D'INFORMATION TOURISTIQUE DE CHEŁM (CHEŁMSKI OŚRODEK INFORMACJI TURYSTYCZNEJ)

Ul. Lubelska 63 ℰ (082) 565 36 67
Fax : (082) 565 41 85
www.um.chlem.pl – itchelm@wp.pl
Ouvert du lundi au vendredi de 8h à 16h, le samedi de 9h à 14h. En saison, du lundi au vendredi de 8h à 17h, le samedi et le dimanche de 9h à 14h.

Hébergement – Restaurant

■ AUBERGE DE JEUNESSE PTSM

Ul Czarnieckiego 8 ℰ (082) 564 00 22
Ouvert toute l'année à partir de 17h. 48 lits répartis dans 4 dortoirs (chambres à partir de 15 zl).

■ KAMENA

Ul. Armii Krajowej 50 ℰ (082) 565 64 01
Le plus cher et le plus confortable des trois, avec un excellent restaurant (*chambres à partir de 135 zl*). Réductions le week-end.

MOSIR

Ul. I Pułku Szwolerezów 15A
℘ (082) 563 02 86 – Fax : (082) 563 00 63
Chambres avec ou sans salle de bains (à partir de 40 zl).

POD PARAGRAFEM

Ul. Gdańska 13 ℘ (082) 564 06 10
Vainqueur du concours culinaire « Niedzwiedzie Jadło 2001 ».

Points d'intérêt

VISITE DES TUNNELS SOUTERRAINS (PODZIEMIA KREDOWE)

Ul. Lubelska 55A ℘ (082) 565 25 30
www.um.chlem.pl/podziemia
labirynt@ptt.pl
Ouvert du 1ᵉʳ septembre au 30 avril de 9h à 16h, du 1ᵉʳ mai au 31 août de 9h à 18h. Billets : 10 zl. Les visites se font en groupe avec un guide (compter 45 min à 60 min de visite). Départs tous les jours entre 11h et 16h. Sur près de 2 km de long, des galeries souterraines, creusées dans la roche crayeuse sous les maisons de la vieille ville, mènent jusqu'à 27 m de profondeur. Ce labyrinthe provient d'une ancienne mine de craie, la seule mine de craie souterraine d'Europe. Les habitants y trouvaient refuge lors d'invasions ou de guerres. Peut-être rencontrerez-vous un des esprits blancs des légendes…

MUSEE REGIONAL (MUZEUM OKREGOWE), SECTION ART CONTEMPORAIN

UL. Lubelska 55 ℘ (082) 565 26 93
Ouvert du mardi au vendredi de 10h à 16h, le samedi, le dimanche et fêtes de 11h à 15h. Billet : 5 zl, réduit : 3 zl. Il s'agit du bâtiment principal de ce musée partagé en six sections différentes. Celui-ci est consacré aux peintures polonaises contemporaines.

MUSEE REGIONAL, SECTION HISTOIRE ET NATURE

Ul. Lubelska 57
Mêmes horaires d'ouverture. Dans un tout autre genre, ce bâtiment présente des collections plus classiques, s'attardant sur l'histoire de la ville et de la région entre 1392 et 1944.

MUSEE REGIONAL, CHAPELLE SAINT-NICOLAS, ART ANCIEN

Ul. Św. Mikolaja 4,
de l'autre côté du centre-ville
Mêmes horaires d'ouverture. Cette dernière partie propose en général des expositions temporaires dans l'église, ainsi que des concerts de musique classique.

EGLISE PIARISTE

Cette église baroque du XVIIIᵉ siècle est superbement décorée, avec de nombreuses peintures, des murs à la voûte, réalisées par Josef Mayer (qui a également participé aux travaux dans la cathédrale de Lublin). La ville possède d'autres églises, mais celle-là est la plus remarquable.

BASILIQUE (BAZYLIKA P.W. NARODZENIA NAJSWIETSZEJ MARII PANNY)

Au sommet de la colline, nommée le mont du château (Góra Zamkowa), cette église du XVIIᵉ siècle fut construite sur l'ancienne cathédrale. Elle prit le style baroque lors de sa reconstruction dans les années 1735-1756. Ses décorations intérieures sont restées très simples. Les bâtiments qui l'entourent font partie d'un ensemble religieux, autrefois palais de l'évêché (construit en 1771) et monastère (1640-1649). Au pied de la basilique, sur la droite, vous apercevrez les ruines d'une forteresse médiévale du Xᵉ siècle, disparue il y a bien longtemps.

ZAMOŚĆ

Ville fondée en 1580 par Jan Zamoyski, chancelier et hetman, Zamość fut construite sur les plans de l'architecte italien Bernardo Morando. Autrichienne en 1772, elle redevint polonaise en 1809, puis russe en 1815. Son emplacement géographique jugé par les Russes primordial, justifia les travaux de renforcement des murailles vers 1820, mais l'esthétique des bâtiments principaux comme le palais et l'académie fut sacrifiée. Tout cela ne servit à rien, car dès 1866 ces fortifications étaient dépassées. Occupée par les nazis pendant la Seconde Guerre mondiale, Zamość prit le nom d'Himmlerstadt et devint le centre de la colonisation, rempart oriental du IIIe Reich, où des Allemands vinrent s'installer après avoir chassé les habitants, avant de fuir en 1945 sans avoir détruit la ville. Zamość possède une très belle place du marché, un superbe hôtel de ville et en général, une vieille ville petite et agréable. Ville d'art Renaissance la mieux conservée de Pologne, il fait bon déambuler dans ses ruelles, où se mêlent traditions architecturales de l'Italie et de l'Europe centrale. Elle figure au Patrimoine culturel mondial de l'Unesco qui finance les travaux de restauration, afin de rendre à la ville son éclat d'antan.

LA PETITE-POLOGNE (MAŁOPOLSKA)

Transports

▶ **Train.** La gare est à 1 km au sud de la vieille ville. Trains vers Cracovie (7h), Wrocław (11h, train de nuit), et Lublin (3h).

▶ **Bus.** La gare routière est à 2 km à l'est du centre, mais y est reliée par des bus municipaux. Bus pour les villes de la région, ainsi que pour Cracovie et Varsovie.

Pratique

▦ **OFFICE DU TOURISME**
Rynek Wielki 13. Situé au rez-de-chaussée de l'hôtel de ville, sur le Rynek
℡ (084) 639 22 92 – Fax : (084) 627 08 13
www.zamosc.pl – zoit@zamosc.um.gov.pl
Office du tourisme très bien documenté, accueil agréable. Vend aussi de nombreuses cartes routières des environs.

▦ **BUREAU TOURISTIQUE REGIONAL (LOKALNA ORGANIZACJA TURYSTYCZNA « ZAMOŚĆ I ROZTOCZE »)**
Rynek Wielki 4 ℡ (084) 638 58 06

▦ **BUREAU PTTK BORT**
Ul. Staszica 31 ℡ (084) 639 31 43/56 87

▦ **AGENCE BUT INTUR**
Ul. Ormiańska 3
℡ (084) 638 52 23/639 18 08

▦ **AGENCE BT QUAND**
Ul. Ormiańska 3 ℡ (084) 639 06 72

▦ **POSTE CENTRALE**
Ul. Kościuszki 9

Hébergement

▦ **AUBERGE DE JEUNESSE**
Ul. Zamojskiego 4 ℡ (084) 627 91 25
Ouverte du 1er juillet au 25 août. Confort sommaire, à environ 1,5 km du centre-ville près de la gare routière, dans une école, 9 zl.

▦ **CAMPING DUET**
Ul. Królowej Jadwigi 14 ℡ (084) 639 24 99
www.duet.virgo.com.pl
A proximité de la gare. Ouvert toute l'année. Bungalow à partir de 70 zl. Loue également des chalets.

Confort ou charme

▦ **ARKADIA**
Rynek Wielki 9 ℡ (084) 638 65 07
Fax : (084) 638 65 97 – makben@wp.pl

Chambres à partir de 120 zl. Sur le Rynek, mais confort simple par rapport aux prix pratiqués et en comparaison avec les autres hôtels.

▦ **JUBILAT**
Ul. Wyszyńskiego 52
℡ (084) 638 64 00/05
Fax : (084) 638 62 15
Chambres à partir de 100 zl. Chambres avec salle de bains, d'un grand confort, mais l'établissement est assez éloigné du centre, en direction de la gare routière (2,5 km de la gare, 1,5 km du centre).

▦ **JUNIOR**
Ul. Sikorskiego 6 ℡ (084) 638 66 15
Fax : (084) 638 63 69 – www.hoteljunior.pl
Chambres à partir de 60 zl. A 2,5 km de la vieille ville sur la route de Lublin. Chambres doubles avec salle de bains et snack-bar.

▦ **OSIR**
Ul. Królowej Jadwigi 8
℡/Fax : (084) 638 60 11
Derrière le stade. Chambres et dortoirs assez confortables et pas trop chers (*à partir de 60 zl*).

Luxe

▦ **RENESANS**
Ul. Grecka 6 ℡ (084) 639 20 01
Fax : (084) 638 51 74
www.polhotels.com
hotelrenesans@poland.com
Situé dans la vieille ville, souvent complet en été, cet hôtel propose des chambres simples et doubles avec salle de bains, à partir de 139 zl et 120 zl le week-end (*chambre double avec petit déjeuner : 198 zl*). Un assez bon rapport qualité-prix, compte tenu de son excellente localisation et d'un certain standing (hôtel 3-étoiles, certes un peu vieillot, mais chambres spacieuses, propres et confortables ; accueil impeccable). Parking gardé devant l'hôtel.

▦ **ORBIS ZAMOJSKI**
Ul. Kołłątaja 2/4/6
℡ (084) 639 28 86/25 16
www.orbis.pl – zamojski@orbis.pl
Très bon confort pour le prix, situé sur le Rynek près de l'hôtel de ville, dans une maison du XVIe siècle. Service professionnel. Un très bon rapport qualité-prix (*à partir de 190 zl, avec 15 % de réduction le week-end*).

▦ **SENATOR**
Rynek Solny 4 ℡ (084) 638 76 10
Fax : (084) 638 76 13
www.senatorhotel.pl

Chambres simples de 179 zl à 189 zł, doubles de 239zl à 279 zł. Le troisième hôtel de luxe, situé lui aussi dans la vieille ville, dans un bâtiment au style Renaissance. Dispose d'un restaurant, d'une cheminée et d'un bar.

Restaurants

Profitez des nombreuses terrasses de café en été sur la place de l'hôtel de ville.

▪ ARKADIA

Rynek Wielki 9 ✆ (084) 638 65 07
www.arkadia.zamosc.p
arkadia@zamosc.pl
Ouvert de 10h à 22h. Restaurant dans l'hôtel du même nom. Cuisine polonaise et régionale. Terrasse d'été.

▪ BAR LECH

Ul. Grodzka 7 ✆ (084) 627 13 66
Copieux et pas cher.

▪ JUBILAT

Ul. Wyszynskiego 52 ✆ (084) 638 63 46
Chic, mais plus cher, dans l'hôtel du même nom.

▪ CAFE MUZEALNA

Ul. Ormiańska 30 ✆ (084) 638 64 94
Ouvert de 12h à minuit. Cuisine polonaise traditionnelle. Terrasse d'été.

▪ PADWA

Ul. Staszica 23 ✆/Fax : (084) 638 62 56
www.padwa.pl – padwa@padwa.pl
Ouvert de 9h à 23h. Situé dans la vieille ville, dans les caves de l'ancien immeuble de la famille Zamoyski (une belle galerie de portraits de famille à l'intérieur). Cuisine polonaise et internationale.

Sortir

▪ CINEMA STYLOWY

Ul. Piłsudskiego 36
✆ (084) 639 23 13. www.stylowy.net

Manifestations

Janvier

▪ **Festival du film religieux,** au cinéma Stylowy ✆ (084) 639 23 13.

Mai

▪ **Festival de fleurs de Zamość** (sur le Rynek Wielki).

▪ **Festival de jazz,** au club de jazz « Kosz » (✆ (084) 638 60 41).

Juin

▪ **Spectacle historique sur la ville,** le 1er week-end de juin, dans le parc de la ville (✆ (084) 638 64 94).

▪ **Grande foire d'Hetman,** le 2e week-end de juin, sur le Rynek Wielki (✆ (084) 639 20 21).

Juillet

▪ **Festival du théâtre d'été de Zamość,** fin juin début juillet, sur la place du Rynek Wielki (✆ (084) 639 20 21).

▪ **Les rencontres de cultures de Zamość,** dans la vieille ville (✆ 0 608 40 90 55. Portable : 0 607 75 62 40).

▪ **Festival international « EuroFolk »,** sur la place du Rynek Wielki (✆ (084) 639 20 21).

▪ **Festival d'art « Fortalicje »,** fin juillet, dans la vieille ville (✆ (084) 639 12 84. Portable : 0 604 389 081).

Septembre

▪ **Les jours de la musique,** avec l'orchestre de Karol Namysłowski (✆ (084) 638 48 33).

Octobre

▪ **Rencontre de jazz vocalistes,** le 1er week-end d'octobre, au Jazz Club « Kosz » (✆ (084) 638 60 41).

Points d'intérêt

▪ HOTEL DE VILLE (RATUSZ)

Rynek Wielki 13
Bâtie au centre du Rynek, qu'elle domine du haut de son escalier gigantesque, cette construction du XVIIe siècle fait partie d'un ensemble très homogène de façades baroques entourant la place. Elle est dominée par une tour centrale de 52 m de haut.

▪ CATHEDRALE (KATEDRA)

Ul. Kolegiacka 1
Cette très belle église construite au XVIIe siècle, remaniée au XVIIIe siècle, possède un intérieur splendide, et l'on peut remarquer les longues tiges d'acier au plafond permettant de consolider l'édifice récemment rénové. On trouve une récente statue de Jean-Paul II juste devant l'entrée. Le clocher, indépendant du reste du bâtiment, construit au XVIIIe siècle, a remplacé l'ancien en bois qui avait brûlé. On peut monter au sommet et avoir une jolie vue de la ville, du 1er mai au 30 septembre, de 10h à 16h. Billet : 1,50 zl.

■ **RESIDENCE ZAMOYSKI (PAŁAC ZAMOYSKICH)**
Ul. Zamkowa 2
Cet imposant édifice, au départ superbe, a malheureusement été refait au XIXe siècle par les Russes qui y ont installé un hôpital militaire, et a perdu son éclat à défaut de son imposante silhouette.

■ **ARSENAL (MUZEUM WALKI I ORĘŻA)**
Ul. Zamkowa 2
✆ (084) 638 40 76
www.muzeum-zamojskie.one.pl
sekretar@muzeum-zamojskie.one.pl
Ouvert du mardi au dimanche de 10h à 16. Billet : 5 zl, réduit : 2 zl. A côté du palais, on trouve dans ce petit musée une collection d'armes, ainsi qu'une maquette montrant la ville telle qu'elle sera une fois que les pharaoniques travaux de restauration auront été terminés. Le bâtiment a été construit par Morando en 1582-1584.

■ **NOUVELLE PORTE DE LUBLIN (NOWA BRAMA LUBELSKA)**
Construite dans le style classique en 1821-1822, elle est aujourd'hui destinée au plaisir du palais et de l'estomac.

■ **ACADEMIE (AKADEMIA ZAMOYSKA)**
Ul. Akademicka 8
Cette université, construite entre 1638 et 1648, située au nord-ouest du Rynek, a également souffert des transformations russes du XIXe siècle, et a perdu de son éclat.

■ **FORTIFICATIONS**
En grande partie disparues aujourd'hui, les murailles qui entouraient autrefois Zamość ont conservé comme vestiges un bastion et quelques murs, dans l'est de la ville. On y trouve aujourd'hui un marché couvert, appelé Hala Targowa Nadszaniec. Ces fortifications feront elles aussi l'objet de travaux de rénovation dans les années à venir.

■ **EGLISE FRANCISCAINE (KOŚCIÓŁ FRANCISZKANÓW)**
Proche du bastion, cette église du XVIIIe siècle a été tour à tour hôpital, dépôt de munitions, musée et cinéma, avant de redevenir simplement en 1994 une église, qui a malheureusement perdu de son éclat d'antan.

■ **ROTONDE (MUSÉE – MÉMORIAL DU MARTYRE DE ZAMOŚĆ)**
Droga Męczenników Rotundy
Situé en dehors de la vieille ville. Ouvert du mardi au dimanche de 9h à 17h. Musée ouvert du 1er mai au 31 octobre de 9h à 18h, entrée libre. Situé au sud de la ville, à environ 1 km, ce petit fort circulaire du XIXe siècle a été le lieu d'exécutions massives par les nazis pendant la Seconde Guerre mondiale. On y a installé aujourd'hui un cimetière en hommage aux martyrs, ainsi qu'un musée qui retrace cette douloureuse période de l'histoire de la ville. A l'origine, il servait de poste de défense.

■ **MUSEE REGIONAL (MUZEUM ZAMOJSKIE)**
Ul. Ormiańska 30 ✆ (084) 638 64 94/97
www.muzeum-zamojskie.one.pl
sekretar@muzeum-zamojskie.one.pl
Ouvert du mardi au dimanche de 9h à 16h, billets : 5 zl, réuit : 2,50 zl. Situé dans deux maisons sur la place, ce petit musée vous propose les découvertes archéologiques de la région et l'histoire de la ville de Zamość (dont une belle maquette représentant la ville au XVIIe siècle).

■ **MUSEE D'ART SACRE (DIECEZJALNE MUZEUM SZTUKI SAKRALNEJ)**
Ul. Kolegiacka 2
Ouvert du 1er mai au 31 octobre tous les jours, sauf le mardi de 10h à 16h (le dimanche de 10h à 14h), du 1er novembre au 30 avril, le dimanche de 10h à 13h. Billets : 2 zl. Situé derrière l'église, ce petit musée installé dans l'ancien presbytère, propose une intéressante collection d'objets d'art religieux.

■ **JARDIN ZOOLOGIQUE**
Ul. Szczebrzeska 8 ✆ (084) 639 34 70
Ouvert en saison de 9h à 19h, hors saison de 7h à 15h. Billets : 3 zl, éduit : 2 zl.

▶ **Dans les environs de Zamość,** à une dizaine de kilomètres, se trouve un palais des Zamoyski dans un parc.

Sports et loisirs

■ **AERO-CLUB ZIEMI ZAMOJSKIEJ**
Ul. Królowej Jadwigi, bureau 8
✆ (084) 638 59 53
et 084 616 92 59 (aéroport)

■ **PISCINE**
Ul. Zamoyskiego 62A ✆ (084) 638 92 24
www.zamosc.pl/plywalnia
Ouverte de 6h à 22h.

SZCZEBRZESZYN

Cette petite ville, située à 20 km de Zamość sur la route de Bilgoraj, a le nom le plus difficile de toute la Pologne, à tel point qu'il sert d'exercice de prononciation pour les enfants, dans l'esprit des chaussettes de l'archiduchesse. Prospère entre le XVIe et le XIXe siècle, où elle était le centre régional du mouvement antitsariste, elle est aujourd'hui un peu laissée à l'abandon, et ne justifie en rien une visite, sinon pour le passage. On y trouve cependant deux églises importantes, ainsi qu'une grande synagogue.

Transports

▶ **Train.** A Brody, à 3 km au sud de la ville sur la route de Zwierzyniec. Trafic assez faible.

▶ **Bus.** Gare routière dans le centre-ville, rue Targowa. De nombreux départs vers Zamość et Biłgoraj, ainsi que vers Lublin, Varsovie, Łódź, Rzeszów, Katowice, Cracovie, Przemyśl.

Points d'intérêt

■ EGLISE SAINTE-CATHERINE (KOŚCIÓŁ ŚW. KATARZYNY)

Construite entre 1610 et 1638 dans le style Renaissance de Lublin, elle a appartenu aux franciscains, et présente un intérieur aussi superbe qu'imposant. Les décorations sont nombreuses, particulièrement les fresques. C'est le principal point d'intérêt de la ville.

■ EGLISE SAINT-NICOLAS (KOŚCIÓŁ ŚW. MIKOŁAJA)

Construite en 1620 à l'emplacement d'un temple en bois de 1394, elle est beaucoup plus petite que l'église Sainte-Catherine, mais reste également, par ses décorations, un superbe exemple du style Renaissance de Lublin.

■ GRANDE SYNAGOGUE

Construite au début du XVIIe siècle, elle fut brûlée par les nazis, et partiellement rénovée dans les années soixante. Elle accueille aujourd'hui le centre culturel de la ville.

■ EGLISE ORTHODOXE (CERKIEW)

Aujourd'hui lieu de culte catholique, elle renferme de belles fresques murales.

■ CIMETIERE JUIF (CMENTARZ ŻYDOWSKI)

Complètement abandonné depuis que les derniers rescapés de l'holocauste ont quitté la région, on y trouve de belles tombes datant pour certaines du XVIIe siècle, dans un cadre particulier, comme si personne n'était venu ici depuis des décennies.

ZWIERZYNIEC

Cette petite ville respire l'atmosphère de la Petite-Pologne traditionnelle. Pas de grosse industrie, pas de banlieue grise, mais au contraire un cadre charmant autour du palais, qui malheureusement n'existe plus, car il a été détruit en 1833. Zwierzyniec ravira les amateurs d'histoire naturelle, car Jan Zamoyski créa une réserve naturelle à proximité, avant de s'y installer (dans le palais qui fut détruit). Zwierzyniec et sa région sont idéales pour un tourisme nature, calme, et à chaque période de l'année. De nombreux loisirs sont facilement accessibles comme les promenades dans les parcs et bois, les promenades en calèche, le vélo, kayak, cheval, ski, patin à glace… sans files d'attente ou prix excessifs, et l'accueil est extraordinaire. Cela vaut la peine d'y séjourner quelque temps.

Transports – Pratique

▶ **Bus.** Arrêt dans le centre-ville. De nombreux bus vers Zamość, parfois vers Sandomierz. Ligne de bus vers Varsovie, Cracovie, Katowice, Łódê, Rzeszów, Lublin, Chełm.

■ GARE FERROVIARE

Ul. Kolejowa
Départ pour Varsovie, Cracovie, Katowice, Wrocław, Zakopane, Lublin, Rzeszów, Lvov (Ukraine).

■ INFORMATION POUR LES LOGEMENTS AGROTURYSTYKA

Ul. Słowackiego 2 ✆ (084) 687 26 60

Hébergement

De plus en plus de logements chez l'habitant agroturystyka pour environ 25 zl.

■ B. I M. WYLUPEK

Ul. Rudka 15A ✆ (084) 687 24 27
Auberge agroturystyka ouverte toute l'année. Quatre chambres à l'étage avec cuisine, et superbe vue sur les environs. Maison reconnaissable l'été au magnifique jardin fleuri.

■ JODŁA

Ul. Parkowa 3a ✆ (084) 687 20 12
Chambres doubles et triples avec salle de bains, à partir de 28 zl. Deux villas dans un joli cadre. Dispose d'un café et d'une salle Internet. Possibilité de location des vélos.

■ KARCZMA MŁYN

Ul. Wachniewskiej 1a
✆ (084) 687 25 27
Ouvert toute l'année. Près de l'axe principal (mais pas bruyant) et en bordure du parc. Auberge en bois, proposant des chambres pour 2 personnes (40 zl) avec salle de bains et TV satellite.

■ **ZAGRODA GUCIÓW**

Guciów 19

℄/Fax : (084) 618 63 57 – www.guciow.pl

Situé dans le skansen. Chambres pour 2 personnes dans une maison traditionnelle : environ 70 zl avec les repas maison. Restaurant de cuisine traditionnelle. Superbe décor traditionnel, et accueil exceptionnel garanti. Les hôtes proposent également diverses activités : recherches de minéraux, excursions dans les environs, concerts, activités musicales, soirées.

Restaurants

Beaucoup d'habitants proposent des repas *obiady domowy* excellents et peu chers. C'est une excellente façon de s'initier à la cuisine de la région.

■ **KARCZMA MŁYN**

Ul. Wachniewskiej 1A ℄ (084) 687 25 27

Cuisine polonaise et pizzas maison. Bonne ambiance dans cet ancien moulin, décor superbe. Terrasse l'été et discothèques extérieure et intérieure.

Points d'intérêt

■ **MUSEE D'HISTOIRE NATURELLE (MUZEUM PRZYRODNICZE)**

Ul. Plażowa 3, au sud de la ville

Ouvert de mars à octobre de 10h à 17h, de novembre à février de 9h à 16h. Ce musée fournit une foule de renseignements concernant le parc de Roztocze, situé juste à côté de la ville.

■ **CHAPELLE SUR L'EAU (KAPLICA NA WODZIE)**

Partie de la résidence Zamoyski, cette petite église de style baroque, construite au XVIIIe siècle, repose dans un cadre superbe, sur une petite île reliée par un pont.

■ **CLOCHER (DZWONNICA)**

Situé près de la chapelle sur l'eau. Construction en bois, du début du XXe siècle.

■ **RESIDENCE PLENIPOTENTIAIRE (REZYDENCJA PLENIPOTENTA)**

Datant de 1890, elle est aujourd'hui le siège de la direction du Parc national.

■ **BRASSERIE ZWIERZYNIEC (BROWAR ZWIERZYNIEC)**

Date de 1806 et reconstruite en 1927. Le groupe de bâtiments comprend la brasserie, la tonnellerie (fin XIXe siècle), la loge du portier (deuxième quart du XIXe siècle) et la maison du directeur (1889-1890).

■ **SKANSEN ZAGRODA GUCIÓW**

Guciów 19 ℄/Fax : (084) 618 63 57

Sur la route de Zwierziniec à Krasnobrod. Skansen ouvert du 15 avril au 15 octobre de 9h à 18h (les autres mois, téléphoner auparavant pour connaître les horaires d'ouverture). Billet : 2 zl. Présentation de l'habitat (extérieur et intérieur) et des outils traditionnels de la région, excursions axées sur la nature et les minéraux.

■ **PARC NATIONAL DE ROZTOCZE (ROZTOCZAŃSKI PARK NARODOWY)**

Ce parc, grand de 8 482 ha, situé au sud-est de Zwierziniec, fut créé à l'origine en 1589 par Jan Zamoyski comme réserve protégée privée. De fait, cet endroit est resté parfaitement conservé, et la forêt qui couvre pratiquement la totalité de son territoire, est une des plus belles de Pologne, sur un relief varié aux paysages superbes. Au départ de Zwierziniec, où tous les renseignements sur le parc sont disponibles au musée d'Histoire naturelle, des sentiers partent en direction de la forêt et peuvent constituer d'excellentes randonnées, de quelques heures à plusieurs jours.

■ **MUSEE ET CENTRE D'EDUCATION DU PARC DE ROZTOCZE (OŚRODEK EDUKACYJNO-MUZEALNY)**

Ul. Plażowa 3 ℄ (084) 687 20 66/20 70

Ouvert (sauf le lundi et jour de fêtes) du 1er mai au 31 octobre de 9h à 17h, du 1er novembre au 30 avril de 9h à 16h. Billets : 3,50 zl, réduit : 2,50 zl. Présentation des trésors naturels du parc, film en version anglaise. Informations touristiques.

Sports et Loisirs

Vélo

Meilleur moyen de locomotion pour profiter de la région.

■ **LOCATION**

Ul. Słowińskiego 2 ℄ (084) 687 26 60

Ouvert de 8h à 20h.

Ski et patin à glace

■ **LOCATION**

Ul. Armii Krajowej 18 ℄ (084) 687 20 27

Ouvert de 8h à 15h.

Promenades et calèche et l'hiver en traîneau

En saison d'été, les calèches sont sur le parking du musée du Parc de Roztocze, de 10h à 20h, le reste de l'année, réserver calèches et traîneau (℄ (084) 687 20 15).

Zakopane,
chapelle
Jaszczurowka

© S.NICOLAS

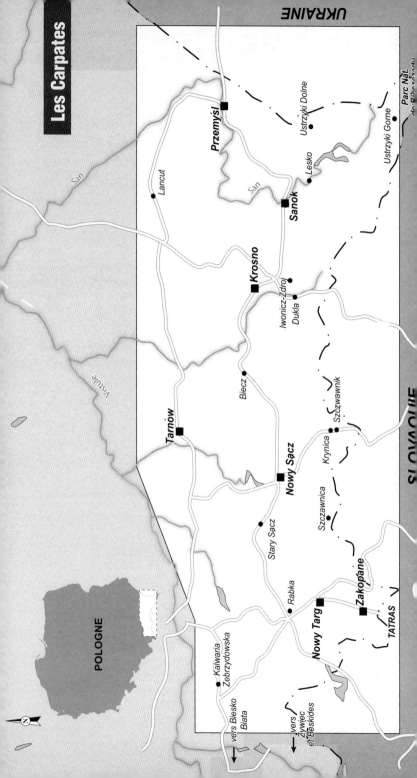

Les Carpates

Cette chaîne de montagnes, la plus haute entre les Alpes et l'Oural, part de Pologne et vient s'échouer au centre de la Roumanie. Il ne faut donc pas confondre la région du Sud de la Pologne avec celle du château du comte Dracula qui est située dans les mêmes montagnes, mais quelques centaines de kilomètres plus au sud. Les Carpates sont une région superbe et authentique, où l'on est souvent surpris par exemple par l'absence de mécanisation de l'agriculture ; les paysans ramassent le foin à la fourche avant de la disposer sur les peignes en bois plantés en trépied. Les paysages sont époustouflants, et hormis quelques centres touristiques, comme Zakopane, l'ambiance est rustique et sauvage. On se croirait avec Tintin, partis à la recherche du sceptre d'Ottokar… Ces terres montagneuses attirent par leurs traditions et leurs cultures montagnardes, une architecture traditionnelle en bois typique de Zakopane ou de Chochołów ou plus paysanne dans les skansen de Nowy Sącz ou Sanok. La région offre aussi des stations thermales connues et de nombreuses activités, comme le ski, la randonnée et les sports nautiques. C'est ici une autre Pologne qui vous attend, au milieu des sentiers de montagne et des lacs d'altitude, dans un décor digne des Alpes ou des Pyrénées.

PARC NATIONAL DES TATRAS

Inscrit sur la liste des Réserves mondiales de la Biosphère de l'Unesco, le Parc national des Tatras (Tatrzański Park Narodowy), massif montagneux de type alpin est le plus élevé d'Europe centrale, avec comme point culminant, le mont Rysy (2 499 m). De nombreux itinéraires permettent de découvrir ces superbes montagnes, ainsi que des lacs d'altitude, des vallées, cascades et grottes. Toute l'année ce site offre une pratique idéale de la randonnée, l'escalade et la spéléologie, et l'hiver du ski.

■ CENTRE D'INFORMATION TOURISTIQUE
Ul. Kościuszki 17 Zakopane
✆ (018) 201 22 11 – Fax : (018) 206 60 51
www.zakopane.pl – biuro@polskietatry.pl
Voir aussi « Zakopane » pour des propositions d'itinéraires de randonnées.

Les immanquables des Carpates

▸ **Arpenter** les chemins de randonnée des Tatras à la découverte de lacs d'altitude, de cascades et de grottes.

▸ **Descendre** les gorges du Dunajec en radeau.

▸ **Lever** sa chope de bière au cours d'un dîner généreux dans une auberge de Zakopane.

▸ **Se réchauffer** sur le très agréable Rynek de Tarnów, endroit le plus chaud du pays.

▸ **S'étonner** de l'art zalipien qui couvre des fleurs, maisons, ruches et clôtures.

▸ **Emprunter** la route enchanteresse des petites églises en bois orthodoxes ou celle des icônes.

▸ **Parcourir** le skansen de Sanok, le plus grand de Pologne, pour une découverte ethnique à travers les siècles.

▸ **Se laisser glisser** sur les pentes enneigées, tiré par des chiens de traîneaux l'hiver et l'été, partir en randonnée, à pied, à vélo ou à cheval, dans les massifs des Tatras ou des Bieszczady.

▸ **Visiter** tous ou certains des châteaux de la région, dans un décor pittoresque ; le château fort de Niedzica, la résidence de Nowy Wiśnicz, la forteresse de Premyśl, le parc paysager et château de Krasiczyn, le célèbre palais de Łańcut.

ZAKOPANE

Petite ville de 30 000 habitants située près des Tatras, Zakopane est cependant un endroit connu des randonneurs du monde entier, qui viennent s'y retrouver en grand nombre, faisant de cet endroit un véritable rassemblement de passionnés, et par extension de curieux, de plus en plus nombreux chaque année. Zakopane est réellement l'une des stations de villégiature les plus renommées, la ville à la mode, la station de ski en vogue de la Pologne.

Zakopane est une ville très dynamique, comme le sont les grandes stations alpines, dont elle se veut la concurrente. En effet, Zakopane, sans aucun complexe, était candidate pour accueillir les jeux Olympiques d'hiver de 2006, ce qui lui permettrait de se faire connaître du monde entier et de véhiculer une autre image de la Pologne. Elle ne possède tout de même pas encore les domaines skiables de nos stations des Alpes, ni leurs infrastructures (notamment routières) mais un certain potentiel. Elle offre en tout cas de superbes paysages et possibilités pour les amoureux de la nature et du sport ainsi que des auberges pittoresques pour le soir.

Transports

▶ **Bus.** Plus rapides que les trains dans cette région, ils sont également beaucoup plus nombreux, et desservent tous les endroits où le train ne va pas. La gare routière est située juste en face de la gare ferroviaire.

▶ **Train.** La gare est à proximité du centre. C'est le terminus, il est impossible d'aller plus loin, car après, ce sont les montagnes qu'il faut traverser. Plusieurs trains par jour vers Cracovie (3h), train de nuit pour Varsovie.

▶ **Voiture.** Situé à environ 100 km seulement de Cracovie, mais comptez 2h de route, en raison de l'état affligeant du réseau routier. Soyez particulièrement vigilant sur le trajet, route assez dangereuse où les Polonais, nombreux et pressés de partir en week-end, ou de rentrer, roulent dangereusement. Evitez les retours sur Cracovie le dimanche en fin d'après-midi, très embouteillés.

Pratique

■ **POSTE CENTRALE**
Ul. Krupówki 20

■ **CENTRE D'INFORMATION TOURISTIQUE**
Ul. Kościuszki 17 Zakopane
✆ (018) 201 22 11 – Fax : (018) 206 60 51
www.zakopane.pl – biuro@polskietatry.pl

Agences de voyages

■ **EWMAR**
Plac Niepodległości 7
✆ (018) 201 36 69

■ **FWP**
Ul. Piłsudskiego 20 ✆ (018) 201 56 65
fwp@zakopane.top.pl

■ **KOZICA**
Ul. Kościuszki 19A
✆ (018) 201 32 77 – Fax : (018) 201 22 12

■ **EUROTATRY TOURIST**
Ul. Jaszczurówka-Bory 15
✆ (018) 201 59 23
Fax : (018) 206 38 58

■ **TATRY**
Ul. Chramcówki 35 ✆ (018) 201 40 0
A la gare PKP.

■ **TRIP**
Ul. Tetmajera 18
✆ (018) 202 02 00. www.trip.pl

■ **ZAKTUR**
Ul. Bulwary Słowackiego 42
✆ (018) 201 37 43/262 16 00
Fax : (018) 201 37 43/262 16 00
zakturpoczta@wp.pl

Pharmacie

■ **APTEKA TATRZAŃSKA**
Al. 3 Maya 5 ✆ (018) 201 58 79

Location de ski

Il existe de nombreux magasins de location de ski, en centre-ville et généralement en bas des pistes, mais pas toujours.

■ **SUKCES 1**
Ul. Sienkiewicza 39 ✆ (018) 206 47 97
Fax : (018) 201 48 44
Portable : 0 602 228 389
www.ski-sukcess.zakopane.pl
Ouvert tous les jours de 9h à 17h. Location de ski et de snow.

■ **SUKCES 2**
Ul. Nowotarska 39 ✆ (018) 200 02 32
Portable : 0 502 681 170
www.narty.ezakopane.pl
Ouvert tous les jours de 9h à 17h. Prix à partir de 25 zl. Location de ski, de snow et cours particuliers/école de ski.

Hébergement

Il existe à Zakopane un nombre incroyable de logements en tout genre. On peut sans problème se loger, même à bon marché. En plus des hôtels, le logement chez l'habitant est très répandu. Les habitants de la ville viennent chercher le client à la sortie des bus et trains pour les héberger chez eux (compter environ 30 zl la nuit par personne, réduction fréquente si le séjour dépasse une semaine).

■ CAMPING POD KROKWIĄ

Ul. Żeromskiego 26 ✆ (018) 201 22 56
www.podkrokwia.pl (site en français)
camp@podkrokwia.pl
*Prix à partir de 10 zl pour une tente, 12 zl
par personne et 12 zl par voiture.* Propose
aussi des bungalows pour 6 à 7 personnes
avec salle de bains pour 30 zl par personne.
A 2 km au sud de la gare ferroviaire. *Situé au
pied de la montagne, près des tremplins, ce
camping s'améliore sans cesse et propose
des emplacements pour tentes, caravanes,
camping-cars et des chalets, avec un accueil
chaleureux.*

Pensions (pokoje)

Une liste sélective car leur nombre est
inimaginable et en pleine expansion.

■ ANTAŁÓWKA

Ul. Wierchowa 2 ✆ (018) 201 32 71
Fax : (018) 201 32 73
www.antalowka.zakopane.pl
antalowka@regle.pl
Chambres à partir de 125 zl. Situé sur la
colline Antałówka, ce complexe des maisons
montagnardes est à la fois moderne et
traditionnel.

■ BEL AMI

Ul. Goszczyńskiego 24 ✆ (018) 201 35 11
www.bel-ami.pl – dw@bel-ami.pl
Chambres à partir de 90 zl par personne. Situé
près du centre-ville et du Parc national de
Tatras. Dispose d'un café Internet.

■ KABEL

Al. Przewodników Tatrzańskich 1
✆ (018) 201 40 51 – Fax : (018) 201 34 84
www.kabel.ta.pl (site en anglais
et en allemand) – kabel@ta.pl
Centre de loisirs disposant de bungalows de
80 zl à 100 zl.

■ PODHALE

Ul. Kościuszki 19 ✆ (018) 201 52 07
Fax : (018) 206 64 21
fwp@zakopane.top.pl
Chambres à partir de 30 zl, bien situées, dans
une rue perpendiculaire à la rue piétonne
principale.

■ POKOJE GOŚCINNE

Ul. Zamoyskiego 12 ✆ (018) 206 65 98
20 zl la nuit hors saison, 40 zl en saison.
Une adresse chaleureuse à l'accueil fort
sympathique. On peut même bénéficier de
tarifs réduits selon la durée du séjour.

Bien et pas cher

■ AUBERGE DE JEUNESSE

Lac Morskie Oko ✆ (018) 207 76 09
Auberge souvent remplie (à toute saison) car
superbement placée près du lac.

■ AUBERGE DE JEUNESSE ŻAK

Ul. Marusarzówny 15 ✆ (018) 201 57 06
Fax : (018) 201 49 33
Dispose de chambres de 2 à 6 personnes,
pour 20 zl à 40 zl par personne.

■ BACA

Ul. Tatrzańska 5F (à Poronin)
✆/Fax : (018) 207 43 88
Portable : 0 601 306 403
www.baca.poronin.pl – baca@poronin.pl
*Chambres neuves : 80 zl doubles avec salle
de bains, certaines possèdent un balcon et
l'hôtel dispose d'un sauna.* Situé un peu à
l'écart de Zakopane, cette auberge est idéale
pour les visiteurs qui souhaitent du calme, de
la verdure et arrivent depuis Cracovie. Sur
la route de Cracovie à Zakopane, prendre à
gauche à Poronin, passer au-dessus de la
voie ferrée (église à gauche), puis à droite
direction Bukowina, la maison se trouve
sur votre gauche. Propose aussi des tarifs
intéressants en pension complète puisque
dispose d'une jolie auberge toute en bois.

■ DOM TURYSTY PTTK

Ul. Zaruskiego 5 ✆/Fax : (018) 206 32 81
www.domturysty.z-ne.pl (site en anglais
et en allemand) – domturysty@z-ne.pl
*Chambres à partir de 70 zl, mais jusqu'à 200 zl,
possibilité de prendre un lit dans un dortoir de
20 zl à 38 zl.* Confort sommaire.

Confort ou charme

■ GROMADA

Ul. Zaruskiego 2
✆ (018) 201 50 11 – Fax : (018) 201 53 30
www.gromada.hotele.zakopane.pl
Chambres doubles à partir de 220 zl. Situé au
centre, cet hôtel dispose aussi d'un restaurant,
un café, un billard et un sauna.

■ KARCZMA SABAŁA

Ul. Krupówki 11
✆ (018) 201 50 92 – Fax : (018) 201 50 93
www.sabala.zakopane.pl
(site en anglais et en allemand)
recepcja@sabala.zakopane.pl
Chambres doubles à partir de 390 zl en saison.
Restaurant de cuisine régionale avec concert
de musique traditionnelle.

KASPROWY WIERCH

Ul. Krupówki 50b

℮/Fax : (018) 201 27 38/76

kasprowy@regle.zakopane.pl

kasprowy@mati.zakopane.pl

Comptez 200 zl pour une chambre double avec salle de bains. Bien situé en haut de la rue piétonne principale, belle façade en bois, intérieur peu moderne mais chambres confortables. Bon petit déjeuner typique.

ORBIS KASPROWY

Ul. Szymaszkowa ℮ (018) 201 40 11

Fax : (018) 201 52 72 – www.orbis.pl

kasprowy@orbis.pl

Chambres à partir de 350 zł. Situé sur la route de Gubałówka (très belle vue), ce grand hôtel est moderne et confortable. Certaines chambres possèdent un balcon et l'hôtel dispose d'une piscine et d'un sauna.

ORBIS GIEWONT

Ul. Kościuszki 1 ℮ (018) 201 20 11

Fax : (018) 201 20 15

www.giewont.net.pl (site en anglais et en allemand) – gierwont@orbis.pl

Chambres doubles à partir de 250 zl au cœur de Zakopane (rue perpendiculaire à la rue piétonne principale). Dispose aussi d'un restaurant, un café et un club de nuit.

Luxe

CZARNY POTOK

Ul. Tetmajera 20 ℮ (018) 202 02 04

Fax : (018) 202 02 95

www.czarnypotok.pl – czarnypotok@trip.pl

Chambres simples à partir de 250 zl, double à partir de 350 zl. Situé à 5 min du centre, un hôtel de style régional.

DAGLEZJA

Ul. Piłsudskiego 14 ℮ (018) 201 40 41

Fax : (018) 201 43 47

www.daglezja.com.pl

reserwacja@daglezja.com.pl

Chambres doubles à partir de 270 zl en saison. Hôtel luxueux qui comprend une piscine et salle de sport et propose un service de massages.

LITWOR

Ul. Krupówki 40

℮ (018) 201 27 39 – Fax : (018) 201 71 90

www.litwor.pl – biuro@trip.pl

Chambres simples à partir de 450 zl pour cet hôtel situé dans la rue piétonne principale. Dispose d'une piscine, d'un sauna, d'un centre fitness. Vraiment luxueux !

VILLA MARILOR

Ul. T. Kościuszki 18

℮ (018) 200 06 70

Fax : (018) 206 44 10

www.hotelmarilor.com (site en français)

Situé à 50 m des gares. Superbes chambres dans une villa de caractère de 1912, à partir de 450 zl pour l'hôtel, 350 zl pour la pension.

Restaurants

Depuis quelques années, le style montagnard est très à la mode en Pologne (mode développée par la chanson avec des groupes tels que Golec Orkiestra et Brathanki, à découvrir). Aussi, la ville développe-t-elle son infrastructure touristique. Les restaurants et bars « à la gorale » poussent comme des champignons. A l'intérieur, décors, musique et costumes traditionnels sont de rigueur. Vous n'aurez aucun mal à en trouver d'excellents, notamment le long de la rue piétonne principale, rue Krupówki.

CHATA ZBÓJNICKA

Ul. Jagiellońska

℮ (018) 201 42 17

www.obrochtowka.zakopane.biz

Tout en bois dans cette maison montagnarde. Bonne cuisine régionale.

CZARDASZ

Ul. Nowotarska 10 ℮ (018) 206 63 36

Restaurant hongrois dans lequel il est possible de déguster le fameux goulasch dans son chaudron. Concert de musique hongroise le soir.

CZARNY STAW

Ul. Krupówki 2 ℮ (018) 201 38 56

Ouvert de 10h à minuit. Cuisine (notamment des grills) un peu chère mais excellente. Chants montagnards tous les jours dès 20h.

KARCZMA SABAŁA

Ul. Krupówki 11 ℮ (018) 201 50 92

www.sabala.zakopane.pl

Cuisine régionale. Décor intéressant, une cheminée et une statue en bois du patron Sabała créent une ambiance montagnarde. Possible d'y passer la nuit, dans l'hôtel du même nom.

KARCZMA SOPA

Ul. Kościeliska 52

℮ (018) 201 22 16. www.sopa.pl

Cuisine régionale. Meubles et murs en bois, concerts de musique traditionnelle devant le feu de cheminée.

PORAJ
Ul. Krupówki 50 ☏ (018) 206 37 65
Cuisine polonaise dans un immeuble datant de 1887.

REDYKOŁKA
Ul. Kościeliska 1 ☏ (018) 206 63 32
Ouvert de 10h à 21h. Dispose d'un jardin, et sert une très bonne cuisine régionale. Musique le samedi à partir de 18h.

ŚWARNA
Ul. Kościuszki 4 ☏ (018) 201 50 99
www.swarna.z-ne.pl
Situé au centre. Cuisine régionale. Offre des réductions pour des groupes de 10 personnes.

U WNUKA
Ul. Kościeliska 8 ☏ (018) 206 61 47/41 67
Ouvert à partir de 11h. L'une des meilleures adresses de Zakopane de cuisine polonaise. Le vendredi et le samedi à partir de 19h, chants de musique montagnarde.

ZBYRCOK
Ul. Krupówki 29 ☏ (018) 201 32 10
Cuisine régionale dans un cadre agréable.

Sortir

Bars et discothèques
Comme tout change très vite à Zakopane, le mieux est de fureter et ne pas hésiter à pousser les portes. Voici quelques adresses qui paraissent stables.

BORSUK BAR
Ul. Zamoyskiego 13
Ouvert de 16h à 22h. Dans une ambiance jeune, propose aussi quelques plats de cuisine russe.

CAFE PIANO
Ul. Krupówki 63
Ouvert de 15h à minuit. Ambiance artistique, souvent des concerts de piano.

KAWARNIA PRZY TEATRZE WITKACEGO
Ul. Chramcówki 15 ☏ (018) 206 80 01
Ouvert de 17h au dernier client.

ROCKUS
Ul. Zaruskiego 5 ☏ 0601 501 419 (portable)
www.rockus.z-ne.pl – rockus@z-ne.pl
Discothèque pleine de couleurs. Différents styles de musique : house, reggae, rythm'n'blues, trush, gothic, metal. Un grand parquet encourage à danser. Beaucoup de concerts.

Théâtres et cinémas

TEATR IM
Stanisława Ignacego Witkiewicza
Ul. Chramcówki 15 ☏ (018) 206 82 97

CINÉMA SOKÓŁ
Ul. Orkana 2 ☏ (018) 201 40 40

CENTRE CULTUREL TRADITIONNEL DES TATRAS (TATRZANSKI OŚRODEK SWOJSZCZYZNY) ET CINEMA GIERWONT
Ul. Kościuszki 4 ☏ (018) 201 53 04

Points d'intérêt

ANCIENNE EGLISE
Ul. Kościeliska
Petite, tout en bois, sa décoration intérieure est typique des églises de montagne des Tatras. On y célèbre encore quelques offices, mais la paroisse a été transférée un peu plus loin, rue Krupówki, dans une église plus grande et d'un autre style, mais assez coquette également.

Musées

MUSEE DES TATRAS
Ul. Krupówki 10 ☏ (018) 201 36 02/52 05
Fax : (018) 206 38 72
www.zakopane.top.pl
museum@zakopane.top.pl
Tout sur l'histoire de la région.

MUSEE DU STYLE DE ZAKOPANE S. WITKIEWICZ A « KOBILIE »
Ul. Kościeliska 18, villa Koliba
☏ (018) 201 36 02

MUSEE D'HISTOIRE NATURELLE
Ul. Chałubińskiego 42A ☏ (018) 206 35 79
Tout sur la faune et la flore de la région.

MUSÉE JANA KASPROWICZA
Ul. Harenda 12A

Excursions
Possibilité d'emprunter le téléphérique qui mène au mont Kasprowy Wierch ou le funiculaire au mont Gubałówka.

ASSOCIATION POLONAISE DES GUIDES DE MONTAGNE DES TATRAS
Ul. Krupówki 12 ☏ (018) 201 57 20

INFORMATIONS SUR LE PARC NATIONAL (OŚRODEK INFORMACJI TATRZAŃSKIEGO PARKU NARODOWEGO)
Ul. Chałubinskiego 44 ☏ (018) 206 37 99
Ouvert du lundi au vendredi de 8h à 16h, le samedi de 8h à 14h.

Itinéraires dans les Tatras

Au départ de Zakopane, prenez votre sac à dos, et partez le long des nombreux sentiers qui sillonnent les monts Tatras. Les chemins sont accessibles à tous, et traversent des endroits magnifiques où des refuges permettent quelques haltes dans le cas d'excursions de plusieurs jours. A Zakopane, carte détaillée au 1:30 000e sur laquelle vous pourrez voir tous les sentiers proposés. Voici ceux que nous avons testés pour vous.

▦ VALLÉE DE STRAŻYSKA (DOLINA SKARŻYSKA)

Au sud de Zakopane, cette petite vallée peut être le lieu d'une promenade de quelques heures. Sentier rouge au départ de Zakopane, et retour par le même chemin. Les plus courageux peuvent prendre le sentier noir et revenir par une autre vallée.

▦ VALLÉE BIAŁEGO (DOLINA BIAŁEGO)

De Zakopane, dans le Sud, emprunter le sentier jaune qui traverse cette petite vallée, et rattraper le sentier noir ou revenir par le même chemin. Accessibles à tout type de randonneurs.

▦ VALLÉE KOŚCIELISKA (DOLINA KOŚCIELISKA)

Cette vallée, située dans la partie ouest des Tatras, est idéale pour une randonnée de plusieurs jours. On y trouve plusieurs grottes, se munir d'une lampe de poche. Au bout de la vallée, le refuge Ornak permet une halte. Pour revenir emprunter le sentier jaune et rattraper le sentier au sommet des crêtes pour une promenade beaucoup plus longue mais superbe.

▦ VALLÉE CHOCHOŁOWSKA (DOLINA CHOCHOŁOWSKA)

Plus à l'ouest, cette longue vallée mène au refuge de Polana Chochołowska, d'où l'on peut partir faire des randonnées de plusieurs jours dans les vallées voisines.

▦ PROMENADE SUR LA CRÊTE

Le long de la frontière, le sentier rouge au départ de Dolina Kościeliska passe par le mont Świnica (2 301 m) puis par le mont Krzyzne (2 159 m). Les paysages y sont superbes. De ce sentier, on peut redescendre vers la Pologne ou la Slovaquie, au choix.

▦ VALLÉE DES CINQ LACS (DOLINA PIĘCIU STAWÓW POLSKICH)

C'est peut-être la plus belle vallée du parc national des Tatras. Entourés par les plus hauts sommets de la région, les lacs paraissent comme figés dans le paysage. Leur bleu contraste avec la roche et les sapins qui les entourent, et forment un ensemble superbe. On y trouve un refuge, mais il est souvent complet en été, car tous les randonneurs veulent voir cet endroit. Depuis la vallée, située juste au pied de la frontière (qui continue le long de la crête), on peut prendre des sentiers dans toutes les directions, soit pour pousser plus loin, soit pour revenir vers Zakopane.

▦ LAC MORSKIE OKO

Situé au fond d'une vallée à l'est de la vallée des Cinq Lacs, le lac Morskie Oko (l'œil de la mer) est sans doute le plus beau de la région. Cette vallée attire particulièrement les randonneurs qui viennent se retrouver dans le refuge qui la borde. De là, on peut pousser encore un peu plus au sud-est, jusqu'à la frontière (et même au-delà) ou revenir par un autre chemin vers Zakopane, et profiter encore d'autres paysages superbes.

NOWY TARG

A 20 km au nord de Zakopane, cette ville est plus importante par sa population que la célèbre station touristique. Détruite par un incendie en 1784, elle peut être un point de passage pour des excursions dans la région, mais ne parvient pas à faire du tourisme une activité aussi importante et lucrative qu'à Zakopane.

Transports

▶ **Train.** Gare située au sud du centre-ville. En général, tous les trains qui s'arrêtent à Zakopane passent par Nowy Targ.

▶ **Bus.** Terminal proche du Rynek. Ce moyen de transport, comme à Zakopane, est plus conseillé que le train, car il y a davantage de bus, et les destinations desservies dans la région sont plus nombreuses.

Hébergement

▦ AUBERGE DE JEUNESSE

Située à 1 km au sud de la gare, et donc assez éloignée du centre, sur la route de Ludzmierz. Elle n'est ouverte qu'en été, dans une école de la banlieue de Na Skarpie.

▦ KLUB SPORTOWY GORCE

Al. Tysiąclecia 74 ✆ (018) 266 26 61
Proche du Rynek, il propose un confort correct pour des prix tout à fait décents.

Points d'intérêt

■ MUSEE REGIONAL (MUZEUM PODHALAŃSKIE)

Rynek 1

Ouvert le lundi de 10h à 18h, du mardi au vendredi de 8h30 à 15h30. Billet : 5 zl, réduit : 3 zl. Situé dans l'hôtel de ville, au centre du Rynek. Assez intéressant, il est surtout consacré à l'art populaire de la région.

■ MARCHE DU JEUDI

Une fois par semaine, depuis 1487, les marchands se réunissent sur la place Targowy, à l'est du Rynek, pour vendre les spécialités de la région. C'est l'occasion de trouver de superbes objets artisanaux, surtout des pulls en laine tricotés à la main. Si vous ne souhaitez passer qu'une journée à Nowy Targ, essayez de venir un jeudi, car c'est un événement à ne pas manquer.

■ EGLISE SAINTE-CATHERINE (KOŚCIÓŁ ŚW. KATARZYNY)

Juste au nord du Rynek, cette église gothique du XIVᵉ siècle fut remaniée au XVIIᵉ siècle en style baroque.

■ EGLISE SAINTE-ANNE (KOŚCIÓŁ ŚW. ANNY)

Située à l'entrée du cimetière, cette église baroque du XVIᵉ siècle est la plus belle de la ville, mais elle n'est ouverte que pour les offices.

RABKA ZDRÓJ

Située à 500 m d'altitude sur le versant nord de la chaîne des Gorce, dans les Beskides occidentales, Rabka, en plus d'être une petite ville tranquille, est surtout une station thermale pour les enfants souffrant de troubles des organes locomoteurs et des voies respiratoires. Contacter l'office des stations thermales polonaises pour plus de renseignements (**Uzdrowiska Polskie,** Izba Gospodarcza. Ul. Rolna 179/181, à Varsovie ✆ (022) 843 34 60. *Ouvert du lundi au vendredi de 9h à 15h*).

USTROŃ

Située au confluent de la Vistule et du Jaszowiec, au sud de Katowice et à la frontière tchèque, à une altitude d'environ 400 m, cette ville dispose de centres de cure et de repos modernes de forme architecturale pyramidale. Les cures sont destinées principalement aux personnes souffrant de troubles des organes

locomoteurs, de troubles respiratoires et de rhumatisme, ainsi que d'obésité. Contacter l'office des stations thermales polonaises pour plus de renseignements (**Uzdrowiska Polskie,** Izba Gospodarcza. Ul. Rolna 179/181, à Varsovie ✆ (022) 843 34 60. *Ouvert du lundi au vendredi de 9h à 15h*).

Ustroń est également un bon point de départ pour visiter les Beskides silésiennes. En hiver on peut y skier, comme le prouve le télésiège qui permet d'accéder au sommet du mont Wielka Czantoria, haut de 995 m.

▶ **Pour y accéder,** bus et trains en direction de Katowice, Bielsko Biała, Cieszyn, Częstochowa, Cracovie.

STARY SĄCZ

Cette petite ville, plus ancienne que Nowy Sącz, dont elle est éloignée de 10 km au sud, était autrefois un lieu de passage sur la route commerciale entre Cracovie et Budapest. Si elle n'a pas su se développer comme sa voisine, elle a cependant conservé tout son charme et intéressera les touristes amateurs d'architecture médiévale et de musique ancienne, car un festival a lieu tous les ans début juillet en hommage à cette expression artistique.

Transports – Pratique

▶ **Train.** Gare située à 1 km du centre. La ville est assez bien desservie, et des trains quotidiens desservent Nowy Sącz, Krynica, Tarnów et Cracovie.

▶ **Bus.** L'arrêt de la ville est sur le Rynek. Tous les bus qui viennent ici arrivent de Nowy Sącz, que les bus urbains n° 8, 9, 10 11 et 24 relient fréquemment. Il y a des bus quotidiens en direction de Zakopane.

■ OFFICE DU TOURISME

Rynek 5
✆ (018) 446 09 64

■ AGENCE DE VOYAGE WAT – SZKOLTUR

Ul. 11 Listopada 25
✆/Fax : (018) 446 05 47/443 63 24
Agence touristique, ouverte de 9h à 16h.

Hébergement – Restaurant

■ AUBERGE DE JEUNESSE

Ul. Kazimierza Wielkiego 14
Dans une école à côté de l'église paroissiale, elle n'ouvre qu'en été.

■ **CAMPING**

Ul. Jana Pawła II, sur la route
de Nowy Sącz ✆ (018) 446 11 97
Ouvert en été seulement. Location de chalets
et petit restaurant.

■ **SCHRONISKO NA PRZEHYBIE**

✆ (018) 442 13 90
Auberge de jeunesse située à Golkowice, à
quelques kilomètres de Stary Sącz, sur un
sommet de 1 175 m.

■ **ZAJAZD SZAŁAS**

Ul. Jana Pawła II ✆ (018) 446 00 77
*A côté du camping. Ouvert toute l'année.
Chambres à partir de 45 zl.* Il est assez
confortable, mais sa capacité d'accueil reste
très limitée. Petit restaurant sympathique
et pas cher.

■ **CAFE MARYSIEŃKA**

Rynek 1 ✆ (018) 446 00 72
En plein centre-ville, cuisine polonaise correcte
et peu onéreuse.

Points d'intérêt

■ **MUSEE REGIONAL
(MUZEUM REGIONALNE)**

Rynek 6 ✆ (018) 446 00 94
*Ouvert du mardi au dimanche de 10h à
13h (16h en été).* Dans la plus ancienne
des maisons de la place, ce petit musée
présente l'histoire de la ville à partir d'objets
anciens (peintures, sculptures, broderies,
poteries, objets militaires, numismatiques,
horloges).

■ **EGLISE PAROISSIALE
(KOŚCIÓŁ PARAFIALNY)**

Construite au XIIIᵉ siècle, cette église gothique
a depuis été largement modifiée, et présente
aujourd'hui un style baroque.

■ **EGLISE DES CLARISSES
(KOŚCIÓŁ KLARYSEK)**

Construite au XIVᵉ siècle à l'est du Rynek et
entourée d'une muraille, cette église gothique,
dont l'intérieur est orné de peintures baroques,
est l'édifice le plus beau et le plus intéressant
de toute la ville.

NOWY SĄCZ

Cette ville assez importante, qui n'a que peu
souffert de la guerre, a récemment rénové
son quartier historique pour se tourner vers le
tourisme. Nowy Sącz est une cité médiévale,
célèbre pour son école de peinture dont l'on

peut admirer des réalisations dans le Wawel
de Cracovie. Etape culturelle, Nowy Sącz
est également une destination sportive,
puisqu'elle est souvent le point de départ
pour des excursions dans la région.

Transports

▶ **Train.** La gare est éloignée du centre en
allant vers le sud, mais en est reliée par des
bus fréquents. Il y a également, proche du
centre, la gare de Nowy Sącz Miasto, reliée à
la gare principale par des trains. On trouve des
trains vers les destinations locales et Cracovie,
mais également la nuit vers Budapest (Hongrie)
et à midi vers Bucarest (Roumanie).

▶ **Bus.** Terminal sur le chemin de la gare, au
sud du centre-ville. De nombreux bus pour les
destinations de la région, plus rapides que les
trains, et parfois plus nombreux.

Pratique

■ **www.nowy-sacz.pl**

■ **CENTRE
D'INFORMATION TOURISTIQUE
(CENTRUM INFORMACJI TURYSTYCZNEJ)**

Ul. Piotra Skargi 2
✆/Fax : (018) 443 55 97/444 24 22
cit@nowysacz.pl
Ce centre fournit des informations sur la ville
et les excursions dans la région ainsi que les
services de guides.

■ **BUREAU D'INFORMATION
PTTK BESKID**

Rynek 9 ✆ (018) 443 74 57
Propose les services de guides touristiques.

■ **SOCIETE POLONAISE DES TATRAS**

Ul. Narutowicza 3
✆ (018) 443 59 25/53 57

■ **INTERNATIONAL GUIDE – SOCIETE
D'ACCOMPAGNATEURS DES EXCURSIONS**

Rynek 19 ✆ (018) 547 54 74
Portable : 0 603 691 612

■ **EMPIK**

Rynek 17
Vend la presse internationale.

■ **POSTE CENTRALE**

Ul. Dunajewskiego 10

Hébergement

■ **CAMPING ET HOTEL**

Ul. Jamnicka 2 ✆ (018) 441 50 12

Ouvert en été. Chambres à l'hôtel à partir de 65 zl. Il est situé à l'est de la ville, près de l'hôtel PTTK.

■ PANORAMA
Ul. Romanowskiego 4A
✆ (018) 443 71 45/10
Fax : (018) 442 36 00
Chambres à partir de 120 zl. Hôtel proche du centre, assez confortable. Bon restaurant dans l'établissement.

■ ORBIS BESKID
Ul. Limanowskiego 1
✆ (018) 443 57 70 – Fax : (018) 443 51 44
www.orbis.pl – beskid@orbis.pl
Chambres à partir de 170 zl. Situé entre la gare et le centre, grand hôtel confortable (3-étoiles).

Restaurants

■ TRIADA
Ul. Swedzka 1 ✆ (018) 442 03 17
Cuisine polonaise pas chère du tout, proche du Rynek.

■ BONA
Rynek 28 ✆ (018) 442 11 02
En plein centre-ville, spécialités polonaises et italiennes de qualité. Le nom du restaurant est un hommage à la reine Bona Sforza qui, au XVIe siècle, tenta d'introduire la cuisine italienne en Pologne.

Points d'intérêt

■ RYNEK
De taille gigantesque, il est entouré de jolies maisons anciennes. En son centre, un hôtel de ville du XIXe siècle semble un peu anachronique.

■ CIMETIERE JUIF (CMENTARZ ŻYDOWSKI)
Complètement abandonné, on y trouve toutes les tombes détruites et non entretenues, au milieu d'une nature qui prend petit à petit le dessus. On peut le visiter en demandant les clés auprès de la famille Holzer, Rynek 12, appartement 1, 1er étage.

■ CHATEAU ROYAL (ZAMEK KRÓLEWSKI)
Construit au XIVe siècle au nord de la ville, cet édifice qui abritait les monarques polonais lors de leurs passages dans la région fut malheureusement détruit par un incendie en 1616, et il n'en reste aujourd'hui que des ruines.

La descente du Dunajec

Le Dunajec est la rivière qui sert de frontière entre la Pologne et la Slovaquie et passe par Szczawnica. Les paysages qui la bordent sont magnifiques et cette région, les Pieniny, propose de multiples activités. La principale est la descente du Dunajec sur un radeau composé de plusieurs fins canots, liés les uns aux autres. La promenade au cœur des gorges (Przełom Dunajca) menée par des bateliers en costume traditionnel est agréable et permet d'admirer les rochers calcaires et escarpements rocheux qui atteignent plusieurs centaines de mètres, et faire connaissance avec la plus belle partie du Parc national des Pienines. Le radeau passe notamment le long de trois roches surnommées Kasia la Grande, Basia la Grosse et Marysia l'Echevelée. La descente peut être faite côté polonais ou slovaque (un peu plus court et moins cher). Elle commence à Sromowce Wyżne, près de Kąty. On y accède en bus PKS depuis Nowy Targ ou Szczawnica. Il existe également de nombreux minibus qui font régulièrement le trajet, ils sont plus confortables et moins chers. La descente dure de 2h à 3h selon la hauteur de l'eau et des bus ramènent les clients au point de départ. Côté slovaque, le retour en bus est plus compliqué mais les rives du Dunajec, seul côté accessible, peuvent être l'objet d'un retour à pied dans un cadre très agréable jusqu'à Czerwony Klasztor. La saison dure du 1er avril au 31 octobre (selon la météo et la hauteur de l'eau). La descente va jusqu'à Szczawnica (*environ 18 km, et 2h15, à 39 zl et 19,50 zl pour les enfants de moins de 10 ans*) ou Krościenko (*environ 23 km et 2h45, à 48 zl et tarif réduit : 24 zl*). *Les caisses sont ouvertes d'avril à août de 8h30 à 17h, en septembre de 8h30 à 16h, en octobre de 9h à 15h.*

■ POUR INFORMATION
Association des flotteurs de Pieniny (Polskie Stowarzyszenie Flisaków Pienińskich), à Sromowce Wyżne
Kąty 14 ✆ (018) 262 97 21
Fax : (018) 262 97 93
www.flisacy.com.pl (site en français)
splyw@flisacy.com.pl.

■ **EGLISE SAINT-CASIMIR
(KOŚCIÓŁ ŚW. KAZIMIERZA)**
Construite au début du siècle dans un style néogothique, cette église est réputée pour ses fresques intérieures particulièrement colorées.

■ **EGLISE NOTRE-DAME
(KOŚCIÓŁ MATKI BOŻEJ
NIEPOKALANEJ)**
Encore plus récente, car terminée en 1992, cette église située au sud-est de la ville a un look futuriste qui plaira aux amateurs mais terrorisera les amateurs de constructions plus classiques.

Musées et galeries

■ **PARC ETHNOGRAPHIQUE – SKANSEN**
Ul. Wieniawy Długoszowskiego 83b
℘ (018) 441 44 12
Ouvert du lundi au vendredi de 9h30 à 16h, le samedi et le dimanche de 9h30 à 17h. Situé à 3 km au sud-est de la ville, relié par les bus n° 14 et 15 à la gare, ce musée est une superbe reconstitution d'un village rural.

■ **MUSEE REGIONAL
(MUZEUM OKRĘGOWE)**
Ul. Lwowka 3/5
℘ (018) 443 77 08
Fax : (018) 443 78 65
www.nowy.sacz.pl
domgotycki@poczta.onet.pl
Ouvert le mardi, le mercredi et le jeudi de 10h à 15h, le vendredi de 10h à 17h30, le samedi et le dimanche de 9h à 14h30. Situé à l'est du Rynek, ce musée présente une collection importante d'objets et d'œuvres d'art du XIVe siècle à nos jours. Il comporte notamment des objets représentatifs de l'art artisanal et populaire (peinture et sculpture relatives au peuple dit Łemkowie), art orthodoxe, aquarelles de Nikifor Krzynicki et des expositions temporaires.

■ **GALERIE D'ART
ANCIENNE SYNAGOGUE**
Ul. Berka Joselewicza 12
℘ (018) 443 77 08
Ouvert le mercredi et le jeudi de 10h à 15h, le vendredi de 10h à 17h30, le samedi et le dimanche de 9h à 14h30. Cette construction du XVIIIe siècle, en partie détruite pendant la guerre et reconstruite, abrite aujourd'hui une galerie d'art. Celle-ci montre une collection qui commémore le souvenir de la population juive de la ville, déportée par les nazis.

■ **GALERIE MARIA RITTER**
Rynek 2 ℘ (018) 443 77 08
Peintures de Maria Ritter (1899-1976), dans des intérieurs de maison bourgeoise du XIXe siècle.

■ **GALERIE STARY DOM
(ANCIENNE MAISON)**
Ul. Pijarska 13 ℘ (018) 444 16 99
Galerie singulière de formes, de sons, de montages, de personnages et d'endroits.

Sports et loisirs

■ **PISCINE COUVERTE**
Ul. Nadbrzeżna 34 ℘ (018) 441 83 83

■ **PISCINE EN PLEIN AIR**
Ul. Zdrojowa

■ **COURTS DE TENNIS**
Park Strzelecki et LKS Zawada
℘ (018) 443 91 39

■ **AVIATION ET PILOTAGE DE PLANEURS**
Aeroklub Podhalański
(Aéro-club de Podhale)
A l'aérodrome de Łososina Dolna
℘ (018) 444 84 09 – Fax : (018) 444 80 18

SZCZAWNICA

Ville d'eau entourée de forêts à flanc de montagne, cette petite ville est située à environ

Les Trois Couronnes (Trzy Korony)

C'est le nom donné à la montagne qui borde le Dunajec et fait partie du Parc national. Au départ de Krościenko, plusieurs circuits sont possibles. Les monts les plus intéressants sont Okrąglica et Sokolica. Le premier, Okrąglica, est le point culminant des Trois Couronnes (982 m). Il faut compter deux bonnes heures de marche pour accéder au sommet et à la superbe vue qu'il offre sur les environs et plus largement sur les Tatras. Prévoyez de la monnaie car l'accès au sommet est payant (*4 zł*) mais vous ne le savez qu'une fois arrivé en haut. Le mont Sokolica (747 m) mène, après 1h30 de marche, sur les hauteurs des gorges.

500 m d'altitude, et jouit d'un microclimat très agréable, ce qui explique l'implantation d'une station thermale recommandée aux personnes souffrant de troubles respiratoires. Contacter l'office des stations thermales polonaises (Uzdrowiska Polskie, Izba Gospodarcza. Ul. Rolna 179/181, à Varsovie ✆ (022) 843 34 60. *Ouvert du lundi au vendredi de 9h à 15h)* pour plus de renseignements. On peut également choisir cette petite ville tranquille comme point de passage dans le cadre d'une randonnée dans la région, notamment dans le parc national des Pieniny (Pieniński Park Narodowy) et pour visiter les châteaux de Niedzica et Czorsztyn. Szczawinica et sa région attirent un grand nombre de touristes, surtout pour la descente du Dunajec, Aussi, il est facile de trouver logements et restaurants dans cette ville dynamique et touristique.

Pratique

■ **OFFICE DE TOURISME (PIENINY BIURO TURYSTYCZNE)**
Ul. Jana Wiktora 10
✆/Fax : (018) 262 32 40
Portable : 0 506 253 009
www.sokolica.com.pl
pieniny@sokolica.com.pl
Ouvert du lundi au vendredi de 8h à 19h, le samedi de 8h à 15h.

■ **INFORMATION TOURISTIQUE PTTK**
Biuro obslugi ruchu turystycznego
Ul. Główna 1 ✆ (018) 262 22 95
Ouvert du lundi au vendredi de 8h à 16h, le samedi de 8h à 15h.

■ **AGENCE DE VOYAGE PODHALE-TOUR**
Biuro uslug turystycznych
Ul. Główna 20 ✆ (018) 262 27 27
Ouvert du lundi au samedi de 8h à 16h.

Point d'intérêt

■ **CHATEAU DE NIEDZICA**
Château fort gothique à la situation pittoresque. Les intérieurs du château présentent peu d'intérêt, mais depuis sa terrasse supérieure, une superbe vue embrasse le parc national des Pieniny, le lac artificiel de Czorsztyn et son barrage, ainsi que les ruines du château de Czorsztyn, qui date du XIVe siècle. A l'entrée du château de Niedzica, un panneau vous prévient contre le danger des fantômes…

▶ **Pour davantage d'information :** Association des historiens de l'art – Niedzica ✆/Fax : (018) 262 94 89/80 – shsniedzica@wp.pl

KRYNICA-ZDRÓJ

Cette petite ville est considérée comme la perle des stations thermales polonaises grâce à sa situation remarquable entourée de montagnes boisées qui viennent lui apporter un microclimat et une eau minérale très réputés. En plus des cures proposées aux personnes souffrant de troubles de la circulation, Krynica est un excellent point de départ pour des randonnées. Enfin elle est également l'une des stations de ski les plus renommées de la région montagneuse des Beskides. Concernant les cures, contacter l'office des stations thermales polonaises pour plus de renseignements (**Uzdrowiska Polskie,** Izba Gospodarcza. Ul. Rolna 179/181, à Varsovie ✆ (022) 843 34 60. *Ouvert du lundi au vendredi de 9h à 15h*).

Transports

▶ **Train.** Gare située dans le sud de la ville, mais proche du centre. On trouve des trains quotidiens en direction de Nowy Sącz, Tarnów, et Cracovie.

▶ **Bus.** Terminal situé à côté de la gare. On trouve des bus qui relient les principales destinations de la région, mais malheureusement ils ne vous conduiront pas plus loin.

▶ **Voiture.** Situé à 230 km de Cracovie, comptez environ 2h30 de trajet. Prendre la route E77 jusqu'à Lubień, puis la route 968 jusqu'à Mszana Dolna. Là, prendre direction Limanowa, jusqu'à Nowy Sącz où la direction de Krynica est indiquée.

Pratique

■ **BUREAU D'INFORMATIONS TOURISTIQUES (KRYNICKIE CENTRUM TURYSTYKI JASKÓŁKA)**
Ul. Piłsudskiego 19 ✆ (018) 471 21 90
Fax : (018) 471 21 86
www.krynica-zdroj.com
jaskolka.krynica@wp.pl

■ **CENTRE D'INFORMATION TOURISTIQUE (CENTRUM INFORMACJI TURYSTYCZNEJ JAWORZYNA)**
Ul. Piłsudskiego 8 ✆ (018) 471 56 54
Fax : (018) 471 55 13
www.krynica.pl – it@krynica.pl
Ouvert de 8h à 20h, le samedi de 8h à 16h (en saison, ouvert aussi le dimanche et jours de fêtes).

■ **GUIDES PTTK**
Ul. Zdrojowa 32 ℰ (018) 471 29 10

■ **SERVICE DE SECOURS EN MONTAGNE (GOPR)**
Ul. Halna 18 ℰ (018) 471 29 33

Hébergement – Restaurant

■ **PENSJONAT KOŚCIUSZKO**
Ul. Kościuszki 36
ℰ (018) 471 23 45/50 61
Chambres à partir de 40 zl. Idéal pour les familles avec jeunes enfants car la maison est équipée d'emplacement de jeux.

■ **PENSJONAT MAŁOPOLANKA**
Ul. Bulwary Dietla 13
ℰ/Fax : (018) 471 58 96/63 81/82
www.malopolanka.com.pl
recepcja@malopolanka.com.pl
Chambres stylées, larges et hautes, doubles à partir de 125 zl hors saison. Situé au cœur de Krynica, à côté de la zone piétonne. Le bâtiment date des années trente.

■ **WITOLDÓWKA**
Al. B. Dielta 10 ℰ (018) 71 55 91
Prix raisonnables de 110 zl à 120 zl pension complète. Un autre hôtel installé dans un bâtiment typique en bois au centre de la ville.

■ **KONCERTOWA**
Ul. Piłsudskiego 76/2 ℰ (018) 471 53 53
Cuisine locale de qualité dans un cadre superbe. Ce n'est pas le seul restaurant de la ville, mais c'est incontestablement le meilleur.

Points d'intérêt

■ **MUSEE NIKIFOR**
Ul. Bulwary Dietla 19 ℰ (018) 471 53 03
Ouvert du mardi au dimanche de 10h à 13h et de 14h à 17h. On y trouve une collection de ce peintre naïf natif de la ville et des expositions temporaires. Créé en 1995 dans une villa, ce musée abrite notamment ses aquarelles, considérées comme le meilleur de son œuvre. Se trouvent aussi des gouaches qui montrent l'architecture de Krynica et ses objets personnels, dont un grand coffre fascinant où Nikifor rangeait ses œuvres.

■ **FUNICULAIRE**
La gare est située au nord de la ville. On peut emprunter ce moyen de transport pour se rendre au sommet du Góra Parkowa (741 m),

d'où l'on a une vue superbe sur toute la région, notamment sur la chaîne des Beskides et des Tatras. Il est possible de redescendre à pied jusqu'à la ville.

■ **GALERIE D'ART MBWA**
Ul. Piłsudskiego 19

NOWY WIŚNICZ

Située à mi-chemin entre Cracovie, Tarnów et Nowy Sącz, cette petite ville abrite un superbe château dans un paysage extrêmement pittoresque.

■ **CHATEAU DE NOWY WIŚNICZ**
ℰ/Fax : (014) 612 83 41
www.muzeum.sacz.pl
mnw@telefony.com.pl
Ce château, qui réunit le style gothique, Renaissance et baroque est une ancienne résidence de grands seigneurs. En effet les Kmita et les Lubomirski, familles de la haute noblesse de Petite-Pologne, vécurent ici. Le château est l'un des plus beaux exemples de mélange entre architecture militaire et résidentielle. De plus le décor naturel de la résidence est unique. Elle abrite une exposition consacrée à son histoire et sa reconstruction. Parmi les objets se trouvent notamment le sarcophage de Stanislas Lubomirski ainsi que des maquettes des demeures seigneuriales de la région.

■ **MAISON DES SOUVENIRS DE JAN MATEJKO KORYZNOWSKA**
A Nowy Wiśnicz ℰ (014) 612 83 47
Ce musée expose des tableaux et dessins de Jan Matejko, le salon de l'artiste et des portraits des membres de sa famille, dans un très beau manoir en bois.

■ **HOTEL DE VILLE**
Construit dans les années 1616-1620, il fut reconstruit au XIXe siècle.

■ **EGLISE DE L'ASSOMPTION DE LA SAINTE VIERGE**
Construite au XVIIe siècle, son intérieur est baroque.

BOCHNIA

Bochnia, à 7 km au nord de Nowy Wiśnicz, sur la route 4, où se trouvent les fameuses mines de sel.

Pratique

■ **NTERNET DU DISTRICT DE BOCHNIA**
www.bochnia.w.pl

■ **AGENCES DE TOURISME PTTK**
Ul. Bernardyńska 10 ✆ (014) 612 27 62
Propose aussi les services de guides touristiques.

Hébergement

■ **CAMPING CHODENICE**
Ul. Chodenicka 67 ✆ (014) 611 77 84
Nuitée à partir de 10 zl par personne. Centre de recréation dans un joli cadre où dresser sa tente.

■ **ATLAS**
Stary Wiśnicz 410 ✆ (014) 612 91 25
Fax : (014) 685 02 50
www.hotelatlas.pl – hotelatlas@vp.pl
Chambres simples : 100 zl, doubles : 140 zl. Situé à 5 km du centre de Bochnia, dans le parc de paysage. On a une jolie vue des fenêtres d'où l'on peut voir le château de Wiśnicz.

■ **KMITA**
A Nowy Wiśnicz ✆ (014) 612 88 25
www.igloonet.bochnia.pl/kmita
Chambres doubles : 240 zl. Hôtel au château dans un cadre et ambiance extraordinaires.

■ **MILLENIUM**
Ul. Poniatowskiego 24 (à Bochnia)
✆ (014) 611 15 61. www.hotelmillenium.pl
Chambres doubles : 320 zl. L'hôtel le plus luxueux et plus cher de la ville, avec ses 3 étoiles. Dispose d'une piscine, d'un centre fitness et d'un spa.

Points d'intérêt

■ **CENTRE DE CURE
DE LA MINE DE SEL DE BOCHNIA**
Ul. Solna 2
✆ (014) 612 43 15
Fax : (014) 612 46 60
www.kopalnia.hosting.pl
kopalnia@bochnia.net
Il est conseillé de réserver par téléphone. La mine de sel gemme de Bochnia date du XIIIe siècle, ce qui la classe parmi les plus vieilles du monde. Beaucoup moins touristique que les mines de sel de Wieliczka, elle propose tout de même un itinéraire touristique de 2,5 km de longueur, à environ 300 m de profondeur. Elle ne possède pas de superbes sculptures, à la différence de celles de Wieliczka, mais des activités récréatives et curatives (sanatorium) dans sa chambre d'exploitation « Ważyn », l'une des plus grandes de la mine.

■ **MUSEE DE LA TERRE**
Rynek 20 ✆ (014) 612 32 85
Histoire, ethnographie, peintures et collections exotiques.

■ **GALERIE D'ART UTILITAIRE**
Wolnica 5
✆ (014) 612 65 47
Peinture, gravure, dessin, sculpture et meubles.

Sports et loisirs

■ **TELESKI**
Au mont Kamionna, à Żegocina.

■ **EQUITATION**
« Dan Pio » Danuta i Piotr Tworzydło
Ul. Kolanowska 102 ✆ (014) 611 69 59
www.dan-pio.horsesport.pl

TARNÓW

Située en lisière des plaines et des montagnes, Tarnów est la ville la plus chaude de Pologne (moyenne des températures de l'année la plus élevée). Avec 125 000 habitants, cette ville est la plus importante de la région, et le principal centre de la culture tsigane polonaise.

On comptait 50 000 membres de cette communauté avant la Seconde Guerre mondiale, mais les nazis en ont exterminé plus de la moitié, tandis que la plupart des rescapés préféraient fuir vers des contrées plus clémentes.

On comptait également plus de 20 000 juifs à Tarnów avant 1939, mais là encore les nazis ont décimé presque toute la population.

Hormis sa très belle place du marché, la ville présente un attrait particulier, surtout pour les amateurs des cultures juive et tsigane, dont les références nombreuses inspirent respect et compassion.

Transports

▷ **Train.** Gare située au sud-ouest du centre, dont elle est reliée par les bus n° 2, 9, 35, 37 et 41. Nombreux trains pour Cracovie et Nowy Sącz.

▷ **Bus.** Terminal situé à côté de la gare. Les bus sont plus nombreux que les trains, et desservent, en plus des mêmes destinations, de nombreuses autres villes de la région.

Pratique

■ **www.tarnow.pl**

■ **CENTRE DU TOURISME DE TARNOW**
Rynek 7 ✆ (014) 627 87 35/36
Fax : (014) 627 87 38
www.turystyka.tarnow.pl
centrum@turystyka.tarnow.pl
Propose aussi des logements chez l'habitant (*seulement 8 lits, prix de 55 zl à 80 zl*).

■ **SOCIETE DE GUIDES PTTK « LELIWA »**
Ul. Żydowska 20 ✆ (014) 622 22 00

■ **BUREAU DE POSTE N° 1**
Ul. Mickiewicza 6 ✆ (014) 621 17 62

Hébergement

■ **AUBERGE DE JEUNESSE**
Ul. Konarskiego 17 ✆ (014) 621 69 16
Proche du centre, elle ouvre toute l'année et possède 44 lits.

■ **CAMPING N° 202 POD JABŁONIAMI**
Ul. Piłsudskiego 28a
✆/Fax : (014) 621 51 24
Portable : 0502 562 005
www.camping.tarnow.pl
recepcja@camping.tarnow.pl
Ouvert de mai à octobre. Le camping a gagné plusieurs prix pour la qualité de ses services.

■ **CRISTAL PARK**
Ul. Traugutta 5 ✆ (014) 633 23 82/04 91
www.cristalpark.pl
hotel@hotel.cristalpark.pl
Situé à 300 m de PKP (Tarnów Mościce) et 500 m de PKS (Tarnów Mościce), à 5 km du centre. Chambres de 135 zl à 360 zl. C'est l'ancien hôtel Chemik-Mościce. Il a été rénové récemment ; dispose d'un sauna.

■ **POD DĘBEM**
Ul. Marusarz 9b ✆ (014) 626 96 20
Fax : (014) 626 95 93
www.zajazd.poddebem.tarnow.pl
zajazd@poddebem.tarnow.pl
Chambres à partir de 80 zl. Peu cher mais sans style, à la sortie de la ville sur la route de Rzeszów, avec un restaurant.

■ **TARNOVIA**
Ul. Kościuszki 10 ✆ (014) 621 26 71/72
Fax : (014) 621 27 44
www.hotel.tarnovia.pl
hotel@hotel.tarnovia.pl
Chambres de 135 zl à 480 zl et près de 250 lits. L'endroit n'est pas extraordinaire et le restaurant moyen, mais il s'agit d'un des meilleurs hôtels de la ville (3-étoiles), pas excessivement cher.

Restaurants

■ **BRISTOL**
Ul. Krakowska 9 ✆ (014) 621 22 79
www.bristol.tarnow.com.pl
Ouvert de 11h à 23h. Cuisine polonaise, chinoise, italienne, française, suisse. Pour tous les goûts ! Le restaurant se trouve dans un hôtel du même nom. L'intérieur assez chic.

■ **GOSPODA RYCERSKA**
Ul. Wekslarska 1 ✆ (014) 627 59 80
www.rycerska.tarnow.net.pl
Ouvert de 12h à minuit. Situé au centre-ville, près de Rynek. Cuisine traditionnelle et italienne. Bon rapport qualité-prix.

■ **HERBACIARNIA AD-REM**
Ul. Bernardyńska 2 ✆ (014) 627 86 93
Ouvert de 11h à 22h. Un intérieur au style artistique, bonne ambiance devant une cheminée. Cuisine polonaise à petits prix. Grand choix de desserts.

■ **PODZAMCZE**
Al. Tarnowskich 75 ✆ (014) 627 67 77
Ouvert dès 9h. Cuisine polono-hongroise dans un immeuble moyennageux.

■ **PIZZERIA TARNOWSKA HERALD**
Ul. Wałowa 2 ✆ (014) 622 42 44
Ouvert de 9h à 20h. Pizza à prix raisonnable et bonne cuisine polonaise. Terrasse d'été.

Sortir

■ **THEATRE DE TARNÓW L. SOLSKI**
Ul. Mickiewicza 4
✆ (014) 622 12 51. teatr@tarnow.ipl.net

■ **CINEMA MILLENIUM**
Ul. Traugutta 1 ✆ (014) 633 10 63

■ **CINEMA MARZENIE**
Ul. Staszica 4 ✆ (014) 621 43 05

Points d'intérêt

■ **PLACE DU MARCHE (RYNEK)**
Tarnów possède une très belle place du marché, de style Renaissance. Au beau milieu se dresse un hôtel de ville gothique et Renaissance, entouré de vieilles maisons bourgeoises.

■ **HOTEL DE VILLE**
Rynek 1 ✆ (014) 621 21 49
L'hôtel de ville expose des souvenirs du Général J. Bem, des portraits Sarmates, des peintures polonaises des XIXe et XXe siècle, des verres et porcelaines des XVIIe et XVIIIe siècle ainsi que des objets militaires.

▥ CATHEDRALE DE LA NATIVITE DE LA VIERGE MARIE (KATEDRA NARODZENIA NMP)

Construite au XIVe siècle, et remaniée à plusieurs reprises, elle abrite un beau décor de styles gothique et néogothique.

▥ EGLISE NOTRE-DAME (KOŚCIÓŁ NMP)

Construite au XVe siècle dans le sud de la ville, cette église en bois joliment décorée est typique de ce style de construction dans la région.

▥ LA BIMA

Cette tour du XVIe siècle, la Bima, d'où était lue la Torah, est tout ce qu'il reste de la synagogue du XVIIIe siècle, détruite en 1940.

▥ CIMETIERE JUIF (CMENTARZ ŻYDOWSKI)

Au nord de la ville, ce cimetière fermé, mais que l'on aperçoit bien depuis l'extérieur, assez délabré, témoigne de l'importance de la communauté juive dans la ville, avec ses quelque 3 000 tombes. L'ancienne porte d'entrée se trouve aujourd'hui dans le musée de l'Holocauste à Washington.

▥ MUSEE REGIONAL (MUZEUM OKRĘGOWE)

Rynek 20/21 ✆ (014) 621 21 49/61 94
Fax : (014) 626 15 85/621 47 01
muzeum@tarnow.ipl.net
Ouvert le mardi et le jeudi de 10h à 17h, mercredi et le vendredi de 9h à 15h, le samedi et le dimanche de 10h à 14h. Installé dans l'hôtel de ville au centre du Rynek, ce petit musée propose des collections variées d'objets anciens et d'œuvres d'art (objets historiques, artistiques, peinture polonaise et européenne, verre et porcelaine). Une partie des collections se tient dans une des maisons sur le Rynek, côté nord, et concerne principalement les expositions temporaires.

▥ MUSEE DU DIOCESE (MUZEUM DIECEZJALNE)

Plac Katedralny 6
✆ (014) 621 99 93/626 45 54
Ouvert du mardi au samedi de 10h à 15h, le dimanche et jours de fêtes de 9h à 14h. Derrière la cathédrale, dans une maison qui date de 1524. Une belle collection d'objets d'art religieux – la plupart datant du Moyen Age – et des peintures sur verre y sont regroupées.

▥ MUSEE ETHNOGRAPHIQUE (MUZEUM ETNOGRAFICZNE)

Ul. Krakowska 10 (à l'ouest du centre-ville)
✆ (014) 622 06 25

Ouvert aux mêmes heures que le musée régional. La culture tsigane est ici surtout représentée, et rappelle que les membres de cette communauté ont été très nombreux autrefois dans cette ville.

Sports et loisirs

▥ CENTRE DE SPORT ET DE LOISIRS

Ul. Gumniska 25
✆ (014) 622 07 10

▥ PISCINE COUVERTE TOSIR

Ul. Piłsudskiego 30
✆ (014) 621 43 92
Deux piscines couvertes, toboggan et jacuzzi.

▥ PISCINE EN PLEIN AIR

Al. Tarnowskich ✆ (014) 621 03 91

▥ PISCINE ZKS UNIA

Ul. Traugutta 5 ✆ (014) 633 18 76
Des piscines couvertes et en plein air.

Équitation

▥ HARAS NATIONAL D'ÉTALONS DE KLIKOWA

Ul. Klikowska 304
✆ (014) 626 67 05/63 02

Dans les environs

Dépendent aussi du musée régional de Tarnów.

▥ CHATEAU DE DĘBNO

A Dębno, à environ 15 km à l'ouest (sur la route 4, entre Cracovie et Tarnów)
✆ (014) 665 85 82/83/80 35
Ouvert le mardi et le jeudi de 10h à 17h (16h30 en basse saison), le mercredi et le vendredi de 9h à 15h, le samedi et le dimanche de 11h à 15h (le dimanche jusqu'à 17h en haute saison).

▥ MANOIR DE DOŁĘGA

A Szczurowa (à une quinzaine de kilomètres au nord de Dębno).
Dołęga 10
✆ (014) 671 54 14
Des collections présentent le combat pour l'indépendance (insurrection de janvier), les souvenirs du professeur M. Siedlecki et de Sewer (Ignacy Maciejowski).

▥ MUSEE DE LA MAISON DE WINCENTY WITOS

A Wierzchosławice ✆ (014) 633 10 40

ZALIPIE

Situé au nord-ouest de Tarnów, ce petit village est maintenant internationalement connu pour ses maisons peintes (intérieur et extérieur). C'est une tradition qui date de la fin du XIXᵉ siècle.

Le but était à l'origine de blanchir les murs noircis par la fumée des cheminées. Progressivement les couleurs se sont ajoutées et les jeunes femmes ont commencé à rivaliser entre elles pour faire la plus belle décoration.

Les motifs sont essentiellement floraux. C'est en 1905 que pour la première fois, les maisons peintes de Zalipie sont signalées dans le journal ethnographique Lud (Le Peuple).

Pour ne pas perdre cette tradition, un concours est organisé tous les ans. Dès les années vingt, la renommée des femmes de Zalipie était importante, elles étaient souvent conviées aux manifestations et expositions d'art populaire de Małopolska et le musée ethnographique leur consacra une salle entière.

Suite à la Seconde Guerre mondiale, l'art zalipien connu une période de déclin.

Pour le relancer, les autorités multiplièrent les initiatives et organisèrent un concours de maisons peintes, qui depuis 1965 a lieu tous les ans. Début mai, les femmes de Zalipie commencent à recouvrir de chaux les motifs délavés de l'année précédente et peignent à main levée, les roses, marguerites, pivoines et tulipes, en bouquets, couronnes, guirlandes rosaces ou seules lorsqu'elles ornent de petites surfaces telles que les puits. Les couleurs dominantes sont le rouge, le jaune et le bleu. Les granges, cabanes, ruches, clôtures, abreuvoirs, jusqu'aux arrosoirs, se transforment en véritables œuvres d'art.

La pression monte jusqu'à la remise des prix, le premier dimanche après la fête-Dieu.

Ce jour-là, les touristes affluent et repartent avec des souvenirs réalisés pour eux par les femmes peintres : coffres, cadres ou couverts de bois.

En effet, aujourd'hui, les femmes étendent leur talent aux objets, en décorant de la vaisselle ou des tissus.

■ **MUSEE DE FELICJA CURYŁOWA**

(Femme qui a perpétué la tradition à Zalipie) ✆ (014) 641 19 38

Il présente ces œuvres d'art. Les maisons et fermes, elles, sont éparpillées dans le village. L'église même est décorée. La visite vaut vraiment le détour.

Itinéraire de l'architecture en bois

L'office du tourisme de la Petite-Pologne (Małopolska) édite un guide gratuit, en français, qui décrit cinq parcours à travers la région à la découverte des constructions en bois. Les itinéraires sont concentrés pour la plupart au sud de la ligne entre Cracovie et Tarnów, aux alentours de Nowy Sącz et Gorlice.

Cette brochure de l'itinéraire des architectures en bois « Szlak Architektury Drewnianej » est notamment disponible à l'office du tourisme de Cracovie situé sous la halle aux draps. Le centre d'information touristique de Nowy Sącz fournit aussi des renseignements : Ul. Piotra Skargi 2 ✆ (018) 444 24 22/443 55 97.

Les différents itinéraires regroupent près des 100 sites. Aussi nous ne citerons ici que seulement les 4 sites les plus intéressants, inscrits sur la liste du Patrimoine mondial culturel et naturel de l'Unesco, à savoir : l'église Saint-Michel-l'Archange de Dębno du XVᵉ siècle (ouverte du lundi au vendredi de 14h à 16h30, le samedi de 9h à 12h), l'église Saint-Michel-l'Archange de Binarowa, datant de l'an 1500 environ, l'église Saint-Léonard du XVᵉ siècle de Lipnica Murowana et l'église gothique Saint-Philippe et Saint-Jacques de Sękowa.

Dans la région des Précarpates les églises de Haczów du XVᵉ siècle et celle de Blizne des XVe et XVIIᵉ siècle sont également enregistrées auprès de l'Unesco.

BIECZ

Il y a plus de mille ans, Biecz était un des plus grands villages de Pologne, et c'est pour cette raison qu'il est célèbre. Mais depuis, la population n'a guère évolué et ne dépasse pas aujourd'hui 5 000 habitants. Par contre, cette somnolence lui permet de proposer aux touristes une atmosphère restée tranquille et chaleureuse et des sites historiques qui n'ont pas été détériorés ni par l'industrie, ni par une forte urbanisation.

Transports

▶ **Train.** La gare est située à 1 km du centre. Un train quotidien dessert Cracovie.

▶ **Bus.** Pas de terminal, les bus s'arrêtent sur le Rynek. On trouve des bus qui desservent la plupart des destinations de la région, plus ou moins importantes.

Hébergement – Restaurants

■ AUBERGE DE JEUNESSE PTSM
Ul. Parkowa 1 ✆ (013) 447 10 14/48 29
Située en haut d'une école, elle est ouverte
toute l'année.

■ HOTEL ET RESTAURANT GRODZKA
Ul. Kazimierza Wielkiego 35
✆ (013) 447 11 21
rgrodzka@poczta.onet.pl
Chambres entre 50 zl et 85 zl. Situé près de
la gare ferroviaire, il est assez confortable et
pratique des prix très corrects.

■ HOTEL ET RESTAURANT CENTENNIAL
Rynek 6
✆ (013) 447 18 64
Fax : (013) 447 15 76
www.centennial.com.pl
Hotel@centennial.com.pl
Situé au centre de la ville. Belles chambres
luxueuses et bon cadre. Cuisine polonaise,
française et espagnole.

Points d'intérêt

■ EGLISE PAROISSIALE (KOŚCIÓŁ PARAFIALNY)
Cette imposante bâtisse du XVIe siècle, située
sur le Rynek et malheureusement fermée
en dehors des offices, offre un intérieur
superbement décoré de style Renaissance.

■ MUSEE DE LA VILLE (MUZEUM MIEJSKIE)
*Ouvert du mardi au dimanche de 9h à 14h.
Fermé le dimanche en dehors de l'été.* Divisé
en deux parties, dans deux maisons proches
de l'église. La première des deux maisons (ul.
Węgierska 2 ✆ (013) 447 13 28) se présente
sous la forme d'une ancienne pharmacie dans
laquelle ont été conservés tous les ustensiles
ainsi que d'autres objets anciens. L'autre
maison, (ul. Marcina Kromera 5 ✆ (013) 447
10 93), fait plutôt référence à l'histoire de la
ville sous forme de gravures et de photos.

■ EGLISE DE BINAROWA
Située à 5 km au nord de la ville, cette
petite église en bois du début du XVIe siècle,
parfaitement conservée, possède un intérieur
superbement décoré dans le style traditionnel.
Pour y entrer, le meilleur moyen est de frapper
à la porte du sympathique prêtre qui habite la
maison d'à côté, ou alors de venir tôt le matin
et d'assister aux offices.

KROSNO

Cette ville a connu un développement
exceptionnel pendant la Renaissance, avant
de s'endormir et d'être à nouveau debout grâce
à l'industrie du verre, florissante depuis le
XIXe siècle. Le centre historique est de taille
réduite, mais témoigne du glorieux passé de la
ville et vaut à lui seul le détour. Sinon, il est très
intéressant de passer à Krosno pour acheter
des verreries (se renseigner auprès de l'office
du tourisme. Possibilité de réserver des visites
guidées pour un groupe à l'usine de verrerie
de Krosno et/ou achat de très beaux objets
de verre dans son magasin d'usine).

Transports – Pratique

▶ **Train.** La gare est assez proche du centre,
auquel elle est reliée par des bus urbains.
Des trains quotidiens vont vers Sanok, Biecz,
Cracovie et Varsovie.

▶ **Bus.** Le terminal est proche de la gare. On
trouve beaucoup plus de bus que de trains,
surtout pour les destinations de la région.
Ce moyen de transport est le meilleur dans
les Carpates, car certaines villes ne sont pas
reliées par le réseau ferroviaire, tandis que
les bus vont partout.

■ www.krosno.pl – En anglais et en
allemand.

■ OFFICE DU TOURISME BUREAU PTTK
Ul. Staszica 20 ✆/Fax : (013) 432 77 07
oit@karpaty.com.pl

Hébergement

■ HOTELIK-ZAJAZD ELENAI
Ul. Łukasiewicza 3
✆ (013) 436 43 34
*Situé à 10 min de marche du centre. Chambres
pour 2, 3 et 7 personnes. Chambres avec tv
satellite, à partir de 90 zl. Réduction pour
séjour long. Les propriétaires parlent anglais.*
Dispose d'un restaurant et d'un parking gardé
gratuit.

■ KROSNO-NAFTA
Ul. Lwowska 21 ✆ (013) 436 62 12
Fax : (013) 436 87 31 – www.hotel.nafta.pl
(site en anglais) – hotel@hotel.nafta.pl
*Chambres doubles à partir de 270 zl (réductions
possibles).* A 1 km au sud du centre, sur la
route de Sanok, c'est le meilleur hôtel de la
ville. Restaurant correct.

Restaurants

▪ PIWNICA WÓJTOWSKA

Rynek 7 ✆ (013) 432 15 32
Restaurant de qualité, spécialisé dans la cuisine polonaise et hongroise, dans un décor très agréable de cave voûtée. C'est le meilleur restaurant de la ville.

▪ ROYAL

Rynek 5
✆ (013) 436 12 25
Bonne cuisine polonaise pas chère dans le centre-ville.

Points d'intérêt

▪ MUSEE REGIONAL (MUZEUM OKRĘGOWE)

Ul. Piłsudskiego 16
✆/Fax : (013) 432 43 01
Ouvert de mai à octobre du mardi au dimanche, de 10h à 16h, de novembre à avril du mardi au dimanche de 10h à 14h. Billet : 5 zl, réduit : 3 zl. Le musée présente une collection d'objets se rapportant à l'histoire de la ville, et surtout des verreries et lampes à kérosène, spécialités locales.

▪ MUSEE DE L'ARTISANAT (MUZEUM RZEMIOSŁA)

Ul. Piłsudskiego 17
✆/Fax : (013) 432 41 88
Situé juste en face du musée régional. Ouvert du mardi au vendredi de 9h à 15h, le samedi et le dimanche de 10h à 15h. Billet : 5 zl, réduit : 3 zl. Ce petit musée expose surtout des outils et des ateliers de fabrication, mais manque de réalisations artisanales.

▪ EGLISE FRANCISCAINE (KOŚCIÓŁ FRANCISZKANÓW)

Construite au XVᵉ siècle, cette église a été superbement décorée au XVIIᵉ siècle en style baroque à certains endroits, en style néogothique à d'autres, et depuis est restée parfaitement conservée.

▪ EGLISE PAROISSIALE

Construite en briques au XVᵉ siècle, elle a été incendiée en 1638 et fut reconstruite juste après, style baroque. Si la partie extérieure est assez sobre, les décors intérieurs sont superbes et datent de la même époque. Le clocher, séparé de l'église date du XVIIᵉ siècle. L'une de ses trois cloches pèse 2,5 tonnes, l'une des plus grosses du pays.

IWONICZ ZDRÓJ

Cette ville d'eau, au sud de Krosno, située à 400 m d'altitude sur les flancs boisés des Basses Beskides, est une des plus anciennes de Pologne. On y trouve de nombreux sentiers de promenade dans un espace très vert, et une station thermale qui accueille des personnes souffrant de troubles du système locomoteur, ainsi que de rhumatismes. Contacter l'office des stations thermales polonaises pour plus de renseignements (**Uzdrowiska Polskie**, Izba Gospodarcza. Ul. Rolna 179/181, à Varsovie ✆ (022) 843 34 60. *Ouvert du lundi au vendredi de 9h à 15h*).

DUKLA

Ce village a connu la prospérité grâce à sa position proche du col de Dukla, le point de passage le plus facile à travers les Carpates occidentales. C'est une base de départ pour des randonnées dans les Beskides Niski ou éventuellement une excursion en Slovaquie, car la frontière n'est qu'à quelques kilomètres (le fameux col). En 1944, plus de 100 000 soldats périrent dans cet endroit après une bataille qui opposa Allemands, Russes et Tchécoslovaques.

▪ **Indicatif téléphonique :** (013) .

PARC NATIONAL DES BIESZCZADY

Entourée de la Slovaquie et de l'Ukraine, la région naturelle des Bieszczady est la plus sauvage de Pologne et la moins peuplée. Le parc national de Bieszczady (Bieszczadzki Park Narodowy) est inclus dans la réserve internationale de la Biosphère Carpates orientales.
Ces massifs sont le lieu de prédilection des amoureux de la nature, des amateurs de randonnées, à pied ou en vélo, et d'équitation. La pratique du ski et de sports nautiques est aussi possible, notamment autour du lac Solina. La route des églises en bois est enchanteresse.

Pratique

▪ **www.bieszczady.pl** – En polonais.

Tourisme

▪ PARC NATIONAL DES BIESZCZADY

Ustrzyki Górne 19 ✆ (013) 461 00 50
www.bieczszady.pl – dyrekcja@bdpn.info

PARC NATIONAL DU MONT MAGURA
Krempna ℂ/Fax : (013) 441 40 99
www.magurskipn.pl
magurskipn@pro.onet.pl

Centres d'information des Bieszczady

▪ A SANOK
Ul. Grzegorza 4 ℂ (013) 463 09 38/28 59
orbis.sanok@pbp.com.pl

▪ A LESKO
CENTRE D'INFORMATION TOURISTIQUE
Rynek ℂ/Fax : (013) 469 66 95
lesko@gminy.pl

▪ AGENCE TOURISTIQUE ET DE PROMOTION DE LA VILLE
Rynek 2/14 ℂ/Fax : (013) 469 72 70
Portable : 0 603 278 845
turystyka@bieszczadyonline.pl

▪ A USTRZYKI DOLNE
Rynek 16 ℂ (013) 471 11 30
Fax : (013) 471 16 69
citustrzyki@poczta.onet.pl

▪ A POLAŃCZYK
ℂ/Fax : (013) 470 30 28
goksit@solina.regiony.pl

▪ A CISN
ℂ/Fax : (013) 468 64 65
cit@bieszczady.info.pl

▪ A KOMAŃCZA
ℂ/Fax : (013) 467 70 76
cpiit@komancza.regiony.pl

▪ A LUTOWISKA
ℂ (013) 461 03 50
Fax : (013) 461 03 51 – www.bdpn.info
www.oie.bdpn.pl – oie@oie.bdpn.pl

Points d'intérêt

▪ PARC NATIONAL DES BIESZCZADY
Etabli en 1973, agrandit en 1989 et 1991, ce parc est très sauvage, authentique et riche en faune et en flore.

▮ **Le circuit des icônes :** voir encadré.

▮ **La route des églises en bois.** Comptez une journée pour effectuer cette route, qu'il est plus aisé de suivre en voiture et qui débute à Ustrzyki Dolne.

▮ **Au nord de Ustrzyki Dolne :** églises de Krościenko, Brzegi Dolne.

▮ **De Ustrzyki Dolne à Ustrzyki Górne :**

Równia (église uniate du XVIIIe siècle), Hoszów (uniate de 1930), Rabe (uniate de 1858, iconostase gréco-catholique superbe, guide très accueillant), ˇПobek (uniate de 1830), Bystre (uniate de 1902, à la frontière avec l'Ukraine, un intérieur en bois impressionnant mais laissé à l'abandon), Michniowiec (difficile d'accès, par un petit chemin de terre... église de 1863), Smolnik (1791) et Chmiel.

▮ **Ustrzyki Górne compte quelques auberges traditionnelles** qui sont l'occasion d'une pause déjeuner, avant de repartir en direction de Cisna.

▮ **De Cisna à Zagórz :** Smolnik, Radoszyce, Komańcza (église orthodoxe la plus ancienne, de 1805), Rzeped (église de 1823, rénovée en 2000), Turzańsk (très beaux clochers rénovés), Szczawne (église de 1888 dotée d'une étrange toiture verte), Zagórz.

▮ **Tour de Cisna à Lesko, puis Solina à Cisna :** Baligród, Żernica, Średnia Wieś, Lesko, Uherce Mineralne, Myczkowce, Górzanka, Łopienka.

Musées

▪ MUSEE DES ICONES ET SKANSEN
À Sanok (voir rubrique « Sanok »).

▪ MUSEE DE LA NATURE ET DE LA CHASSE
À Nowosiółki.

Sports et loisirs

▪ LAC DE SOLINA ET MYCZKOWCE
Deux lacs artificiels créés par les barrages de Myczkowce (1956-1960) et de Solina (1961-1968), ce dernier est le plus grand de Pologne avec ses 82 m de haut et 664 m de long. Le lac de Myczkowce mesure 6 km de long, alors que celui de Solina 27 km, tout deux offrent des centres de loisirs et sports nautiques, notamment à Solina, Myczkowce, Polańczyk et Jawor.

▪ LE PETIT TRAIN DES BIESZCZADY (BIESZCZADZKA KOLEJKA LEŚNA)
Billets : 9 zl et 22 zl (le prix dépend de la langueur du trajet). Situé au sud-ouest, il relie les villes de Balnica à Przysłup, en traversant Żubracze, Majdan et Cisna.

Circuit à vélo
Un circuit de randonnée à vélo de 700 km de long, très bien balisé, permet de découvrir le parc naturel des Bieszczady.

Planeur et parapente

De nombreux centres et des écoles de planeurs et parapentes se trouvent dans le parc des Bieszczady. Ce sport permet une vue superbe sur l'ensemble des montagnes. Vous trouverez des centres plus particulièrement dans le nord, à Dolna Górna, Tarnawa, Ustrzyki Dolne, Brzegi Dolne et Dźwiniacz Dolny.

Ski

Les remontées se trouvent un peu partout dans les Bieszczady, et notamment à Ustrzyki Górne, Cisna, Dwerniczek, Bukowiec, Bystre, Komańcza, Karlików, Polańczyk, Ustrzyki Dolne et Zagórz.

Équitation

De nombreux centres équestres, notamment le long de la route entre Ustrzyki Dolne et Ustrzyki Górne, ainsi qu'autour des villes de Cisna, Solina et Lesko.

SANOK

Cette ville est, avec 42 000 habitants, la plus importante des Bieszczady en plus d'être un grand centre industriel. Elle possède un centre agréable et surtout le plus grand parc ethnographique de Pologne.

Transports – Pratique

▶ **Train.** Gare située au sud du centre-ville. Des trains quotidiens pour Cracovie et Varsovie.

▶ **Bus.** Terminal situé en face de la gare. Si le train est plus pratique pour rejoindre les deux villes citées, les bus sont plus nombreux et plus rapides pour les destinations locales.

■ **AGENCE DE VOYAGE ORBIS**
Ul. Grzegorza z Sanoka 4
✆ (013) 463 09 38
Ouvert du lundi au vendredi de 9h à 16h.

Hébergement

■ **DOMKI TURYSTYCZNE CAMPING BIAŁA GÓRA**
Ul. Biała Góra, au nord de la ville, à côté du skansen
✆ (013) 463 38 80/28 18
camp_sanok@poczta.onet.pl
Ouvert l'été uniquement. Il est encore moins cher que l'auberge de jeunesse.

■ **TURYSTA**
Ul. Jagiellońska 13 ✆ (013) 463 09 22

Bien situé, il est assez confortable, mais ses prix ne sont pas des plus intéressants.

■ **JAGIELLOŃSKI**
Ul. Jagiellońska 49 ✆ (013) 463 12 08
Chambres à partir de 80 zl, appartement à partir de 150 zl. Situé entre la gare et le centre-ville, moderne et confortable, c'est le meilleur hôtel et le meilleur restaurant de la ville.

Restaurants

■ **BAR MLECZNY SMAK**
Ul. Mickiewicza 4 ✆ (013) 463 48 21
Dans le centre-ville, petits prix pour des plats classiques mais très bons.

■ **PIZZERIA PALERMO**
Ul. Kościuszki 34 ✆ (013) 464 39 79
Un peu plus à l'écart, mais encore meilleur, et pas plus cher. Riche choix de pizzas.

■ **RESTAURACJA BARTEK**
Ul. Szafera 11 ✆ (013) 463 16 84
Proche du skansen, cuisine simple et bon marché.

Points d'intérêt

■ **EGLISE FRANCISCAINE**
Construite au XVIIᵉ siècle sur le Rynek, elle dispose d'un tableau représentant la Sainte Vierge, objet de toutes les vénérations.

■ **GALERIE BEKSINSKI**
Ouverte en été tous les jours de 9h à 17h, et le reste de l'année tous les jours de 9h à 15h. Située au nord du Rynek, cette exposition permanente nous fait découvrir les œuvres de Zdzisław Beksinski, peintre contemporain, natif de Sanok.

■ **EGLISE ORTHODOXE (CERKIEW)**
Située à côté du château, elle a été construite au XVIIIᵉ siècle dans le style néoclassique. Elle est malheureusement fermée au public en dehors des offices, le dimanche matin.

■ **EGLISE PAROISSIALE**
Au bord de la place Św. Michała, à l'est du Rynek, se dresse cette étonnante construction du XIXᵉ siècle de style néoroman.

■ **MUSEE D'HISTOIRE (MUZEUM HISTORYCZNE)**
Ul. Zamkowa 2
Ouvert en été du mardi au dimanche de 9h à 17h, le lundi de 9h à 15h, hors saison du mardi au dimanche de 9h à 15h, le lundi de

Le circuit des icônes Szlak Ikon

Un circuit part de Sanok à la découverte des icônes visibles dans la région.
Il débute au musée historique de Sanok qui en possède une très riche collection, continue par la cathédrale orthodoxe et se termine au skansen. Puis, il faut suivre un parcours hors de la ville de Sanok :

▶ **église orthodoxe gréco-catholique** à Międzybrodzie, de 1900 ;
▶ **église orthodoxe en bois** de Tyrawa Solna, de 1837 ;
▶ **église orthodoxe gréco-catholique** en bois de Hłomcza ;
▶ **église orthodoxe gréco-catholique** de Łodzina de 1743 ;
▶ **la plus vieille église orthodoxe de Pologne,** de 1510 de Ulucz ;
▶ **église orthodoxe gréco-catholique en bois,** de 1879 de Dobra ;
▶ **église orthodoxe gréco-catholique en bois,** de 1841, de Siemuszowa ;
▶ **église orthodoxe gréco-catholique,** de 1858 de Hołuczków ;
▶ **église orthodoxe en bois,** de 1844, de Sanok-Olchowce.

▶ **Pour plus de renseignements,** possibilité de s'adresser au camping Biała Góra qui propose cette excursion dans un car bien sympathique, « ciuchcia ».

11h à 15h. Installé dans le château, ce musée passionnant possède des départements qui relatent l'histoire et les arts de la région, mais il abrite surtout une superbe collection d'icônes qui en fait sa fierté. Il expose 260 œuvres sur les 706 qu'il possède. Certaines pièces magnifiques datent du XVe siècle.

■ **PARC ETHNOGRAPHIQUE
ET MUSEE – SKANSEN
(MUZEUM BUDOWNICTWA LUDOWEGO)**
Ul. Traugutta 3 et parc ethnographique :
Ul. Rybickiego 3 ✆ (013) 463 16 72/09 34
Fax : (013) 463 53 81
www.bieszczady.pl
www.bieszczadyonline.com
skansen@bieszczadyonline.pl
skansen.sanok@pro.onet.pl
Ouvert du mardi au dimanche de 8h à 18h (de mai à octobre), de 9h à 16h (avril) et de 9h à 14h (de novembre à mars). A la sortie de la ville au nord, à 1,5 km du centre, on trouve une reconstitution de nombreuses habitations anciennes typiques de la région avec leurs intérieurs tels qu'ils étaient autrefois. Il présente les constructions des différents groupes ethniques vivant dans la région, soit une bonne centaine d'habitats en bois du XVIIe au XXe siècle, ainsi que des églises et des moulins. La visite est assez longue parce que le site est très vaste, ce qui lui donne aussi son caractère exceptionnel.

LESKO

Située à 10 km au sud-est de Sanok, cette petite ville était autrefois un véritable melting-pot de cultures et de religions, mélangeant polonais, ukrainiens et juifs. Pendant l'occupation nazie, la population juive a été complètement anéantie, et les Ukrainiens ont fui la région après 1945 pour passer de l'autre côté de la frontière proche. Si ce brassage ethnique a aujourd'hui malheureusement disparu, Lesko reste une destination touristique locale assez prisée, car elle offre un bon point de départ pour les randonnées dans les Bieszczady.

Transports – Pratique

▶ **Bus.** Le terminal est proche du Rynek. Il n'y a pas de train à Lesko. Les bus desservent la plupart des villes de la région, et certains vont jusqu'à Cracovie.

■ **OFFICE DU TOURISME
BIESZCZADZKIE CENTRUM
INFORMACJI TURYSTYCZNEJ**
Rynek ✆ (013) 469 66 95
Ouvert du lundi au vendredi de 8h à 16h.

Hébergement

■ **AUBERGE DE JEUNESSE**
Al. Jana Pawła II 18A ✆ (013) 469 62 69
Ouvert toute l'année. A partir de 12 zl. Située au nord-ouest de la ville, sur la route de Sanok, derrière un stade de football.

■ **CAMPING NAD SANEM**
A l'ouest de la ville,
au pied du château ✆ (013) 469 66 89
*Ouvert en été simplement. Quelques chalets
à louer. A partir de 20 zl.*

■ **OŚRODEK WYPOCZYNKOWY ZAMEK**
Ul. Piłsudskiego 7 ✆ (013) 469 62 68
Cet hôtel occupe le château et pratique des
prix raisonnables pour un confort correct dans
un cadre agréable.

■ **RELAX**
Ul. Piłsudskiego 3 ✆ (013) 469 85 73
Confort sommaire mais prix en conséquence
(*à partir de 30 zl*).

Points d'intérêt

■ **EGLISE PAROISSIALE
(KOŚCIÓŁ PARAFIALNY)**
Construite au XVIe siècle, cette église a
conservé un aspect gothique dans sa partie
extérieure, mais les décorations intérieures ont
été remaniées en style baroque au XVIIIe siècle.
A la même époque a été construit le clocher,
lui aussi de style baroque, à côté de l'église
à laquelle il n'est pas rattaché.

■ **SYNAGOGUE**
Construite probablement à la première moitié
du XVIIe siècle et restaurée en 1963, elle abrite
aujourd'hui une galerie d'art, mais sa taille et
son emplacement témoignent de l'importance
de la communauté juive à Lesko ainsi que de la
tolérance des habitants de la ville qui savaient
vivre dans le partage des cultures.

■ **CIMETIERE JUIF
(CMENTARZ ŻYDOWSKI)**
Situé un peu plus loin que la synagogue en
partant du Rynek, cet endroit contient, parmi
les mauvaises herbes qui envahissent tout,
quelques superbes tombes du XVIe siècle.

USTRZYKI DOLNE ET USTRZYKI GÓRNE

Le long de cette petite route pittoresque,
longue d'environ 50 km entre ces deux villages
de randonneurs qui ne sont pas inoubliables, on
trouve quelques églises orthodoxes anciennes
superbes qui valent le déplacement. S'il est
possible d'en admirer les parties extérieures,
les églises restent fermées aux visiteurs car
elles sont situées dans des endroits peu
fréquentés où les fidèles se font bien rares.
Cependant, en vous adressant auprès des deux

villages d'Ustrzyki Dolne et Ustrzyki Górne, il
vous sera peut-être possible d'accompagner
le prêtre dans sa tournée le dimanche matin
et ainsi de pénétrer dans chacune de ces
petites merveilles, car elles sont maintenant
attachées au culte catholique.

■ **OFFICE DU TOURISME**
Rynek 16 à Ustrzyki Dolne
✆ (013) 471 11 30 – Fax : (013) 471 16 69
citustrzyki@poczta.onet.pl
*Ouvert du lundi au vendredi de 7h30 à
13h30.*

PRZEMYŚL

Cette ville a plus de mille ans, mais est
véritablement entrée dans l'histoire au milieu
du XIXe siècle, quand les Autrichiens, alors
maîtres du terrain, décidèrent d'engager des
travaux de fortification pharaoniques qui se
prolongèrent jusqu'à la veille de la Première
Guerre mondiale. Przemyśl était alors une
base stratégique de premier plan dans la
guerre contre les Russes, mais les soldats
qui l'occupaient durent cependant se rendre
à l'ennemi en 1915, non pas parce qu'ils
sentaient la fin venir, mais plutôt la faim.
Il n'y avait en effet plus de vivres ; les plus
belles forteresses n'en sont pas pour le moins
infaillibles. Un mur de 45 km de long, semé de
60 forts, presque imprenable avec les moyens
de l'époque, et pas de quoi tenir un siège !
Pendant la Seconde Guerre mondiale, où de
telles forteresses étaient devenues inutiles
faute d'armes lourdes et d'aviation (il suffit
de se souvenir de la ligne Maginot), Przemyśl
fut détruite en grande partie, mais le centre a
retrouvé son charme grâce à la reconstruction
courageuse des habitants, et constitue une
très belle étape pour une visite dans la région.
En effet, les vestiges de la forteresse sont une
attraction unique en son genre.

Transports

▷ **Train.** Gare située au nord-est du centre-ville,
place Legionów. Le trafic ferroviaire est assez
important ici, et en plus des destinations
locales et nationales (Cracovie et Varsovie),
on peut depuis Przemyśl se rendre en Ukraine,
à Lvov, Kiev et Odessa.

▷ **Bus.** Terminal proche de la gare, rue
Czarnieckiego. De nombreux bus pour les
destinations locales, ainsi que de l'autre côté
de la frontière, vers Lvov. On trouve dans les
bus qui vont vers cette ville de nombreux
marchands qui passent la frontière parfois

Zalipie, maison décorée

Région de Zakopane

Région de Zakopane, Chocholow

plusieurs fois par jour pour commercer entre la Pologne et l'Ukraine.

Pratique

■ **CENTRE D'INFORMATION DE LA VILLE (PRZEMYSKI OŚRODEK INFORMACJI TURYSTYCZNEJ)**
Rynek 26 ✆ (016) 675 16 64
www.przemysl.pl – info@parr.pl

■ **BUREAU D'INFORMATION TOURISTIQUE PTTK (BIURO OBSŁUGI RUCHU TURYSTYCZNEGO PTTK)**
Ul. Waygarta 3 ✆ (016) 678 53 74
pttkprzemysl@op.pl

■ **ASSOCIATION D'AMITIE FRANCE-POLOGNE**
Ul. Zaleskiego 4
✆ (016) 678 37 97

Hébergement

■ **AUBERGE DE JEUNESSE PTSM MATECZNIK**
Ul. Lelewela 6 ✆ (016) 670 61 45
55 places, ouvert toute l'année. Nuitée à partir de 13 zl.

■ **CAMPING ZAMEK**
Ul. Sanocka 8a ✆ (016) 675 02 65
Fax : (016) 678 88 42
edex.przemysl@neostrada.pl
150 places, nuitée entre 18 zl et 150 zl, en fonction du standing.

■ **DOM WYCIECZKOWY PTTK PODZAMCZE**
Ul. Waygarta 3 ✆ (016) 678 53 74
Situé au centre de Przemyśl. Confort sommaire, mais les chambres ne coûtent que 20 zl et 29 zl.

■ **POD BIAŁYM ORŁEM**
Ul. Sanocka 13 ✆ (016) 678 61 07
A la sortie de la ville, sur la route de Krasiczyn, pension minuscule et pas chère pour un confort correct.

■ **GROMADA PRZEMYŚL**
Ul. Wyb. Marszalka Piłsudskiego 4
✆ (016) 676 11 12 – Fax : (016) 676 11 13
www.gromada.pl
przemyslhotel@gromada.pl
Chambres simples à partir de 139 zl (119 zl le week-end), doubles : 199 zl. Situé au sud-ouest de la ville, sur les bords du fleuve San, à 700 m des gares.

■ **MARKO**
Ul. Lwowska 36a ✆/Fax : (016) 678 92 72
Chambres à partir de 130 zl. Hôtel confortable sur la route qui mène à la frontière ukrainienne. Restaurant de spécialités russes et ukrainiennes assez bon.

Restaurants

■ **KARPACKA**
Ul. Kościuszki 5 ✆ (016) 678 64 88
Proche du centre, restaurant agréable dans un cadre moderne.

■ **POD ARKADAMI**
Rynek 5 ✆ (016) 678 56 42
Dans un cadre agréable, on vient ici aussi pour prendre un verre, car c'est sans doute le meilleur café de la ville.

Points d'intérêt

■ **TOUR DE L'HORLOGE (WIEŻA ZEGAROWA)**
Ul. Władycze. A l'est du Rynek
Construite au XVIIIe siècle, cette tour de style baroque offre une jolie vue de la ville. Elle accueille quelques expositions permanentes gérées par le musée national.

■ **EGLISE DES CARMELITES (KOŚCIÓŁ KARMELITÓW)**
Sur la colline au sud du Rynek
Affectée pendant un temps au culte des uniates, cette église de style Renaissance modifiée au XVIIIe siècle est l'une des plus belles de la ville, aujourd'hui de nouveau propriété des carmélites (seulement après une décision du pape en 1991).

■ **EGLISE JESUITE (KOŚCIÓŁ POJEZUICKI)**
Située au pied de l'église des carmélites, cette bâtisse du XVIIe siècle de style baroque a été affectée en 1991 aux uniates en remplacement de l'autre église, mais a pour l'instant conservé son aspect catholique.

■ **MUSEE DE L'ARCHEVECHE (MUZEUM ARCHIDIECEZJALNE IM. BŁOGOSŁAWIONEGO BISKUPA J.-S. PELCZARA)**
Plac Czackiego 2 ✆ (016) 678 27 92
Ouvert du 1er mai au 31 octobre du mardi au dimanche de 10h à 15h. Juste à côté de l'église jésuite, ce petit musée situé dans l'ancien collège de l'ordre propose une belle collection d'objets d'art religieux.

© S.NICOLAS

Région de Zakopane, Chocholow

■ MUSEE NATIONAL (MUZEUM NARODOWE ZIEMI PRZEMYSKIEJ)

Plac Czackiego 3

✆ (016) 678 33 25

Ouvert le mardi de 10h à 17h, le mercredi et le jeudi et le samedi et le dimanche de 10h à 14h, le vendredi de 10h à 18h. De l'autre côté de la rue, ce musée très intéressant possède une belle collection d'icônes et objets religieux, et propose également une section sur les origines et l'histoire de la ville.

■ EGLISE FRANCISCAINE (KOŚCIÓŁ FRANCISZKAŃSKI)

Construite à la fin du XVIIIe siècle juste au sud du Rynek en style baroque, l'extérieur est un peu décevant, mais les décorations intérieures sont vraiment superbes.

■ CATHEDRALE

Cet édifice gothique a été largement modifié à plusieurs reprises depuis, et se présente aujourd'hui sous l'apparence d'une église baroque, mais en cherchant bien à l'intérieur vous reconnaîtrez les bases de l'architecture gothique d'origine. La cathédrale détient la figure miraculeuse en albâtre de Notre-Dame de Jacków du XVe siècle.

■ CHATEAU (ZAMEK)

Ouvert tous les jours de 10h à 18h. Récemment rénovée, cette forteresse médiévale, modifiée à la Renaissance, accueille aujourd'hui un théâtre, tandis qu'une de ses tours se visite en été seulement. La forteresse, la troisième en Europe quant à la grandeur après celle de Verdun et d'Anvers, est une réalisation maîtrise dans l'art des fortifications entre le XIXe siècle et le XXe siècle.

■ ENSEMBLE DU PARC ET CHATEAU DE KRASICZYN

A 9 km à l'ouest de Przemyśl, sur la route 28 en direction de Sanok

■ PARC ET PALAIS DE KRASICZYN

✆ (016) 671 83 21

Fax : (016) 671 83 16

www.krasiczyn.motronik.com.pl

hotel.krasiczyn@motronik.com.pl

Entouré d'un parc, ce superbe palais est l'un des plus beaux édifices de la Renaissance tardive en Pologne. De très belles tours, une cour intérieure à arcades, des décorations en graffites et en stuc et un attique ajouré viennent parfaire sa beauté et sa prestance. Le parc paysager est très vaste (20 ha) et comprend de nombreuses espèces d'arbres rares. Les lieux sont bien souvent déserts... Ne reste à déplorer que la visite d'une partie des intérieurs, très pauvres, et seulement en polonais !

ŁAŃCUT

Cette ville n'a rien en soi d'exceptionnel, mais possède un palais célèbre dans tout le pays, car il est considéré comme l'un des plus beaux. Les touristes qui viennent à Łancut sont donc tous des visiteurs de cet endroit superbe.

Transports

▶ **Train.** Gare située à 2 km au nord de la ville. On trouve des trains pour des destinations locales, mais jamais plus loin que Przemyśl.

▶ **Bus.** Terminal situé à côté du palais. Plus pratiques que les trains, les bus relient en général les mêmes villes, mais plus rapidement.

Hébergement

▦ PAŁACYK

Ul. Paderewskiego 18
☏/Fax : (017) 225 20 43
palacyk@lancut.com.pl
Chambres 2 personnes : 120 zl. Appartement : 150 zl. Proche du château, dans un bâtiment très agréable. Restaurant délicieux et pas trop cher.

▦ ZAMKOWY

Dans le château
☏ (017) 225 26 71
Là où certains auraient installé un palace, on trouve un hôtel de catégorie modeste, qui a le mérite d'être idéalement placé. Petit restaurant agréable dans la cour.

Restaurants

En dehors des restaurants des hôtels, Lańcut propose de nombreux fast-foods et petits restaurants pour petits budgets, en général dans le centre et autour du Rynek.

▦ VINA

Près du château en centre-ville
Pour 15 zl environ, une cuisine polonaise de qualité dans un cadre agréable et reposant. En revanche, il ne faut pas être pressé…

Points d'intérêt

▦ PALAIS DE ŁAŃCUT

Ul. Zamkowa 1
☏ (017) 225 20 08/09
Fax : (017) 225 20 12
www.lancut.com.pl
muzeum@zamek-lancut.pl
Ouvert de février à novembre du mardi au dimanche de 9h à 15h. Billet visite guidée : 20 zl, réduit : 14 zl. En juillet et août, visites guidées pour groupes à midi. L'accès au parc paysager du XIXᵉ siècle est libre. A l'emplacement d'une forteresse du XVᵉ siècle fut construit un véritable palais au XVIIᵉ siècle, décoré en style baroque et néoclassique au XVIIIᵉ siècle. Il possède une magnifique salle de bal où se déroulent des festivals de musique.

▦ MUSEE DES INTERIEURS HISTORIQUES, DU XVIIᵉ SIECLE AU DEBUT DU XXᵉ SIECLE

A l'intérieur du château, depuis la fin de la Seconde Guerre mondiale, un musée présente, en plus de la collection d'objets du palais (de magnifiques horloges et poêles en faïence), des œuvres qui proviennent de l'ensemble du pays. La taille du musée est impressionnante, à tel point qu'une seule journée ne suffit pas pour tout voir. Les intérieurs, superbement conservés, sont maintenant meublés avec des objets pour la plupart superbes.

▦ ECURIES

Situées juste à côté du palais, elles proposent une exceptionnelle collection d'icônes datant pour les plus anciennes du XVᵉ siècle. Les heures d'ouverture sont les mêmes que celles du palais.

▦ RESERVE DE CARROSSES

Derrière les écuries, dans le parc de 30 ha, qui lui aussi vaut largement la peine d'être visité, un bâtiment abrite une cinquantaine de carrosses, ce qui en fait une collection presque unique au monde. Les heures d'ouverture sont les mêmes que celles du palais. Au XIXᵉ siècle, il fallait 17 jours en diligence pour aller du palais de Łańcut à Paris.

▦ SYNAGOGUE

Ouvert du mardi au samedi de 10h à 15h, le dimanche de 9h à 18h, à partir du 15 juin. Billet : 5 zl. Construite au XVIIIᵉ siècle et superbement décorée, elle se visite aujourd'hui comme un musée.

Dans les environs

Leżajsk, à 29 km au nord de Łańcut, par la route 877.

▦ ABBAYE DES BERNARDINS (OPACTWO BERNARDYNÓW)

Plac Mariacki 8
☏ (017) 242 00 06 - Fax : (017) 242 83 59
www.bernardyni.ofm.pl
lezajsk@bernardyni.ofm.pl
Cet ensemble abbatial, entouré d'une muraille défensive flanquée de tours du XVIIᵉ siècle, est remarquable. L'église, de style Renaissance tardive, abrite un tableau de Notre-Dame-de-la-Consolation, qui date du XVIᵉ siècle et qui attirent de nombreux pèlerins. Elle possède également un fameux orgue, de la fin du XVIIᵉ siècle, l'un des meilleurs de Pologne. Aussi des concerts ont-ils lieux ici, comme le festival international de musique de chambre et d'orgue, en été.
La ville offre aussi d'autres points d'intérêts touristiques, comme l'hôtel de ville et des demeures bourgeoises du XVIIIᵉ siècle.

Wrocław,
cathédrale
© S. NICOLAS

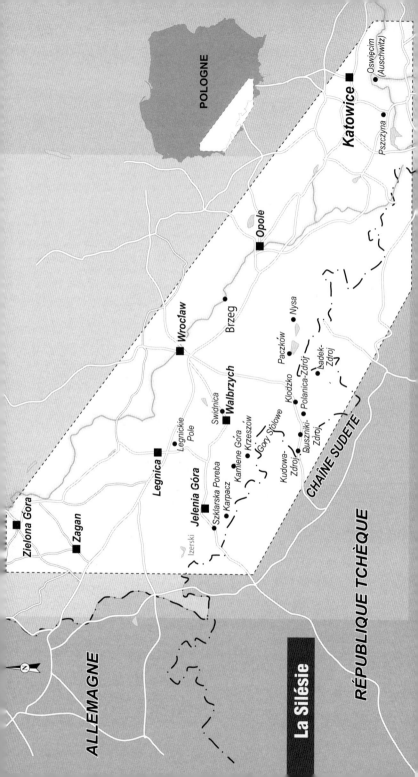

La Silésie

POLOGNE

ALLEMAGNE

RÉPUBLIQUE TCHÈQUE

CHAÎNE SUDETE

Katowice

Oświęcim
(Auschwitz)

Pszczyna

Opole

Nysa

Paczków

Lądek-
Zdrój

Brzeg

Wrocław

Kłodzko

Polanica-Zdrój

Duszniki-
Zdrój

Walbrzych

Świdnica

Góry Stołowe

Kudowa-
Zdrój

Krzeszów

Legnickie
Pole

Kamienne Góra

Legnica

Szklarska Poreba

Karpacz

Jelenia Góra

Izerski

Zielona Góra

Zagan

La partie sud-ouest de la Pologne était déjà citée dans tous les carnets de route des voyageurs au Xe siècle. Sa partie occidentale, creusée par la vallée de l'Oder (en polonais Odra), s'appelle la basse Silésie.

La partie sud de la basse Silésie est constituée des Sudètes, chaîne de montagnes dont les sommets culminent à 1 600 m d'altitude. Les paysages silésiens, très variés, se composent de montagnes, de collines et de vallées couvertes de forêts et d'étangs. La grande richesse culturelle de cette région est attestée par l'existence de constructions monumentales, souvent uniques : églises, châteaux, beffrois, murailles et palais, ainsi que par de nombreuses ruines médiévales dans les campagnes.

Le nom de Silésie (Śląsk) provient probablement de Ślęża, un des sommets des Sudètes qui s'élève à 718 m, visible de Wrocław par beau temps.

Vers la fin du Xe siècle, le premier des souverains polonais, Mieszko Ier, incorpore cette région au territoire polonais. La Silésie deviendra ensuite tour à tour tchèque, autrichienne, puis prussienne. Ce n'est qu'en 1945 que le drapeau polonais flotte de nouveau sur les villes de la région. Aujourd'hui, la Silésie, limitrophes avec l'Allemagne et la République tchèque, est tournée vers l'Occident.

Outre ses superbes villes, à l'instar de Wrocław, et ses attraits naturels (paysages, montagnes, parcs naturels), la région de Silésie compte 12 stations thermales.

WROCŁAW

Quatrième ville de la Pologne avec 650 000 habitants, capitale de la basse Silésie, Wrocław est bâtie sur une multitude de petits îlots, dont certains ont été rattachés. Mais aujourd'hui encore vous y verrez un nombre impressionnant de ponts de tous styles enjambant l'Oder.

C'est pour cela, l'ancienne « Breslau » est appelée « Venise polonaise »; aujourd'hui une ville retrouvée, sans doute elle est l'une des plus dynamiques de Pologne, et fière des trésors qu'elle renferme. Elle est pourtant bien moins connue des touristes que Gdańsk, Poznań ou Cracovie, mais c'est une étape incontournable lors d'un séjour en Pologne.

Histoire

L'origine de Wrocław remonterait à l'an 990, au moment où le roi Boleslas le Vaillant y établit un évêché. En 1241, elle obtient le privilège de civitas, et les plans d'urbanisme que l'on connaît encore aujourd'hui sont alors conçus. En 1335, la Silésie est annexée par la Bohême, puis échoit à la monarchie des Habsbourg en 1526.

Cette date marque le départ d'une période de grand essor des arts à Wrocław, mais l'annexion de la Silésie en 1741 par la Prusse marque l'arrêt de cette croissance. Wrocław est tombé le 6 mai 1945. Tous les quartiers sud ont été détruits à 90 %, l'autre côté, vers les bras de l'Oder a été épargné, grâce à son caractère marécageux. Suite à deux siècles d'occupation allemande, Breslau redevient polonaise, mais 70 % de la ville n'est plus que ruines.

Les immanquables de la Silésie

▶ **Parcourir** dans les bras de l'Oder, la belle Wrocław, qui concentre le plus de merveilles.

▶ **Visiter** la cité médiévale de Kłodsko à l'imposante forteresse.

▶ **Reconnaître** un mammouth ou un éléphant parmi les complexes rocheux au relief surprenant des monts Tabulaires.

▶ **Participer** à la vente aux enchères d'étalons des écuries du château de Książ, perché sur un promontoire rocheux.

▶ **Assister** à l'un des nombreux festivals de l'une des douze stations thermales de la région.

▶ **Partir** à la quête de la liberté dans les temples de la paix des villages paisibles et authentiques de Świdnica et Jawor.

▶ **Croiser** des rochers aux formes fantastiques, des cirques glaciaires et lacs d'altitude lors d'une randonnée dans le parc national des Sudètes.

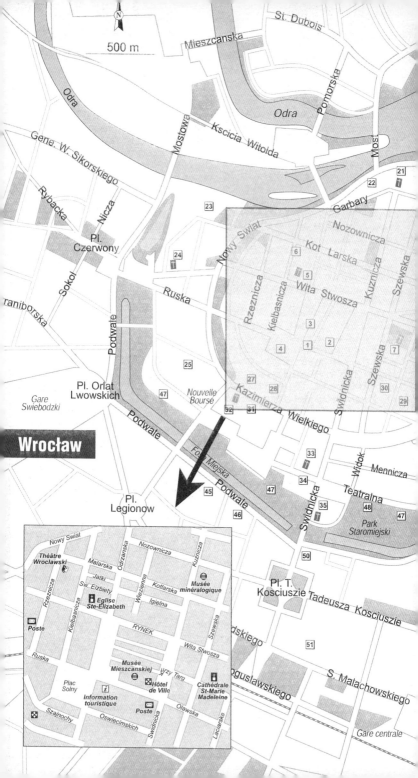

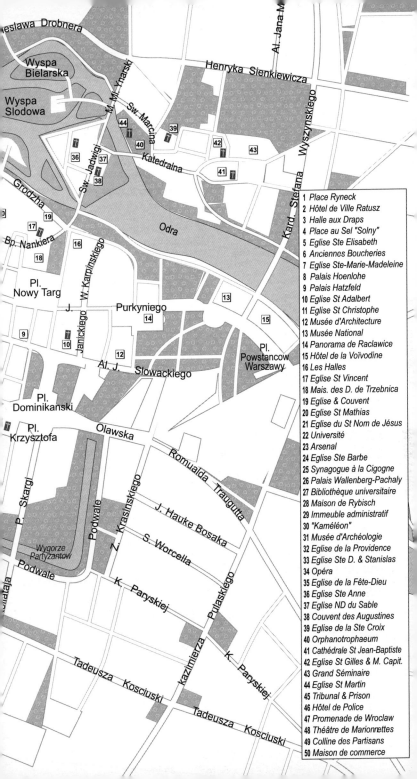

1 *Place Ryneck*
2 *Hôtel de Ville Ratusz*
3 *Halle aux Draps*
4 *Place au Sel "Solny"*
5 *Eglise Ste Elisabeth*
6 *Anciennes Boucheries*
7 *Eglise Ste-Marie-Madeleine*
8 *Palais Hoenlohe*
9 *Palais Hatzfeld*
10 *Eglise St Adalbert*
11 *Eglise St Christophe*
12 *Musée d'Architecture*
13 *Musée National*
14 *Panorama de Raclawice*
15 *Hôtel de la Voïvodine*
16 *Les Halles*
17 *Eglise St Vincent*
18 *Mais. des D. de Trzebnica*
19 *Eglise & Couvent*
20 *Eglise St Mathias*
21 *Eglise du St Nom de Jésus*
22 *Université*
23 *Arsenal*
24 *Eglise Ste Barbe*
25 *Synagogue à la Cigogne*
26 *Palais Wallenberg-Pachaly*
27 *Bibliothèque universitaire*
28 *Maison de Rybisch*
29 *Immeuble administratif*
30 *"Kaméléon"*
31 *Musée d'Archéologie*
32 *Eglise de la Providence*
33 *Eglise Ste D. & Stanislas*
34 *Opéra*
35 *Eglise de la Fête-Dieu*
36 *Eglise Ste Anne*
37 *Eglise ND du Sable*
38 *Couvent des Augustines*
39 *Eglise de la Ste Croix*
40 *Orphanotrophaeum*
41 *Cathédrale St Jean-Baptiste*
42 *Eglise St Gilles & M. Capit.*
43 *Grand Séminaire*
44 *Eglise St Martin*
45 *Tribunal & Prison*
46 *Hôtel de Police*
47 *Promenade de Wroclaw*
48 *Théâtre de Marionnettes*
49 *Colline des Partisans*
50 *Maison de commerce*

Comme dans la plupart des villes polonaises, les habitants se sont efforcés de reconstruire en respectant l'architecture d'origine, et Wrocław a en grande partie effacé les traces de la guerre, principalement dans son centre-ville.

Transports

Avion

Aéroport situé à 10 km au sud de la ville, relié par le bus n° 406 (toutes les 20 min à 30 min) depuis les gares. On trouve des vols quotidiens vers Varsovie, Francfort et Londres. Certains vols chaque semaine vers Gdańsk, Düsseldorf, Rome, Dublin, Liverpool etc.

■ **INFORMATIONS SUR L'HORAIRE**
www.airport.wroclaw.pl

■ **LOT**
Ul. Skarżyńskiego 36
✆ (071) 358 12 03. www.lot.com.pl
Ouvert de 4h30 à 19h.
Plusieurs compagnies aériennes à bas coût, entre autres :

■ **EUROWINGS**
Ul. Skarżyńskiego 36
✆ (071) 358 12 01. www.eurowings.de

Train

La gare est située dans le sud de la ville. Comptez environ 15 min pour atteindre le centre-ville à pied (circuit de tramway un peu compliqué et qui ne vous amène pas au cœur du centre-ville). Départs fréquents à destination de Poznań (au moins un train toutes les heures). Dans le hall de gare, pour acheter vos billets, vérifiez bien le type de train avant de vous engager dans une file d'attente. Il existe des guichets pour les trains régionaux et d'autres spéciaux pour les trains Express ou InterCity (plus rapides et plus chers) où est inscrit « InterCity » ou « IC ». Trains pour la plupart des grandes destinations polonaises et locales. On trouve aussi de nombreux trains à destination de Berlin (5h) ou Prague (6h30).

Bus

Terminal situé derrière la gare. Nombreux bus vers les villes de la région ainsi que vers les destinations principales de Pologne.

Voiture

L'office du tourisme dispose des adresses des loueurs et sera d'une grande aide puisqu'elle réserve (en polonais) pendant de larges horaires d'ouverture. **Vous trouverez aussi toutes les adresses sur le site Internet de la ville :** www.wroclaw.pl
Si toutefois vous vouliez réserver une voiture en direct, voici quelques adresses.

■ **AVIS POLAND**
Ul. Marsz. Piłsudskiego 46
✆ (071) 372 35 67
Ouvert du lundi au vendredi de 9h à 17h.

■ **NATIONAL CAR RENTAL**
Ul. Powstańców Ślaskich 5/7
✆ (071) 338 51 42
Ouvert du lundi au vendredi de 9h à 17h.
A l'aéroport (Ul. Skarżyńskiego 36), vous trouverez :

■ **ANN RENT A CAR**
✆ (071) 0 605 47 09 08 (portable)

■ **BUDGET RENT A CAR**
✆ (071) 353 77 50
Ouvert du lundi au vendredi de 9h à 19h.

■ **EUROPCAR**
✆ (071) 358 12 91
Ouvert du lundi au vendredi de 10h à 18h, le samedi jusqu'à 14h.

■ **HERTZ**
✆ (071) 353 77 43

Tramway

Les principaux points d'intérêt sont concentrés dans le centre-ville et ses alentours proches. Il est donc aisé et de plus très agréable de tout visiter à pied. Pour les curiosités un peu plus lointaines, 23 lignes de tramways circulent. Attention d'ailleurs, soyez vigilants car ils sont très silencieux. Un ticket coûte 2 zl pour un trajet, et 1 zl pour un bagage encombrant (plus de 120 cm de haut ou de large) ou 9 zl pour la journée, 23 zl pour 5 jours. Ils s'achètent dans les kiosques ou aux machines jaunes et rouges.

Pratique

■ **www.wroclaw.pl –** Site en anglais et en français pour une partie).

Présence française

■ **CONSULAT DE FRANCE**
Ul. Świdnicka 10
✆ (071) 344 22 72 – Fax : (071) 344 14 93
Ouvert du lundi au vendredi de 9h à 16h.

ALLIANCE FRANÇAISE

Ul. Świdnicka 10
✆ (071) 344 22 72 – Fax : (071) 344 14 93
www.alliance.uni.wroc.pl
alliance@szermierz.uni.wroc.pl
Dans ce bâtiment une médiathèque avec salle de lecture ou location de livres et multimédia (cd, dvd) en français pour 10 zl par an.

SERVICE DE COOPERATION DE D'ACTION CULTURELLE DE L'AMBASSADE DE FRANCE

Ul. Świdnicka 12/16
✆ (071) 341 02 80
ax : (071) 341 02 80 – www.france.org.pl
Cette entité organise entre autres des conférences et les journées de la francophonie, qui se déroulent autour du 20 mars et proposent expositions, théâtre, concerts.

ASSOCIATION D'AMITIE FRANCE POLOGNE

Ul. Kuźnicza 29a ✆ (071) 337 28 65

Tourisme

OFFICE DU TOURISME

Rynek 14 ✆ (071) 344 31 11
Fax : (071) 344 29 62 – info@orfin.pl
Ouvert tous les jours de 9h30 à 22h (de 9h à 20h en hiver). Le personnel de l'office du tourisme, soucieux d'une qualité de service et de disponibilité envers les visiteurs, s'inquiète que ce soit de moins en moins conciliable avec des objectifs de rentabilité. En attendant, il paraît irréprochable ! Accueil chaleureux, l'une des employées parle un français parfait, de nombreuses informations, bonne documentation (un mini-guide de la ville en français très bien fait pour seulement 6 zl), liste d'adresses des campings, hôtels, restaurants.
Cet office du tourisme maîtrise également les nouvelles technologies, puisqu'il effectue sur votre demande des recherches sur Internet (horaires et tarification de trains par exemple) et propose deux postes Internet en libre-service, ainsi qu'un service de transfert de photos numériques sur CD-ROM (*pour 10 zl*).

OKIS

Rynek-Ratusz 24 ✆ (071) 344 28 64
www.okis.pl – info@okis.pl
Ce centre culturel informe sur tous les festivals, les fêtes, les événements culturels de la ville.

PTTK

Rynek-Ratusz 11/12
✆ (071) 343 03 44/53 49
Fax : (071) 343 67 46
www.pttk.wroclaw.pl (site en français)
biuro@pttk.wroclaw.pl
Bureau d'information touristique qui proposent des excursions et les services de guides.

LOT

Ul. Piłsudskiego 36
✆ (071) 343 90 31
Fax : (071) 343 90 32
www.lot.com (site en anglais)
Pour l'achat de billets d'avion.

GUIDES FRANCOPHONES

S'adresser à l'office du tourisme qui propose des guides francophones à 260 zl, groupe pour 4h de visite de la ville et 65 zl par heure additionnelle. Ne pas hésitez à émettre des requêtes particulières quant aux types de visite. Il est préférable que la taille du groupe ne dépasse pas 30 personnes. L'idéal reste de réserver au moins une semaine à l'avance afin d'être sûr que l'office du tourisme trouve un guide, et qui plus est, adapté à la typologie du groupe et à ses besoins.

Agences de voyages

ORBIS

Agence de voyages sur le Rynek, qui fait l'angle avec la rue Kuźnicza.

DEXTOUR

Ul. Piłsudskiego 64/66 ✆ (071) 372 51 67
Ouvert de 9h à 18h.

FISCHER

Rynek 7 ✆ (071) 342 54 82
Ouvert de 10h à 19h.

VING

Ul. Kołłątaja 15 ✆ (071) 343 50 00
Ouvert de 10h à 18h30.

YOUNG TRAVEL

Ul. Świdnicka 26 ✆ (071) 796 66 79
Ouvert de 9h à 18h.

Poste et télécommunications

INTERNET CAFE

Ul. Kazimierza Wielkiego
(en face de l'Alliance française)
Ouvert du lundi au vendredi à partir de 10h, le samedi à partir de 11h et le dimanche à partir de 13h. 1h coûte 4 zl.

Hébergement

De plus en plus d'étudiants choisissent une nouvelle formule, celle de travailler la semaine puis de se rendre aux cours payants organisés le week-end.

Il existe 140 000 étudiants à Wrocław et si tous ne choisissent pas ce mode de vie, ils sont beaucoup à habiter les alentours et venir pour le week-end seulement.

Ce phénomène engendre une saturation des structures hôtelières, surtout le week-end et pour les catégories peu chères (jusqu'à 100 zl simples et 150 zl doubles).

Soyez donc prévoyants et tentez de réserver à l'avance.

Campings

Il existe treize campings dans les communes qui entourent Wrocław, telles que Trzebnica et Oleśnica, tous répertoriés à l'office du tourisme. Seuls les trois suivants sont situés à Wrocław, et les 2 premiers proches du centre-ville.

■ CAMPING AWS-AZS (OLIMPIJSKI/STADION)

Al. Paderewskiego 35
✆ (071) 348 46 51
Situé dans le parc Szczytnicki, à proximité du stade olympique, ce camping dispose également de bungalows, 45 zl pour 2 personnes et à 91 zl pour 5 personnes. Le prix de la nuit pour une personne s'élève à 12,84 zl, auquel il convient d'ajouter 3,21 zl par tente, 10,70 zl par caravane, 6,42 zl par voiture et 12,84 zl par camping-car.

■ CAMPING ŚLĘŻA

Ul. Na Grobli 16/18
✆ (071) 372 55 11
Portable 0 609 145 536/0 603 672 169
Ce camping, le plus proche du centre-ville, dispose d'une agréable situation au bord du fleuve Oder. Le prix d'une nuit par personne s'élève à 14 zl, avec un supplément de 3 zl pour la tente, 8 zl pour la caravane et 10 zl pour le camping-car. Le camping propose aussi des bungalows à 60 zl pour 2 personnes, 90 zl pour 3 personnes et 150 zl pour 5 personnes. Accueil chaleureux mais installations frustres.

■ CAMPING GLINIANKI

Ul. Kosmonatów
✆ (071) 353 86 17
Assez loin du centre-ville mais proche de l'aéroport, ce camping sans bungalow facture la tente à 8 zl, la caravane ou le camping-car à 15 zl et 8 zl supplémentaires par personne, la voiture à 5 zl.

Auberges de jeunesse

Notez que les auberges de jeunesse pratiquent souvent un couvre-feu à 22h. Renseignez-vous auparavant. De juillet à mi-septembre, optez plutôt pour les résidences universitaires, ou les allers et venus sont complètement libres (renseignement à l'office du tourisme).

■ AUBERGE DE JEUNESSE PTSM – HOTEL TUMSKI

Wyspa Słodowa 10 ✆ (071) 322 60 99/88
Fax : (071) 322 61 13
www.hotel-tumski.com.pl
hotel@www.hotel-tumski.com.pl
Situé dans l'hôtel Tumski donc dans un cadre agréable, et proche du centre-ville (environ 400 m), cette auberge de jeunesse-hôtel propose des chambres pour 2, 4 ou 6 personnes, au prix de 40 zl à 60 zl par personne.

■ AUBERGE DE JEUNESSE

Ul. Kołłątaja 20 ✆ (071) 343 88 56
Fax : (071) 343 88 57
mdkkopernik1@wp.pl
Cette auberge de jeunesse profite d'une belle façade et de la célébrité de Nicolas Copernic. A 2 km du Rynek, elle propose des lits à des prix entre 22 zl et 28 zl par personne.

■ AUBERGE DE JEUNESSE

Ul. Kiełczowska 43 ✆ (071) 345 73 96
www.ssm-lzn.com.pl
Située très loin du centre-ville, à environ 7 km, cette auberge pratique des prix de 20 zl à 28 zl par personne.

Bien et pas cher

■ DOM TURYSTYCZNY TRIO

Ul Trzemeska 4
✆/Fax : (071) 355 94 46. www.puhot.pl
Chambres simples : 55 zl, doubles : 60 zl.
Confort très sommaire de cet immeuble HLM, mais bien situé, à un quart d'heure à pied environ du Rynek (du centre, prendre les rues Ruska ou Mikołaja, puis Legnicka, c'est une petite rue sur la gauche).

■ DOM WYCIECZKOWY PIAST

Ul. Piłsudskiego 98 ✆ (071) 343 00 33
Fax : (071) 343 78 93
www.odratourist.pl
A proximité de la gare. Chambres à partir de 65 zl simples et 95 zl doubles (réduction pour

les étudiants sur présentation de la carte). Accepte les animaux et paiement par carte possible.

■ **WKS ŚLĄSK**
Ul. Oporowska 62
✆ (071) 361 20 61
Fax : (071) 361 16 11/338 07 67.
Simples à partir de 90 zl, doubles à partir de 110 zl et respectivement 80 zl et 100 zl le week-end. Proche du stade qui porte le même nom, à environ 2 km du centre, dans une grande barre d'immeuble.

Confort ou charme

■ **CAMPANILE**
Ul. H. Modrzejewskiej 2
✆ (071) 326 78 00
Fax : (071) 326 78 01
www.campanile.com.pl
Comptez 220 zl chambres simples et 260 zl doubles, 170 zl le week-end simples ou doubles. Le petit déjeuner coûte 25 zl en sus. Parking à proximité. Les mêmes standards qu'en France dans cet hôtel situé tout près du centre-ville (rue perpendiculaire aux rues Krupnicza et Świdnicka).

■ **HOTEL TUMSKI**
Chambres simples de 250 zl à 270 zl (210 zl à 230 zl le week-end), doubles : 350 zl (300 zl le week-end), petit déjeuner inclus. Une partie du bâtiment a été construite en 1885 sur l'île de la Cathédrale, la plus ancienne (et belle) partie de Wroclaw. Accessible par un petit pont, on y découvre un cadre charmant et agréable. Dispose d'un restaurant. Bon rapport qualité-prix.

■ **MOTEL ORBIS**
Ul. Lotnicza 151
✆ (071) 351 81 53
Fax : (071) 351 85 77 – www.orbis.pl
mwroclaw@orbis.pl
Cet hôtel, l'un des plus proches de l'aéroport, propose des chambres simples à partir de 110 zl, doubles à partir de 120 zl. Le petit déjeuner, en sus, coûte de 10 zl à 20 zl selon la formule choisie.

■ **NOVOTEL**
Ul. Wyścigowa 35
✆ (071) 339 80 51
Fax : (071) 339 80 75 – www.orbis.pl
nwroclaw@orbis.pl
Au sud de la ville, à 5 km du centre. Chambres simples : 223 zl (170 zl le week-end), doubles :

230 zl (190 zl le week-end), petit déjeuner inclus. Grand confort de style moderne, restaurant, piscine et boutiques.

■ **ORBIS WROCŁAW**
Ul. Powstańców Śląskich 7
✆ (071) 361 46 51/372 44 66
Fax : (071) 361 66 17
www.orbis.pl
wroclaw@orbis.pl
Chambres simples : 280 zl (190 zl le week-end), doubles : 320 zl (220 zl le week-end). Hôtel moderne, très luxueux, malheureusement distant du centre de 1,5 km.

■ **PATIO**
Ul. Kiełbasnicza 24/25
✆ (071) 375 04 00/05
Fax : (071) 343 91 49
www.hotelpatio
marketing@hotelpatio.pl
Chambres simples : 280 zl en semaine (220 zl le week-end), doubles : 360 zl en semaine (270 zl le week-end), petit déjeuner inclus. Garage : 40 zl. Il existe aussi des chambres de standing supérieur et des appartements. Les chambres n'ont pas de cachet spécial mais sont neuves, propres et mignonnes. Attention, celles qui donnent côté rue sont assez bruyantes, demandez une chambre côté cour, sauf pour les chambres simples qui malheureusement donnent toutes sur la rue.

■ **ZAUŁEK**
Ul. Garbary 11, Ul. Odrzańska 18a
✆ (071) 341 00 46 /49 /52
Fax : (071) 375 29 47
www.hotel.uni.wroc.pl (site en français)
hotel@hotel.uni.wroc.pl
Proche de l'université, à 200 m du Rynek. Chambres simples : 240 zl (203 zl le week-end et basse saison), doubles : 290 zl (245 zl le week-end et basse saison), petit déjeuner inclus. Bâtiment moderne et confortable.

Luxe

■ **APARTAMENTY VINCENT**
Ul. Ruska 39
✆ (071) 341 05 20
Fax : (071) 341 74 75
www.apartamenty.vincent.wroclaw.pl
A deux pas de la vieille ville, Vincent propose quelques chambres, à 250 zl les simples et de 350 zl à 420 zl les doubles. Dans cette belle maison renaissance se trouve également un restaurant de cuisine polonaise.

■ **ART HOTEL**

Ul. Kiełbaśnicza 20

✆ (071) 342 42 49/787 71 00

Fax : (071) 342 39 29

www.arthotel.wroc.pl – info@arthotel.pl

Comptez de 350 zl à 460 zl pour une chambre simple (réductions pendant le week-end) et entre 390 zl et 500 zl la double (réductions pendant le week-end), petit déjeuner inclus. Parking à proximité. Ce prestigieux hôtel 4-étoiles est idéalement situé, dans une rue parallèle au Rynek. Dans un bâtiment à la superbe façade gothique. Après avoir passé le hall tout aussi superbe, doté d'ogives majestueuses, vous rejoindrez bien volontiers des chambres de grand confort. L'hôtel dispose d'un café et restaurant attenants, qui propose de la bonne cuisine dans un décor toujours aussi soigné (voir rubrique « Restaurants »).

■ **DWÓR POLSKI**

Ul. Kiełbaśnicza 2

✆/Fax : (071) 372 34 19/15

www.dworpolski.wroclaw.pl

reception@dworpolski.wroclaw.pl

Chambres simples à partir de 240 zl, doubles à partir de 290 zl (réduction de 25 % le week-end), petit déjeuner inclus. Grand luxe dans un décor d'époque.

■ **HOLIDAY INN**

Ul. Piłsudskiego 49/57 ✆ (071) 787 00 00

Fax : (071) 787 00 01

www.wroclaw.globalhotels.pl

rec@wroclaw.globalhotels.pl

Chambres simples : 129 €, doubles : 159 €. Parking gardé. Situé au centre-ville, à proximité de la gare et de la vieille ville. Dispose d'un centre fitness (sauna, salle de musculation, solarium), d'un bon restaurant et d'un bar-bibliohèque.

■ **MERCURE PANORAMA**

Pl. Dominikański 1 ✆ (071) 323 27 00

www.mercure.com

mer.panorama@orbis.pl

Chambres simples : 315 zl, doubles : 360 zl, et respectivement 236 zl et 270 zl le week-end, petit déjeuner inclus. Hôtel à la façade futuriste, qui offre un beau panorama sur la ville depuis ses chambres des plus hauts étages. Grand confort, conforme aux standards français, proche du Rynek (environ 300 m).

■ **RADISSON SAS**

Ul. Purkyniego 10 ✆ (071) 375 00 00

Fax : (071) 375 00 10

www.radissonsas.com

sales.wroclaw@radissonsas.com

Chambres stylées à partir de 109 €. Hôtel 5-étoiles. Entouré d'un parc, en face de la fameuse Panorama de Racławice et du Musée national ; à deux pas de la plus ancienne partie de la ville – l'île d'Ostrów Tumski. Son restaurant Aquarelle est l'un des meilleurs de la ville. L'hôtel dispose aussi d'un parking souterrain.

■ **SOFITEL**

Ul. Św. Mikołaja 67 ✆ (071) 358 83 00

Fax : (071) 358 83 01 – www.sofitel.com

H5345@accor.com

Hôtel 5-étoiles. Situé juste à côté de Rynek. Chambres modernes et stylisées, simples : 135 €, doubles : 165 €. Dispose d'un centre spa, d'un restaurant Pan Tadeusz (cuisines polonaise et française), d'un bistro Cappuccino et d'un bar Mike's.

Restaurants

Bien et pas cher

■ **BAR ŻACZEK**

Ul Kuźnicza 43/45

Ce bar à lait est situé dans un des bâtiments de l'université de Wrocław. Ouvert de 8h à 21h (8h à 17h le samedi), propose un large tableau (au sens propre) de plats polonais (en polonais). Bon rapport qualité-prix, un repas coûte environ 12 zl. Très fréquenté par des étudiants, demandez-leur de vous traduire ou utilisez la rubrique « cuisine » si vous ne parlez pas la langue.

■ **BISTROT PARISIEN**

Ul Nożownicza 1d

Du Rynek, descendre la rue Odrzańska puis c'est au début d'une petite rue à droite. Tenu par de jeunes Français, ce bistrot propose des salades, crêpes… Ambiance jeune et décontractée, lieu de prédilection des nombreux étudiants en philologie romane.

■ **LA HAVANA**

Ul. Kuźnicza 11/13 ✆ (071) 343 20 72

Ouvert de 12h à 23h et jusqu'à 1h du matin le vendredi et le samedi. Evasion à petits prix : tapas espagnol : 5 zl, soupes à 6 zl, plats de poissons ou de viandes entre 15 zl et 20 zl. Cigarillos et cigares de 1,70 zl à 45 zl. Restaurant cubain qui offre atmosphère, décoration et musiques cubaines, toutes trois très réussies.

■ VEGA
Rynek Ratusz 27A (au sein de l'ensemble de bâtiments situés au milieu du Rynek)
©/Fax : (071) 344 39 34
Ouvert de 8h à 19h du lundi au vendredi, de 9h à 17h le week-end. Ce bar végétarien, tout peint en vert pour encore plus de nature, situé au 1er étage, ressemble plutôt à une cantine dans le style bar à lait plutôt qu'à un restaurant, mais la nourriture est bonne, saine et peu onéreuse.

Bonnes tables

■ ART HOTEL
Ul. Kiełbaśnicza 20 © (071) 342 42 49
Fax : (071) 342 39 29
www.arthotel.wroc.pl
Bonne cuisine polonaise et internationale, avec des prix « uniques » : toutes les salades : 12 zl, les pâtes : 22 zl, le porc et le poisson : 30 zl, l'agneau et le veau : 40 zl. Le sanglier et les coquilles Saint-Jacques sont hors catégorie à environ 60 zl. Cet hôtel dispose d'un café-restaurant attenant, dont le décor est digne d'une photo de magazine de décoration. Juste après l'entrée se trouve la première salle, au décor très soigné, avec une estrade qui convient bien pour seulement boire un verre. Au fond une deuxième salle, plus petite mais tout aussi belle, agrémentée d'un profond puits en pierre, est réservée aux non-fumeurs. Sinon à droite de la première salle, une pièce plutôt dédiée aux repas est plus formelle. La carte propose d'originaux cocktails sans alcool ainsi qu'une belle liste de spiritueux.

■ CASABLANCA
Ul Włodkowica 8A
©/Fax : (071) 344 78 17
Ouvert à partir de 12h30. Cuisine européenne dans ce restaurant très chic, situé en face de la synagogue.

■ GOSPODA WROCŁAWSKA
Ul. Sukiennice 7 (ensemble de bâtiments au milieu du Rynek)
© (071) 342 74 56
Fax : (071) 342 74 60/62
www.restauracjekrawczyk.com.pl
Ouvert à partir de midi et jusqu'au dernier client. Dans un décor moyenâgeux très réussi, une ambiance tamisée, chaleureuse et intime, éclairé aux bougies et lanternes, la carte vous propose d'alléchants plats polonais, composé surtout de viande, avec tout de même les traditionnelles truite et carpe. D'ailleurs pour qui aime le mélange sucré salé, une délicieuse et étonnante carpe grise à la polonaise. Sinon une soupe brûlante servie dans son chaudron. Elle pourrait être suivie d'un sandre aux asperges, légumes, pomme de terre et sauce au bleu. En dessert, conseillons un gâteau au fromage blanc (sernik) à l'advocat (liqueur de vodka aux œufs). Pour digérer, une Śliwowica (eau-de-vie de prune à 70 degrés) ou un autre digestif choisi parmi la longue liste de spiritueux proposés ou encore un café au miel et à la cannelle. Le coût du repas oscille entre 45 zl et 70 zl en fonction du choix du plat de résistance, le gibier ou l'agneau par exemple coûtent plus chers. Ce restaurant appartient à la fameuse chaîne Krawczyk.

■ GUINNESS
Plac Solny 5 © (071) 344 60 15/372 42 27
www.restauracjekrawczyk.com.pl
Comptez entre 25 et 50 zl. Ce restaurant, ouvert de 13h à 2h du matin, appartient à la chaîne de restaurant Krawczyk, qui possède aussi le grill-pub Pod Złotym Jeleniem sur le Rynek. Du restaurant, doté d'une belle façade extérieure et à l'intérieur chaleureux avec ses tentures et moquettes rouges. Situé au premier étage, il offre une très belle vue sur la place Solny. Des plats copieux et pas très chers, comme la fameuse « kotlet schabowy » (escalope de porc panée) accompagnée de ses sempiternels choux patates (*14 zl*).

■ INSPIRACJA
Plac Solny 16 © (071) 346 09 83
www.inspiracja.wroc.pl
Ouvert de 11h au dernier client. Comptez environ 50 à 80 zl pour un repas. Happy-hour de 19h à 22h, offres spéciales dans le bar. Dans de jolies caves voûtées, une cuisine polonaise et internationale.

■ KALITEROZ
Rynek 20/21 © (071) 343 56 17
Ouvert à partir de 10h. Pour qui aime la cuisine italienne, mais plats un peu chers par rapport à leur qualité (*environ 50 zl à 60 zl*), préférez les pizzas (*20 zl*).

■ MONA LIZA
Rynek 16/17 © (071) 801 07 12
Ouvert de 9h à minuit. Cuisine internationale, avec quelques touches italiennes, mais surtout polonaises servie à des tables un peu serrées. Comptez environ 30 zl à 60 zl pour un repas, que vous pourrez commencer agréablement, avec des couleurs méditerranéennes, grâce à un ouzo ou un campari.

■ KARCZMA PIASTÓW (DWÓR POLSKI)

Ul. Kiełbaśnicza 6/7 ✆ (071) 372 48 98
www.dworpolski.wroclaw.pl
Ouvert de 11h à 23h. Repas de 20 zl à 40 zl.
Plus sympathique d'accéder à ce restaurant
du Rynek, au numéro 5, par le restaurant
Królewska, qui appartient à la même chaîne
de restaurant, dans la gamme supérieure.
En été terrasse dans le passage entre les
deux restaurants, très agréable, ou l'on peut
manger. A l'intérieur, Karczma dispose de trois
salles, aux décors différents, qui rappellent
tous les traditions des montagnes. Cuisine
très traditionnelle, peu raffinée, parfois
décevante, mais reste un bon rapport
qualité-prix. Un grand choix de pierogis,
neuf sortes, les amoureux pourront tous
les goûter s'ils choisissent l'assortiment de
pierogis pour deux personnes (*24 pierogis
pour 24 zl*), les audacieux s'orienteront vers
les Pierogi z kaszą. Excellentes crêpes à la
polonaise fourrées « naleśniki », d'épinards
et fromage par exemple pour 10 zl seulement.
Bon goulasch accompagné de galettes de
pomme de terre « placki z gulaszem » ou plats
plus élaborés, et donc plus chers, de viande,
poissons ou gibiers. Ambiance encore plus
campagnarde, au sous-sol, dans le café-
restaurant dont la spécialité étrange est le
vin de miel (sorte d'hydromel). Ce bar à miel
sert des liqueurs de miel chaudes ou froides,
sous des caves voûtées.

■ LWOWSKA

Rynek 4 ✆ (071) 343 98 87
Ouvert à partir de 11h. Cuisine de Lvov
(Ukraine) et polonaise, bonne et pas chère.
Cadre agréable, intérieur en bois.

■ PLATON

Ul. Krupnicza 13
✆ (071) 797 04 43. www.platon.pl
*Ouvert du lundi au vendredi de 9h à minuit, le
samedi et le dimanche de 12h à minuit. Repas
environ 50 zl.* Dans un superbe immeuble qui
fait l'angle (avec la rue Włodkowica), l'intérieur
ne déçoit pas, même s'il peut paraître un peu
froid. Ce nouvel établissement, à proximité
du centre-ville, propose de la bonne cuisine
polonaise à bons prix.

■ POD GRYFAMI

Rynek 2 ✆ (071) 343 79 27
www.podgryfami.pl
rezerwacje@podgryfami.pl
Repas à environ 60 zl. Situé dans le quartier
du Rynek, ce restaurant sert de la cuisine
internationale et polonaise. Deux étages en

sous-sol de caves, très chics où l'on s'assoit
confortablement dans de gros fauteuils rouges.
Chic mais pas surfait comme son voisin La
Scala, davantage fréquenté par les hommes
d'affaires du monde entier. Son canard aux
pommes est délicieux.

■ POD ZŁOTYM JELENIEM

Rynek 44 ✆ (071) 372 39 51
Fax : (071) 342 74 56
www.restauracjacjekrawczyk.com.pl
Ouvert de 11h à minuit. Situé sur le Rynek,
près d'Empik, ce restaurant Au Cerf d'Or,
qui surplombe d'ailleurs la porte d'entrée,
invite, dans un décor simple et chaleureux
(peintures singulières au mur), à goûter à ses
spécialités de viandes grillées et de gibiers.
Un repas coûte environ 50 zl, davantage s'il
comporte du gibier.

■ TETE-A-TETE

Ul Kiełbaśnicza 24 ✆ (071) 375 04 17
Fax : (071) 343 91 49 – www.hotelpatio.pl
marketing@hotelpatio.pl
Ouvert de 7h à 11h puis 12h à 23h. Situé dans
le patio de l'hôtel Patio, ce restaurant propose,
dans sa petite salle toute de vert décorée,
des plats de 25 zl à 75 zl qui comportent la
plupart une touche italienne. Par exemple de
délicieuses escalopes de veau, sauce à la crème
et aux bolets, tagliatelles et petits pois. Rapport
qualité-prix tout de même pas terrible.

Luxe

■ CASA PATIO

Ul. Odrzańska 2 ✆ (071) 341 71 01
www.casapatio.wroclaw.pl
restauracja@casapatio.wroclaw.pl
A partir de 13h, le restaurant s'ouvre sur
un très joli décor, sous une pergola en bois
ou s'enchevêtre de la vigne. Plats grecs,
d'Andalousie, de France, bref cuisine de la
Méditerranée, admirablement préparés par un
chef polonais. Superbe proposition de fruits de
mer et de poissons, parfois enroulés dans de
fines couches de courgettes, sous une couche
de câpres et ses pommes de terre sautées
et carottes au miel et au sésame (*37 zl*) ou
encore la sole sur une forêt de champignons,
ses petits légumes méditerranéens et ses
pâtes au citron. Un repas coûte environ 50 zl
sauf s'il comprend certain plat plus onéreux
comme le bœuf sur un miroir de sauce aux
truffes ou le carré d'agneau et sa couronne
de parmesan. En dessert le sac du Prince
Philippe réserve de bonnes surprises, visuelles
et gustatives. Très bon service.

CESARSKO-KRÓLEWSKA

Rynek 19 © (071) 341 92 04
www.restauracja-ck.pl
restauracja@restauracja-ck.pl
Ouvert à partir de 11h. Ce bar-restaurant
propose des plats essentiellement polonais,
(24 zł à 47 zł), assez peu chers par rapport
au décor. En effet l'on vient ici surtout pour
le cadre, superbe et très classe, de la salle de
dîner, et surtout du bar tapissé de délicieux
miroirs incrustés dans des ogives en pierre.

KRÓLEWSKA (DWÓR POLSKI)

Rynek 5 © (071) 372 48 97/98
www.dworpolski.wroclaw.pl
Ouvert à partir de 11h. Décor luxueux et
traditionnel dans la première salle, la salle
présidentielle, où certaines tables donnent
l'avantage d'une vue sur le Rynek. Une deuxième
salle, Królewska, petite avec seulement des
tables pour deux personnes et un bar, enfin
troisième salle, la salle Piwnica, plus intime. Cet
établissement, ouvert depuis 15 ans, propose
des vins français et des plats de haute voltige
comme le homard *(95 zł)*, ou des escargots.
Cadre et plats luxueux donc plus cher que la
moyenne, mais pas excessif, entre 60 zł et
120 zł, et encore le prix fort est pour ceux qui
choisissent le homard… et allez trouver un menu
avec homard à moins de 30 € à Strasbourg !

SPIŻ

Rynek-Ratusz 9 © (071) 344 52 67
Situé dans les caves de l'hôtel de ville, ce
restaurant présente un cadre exceptionnel et
une cuisine de qualité avec des spécialités de
Bavière et de Hongrie. Une brasserie propose
des bières brassées sur place.

Sortir

Cafés

ART CAFFE POD KALAMBUREM

Ul. Kuźnicza 29
Café et bar dans un décor surprenant. Se
déroulent souvent des concerts ici.

LA HAVANA

Ul. Kuźnicza 11/13 © (071) 343 20 72
*Ouvert de 12h à 23h et jusqu'à 1h du matin
le vendredi et le samedi. Cigarillos et cigares
de 1,70 zł à 45 zł.* Restaurant cubain qui
offre atmosphère, décoration et musiques
cubaines, toutes trois très réussies. Bien
installé dans des fauteuils en cuir, la carte
invite à commander un cocktail ou un café, et
un cigare puis de s'enfoncer dans son fauteuil,
fermer les yeux et partir pour Cuba…

MLECZARNIA

Ul Włodkowica 5 © (071) 788 24 48
Un bar très intéressant dans la cour de la
synagogue. Une entrée se trouve aussi sur
la rue, mais elle n'est pas facile à trouver car
elle ne comporte pas d'enseigne. C'est une
personne de Cracovie qui a ouvert ce bar
dans les locaux d'une ancienne laiterie des
années trente et quarante. Le soir dès 18h le
bar s'anime, très fréquenté par des étudiants
et devient malheureusement un peu enfumé.
Dans la journée les lieux sont tout tranquilles.
Le serveur très gentil et serviable, qui parle
français, répond à toutes vos questions et
sert des petits en-cas.

POŻEGNANIE Z AFRYKĄ

Ul. Kiełbaśnicza 24 © (071) 341 77 32
pozegnanie.z.afryka@gazeta.pl
*Ouvert tous les jours de 8h à 22h15, dernière
commande à 21h45, puisque la préparation
du café, en grand professionnel, dure 10 min.*
Cette chaîne connue sous le nom de Out of
Africa possède des établissements à travers
toute la Pologne. Dans sa salle non-fumeur,
parmi les senteurs de café fraîchement moulu,
il vous faudra choisir parmi une sélection
impressionnante de café de tous les horizons.
Egalement desserts au café. Dommage que
les tabourets, peu confortables, n'invitent pas
à rester plus longtemps. Dans la même pièce
un comptoir vend des accessoires, du café
bien sûr, et surtout des tasses et cafetières.
Jolis paquets cadeaux.

LODY LA SCALA

Plac Solny 10
(dans le coin opposé au Rynek)
*Ouvert tous les jours à partir de 8h, le week-end
à partir de 10h.* Excellentes glaces à partir de
1,50 zł et salon de thé qui propose des gâteaux
polonais et des antipasti.

▶ **Terrasse agréable et animée en été,**
fréquentée en grande partie par des étudiants,
au bar qui fait l'angle des rues Kuźnicza et
Uniwersytecka.

Bars et discothèques

Les lieux de sorties (bars, discothèques,
concerts) sont concentrés sur la place du Rynek
et la place Solny, à tous les étages (caves, rez-
de-chaussée et dans les étages). Laissez-vous
guider par la musique, l'éclairage des spots
et des stroboscopes. Quelques bars assez
fréquentés par les étudiants se trouvent aussi
rue Kiełbaśnicza, parallèle au Rynek, et rue
Kuźnicza, qui part d'un des coins du Rynek.

■ BLUE BAR CAFE

Plac Solny 8/9 ℂ (071) 343 41 26
Ouvert du lundi au vendredi à partir de 8h, le
week-end à partir de 10h. Ce bar a un climat,
assez tendance avec ses lumières bleutées.
Clientèle jeune et branchée. Possibilité aussi
de manger petit déjeuner, café gâteaux,
lunch composé principalement de salades
et sandwichs.

■ GUINNESS

Pl. Solny 5 ℂ (071) 344 60 15/372 42 27
Ouvert tous les jours jusqu'à 2h du matin. Pub
irlandais qui compte aussi un restaurant au
premier étage (voir rubrique « Restaurants »).
Bar assez classique au rez-de-chaussée, bonne
ambiance et au sous-sol, un vrai pub à l'anglaise
rempli de gros fauteuils, assez sombre avec des
petites lumières sur chaque table, où flotte une
vague odeur de bière et de fumée. Le demi de
Guinness coûte 15 zl, alors que celui de bière
polonaise 5,50 zl... Selon l'adage populaire
« *Ce qui est rare est cher* » !

■ JAZZDA

Rynek 60 ℂ (071) 346 08 25
www.jazzda.pl – club@jazzda.pl
Ouvert à partir de 11h jusqu'au bout de la
nuit... et le dimanche de 11h à 2h. Un bar
qui ressemble davantage à une discothèque
une fois la nuit tombée. Karaoké le mercredi
à 19h. Sert des petits en-cas.

■ KLUB NA JATKACH

Ul. Św. Elżbiety 3-4 ℂ (071) 797 66 11
www.najatkach.pl
najatkach@najatkach.pl
Derrière l'église Sainte-Elisabeth, située au
coin du Rynek, dans la rue des anciennes
boucheries, qui abrite désormais de
nombreuses galeries d'art, le bar club Na
Jatkach pour les artistes diffuse de la bonne
musique et de bonnes bières.

■ TAWERNA

Ul. Wybrzeże Wyspiańskiego 40
ℂ (071) 328 02 86
Club d'étudiant ouvert du lundi au vendredi
de 9h à 1h, le samedi de 11h à 4h. Cadre
agréable au bord de l'Oder.

■ WZ

Plac Wolności 7 (place derrière l'Opéra,
près du musée ethnographique)
ℂ (071) 790 00 33. www.wzklub.pl
Ouvert le mercredi de 12h à 2h du matin, le jeudi
et le vendredi de midi à 4h du matin, le samedi
de 18h à 4h du matin. Un club avec deux salles
et de grandes pistes de danse bondée.

Opéra et théâtres

■ OPERA DOLNOŚLĄSKA

Ul. Świdnicka 35 ℂ (071) 370 88 80
Fax : (071) 370 88 52
www.opera.wroclaw.pl
opera@opera.wroclaw.pl
Billets à partir de 20 zl. Superbe bâtiment.

■ FILHARMONIA WROCŁAWSKA

Ul. Piłsudskiego 19 ℂ (071) 342 2 4 59
Fax : (071) 342 89 80
www.filharmonia.wroclaw.pl
widownia@filharmonia.wroclaw.pl
Billets aux concerts symphoniques de 15 zl à
100 zł. Différents styles de musique.

■ TEATR MUZYCZNY CAPITOL

Ul Piłsudskiego 72 (avenue devant la gare)
ℂ (071) 343 56 52
Fax : (071) 789 04 42
www.teatr-muzyczny.pl
rezerwacja@teatr-capitol.pl
Spécialisé dans les comédies musicales.

Manifestations

▎ **La fête de la ville (24 juin).** Le mois le plus
propice à la visite de Wrocław est le mois de
juin, ce pour plusieurs raisons (climatiques,
touristiques) et surtout pour avoir l'occasion
de participer à la fête la plus importante à
Wrocław. Cette fête de la ville débute le 24 juin
et dure plusieurs jours. Elle se caractérise
notamment par de nombreux concerts
d'artistes locaux, polonais ou étrangers et
par « Wrocław non-stop » qui signifie que tous
les magasins et établissements de la place du
marché (Rynek) sont ouverts 24h/24.

▎ **Deux publications donnent des**
renseignements sur les événements qui
se déroulent à Wrocław : « *The visitor* », en
anglais, allemand et polonais, donne aussi
des informations touristiques et pratiques,
et le supplément du journal *Gazeta*, tous les
vendredis (en polonais). Pour obtenir la presse
internationale, le magasin EMPIK se trouve sur
la place de Rynek (dans la vieille ville).

Points d'intérêt

La plupart des musées et monuments de la
ville ferment le lundi et/ou le mardi, aussi
préférez visiter Wrocław du mercredi au
dimanche. Commencez par une découverte
du centre-ville, puis traversez le pont Piaskowy
pour accéder aux îles, revenez dans l'autre
sens par le pont Pokoju qui mène au Musée
national.

Centre-ville

■ PLACE DU MARCHE (RYNEK)

La plupart des manifestations se déroulent encore dans ce cœur de la cité, sur l'une des plus grandes places de Pologne (après celle de Cracovie certainement). Quelques superbes façades du XIIIᵉ siècle subsistent : au numéro 2 la maison aux griffons, au 5, au soleil d'or, au 8, la maison des sept électeurs (transformée au XVIIᵉ siècle). Les autres bâtiments datent du XIXᵉ et XXᵉ siècles ou ont été reconstitués à l'identique après 1945. Côté est, une copie du pilori (piquet de pierre) rappelle que les flagellations se faisaient alors en public au centre de la ville.

■ HOTEL DE VILLE (RATUSZ)

Situé au centre du Rynek, ce bâtiment, construit entre le XVᵉ et le XVIᵉ siècle, en style gothique, rayonne au milieu de la place centrale de Wrocław. Sa façade sud, où l'on peut voir des petites sculptures représentant la vie quotidienne, est la plus belle de toutes. A l'intérieur, on trouve un musée d'histoire, dont l'accès se fait à l'ouest de l'édifice, qui est l'occasion surtout d'entrer dans la salle des chevaliers, la plus grande et la plus belle de toutes.

■ PLACE SOLNY

Légèrement à l'ouest du Rynek, il s'agit d'une ancienne place au sel, où avait lieu autrefois un marché, et où l'on peut admirer quelques façades baroques intéressantes. Abrite aujourd'hui le marché aux fleurs.

■ EGLISE SAINTE-ELISABETH (KOŚCIÓŁ ŚW. ELŻBIETY)

Située dans un coin du Rynek, elle se remarque de loin grâce à son toit aux ardoises de couleur. Cette immense église, entièrement ravagée par un incendie, a récemment été restaurée. Son intérieur, très lumineux, comporte d'imposantes ogives, des bancs de bois tout neufs et quelques riches ornements.

■ POINT DE VUE DE L'EGLISE SAINTE-ELISABETH (WIEŻA WIDOKOWA KOŚCIOŁA)

Horaires d'ouverture d'été : de 9h à 19h du lundi au vendredi, de 11h à 17h le samedi, de 13h à 17h le dimanche. En hiver, de 10h à 17h du lundi au samedi, de 13h à 17h le dimanche. L'ascension de la tour coûte 5 zł. Le point de vue qu'offre la tour de l'église, haute de 83 m, est superbe. Pour les courageux, escaladez les quelque 200 à 300 marches (assez sportif car

marches en pierre et de hauteur inégales) ; les autres attendront l'ascenseur de la cathédrale pour un autre point de vue. L'entrée s'effectue par une petite porte à gauche de celle de l'église. Si elle est fermée pendant les horaires d'ouverture, cherchez le responsable dans la sacristie.

■ RUE DES ANCIENNES BOUCHERIES (STARY JATKI)

Ul. Jatki

Derrière l'église Sainte-Elisabeth, ne manquez pas cette ruelle qui abrite désormais des galeries d'art. Les animaux de la basse cour qui faisaient autrefois l'objet du travail des bouchers ici, sont honorés par des statues en bronze, de cochon, d'oie, de canard !

■ EGLISE SAINTE-MARIE-MADELEINE (KOŚCIÓŁ ŚW. MARII MAGDALENY)

Ul. Szewska

Cette imposante basilique fut construite en style gothique au XIVᵉ siècle. Une légende l'accompagne qui concerne le petit pont qui relie les deux tours de l'église tout en haut. Parfois sur ce pont marche les esprits des femmes, qui n'aiment pas le mariage (et donc pas les tâches ménagères !) et ne se sont jamais mariées. En punition, leurs âmes errent et sont condamnées à faire le ménage sur le pont pour l'éternité.

Les immanquables de Wrocław

Wrocław mérite au minimum une visite de 2 journées complètes.

▶ **La place du marché,** le Rynek, et la place au sel qui la prolonge,

▶ **L'hôtel de ville** sur le Rynek,

▶ **Le Panorama de Racławice** dans la rotonde qui dépend du Musée national,

▶ **Le bâtiment baroque de l'université,** son intérieur et notamment la salle Leopoldine,

▶ **Les îles et les rives de l'Oder,** et ses lieux de culte, ou au moins l'île de la Cathédrale,

▶ **Pour terminer en beauté l'escale,** ofhaut de l'église Sainte-Elisabeth ou de la cathédrale Saint-Jean-Baptiste.

■ **UNIVERSITE DE WROCŁAW**
Pl. Uniwersytecki 1
(Gmach Główny Uniwersytetu)
Située au nord du Rynek, cette superbe université baroque du XVIIIe siècle mérite vraiment le détour, surtout pour les étudiants qui ne pourront que jalouser leurs confrères polonais. Elle est en effet magnifique, et chaque amphithéâtre est une petite merveille de l'art. Ecrire sur les tables ou les murs serait un véritable assassinat architectural. Qui après pensera encore que la Sorbonne est la plus belle de toutes les universités ? Entrée libre dans le bâtiment.

■ **SALLE AULA LEOPOLDINA**
Pl. Uniwersytecki 1
✆ (071) 375 22 45/26 18
muzeum@adm.uni.wroc.pl
La salle Aula Leopoldina, la plus belle de toutes les salles de l'université, est ouverte de 10h30 à 15h30 le lundi, le mardi et le jeudi, et de 11h à 17h, du vendredi au dimanche. Entrée payante : 4,50 zl, réduit : 2,50 zl. Cette salle baroque accueille encore aujourd'hui des concerts ou les remises de diplômes et autres événements.

■ **MUSEE NATIONAL
(MUZEUM NARODOWE)**
Plac Powstańców Warszawy 5
✆ (071) 372 51 50. www.mnwr.art.pl
muzeumnarodowe@wr.onet.pl
Ouvert le mercredi, le vendredi et le dimanche de 10h à 16h, le jeudi de 9h à 16h, le samedi de 10h à 18h. Billet : 15 zl, réduit : 10 zl, entrée libre le samedi. Situé dans l'est du centre-ville, ce vaste édifice de style néoRenaissance flamande s'enorgueillit d'une superbe collection d'art médiéval, ainsi que de nombreuses peintures datant du XVIIe siècle à nos jours.

■ **PANORAMA DE RACŁAWICE
(PANORAMA RACŁAWICKA)**
Ul. Purkyniego 11
✆ (071) 344 23 44. www.mnwr.art.pl
panorama-raclawice@pro.net.pl
Dans un bâtiment situé à l'ouest du Musée national, dont l'entrée est comprise dans le même billet, ce musée ouvre du mardi au dimanche de 9h à 17h (jusqu'à 16h hors saison). Une toile gigantesque, de 15 m de haut sur 114 m de long, représente la bataille de Racławice qui eut lieu le 4 avril 1794, et marqua la victoire (éphémère) des Polonais sur les Russes. La toile fut réalisée un siècle plus tard à Lvov (Ukraine) et fut transférée à Wrocław après la Seconde Guerre mondiale, mais il fallut attendre 1980 avant qu'elle ne soit à nouveau montrée au public, car les autorités polonaises craignaient de heurter la sensibilité de « l'ami russe », ici considéré comme l'envahisseur. Une très belle visite, une œuvre d'art singulière, impressionnante et emprunte d'histoire. Possibilité d'audio-guide en français (à demander lors de l'achat des billets). Les horaires d'ouverture du panorama sont les mêmes que ceux du Musée national. En revanche le lieu, très réputé, attire les foules et fait grossir les files d'attentes. Une astuce : aller acheter son billet à l'avance pour réserver son créneau horaire dès le matin, puis aller visiter par exemple le Musée national en attendant son heure de visite.

**Du Rynek, la première île :
l'île du Sable (Ostrów Piaskowy)**

■ **EGLISE NOTRE-DAME-DES-SABLES
(KOŚCIÓŁ NAJŚWIĘTSZEJ
MARII PANNY NA PIASKU)**
Construite sur un petit îlot au cœur de Wrocław, cette église du XIVe siècle a été reconstruite après la Seconde Guerre mondiale. On ne peut pas entrer au cœur de l'église en dehors des heures de messe, on reste donc derrière des barrières pour en admirer la propreté, car c'est vraiment ce qui la caractérise le mieux. Sur les murs, on trouve une série de tableaux religieux contemporains assez lugubres. A droite, une petite chapelle – auréolée de musique – est ouverte toute la journée. Elle est décorée de petits personnages enfantins. Cet endroit est véritablement hors du commun. Dans la rue Jadwigi, vous remarquerez sûrement l'église baroque Sainte-Anne et son couvent, ainsi que l'ancien couvent des augustines, qui ne se visitent plus puisque tous ces bâtiments sont désormais utilisés à d'autres fins.

**Puis, sur la deuxième, l'île
de la Cathédrale (Ostrów Tumski)**

■ **EGLISE SAINT-PIERRE ET SAINT-PAUL
(KOŚCIÓŁ ŚW. PIOTRA I PAWLA)**
Ul. Katedralna
Située juste de l'autre côté du pont Tumski, on ne trouve pas d'entrée à cette petite église assez belle datant du XVe siècle. En fait, il faut passer par le bâtiment situé juste à proximité, l'Orphanotrophaeum, un ancien orphelinat pour enfants de la noblesse, bâti au début du XVIIIe siècle.

EGLISE SAINTE-CROIX
(KOŚCIÓŁ ŚW. KRZYŻA)

Située sur l'île de la Cathédrale, construite au XIIIe siècle, elle est presque aussi haute que longue, car elle comprend deux églises, qui d'ailleurs – fait rarissime – sont de culte différent.

CATHEDRALE SAINT-JEAN-BAPTISTE
(KATEDRA ŚW. JANA CHRZCICIELA)

Ce superbe édifice du XIIIe siècle a été très endommagé pendant la Seconde Guerre mondiale, mais superbement reconstruit depuis. On y admire les vitraux, ainsi que l'harmonieux mélange architectural de pierres et de briques, magnifiquement illustré ici. On peut également monter dans l'une des tours, avec ascenseur et avoir ainsi une superbe vue d'ensemble de la ville. Le quartier qui l'entoure, particulièrement calme, est le plus agréable de toute la ville.

EGLISE SAINT-GILLES
(KOŚCIÓŁ ŚW. IDZIEGO)

Située juste en face de la cathédrale, côté nord (à la gauche de l'entrée principale), cette toute petite église romane, construite en 1230, est la plus ancienne de la ville.

JARDIN BOTANIQUE

Ul. Sienkiewicza 23
✆ (071) 322 59 57
www.obuwr@biol.uni.wroc.pl
Ouvert en saison estivale, tous les jours de 8h à 18h. Entrée : 8 zl, tarif réduit : 5 zl. Promenade très agréable dans cet assez grand jardin aux nombreuses curiosités botaniques, cours d'eau et fontaines.

Autres musées
et lieux de culte à Wrocław

EGLISE SAINT-DOROTHEE
ET-SAINT-STANISLAS
(KOŚCIÓŁ ŚW. STANISŁAWA WACŁAWA I ŚW DOROTY)

Ul. Świdnicka
(juste à côté de l'Opéra et encore davantage de l'ancien hôtel Monopol)
Contourner l'église pour accéder à l'entrée.
Cette église gothique date de la seconde moitié du XIVe siècle. A l'intérieur, la partie basse, très chargée de précieuses décorations ou encore d'un tombeau de style rococo (à droite), contraste avec la moitié haute, élancée, blanche, épurée.

EGLISE DE LA FETE-DIEU
(KOŚCIÓŁ BOŻEGO CIAŁA)

Ul. Świdnicka (juste en face de l'Opéra)
Dans cette église gothique, qui date du XIVe et XVe siècle, se trouvent de grandes ogives et quelques pièces de décoration originale, comme un tabernacle gothique.

SYNAGOGUE A LA CIGOGNE BLANCHE
(SYNAGOGA POD BIAŁYM BOCIANEM)

Ul. Włodkowica 7
(entre les rues Św. Antoniego et Krupnicza)
Cette synagogue, massive, de style classique, bâtie au début du XIXe siècle, est actuellement en cours de restauration. Elle figure parmi les rares synagogues non incendiées pendant la guerre, mais pillée tout de même. Une petite communauté juive organise des concerts de musique kleshmer et jiddish, dans ce lieu de culte. Aussi est-il obligatoire de porter la kipa en papier sur la tête au cours des concerts.
Pour toute information concernant cette synagogue, ne pas se rendre logiquement au point d'information signalé dans la cour… mais passer la porte d'à côté (toujours face au café), au 2e étage, prendre à droite, au 2e escalier, sonner à la grande porte.

MUSEE DE L'ARCHIDIOCESE
(MUZEUM ARCHIDIECEZJALNE)

Plac Katedralny 16 ✆ (071) 327 11 78
Ouvert du mardi au dimanche de 9h à 15h. Entrée : 4 zl, tarif réduit : 3 zl. Situé juste au nord de la cathédrale, ce petit musée présente une intéressante collection d'objets d'art sacré.

MUSEE DE LA POSTE
ET DES TELECOMMUNICATIONS
(MUZEUM POCZTY I TELEKOMUNIKACJI)

Ul. Krasińskiego 1 ✆ (071) 343 67 65
Ouvert le lundi puis de mercredi à samedi de 10h à 15h, le dimanche de 11h à 14h30.
Ce musée sur l'histoire de la Poste en Pologne, est abrité dans les locaux de l'actuelle poste centrale, imposant bâtiment construit entre 1926 et 1929, dont les formes architecturales expressionnistes reviennent à Neumann.

MUSEE DE LA RADIO
(MUZEUM RADIA WROCŁAW)

Ul. Karkonowska 10 ✆ (071) 780 22 50
Portable : 0 503 166 372
Ouvert le mardi de 12h à 16h, sinon sur demande téléphonique. Entrée libre dans ce musée qui retrace l'histoire de la radio.

■ **MUSÉE D'ARCHITECTURE**
(MUZEUM ARCHITEKTURY)
Ul. Bernardyńska 5 ✆ (071) 344 82 78
Fax : (071) 344 48 21 – www.ma.wroc.pl
muzeum@ma.wroc.pl
Ouvert le mardi, le mercredi, le vendredi et le
samedi de 10h à 16h, le jeudi de 12h à 18h,
le dimanche de 11h à 17h. Billet : 7 zl, tarif
réduit : 5 zl. Des expositions permanentes
et temporaires sur l'architecture, notamment
celle de Wrocław, avec des thèmes tels que
« *Wrocław hier, aujourd'hui et demain* » ou
« *Les restes de l'architecture médiévale* ».

■ **MUSÉE D'ARCHÉOLOGIE**
(Muzeum Archeologiczne)
Ul. Cieszyńskiego 9
✆ (071) 347 16 96. www.mmw.pl
Ouvert du mercredi au samedi, de 10h à 17h,
le dimanche de 10h à 18h. Billet : 7 zl, tarif
réduit : 5 zl.

■ **MUSEE DE L'ART BOURGEOIS**
(MUZEUM SZTUKI MIESZCZAŃSKIEJ)
Stary Ratusz (hôtel de ville)
✆ (071) 347 16 90 91/93. www.mmw.pl
Ouvert du mercredi au samedi, de 11h à 17h,
le dimanche de 10h à 18h. Billet de 7 zl à
10 zl, tarif réduit : 5 zl.

■ **MUSEE ETHNOGRAPHIQUE**
(MUZEUM ETNOGRAFICZNE)
Ul. Traugutta 111/113
✆ (071) 344 33 13. www.mnwr.art.pl
Ouvert du mardi au dimanche de 10h à 16h.
Billet : 5 zl, tarif réduit : 3 zl. Art et folklore
de la Silésie.

■ **MUSEE GEOLOGIQUE**
(MUZEUM GEOLOGICZNE)
Ul. Cybulskiego 30
✆/Fax : (071) 375 93 71
Ouvert le lundi et le jeudi de 9h à 17h, le
mardi, le mercredi et le vendredi de 9h à
15h. Des pierres et des fossiles… un peu
poussiéreux !

■ **MUSEE MINERALOGIQUE**
(MUZEUM MINERALOGICZNE)
Ul. Kuźnicza 22 ✆ (071) 375 26 68
Ouvert du lundi au samedi de 10h à 15h30. Des
minéraux de Pologne et du monde entier…

■ **MUSEE DE LA NATURE**
(MUZEUM PRZYRODNICZE)
Ul. Sienkiewicza 21 ✆ (071) 322 50 44
www.muzeum-przyrodnicze.uni.wroc.pl
Ouvert le mardi, le mercredi, le vendredi, le
samedi de 10h à 15h, le jeudi et le dimanche

de 10h à 18h. Des expositions sur l'homme,
les insectes, la faune et la flore.

■ **MUSEE DES MEDAILLES**
(MUZEUM SZTUKI MEDALIERSKIEJ)
Ul. Kiełbaśnicza 5
✆ (071) 347 16 95. www.mmw.pl
Ouvert du mercredi au samedi, de 11h à 17h,
le dimanche de 10h à 18h. Billet : 7 zl, tarif
réduit : 5 zl. Médailles polonaises du XVIe au
XXe siècle… il y en a même en 3D !

■ **MUSÉE MILITAIRE – ARSENAL**
(MUZEUM MILITARIÓW – ARSENAŁ)
Ul. Cieszyńskiego 9
✆ (071) 347 16 96. www.mmw.pl
Ouvert du mercredi au vendredi de 11h à 17h,
le dimanche de 10h à 18h. Billet : 7 zl, tarif
réduit : 5 zl. Une belle collection d'armes.

Visites avoisinantes

■ **CIMETIERE JUIF**
(CMENTARZ ŻYDOWSKI)
Ul. Ślężna 37-39 ✆ (071) 791 59 04
Ouvert en saison estivale du mardi au samedi de
11h à 17h, le dimanche de 10h à 18h. De la gare
ferroviaire, remontez l'avenue Piłsudskiego, puis
prenez à gauche la rue Powstańców Śląskich.
Moins impressionnant que celui de Prague,
ce cimetière n'en demeure pas moins très
intéressant. Aménagé en 1856, il est l'unique
cimetière d'avant-guerre à avoir été conservé
intégralement. Bien heureusement puisqu'il
représente un exemple exceptionnel d'art funéraire
du XIXe siècle. Souvent peu fréquenté (sauf par
quelques touristes), ici plane une ambiance un
peu abandonnée, où la solitude s'accompagne
d'arbres et d'oiseaux seulement.

■ **CIMETIERE JUIF COSEL**
Celui-là situé au bout de la rue Legnicka est
vraiment perdu dans la nature. Beaucoup plus
dévasté et plus calme que le précédent, il
n'ouvre que le dimanche. Prendre le tramway
n° 3, 10 ou 12 et descendre 2 arrêts après
l'arrêt Astra.

■ **LA HALLE DU PEUPLE**
HALLE CENTENAIRE
(HALA LUDOWA – HALA STULECIA)
Ul. Wystawowa 1 ✆ (071) 347 51 00
www.halaludowa.wroc.pl
zarzad@halaludowa.wroc.pl
Ouverte du lundi au samedi de 8h à 19h.
Entrée de 3 zl à 5 zl. Situé entre le zoo et le
parc Szczytnicki, ce bâtiment date de 1913.
Erigé à l'occasion d'une exposition universelle,

il cache un agréable bassin avec des parterres, entourés d'une pergola. Pour ceux que le béton armé fascine, cette construction fut l'une des premières dans ce genre. Par une école d'architecture réputée, dynamique et moderniste. Le monument a échappé aux destructions liées à la guerre grâce à sa position excentrée du centre-ville. Depuis 2006, la Halle Centenaire est inscrite sur la liste du Patrimoine culturel mondial de l'Unesco.

■ ENSEMBLE DE PARCS ET DE JARDINS

Ils se trouvent dans le prolongement de la Halle du Peuple, dont un jardin japonais, très réussi.

■ JARDIN JAPONAIS

Park Szczytnicki ✆ (071) 347 51 40
Ouvert d'avril à octobre, du lundi au dimanche de 9h à 19h. Entrée : 3 zl, tarif réduit : 1,50 zl. Promenade fraîche et reposante dans ce jardin très beau, parfaitement bien entretenu, avec des passerelles en bois, cascades, plantes et arbustes japonais, pierres zen… comme là-bas !

■ ZOO

Ul. Wróblewskiego 1
✆ (071) 348 30 24/26
www.zoo.wroclaw.pl – lutra@zoo.wroc.pl
Ouvert tous les jours de 9h à 18h en été, et jusqu'à 16h en hiver. Entrée : 10 zl, réduit : 5 zl. Le plus grand jardin zoologique en Pologne en nombre d'espèces animales.

Shopping

La principale rue commerçante de la vieille ville est la rue Świdnicka, qui part du Rynek, ainsi que la rue Oławska (part également de Rynek) et la rue Ruska, dans une moindre mesure, qui elle, prend son cours place Solny.

▶ **Le « Pasaż Pod Słońcem » (passage sous le soleil)** est une galerie commerçante, qui dispose d'une entrée sur le Rynek et une rue Kiełbaśnicza. Assez chic, elle abrite notamment des magasins de vêtements pour femme, et un de chaussures, doté d'une superbe collection de meubles Art déco.

▶ **Place Dominikański** (à côté de l'hôtel Mercure ou depuis l'office du tourisme, longez le Rynek à l'opposé de la place Solny, puis continuez rue Oławska) se trouve le centre commercial Galeria Dominikańska.

▶ **Un peu plus loin, sur Plac Grunwaldzki** se trouve une galerie commerciale Pasaż Grunwaldzki. D'autres se situent à l'extérieur de la vieille ville.

▶ **Dans la vaste « Hala Targova », place Nankiera,** halle en briques, qui date de 1908, à l'angle des rues Ducha et Piaskowej, a lieu un marché très vivant, haut en couleur, où se vendent fleurs, fruits et légumes (quelques maigres boutiques au premier étage). Par ailleurs cette halle constitue en elle-même un exemple intéressant d'architecture avec notamment une charpente audacieuse en béton armé.

Supermarchés et hypermarchés

■ CARREFOUR

Al. Hallera 52 ✆ (071) 369 01 00

■ E. LECLERC

Ul. Zakładowa 2/4
✆ (071) 320 87 00. www.hipernet24.pl

■ REAL

Ul. Krzywoustego 126 ✆ (071) 350 13 00

■ TESCO

Ul. Długa 37-47 ✆ (071) 356 10 00
Ouvert 24h/24.

Dans les environs

Au départ de Wrocław, se trouve Sobotka, à 30 km environ de Wrocław, en direction de Wałbrzych. De grandes sculptures préceltiques se dressent sur une colline, au sommet de laquelle se trouve un refuge pour dormir, d'où l'on domine toute la région. Une multitude de petits villages très pittoresques s'agrippent autour de cette grande montagne au beau milieu de la plaine.

LEGNICA

Avec plus de 100 000 habitants, Legnica est une ville qui manque de charme. C'est en effet un centre industriel important, depuis que l'on a découvert un gisement de cuivre à proximité, et la guerre y a laissé des traces indélébiles. Pourtant, Legnica fut le siège de la première université de Silésie, et une ville reconnue en son temps pour les arts et la culture, avant que les invasions autrichiennes ne lui enlèvent de sa renommée. C'est un bon point de départ pour aller explorer la région, principalement Legnickie Pole.

Transports – Pratique

▶ **Train.** La gare est située au nord-est de la ville. Nombreuses liaisons pour les villes de la région, ainsi que pour Varsovie et certaines destinations en Allemagne.

▶ **Bus.** Terminal situé à côté de la gare. Bus pour la plupart des destinations de la région, où ils sont plus nombreux que les trains, mais pas de liaisons plus longues.

▦ **OFFICE DU TOURISME (MIEJSKA INFORMACJA TURYSTYCZNA BIURO PODRÓŻY ORBIS)**
Rynek 29 ℭ/Fax : (076) 851 22 80
Ouvert du lundi au vendredi de 9h à 17h.

Hébergement

▦ **CAMPING**
Ul. Henryka Brodatego 7, sur la route de Legnickie Pole ℭ (076) 858 23 97
Bien situé pour ceux qui veulent visiter le monastère.

▦ **AUBERGE DE JEUNESSE**
Ul. Jordana 1 ℭ (076) 862 54 12. Proche du centre, ouverte toute l'année.

▦ **REZYDENCJA**
Ul. Okrzei 14 ℭ/Fax : (076) 862 05 19
www.rezydencja-hotel.pl
kopcza@rezydencja-hotel.pl
Chambre à partir de 250 zl. Superbe résidence ayant appartenu au fabricant Friedrich Teichert. Situé dans un parc proche du centre.

Restaurants

▦ **BAR ŁASUCH**
Ul. Wrocławska 23
Ouvert de 10h à 18h (de 12h à 19h le week-end). Très bonne cuisine polonaise pour des prix très bas.

▦ **BAR MLECZNY EKSPRES**
Ul. Dworcowa 8
Prix similaires, mais un peu moins bien que le précédent.

▦ **RESTAURACJA PIAST**
Ul. Dworcowa 9
ℭ (076) 862 48 49/852 02 50
Situé tout près de la gare, il propose des spécialités polonaises et hongroises. Dancing le vendredi et le samedi.

Points d'intérêt

▦ **CHATEAU (ZAMEK PIASTOWSKI)**
Ul. Partyzantów
Ouvert du mardi au samedi de 11h à 17h.
Cette construction gothique du XIIIe siècle a été remaniée en style Renaissance au XVIe, puis transformée en style néoclassique au XIXe siècle. Ces styles se mélangent,

cohabitant tant bien que mal, donnant à l'édifice un air étonnant à l'extérieur, ainsi que dans les décorations intérieures qui sont ouvertes au public.

▦ **MUSÉE DU CUIVRE (MUZEUM MIEDZI)**
Ul. Partyzantów 3 ℭ (071) 862 49 49
Ouvert du mardi au samedi de 11h à 17h. Billet : 7 zl, réduit : 4 zl. Avis aux amateurs, ce petit musée présente une collection d'objets qui rappellent l'attachement de la ville à l'industrie du cuivre.

▦ **EGLISE SAINT-JEAN (KOŚCIÓŁ ŚW. JANA)**
Le mausolée est ouvert du lundi au vendredi de 9h à 15h. Billet : 3 zl. Située en face du musée du Cuivre, cette église baroque a remplacé un édifice gothique, dont la chapelle est le seul témoin restant de ce style. L'intérieur, assez bien décoré, mérite le déplacement.

▦ **EGLISE SAINT-PIERRE ET-SAINT-PAUL (KATEDRA PW. ŚW. APOSTOLOW PIOTRA I PAWLA)**
Cette église est sans doute la plus belle de la ville, de style gothique remaniée au XIXe siècle de style néogothique. Les fonts baptismaux en bronze du XIIIe siècle, à l'intérieur, sont considérés comme les plus anciens de toute la Pologne.

▦ **EGLISE NOTRE-DAME (KOŚCIÓŁ NAJŚWIĘTSZEJ MARII PANI)**
Il s'agit d'une des plus anciennes églises de Silésie. Elle a été affectée au culte protestant, et a été à nouveau décorée entièrement à l'intérieur, au siècle dernier en style néogothique.

LEGNICKIE POLE

Ce petit village, situé à 11 km au sud de Legnica, est célèbre dans toute la Pologne pour la bataille qui opposa, en 1241, Polonais et Tatars. Il compte un intéressant musée retraçant l'histoire de la bataille, ainsi qu'une église superbe.

Transports

▶ **Bus.** Arrêt dans le centre. Bus au départ de Legnica. Il n'y a pas de train dans cette petite localité.

Points d'intérêt

▦ **MUSEE DE LA BATAILLE DE LEGNICA (MUZEUM BITWY LEGNICKIEJ)**
ℭ (076) 858 23 98
Ouvert du mercredi au dimanche de 11h à 17h.

On trouve dans ce musée, aménagé dans une ancienne église gothique, une maquette représentant la célèbre bataille, ainsi que différents objets qui lui sont associés.

▣ EGLISE SAINTE-EDWIGE (KOŚCIÓŁ ŚW. JADWIGI)

Cette église est une partie de l'ancienne abbaye bénédictine qui se dressait à cet endroit. Elle a été construite au XVIIIᵉ siècle en style baroque, et son intérieur est superbement décoré de fresques. L'endroit est normalement fermé en dehors des offices, mais le gardien du musée de la Bataille de Legnica, situé juste en face, en a les clés et peut vous laisser entrer si vous le lui demandez gentiment.

BRZEG

A 30 km au sud-est de Wroclaw sur la route d'Opole, cette ville présente de nombreux édifices intéressants, dont la plupart ont été reconstruits à la suite des destructions de 1945. En effet, cette ville, comme le reste de la région, était alors allemande, et les soldats du IIIᵉ Reich s'y défendirent avec acharnement contre les troupes soviétiques. Mais les reconstructions ont été admirablement menées, et Brzeg a conservé son aspect de petite ville reposante et riche de trésors sur les bords de l'Oder. Nous vous conseillons de voir avant tout le château de Brzeg (voir « Points d'intérêt »).

Transports – Pratique

▶ **Train.** Gare située au sud de la ville, à environ 15 min à pied du centre. Trains pour les destinations proches ainsi que pour Wrocław et Opole, les deux grandes villes les plus proches.

▶ **Bus.** Terminal en face de la gare. Bus pour la région, quelques-uns vers Cracovie.

▣ OFFICE DU TOURISME

Il n'y en a pas à Brzeg, mais le bureau PTTK, Ul. Sukiennice 2 ✆/Fax : (077) 416 21 00. Il donne des renseignements sur la ville.

Hébergement – Restaurant

▣ PIAST

Ul. Piastowska 14
✆ (077) 416 20 28
Fax : (077) 416 20 27
piast@piast.strefa.pl
Chambres correctes avec salle de bains. Restaurant bon marché.

▣ GARNIZONOWY

Ul. Piastowska 20
✆ (077) 411 76 27
Un peu moins confortable, mais également moins cher.

▣ RATUSZOWA

Rynek-Ratusz
✆ (077) 416 52 67
Superbe restaurant dans les caves de l'hôtel de ville. Spécialités locales.

Points d'intérêt

▣ HOTEL DE VILLE (RATUSZ)

Construit au XVIᵉ siècle, de style Renaissance, il paraît bien seul au milieu du Rynek, car l'endroit a été sévèrement endommagé pendant la Seconde Guerre mondiale, et les bâtiments de béton de style stalinien font, depuis les années cinquante, font partie du décor.

▣ EGLISE SAINT-NICOLAS (KOŚCIÓŁ ŚW. MIKOŁAJA)

Cette imposante église en briques, au sud du Rynek, a été construite entre 1370 et 1427, mais ses tours ont été refaites après la Seconde Guerre mondiale (d'où la différence de couleur des briques). L'intérieur est blanc, pour effacer les traces de l'incendie qui détruisit tout en 1945.

▣ COLLEGE DES PIAST (GIMNAZJUM PIASTOWSKIE)

Ul. Chopina, au nord du Rynek.
Cet ancien collège très réputé, construit en 1564-1596, de style Renaissance, a terriblement souffert de la guerre et a perdu de son élégance.

▣ EGLISE SAINTE-CROIX (KOŚCIÓŁ PODWYŻSZENIA ŚW. KRZYŻA)

De style baroque, elle date du XVIIIᵉ siècle, et vaut le détour pour sa décoration intérieure, notamment l'autel et les magnifiques fresques.

▣ EGLISE SAINTE-HEDWIGE (KOŚCIÓŁ ZAMKOWY ŚW. JADWIGI)

Située juste en face, cette petite église, dépendante du château, n'est ouverte que pour une messe, le dimanche à 10h, mais l'intérieur est assez simple. Ses cryptes abritaient les sarcophages des Piast, du XVIe et XVIIe siècle. On peut en voir une partie au musée des Piast.

■ **CHATEAU ET MUSEE DES PIAST DE SILESIE**
(ZAMEK I MUZEUM PIASTÓW ŚLĄSKICH)
Plac Zamkowy 1
✆/Fax : (071) 416 42 10/32 57
Ouvert du mardi au dimanche de 10h à 16h (18h le mercredi). Billet : 4 zl, réduit : 2 zl. Situé dans le château (Zamek Książęcy), construction gothique remaniée à la Renaissance, et aujourd'hui principale attraction touristique de Brzeg, ce musée sert de prétexte pour visiter le lieu.
A signaler ! Une intéressante présentation de l'histoire de la région et une exposition de sculptures et peintures de la région, datant du XVe siècle au XVIIIe siècle. La cour située derrière l'entrée principale est assez agréable, et donne accès à un parc qui va jusqu'au bord de l'Oder.

OPOLE

La folie collective s'empare de cette ville en général calme, chaque année fin juin à l'occasion du festival de chanson polonaise, célèbre dans tous le pays. Rattachée à la Bohême, puis à l'Autriche et à la Prusse, Opole a été fortement endommagée pendant la Seconde Guerre mondiale, mais assez bien reconstruite. Ce n'est certes pas la plus belle ville de Pologne, mais c'est néanmoins une étape intéressante et reposante 11 mois par an.

Transports

▶ **Train.** La gare est située au sud de la vieille ville, proche du centre. Nombreux trains quotidiens pour Katowice, Wrocław, Częstochowa, Cracovie et Varsovie, ainsi que pour les destinations locales.

▶ **Bus.** Terminal en face de la gare. Moins pratiques que le train dans cette région, les bus relient cependant les destinations proches.

Pratique

■ **INFORMATION TOURISTIQUE**
(MIEJSKA INFORMACJA TURYSTYCZNA)
Ul. Krakowska 15 ✆ (077) 451 19 87
Fax : (077) 451 18 61 – mit@um.opole.pl
Ouvert du lundi au vendredi de 10h à 17h, du samedi au dimanche de 10h à 13h.

■ **ALLIANCE FRANÇAISE**
Ul. Ozimska 46A ✆ (077) 454 58 71
Fax : (077) 454 60 33
afopole@uni.opole.pl.

■ **ASSOCIATION**
D'AMITIÉ FRANCE POLOGNE
Ul. 11 Listopada 7, local 13
✆ (077) 453 66 40

Presse internationale

■ **EMPIK**
Ul. Krakowska 43
et 45/47 (Centre Arkadia)

Hébergement

■ **AUBERGE DE JEUNESSE**
Ul. Struga 16 ✆ (077) 454 33 52
Située au sud de la gare, ouverte en été.

■ **AUBERGE DE JEUNESSE**
Ul. Torowa 7 ✆ (077) 454 28 55
Fax : (077) 453 11 78 – ssmopole@o2.pl
Située derrière la gare. Ouverte toute l'année. Chambres à partir de 20 zl.

■ **DOM WYCIECZKOWY TOROPOL**
Ul. Barlickiego 13 ✆ (077) 453 78 83
Chambres à partir de 30 zl. Une adresse à retenir : l'hôtel est superbement placé dans un endroit calme pourtant tout près du centre. Malheureusement, il est souvent complet.

■ **FESTIVAL**
Ul. Oleska 86 ✆ (077) 455 60 11
Fax : (077) 455 60 17
www.festival.com.pl (site en anglais et en allemand) – recepcja@festival.com.pl
Chambres à partir de 240 zl. Propose une piscine, un sauna, un jacuzzi et une salle de musculation.

■ **OPOLE HOTEL MERCURE**
Ul. Krakowska 57/59 ✆ (077) 451 81 00
Fax : (077) 451 81 99/14
www.orbis.pl – opole@orbis.pl
Proche de la gare. Chambres à partir de 290 zl.

■ **PIAST**
Ul. Piastowska 1 ✆ (077) 454 97 10 16
Fax : (077) 454 97 17
www.hotelpiast.com.pl (site en anglais et en allemand) – office@hotelpiast.com.pl
Chambres à partir de 299 zl (199 zl le week-end). Bel hôtel de style, superbement situé sur l'île Pasieka.

Restaurant

On trouve de nombreux bars et cafés autour du Rynek où il est également possible de manger à moindres frais, surtout pendant le festival de musique.

■ **ZAGŁOBA**
Ul. Krakowska 39
℡ (077) 441 78 60/65. www.zagloba.pl
Ouvert de 12h à minuit. Cuisine traditionnelle
dans un décor historique. Situé au centre-ville,
dans une cave.

Points d'intérêt

■ HOTEL DE VILLE (RATUSZ)
Situé au centre du Rynek, ce bâtiment construit
dans les années 1930 et reconstruit après la
Seconde Guerre mondiale est une réplique du
Palazzo Vecchio de Florence (Italie).

■ CATHÉDRALE (KATEDRA)
Située au nord du Rynek, sérieusement
modifiée au cours des âges, elle a perdu
son style gothique pour devenir un savant
mélange d'époques.

■ MUSEE DIOCESAIN (MUZEUM DIECEZJALNE)
Ul. Kominka 11A (au nord de la cathédrale)
*Ouvert du mardi au jeudi de 10h à 12h et de
14h à 17h, ainsi que le premier dimanche
de chaque mois de 14h à 17h.* Intéressante
collection de sculptures religieuses réalisées
en Silésie.

■ MUSEE REGIONAL (MUZEUM ŚLĄSKA OPOLSKIEGO)
Mały Rynek 7, à l'est du Rynek
*Ouvert du mardi au vendredi de 9h à 15h30,
le samedi de 10h à 15h, le dimanche de 12h
à 17h. Billet : 2 zl, réduit : 1 zl.* Collections
diverses d'objets d'art et d'artisanat de la
région.

■ EGLISE DES FRANCISCAINS (KOŚCIÓŁ FRANCISZKANÓW)
Située au sud du Rynek, cette église date de
la première moitié du XIVe siècle, mais a été
modifiée à plusieurs reprises. La superbe
chapelle des Piast, de style gothique, en est
la principale attraction.

■ MONASTERE
Accolé à l'église, on vient y visiter une crypte
médiévale de style gothique dans laquelle
reposent les ducs d'Opole.

NYSA

Nysa était autrefois un centre religieux
important, où les édifices reflétaient la richesse
culturelle de la ville. Malheureusement, tout a
été détruit en 1945, et la reconstruction a posé
de gros problèmes. Le pouvoir communiste

athée s'est opposé à la réhabilitation des
édifices religieux, et Nysa s'est habillée de
triste béton, comme pour effacer toute trace
de la religion et du passé. Cependant, il reste
encore, éparpillés dans tous les coins de la
ville, des bâtiments qui rappellent le passé
de la ville et valent le détour.

Transports – Pratique

▶ **Train.** Gare située à l'est du centre-ville.
Assez peu de trains, mais un quotidien vers
Cracovie.

▶ **Bus.** Terminal situé en face de la gare.
Nombreux bus pour les destinations dans
la région, mieux desservies par la route que
par le train.

■ OFFICE DU TOURISME BUREAU PTTK
Ul. Bracka 2/4 ℡ (077) 433 41 71
*Ouvert du lundi au vendredi de 9h à 16h, le
samedi de 9h à 14h.* La seule adresse qui vous
donnera des renseignements sur la ville.

Hébergement – Restaurants

Beaucoup de logements chez l'habitant sous
le signe agroturystyka.

■ AUBERGE DE JEUNESSE
Ul. Moniuszki 9/10
℡ (077) 433 37 31
*Située en haut d'une école, mais ouverte
toute l'année.*

■ GARNIZONOWY
Ul. Kościuszki 4 ℡ (077) 433 29 99
Situé au nord mais près du centre.

■ PIAST
Ul. Krzywoustego 14 ℡ (077) 433 40 84
Fax : (077) 433 40 86
www.hotel.piast.com.pl
*Chambres à partir de 77 zl. Situé au centre
de Nysa, près de la tour Ziębice.* Bon
restaurant.

■ VILLA NAVIGATOR
Ul. Wyspiańskiego 11 ℡ (077) 433 41 70
Moins cher que le précédent, mais
incontestablement le meilleur hôtel de toute
la ville, dans un cadre superbe et peu éloigné
du centre.

■ BISTRO
Rynek 26 ℡ (077) 433 48 80
Une bonne adresse vraiment pas chère pour
les petits budgets.

Points d'intérêt

■ MAISON DE LA PESEE (DOM WAGI MIEJSKIEJ)

Sur le Rynek, il s'agit d'une des rares maisons anciennes qui a été épargnée par les destructions de la Seconde Guerre mondiale. Construite au début du XVIIe siècle, elle est aujourd'hui au milieu d'une place complètement détruite et rénovée, parmi d'autres maisons pour la plupart restaurées de façon parfois un peu trop voyante.

■ CATHÉDRALE (KOŚCIÓŁ ŚW. JAKUBA I ŚW. AGNIESZKI)

Sur le Rynek également, cette vaste église a été construite au XVe siècle et remaniée à la Renaissance après un incendie qui la ravagea. Elle a conservé une atmosphère très agréable dans son intérieur, car les transformations n'ont pas été trop importantes. Le clocher situé juste à côté, datant de 1477-1516 et inachevé (et non détruit comme on pourrait le penser), donne à la façade extérieure un aspect très étrange.

■ MUSEE DE LA VILLE

Ul. Biskupa Jaroslawa 11
✆ (077) 433 20 83
Ouvert le mardi de 9h à 17h, du mercredi au vendredi de 9h à 15h, le samedi et le dimanche de 10h à 15h. Situé dans le palais épiscopal (Pałac Biskupi), datant du XVIIe siècle, à l'est de la cathédrale, ce musée retrace – à l'aide de gravures, photos et maquettes – l'histoire de la ville avant sa destruction totale, et possède une intéressante collection de peintures flamandes.

■ EGLISE SAINT-PIERRE ET-SAINT-PAUL (KOŚCIÓŁ P.W. ŚW. PIOTRA I PAWLA)

Au sud du Rynek, cette église, construite entre 1720 et 1727, est sans doute la plus belle église de style baroque de toute la Silésie. La partie intérieure est superbement décorée, surtout les peintures qui sont d'une grande finesse.

■ FORTIFICATIONS (MURY OBRONNE)

La ville était au Moyen Age entourée d'un mur d'enceinte, malheureusement disparu aujourd'hui, mais il en reste un fragment (rue Chodowieckiego) et deux tours qui témoignent de ce passé, toutes deux construites au XIVe siècle, la tour de Wrocław (Wieża Bramy Wrocławskiej) au nord du Rynek et la tour

Ziębice (Wieża Bramy Ziębickiej) un peu plus bas. On peut accéder au sommet de cette dernière, et profiter d'une belle vue d'ensemble.

PACZKÓW

A mi-chemin entre Nysa et Kłodzko, Paczków a conservé, en dépit des guerres qui l'ont relativement épargnée, son charme ancien et surtout ses fortifications médiévales qui raviront les amateurs du genre. Paczków est souvent appelé le Carcassonne polonais. On peut penser que cette ville est figée dans le temps et ne changera jamais. C'est tout ce qu'on lui demande.

Transports – Pratique

▶ **Train.** Gare située au nord-est du centre-ville. Peu de trains pour la région, à part Jelenia Góra, Kłodzko et Nysa. Moyen de transport très peu pratique pour venir à Paczków.

▶ **Bus.** Terminal situé juste au nord de la vieille ville. Bus pour la plupart des villes de la région, ainsi que pour Wrocław et Cracovie.

■ OFFICE DU TOURISME BIURO TURYSTYCZNE EDEN

Rynek 14 ✆ (077) 431 61 77
Ouvert du lundi au vendredi de 9h à 13h.

Hébergement – Restaurants

■ CAMPING

N° 258. Ośrodka Kultury i Rekreacji
Ul. Jagiellońska 6
✆ (077) 431 62 32/65 09
Fax : (077) 431 62 32
Au sud de la ville. Ouvert l'été seulement (du 15 juin au 15 septembre). Propose également des bungalows et des appartements et dispose d'une piscine (voir le site Internet de la ville www.paczkow.pl).

■ AUBERGE DE JEUNESSE PTSM POD BASZTĄ

Ul. Kołłątaja 14
✆ (077) 431 64 41
Située dans une école, mais ouverte toute l'année. Propose des informations touristiques.

■ KORONA PACZKOWA

Ul. Wojska Polskiego 31
✆ (077) 431 62 77
Tout petit hôtel agréable et pas cher.

■ ZAMEK

Ul. Zamkowa 4 ℂ (077) 431 51 48
Situé dans un château à Otmuchów, à l'est
de Paczków.

■ CARCASSONNE

Rynek 33 ℂ (077) 431 79 70
Café-restaurant sympathique, qui propose
des spécialités françaises et polonaises,
dont la « Pstrąg po Paczkowsku » (truite à
la Paczków).

Points d'intérêt

■ HOTEL DE VILLE (RATUSZ)

Cet édifice du XVIe siècle domine le Rynek
depuis sa tour. Les maisons, tout autour de
la place, ont subi des transformations, mais
offrent une superbe variété architecturale.

■ EGLISE PAROISSIALE (KOŚCIÓŁ ŚW. JANA EWANGELISTY)

Cette puissante construction symbolise la
vocation défensive de la ville. Tout a été
construit pour résister aux sièges, d'abord
dans un style gothique au XIVe siècle, puis
remanié à la Renaissance. On trouve même
un puits à l'intérieur qui servait de réserve
d'eau à la population pour tenir le temps
d'un siège.

■ ENCEINTE (MURY OBRONNE)

C'est l'attraction principale de la ville.
Construite au XIVe siècle, elle n'a jamais été
détruite, et entoure encore complètement la
vieille ville aujourd'hui. Un parc entoure ces
fortifications – là où étaient creusées autrefois
les douves. Des vingt-quatre petites tours qui
se succédaient le long de la muraille, il en reste
aujourd'hui dix-neuf, ce qui est un véritable
exploit. Enfin, il existe trois grandes tours, la
tour de Ziębice (Wieża Bramy Ziębickiej), la
tour de Wrocław (Wieża Bramy Wrocławskiej)
et la tour de Kłodzko (Wieża Bramy Kłodzkiej).
On peut monter au sommet de la tour de
Wrocław pour avoir une jolie vue d'ensemble
de la ville.

KŁODZKO

La chose que l'on remarque le plus dans cette
ville est son énorme forteresse, bâtie entre le
XVIIe et le XIXe siècle par les Autrichiens puis
les Prussiens, faisant de Kłodzko un point
stratégique de défense de la région. Mais la
ville est, parallèlement à cela, l'une des plus
anciennes de la région, et se présente sous
la forme d'une cité médiévale parfaitement

conservée, épargnée par les destructions. Si
l'imposante forteresse ravira les amateurs
d'architecture militaire, le reste de la ville fera
l'affaire du plus grand nombre de touristes
et des amateurs de villes authentiques et
préservées.

Transports – Pratique

▶ **Train.** Gare Kłodzko Miasto à l'est du
centre-ville. Des trains pour les destinations
locales ainsi que pour Wrocław, Cracovie,
Poznań et Varsovie. Certains trains partent
de la gare Kłodzko Główne, au nord, reliée à
l'autre gare par des trains et le bus n° 5.

▶ **Bus.** Terminal en face de la gare. On trouve
de très nombreux bus pour des destinations
dans la région.

■ www.powiat.klodzko.pl – Site en français.

Quelques informations sur la région.

■ OFFICE DU TOURISME

Plac Chrobrego 1 ℂ (074) 865 89 70
Fax : (074) 865 89 71
www.ziemiaklodzka.it.pl
rit@powiat.klodzko.pl

■ AGENCE PTTK

Ul. Wita Stwosza 1
ℂ/Fax : (074) 867 37 40
poczta@klodzko.pttk.pl
*Ouvert du lundi au jeudi de 8h à 16h, le vendredi
de 8h à 18h, le samedi de 9h à 13h.*

Hébergement – Restaurants

■ CAMPING AMFITEATR

Ul. Nowy Świat ℂ (074) 867 30 31
Au nord de la ville, on trouve des bungalows
à louer ainsi qu'une auberge. Petit restaurant
pas cher.

■ DOM WYCIECZKOWY NA STADIONIE

Ul. Kusocińskiego 1 ℂ (074) 867 24 25
www.noclegi.pop.pl
stadion@noclegi.pop.pl
*Dans le centre sportif, dans le sud de la
ville.*

■ AUBERGE DE JEUNESSE PTSM

Ul. Nadrzeczna 5 ℂ/Fax : (074) 867 25 24
*Ouvert l'été seulement. Située dans une école
au nord du centre-ville.*

■ ASTORIA

Plac Jedności 1 ℂ/Fax : (074) 867 30 35
Proche de la gare. Confort assez sommaire.
Bon restaurant.

■ **KORONA**
Ul. Noworudzka 1
✆/Fax : (074) 867 37 37
www.hotel-korona.pl
hotel-korona@wp.pl
Proche de la forteresse. Bon confort et bon restaurant.

■ **MARHABA**
Ul. Daszyńskiego 16
✆/Fax : (074) 865 99 33
marhaba@netgate.com.pl
Chambres à partir de 85 zl (95 zl avec salle de bains). Petit déjeuner : 12 zl. Dans le centre.

Points d'intérêt

■ **PONT GOTHIQUE**
(ŚREDNIOWIECZNY MOST GOTYCKI)
Cet édifice du XIVᵉ siècle, toujours utilisé aujourd'hui, est un bel exemple de pont médiéval comme il en reste peu dans la région.

■ **MUSEE REGIONAL**
(MUZEUM ZIEMI KŁODZKIEJ)
Ul. Łukasiewicza 4
✆ (074) 867 35 70/38 95
Fax : (074) 865 96 65
mzk-klodzko@wp.pl
Ouvert le mardi de 10h à 15h, le mercredi, le jeudi et le vendredi de 10h à 16h, le samedi et le dimanche de 11h à 17h. Billet : 6 zl, réduit : 4 zl. En plus d'objets relatifs à l'histoire de la ville (dont le travail du verre), on y trouve une belle collection d'horloges anciennes qui constituent l'attraction principale de la visite.

■ **PARCOURS TOURISTIQUE**
SOUTERRAIN
(PODZIEMNA TRASA TURYSTYCZNA)
Ouvert tous les jours d'avril à octobre de 9h à 17h, de novembre à mars de 10h à 15h. Billet : 6 zl, réduit : 4 zl. Dans les caves des maisons qui entourent le Rynek ont été creusés 600 m de galeries qui servaient d'entrepôts au Moyen Age. La qualité de ce site est comparable à celui de Sandomierz (en Petite-Pologne), mais il est moins connu des touristes.

■ **EGLISE PAROISSIALE**
(KOŚCIÓŁ WNIEBOWZIĘCIA NMP)
Construite au XIVᵉ siècle, cette église gothique a conservé son aspect extérieur d'origine, mais les décorations intérieures ont été refaites, et témoignent du style baroque le plus flamboyant. On peut assister à des concerts d'orgue.

■ **FORTERESSE (TWIERDZA KŁODZKA)**
Ouverte tous les jours d'avril à octobre de 9h à 18h, de novembre à mars de 9h à 16h. Billet : 10 zl, réduit : 6 zl. Ici encore on peut parcourir un réseau de souterrains, long de 40 km (seulement 1 km est ouvert au public), mais aussi avoir une jolie vue d'ensemble de la ville. Cette construction militaire est d'une taille impressionnante. Les murailles se succèdent les unes aux autres, si bien que l'on finit par se demander ce qu'elles défendaient au juste.

■ **LA GROTTE AUX OURS**
(JASKINIA NIEDŹWIEDZIA)
Village de Kletno se trouvant à 12 km de Lądek-Zdrój. Une des plus belles grottes de Pologne et la plus longue des Sudètes (environ 3 km). Des ossements d'ours préhistoriques ont été trouvés à cet endroit. Seule la partie supérieure des galeries est accessible aux visiteurs, avec un guide. La visite permet d'admirer des chambres de taille imposante (45 m de haut et 60 m de long) et de belles stalactites et stalagmites. Cette grotte est classée parmi les réserves naturelles. Renseignements à l'office du tourisme.

KUDOWA-ZDRÓJ

Cette station thermale est située dans la cuvette de Kłodzko, à environ 400 m d'altitude. Le climat est relativement chaud. Les cures proposées conviennent parfaitement aux personnes souffrant de troubles de la circulation et du tube digestif.

▶ **Chaque année, le festival international Moniuszko** a lieu, proposant des représentations d'opéras, de concerts symphoniques et de récitals.
Kudowa-Zdrój est également le meilleur point de départ pour faire des excursions dans les monts Tabulaires, situés juste à côté (voir « Góry Stołowe »).

Transports

■ **GARE FERROVIAIRE**
Ul. Główna ✆ (074) 866 17 85
Gare située à l'écart du centre, un peu loin à pied mais les taxis attendent le client et cela coûte peu. Trains en direction des villes de la région et de Wrocław, Varsovie, Katowice, Radom, Lublin, Gdańsk (mais trajets souvent longs).

▶ **Bus.** Arrêts au centre, Ul. 1 Maja et près de la gare, Ul. Główna. Bus en direction de Kłodzko, Karłów, Katowice, Międzygórze…

mais aussi de plus grandes villes telles que Łódź, Wałbrzych, Jelenia Góra, Wrocław, Varsovie.

Pratique

■ **POINT INFORMATION TUR**
Ul. Zdrojowa 44
℃/Fax : (074) 866 13 87/35 68
turystyka@kudowa.pl

■ **AGENCE TOURISTIQUE DES SUDETES (AGENCJA ARTYSTYCZNO-TURYSTYCZNA SUDETY)**
Ul. Zdrojowa 43 ℃ (074) 866 31 42
sudety@kudowa.pl

■ **INFORMATION SUR LE PARC NATIONAL DES MONTS TABULAIRES**
Ul. Słoneczna 31 ℃ (074) 866 14 36
www.pngs.pulsar.net.pl – pngs@interia.pl

Hébergement

C'est une ville très agréable, dans laquelle il est facile de se loger : il existe un grand nombre de pensionnats et de logements chez l'habitant, pas chers et généralement sympathiques.

■ **OŚRODEK WYPOCZYNKOWY SUDETY**
Ul. Zdrojowa 32 ℃ (074) 866 37 56/12 23
sudety@kudowa.p
Au centre de la ville, à 200 m du parc. Chambres à partir de 30 zl.

■ **HOTEL RYDZ**
Ul. Sikorskiego 12
℃ (074) 866 11 83/48 32/33
Fax : (074) 866 11 83
rezerwacja@hotelrydz.com.pl
Situé au centre, à 300 m des bus PKS. Chambres à partir de 110 zl. Très bon confort dans cet hôtel.

■ **PENSJONAT ALGA**
Ul. 1 Maja 20 ℃ (074) 866 14 60
Fax : (074) 866 42 77
alga2@poczta.onet.pl
Situé dans le centre, près des bus PKS. Chambres à partir de 75 zl.

■ **WILLA SANSSSOUCI**
Ul. Buczka 3 ℃ (074) 866 13 50/44 90
www.sanssouci.info.pl (site en français)
sanssouci@kudowa.pl
Chambres à partir de 90 zl. Très bon confort dans cette magnifique villa, située dans le centre.

Restaurant

■ **ZAGRODA W STARYM MŁYNIE**
Ul. Fredry 10 ℃/Fax : (074) 866 36 01
kudowa.zdroj.pl/mlyn – mlyn@kudowa.pl
Situé un peu à l'écart de la ville, sur la E67, c'est un excellent restaurant, réputé, dans un décor champêtre d'un ancien moulin. Ils organisent de nombreuses soirées à thèmes.

Points d'intérêt

■ **PARC THERMAL (PARK ZDROJOWY)**
Considéré comme le plus beau de la région. L'été, des animations sont proposées, comme des concerts (de musique classique ou de chansons populaires), en plein air ou dans la pijalnia, joli bâtiment abritant les fontaines d'où coulent les bonnes eaux riches en fer de Kudowa.

■ **WODNY ŚWIAT**
Ul. Moniuszki 2a
℃ (074) 866 45 02
Envie de plonger dans l'eau de la piscine ou de glisser sur les toboggans, de faire un sauna, de détente complète après une longue randonnée, le centre propose ce qu'il faut. Attention, comme souvent en Pologne, le billet d'accès à la piscine est valable 1h, à laquelle il est possible de rajouter les minutes que l'on veut, payantes (*1h environ 10 zl*).

■ **LA CHAPELLE DES CRANES (KAPLICA CZASZEK)**
Dans le village de Czermna, au nord de Kudowa (proche, même à pied). Tombeau surprenant, entièrement tapissé de 3 000 crânes et d'innombrables os humains. Les cryptes de la chapelle en comptent encore 21 000 autres. Durant presque toute sa vie, le prêtre de cette paroisse, Wacław Tomaszek, d'origine tchèque, a médité sur la mort et le passage de la vie à la mort. C'est dans cet acte de méditation qu'il a collecté ces ossements, pendant 18 années, aidé du fossoyeur J. Langer. L'idée lui serait probablement venue après sa visite aux catacombes de Rome en 1775. La région ayant subi des guerres et le choléra, la collecte n'était guère difficile. Son crâne et celui du fossoyeur s'y trouvent bien sûr, selon leurs dernières volontés.

■ **CRECHE MOBILE (SZOPKA RUCHOMA)**
Egalement à Czermna, ul. Kościuszki 101, dans une vieille chaumière traditionnelle des Sudètes.

Les stations thermales

La région de Basse Silésie compte douze stations thermales. Depuis le XVIIIᵉ siècle, de nombreux curistes, monarques, artistes, étaient attirés par le climat bénéfique, les paysages, les manifestations musicales et les établissements de qualité.
Les stations thermales les plus réputées aujourd'hui sont : Kudowa-Zdrój, Polanica-Zdrój, Duszniki-Zdrój, Cieplice-Zdrój et Lądek-Zdrój.

Kudowa-Zdrój

Voir rubrique « Kudowa-Zdrój ».

Polanica Zdrój

Ville pittoresque située sur la Bystrzyca Dusznicka, à 400 m d'altitude, au pied des massifs des monts Tabulaires et de Bystrzyca.
La station thermale est bordée par des bois, ce qui lui confère un climat tempéré sans variations importantes de température, recommandé pour les personnes atteintes de troubles digestifs et circulatoires. Chaque été a lieu le festival international d'échecs Akiba Rubinstein.

■ **CENTRE D'INFORMATION TOURISTIQUE DE POLANICA-ZDRÓJ**
Ul. Zdrojowa 13
✆ (074) 868 11 21
Fax : (074) 868 10 33
info@polanica.pl

Duszniki-Zdrój

Ville d'eau de montagne située à 550 m d'altitude, là où les monts Tabulaires touchent ceux de Bystryca (Góry Bystrzyckie), près de la frontière avec la République tchèque. Les forêts qui bordent Duszniki-Zdrój sont à l'origine de son microclimat.
Ville de cure, principalement recommandée pour les personnes souffrant de troubles des voies respiratoires. En août de chaque année, la ville accueille le festival international Chopin avec la participation de pianistes réputés. En effet, Frédéric Chopin lui-même, alors curiste, a séjourné en 1826 dans l'un des manoirs.

Cieplice-Zdrój

Voir rubrique « Cieplice-Zdrój ».

Lądek-Zdrój

Une des plus belles villes d'eau de Pologne, située dans les forêts de la vallée de la Biała Lądecka, dans les Góry Złote (Montagnes dorées), à environ 500 m d'altitude.
Cette ville de cure convient parfaitement aux personnes qui souffrent de rhumatismes et de troubles du système circulatoire.

■ **CENTRE D'INFORMATION TOURISTIQUE DE LĄDEK-ZDRÓJ**
Ul. Kościuszki 44
✆ (074) 814 62 55
ax : (074) 814 84 50
www.sudety.info.pl
pttk_ladek@sudety.info.pl

▶ **Contacter aussi l'office des stations thermales de la région de Kłodzko :**
Zespół Uzdrowisk Kłodzkich – Ul. Zdrojowa 30 – Polanica-Zdrój
✆ (074) 868 15 13
Fax : (074) 868 10 51
www.zuk-sa.pl – zarzad@zuk-sa.pl

32 64 La météo des voyages par téléphone
1,35 € l'appel, puis 0,34 €/mn.

Fabriquée par Franciszek Stepan sur une période de vingt ans et électrifiée en 1927. En 1930-1938, il ajoute à son œuvre un orgue en bois capable de produire 270 sons différents sur 10 registres. Travail remarquable comptant 250 figurines taillées à la main, par un seul homme, passionné par la sculpture et la musique.

■ MUSEE ETNOGRAPHIQUE SKANSEN PSTRĄŻNA (MUZEUM KULTURY LUDOWEJ POGÓRZA SUDECKIEGO)

Ul. Pstrążna 14

℃ (074) 866 28 43

Ouvert toute l'année. Billet : 5 zł, tarif réduit : 3 zł. C'est un ancien village où vous pourrez voir de vieilles maisons en bois, ainsi que beaucoup d'œuvres et d'objets quotidiens de paysans, ce qui appartient aujourd'hui au patrimoine culturel. Un beau cadre, en particulier au printemps et en été quand on peut goûter la cuisine populaire dans le skansen. Pour ceux qui ont faim, il y a un restaurant servant une cuisine paysanne.

GÓRY STOŁOWE

Ce Parc national d'une superficie de 63 km[2], également appelé monts Tabulaires, couvre un massif montagneux au relief étonnant dû à l'érosion du grès. Certaines crevasses mesurent jusqu'à 12 m de profondeur et les roches ont pris des formes singulières. Les complexes rocheux les plus intéressants sont les roches errantes et « Szczeliniec Wielki », où se trouve le point culminant des monts Tabulaires. Des itinéraires touristiques balisés empruntent des couloirs rocheux. On peut se procurer une carte de la région, et faire une excursion plus ou moins longue et, si on dispose de moins de temps, faire une des deux promenades indiquées ici, sans doute les plus pittoresques.

A Kudowa Zdrój, la ville la plus importante de la région, on peut se procurer tous les renseignements nécessaires sur les excursions, et surtout une carte détaillée qui peut être utile si vous souhaitez organiser vous-même votre parcours.

■ INFORMATION SUR LE PARC NATIONAL DES MONTS TABULAIRES

Ul. Słoneczna 31 (à Kudowa Zdrój)

℃ (074) 866 14 36

www.pngs.pulsar.net.pl

pngs@interia.pl

Points d'intérêt

■ SZCZELINIEC WIELKI

Au départ de Karłów, 680 marches, taillées dans la pierre au tournant des XIIIe-XIVe siècles, vous mènent à une auberge PTTK au sommet. C'est l'occasion d'une pause bien méritée avant de commencer réellement la promenade au cœur des rochers. En dehors de différentes boissons, ce café propose notamment des cartes postales sur lesquelles il est possible de mettre le grand tampon certifiant votre montée. De ce sommet (le point le plus haut est à 919 m), vous aurez une vue superbe sur la région. De là débute le circuit tortueux et curieux parmi les roches aux formes très variées — mammouth, chameau, éléphant et autres, qu'il s'agit de reconnaître.

■ BŁĘDNE SKAŁY (LES ROCHES ERRANTES)

Des centaines de rochers aux formes naturellement géométriques, posés les uns à côté des autres, pouvant mesurer jusqu'à 11 m de haut, constituent une sorte de grand labyrinthe amusant dans lequel on peut se promener pendant environ 1h.

▶ **L'accès à ces circuits est payant :** billets à 5 zł et 2,50 zł. Au départ de Karłów, possibilité de garer son véhicule sur un grand parking payant de 9h à 19h, 5 zł (nuit possible pour les camping-cars). Plusieurs logements dans ce village (auberge de jeunesse sur le parking et pensionnats divers).

■ LA ROUTE AUX 100 VIRAGES

Au départ de Karłów, en direction de Radków, cette route serpente en bordure de la forêt. Le paysage est superbe, avec ces énormes rochers qui se confondent avec les racines des arbres.

WAŁBRZYCH

Après Wrocław, il s'agit de la plus grande ville de Silésie, avec près de 150 000 habitants. Wałbrzych n'est pas une ville essentiellement tournée vers le tourisme, car il s'agit d'un centre industriel, mais on y trouve cependant quelques musées qui peuvent attirer les curieux, et surtout le château gigantesque de Książ qui est la principale attraction. Logements et restaurants sont encore malheureusement trop rares par ici.

Transports – Pratique

▶ **Train.** Gare proche du centre. De nombreux trains pour la plupart des destinations importantes, locales et nationales, car Wałbrzych est un nœud ferroviaire dans la région.

LA SILÉSIE

▶ **Bus.** Terminal dans le centre-ville. Nombreux bus pour la plupart des destinations souhaitées.

■ **www.walbrzych.com.pl** – Site en anglais et en allemand).

■ **OFFICE DU TOURISME (CENTRUM INFORMACJI TURYSTYCZNEJ)**
Rynek 9 ℰ (074) 842 20 00
Ouvert du lundi au vendredi de 8h à 16h, le samedi de 9h à 13h.

Hébergement

■ **AUBERGE DE JEUNESSE**
Ul. Marconiego 1 ℰ (074) 847 79 42
L'adresse la moins chère de la ville.

■ **SUDETY**
Ul. Parkowa 15 ℰ (074) 847 74 31
Le meilleur hôtel de la ville, sans doute le plus cher également.

Points d'intérêt

■ **RYNEK**
Il est rénové depuis peu et il est aujourd'hui particulièrement agréable. Au centre, la fontaine varie ses jets d'eau entre 10h45 et 11h les compositions changent toutes les minutes, plus tard toutes les 15 min, et produisent un joli effet (en été notamment).

■ **MUSÉE DE WAŁBRZYCH**
Ul. 1-go Maja 9
ℰ (074) 842 48 45/843 41 46
www. muzeum.walbrzych.com.pl
muzeum@muzeum.walbrzych.com.pl
Ouvert du mardi au vendredi de 10h à 16h, du samedi au dimanche de 11h à 17h. Billet : 5 zl, réduit : 3 zl. Il expose de riches collections de porcelaine et de minéraux, ainsi que des peintures des plus grands maîtres polonais et présente une rétrospective historique de la ville.

■ **CHATEAU DE KSIĄŻ (ZAMEK KSIĄŻ)**
Ul. Piastów Śląskich 1
ℰ (074) 840 58 09/664 38 27
Fax : (074) 664 38 62 – zamek-k@wp.pl
En saison, ouvert du mardi au vendredi de 10h à 17h, du samedi au dimanche de 10h à 18h. Billets de 10 zl à 15 zl, tarif réduit de 8 zl à 12 zl. Construit initialement au XIIIe siècle, ce superbe château a été agrandi à plusieurs reprises, et est aujourd'hui le plus grand de Silésie, avec 415 salles et le 3e de Pologne quant à la grandeur. Ce château a été habité

par Hitler pendant la Seconde Guerre mondiale, qui le dépouilla de ses trésors. Par la suite, les Soviétiques en firent une caserne, avant qu'il ne soit enfin rénové et transformé en musée pour être ouvert aux visiteurs. Il présente la particularité de cumuler tous les styles architecturaux depuis sa construction, et ravira les amateurs d'architecture au sens large, ainsi que tous les amateurs de belles demeures. La salle Maximilien, richement décorée, de style baroque, du début du XVIIIe siècle est la plus remarquable. Les anciennes écuries du château font désormais office de dépôt d'étalons et centre d'équitation. Aussi chaque année sont organisées ici des ventes aux enchères d'étalons de race de Silésie, qui attirent des connaisseurs du monde entier. On peut, avec le même billet que pour le château, visiter les jardins en terrasse qui valent vraiment le détour, mais il faut un autre billet pour monter au sommet de la tour. En face du château, un point de vue permet d'en découvrir la majesté et la taille imposante.

ŚWIDNICA

Cette ville attirera les amateurs d'architecture médiévale, car la guerre l'a épargnée, et la plupart des édifices sont d'origine. C'est une des étapes les plus agréables et les plus importantes de Silésie après Wrocław, malheureusement encore mal connue et donc peu tournée vers le tourisme. Cela peut devenir une qualité, puisque Âwidnica est restée calme et authentique, ce qui n'est déjà plus le cas de Wrocław.

Transports – Pratique

▶ **Train.** Gare proche du centre, dans la partie est. Trains pour quelques destinations régionales, 5 par jour vers Wrocław, et un vers Oświęcim et Cracovie.

▶ **Bus.** Terminal situé derrière la gare. De nombreux bus pour toutes les villes de la région, un toutes les heures de la journée en direction de Wrocław.

■ **www.um.swidnica.pl** – Site en anglais et en allemand. Donne quelques informations sur la ville.

■ **OFFICE DE TOURISME (INFORMACJA TURYSTYCZNA)**
Ul. Wewnętrzna 2 (Rynek)
ℰ/Fax : (074) 852 02 98/90
swidnicainftur@poczta.onet.pl

Temples de la paix de Świdnica et Jawor

Les temples évangélistes de la paix de Świdnica et Jawor, édifiés par des protestants silésiens au XVIIe siècle, sont les seules constructions de bois à colombage de ce genre au monde. Leur construction date de l'époque du conflit religieux qui suivit la paix de Westphalie. Modelées par des facteurs physiques et politiques, ces églises témoignent de la quête de liberté religieuse et mettent en œuvre des particularités architecturales généralement associées à l'église catholique mais très peu à la religion luthérienne. Pour ces raisons, elles sont toutes deux inscrites sur la liste du Patrimoine mondial de l'Unesco. Le sanctuaire de Świdnica accueille jusqu'à 7 500 personnes. Il est de style baroque, richement orné et agrémenté de peintures murales du XVIIIe siècle. Le temple de Jawor abrite, lui, environ 6 000 fidèles. Ses galeries latérales comportent des peintures qui illustrent 143 scènes de l'Ancien et du Nouveau Testament et son plafond, des caissons en bois.

■ **EGLISE DE LA PAIX DE ŚWIDNICA**
Plac Pokoju 6 ✆ (074) 852 28 14
www.kosciolpokoju.pl

■ **PAROISSE EVANGELIQUE
DE LA CONFESSION D'AUGSBOURG
A JAWOR**
Park Pokoju 2 ✆/Fax : (076) 870 32 73
www.jawor.pl – jawor@luteranie.pl

Hébergement

■ **AUBERGE DE JEUNESSE PTSM**
Ul. Kanonierska 3
✆ (074) 852 26 45
Fax : (074) 857 70 50
*Chambres de 3 à 6 personnes, à partir de
20 zl.*

■ **SPORTOWY**
Ul. Śląska 31
✆ (074) 852 25 32
*Chambres à partir de 40 zl. Pas de paiement
par carte bancaire, pas de cuisine, ni de
téléphone.* Confort assez sommaire, mais
prix en conséquence.

■ **PARK**
Ul. Pionierów 20
✆ (074) 853 77 22/70 98
*Equipé pour personnes handicapées. Chambres
à partir de 150 zl. Accepte les animaux.*

■ **PIAST ROMAN**
Ul. Kotlarska 11
✆ (074) 852 13 93
www.hotel-piast-roman.pl
recepcja@.hotel-piast-roman.pl
Chambres doubles à partir de 160 zl. Cet
hôtel, idéalement sitsué dans le centre-ville,
mais assez cher abrite sans doute l'un des
meilleurs restaurants de la ville.

Restaurants

■ **PIAST ROMAN**
Ul. Kotlarska 11 ✆ (074) 852 13 93
www.hotel-piast-roman.pl
recepcja@.hotel-piast-roman.pl
L'un des meilleurs restaurants de la ville,
situé dans l'hôtel du même nom. Cuisines
polonaise et régionale.

■ **ZIEMIAŃSKA**
Rynek 43 ✆ (074) 856 84 19
Situé au centre, dans la vieille ville. Cuisine
polonaise ; riche choix de poissons. Décor
agréable, style traditionnel. Une terrasse
d'été.

Points d'intérêt

■ **MUSEE DES VIEUX METIERS
(MUZEUM DAWNEGO KUPIECTWA)**
Rynek 37 ✆ (074) 852 12 91
www.muzeum-kupiectwa.art.pl
*Ouvert du mardi au vendredi de 10h à 15h,
du samedi au dimanche de 11h à 17h. Billet :
5 zl, réduit : 3 zl.* Idéalement placé à l'intérieur
de l'hôtel de ville, un bâtiment du début du
XVIIIe siècle au centre du Rynek. Ce petit
musée présente surtout une collection d'outils
autrefois utilisés pour des métiers dont la
plupart ont aujourd'hui disparu.

■ **EGLISE DE LA PAIX (KOŚCIÓŁ POKOJU)**
Plac Pokoju 6 ✆ (074) 852 28 24/14
www.kosciolpokoju.pl
Ouverte tous les jours de 9h à 13h et de 15h à 17h (office le dimanche à 10h). Billet : 5 zl, réduit : 3 zl. Construite par les protestants après la paix de Westphalie de 1648 (d'où son nom), cette coquette église baroque accueille aujourd'hui la plupart des concerts de musique classique de la ville, mais de moins en moins de fidèles. Elle est inscrite sur la liste du Patrimoine culturel mondial de l'Unesco.

■ **BASILIQUE SAINT-STANISLAS ET-SAINT-WENCESLAS (BAZYLIKA ŚW. STANISŁAWA I WACŁAWA)**
Pl. Jana Pawla II
A l'est du Rynek, cette imposante église gothique en pierre du XVᵉ siècle, décorée par la suite en style baroque dans ses parties intérieures, est sans doute le plus beau monument de toute la ville.

KRZESZÓW

Petit village proche de la frontière tchèque, dont la ville la plus proche est Kamienna Góra à 7 km, il possède deux églises cisterciennes baroques splendides et parfaitement conservées qui lui donnent un intérêt tout particulier. L'endroit est difficile à trouver, et les touristes qui n'ont pas de voiture doivent s'armer de courage et de patience, mais le résultat en vaut la peine.

Transports

Seul un bus, toutes les demi-heures au départ de Kamienna Góra, conduit à Krzeszów.

Points d'intérêt

■ **EGLISE SAINT-JOSEPH (KOŚCIÓŁ ŚW. JÓZEFA)**
Construite à la fin du XVIIᵉ siècle dans le plus pur style baroque, cette église est surtout superbe pour la qualité de ses peintures intérieures, exécutées par Michael Willmann (dont on peut voir une représentation réalisée par lui-même sur la droite), dont certaines sont extrêmement avant-gardistes, et annoncent l'impressionnisme presque avec deux siècles d'avance.

■ **EGLISE DE L'ASSOMPTION (KOŚCIÓŁ WNIEBOWZIĘCIA NMP)**
Cette deuxième église, encore plus grande que la précédente, construite dans la première moitié du XVIIIᵉ siècle, a conservé également son intérieur d'origine, sans que la moindre modification ne soit apportée. Les superbes fresques ont été réalisées par George Wilhelm, qui n'était autre que le petit-fils de Michael Willmann. Cette église, aussi appelée la perle baroque de Silésie, comporte un superbe orgue.

JELENIA GÓRA

Bon point de départ pour les randonnées dans les Sudètes, cette ville est tranquille avec un centre fermé à la circulation automobile, mais sans doute un peu trop calme. Une étape plus qu'une fin en soi : on s'y ennuie trop vite du manque d'activité et de vie. De nombreuses boutiques de sport pratiquent des prix corrects. On peut s'y procurer l'équipement indispensable aux randonnées s'il a été oublié. Un nombre impressionnant de supérettes permet de s'approvisionner avant de partir pour plusieurs jours.
Vous serez surpris par l'abondance des salons de coiffure dans cette petite ville. Explication plausible : ceux qui rentrent d'un périple vraiment long dans les montagnes ne veulent pas avoir l'air de sortir tout droit de la préhistoire, et leur adaptation à la vie moderne passe par une étape obligatoire chez le coiffeur.
Chose très agréable à Jelenia Góra, les habitants se déplacent essentiellement à vélo en été, et on n'entend pas le moindre bruit de moteur.

Transports

▶ **Train.** Gare située à l'est du centre-ville. Quelques trains pour les principales villes de la région.

▶ **Bus.** Terminal proche du centre-ville, en allant vers l'ouest. De nombreux bus pour les destinations régionales et nationales, et même vers Prague et Berlin en été. Ce moyen de transport est largement plus pratique que le train dans la région.

Pratique

■ **CENTRE D'INFORMATION TOURISTIQUE ET CULTURELLE (CENTRUM INFORMACJI TURYSTYCZNEJ I KULTURALNEJ)**
Plac Piastowski 36
✆ (075) 755 88 45. www.sudety.it.pl
Ouvert du lundi au vendredi de 9h à 17h, le samedi de 10h à 14h.

AGENCE PTTK
Ul. 1 Maja 86 ✆ (075) 752 58 51
Ouvert du lundi au vendredi de 8h à 15h.

Hébergement

CAMPING PARK
Ul. Sudecka 42 ✆ (075) 752 45 25
www.camping.karkonosz.pl
Le camping loue également des bungalows.

CIEPLICE
Ul. Cervi 11 ✆ (075) 755 10 41
Fax : (075) 755 13 41
Chambres à partir de 120 zl. Situé dans la ville
de Cieplice, proche de Jelenia Góra. Possibilité
de parler français.

HOTEL FAN
Ul. Sudecka 70 ✆ (075) 767 63 03/04
Fax : (075) 642 02 56
www.hotel-fan.pl (site en anglais
et en allemand) – hotel@hotel-fan.pl
*Chambres à partir de 170 zl en saison. Situé
sur la route de Karpacz.* Bon confort et diverses
activités proposées par l'hôtel.

MERCURE JELENIA GÓRA
Ul. Sudecka 63 ✆ (075) 764 64 81
Fax : (075) 752 62 69 – www.orbis.pl
mer.jgora@orbis.pl
Chambres à partir de 180 zl. Sur la route de
Karpacz, luxueux et moderne.

PAŁAC ŁOMNICA
Ul. Karpnicka 3, à Łomnica
✆ (075) 713 04 60 – Fax : (075) 713 05 33
Chambres à partir de 160 zl en saison. Situé
à 5 km de Jelenia Góra, cet hôtel propose
charme, détente et confort dans un ancien
palais au bord du Bober. Possibilité de parler
anglais et allemand, parking gardé.

SŁONECZNA POLANA
Ul. Rataja 9 (Jelenia Góra-Cieplice)
✆/Fax : (075) 755 25 66
www.campingpolen.pl
info@campingpolen.co
Ici également, il est possible de louer des
bungalows. Dispose d'un espace jeu pour
les enfants, d'une petite piscine, d'un grill,
d'une rivière à proximité.

Restaurants

KARCZMA STAROPOLSKA
Ul. 1 Maja 35 ✆ (075) 752 23 50
Cuisine polonaise. Terrasse en été.

RETRO
Plac Ratuszowy 13/14 ✆ (075) 752 48 94
Cadre agréable et bien situé. Spécialités
polonaises, hongroises et bavaroises.

Points d'intérêt

EGLISE PAROISSIALE
Située à l'est du Rynek, elle date du XVe siècle,
avec un intérieur de styles Renaissance
et baroque. Le Rynek, situé juste à côté,
est composé de maisons aux façades très
colorées, récemment restaurées, mais qui
manquent simplement de charme.
L'ensemble est cependant très harmonieux. Au
centre se dresse l'hôtel de ville, construit au
XVIIe siècle et lui aussi récemment rénové.

CHAPELLE SAINTE-ANNE (KAPLICA ŚW. ANNY)
A côté de l'église paroissiale, cette petite
église fut au XVe siècle une porte d'entrée
de la ville forte avant de servir à l'usage
religieux.

CHAPELLE NOTRE-DAME (KAPLICA NMP)
Ul. 1 Maja, un peu plus à l'est
Affectée aujourd'hui au culte orthodoxe, cette
petite église fermée en dehors des offices
(dimanche matin) date du XVIIIe siècle.

EGLISE SAINTE-CROIX (KOŚCIÓŁ ŚW. KRZYŻA)
Ce temple luthérien, situé dans un parc
pratiquement abandonné à l'est de la ville,
rue 1 maja, date du début du XVIIe siècle, et
a été copié sur le modèle de l'église Sainte-
Catherine de Stockholm (Suède). L'orgue en
est la pièce maîtresse, et des concerts sont
parfois donnés, une occasion d'en apprécier
la qualité sonore.

MUSEE REGIONAL (MUZEUM OKRĘGOWE)
Ul. Matejki 28, au sud de la ville
*Ouvert le mardi, le jeudi et le vendredi de 9h à
15h30, le mercredi, le samedi et le dimanche
de 9h à 16h30.* La plus belle collection de
verreries, dont certaines pièces datent du
Moyen Age, est ici exposée, faisant de ce
musée un endroit à ne pas manquer.

CIEPLICE-ZDRÓJ
Cette ville d'eau est située dans la cuvette
de Jelenia Góra, à 6 km de la ville, au pied
des monts Karkonosze, à environ 350 m
d'altitude.

Les cures proposées conviennent aux personnes souffrant de rhumatisme, de troubles des voies urinaires et des yeux. Contacter l'office des stations thermales polonaises pour plus de renseignements : **Uzdrowiska Polskie, Izba Gospodarcza.** Ul. Rolna 179/181 (Varsovie) ✆ 022 843 34 60. *Ouvert du lundi au vendredi de 9h à 15h.*

KATOWICE

Ceux qui vont visiter Częstochowa, Cracovie ou Auschwitz, seront sans doute amenés à passer par Katowice. En effet, cette ville se trouve au centre des trois pôles touristiques, dans le bassin industriel sud polonais. Importante par la taille avec 350 000 habitants, Katowice ne présente pour autant aucun intérêt pour le touriste. L'œil observateur y remarquera une vie assez pauvre, qui semble prouver que la page du régime communiste n'a pas encore été complètement tournée. Comme tout pays, la Pologne est aussi faite de villes industrielles tristes et laides.

Transports

▶ **Avion.** Aéroport de Pyrzowice, à 30 km au nord de la ville. Attention certaines compagnies à bas coûts annoncent parfois atterrir à « Cracovie (aéroport de Katowice) » ; or l'aéroport de Pyrzowice est à environ 1h30 du centre de Cracovie.

▶ **Train.** Gare située dans le centre-ville. De nombreux trains, Katowice étant un nœud ferroviaire.

▶ **Bus.** Terminal : Ul. Piotra Skargi, au nord de la gare. De nombreux bus également, même si ce moyen de transport est ici moins pratique que le train.

Pratique

■ **OFFICE DU TOURISME (CENTRUM INFORMACJI O MIEŚCIE)**
Ul. Młyńska 2 ✆ (032) 259 38 08
Fax : 259 33 69 – ciom@um.katowice.pl

■ **BUREAU LOT**
Al. Korfantego 38 ✆ (032) 206 24 60
Fax : (032) 206 28 67
Ouvert du lundi au vendredi de 8h à 16h. Billets d'avion au départ de Katowice.

■ **CONSULAT DE BELGIQUE**
Ul. Przemysłowa 10 ✆ (032) 256 24 01
Fax : (032) 256 40 53. gwarex@com.pl
Ouvert du lundi au vendredi de 8h30 à 16h.

■ **ALLIANCE FRANÇAISE**
Ul. Warszawska 5 ✆ (032) 253 73 93
Fax : (032) 253 67 84
www.oaf.us.edu.pl – oaf@us.edu.pl
Ouvert du lundi au vendredi de 8h à 17h.

Presse internationale

■ **EMPIK**
Ul. P. Skargi 6
Ul. Chorzowska 107 (Silesia City Center)
Ul. Pułaskiego 60 (centre Trzy Stawy)

■ **HURTOWNIA JĘZYKOWA**
Ul. Ściegiennego 41
Ul. Mikołowska 20
Ul. Teatralna 14

Hébergement

■ **CAMPING N° 215 DOLINA 3 STAWOW**
Ul. Murckowska 6 ✆ (032) 255 53 88
www.mosir.internetdsl.pl
Situé sur les terrains sportifs municipaux, à proximité d'un stade et d'un sauna. Possibilité de location de kayaks.

■ **CAMPANILE**
Ul. Sowińskiego 48 ✆ (032) 205 50 50
Fax : (032) 209 06 06
www.campanile.com.pl
katowice@campanile.com.pl
Chambres doubles : 246 zl en semaine et 160 zl le week-end, petit déjeuner en sus à 26 zl et supplément chambres triples de 60 zl.

■ **POLONIA**
Ul. Kochanowskiego 3
✆ (032) 251 40 51/28 50
Fax : (032) 251 40 52
L'hôtel n'est pas particulièrement luxueux, mais on y trouve un restaurant très réputé.

■ **IBIS KATOWICE-ZABRZE**
Ul. Jagiellońska 4 (à Zabrze)
✆ (032) 777 70 00 – Fax : (032) 777 70 07
www.orbis.pl – h3373@accor-hotels.com
Chambres à partir de 155 zl, des prix spéciaux pour étudiants et sportifs. Situé en centre-ville, cet hôtel est moderne et confortable. Dispose d'un restaurant et d'un bar.

■ **NOVOTEL KATOWICE CENTRUM**
Al. Roździeńskiego 16 ✆ (032) 200 44 44
Fax : (032) 200 44 11 – www.orbis.pl
nov.katowice@orbis.pl
Nuitée à partir de 318 zl (réductions possibles, si vous réservez par Internet). Situé au centre

de Katowice, sur la route de Varsovie ; près du parc de loisirs de Chorzów. Le bâtiment moderne, les chambres jolies. Prix élevés mais luxe et confort garantis dans ce qui est considéré comme le meilleur hôtel de la région. Restaurant excellent, et quantité de services appréciés.

■ SENATOR
Ul. 1 Maja 3 ✆ (032) 258 60 81
www.senator.katowice.pl
senator@senator.katowice.pl
Chambres doubles à 250 zl. Situé près du centre, c'est un des meilleurs hôtels de la ville, très confortable et luxueux.

■ PARK HOTEL DIAMENT
Ul. Wita Stwosza 37 ✆ (032) 700 00 00
Fax : (032) 700 00 01
www.hoteldiament.pl
katowicepark@hoteldiament.pl
Chambres à partir de 296 zl (226 zl le week-end). Nouvel hôtel situé à 700 m du centre-ville et près de l'autoroute A4 ainsi que d'une petite vallée pittoresque (Dolina Trzech Stawów).

Restaurants

■ CHOPIN
Ul. Kościuszki 169 ✆ (032) 257 15 75
Un peu excentré, ce restaurant est connu des hommes d'affaires. Très coûteux, il est exceptionnel, comme son cadre. Cuisine polono-française à partir de produits traditionnels.

■ PETRA
Ul. 3 Maja 29
Ouvert de 9h à 22h. Bar situé au centre-ville. Plats bons et copieux, à bas prix. Cuisines polonaise et arabe. Décor simple, mais assez joli.

Points d'intérêt

■ MUSEE DE LA SILESIE (MUZEUM ŚLĄSKIE)
Al. Korfantego 3, au nord du Rynek
✆ (032) 58 56 61
Ouvert du mardi au vendredi de 10h à 17h, du samedi au dimanche de 11h à 16h. Très belle collection de peintures d'artistes polonais des deux derniers siècles.

■ MUSÉE DE L'ARCHIDIOCESE (MUZEUM ARCHIDIECEZJALNE)
Ul. Wita Stwosza 16
Ce musée expose une intéressante collection d'objets d'art sacré du XIVe siècle.

■ CATHEDRALE DU CHRIST-ROI (KATEDRA CHRYSTUSA KRÓLA)
Construite entre 1927 et 1955, à côté du musée de l'Archidiocèse, il s'agit de la plus grande église construite en Pologne au cours de ce siècle. Les décorations intérieures sont assez réussies, particulièrement la maîtrise de la lumière.

■ EGLISE SAINT-MICHEL (KOŚCIÓŁ ŚW. MICHAŁA)
Cette église en bois du XVIe siècle a été initialement construite dans un petit village de Silésie, puis démontée en 1939 et installée ici, dans le parc Kościuszki.

■ CIMETIERE JUIF (CMENTARZ ŻYDOWSKI)
Il s'agit du plus beau de toute la région. Situé rue Kozielska 16, au sud de la gare mais proche du centre, il date du XIXe siècle et est parfaitement entretenu.

PSZCZYNA

Encore un nom imprononçable, qui ne donne pas envie d'y aller. Pourtant, Pszczyna est un trésor de la haute Silésie, car la ville a conservé son aspect d'autrefois, épargnée par les destructions massives du reste du pays. Comme le reste de la Silésie, Pszczyna changea de nationalité au cours de l'histoire, avant de devenir prussienne en 1847. Finalement, en 1924, un soulèvement des paysans poussa la Société des nations à accorder le rattachement de la Silésie à la Pologne, ce qui fit à jamais de Pszczyna un symbole de la souveraineté polonaise.

Transports – Pratique

▶ **Train.** Gare située à l'est du centre-ville, place Dworcowy. Nombreux trains pour Katowice, mais aucun direct pour Cracovie.

▶ **Bus.** Terminal situé derrière la gare, Ul. Broniewskiego 1. Moins de bus que de trains, mais liaison directe avec Cracovie en passant par Oświęcim.

■ BUREAU TOURISTIQUE PTTK
Rynek 16
✆ (032) 210 11 22
Fax : (032) 210 35 30
www.pttk-pszczyna.slask.pl
biuro@pttk-pszczyna.slask.pl
Ouvert du lundi au vendredi de 8h à 16h, le samedi de 8h à 13h.

Hébergement

■ NOMA RESIDENCE

A Promnice, à 12 km de Pszczyna
sur la route de Katowice
✆ (032) 219 46 78/40 63
www.promnice.com.pl
hotel@promnice.com.pl
Chambres à partir de 390 zl. Magnifique hôtel
dans un ancien pavillon de chasse, dans un
beau cadre. Restaurant réputé.

■ PTTK

Ul. Bogedaina 16 ✆ (032) 210 38 33
pttk.pszczyna@interia.pl
*Situé au centre-ville. Chambres à partir de
26 zl (chambre de 4 personnes), 50 zl pour
une chambre d'une personne.* Service correct.
Dispose d'un parking fermé.

Restaurants

■ FRYKÓWKA

Rynek 3 ✆ (032) 449 00 20
Au cœur de la vieille ville, restaurant
installé dans une ancienne maison de style
baroque.

■ U MICHALIKA

Ul. Piastowska 20 ✆ (032) 110 32 85
www.umichalika.com.pl
Cuisine locale de bonne qualité.
Centre-ville.

■ VA BANQUE

Bankowa 2 ✆ (032) 210 34 72
Restaurant, cave à vin, pub, proposant de la
cuisine régionale et européenne. Sur place
piano et guitare à la disposition des clients.

Points d'intérêt

■ RYNEK

Au centre de la vieille ville, cet endroit
rassemble les plus belles maisons de
Pszczyna, la plupart datant du XVIIIe siècle.

■ CHATEAU (ZAMEK)

Ul. Brama Wybranców 1
✆ (032) 210 30 37
www.zamek-pszczyna.pl
(site en anglais et en allemand)
*Ouvert d'avril à octobre le lundi de 11h à 15h,
le mardi de 10h à 15h, le mercredi de 9h à
16h, le jeudi et le vendredi de 9h à 15h, le
samedi et le dimanche de 10h à 18h, le reste
de l'année le château est fermé une heure plus
tôt le week-end et fermé le lundi. Billet : 12 zl,
tarif réduit : 7 zl, entrée gratuite le lundi. Musée
adapté aux personnes handicapées.* Situé
juste à côté du Rynek, cet édifice constitue
l'attraction principale de cette petite ville.
Construit au XIIe siècle, il fut modifié et
agrandi à plusieurs reprises, pour être, au
début du XXe siècle, un véritable palais. Pillé
pendant la Seconde Guerre mondiale, il ne
fut heureusement pas détruit ; restauré, il fut
transformé en musée. Le parc qui l'entoure, de
style anglais, est tout aussi superbe.

■ SKANSEN
ZAGRODA WSI PSZCZYNSKIEJ

Ul. Parkowa ✆ 0603 131 186 (portable)
*Ouvert du 1er avril au 31 octobre, du mardi au
dimanche de 9h à 15h. Billet : 5 zl, réduit :
2,50 zl.* Musée en plein air présentant les
plus belles maisons en bois traditionnelles
de la région.

■ PARC NATIONAL DES KARKONOSZE

Karkonosze, surnommé le Mont des Géants,
est le massif le plus élevé de la chaîne de
montagnes des Sudètes. Ses parties les
plus belles et les plus intéressantes sont
protégées par les limites du parc national des
Karkonosze, reconnu par l'Unesco comme une
réserve mondiale de la Biosphère.
Ce parc national s'étend aussi au-delà de
la frontière tchèque, où il est protégé de la
même façon. Dans les parties supérieures des
Karkonosze, se trouvent mille merveilles et
curiosités naturelles telles que des rochers aux
formes fantastiques, des cirques glaciaires,
des lacs d'altitude, une riche faune et flore.

Ses monts permettent la pratique du ski,
d'ascensions de haute montagne et de
randonnées (multiples itinéraires fléchés).
Les deux villes les plus touristiques, au pied
des Karkonosze, sont Szklarska Poręba et
Karpacz (voir rubriques suivantes).

SZKLARSKA PORĘBA

Grande station de tourisme en montagne des
Karkonosze, centre de ski de fond le plus
réputé de basse Silésie, au pied du mont
Szrenica, Szklarska Poręba est une ville
agréable et jeune qui dispose de nombreuses

infrastructures touristiques. Concurrente de Karpacz, dont elle est éloignée de 20 km à l'ouest, elle est plus attrayante. Notez toutefois qu'il est possible, en passant par le parc national de Karkonosze, de rallier les deux villes par des sentiers de randonnée superbes.

On y trouve de nombreux cirques (cuvettes creusées par les glaciers), et il est possible en quelques points de passer de l'autre côté de la frontière, en République tchèque, où les paysages sont tout aussi attrayants. Il faut se munir d'une bonne carte de la région bien détaillée, car le parc national couvre tout de même une surface de 56 km^2 (auxquelles il faut ajouter les parties tchèques), et les cirques imposent parfois de longs détours. La carte donne l'emplacement des refuges, qui sont répartis sur l'ensemble du site.

Enfin, il convient, même en été, de se munir de vêtements chauds, car le climat peut être rude, et surtout pluvieux. Pour les plus courageux, il reste la possibilité de rejoindre à pied Jelenia Góra, la plus grande ville de la région. Les paysages en valent la peine.

Transports – Pratique

▶ **Train.** Gare située au nord de la ville. Trains quotidiens vers Jelenia Góra et Wrocław.

▶ **Bus.** Terminal dans le centre-ville. Bus pour les mêmes destinations que les trains, ainsi qu'un en direction de Harrachov, en République tchèque.

■ OFFICE DU TOURISME
A Szklarska Poręba
Ul. Jedności Narodowej 3
✆ (075) 717 24 49
Fax : (075) 717 24 94
www.szklarskaporeba.pl
it@szklarskaporeba.pl

Hébergement

Bien et pas cher

■ REFUGE
Au sommet du mont Szrenica
✆ (075) 752 60 11
Ouvert toute l'année, chambres à partir de 30 zl, parlent allemand et un peu anglais.

■ AUBERGE DE JEUNESSE PTSM WOJTEK
Ul. Piastowska 1 ✆ (075) 717 21 41
Loin du centre, mais ouverte toute l'année.

■ PENSJONAT ZAKOPIANKA
Ul. Jeleniogórska 7 ✆ (075) 717 22 07
Chambres à partir de 27 zl. Chambres agréables avec salle de bains et cuisine dans un cadre charmant.

■ U RUMCAJSA
Ul. Żeromskiego 19 ✆ (075) 717 37 79
www.szklarska.ig.pl/urumcajsa
Nuitée : 18 zl. Petit déjeuner : 5 zl. Toilettes à l'étage. Situé dans un endroit calme et vert, à l'altitude de 750 m ; belle vue sur la colline Wysoki Kamień.

Confort ou charme

■ MŁYN ŚW. ŁUKASZA
Ul. 1 Maja 16 ✆/Fax : (075) 717 27 09
Situé au centre de la ville, à 400 m de la gare PKS. Chambres à partir de 60 zl.

■ SUDETY
Ul. Krasickiego 10
✆ (075) 717 22 25/20 33
Fax : (075) 717 23 41 – fwp@szp@pbox.pl
Proche du centre. Chambres à partir de 60 zl.

■ VILLA ROMANTICA
Ul. Partyzantów 8 ✆ (075) 717 26 76
Fax : (075) 717 46 77
www.villaromantica.ta.pl
villaromantica@ta.pl
Chambres simples : 120 zl, doubles : 200 zl. Située près du centre-ville, mais aussi immergée dans la verdure. Lieu très calme ; dans le jardin il est possible de faire un barbecue. La villa dispose également d'une salle de musculation.

■ VILLA LOLOBRYGIDA
Ul. Turystyczna 25 ✆ (075) 717 21 83
www.szklarska.ig.pl/lolobrygida
Chambres doubles : 80 zl, triples : 110 zl. Située au bord du Parc national de Karkonosze, à 50 m du télésiège du mont Szrenica et de la piste Lolobrygida. Dispose d'un beau jardin.

Luxe

■ HOTEL BOSMAN
Ul. Morcinka 2 ✆ (075) 717 43 65/67
Fax : (075) 717 22 20
www.hotelbosman.ta.pl (site en anglais et en allemand) – bosman@ta.pl
Chambres à partir de 160 zl l'été, 200 zl pendant la saison de ski. Hôtel récent situé près d'un parc au centre de la ville.

■ LAS

Situé dans la forêt de Piechowice,
à 4 km de Szklarska Poręba
Ul. Turystyczna 8
✆/Fax : (075) 717 52 52
ecepcja@hotel-las.pl
Chambres à partir de 160 zl. Cadre agréable
et champêtre.

Restaurants

A part les restaurants des hôtels cités, il n'y
a pas d'adresse digne de ce nom.
On peut se rabattre sur les nombreuses
buvettes, surtout en été, qui pratiquent des
prix très faibles, mais ne proposent pas de
la grande cuisine, seulement une ambiance
chaleureuse.

Points d'intérêt

■ TELESIEGE DU MONT SZRENICA

Ul. Turystyczna, au sud du centre-ville
La montée dure une petite demi-heure, et
vous emmène 650 m plus haut. Vous pouvez
redescendre à pied, ou par le même moyen
de transport si vous n'en avez pas la force.
Ce télésiège vous conduit directement dans le
parc national de Karkonosze, où les paysages
sont superbes.

■ CASCADE DE SZKLARK

*A 3 km à l'est de la ville, accessible par le
sentier vert.* Depuis cette jolie halte, on peut
emprunter le sentier bleu qui repart vers le
Parc national. Elle est, avec 27 m de hauteur,
la plus haute de la région. On peut de là
continuer sur le même sentier qui conduit
au sommet du mont Szrenica.

■ POLANA JAKUSZYCKA

Situé près de Szklarska Poręba, ce centre de
ski de fond, le plus réputé de Basse Silésie,
comprend de nombreuses pistes balisées pour
les courses de fond et les randonnées à ski,
des pistes de compétition et des itinéraires
touristiques. Son microclimat profite à un
enneigement de longue durée. Chaque année
en mars se déroule ici la course des Piast,
épreuve internationale de ski de fond qui
rassemble quelque 4 000 skieurs, sur des
pistes de 25 km et 50 km.

KARPACZ

Petite ville pleine de charme, c'est une des plus
grandes stations de ski de Pologne. Depuis le
XVIIᵉ siècle, Karpacz est prisée des laboratoires
qui y collectent des herbes médicinales et à
compter du XIXᵉ siècle, la ville s'est tournée
vers le tourisme. Karpacz se situe sur le versant
nord des Karkonosze, sur une hauteur de
500 m à 880 m au-dessus du niveau de la mer.
La ville est dominée par le plus haut mont de la
région qui culmine à 1 602 m (Sniezka).

Transports

▶ **Train.** Gare ferroviaire située au nord est
dans le bas du village, mais qui accueille
seulement deux trains par jour en provenance
de Jelenia Góra.

▶ **Bus.** Beaucoup plus fréquents que le train,
ils desservent les principales villes de la région.
Plusieurs arrêts de bus se situent en ville, et
notamment un dans la rue principale.

Pratique

■ OFFICE DU TOURISME

Ul. Konstytucji 3 Maja 25b
✆ (075) 761 86 05
Fax : (075) 761 97 16
informacja@www.karpacz.pl
it@www.karpacz.pl
*Ouvert de 9h à 17h (le dimanche de 10h à 14h),
en saison été et hiver, de 9h à 18h.*

Cathédrale de Wrocław

Hébergement

Bien et pas cher

Nombreuses pensions à Karpacz, plus ou moins chères et luxueuses. Visitez les chambres avant de payer.

Confort ou charme

■ KARNAT

Ul. Karkonoska 8c
℃/Fax : (075) 761 81 46
Pension située à 1 km du centre et 300 m des bus (Biały Jar). Chambres à partir de 65 zl. Jolie maison de style montagnard, un beau panorama.

■ PAŁAC

A Miłków, 4 km de Karpacz
℃ (075) 761 02 10
Chambres à partir de 80 zl. Superbe site, dans un palais baroque, pour un prix modique, mais les prestations sont assez limitées. Parlent allemand et éventuellement anglais et français. Bon restaurant de cuisine traditionnelle polonaise. Centre équestre sur place. Accessible en bus, taxi ou à pied.

Luxe

■ KARKONOSZE

Ul. Wolna
℃ (075) 761 82 77
Fax : (075) 761 80 33
www.hotel-karkonosze.com.pl (site en anglais et en allemand)
hkarkonosze@gip.com.pl
Chambres à partir de 140 zl en été. Joli hôtel situé au pied de la montagne (pittoresque !), à 3,5 km du centre. Dispose d'un billard et d'un sauna.

■ PERŁA KARKONOSZY

Ul. Konstytucji 3 Maja 59a
℃ (075) 761 60 98
www.perlakarkonoszy.pl
perlakarkonoszy@wp.pl
Chambres simples à partir de 195 zl, doubles à partir de 240 zl. Confort et charme dans cette pension située près du centre. Dispose d'un restaurant, d'un centre spa, ainsi que d'une piscine.

■ REZYDENCJA

Ul. Parkowa 6
℃ (075) 761 80 20
Fax : (075) 761 95 13
www.hotelrezydencja.pl (site en allemand)
recepcja@hotelrezydencja.pl

Chambres à partir de 210 zl en saison. Très bon confort dans cet hôtel situé au centre de la ville.

■ SKALNY HOTEL ORBIS

Ul. Obrońców 5
℃ (075) 752 70 00
Fax : (075) 761 91 03/87 21
www.orbis.pl – skalny@orbis.pl
Chambres à partir de 215 zl en saison. Situé à 300 m du centre, en bordure de forêt. Tous les services sont proposés dans cet endroit confortable. Très bon restaurant.

Points d'intérêt

■ SNIEŻKA

Le plus haut sommet des Karkonosze et des Sudètes (1 602 m). Il a la forme d'un cône duquel se séparent trois crêtes : Grzbiet Rozovej, au nord-est (1 390 m), grzbiet Równi pod Sniezka à l'ouest et Czarny Grzbiet z Czarna Kop (1 407 m) à l'est. Ce site possède un microclimat du type subpolaire, aussi on peut y trouver des plantes alpines et il est possible que la neige tienne presque toute l'année. La première expédition sur ce mont remonterait à 1456, côté tchèque. Du sommet, par temps clair, le panorama découvre jusqu'à 100 km à la ronde.

■ EGLISE WANG (ŚWIĄTYNIA WANG)

Ul. Na Śnieżkę 8. Billet : 4,50 zl, réduit : 3,50 zl. Eglise évangélique, originaire de la ville de Vang en Norvège, où elle fut construite au XIIe siècle. Elle fut installée à Karpacz en 1844. Elle est construite sans l'aide d'un seul clou, c'est une perle de l'architecture scandinave, dont la décoration s'influence des bateaux vikings. De nombreux concerts y sont organisés. Souvent beaucoup de visiteurs.

■ MUSEE DU JOUET (MIEJSKIE MUZEUM ZABAWEK)

Ul. Karkonoska 5 ℃ (075) 761 85 23
Ouvert le mardi de 9h à 17h30, du mercredi au vendredi de 9h à 15h30, le samedi de 10h à 15h30, le dimanche de 10h à 16h30. Billet : 6 zl, réduit : 4 zl. Il contient la collection de Henryk Tomaszewski, artiste polonais célèbre, créateur du théâtre de pantomime de Wrocław. Mort en 2001, il vivait à Karpacz depuis 1968. Cette collection est le fruit de plusieurs années de recherches et de passion de l'artiste. De nombreux jouets, certains de plus de 200 ans, créent une magie certaine et s'emploient même parfois à faire revivre celle des contes de notre enfance...

Cracovie
Château Royal
de Wawel

© AUTHORS.COM

Pense futé

ARGENT

Attention !

La France continue de limiter à 200 cigarettes la quantité que peuvent ramener les voyageurs provenant de la Pologne, même après son entrée dans l'Union européenne. Au-delà d'une cartouche, le voyageur doit déclarer ses cigarettes aux douanes et payer les taxes françaises sur le tabac.

Monnaie

Bien que la Pologne fasse désormais partie de l'Union européenne, la monnaie polonaise est toujours le zloty (symboles : PLN, zl).

◗ **Taux de change :** 1zł = 0,25 € ; 1 € = 3,87 zl ; 1 CAD (Dollar canadien) = 2,50 zl, 1 zl = 0,40 $CA ; 1 CHF (Franc suisse) = 2,4 zl, 1 zl = 0,42 CHF.

Coût de la vie

Dans l'ensemble, la vie est moins chère en Pologne qu'en France ou en Belgique. Le seul centre de coût qui peut rapidement s'avérer élevé reste l'hébergement.

◗ **Prix moyens :** 1 kg de bœuf = 20 zl, 1 kg de pommes de terre = 1,50 zl, 10 œufs = 3,40 zl, 1 bière (50 cl) = 3 zl, 1 litre de vodka = 47 zl, 1 paquet de Marlboro = 7 zl, 100 km en train en 2e classe = 25 zl, 1 ticket de bus normal = 2 zl, logements = 25 zl en agro-tourisme, 170 zl dans un hôtel de classe moyenne, 350 zl dans un hôtel plus luxueux, billet d'entrée dans un musée = 6 zl, dans un château = 12 zl.

Varsovie et quelques grandes villes telles que Poznań (surtout au moment des foires internationales) ou Cracovie, restent assez chères par rapport au reste du pays. Les différences peuvent êtres grandes. Ainsi, le prix d'un repas complet dans les petites villes touristiques sera équivalent à un plat de viande à Varsovie (6 €) dans un restaurant. Le budget variera surtout selon le type d'établissement choisi. Ils peuvent aller de 3 € dans un bar à lait ou 5 € (chambres chez l'habitant) à 50 € ou plus dans un hôtel 4-étoiles en ville ou dans de grands restaurants.

Les souvenirs, comme des bijoux en ambre ou les objets de bois ou céramiques, sont bon marché. Comptez environ 100 zl pour un bracelet argent ambre et de 30 zl à 80 zl pour un collier argent et ambre. Pour des petites boîtes en bois, comptez de 10 zl à 80 zl selon la grandeur et la finesse, de 25 zl à 75 zl pour des jeux d'échecs.

Banques

La banque nationale PKO est présente partout, avec un distributeur le plus souvent. Dans les grandes et moyennes villes, il existe beaucoup de banques. Les plus connues sont PKO BP, Pekao SA, Millenium, Śląski, Citibank, WBK. Il est possible de ne pas trouver de distributeurs dans les villages, mais les hôtels proposent le change.

Change

Il s'effectue dans toutes les banques et les nombreux bureaux de change (kantor). Dans les grandes villes, il arrive souvent que l'on propose, à proximité des kantor, un change plus avantageux, de la main à la main. Refusez catégoriquement. Il s'agit de véritables réseaux de professionnels qui vous donneront des billets d'avant 1995 ou même de simples liasses de papier.

Cartes de paiement internationales

Les cartes American Express, Visa, EuroCard MasterCard, Access ou JCB sont acceptées sans problème.

Il existe de plus en plus de distributeurs (bankomat) et il est possible de payer par carte dans la plupart des magasins, stations-service, hôtels, réservation de voitures, etc. Le problème peut se poser dans les petites villes et villages où il arrive souvent qu'il n'y ait pas de distributeurs, voire de banques et que le paiement en liquide soit de rigueur. Il suffit de le prévoir quand on choisit de visiter les régions les plus isolées.

▶ **Pour déclarer la perte ou le vol d'une carte de crédit,** composer les numéros suivants : + (0048) 022 515 31 50/30 00.

Pourboire

Il n'est pas obligatoire, certes, mais parfois ajouté à la note (dans ce cas de 10 %).

Il est de rigueur d'en laisser dans les restaurants, bars et cafés lorsque vous êtes servis à table, à hauteur de 5 % à 10 % du montant total.

Vestiaires

L'été ils sont souvent fermés, mais dès l'automne, la plupart des restaurants, bars, théâtres, musées, parfois cinémas, proposent ce service (généralement obligatoire et payant, en moyenne 1,50 zl par vêtement). Quand il n'est pas payant, il est convenable de laisser un pourboire (l'employé n'est pas payé beaucoup).

▬ ASSURANCE ET SÉCURITÉ ▬

Possibilité de souscrire une assurance tous risques en Pologne, même à la frontière, auprès de différentes compagnies ou auprès de l'agence de voyage habituelle.

Danger potentiel

La Pologne n'est pas un endroit particulièrement dangereux, mais comme dans les autres pays, les grandes villes sont plus risquées que les campagnes.

A Varsovie, il est déconseillé de sortir la nuit dans les quartiers des faubourgs.

Chômage et drogue faisant leur apparition, les agressions et vols de sac ou bijoux deviennent plus courants.

Attention aux pickpockets dans les transports en commun. Il est conseillé aux personnes qui voyagent avec des objets de valeur de laisser ceux-ci dans le coffre de l'hôtel.

Pour les automobilistes, il est recommandé, comme dans tout autre pays, de ne pas garer sa voiture dans un endroit trop isolé et de ne pas laisser d'objets de valeur (appareil photo, téléphone, ordinateur portable…) en évidence. Les voitures neuves de marque étrangère plaisent beaucoup.

Pour davantage de tranquillité, il est aisé de trouver des parkings payants gardés.

Voyager seule ne pose aucun problème en Pologne. Les Polonais seront prêts à aider une touriste si besoin, mais sans aucune drague excessive ni danger particulier.

▰ SANTÉ

Eviter de boire l'eau du robinet, surtout dans les villes.

Aucune vaccination obligatoire mais il est conseillé d'être à jour pour la diphtérie et le tétanos, la poliomyélite, l'hépatite A. Le vaccin contre l'hépatite B est recommandé pour des séjours prolongés.

Attention à la présence de tiques et de moustiques au printemps et en été, surtout en Mazurie. Les enfants doivent avoir à jour toutes les vaccinations incluses dans le calendrier vaccinal français, en particulier pour les longs séjours : BCG dès le premier mois, rougeole dès 9 mois.

▰ AVANT DE PARTIR

Quand partir ?

Toutes les saisons sont propices au voyage en Pologne. Bénéficiant d'un climat continental, l'été est chaud et ensoleillé. L'automne doré offre très souvent un climat agréable, tout comme le printemps, et ces deux saisons comptent un peu moins de visiteurs. L'hiver est très rigoureux, mais les villes revêtent un charme particulier, sous leur manteau de neige, et la saison est propice aux sports d'hiver. Donnons aussi l'exemple du « Rynek », souvent l'un des endroits les plus beaux et plus animés d'une ville, la place principale, celle de l'ancien marché. Or, en été, il est couvert de terrasses, le lieu de toutes les animations. Mais en hiver, s'il a moins d'animation, il y subsiste cette ambiance particulière, et il n'est pas dénaturé par les terrasses. Vous pouvez alors admirer pleinement son architecture, par exemple depuis l'intérieur de l'un de ses nombreux bars ou restaurant en dégustant une brûlante et délicieuse soupe. Les températures sont données en moyenne. En Pologne, le climat est à la fois océanique et continental, grâce à son littoral au nord et ses hautes montagnes au sud. La température moyenne annuelle est de 9° C, mais les variations régionales sont très importantes.

Généralement, le début de l'automne est sec et ensoleillé. C'est ce qu'on appelle en Pologne l'automne doré (Złota Jesień). La Pologne étant un pays riche en forêts et en parcs, cette saison est réellement magnifique avec toutes les couleurs vives et diverses des feuilles. Les soirées se font plus fraîches (dès mi-août). De mi-octobre à novembre, il fait plus frais encore, certaines régions se retrouvent souvent sous la pluie. Les premières neiges arrivent aux sommets des montagnes.

L'hiver est traditionnellement rude et enneigé (mais de moins en moins), avec des températures qui peuvent descendre jusqu'à - 30° C, mais c'est actuellement plus rare. Cela dépend également des régions. Un contraste assez prononcé existe entre la partie ouest (hiver plus chaud et moins long) et la partie est qui subit les vents froids de Sibérie. Du nord au sud, le nombre de jours de gel par an passe de 25 à 130. L'hiver dure en moyenne de novembre à mars.

Le véritable printemps se fait de plus en plus rare en Pologne. Il s'agit plutôt d'une saison intermédiaire et courte faite de vents, gels et pluies. Il est, depuis quelques années, assez courant de passer en quelques semaines, voire quelques jours, de 0° C à 25° C (entre avril et mai) et donc très vite à l'été. Cette dernière saison est souvent très chaude dans le Sud (jusqu'à 30° C) et assez sèche (plus humide dans le nord). Près du littoral, les températures ne dépassent guère souvent 15° C.

© SAVIGNARD / SZEREMETA

Varsovie, Château Royal - Zamek Krolewski

Mais les changements sont caractéristiques du climat polonais, et peuvent intervenir fréquemment. Certains hivers sont beaucoup plus doux et secs ; à l'opposé, la pluie peut perturber l'été. En général, en été, les températures sont de plus en plus douces au fur et à mesure que l'on s'éloigne du Nord. Souvent, le climat est plus chaud et plus sec à Cracovie qu'à Gdańsk. En hiver, cette tendance est inversée, car le littoral réchauffe l'atmosphère. Les températures sont donc habituellement plus douces à Gdańsk qu'à Cracovie. Les régions du Nord-Est, la Mazurie et la Podlachie, sont en général plus humides que le reste du pays, y compris en été. Les hautes montagnes sont très froides et enneigées en hiver, mais assez clémentes en été, de mai à octobre.

Les températures les plus élevées sont en juillet, les plus froides en janvier et février. Pour ceux qui entreprennent de faire des randonnées en été dans les montagnes, il convient de se méfier des nombreux orages.

Que mettre dans ses bagages ?

▶ **L'hiver,** il est recommandé bien sûr d'être habillé chaudement, les températures moyennes allant de - 5° C à - 15° C. Le mieux est de porter des vêtements près du corps et fins – les intérieurs sont bien chauffés – et de se munir d'un bon parka. Surtout ne pas oublier gants, bonnets ou chapeaux, bonnes chaussettes et éventuellement semelles isolantes. Vêtements clairs déconseillés à la fonte des neiges : les routes étant en mauvais état, les voitures éclaboussent.

▶ **En été,** il fait très chaud, donc les vêtements légers sont de rigueur. Mais il ne faut pas oublier les changements possibles de température. Il est préférable de prévoir une polaire fine ou un pull (surtout à la montagne). Dès mi-août, les soirées sont plus fraîches.

Matériel de voyage

■ AU VIEUX CAMPEUR

A Paris, Quartier Latin : 23 boutiques autour du 48, rue des Ecoles, Paris V[e]
A Lyon, Préfecture-université : 7 boutiques autour du 43, cours de la Liberté, Lyon IIIe
A Thonon-les-Bains :
48, avenue de Genève
A Sallanches : 925, route du Fayet
A Toulouse Labège :
23, rue de Sienne, Labège Innopole
A Strasbourg : 32, rue du 22-novembre
A Albertville : 10, rue Ambroise Croizat
✆ 03 90 23 58 58
www.auvieuxcampeur.fr
Qui ne connaît pas le fameux Vieux Campeur ? Vous qui partez en voyage, allez y faire un tour : vous y trouverez cartes, livres, sacs à dos, chaussures, vêtements, filtres à eau, produits anti-insectes, matériel de plongée… Et pour tout le reste, n'hésitez pas à leur demander conseil !

■ BAGAGES DU MONDE

102, rue du Chemin Vert 75011 Paris
✆ 01 43 57 30 90 – Fax 01 43 67 36 64
www.bagagesdumonde.com
Une véritable agence de voyage pour vos bagages : elle assure le transport aérien

© AUTHORS

Cracovie, cathédrale de Wawel

de vos effets personnels depuis Orly ou Roissy-Charles de Gaulle à destination de tout aéroport international douanier, et vous offre une gamme complète de services complémentaires : enlèvement, emballage, palettisation, stockage (à l'aéroport), assurance, garantie… Vous pouvez déposer vos effets au bureau de l'agence à Paris. Une idée futée pour voyager l'esprit serein et échapper aux mauvaises surprises que réservent les taxes sur les excédents de bagages.

DECATHLON
Informations par téléphone
au © 0 810 08 08 08
wwww.decathlon.com
Le grand spécialiste du matériel de sport (plongée, équitation, pêche, randonnée…) offre également une palette de livres, cartes et CD-rom pour tout connaître des différentes régions du monde.

www.inuka.com
Ce site vous permet de commander en ligne tous les produits nécessaires à votre voyage : vous recevrez ensuite vos achats chez vous, en quelques jours. Matériel d'observation (jumelles, télémètre, lunettes terrestres...), instruments outdoor (alimentation lyophilisée, éclairage, gourde, montres...) ou matériel de survie (anti-démangeaison, hygiène). Tout ce qu'il vous faut pour préparer votre séjour que vous partiez dans les montagnes ou dans le désert.

LOWE ALPINE
Inovallee. 285, rue Lavoisier
38330 Montbonnot Saint Martin
© 04 56 38 28 29 – Fax 04 56 38 28 39
www.lowealpine.com
En plus de ses sacs à dos techniques de qualité, Lowe Alpine étoffe chaque année et innove ses collections de vêtements haut de gamme consacrés à la randonnée et au raid, mais aussi à l'alpinisme et à la détente.

NATURE & DECOUVERTES
Pour obtenir la liste des 45 magasins
© 01 39 56 70 12 – Fax 01 39 56 91 66
www.natureetdecouvertes.com
Retrouvez dans ces magasins une ambiance unique dédiée à l'ouverture sur le monde et à la nature. Du matériel de voyage, mais aussi des livres et de la musique raviront celles et ceux qui hésitent encore à parcourir le monde…. Egalement vente par correspondance.

TREKKING.
BP 41, 13410 Lambesc
© 04 42 57 05 90 – Fax 04 42 92 77 54
www.trekking.fr
Partenaire incontournable, Trekking propose dans son catalogue tout ce dont le voyageur a besoin : trousse de voyage, ceinture multipoche, sac à dos, sacoches, étuis… Une mine d'objets de qualité pour voyager futé et dans les meilleures conditions.

Décalage horaire
Même heure qu'en France, été comme hiver. A savoir GMT + 1. Varsovie, malgré la distance, avait décidé symboliquement de s'aligner sur l'heure de Paris.

Formalités
Depuis l'entrée dans l'Union européenne de la Pologne, seule une carte d'identité est nécessaire pour votre séjour en Pologne.

Animaux
Il est possible d'emmener votre animal à condition d'avoir un certificat de santé le concernant ; de plus, pour les chiens, prévoir un certificat de vaccination antirabique et une muselière (celle-ci est obligatoire dans les lieux publics, transports en commun, etc.).

Douanes
La réglementation des douanes polonaises est similaire à celle de la plupart des pays de l'Union européenne. Si les denrées sont limitées à l'importation comme à l'exportation dans des proportions raisonnables, les contrôles ne sont pas plus sévères. Toutefois, ils peuvent parfois être plus importants pour les passages frontières en bus (liaisons France ou Belgique vers la Biélorussie).

Bibliographie sélective

▸ *Histoire de la Pologne,* N. Davies, Paris, Fayard, 1986.

▸ *La Pologne, la nation et l'art,* M. Suchodolski, Arkady, 1989.

▸ *Histoire de la Pologne communiste. Autopsie d'une imposture,* Pierre Buhler, Karthala, 1997.

▸ *Maintenant ou jamais,* Jacek Kuron, Fayard, 1991.

▸ *Après le communisme. Mythes et légendes de la Pologne contemporaine,* Marcin Frybes, Patrick Michel, Bayard Editions, 1996.

ORGANISER SON SÉJOUR

▌ *Cendres et diamants,* J. Andrzejewski, Paris, Gallimard, 1986.

▌ *L'insurrection du ghetto de Varsovie,* M. Borwicz, Paris, Gallimard, 1978.

▌ *Mémoires du ghetto de Varsovie,* M. Edelman, Paris, Scribe, 1983.

▌ *Varsovie insurgée,* A. Kwiatkowska, Paris, Complexes, 1984.

▌ *Hommes et femmes d'Auschwitz,* H. Langbein, Paris, UGE, 1994.

▌ *Chroniques clandestines d'un pays en guerre,* M. Nowakowski, Paris, Stock, 1983.

▌ *La vie est difficile,* S. Mrozek, Paris, Albin Michel, 1991.

▌ *Histoire des juifs en Pologne du XVIe siècle à nos jours,* D. Tollet, Paris, PUF, 1992.

▌ *Géopolitique de la Pologne,* C. Dwernicki, Bruxelles, Editions Complexe, 2000.

▌ *Les musées de Pologne,* J. Bialostocki, Centre national de recherches Primitifs flamands, corpus, 1966.

▌ *Histoire de la Pologne dans la peinture,* J. Walek, Varsovie, Interpress, 1988.

▌ *Chopin,* C. Bourniquel, Paris, Le Seuil, 1986.

▌ *Monsieur Cogito et autres poèmes,* Z. Herbert, Paris, Fayard, 1990.

Varsovie, colonne Sigismond III

▌ *Le premier pas dans les nuages,* M. Hlasko, Grenoble, Cynara, 1988.

▌ *Histoire de la littérature polonaise,* C. Miłoscz, Paris, Fayard, 1986.

▌ *Le complexe polonais,* Tadeusz Konwicki, Points, 1988.

▌ *Quo vadis ?,* H. Sienkiewicz, Paris, Livre de poche, 1983.

▌ *Un cinéma nommé désir,* A. Wajda, Paris, Stock, 1986.

▌ *Histoire religieuse de la Pologne,* J. Kloczowski, Paris, Le Centurion, 1987.

▌ *Eglise et Etats,* H. Martin, Paris, PUF, 1993.

▌ *L'Eglise et la gauche. Le dialogue polonais,* Adam Michnik, Seuil, 1979.

Librairies

Les librairies du voyage proposent de nombreux guides, récits de voyages et autres manuels du parfait voyageur. Bien se préparer au départ et affiner ses envies permet d'éviter les mauvaises surprises. Le voyage commence souvent bien calé dans son fauteuil, un récit de voyage ou un guide touristique à la main. Voilà pourquoi nous vous proposons une liste de librairies de voyage à Paris et en province.

Paris

▪ **ESPACE IGN**
107, rue La Boétie (8e)
✆ 01 43 98 80 00 – 0820 20 73 74
www.ign.fr
M°Franklin D. Roosevelt. Ouvert du lundi au vendredi de 9h30 à 19h, et le samedi de 11h à 12h30 et de 14h à 18h30. Les bourlingueurs de tout poil seraient bien inspirés de venir faire un petit tour dans cette belle librairie sur deux niveaux avant d'entamer leur périple. Au rez-de-chaussée se trouvent les documents traitant des pays étrangers : cartes en veux-tu en voilà (on n'est pas à l'Institut Géographique National pour rien !), guides de toutes éditions, beaux livres, méthodes de langue en version Poche, ouvrages sur la météo, conseils pour les voyages. L'espace est divisé en plusieurs rayons consacrés chacun à un continent. Tous les pays du monde sont représentés, y compris les mers et les océans. Les enfants ont droit à un petit coin rien que pour eux avec des ouvrages sur la nature, les animaux, les civilisations, des atlas, des guides de randonnée... Ils ne

manqueront pas d'être séduits, comme leurs parents sans doute, par l'impressionnante collection de mappemondes, aussi variées que nombreuses, disposées au centre du magasin. Les amateurs d'ancien, quant à eux, pourront se procurer des reproductions de cartes datant pour certaines du XVIIe siècle !

■ GITES DE FRANCE
59, rue Saint-Lazare
✆ (9e) 01 49 70 75 75
Fax 01 42 81 28 53
www.gites-de-france.fr
Ouvert du lundi au vendredi de 10h à 18h30 et le samedi de 10h à 13 h et de 14h à 18h30 (sauf en juillet-août). Pour vous aider à choisir parmi ses 55 000 adresses de vacances, Gîtes de France a conçu une palette de guides comportant des descriptifs précis des hébergements. Mais vous trouverez également dans les boutiques d'autres guides pratiques et touristiques, ainsi que des topo-guides de randonnée, des cartes routières et touristiques. Commande en ligne possible.

■ ITINERAIRES,
LA LIBRAIRIE DU VOYAGE
60, rue Saint-Honoré (1er)
✆ 01 42 36 12 63 – Fax 01 42 33 92 00
www.itineraires.com
M° Les Halles. Ouvert le lundi à 11h et du mardi au samedi de 10h à 19h. Cette charmante librairie vous réserve bien des surprises. Logée dans un bâtiment classé des Halles, elle dispose d'un ravissant patio et de caves dans lesquelles sont organisées de multiples rencontres. Le catalogue de 15 000 titres est disponible sur le site Internet. Dédié à « la connaissance des pays étrangers et des voyages », cette librairie offre un choix pluridisciplinaire d'ouvrages classés par pays. Si vous désirez connaître un pays, quelques titres essentiels de la littérature vous sont proposés, tous les guides de voyage existants, des livres de recettes, des précis de conversation, des études historiques… Dans la mesure du possible, les libraires mettent à votre disposition une sélection exhaustive, un panorama complet d'un pays, de sa culture et de son histoire. La librairie organise régulièrement des expositions de photos. On peut toujours passer commande, grâce à des délais de livraison très courts (1 à 3 jours pour des livres qui ont été édités aux quatre coins du globe, et 3 semaines pour ceux qui arrivent de chez nos amis britanniques…).

Gdańsk, quais de la Motlawa

■ LA BOUTIQUE MICHELIN
32, avenue de l'Opéra (1er)
✆ 01 42 68 05 00
www.michelin.com
M° Opéra. Ouvert le lundi de 13h à 19h, du mardi au samedi de 10h à 19h. Avis à tous les sillonneurs des routes de France, de Navarre et même d'ailleurs, puisque les guides et les cartes Michelin couvrent le monde entier. Dans cette boutique, ils trouveront de nombreux documents pour préparer leur voyage d'un point de vue touristique mais aussi logistique. Un espace Internet les invite à établir (gratuitement) leur itinéraire et à le calculer (en euros, en kilomètres, en temps…). A part cela, toute la production Michelin est en rayon, des guides verts (en français, en anglais, en allemand) aux guides rouges en passant par les collections Escapade, Néos et les cartes France et étranger. Et ce n'est pas tout, une bibliothèque propose aussi les ouvrages des éditeurs concurrents : Lonely Planet, Gallimard, Petit Futé… Notez que des beaux livres et des essais sur la saga Michelin sont en vente ainsi que de vieilles affiches publicitaires. En plus de tout cela, les amateurs du Bibendum pourront acheter un grand nombre de produits dérivés comme des serviettes, vêtements, jouets…

ORGANISER SON SÉJOUR

■ AU VIEUX CAMPEUR

2, rue de Latran (5e) ✆ 01 53 10 48 48
A Paris, Quartier Latin : 23 boutiques
autour du 48, rue des Ecoles, Paris Ve
M° Maubert-Mutualité
ou Cardinal-Lemoine
A Lyon, Préfecture-université : 7 boutiques
autour du 43, cours de la Liberté, Lyon IIIe
A Thonon-les-Bains :
48, avenue de Genève
A Sallanches : 925, route du Fayet
A Toulouse Labège :
23, rue de Sienne, Labège Innopole
A Strasbourg : 32, rue du 22 novembre
www.au-vieux-campeur.fr
*Ouvert du lundi au vendredi de 10h30 à
19h30, le mercredi jusqu'à 21h, le samedi
de 9h30 à 19h30.* Les magasins du Vieux
Campeur disposent d'une librairie dédiée au
tourisme sportif en France. Vous y trouverez
de nombreux guides mais aussi des cartes,
des beaux livres, des revues et un petit choix
de vidéo. Quelques pays d'Europe et d'autres
contrées plus lointaines (comme l'Himalaya)
sont également évoqués, mais ce sont surtout
les régions de France qui sont ici représentées.
Le premier étage met à l'honneur le sport, les
exploits, les découvertes. Vous pourrez vous y
documenter sur l'escalade, le VTT, la plongée
sous-marine, la randonnée, la voile, le ski…
Commande possible par Internet.

■ LIBRAIRIE ULYSSE

26, rue Saint-Louis-en-l'île (4e)
✆ 01 43 25 17 35 – www.ulysse.fr
*M° Pont-Marie. Ouvert du mardi au samedi
de 14h à 20h.* Comme Ulysse, Catherine
Domain a fait un beau voyage. Un jour de
1971, elle a posé ses valises sur l'île Saint-
Louis où elle a ouvert une petite librairie.
Depuis, c'est elle qui incite les autres au
départ. Ne soyez pas rebutés par l'apparent
fouillis des bibliothèques : les bouquins s'y
entassent jusqu'au plafond, mais la maîtresse
des lieux sait exactement où trouver ce qu'on
lui demande. Car ici, il faut demander, le
panneau accroché devant la porte de l'entrée
vous y encourage franchement : « Vous êtes
dans une librairie spécialisée à l'ancienne, au
contraire du self-service, de la grande surface
ou du bouquiniste. Ce n'est pas non plus une
bibliothèque, vous ne trouverez pas tout seul.
Vous pouvez avoir des rapports humains avec
la libraire qui elle aussi a ses humeurs. »
Vous voilà prévenus ! La boutique recèle plus
de 20 000 ouvrages (romans, beaux livres,
guides, récits de voyage, cartes, revues) neufs

et anciens sur tous les pays. Un service de
recherche de titres épuisés est à la disposition
des clients. Laissez-vous donc conter fleurette
par cette globe-trotteuse insatiable : l'écouter,
c'est déjà partir un peu.

■ LA BOUTIQUE DU PETIT FUTÉ

44, rue des Boulangers (5e)
✆ 01 45 35 46 45
www.lepetitfute.com
librairie@petitfute.com
*M° Cardinal-Lemoine. Ouvert du mardi au
samedi inclus de 10h30 à 14h et de 14h45 à
19h.* Le Petit Futé fait dans le guide de voyage,
vous l'ignoriez ? Et saviez-vous qu'il possédait
sa propre librairie ? S'il porte bien son nom,
celui-ci ! La Boutique du Petit Futé accueille
une large clientèle de Parisiens en partance,
ou rêvant de l'être. Outre tous les Petits Futés
de France, de Navarre et d'ailleurs (Country
Guides, City Guides, Guides Régions, Guides
Départements, Guides thématiques, en tout
près de 350 titres), vous trouverez ici des
recueils de recettes exotiques, des récits de
voyages ou romans ayant trait à cette saine
activité (parus chez Actes Sud ou Payot),
des ouvrages sur l'art de vivre en Papouasie,
des beaux livres sur la Patagonie ou l'Alaska
(éditions Transboréal), de nombreux ouvrages
pratiques commis par les confrères (cartes
routières IGN, éditions Assimil, beaux livres
régionaux Déclics, guides Michelin, Lonely
Planet en français et en anglais) ainsi qu'une
collection de livres sur la découverte de Paris
(de la série « Paris est à nous » au *Paris secret
et insolite*…).

■ LIBRAIRIE DE VOYAGEURS DU MONDE

A Paris : 55, rue Sainte-Anne (2e)
✆ 01 42 86 17 37 – Fax 01 42 86 17 89
www.vdm.com
*M° Pyramides ou Quatre Septembre. Ouvert
du lundi au samedi de 9h30 à 19h sans
interruption.* Située au sous-sol de l'agence
de voyages Voyageurs du Monde, cette librairie
est logiquement dédiée aux voyages et aux
voyageurs. Vous y trouverez les guides en
langue française existants actuellement sur le
marché, y compris les collections relativement
confidentielles. Un large choix de cartes
routières, de plans de villes, de régions vous
est également proposé ainsi que des méthodes
de langue, des ouvrages truffés de conseils
pratiques pour le camping, trekking et autres
réjouissances estivales. Rayon littérature et
témoignages, récits d'éminents voyageurs et
quelques romans étrangers.

■ **LIBRAIRIE MARITIME OUTREMER**
55, avenue de la Grande-Armée (16ᵉ)
✆ 01 45 00 17 99 – Fax 01 45 00 10 02
www.librairie-outremer.com
M° Argentine. Ouvert du lundi au samedi de 10h à 19h. La librairie de la rue Jacob dans le 6ᵉ a rallié les locaux de la boutique avenue de la Grande-Armée. Des ouvrages sur l'architecture navale, des manuels de navigation, des ouvrages de droit marin, les codes Vagnon, les cartes du service hydrographique et océanique de la marine, des précis de mécanique pour les bateaux, des récits et romans sur la mer, des livres d'histoire de la marine… tout est là. Cette librairie constitue la référence dans ce domaine. Son catalogue est disponible sur Internet et en format papier à la boutique.

■ **L'ASTROLABE**
46, rue de Provence (9ᵉ) ✆ 01 42 85 42 95
M° Chaussée-d'Antin. Ouvert du lundi au samedi de 9h30 à 19h. Une des plus importantes librairies de Paris consacrées exclusivement au voyage. On trouve ici sur deux niveaux un choix énorme d'ouvrages : 40 000 références ! A l'étage, les guides, les beaux livres et les cartes d'Europe, et au rez-de-chaussée le reste du monde avec guides touristiques, récits de voyage, les plans des grandes villes… Car la grande spécialité de l'Astrolabe, c'est la cartographie : 35 000 cartes toutes échelles et tous pays, mais aussi des cartes maritimes et aéronautiques, routières, administratives, de randonnées… On peut même les choisir pliées ou roulées ; ce n'est pas du luxe, ça ? En outre, on peut aussi y acheter des guides et des livres en langue étrangère (anglais et espagnol), des atlas et des globes, des cartes murales, des boussoles et plein d'objets concernant le sujet. Disposant de services de qualité (commandes à l'étranger, recherches bibliographiques…), L'Astrolabe est l'endroit rêvé pour organiser ses voyages.

Bordeaux

■ **LA ROSE DES VENTS**
40, rue Sainte-Colombe
✆/Fax : 05 56 79 73 27
rdvents@hotmail.com
Ouvert du lundi au samedi de 10h à 12h30 et de 14h à 19h. Dans cette librairie, le livre fait voyager au sens propre comme au figuré. Les cinq continents y sont représentés à travers des guides et des cartes qu'il sera possible

de déplier sur une table prévue à cet effet, et décorée… d'une rose des vents. Des ouvrages littéraires ainsi que des guides de nature garnissent également les étagères. Le futur aventurier pourra consulter gratuitement des revues spécialisées. Lieu convivial, La Rose des vents propose tous les jeudis soir des rencontres et conférences autour du voyage. Cette librairie fait maintenant partie du groupe géothèque (également à Tours et Nantes).

Brest

■ **MERIDIENNE**
31, rue Traverse ✆ 02 98 46 59 15
Ouvert de 9h30 à 12h30 et de 14h à 19h du mardi et le samedi de 9h30 à 12h et de 14h à 19h. Spécialisée dans les domaines maritimes et naturalistes, cette librairie est aussi une boutique d'objets de marins, de décoration et de jeux où il fait bon faire escale. Les curieux y trouveront des ouvrages de navigation, d'astronomie, des récits, des témoignages, des livres sur les sports nautiques, les grands voyages, l'ethnologie marine, la plongée, l'océanographie, les régions maritimes…

Caen

■ **HEMISPHERES**
15, rue des Croisiers
✆ 02 31 86 67 26 – Fax 02 31 38 72 70
www.aligastore.com
hemispherescaen@aol.com
Ouvert du mardi au samedi de 9h à 19h sans interruption. Dans cette librairie dédiée au voyage, les livres sont classés par pays : guides, plans de villes, littérature étrangère, ethnologie, cartes et topo-guides pour la randonnée. Les rayons portent aussi un beau choix de livres illustrés et un rayon musique. Le premier étage allie littérature et nourriture, et des expositions photos y sont régulièrement proposées.

Lille

■ **LIBRAIRIE DE VOYAGEURS DU MONDE**
147, bd de la Liberté
✆ 03 20 06 76 30 – Fax 03 20 06 76 31
www.vdm.com
Ouvert du lundi au samedi de 10 h à 19 h. La librairie des voyageurs du monde lilloise est située dans le centre-ville. Elle compte pas moins de 14 000 références, livres et cartes, uniquement consacrées à la découverte de tous les pays du monde, de l'Albanie au Zimbabwe en passant par la Chine.

Lyon

■ RACONTE-MOI LA TERRE
Angle des rues Thomassin et Grolée (2ᵉ)
✆ 04 78 92 60 20 – Fax : 04 78 92 60 21
www.raconte-moi.com
bienvenue@raconte-moi.com
Ouvert du lundi au samedi de 10h à 19h30.
La librairie des explorateurs de notre siècle.
Connexion Internet, restaurant « exotique »,
cette librairie s'ouvre sur le monde des voyages.
Des guides aimables nous emmènent trouver
l'ouvrage qu'il nous faut pour connaître tous
les pays du globe. Ethnographes, juniors,
baroudeurs, tous les genres gravitent autour
de cette Terre-là.

■ LIBRAIRIE DE VOYAGEURS DU MONDE
5, quai Jules Courmont (2ᵉ)
✆ 04 72 56 94 50 – Fax 04 72 56 94 55
www.vdm.com
*Ouvert du mardi au samedi de 10h à 12h et
de 13h à 19h.* Tout comme ses homologues
de Paris, Marseille ou Toulouse, la librairie
propose un vaste choix de guides en français
et anglais, de cartes géographiques et
atlas, de récits de voyage et d'ouvrages
thématiques... Egalement pour les voyageurs
en herbe : des atlas, des albums et des romans
d'aventures.

Marseille

■ LIBRAIRIE DE VOYAGEURS DU MONDE
25, rue Fort Notre Dame (1ᵉʳ)
✆ 04 96 17 89 26 – Fax 04 96 17 89 18
www.vdm.com

*Ouvert le lundi de 12h à 19h et du mardi au
samedi de 10h à 19h sans interruption.* Sur
le même site sont regroupés les bureaux des
conseillers Voyageurs du monde et ceux de
Terre d'aventures. La librairie détient plus
de 5 000 références : romans, ouvrages
thématiques sur l'histoire, spiritualité,
cuisine, reportages, cartes géographiques,
atlas, guides (en français et en anglais).
L'espace propose également une sélection
d'accessoires incontournables : moustiquaires,
bagages...

■ LIBRAIRIE MARITIME OUTREMER
26, quai Rive Neuve (1ᵉʳ)
✆ 04 91 54 79 40 – Fax 04 91 54 79 49
www.librairie-maritime.com
*Ouvert du mardi au vendredi de 9h à 12h30 et
de 14h à 18h30, le samedi de 10h à 12h30 et
de 15h à 18h30.* Que vous ayez le pied marin
ou non, cette librairie vous ravira tant elle
regorge d'ouvrages sur la mer. Ici, les histoires
sont envoûtantes, les images incroyables...
De quoi se mettre à rêver sans même avoir
jeté l'encre !

Montpellier

■ LES CINQ CONTINENTS
20, rue Jacques-Cœur
✆ 04 67 66 46 70 – Fax 04 67 66 46 73
*Ouvert de 13h à 19h15 le lundi et de 10h à
19h15 du mardi au samedi.* Cette librairie fait
voyager par les mots et les images, elle est le
passage obligé avant chaque départ vers...
l'ailleurs. Les libraires sont des voyageurs
infatigables qui submergent leurs rayons de

Baranów Sandomierski, château

récits de voyages, de guides touristiques, de livres d'art, de cartes géographiques et même de livres de cuisine et de musique. Régions de France, pays du monde surtout, rien ne leur échappe et ils sont capables de fournir nombre de renseignements. A fréquenter avant de partir ou pour le plaisir du voyage immobile. Régulièrement, la librairie organise des rencontres et animations (programme trimestriel disponible sur place).

© OT POLOGNE

Cracovie, spectacle en costumes au Château Royal de Wawel

Nantes

■ LA GEOTHEQUE
10, place du Pilori
✆ 02 40 47 40 68
Fax 02 40 47 66 70
geotheque-nantes@geotheque.com
Ouvert le lundi de 14h à 19h et du mardi au samedi de 10h à 19h. Vous trouverez des centaines de guides spécialisés et plus de 2 000 cartes IGN. Pour savoir où l'on va et, en voyageur averti, faire le point avant que de s'y rendre… une bonne adresse. Cartes, guides et magazines sur tous les pays du monde.

Nice

■ MAGELLAN
3, rue d'Italie
✆ 04 93 82 31 81 – Fax 04 93 82 07 46
Ouvert de 14h à 19h le lundi et de 9h30 à 13h et 14h à 19h du mardi au samedi. Avant de partir, pour vous procurer un guide ou une carte, pour organiser une expédition, aussi bien au Sri Lanka que tout simplement dans l'arrière-pays, mais aussi pour rêver, pour vous évader le temps d'un livre. Bienvenue dans la librairie du Sud-Est.

■ LIBRAIRIE DE VOYAGEURS DU MONDE
4, rue du Maréchal Joffre
✆ 04 97 03 64 65 – Fax 04 97 03 64 60
www.vdm.com
Ouvert de 10h à 19h du lundi au samedi. Elle propose tous les ouvrages utiles pour devenir un voyageur averti ! Il faut d'ailleurs savoir que les librairies des Voyageurs du monde travaillent en partenariat avec plusieurs instituts géographiques à travers le monde, et également quelques éditeurs privés.

Rennes

■ ARIANE
20, rue du Capitaine-Alfred-Dreyfus
✆ 02 99 79 68 47 – Fax : 02 99 78 27 59
www.librairie-voyage.com

Le voyage commence dès le pas de la porte franchi. En France, en Europe, à l'autre bout du monde. Plutôt montagne ou résolument mer, forêts luxuriantes ou déserts arides… quelle que soit votre envie, vous trouverez de quoi vous documenter en attendant de partir. Cartes routières et marines, guides de voyages, plans… vous aideront à préparer votre voyage et vous accompagneront sur les chemins que vous aurez choisis. Articles de trekking, cartes et boussoles sont également vendus chez Ariane.

■ LIBRAIRIE DE VOYAGEURS DU MONDE
31, rue de la Parcheminerie
✆ 02 99 79 30 72
Fax : 02 99 79 10 00
www.vdm.com
Ouvert de 10h à 19h du lundi au samedi. Comme toutes les librairies des voyageurs du monde, celle de Rennes possède tout ce qu'il faut pour faire de vous un professionnel du voyage ! Guides en français et en anglais, cartes géographiques, atlas, récits de voyage, littérature étrangère, ouvrages thématiques, livres d'art et de photos, et pour les voyageurs en herbe : atlas, albums et romans d'aventures… Les librairies de Voyageurs du monde vendent également des photos anciennes, retirées à partir des négatifs originaux.

ORGANISER SON SÉJOUR

© OT POLOGNE

Vue aérienne du Château de Wawel

Strasbourg

▪ GEORAMA
20, rue du Fossé-des-Tanneurs
✆ 03 88 75 01 95 – Fax 03 88 75 01 26
Ouvert le lundi de 14h à 19h et du mardi au samedi de 9h30 à 19h. Le lieu est dédié au voyage et les guides touristiques voisinent avec les cartes routières et les plans de ville. Vous voulez partir en Chine ? Pas de problème : voici les *Petit Futé* Chine et Pékin, le plan des principales infrastructures routières du pays ainsi qu'un plan de Pékin en bilingue anglais/mandarin. Des accessoires indispensables au voyage (sac à dos, boussole) peuplent aussi les rayons de cette singulière boutique. Notez également la présence (et la vente) de fascinants globes lumineux et de cartes en relief.

Toulouse

▪ LIBRAIRIE PRESSE DE BAYARD – LA LIBRAIRIE DU VOYAGE
60, rue Bayard
✆ 05 61 62 82 10 – Fax 05 61 62 85 54
Ouvert du lundi au samedi de 7h30 à 19h. Pour passer de bons moments en voyage sans tourner trente-six heures dans une région inconnue, cette librairie offre toutes sortes de cartes IGN (disponibles aussi en CD ROM), Topos Guides, Guides touristiques, cartes du monde entier et plans de villes (notamment de villes étrangères)… Cette surface de vente – la plus importante de Toulouse consacrée au voyage – possède également un rayon consacré à l'aéronautique (navigation aérienne), à la navigation maritime et aux cartes marines. Pour ne pas se perdre dans cette promenade littéraire, suivez les bons conseils de l'équipe de Toulouse presse. Dès qu'on pousse les portes de cette indispensable librairie, le voyage commence… Pour les futés qui n'ont pas envie de se paumer, une des librairies où vous trouverez le plus grand choix de *Petit Futé*.

▪ OMBRES BLANCHES
50, rue Gambetta
✆ 05 34 45 53 33 – Fax 05 61 23 03 08
www.ombres-blanches.com
Ouvert du lundi au samedi de 10h à 19h. On entre et on tombe sur une tente de camping. Pas de panique, ceci est bien une librairie, la petite sœur de la grande Ombres Blanches d'à côté. Mais une librairie spécialisée dans les voyages et le tourisme, donc dans le camping également ! Beaux livres, récits de voyage, cartes de rando et de montagnes, livres photos… La marchandise est dépaysante et merveilleuse tandis que l'accueil est aussi agréable que dans la librairie jumelle. Comment ne pas y aller, ne serait-ce que pour voyager virtuellement ?

▪ LIBRAIRIE DE VOYAGEURS DU MONDE
26, rue des Marchands
✆ 05 34 31 72 72/55
Fax 05 35 31 72 73
www.vdm.com
Ouvert le lundi de 13h à 19h et du mardi au samedi de 10h à 19h sans interruption. Cette librairie propose l'ensemble des guides touristiques en français et en anglais, un choix exceptionnel de cartes géographiques et d'atlas, des manuels de langue et des guides de conversation. Mais on trouve également des récits de voyage, de la littérature étrangère, des ouvrages thématiques sur l'histoire, la spiritualité, la société, la cuisine, des reportages, des livres d'art et de photos… Pour les voyageurs en herbe, des atlas, des albums et des romans d'aventures.

Tours

▪ LA GEOTHEQUE, LE MASQUE ET LA PLUME
14, rue Néricault-Destouches
✆ 02 47 05 23 56 – Fax : 02 47 20 01 31
geotheque-tours@geotheque.com
Totalement destinée aux globe-trotters, cette librairie possède une très large gamme de guides et de cartes pour parcourir le monde. Et que les navigateurs des airs ou des mers sautent sur l'occasion : la librairie leur propose aussi des cartes, manuels, CD-Roms et GPS…

■ SUR PLACE

Poste et télécommunications

Téléphone

▶ **Code pays :** l'indicatif téléphonique de la Pologne est le 48.

▶ **Pour téléphoner depuis la France en Pologne :** 00 + 48 + indicatif de la ville sans le 0 + numéro de votre correspondant. Par exemple pour téléphoner à Varsovie : 00 + 48 + 22 + 856 24 33. L'indicatif de Varsovie est le 022, celui de Cracovie le 012.

▶ **Pour téléphoner depuis la Pologne à l'étranger :** 00 + code pays + indicatif régional sans le zéro + numéro de votre correspondant.

France : 00 + 33 + numéro de votre correspondant (sans le 0)

Belgique : 00 + 32 + numéro de votre correspondant

Canada : 00 + 1 + numéro de votre correspondant

Suisse : 00 + 41 + numéro de votre correspondant

▶ **Pour téléphoner de Pologne en Pologne, d'une région à l'autre :** indicatif régional avec le zéro + les 7 chiffres du numéro local. Par exemple de Varsovie à Cracovie : 012 + 856 24 33.

▶ **Pour téléphoner de Pologne en Pologne, en local, dans la même région :** indicatif de cette région avec le zéro + les 7 chiffres du numéro local (ex : de Varsovie à Varsovie : 022 856 24 33).

▶ **Pour téléphoner vers un mobile :** 00 + code pays + numéro du correspondant sans le 0.

Téléphones utiles

■ **POLICE** ✆ 997

■ **POMPIERS** ✆ 998

■ **URGENCES** ✆ 999

■ **RENSEIGNEMENTS** ✆ 118 913

■ **RENSEIGNEMENTS INTERNATIONAUX** ✆ 118 912

■ **ASSISTANCE ROUTIÈRE** ✆ 981

Poste

Colis et lettres circulent assez bien entre les deux pays, même si la Poste n'est pas aussi « sûre » que la nôtre.

Poster une carte postale ou une lettre de moins de 20 g, au tarif normal, depuis la Pologne, à destination de la Pologne coûte 1,30 zl ; à destination de pays de l'Europe, 2,40 zl ; à destination du Canada et des USA, 2,50 zl.

Il existe peu de différence avec le tarif rapide, alors si vous voulez optimiser vos chances, n'hésitez pas !

Demandez [expressovai], les personnes aux guichets de poste ne parlent en général aucune langue étrangère. Préférez sinon les envois en recommandé « potwierdzenie nadania » ou accusé de réception « potwierdzenie odbioru », plus chers mais plus sûrs.

Pour les paquets, il faut remplir une déclaration de douanes, mais, par chance, les documents sont en polonais et en français. Il arrive que les paquets envoyés en période de fêtes mettent très longtemps à arriver.

■ **www.poczta-polska.pl**

Publiez vos récits de voyage

Vous rentrez de voyage, la tête encore pleine d'images et le carnet de bord rempli de notes, d'impressions, d'anecdotes, de témoignages. Vous souhaiteriez prolonger le rêve, le fixer noir sur blanc ?

Faire partager votre expérience, vos émotions, vos aventures, vos rencontres ? Publibook est la société leader en France dans le domaine de l'édition à la demande.

Elle se propose de prendre en charge votre manuscrit, de vous accompagner, du conseil éditorial jusqu'à l'impression, dans toutes les étapes de la publication de votre ouvrage.

■ **POUR PLUS D'INFORMATIONS,**
Contactez Publibook
✆ 01 53 69 65 55
ou sur le site : www.publibook.com

www.kertel.com

TÉLÉPHONEZ SANS COMPTER VERS LA POLOGNE !

CARTE TÉLÉPHONIQUE · PHONECARD 7,5€

CARTE TÉLÉPHONIQUE · PHONECARD 15€

Destination Europa	N° LOCAL 0811 92 3003 mn/15 € jusqu'à*	N° GRATUIT 0805 92 3003 mn/15 € jusqu'à*	N° CALL BACK GSM 0805 92 3000 mn/15 € jusqu'à*
Pologne	6500	1200	70
Pologne GSM	150	100	42
France	9000	1000	69
France GSM	180	110	44

N° CALL-BACK GSM : 0805 92 3000

Accès gratuit depuis un GSM. A la tonalité occupé raccrochez, on vous rappelle.

FONCTIONNE VERS LES NUMÉROS AUDIOTEL	ACCÈS DIRECT tapez # 24	CHOIX DE LA LANGUE tapez # 22	FONCTION BIS tapez ★ 0

Service Client : 0892 13 33 33 (0,34 € TTC/mn)

EN VENTE CHEZ LES BURALISTES ET DANS LES TÉLÉBOUTIQUES

Kertel

ON N'EST PAS PRÈS DE VOUS COUPER LA PAROLE !

CARTES TÉLÉPHONIQUES

Téléphonez sans compter vers le monde entier avec les cartes téléphoniques Kertel !

C'est la solution universelle pour téléphoner sans compter depuis un fixe, une cabine ou un GSM !

Pratique, économique.

Exemple : Vous pouvez appeler la Pologne depuis la France pendant plus de 100 heures avec une carte Destination Europa à 15 € !!! Vous pouvez également l'utiliser gratuitement depuis votre téléphone mobile (seule la carte Kertel est débitée) grâce au Call-Back GSM !

Comment utiliser Kertel ?

Rien de plus simple :
En France, depuis un poste fixe:
- Choisissez votre type d'accès (gratuit ou local) en fonction de ce que vous voulez : Plus de minutes avec votre carte (débit sur votre ligne fixe au coût d'une communication locale en plus de votre carte) ou moins de minutes mais seule votre carte Kertel est débitée.
- Composez le numéro de votre carte Kertel.
- Composez le numéro de votre correspondant.

En France, depuis un mobile : (Call Back GSM)
- Composez le numéro d'accès 0805 92 3000
- A la tonalité occupée, raccrochez, on vous rappelle
- Composez le code de votre carte et le numéro de votre correspondant (sans utiliser le répertoire de votre mobile)

Où nous trouver ?

Les cartes téléphoniques Kertel sont présentes dans plus de 40.000 points de vente tels que les bureaux de Poste*, les bureaux de tabac et les Téléboutiques. *Cartes Destination Africa, Maghreb et France Monde

Toutes les informations sur les cartes téléphoniques Kertel, les tarifs et la gamme complète de cartes sur www.kertel.com ou appelez le service client au 0892 13 33 33 (0,34€ TTC/mn).

KERTEL S.A.S. 422 135 459 RCS PARIS - 04/07 - Pas de facturation : 1 puis 2 mn - Forfait de connexion : 0,40 € TTC - Tarifs susceptibles de modifications à tous moments, sur la base d'un appel ininterrompu.

Langues parlées

Dans l'ensemble du pays, il n'est pas trop difficile de parler anglais. Les langues les plus utilisées sont l'allemand (surtout à l'Ouest du pays et en Mazurie) et le russe (plutôt à l'Est). Le français n'est pas encore une langue très populaire, mais si un Polonais la connaît, il ne manquera pas de vous le faire savoir.

Électricité

Le courant est en 220 volts, et les prises électriques sont les mêmes que celles utilisées en France et dans la plupart des pays d'Europe.

Horaires d'ouverture

Très variés, il est difficile de les définir exactement car le rythme de vie change en Pologne. Administrations, musées, bâtiments officiels ferment souvent de bonne heure (16h, 17h au plus tard). Les magasins d'alimentation s'ouvrent de bonne heure (7h ou 8h) ou au contraire vers 11h. De plus en plus de magasins sont ouverts tard, jusqu'à 19h environ, et 7j/7. Dans les grandes villes, des supérettes au centre et supermarchés aux alentours ouvrent 24h/24. Par contre presque tous les magasins ferment tôt le samedi, entre 13h et 16h (sauf les boutiques dans les centres commerciaux). Les restaurants et cafés sont généralement ouverts non-stop (souvent de 11h à 23h) et il est possible de manger à toute heure.

Jours fériés

Les jours fériés en Pologne sont : le nouvel an (1er janvier), le lundi de Pâques (mars ou avril), la fête du Travail (1er mai), la fête nationale – celle de la Constitution – (3 mai), la Fête-Dieu (mai ou juin), l'Assomption (15 août), la Toussaint (1er novembre), la fête de l'Indépendance – armistice de 1918 – (11 novembre) et Noël (25 et 26 décembre).

Médias

Presse francophone

Les Echos de Pologne est un bimensuel francophone, disponible dans quelques kiosques, généralement à Empik et dans les librairies françaises. Très bien documenté, il informe sur la vie politique, économique, culturelle et sportive en Pologne, ainsi que sur les expositions et événements ayant lieu dans la plupart des villes polonaises, pour seulement 5,50 zl.

▶ **Journaux polonais.** Les plus lus sont *Gazeta Wyborcza* (sans doute le plus populaire), *Rzeczpospolita* et *Dziennik* (les principaux concurrents du précédent). Les journaux gratuits *Aktivist* et *City magazine*, diffusés dans les grandes villes, donnent de bonnes informations sur les bars et restaurants à la mode et les soirées organisées, mais sont rédigés uniquement en polonais. Sinon des petits magazines en anglais comme *The visitor, Insider, In your pocket, What, where, when,* fournissent bon nombre d'informations pratiques et touristiques sur les principaux spots touristiques, généralement en anglais.

Radios

Certaines des quatre radios nationales et des nombreuses privées proposent des informations en anglais. Pendant l'été, Radio Programme n° 1 diffuse des bulletins d'information en français, anglais et allemand. Les radios les plus en vogue sont RMF FM sur 91.0 à Varsovie, Radio Pogoda sur 100.1 FM, Radio Wawa sur 89.8 FM, Radio Zet sur 107.3 FM.

Télévision

Les grands hôtels sont généralement pourvus d'antennes satellites qui permettent de capter les programmes télévisés de toute l'Europe. Les principales chaînes polonaises sont TVP1, TVP2, Polsat et TVN.

Empik pour vous servir

La chaîne de magasins Empik, représentée dans toutes les grandes villes, distribue la presse internationale, difficilement disponible ailleurs. Tous les quotidiens français, avec un jour de retard, sont en vente – à noter que Le Monde coûte moins cher qu'en France –, ainsi que de nombreux magazines de toutes sortes, même spécialisés. Les grands hôtels proposent également la presse étrangère à leur clientèle, et certains kiosques disposent parfois de quelques titres.

ORGANISER SON SÉJOUR

Festivités et manifestations culturelles

Février

▶ **Varsovie.** Concours international de violoncelle Witold Lutoslawski. Le concours se déroule tous les deux ans au siège de l'Académie de musique de Varsovie.

▶ **Suwałki (Podlachie).** Raid national à ski Randonnées du Nord. Ski de randonnée : parcours accessible à tous ceux qui pratiquent ce genre de sport.

Mars

▶ **Lidzbark Warmiński, Bartoszyce, Orneta, Kętrzyn.** Fête folklorique « Kaziuki-Wilniuki ». Foire internationale du folklore qui renoue avec les anciennes foires de la Saint-Casimir à Vilnius, en Lituanie.

Avril

▶ **Cracovie.** Festival de Pâques Ludwig van Beethoven. Ce festival s'est déroulé pour la première fois en 1997 dans le cadre du programme Cracovie 2000 – Ville européenne de la Culture.

Il fut créé par Elżbieta Penderecka, épouse du célèbre compositeur Krzysztof Penderecki, et est devenu un événement important.

▶ **Dimanche des Rameaux, Lipnica Murowana.** Concours de Rameaux et d'Artisanat pascal Pour les Rameaux de Lipnica. Concours des plus beaux rameaux de Pâques.

▶ **Dimanche des Rameaux, Łyse.** Concours Rameaux de la Kurpie. Concours des plus beaux rameaux de Pâques de la Kurpie.

Mai

▶ **Hajnówka.** Festival international – Journées de musique orthodoxe de Hajnówka. Revue de chorales orthodoxes, paroissiales et laïques. Manifestation permettant de faire connaissance avec les chants liturgiques de l'Eglise orthodoxe.

▶ **Varsovie.** Foire internationale du livre. La plus importante des foires du livre organisées en Pologne.

▶ **Toruń.** Festival international de Théâtre Contact. C'est l'une des manifestations les plus prestigieuses en Europe, qui propose un dialogue entre les théâtres de l'Est et de l'Ouest.

Juin

▶ **Fin mai-début juin, Cracovie.** Festival cinématographique de Cracovie. Présentation des plus récents films polonais et du monde entier.

▶ **Juin, Wrocław.** La fête de la ville, des concerts et joies 24h/24 pendant une semaine (voir en septembre).

▶ **Juin-juillet, Varsovie.** Festival Mozart. Le seul festival en Europe qui présente la totalité des œuvres scéniques de ce compositeur, ainsi qu'une partie des œuvres instrumentales et des oratorios.

▶ **Juin, Varsovie.** Warsaw Summer Jazz Days. De célèbres représentants du jazz européen contemporain se produisent sur la scène polonaise. Ces concerts sont donnés en plein air sur la place du Château (Plac Zamkowy).

▶ **Fin juin, Kazimierz Dolny.** Festival national des orchestres et chanteurs populaires. Grand spectacle folklorique et présentation de la musique, des artistes populaires et de nombreux groupes de chanteurs de tout le pays.

La Pologne autrement

Chaque saison est donc propice au voyage en Pologne, selon votre climat préféré, puisqu'elle est belle en tout temps et animée aussi chaque mois de l'année. La vie de la Pologne est surtout rythmée par les fêtes religieuses. Pourquoi ne pas découvrir une autre Pologne, et vraiment comprendre sa population… en assistant à l'une des trois fêtes les plus importantes pour les Polonais, qui de plus coïncident avec la basse saison (coût moindre et peu de touristes) :

▶ **Pâques :** marché de Pâques, le samedi très animé, affluences dans les églises bondées, bénédiction du panier qui symbolise le repas de Pâques, le dimanche désertique, le lundi de Pâques, tradition de batailles d'eau (en hommage au premier roi de Pologne, baptisé ce jour-là).

▶ **La Toussaint :** fête de tous les saints, cimetières illuminés de mille feux, vente de bougies…

▶ **Noël :** décorations, effervescence, marché de Noël, concours de crèches à Cracovie, spécialités culinaires…

© S.MORVIS

Wrocław, université au coucher du soleil

▶ **Fin juin-début juillet, Cracovie (quartier de Kazimierz). Festival de la culture juive. Concerts de m**usique – traditionnelle et contemporaine – hassidique et synagogale.

Juillet

▶ **11-13 juillet, Grunwald.** Mise en scène de la bataille de Grunwald. Reconstitution de la bataille victorieuse de Grunwald-Tannenberg, remportée en 1410 sur les chevaliers Teutoniques, avec la participation de confréries chevaleresques venues de toute l'Europe.

▶ **Fin juillet, Mrągowo.** Festival international de musique country Pique-nique Country. Présentation de musique country.

▶ **Juillet, Giżycko.** Festival du chant marin Chants marins à Giżycko. Présentation de chants marins.

▶ **Juillet, Ustka, Jantar.** Championnats des chercheurs d'ambre.

▶ **Juillet, Gdynia.** « The Cutty Sark Tall Ship's Races Gdynia ». Grandes régates de bateaux à voile. C'est la plus grande épreuve de voile de ce genre au monde.

Août

▶ **Début août, Mrągowo.** Festival de la culture des confins est. Le festival présente le passé artistique et les traditions des Polonais peuplant les anciens territoires polonais à l'est. Participation d'ensembles folkloriques, de chorales, d'orchestres populaires, de même que de créateurs individuels d'œuvres artistiques populaires de Lituanie, Biélorussie, Ukraine, Lettonie et Tchéquie.

▶ **Août, Cracovie.** Festival international de musique dans la vieille Cracovie. Participation d'artistes du monde entier.

▶ **Août, Zakopane.** Festival international du folklore des régions de montagne. Participation d'ensembles folkloriques montagnards de différentes parties du monde.

Septembre

▶ **Septembre, Wrocław.** Festival international Wratislavia Cantans. Le festival international Musique et Beaux-Arts se tient depuis 1966 sur une période de deux semaines (une semaine en juin et une autre en septembre). Sont organisés des concerts de cantates, de musique symphonique et de chambre, des spectacles d'opéra et de ballet, des vernissages, ainsi que des récitals vocaux et instrumentaux, ainsi que des récitals ethniques présentant la musique de différentes cultures.

▶ **Septembre, Varsovie.** Festival international de musique contemporaine Automne de Varsovie. On peut y entendre de remarquables interprétations des plus récentes compositions polonaises et étrangères.

▶ **Septembre, Biskupin.** Festin archéologique. Le festin donne aux touristes un aperçu de la vie au temps des débuts de l'Etat polonais. Démonstrations d'anciens métiers artisanaux.

Octobre

▶ **Fin octobre, Varsovie.** Festival international de jazz Jazz Jamboree. Le plus important et le plus ancien des festivals de jazz de Pologne.

Décembre

▶ **Début décembre, Cracovie.** Concours des plus belles crèches de Noël cracoviennes.

ORGANISER SON SÉJOUR

Association Internationale pour le Développement le Tourisme et la Santé

NOTRE VOCATION

Informer, communiquer, mobiliser pour la lutte contre le tourisme sexuel impliquant de plus en plus d'enfants dans le monde

Photo : Alistair Sinclair

"**Laissez-nous notre innocence**"

Aidez-nous par vos dons et contrats de partenariats à renforcer nos actions de prévention de la prostitution des mineurs liée au tourisme sexuel

AIDéTouS - 25, bd Poniatowski - 75012 Paris - Tél. : 06 11 34 56 19
aidetousfrance@orange.fr - www.aidetous.org

CARNET D'ADRESSES

En France

■ AMBASSADE DE POLOGNE EN FRANCE

1, rue Talleyrand, 75343 Paris Cedex 07
✆ 01 43 17 34 00
www.ambassade.pologne.net
info@ambassade.pologne.net
Ouvert du lundi au vendredi de 9h à 17h.

■ BUREAU DE CONSEILLER COMMERCIAL ET ECONOMIQUE

86, rue de la Faisanderie, 75116 Paris
✆ 01 45 04 10 20 – Fax : 01 45 04 63 17

■ INSTITUT POLONAIS

31, rue Jean-Goujon, 75008 Paris
✆ 01 53 93 90 10 – Fax : 01 45 62 07 90

■ OFFICE NATIONAL POLONAIS DE TOURISME

9, rue de la Paix, 75002 Paris
✆ 01 42 44 19 00 – Fax : 01 42 97 52 25
www.tourisme.pologne.net

Consulats

5, rue Talleyrand, 75007 Paris
✆ 01 43 17 34 22
www.consulat.pologne.net
Ouvert au public de 8h30 à 12h, informations par téléphone de 12h à 16h.
45, boulevard Carnot, 59040 Lille
✆ 03 20 14 41 81 – Fax : 03 20 14 46 50
79, rue Crillon 69006 Lyon
✆ 04 78 93 14 85 – Fax : 04 78 93 56 37
www.lyon.consulat.pologne.net
2, rue Geiler, 67000 Strasbourg
✆ 03 88 37 23 20
Fax : 03 88 37 23 30

Compagnies aériennes Lot

■ COMPAGNIE AÉRIENNE LOT

27, rue du Quatre-Septembre, 75002 Paris
✆ 01 47 42 05 60
www.lot-lignesaeriennes.com
www.lot.com
Roissy-Charles-de-Gaulle. Aérogare 2
Terminal B, Escale
✆ 01 48 62 84 90
Aéroport Saint-Exupery, 69125 Lyon
✆ 04 72 22 75 32
Fax : 04 72 23 84 40
www.lot-lignesaeriennes.com
www.lot.com

Aéroport Nice-Côte-d'Azur
✆ 04 93 21 46 90 – Fax : 04 93 21 46 91
www.lot-lignesaeriennes.com
www.lot.com

Librairies

■ LIBRAIRIE POLONAISE

123, boulevard Saint-Germain, 75006 Paris
✆ 01 43 26 04 42 – Fax : 01 40 51 08 82

■ LIBRAIRIE DOBOSZ

7, rue de la Bûcherie, 75005 Paris
✆ 01 40 51 76 40 – Fax : 01 40 51 78 32

En Pologne

■ AMBASSADE DE FRANCE A VARSOVIE

Rue Piękna 1 ✆ (022) 529 30 00
Fax : (022) 529 30 01

■ CONSULAT GENERAL DE FRANCE A CRACOVIE

Rue Stolarska 15
✆ (012) 424 53 00/20
Standards accessibles 24h/24 et 7j/7.

Agences consulaires

■ GDAŃSK

(lundi à vendredi de 10h à 14h,
sauf le mercredi). Rue Kościuszki 61
(Sopot)
✆ (058) 550 32 49 – Fax : (058) 551 44 43

■ ŁÓDŹ

Rue Uniwersytecka 3 ✆ (042) 635 40 38

■ POZNAŃ

Le lundi, le mercredi et le vendredi
de 10h à 12h. Rue Mielżyskiego27/29
✆ (061) 851 94 90 – Fax : (061) 851 61 40

■ SZCZECIN

Rue Skłodowskiej-Curie 4
✆ (091) 486 15 42 – Fax : (091) 486 15 44

■ WROCŁAW

Lundi à vendredi de 8h à 16h
Rue Świdnicka 10
✆ (071) 344 22 72
Fax : (071) 344 14 93.
CSR Pologne

Cracovie, cathédrale de Wawel et canons

Partir en voyage organisé

L'offre pour la Pologne est assez diversifiée, des randonnées dans les Tatras aux courts séjours dans les grandes villes, en passant par les itinéraires culturels. Varsovie et Cracovie sont des incontournables, au programme de tous les circuits.

On trouve aussi plusieurs propositions de voyages en bus pour les petits budgets.

Les spécialistes

■ **AMSLAV**

Service individuels : 10, rue Bachaumont 75002 Paris
✆ 01 44 88 20 40
ou 01 40 59 62 06 – Fax 01 44 82 02 75
info@amslav.com
Service groupe : 60, rue Richelieu
75002 Paris ✆ 01 40 59 43 10
Fax : 01 40 59 48 03

groupes@amslav.fr – www.amslav.com
Amslav Tourisme est l'un des leaders des voyages sur l'Europe de l'Est. Amslav propose ainsi des week-ends, des circuits, des séjours, mais aussi des croisières, et des voyages insolites ou raffinés à destination de la République Tchèque, la Hongrie, la Pologne, la Slovaquie, la Croatie, la Bulgarie, la Roumanie, la Russie, les Pays Baltes, l'Ukraine ou l'Ouzbékistan.

En Pologne, le voyageur trouvera des forfaits week-ends à destination de Cracovie et Varsovie (vols + hébéregment), ainsi que diverses prestations pour un séjour à la carte (tranferts, services d'un guide francophone, places de concert, d'opéra, etc.). Des hôtels sont aussi proposés à travers tout la Pologne, ainsi que des circuits (« Symphonie polonaise », 7 jours).

Cracovie, promenade en calèche

■ CGTT VOYAGES

82, rue d'Hauteville 75010 Paris
✆ 0 825 16 24 88 – Fax 01 40 22 88 54
www.cgtt-voyages.fr
Cgtt Voyages est une agence française
spécialisée sur la Russie, la CEI (Ukraine,
Kazakhstan, Géorgie, Azerbaïdjan, Arménie,
Ouzbékistan...), les Pays Baltes (Estonie,
Lituanie, Lettonie), et les pays d'Europe de
l'Est. Ce tour opérateur propose une multitude
de prestations pour la Pologne et plus
particulièrement dans les villes de Varsovie,
Cracovie et Gdansk : hôtels de 3 à 5-étoiles,
vols avec plusieurs compagnies aériennes,
transfert aéroport/hôtel, excursions, ainsi que
les services d'un guide-interprète, des places
pour l'Opéra ou un concert. Egalement des
circuits, comme « Merveilles de la Pologne »,
« Les Belles Polonaises » et « Curiosités de la
Pologne méridionale » (départs garantis) ; une
randonnée (« Découverte de la Pologne des
sommets ») ; et des séjours (une semaine en
Mazurie, à la campagne, ou dans les Tatras,
dans les montagnes).

■ EASTPAK

26, cours Vitton 69006 Lyon
✆ 04 72 83 63 33 – Fax 04 72 83 63 31
ww.eastpak.fr
EastPak est un tour opérateur qui connaît sur
le bout des doigts l'Europe centrale. Dans sa
brochure, figurent la République Tchèque, la
Russie, la Hongrie, l'Autriche, la Roumanie,
les pays Baltes, l'Allemagne, la Croatie et la
Pologne qui compte parmi ses destinations
de prédilection. Pour satisfaire les exigences
de ses clients, Eastpak affiche une production
conséquente allant de la vente de vols secs au
voyage organisé, par exemple « découverte
polonaise » (un circuit de 8 jours traversant les
principales villes) en passant par l'élaboration

de voyages à la carte. Egalement au catalogue
des escapades à Cracovie, Varsovie et Gdansk
(hébergement en hôtels 3 à 5 étoiles, location
de voitures, possibilité d'excursions et de
visites guidées), des combinés Cracovie-
Varsovie et des autotours.

■ NEW EAST

45, rue Lesdiguières 38000 Grenoble
✆ 04 76 47 19 18 – Fax 04 76 47 19 14
www.new-east.fr
New East, spécialiste des séjours en
Europe propose depuis 14 ans des
formules économiques avec transport en
autocar ou avion, logement, petit déjeuner,
accompagnateur et parfois même des visites.
Leur force réside dans les logements simples et
économiques situés essentiellement en centre
ville ou avec accès direct aux transports en
commun, et dans la présence d'un coordinateur
pour veiller au bon déroulement du séjour tout
en gardant une totale liberté. Economique
et pratique. Un voyage de 9 jours « Tour de
Pologne » est proposé, à la découverte de
Varsovie, Torun, Poznan et Gdansk.

■ PRAGOMEDIA

Audabiac 30580 Lussan ✆ 04 66 72 70 70
Fax 04 66 72 70 71
www.pragomedia.com
Agence de voyages spécialiste des voyages
sur mesure en Croatie, Hongrie, Pologne et
République tchèque, Pragomedia propose
toutes sortes de produits à des prix attractifs,
ainsi que des promotions régulières. Séjours,
forfaits, réservation d'hôtels, locations en hôtel,
appartement, chambre d'hôtes, pension de
famille, auberge de jeunesse, hôtel-château,
voyages organisés, circuits, combinés, thalasso,
et location de voitures, le choix est très large,
notamment à travers toute la Pologne.

■ SENSATIONS POLOGNE

2, avenue Louis-Lachenal BP 23211
34518 Béziers Cedex ✆ 04 67 35 99 24
ww.sensations-pologne.com
Sensations Pologne propose un large choix
de voyages : week-ends et séjours à Cracovie
et Varsovie, circuits (« La Grande Polonaise »,
au fil des lacs de Mazurie, en passant par
les plages de la baltique, la Silésie, Gdansk,
Malbork, Varsovie et Cracovie ou encore
« Symphonie polonaise », à la découverte
de Varsovie, de Zelazowa Wola, village natal
de Chopin, de Czestochowa, célèbre ville de
pèlerinages, de Cracovie, de Wieliczka et
Zakopane). Egalement disponibles sur le site,
des promos et coups de cœur.

■ SLAV'TOURS

29-31, bd Rocheplatte 45000 Orléans
✆ 02 38 77 07 00
Fax 02 38 77 18 37
www.slavtours.com
Ce grand spécialiste de l'Europe Centrale
propose une large gamme de produits pour
que composer son voyage en Pologne :
transports pour aller à Cracovie et Varsovie
(avion, bus, indication pour un trajet en
voiture), transferts, transports locaux (trains
intercity), une sélection d'hébergements
(hôtels et location d'appartements), location
de voitures... Mais également des excursions
et des billets pour des spectacles, concerts,
etc. Il est possible aussi de d'offrir les
services d'un guide-accompagnateur. Des
forfaits tout prêts sont aussi proposés.

Les généralistes

■ ALLIBERT

37, bd Beaumarchais 75003 Paris
✆ 0 825 090 190 – Fax 01 44 59 35 36
www.allibert-trekking.com
Créateur de voyages depuis 25 ans, Allibert
propose plus de 600 voyages à travers
90 pays. Du désert à la haute montagne,
le tour opérateur propose de nombreux
circuits de différents niveaux de marche pour
satisfaire chacun avec possibilité d'extension.
« Cracovie-Varsovie par les Carpates » offre
la possibilité de découvrir 3 massifs des
Carpates aux reliefs différents, six sites
classés patrimoine mondial de l'Unesco, de
visiter Cracovie et Varsovie, et de rencontrer
les habitants (déjeuner à la ferme, dégustation
de fromage...). Pour les autres voyages la
Pologne est en combiné avec la Slovaquie.

■ ANYWAY

60, rue de Prony 75017 Paris
✆ 0 892 302 301 – www.anyway.com
Anyway propose des vols secs à tarifs réduits,
un grand choix d'hôtels toute catégorie, des
bons plans pour le week-end et une assistance
à distance pour les frais médicaux à l'étranger...
Anyway se sont plus de 800 destinations dans
le monde à prix vraiment très futés.

■ DEGRIFTOUR

✆ 0 899 78 50 00 – www.degriftour.fr
Vols secs, hôtels, location de voiture, séjours
clé en main ou sur mesure... Degriftour
s'occupe de vos vacances de A à Z, à des
prix très compétitifs.

■ EXPEDIA FRANCE

✆ 0 892 301 303 – www.expedia.fr
Expedia est le site français du n° 1 mondial
du voyage en ligne. Un large choix de
500 compagnies aériennes, 14 000 hôtels,
plus de 3 000 stations de prise en charge
pour la location de voitures et la possibilité de
réserver toute une série d'activités sur votre
lieu de vacances. Cette approche sur mesure
du voyage est enrichie par une offre très
complète comprenant prix réduits, séjours tout
compris, départs à la dernière minute...

■ GO VOYAGES

14, rue de Cléry 75002 Paris
www.govoyages.com
✆ 0 899 651 951 (billets)
851 (hôtels, week-ends et location
de voitures) – 650 242 (séjours/forfaits)
650 246 (séjours Best Go)
650 243 (locations/ski)
650 244 (croisières) – 650 245 (Thalasso)
Go Voyages propose le plus grand choix de vols
secs, charters et réguliers, au meilleur prix, au
départ et à destination des plus grandes villes.
Possibilité également d'acheter des packages
sur mesure « vol + hôtel » permettant de
réserver simultanément et en temps réel un
billet d'avion et une chambre d'hôtel. Grand
choix de promotions sur tous les produits sans
oublier la location de voitures. La réservation
est simple et rapide, le choix multiple et les
prix très compétitifs.

■ INTERMEDES

60, rue La Boétie 75008 Paris
✆ 01 45 61 90 90 – Fax 01 45 61 90 09
www.intermedes.com
Intermèdes propose des voyages d'exception
et des circuits culturels sur des thèmes
très variés : architecture, histoire de l'Art,

événements musicaux. Intermèdes est à la fois tour opérateur et agence de voyages. Courte escapade à Cracovie, circuit de 8 ou 12 jours et combiné avec Prague sont programmés pour la destination Pologne. Les voyages proposés sont accompagnés de conférenciers, historiens ou historiens d'art. Chaque séjour se fait volontairement en groupes volontairement restreints, vous permettant de rencontrer d'autres amateurs d'art ou d'histoire. Egalement des voyages sur mesure.

◼ INTERNATIONAL OK TOURISME

16, rue de l'Evangile 75018 Paris
✆ 01 44 89 64 10 – Fax 01 44 89 64 19
www.oktourisme.com
International OK Tourisme propose de composer vous-même votre séjour à la carte. Mais des forfaits week-ends, en hôtels allant de 3 à 5-étoiles sont aussi disponibles. Si les destinations principales restant Varsovie et Cracovie, ce tour opérateur permet aussi d'aller dans d'autres grandes villes polonaises.

◼ LAST MINUTE

✆ 0 899 78 5000 – www.lastminute.fr
Des vols secs à prix négociés, dégriffés ou publics sont disponibles sur Last Minute. On y trouve également des week-ends, des séjours, de la location de voitures... Mais surtout Last Minute est le spécialiste des offres de dernière minute permettant ainsi aux vacanciers de voyager à petits prix. Que ce soit pour un

week-end ou une semaine, une croisière ou simplement un vol, des promos sont proposées et renouvelées très régulièrement.

◼ OPODO

✆ 0 892 23 06 82 – www.opodo.fr
Pour préparer votre voyage, Opodo vous permet de réserver au meilleur prix des vols de plus de 500 compagnies aériennes, des chambres d'hôtels parmi plus de 45 000 établissements et des locations de voitures partout dans le monde. Vous pouvez également y trouver des locations saisonnières ou des milliers de séjours tout prêts ou sur mesure ! Opodo a été classé meilleur site de voyages par le banc d'essai Challenge Qualité – l'Echo touristique 2004. Des conseillers voyages à votre écoute 7 jours/7 au 0892 23 06 82 (0,34 €/min).

◼ PROMOVACANCES

✆ 0 892 232 626 – 0892 230 430
(thalasso, plongée, ou lune de miel)
www.promovacances.com
Promovacances propose de nombreux séjours touristiques, des week-ends, ainsi qu'un très large choix de billets d'avion à tarifs négociés sur vols charters et réguliers, des locations, des hôtels à prix réduits. Egalement, des promotions de dernière minute, les bons plans du jour. Informations pratiques pour préparer son voyage : pays, santé, formalités, aéroports, voyagistes, compagnies aériennes.

© AUTHORS.COM

ORGANISER SON SÉJOUR

Cracovie, Halle aux Draps

Varsovie, Château Royal - Zamek Krolewski

■ TCH – TOURISME CHEZ L'HABITANT

15, rue des Pas-Perdus BP 38338
95804 Cergy-Saint-Christophe Cedex
✆ 0 892 680 336 (service privilège
« attente téléphonique réduite »)
ou 01 34 25 44 72 – Fax 01 34 25 44 45
www.tch-voyages.com
En Pologne, ce voyagiste propose des
chambres d'hôtes et logement chez l'habitant,
des locations d'appartements meublés, des
Agritourismes, des hôtels à prix discount
(jusqu'à 50% de réduction à réserver en ligne
ou par téléphone), des pensions de famille, des
résidences universitaires, des week-ends à
Cracovie, Varsovie, Gdansk, Poznan, Wroclaw,
Zakopane. Egalement des autotours, circuits,
séjours Spa et remise en forme ainsi que des
vols et locations de voitures à tarifs négociés.
Brochure gratuite sur demande.

■ TERRE ENTIÈRE

10, rue de Mézières 75006 Paris
✆ 01 44 39 03 03 – Fax 01 42 84 18 99
ww.terreentiere.com
Terre Entière propose des croisières et des
voyages culturels, ainsi que des pèlerinages
et itinéraires spirituels. Pour élaborer
ses circuits, Terre Entière travaille avec
différents partenaires comme le Centre
d'Etudes et de Recherches Internationales,
le Museum national d'Histoire naturelle... Les
itinéraires sont également accompagnés de
conférenciers, qui sont souvent enseignants à
l'université, journalistes, ou des anciens élèves
d'écoles d'art et d'histoire, et qui connaissent

parfaitement la destination sur laquelle ils
interviennent. « L'âme polonaise » est un
itinéraire de 10 jours, permettant de faire
un tour d'horizon du pays, en découvrant
Varsovie, Sopot, Gdansk, Malbork, Torun,
Gniezno, Poznan, Czestochowa, Auschwitz,
Zakopane, Les Tatras et Cracovie. Un autre
voyage de 8 jours est programmé : « Pologne,
le rempart de la Foi ».

■ TERRES D'AVENTURE

6, rue Saint-Victor 75005 Paris
✆ 0 825 847 800 – Fax 01 43 25 69 37
www.terdav.com
Terres d'aventure propose des voyages
en petits groupes de 10 à 15 personnes
accompagnés d'un professionnel du tourisme.
Au choix, séjour raquettes, voyages à pied,
séjours haute-montagne, randonnées liberté,
voyages découvertes, en famille... Le panel
est très large et le spécialiste de la randonnée
propose de quoi satisfaire tous les voyageurs,
y compris ceux que la marche ne passionne
pas, grâce à des balades plus tranquilles
alliées aux visites culturelles. En Pologne,
3 circuits : « Cracovie et les Hautes Tatras »,
circuit-randonnée de 9 jours, avec 6 jours
complets de marche, au cœur des Carpates
polonaises et slovaques ; « De Budapest à
Cracovie : traversée des Carpates » (14 jours),
accompagné par des guides hongrois ou
polonais, francophones, et spécialistes de
l'histoire et du patrimoine ; et enfin, pour les
familles « De Cracovie au Parc National des
Tatras » qui comprend des randonnées au

sein du Parc National des Tatras, mais aussi les visites de monuments culturels, châteaux, églises en bois, mines de sel, une descente en radeau, la visite d'un haras et une journée libre pour découvrir Cracovie.

▪ THOMAS COOK

✆ 0 826 826 777 (0,15 €/min)
www.thomascook.fr
Tout un éventail de produits pour composer son voyage en Pologne : billets d'avion, location de voitures, des séjours en hôtel, etc. Et toujours une mine de conseils utiles sur toutes les prestations des voyagistes.

▪ TRAVEL ON WEB

✆ 0 826 824 826
travelonweb@carlsonwagonlit.fr
www.travelonweb.com
C'est l'agence de voyages virtuelle de la société Carlson Wagonlit. Site à scruter pour les destinations Belgique ou Suisse : il propose plus d'un million de tarifs négociés au départ de l'Europe. La recherche est bien guidée et plutôt efficace, mais les prix proposés restent bien supérieurs à ceux de certains sites. A consulter également la rubrique de location de voiture, reliée, au choix, au site d'Avis, d'Europcar ou de Holiday Autos.

▪ TRAVELPRICE

✆ 0 899 78 50 00 – www.travelprice.com
Un site Internet très complet de réservations en ligne pour préparer votre voyage : billets d'avion et de train, hôtels, locations de voitures, billetterie de spectacles. En ligne également : de précieux conseils, des informations pratiques sur les différents pays, les formalités à respecter pour entrer dans un pays.

▪ VIVACANCES

✆ 0 892 239 239 (vols)
0 892 236 436 (séjours et circuits)
0 892 234 236 (locations, week-ends, croisières...) – www.vivacances.fr
Vivacances est une agence de voyages en ligne créée en 2002. Depuis elle est devenue une référence incontournable sur le web grâce à ses prix négociés sur des milliers de destinations et des centaines de compagnies aériennes. Vous trouverez un catalogue de destinations soleil, farniente, sport ou aventure extrêmement riche : vols secs, séjours, week-ends, circuits, locations... Enfin, vous pourrez effectuer vos réservations d'hôtels et vos locations de voitures aux meilleurs tarifs. Vivacances propose des offres exclusives sans cesse renouvelées, à visiter régulièrement. Vous pouvez également compter sur l'expérience de ses conseillers voyage pour répondre à toutes vos questions et trouver avec vous le séjour de vos rêves. Et, pour vous, « petits futés » munis de cartes de fidélité, vous pourrez en plus échanger en ligne les points S'Miles distribués par près de 80 enseignes en France !

▪ VOY'AILES – TOURISME FRANCAIS

69, rue Aurélien-Cronnier 60230 Chambly
✆ 01 34 70 40 89 – www.voyailes.fr
Voy'ailes est une agence de voyage privée et familiale proposant un choix de circuits et de séjours variés, allant des voyages organisés aux voyages à la carte. Professionnelle depuis plus de 35 ans l'équipe Voy'ailes organise également des voyages à thèmes sur tous les continents. Pour la Pologne, un circuit culturel est disponible : ce voyage en autocar grand tourisme avec guide francophone emmène le voyageur à Varsovie, Cracovie, Zakopane, les Beskides, la Silésie... et l'invite à partir à la rencontre du peuple polonais. Une escapade pour un week-end en 3-étoiles à Cracovie est aussi proposé.

Varsovie, centre historique de nuit

■ **VOYAGES 4 A – INTERCARS TRAVEL**
1 bis, rue de la Primatiale 54000 Nancy
✆ 03 83 37 99 66
Fax 03 83 37 65 99
www.voyages4a.com
Spécialisé dans les déplacements en autocars à tarif économique, Voyages 4A parcourt les plus grandes villes européennes et propose notamment de découvrir Cracovie en formule 5 jours et 4nuits (départ tous les samedis) Egalement des séjours en Pologne, comme « Ski à Zakopane, la perle des Tatras Polonaises », ou un combiné avec Prague et Budapest. Egalement spécialisé dans les voyages à thèmes, Voyages 4A offre la possibilité de découvrir la Pologne lors d'événements particuliers, comme un festival.

■ **ZIG ZAG**
54, rue de Dunkerque 75009 Paris
✆ 01 42 85 13 93 ou 01 42 85 13 18
Fax 01 45 26 32 85 –
www.zig-zag.tm.fr
Spécialiste de la randonnée, Zig Zag propose plusieurs circuits en liberté, équestres, neige, familles, randonnées avec des ânes ou des chameaux, aux quatre coins du monde. Egalement des vols secs, des départs à la dernière minute et des promotions toute l'année. En Pologne, plusieurs solutions pour allier découverte et sport : randonnée de 8 jours à cheval sur la terre Lubuska, randonnée de 8 jours également dans les Beskides, ou enfin séjour multi-activités(randonnée, vélo, kayak...) en Mazurie, de même durée.

Réceptif

■ **PROMENADA**
ul. Kościuszki 44/2 - Cracovie
✆ /Fax 00 48 (12) 427 17 70
00 48 (12) 427 24 93
biuro@promenada.pl – www.promenada.pl
Créée il y a 15 ans, Promenada est une agence organisatrice de courts et longs séjours en Pologne. Basée à Cracovie, elle est la seule véritable spécialiste francophone des séjours culturels et découverte dans le pays. Elle étudie toutes vos demandes rapidement et vous présente des offres sur mesure. Guides accompagnateurs francophones, tous types d'hébergement, séjours à la carte.

Avec les compagnies régulières, compter un minimum de 180 € pour un aller-retour Paris-Varsovie. Mais avec les compagnies low cost, en s'y prenant bien à l'avance, il est possible de trouver des tarifs bien plus avantageux. Le vol direct dure 2h15. Les autres options pour rejoindre la Pologne sont le train (17h de voyage), le bus (plus de 24h) ou la voiture (16h, sans les pauses !).

Wrocław, place du marché

Compagnies aériennes

■ AIR FRANCE

✆ 36 54 (0,34 €/mn d'un poste fixe)
www.airfrance.fr

Air France propose 3 à 4 liaisons quotidiennes et directes de Paris à Varsovie (2h15 de trajet) et 1 à 2 par quotidiennes et directes également de paris à Katowice (2h10). Le nouveau numéro mis en place par Air France en octobre 2006 permet notamment aux voyageurs de réserver ou acheter un billet, de choisir leur siège côté couloir ou hublot ou de s'informer sur l'actualité des vols en temps réel. Air France propose une gamme de tarifs attractifs accessibles à tous : « Evasion » : en France et vers l'Europe, Air France propose des réductions. « Plus vous achetez tôt, moins c'est cher ». « Semaine » : pour un voyage aller-retour pendant la semaine. « Evasion week-end » : pour des voyages autour du week-end avec des réservations jusqu'à la veille du départ. Air France propose également, sur la France, des réductions jeunes, seniors, couples ou famille. Pour les moins de 25 ans, Air France propose une carte de fidélité gratuite et nominative « Fréquence Jeune » qui leur permet de cumuler des miles sur Air France ou sur les compagnies membres de Styteam et de bénéficier de billets gratuits et d'avantages chez de nombreux partenaires. Tous les mercredis dès minuit, sur www.airfrance.fr, Air France propose les tarifs « Coups de cœur », une sélection de destinations en France pour des départs de dernière minute. Sur Internet, possibilité de consulter les meilleurs tarifs du moment, rubrique « offres spéciales », « promotions »…

Cars Air France

■ RENSEIGNEMENTS

✆ 0 892 350 820

Pour vous rendre aux aéroports de Charles-de-Gaulle et d'Orly dans les meilleures conditions, utilisez les services des cars Air France, qui vous offrent confort, rapidité, vidéo, climatisation à bord ainsi qu'un bagagiste qui prend en charge vos valises à chaque arrêt ! Quatre lignes sont à votre disposition :

▶ **Ligne 1 :** Orly-Montparnasse – Invalides : 9 € pour un aller simple et 14 € pour un aller/retour.

▶ **Ligne 2 :** CDG – Porte Maillot – Etoile : 13 € pour un aller simple et 20 € pour un aller/retour.

▶ **Ligne 3 :** Orly – CDG : 16 € pour un aller simple.

▶ **Ligne 4 :** CDG – Gare de Lyon – Montparnasse : 14 € pour un aller simple et 22 € pour un aller/retour.

ORGANISER SON SÉJOUR

Roissybus / Orlybus

RENSEIGNEMENTS
✆ 0 892 68 77 14 – www.ratp.fr
La Ratp permet de rejoindre facilement les deux grands aéroports parisiens grâce à des navettes ou des lignes régulières.

▸ **Pour Roissy CDG,** départs de la place de l'Opéra entre 6 h et 23 heures toutes les 15 ou 20 minutes. Compter 8,50 € l'aller simple et entre 45 et 60 minutes de trajet. Possibilité également de prendre le RER B.

▸ **Pour Orly,** départs de la place Denfert-Rochereau de 5h30 à 23h toutes les 15 à 20 minutes. Compter 6 € l'aller simple et 30 minutes de trajet. Possibilité également de prendre le RER C ou l'Orlyval (connexion avec Antony sur la ligne du RER B).

LOT / POLISH AIRLINES
27, rue du Quatre-Septembre 75002 Paris
✆ 0 800 10 12 24
www.lot.com
Lot Polish Airlines assure 3 vols quotidiens directs de Paris Charles de Gaulle (terminal 1) à Cracovie, 1 quotidien direct de Paris à Varsovie, ainsi que 2 vols via Varsovie pour Cracovie. Des vols pour 10 villes polonaises sont également proposés, via Varsovie (dont Gdansk, Poznan, Katowice, Wroclaw). De province, 1 vol quotidien et direct de Lyon et 1 vol quotidien direct au départ de Nice vers Varsovie. Egalement des départs de Bruxelles, Genève, ainsi qu'en partage de code avec Lufthansa de Bordeaux, Toulouse, Marseille.

MALEV / HUNGARIAN AIRLINES
15, rue Monsigny 75002 Paris
✆ 01 43 12 36 00
Fax 01 42 66 04 41
www.malev.com

Au départ de Paris-Charles-de-Gaulle (terminal 2) et de Genève, Malev dessert Varsovie 6 fois par semaine, via Budapest. Egalement 6 liaisons hebdomadaires pour Cracovie, toujours via la capitale hongroise.

Low cost

■ CENTRAL WINGS

✆ 0 801 080 112
www.centralwings.com
Filiale Low Cost de LOT Polish Airlines. Central Wings assure 3 vols par semaine de Paris Beauvais à Lodz. Egalement 2 à 3 vols par semaine de Grenoble et de Lille vers Varsovie. Pour se rendre à l'aéroport de Beauvais, un service de bus payant (13 € par trajet et par personne), au départ de Porte Maillot, est mis à la disposition des passagers titulaires d'un titre de transport. AEROPORT DE BEAUVAIS : www.aeroportbeauvais.com – Beauvais 60000 Tillé – ✆ 0892 682 066.

■ SKYEUROPE

✆ 0 89 22 36 250 – www.skyeurope.com
SkyEurope est la première ainsi que la plus grande compagnie aérienne a bas prix d'Europe centrale. Avec ses cinq bases en Slovaquie, Hongrie, Pologne et a République Tcheque c'est également la première compagnie aérienne installée dans plusieurs pays d'Europe centrale. Sky Europe dessert 38 destinations, réparties dans 19 pays. Au minimum un vol quotidien de Paris Orly à Varsovie et de Paris Orly à Cracovie.

■ WIZZAIR

✆ 0 825 54 00 01 – www.wizzair.com
Au départ de Paris Beauvais, Wizzair propose des liaisons pour Varsovie et Katowice. Egalement des liaisons Grenoble/lyon-Varsovie. Pour se rendre à l'aéroport de Beauvais, un service de bus payant (13 € par trajet et par personne), au départ de Porte Maillot, est mis à la disposition des passagers titulaires d'un titre de transport. AEROPORT DE BEAUVAIS : www.aeroportbeauvais.com – Beauvais 60000 Tillé – ✆ 0 892 682 066.

Bus

■ ECOLINES

✆ (022) 610 33 66 – www.ecolines.net
Depuis 1993 ECOLINES développe constamment ses lignes d'autobus régulières à travers l'Europe et ses pays frontaliers pour compter aujourd'hui plus de 100 destinations en Pologne, Lettonie, Lituanie, Estonie, Allemagne, Suisse, France, Belgique, Hollande, Grande-Bretagne, Ukraine et Russie.
Du premier contact avec les bureaux de réservation, jusqu'au personnel de bord, l'équipe n'a de souci que votre sécurité et votre confort. Tous les bus sont équipés de sièges amovibles, climatisation, DVD, WC et pour des voyages de plus de 12h, un steward et un snack-bar sont à votre disposition.
Vous trouverez les billets dans plus de 620 agences en Europe ou en ligne sur leur site Internet. Réductions pour les groupes de plus de 6 passagers, seniors, les handicapés, enfants de moins de 12 ans, jeunes de moins de 26 ans, étudiants et porteurs des cartes ISIC et ITIC.

■ EUROLINES

Gare routière Internationale de Paris
28, avenue du Général-de-Gaulle BP 313
93541 Bagnolet cedex
✆ 0 892 89 90 91
www.eurolines.fr
M° Gallieni. Leader européen des voyages sur des lignes régulières internationales par autocar, le réseau Eurolines dessert 34 pays et plus de 1 500 villes européennes au départ de 85 villes françaises. Eurolines France dispose, en propre, de 20 bureaux de ventes et d'un réseau de plus de 1 200 agences de voyage distributrices, réparties sur tout l'Hexagone. Eurolines propose de rejoindre de nombreuses villes polonaises. Plusieurs départs par semaine de Paris Gallieni (région parisienne) pour Varsovie. Environ 26 heures de trajet. Aller/retour : à partir de 139 € pour les plus de 26 ans. Des promotions sont régulièrement proposées, ainsi que des réductions pour les enfants, les moins de 26 ans et les plus de 60 ans. Des départs de nombreuses villes de province sont aussi disponibles.

■ NEW EAST

45, rue Lesdiguières 38000 Grenoble
✆ 04 76 47 19 18
Fax 04 76 47 19 14
www.new-east.fr
New East propose des séjours au départ de près de 40 villes de France pour les individuels et groupes, programmés lors des fêtes, évènements et vacances scolaires. Les thèmes sont multiples : séjours culturels, voyages d'études, week-end de fête, concerts, festivals, séminaire d'intégration ou tout simplement séjour liberté !

28 D couloir
E centre
F fenêtre

Libre comme l'air.

Avec les petits tarifs Air France, partez au bout du monde
avec ceux que vous aimez. **experience.airfrance.fr**

faire du ciel le plus bel endroit de la terre

FRANCE KLM

Un plan futé ? Cette destination est desservie depuis l'Aéroport de Beauvais !
Pour s'y rendre, c'est très simple :

- ████ : Au départ et à l'arrivée de chaque vol, prenez la liaison
Aéroport/Paris porte Maillot. Départ des bus 3h15 avant votre vol, 1h10 de trajet.
Points de vente : Aéroport/Parking Pershing (2, bd Pershing 75017 Paris) /
en ligne sur www.aeroportbeauvais.com
- ████ : Accès direct par l'A16, sortie Beauvais Nord. 3 parkings de
2 200 places dont un longue durée.
Informations pratiques, tarifs et réservations de vols au 0 892 682 066 (0.337 € TTC/min)

www.aeroportbeauvais.com

Train

▪ INTERAIL
www.interrail.net
Réservations et achats des billets dans plus
de 350 gares ferroviaires françaises. Le ticket
Inter Rail permet de voyager dans 30 pays de
l'Europe y compris la Turquie et le Maroc.
Interail divise l'Europe en 8 zones. Chaque
zone comprend un certain nombre de pays.
Le ticket est offert sous différentes formes : le
Pass Inter Rail pour 1 zone ou pour 2 zones et
le Global-Pass qui comprend toutes les zones.
Les tickets sont valables 16 jours, 22 jours
ou un mois entier. Vous voyagez uniquement
en seconde classe. Il y a des réductions pour
certains passages en ferry-boat.

▪ SNCF
✆ 36 35 Renseignements et réservations
www.sncf.fr
La SNCF permet de rejoindre la Pologne en 17h,
via Cologne, au départ de Paris Gare du Nord.
A titre indicatif, départ en Thalys à 15h55,
arrivée à Cologne à 19h45, correspondance
pour prendre un Corail à 21h18, pour arriver
à Varsovie à 8h55.

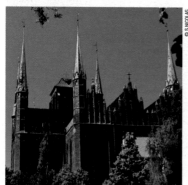
© S.NICOLAS

Gdańsk, église Notre Dame

Voiture

Trajet
Si vous décidez de faire le trajet en voiture,
sachez que la distance entre Paris et Varsovie
est d'environ 1 600 kilomètres et qu'il faut
compter à peu près 16 heures de route (sans
les pauses !). Le mieux est de passer par
la Belgique, puis l'Allemagne. Commencez
par choisir la direction de Lille pour prendre
l'autoroute du nord. Ensuite, prenez la direction
de Bruxelles et Cambrai. Une fois en Belgique,
suivez les directions Liège et Charleroi. Arrivé
en Allemagne, suivez les directions de Neuss,
Köln, puis Hannover, Postdam et Berlin. Vous
voilà presque arrivé à destination, vous n'avez
plus qu'à suivre la direction de la Pologne, et
sur place, de choisir où vous vous arrêterez !
Pour bien calculer votre itinéraire, consultez
le site www.viamichelin.fr –

Location de voitures

▪ AUTO ESCAPE
✆ 0 800 920 940 ou 04 90 09 28 28
www.autoescape.com
En ville, à la gare ou dès votre descente d'avion.
Les meilleures solutions et les meilleurs prix
de location de voitures sont sur le site d'Auto
Escape. Cette compagnie qui réserve de gros
volumes auprès des grandes compagnies de
location de voitures vous fait bénéficier de
ses tarifs négociés. Grande flexibilité. Pas de
frais de dossier, pas de frais d'annulation,
même à la dernière minute. Des conseils et
des informations précieuses, en particulier
sur les assurances.

▪ AUTO EUROPE
✆ 0 800 940 665 (appel gratuit)
www.autoeurope.fr
Réservez en toute simplicité votre voiture aux

meilleurs tarifs avec la garantie de service exceptionnel sur plus de 4 000 stations dans le monde entier. Auto Europe négocie toute l'année des tarifs privilégiés auprès des loueurs internationaux et locaux afin de proposer à ses clients des prix compétitifs. Les conditions Auto Europe : le kilométrage illimité, les assurances et taxes incluses dans leurs tout petits prix et des surclassements gratuits dans certaines destinations. N'hésitez pas à consulter le site www.autoeurope.fr pour profiter de leurs offres promotionnelles.

▪ AVIS
✆ 0 820 05 05 05
www.avis.fr
Décidé à faire « mille fois plus », Avis a installé ses équipes dans plus de 5 000 agences réparties dans 163 pays. Un large choix de véhicules de location, du cabriolet à l'utilitaire, et un système de réservation rapide et efficace.

▪ BUDGET FRANCE
Senia 125 94517 Thiais cedex
✆ 0 825 00 35 64 – Fax 01 46 86 22 17
www.budget.fr
Budget France est le troisième loueur mondial, avec 3 200 points de vente dans 120 pays. Le site www.budget.fr propose également des promotions temporaires. Si vous êtes jeune conducteur et que vous avez moins de 25 ans, vous devrez obligatoirement payer une surcharge.

▪ EUROPCAR FRANCE
3, avenue du Centre
Immeuble Les Quadrants
78881 Saint-Quentin-en-Yvelines cedex
✆ 0 825 358 358
Fax 01 30 44 12 79
www.europcar.fr
Chez Europcar, vous aurez un large choix de tarifs et de véhicules : économiques, utilitaires, camping-cars, prestige, et même rétro. Vous pouvez réserver votre voiture via le site Internet, et voir les catégories disponibles à l'aéroport, il faut se baser sur une catégorie B, les A étant souvent indisponibles.

▪ HERTZ
Renseignements
✆ 0 803 853 853
www.hertz.com
Dans cette agence de location, vous pouvez obtenir différentes réductions si vous possédez la carte Hertz ou celle d'un partenaire Hertz. Le prix de la location comprend un kilométrage illimité, des assurances en option, ainsi que des frais si vous êtes jeune conducteur. Toutes les gammes de voitures sont représentées.

▪ HOLIDAY AUTOS FRANCE
54/56, boulevard Victor-Hugo
93585 Saint-Ouen cedex
✆ 0892 39 02 02 (0.34 €/min)
www.holidayautos.fr
Avec 4 000 stations dans 70 pays, Holiday Autos vous offre une large gamme de véhicules allant de la petite voiture économique au grand break. Holiday Autos dispose également de voitures plus ludiques telles que les 4X4 et les décapotables. Un moteur de recherche à ne pas manquer !

Région de Zakopane, église en bois

ORGANISER SON SÉJOUR

Sites internet futés

www.abcvoyage.com

Regroupe les soldes de tous les voyagistes avec des descriptifs complets pour éviter les surprises. Les dernières offres saisies sont accessibles immédiatement à partir des listes de dernière minute. Le serveur est couplé au site www.airway. net qui propose des vols réguliers à prix réduits, ainsi que toutes les promotions et nouveautés des compagnies aériennes.

www.abm.fr

Ce site de l'association Au bout du monde, a pour but de favoriser les échanges d'informations afin de permettre à chacun de mieux préparer ses voyages et au retour de communiquer son expérience. Cette association encourage le voyage individuel proche ou lointain d'un style simple et naturel, dans le respect des pays visités. ABM ne vend pas de voyage mais donne des renseignements pratiques, des conseils et de bonnes adresses.

www.diplomatie.fr

Un site pratique et sûr pour tout connaître de votre destination avant de partir : informations de dernière minute, sécurité, formalités de séjour, transports et infos santé.

www.easyvoyage.com

Le concept de Easyvoyage.com peut se résumer en trois mots : s'informer, comparer et réserver. Gros plan sur cette triple fonction. Des infos pratiques sur quelque 255 destinations en ligne (saisonnalité, visa, agenda...) vous permettent de penser plus efficacement votre voyage. Après avoir choisi votre destination de départ selon votre profil (famille, budget...), easyvoyage.com vous offre la possibilité d'interroger plusieurs sites à la fois concernant les vols, les séjours ou les circuits. Enfin grâce à ce méta-moteur performant, vous pouvez réserver directement sur plusieurs bases de réservation (Lastminute, Go Voyages, Directours, Anyway... et bien d'autres).

www.guidemondialdevoyage.com

Tous les pays du monde sont répertoriés grâce à une fiche donnant des informations générales. Un guide des aéroports est aussi en ligne, avec toutes les coordonnées et infos pratiques utiles (services, accès, parcs de stationnement...). Deux autres rubriques complètent le site : météo et horloge universelle.

www.kelkoo.com

Ce site vous offre la possibilité de comparer les tarifs des vols ou des voyagistes. Pratique et indispensable. Vous aurez du mal à vous en passer une fois que vous l'aurez découvert !

Le seul site de voyages qui a tout compris !

Temps de recherche cumulé **49 minutes**	Temps de recherche **3 minutes**
www.billets-avion-pas-cher.fr	
www.voyage-topdiscount.fr	
www.promo-du-voyage.com	**www.easyvoyage.com**
www.forum-du-voyage.com	
www.chambres-hotels.fr	
www.info-pays.com	

EASYVOYAGE.com
Tout savoir pour mieux voyager

- Plus de 250 fiches pays mises à jour par nos journalistes.
- Billets d'avion, séjours, circuits : comparez les voyagistes.
- 10 000 offres accessibles par notre moteur de recherche.
- 1800 hôtels de séjours visités et testés par nos équipes.
- Le grand forum de discussions des voyageurs.

■ www.meteo-consult.com

Pratique, ce site Internet vous donne des prévisions météorologiques pour le monde entier.

■ www.nationalchange.com

Le premier site français de vente de devises en ligne avec un paiement sécurisé par carte bancaire et le plus qui caractérise cette offre est la livraison à domicile. Les taux proposés sont meilleurs que ceux des banques et le choix des devises est important (27 devises et 7 travellers chèques). Vous aimerez la convivialité du site ainsi que la rapidité pour commander la devise de son choix. Après validation de votre commande, vous la recevrez très rapidement à votre domicile ou sur votre lieu de travail (24h à 72h). Un site à utiliser sans modération !!!

■ www.prixdesvoyages.com

Ce site est un comparateur de prix de voyages, permettant aux internautes d'avoir une vue d'ensemble sur les diverses offres de séjours proposées par des partenaires selon plusieurs critères (nombre de nuits, catégories d'hôtel, prix, etc.) Les internautes souhaitant avoir plus d'informations ou réserver un produit sont ensuite mis en relation avec

le site du partenaire commercialisant la prestation. Sur Prix des Voyages, vous trouverez des billets d'avions, des hôtels et des séjours.

■ www.travelsante.com

Un site intelligent qui vous donne des conseils santé selon votre destination : vaccinations, trousse de secours, précautions à prendre sur place.

■ www.uniterre.com

« Le voyage par les voyageurs » : le premier annuaire des carnets de voyage présente des dizaines de récits sur toutes les destinations, des liens vers des sites consacrés au voyage et un forum pour partager ses expériences et impressions.

■ www.voyagermoinscher.com

Ce site référence les offres de près de 100 agences de voyages et tours-opérateurs parmi les plus réputés du marché, et donne ainsi accès à un large choix de voyages, de vols, de forfaits vols + hôtel, de locations etc. Il est également possible d'affiner sa recherche grâce au classement par thèmes : thalasso, randonnée, plongée, All Inclusive, voyages en famille, voyages de rêve, golf ou encore départs de province.

Retrouvez le sommaire en début de guide

Séjourner

SE LOGER

Campings

La Pologne compte environ 500 campings répartis sur tout le territoire et classés en trois catégories. La saison dure du 15 mai au 15 septembre. Le camping sauvage est autorisé, et on peut planter la tente sur un terrain avec l'accord du propriétaire. Pour se procurer la carte des campings, contacter la :

■ **FÉDÉRATION POLONAISE DE CAMPING ET DE CARAVANING**
Ul. Grochowska 331, Varsovie
℡ (022) 810 60 50 - www.pfcc.info.

Hébergement à petits prix

Il existe diverses possibilités d'hébergement à prix réduits par l'intermédiaire d'organismes tels que les auberges de jeunesse, les pensions, les offices du tourisme ou encore chez l'habitant (villes ou villages des régions et les sites les plus touristiques).

Varsovie, place du Marché

ORGANISER SON SÉJOUR

Sites Internet sur l'hébergement en Pologne

▪ **www.agritourism.pl** – Page très complète sur le système d'agro-tourisme et adresses en Pologne, en anglais. Possibilité de réserver des chambres en ligne (60 offres, description, photos et localisation très précise).

▪ **www.hotelspoland.com** – Site en anglais de réservation d'hôtels en ligne.

▪ **www.ptsm.com.pl** – Site en anglais sur les auberges de jeunesse en Pologne. En anglais.

▪ **www.StayPoland.com** – Site de réservation en ligne, avec réductions, d'hôtels à travers la Pologne. Site en anglais, allemand et italien.

▪ **www.infohotel.pl** – Site de réservation de logement très détaillée, recherche par localisation et type de logement (hôtel, pension, camping, agro-tourisme…). En anglais et en allemand.

▪ **www.polhotel.pl** – Site de réservation de logement très détaillée, recherche par localisation et type de logement (hôtel, pension, camping, agrotourisme…). En anglais.

▶ **Entre le 1er juillet et le 31 août, les titulaires de la carte internationale d'étudiant et les moins de 35 ans** peuvent loger dans les cités universitaires Almatur. On en trouve dans toutes les grandes villes polonaises. Pour plus de renseignements, contacter Almatur (Ul. Kopernika 23, Varsovie. ✆ 022 826 26 39, 022 826 35 12 www.almatur.pl. Ouvert du lundi au vendredi de 10h à 18h, samedi de 10h à 15h).

Pour avoir la liste des auberges de jeunesse ouvertes toute l'année, contacter la Fédération polonaise des auberges de jeunesse (PTSM) 10, rue Notre-Dame-de-Lorette, 75009 Paris, Service auberge, 9, rue Brantôme, 75003 Paris ✆ 01 48 04 70 40
Fax : 01 42 77 03 29
ou rue Chocimska 28, 00791 Varsovie
✆/Fax : 022 849 81 28.

Un site polonais complet (en anglais et en polonais) regroupe par région toutes les fermes proposant le séjour à la campagne : www.agritourism.pl

Quelques voyagistes français peuvent proposer cette formule d'hébergement :

▶ **Des hébergements (ou échanges) dans des familles polonaises parlant français** (principalement de Cracovie) sont proposés par l'association Amitié sans frontières (BP 2074, 28, rue Daguerre, 68059 Mulhouse Cedex ✆/Fax 03 89 43 21 11).

Moyen et luxe

Dans cette catégorie, mieux vaut parfois orienter ses choix sur des chaînes d'hôtels,

françaises ou internationales. Ces dernières offrent la sécurité de certains standards et d'un rapport qualité-prix connu. Sinon le voyageur s'expose à de possibles, mauvaises surprises, telles qu'un prix élevé pour une qualité médiocre : vieux bâtiment de l'ère communiste, froid et austère, chambres peu confortables au mobilier vieillissant et aux couleurs orange et marron… Le seul avantage de ce type d'hébergement typique est alors d'être transporté à une autre époque ! Heureusement le secteur hôtelier polonais commence à réaliser les opportunités qui existent et tend à se moderniser.

■ SE RESTAURER

En Pologne, le visiteur aura tout loisir de flâner sans se soucier de l'heure et l'endroit où se restaurer.

▶ **En effet, il est possible de manger aussi dans les bars et cafés,** presque toujours au moins des pâtisseries « sernik et szarlotka », des soupes ou des petits en-cas salés. Egalement, il n'est pas interdit ou mal venu de seulement commander des boissons, dans un établissement qui propose un menu. Personnes ne se formalise. Pas de dress code particulier non plus, même si le Polonais, lui, s'habille dès qu'il en a l'occasion. Cela est remarquable déjà au nombre de costumes trois pièces le dimanche, des Polonais qui se rendent à la messe !

▶ **Les restaurants** sont généralement ouverts de 11h à 22hou minuit non-stop, puisque les Polonais mangent à toute heure. Il est très agréable en Pologne de pouvoir manger lorsque le cœur (ou l'estomac) vous en dit, dans le restaurant de votre choix, de toutes catégories. Les restaurants pratiquent peu la formule du menu comme en France, vous choisirez presque toujours à la carte, qui propose en général un large choix de plats. Par ailleurs si les cartes sont rarement traduites dans les restaurants à très bas prix (types bar à lait ou snack-bar) ou dans des lieux très peu touristiques, elles sont souvent proposées en anglais et/ou allemand. Lorsque la carte est en français, chose rare, nous l'avons précisé dans la notice de l'établissement.

Habitudes de service

Dès votre arrivée dans un restaurant, de quelle catégorie qu'il soit, ne vous attendez pas en général à être placé, et installez-vous vous-même à une table libre.

Situé en plein coeur de la vieille ville, le Bar Pergamin et son décor élégant et moderne est l'endroit idéal pour se retrouver entre amis à toute heure de la journée, café du matin ou cocktail du soir! Un des endroits les plus branchés de la ville.

Bracka street 3-5 Cracow
www.pergamin.pl +48.600.395.541

Musique variée et de bon goût. Excellent son acoustique dans une cave où l'atmosphère est très festive et chaleureuse. Un endroit à ne manquer sous aucun pretexte!

Bracka street 3-5 Cracow
www.rdza.pl info@rdza.pl +48.600.395.541

Situé à deux pas du Rynek, le Pergamin Apartments est l'endroit idéal où passer la nuit: Air conditionné, petit déjeun er avec room service et wifi disponible. Un endroit parfait où séjourner car il vous permettra de vous rendre à pieds à tous les bars, clubs et cafés les plus branchés de la ville.

Bracka street 3-5 Cracow

Ne soyez pas surpris qu'on vous enlève l'assiette dès qu'elle est terminée, même si le reste des convives est toujours en train de manger. Cela correspond pour eux à une habitude et un bon niveau de service.

Fourchette de prix

Dans les notices de restaurants, les fourchettes de prix indiquées comprennent généralement entrée et plat. En effet, la cuisine polonaise est si copieuse, qu'il est rare de combiner la traditionnelle formule (entrée, plat, dessert). De toute façon, les desserts sont peu chers même dans les grands restaurants : comptez entre 5 zl et 15 zl environ, peut-être 20 zl pour les adresses « luxe ». Le prix du repas n'inclut pas les boissons. Il est difficile de savoir si vous allez garder vos habitudes françaises et consommer du vin, ou adopter les coutumes polonaises et faire un repas à la bière ou à la vodka ! Ces trois options ont un coût totalement différent. Nous ne recommandons pas de commander du vin, toujours très cher et très souvent décevant, sauf dans quelques restaurants de cuisine internationale haut de gamme.

A noter que dans les restaurants, notamment des catégories moyennes ou haut de gamme, les accompagnements « Dodatki » sont souvent en sus du prix du plat principal.

■ SE DÉPLACER ■

Avion

Le pays possède 8 grands aéroports. Celui de Varsovie, Cracovie, Gdańsk, Katowice, Poznań, Rzeszów, Szczecin et Wrocław. Il y a aussi des aéroports dans les villes plus petites.

Train

www.pkp.pl
et ✆ (022) 94 36/042 94 36
Les Polonais voyagent énormément en train. Généralement plus rapide que le bus, le train reste le moyen de transport le plus pratique et le moins coûteux ; même si les prix augmentent très vite depuis quelques années, plus vite en tout cas que la qualité et le confort. Pratiquement tout le pays est relié par le chemin de fer. Les gares sont ouvertes 24h/24, et les trains partent dans toutes les directions à toutes les heures. En général, les trains de nuit sont bondés. Si vous n'avez pas réservé, il faut prendre d'assaut le train à son arrivée en gare pour éviter de passer le voyage dans le couloir.

Prenez exemple sur les Polonais, et cherchez à connaître la disposition du train avant son arrivée pour ne pas avoir à courir sur le quai à la recherche de la deuxième classe.

Les billets ne se compostent pas (le contrôle est systématiquement effectué dans le train) et peuvent toujours être achetés dans le train à condition de le signaler au contrôleur avant de monter ou au démarrage et avec une commission de 5 zl supplémentaire pour un trajet de moins de 100 km, et 7 zl pour un trajet de plus de 100 km (sauf lorsqu'il n'existe pas de guichet dans votre gare de départ ou que ce dernier est fermé).

Les trains de grandes lignes comportent des compartiments dans lesquels il est facile d'échanger des impressions et de nouer des contacts. Voyager en train reste un bon moyen d'observer les Polonais dans leurs habitudes quotidiennes, et d'apprécier leur gentillesse.

▌ **Il faut se méfier du nom des gares,** car dans les grandes villes, il y en a plusieurs du même nom, avec à la suite des appellations qui les distinguent. La gare centrale, celle qui dessert le mieux le centre-ville et les infrastructures touristiques, est « Główny » (par exemple « Kraków Główny »). Les autres sont des gares de quartier ou même de banlieue, où vous risqueriez d'être déçu et de ne pas trouver ce que vous cherchez. Pour Varsovie, c'est la gare « Centralna » qui, comme son nom l'indique, est située le plus au centre de la ville.

▌ **Sur le réseau polonais, il est possible de voyager avec la carte Polrail Pass,** délivrée dans les gares PKP, qui permet un nombre illimité de voyages et de kilomètres pendant une période définie (8, 14, 21 jours ou un mois) sur l'ensemble du réseau. La carte Interail, valable dans toute l'Europe selon des zones définies à l'avance (se renseigner auprès d'une gare SNCF), est maintenant accessible à tous.

▌ **Il existe aussi des billets à tarifs réduits** pour les voyages du week-end, valable du vendredi après-midi au lundi matin. Il s'agit de « bilet wycieczkowy » (billet d'excursion) valable sur train local « pociąg osobowy » ou rapide « pociąg pospieszny ». Ce ticket donne droit à 20 % de réduction sur un trajet simple et 50 % sur un aller-retour, selon certaines conditions (se renseigner auprès des gares).

▌ **La société ferroviaire PKP dispose** **d'un site Internet** qui relate de façon fiable toutes les informations (horaires, tarification) : www.pkp.pl. Il existe des trains régionaux et des trains rapides, Express ou Intercity, qui pratiquent des tarifs plus élevés. Attention très souvent les gares distinguent les guichets : ceux pour l'achat de billets pour voyager en train régional et ceux avec un Express ou Intercity (IC), vérifiez bien les inscriptions avant de vous enfiler dans la file d'attente. Par ailleurs si vous êtes assez libres dans vos horaires, comparez auparavant les tarifications, parfois les trains régionaux sont beaucoup moins chers, mais offre une durée de trajet et un confort quasi équivalents. Par exemple un aller Varsovie – Gdańsk coûte 45 zl en train régional (IRN) ou 68 zl en 1re classe et dure 5h, alors que le même trajet le même jour en Intercity (IC) coûte 90 zl en 2nde classe et dure 4h19 !

L'abréviation EC sur les panneaux d'affichage signifie EuroCity Express et comprend les trains Express à destination de villes hors de Pologne telles que Berlin ou Prague.

Bus

www.pks.pl et
✆ (022) 833 12 12/664 25 25.

Les bus (PKS) assurent de nombreuses liaisons entre les différentes villes, et peuvent parfois remplacer le train quand il n'y en existe pas (principalement dans les zones de montagnes ou de campagnes isolées).

Il reste recommandé dans certaines régions comme la Mazurie et les Carpates, car il permet d'admirer les paysages grandioses. Les gares routières sont reconnaissables au sigle PKS, et sont en général situées dans le centre des villes et villages. Sur les panneaux d'horaires, il convient de distinguer les bus indiqués en noir (ordinaires ou zwykły), qui desservent tous les arrêts, en vert (semi-rapides ou przyspieszony), et en rouge (rapides ou pospieszny), confortables mais qui ne relient que les villes importantes.

Contrairement aux trains, la plupart des bus ne fonctionnent pas les dimanches et jours fériés. Lisez les panneaux d'affichage et demandez confirmation au guichet.

▌ **Les horaires de la compagnie PKS** sont disponibles sur Internet mais seulement en polonais et réputés pour ne pas être très fiables : www.pks.pl

▌ **Coordonnées téléphoniques (en polonais)** pour toute la Pologne (pas d'indicatif régional) : (0048) 0300 300 121/22/23/24/25

Aide et Action

ELLE EST PUISSANTE.

Grâce au parrainage, dans son école, Fatou apprend des choses vitales sur la santé, l'hygiène, la nutrition, qu'elle transmet à son tour à tout son village. Par exemple, c'est grâce à elle que les femmes de son village savent pourquoi il faut faire bouillir l'eau du puits avant de la boire. Parce que là-bas, les règles d'hygiène de base sont tout simplement une question de survie, et les ignorer est une des premières causes de mortalité.

Son parrain, Frédéric, un informaticien, cherchait à faire quelque chose de vraiment efficace. Après avoir donné ponctuellement à plusieurs associations, il a été convaincu par le parrainage qui permet de travailler sur le long terme avec une communauté. Aujourd'hui, avec Fatou, ils peuvent mesurer le chemin parcouru.

www.aide-et-action.org
L'éducation change le monde

IDEZ-LES À AGIR, DEVENEZ PARRAIN.

s voulez que votre aide soit vraiment efficace ? Pour 20€ par mois (6,8€ en tenant compte de la déduction ale), parrainez avec Aide et Action. Vous recevrez votre dossier de parrainage, avec la photo de votre filleul du projet que vous soutenez. Un parrainage d'enfant ou de projet permet d'agir directement et durablement le niveau de vie, la santé et la paix.

ui je veux parrainer le développement par une éducation de qualité, je choisis de suivre particulièrement :
- ☐ la scolarité d'un enfant et de ses camarades
- ☐ un projet de développement scolaire collectif au bénéfice de plusieurs enfants
- ☐ une action au choix d'Aide et Action

ins un chèque de 20€ correspondant à mon premier mois de parrainage. Je recevrai par la suite mon formulaire d'autorisation de vement. J'ai bien noté que je pourrai interrompre à tout moment mes versements et les reprendre par la suite. Le montant de mon ainage est déductible de mon impôt sur le revenu à hauteur de 66% du montant total annuel, dans la limite de 20% de mes revenus s dons ouvrant droit à réduction d'impôt confondus), je recevrai un reçu fiscal chaque année en début d'année.

ne peux pas parrainer pour l'instant, je fais un don de : ☐25€ ☐40€ ☐80€ ☐autre (merci d'indiquer la somme) : _____ €
e souhaite d'abord recevoir une documentation complète sur Aide et Action.

me ☐ Mlle ☐ Mr Prénom :.. Nom :..

esse :..

e Postal : |__|__|__|__|__| Ville :..

: |__|__|__|__|__|__|__|__|__|__|__|__| E-mail :..

e Action, 1ère association française pour le parrainage.
000 parrains et donateurs - 1 800 000 enfants concernés par nos programmes
ns 18 pays en Afrique, en Asie et dans les Caraïbes.
sociation Reconnue d'Utilité Publique - 2 fois récompensée par le Prix Cristal de la Transparence
ancière (1990, 1995).

et Action, 53 bd de Charonne - 75545 Paris Cedex 11. www.aide-et-action.org
1 001 003 (coût d'un appel local)

rmément à la loi N°78-17 du 6 janvier 1978, vous disposez d'un droit d'accès et de rectificaton pour toute information concernant, figurant sur notre fichier. Il suffit pour cela de nous écrire.

Aide et Action
L'éducation change le monde

▶ **Une adresse Internet de compagnie de bus privée :** www.polbus.pl

▶ **Il existe de plus en plus de lignes privées** qui sont souvent assez intéressantes au niveau tarif et confort. La plus connue est Polski Express qui dessert l'ensemble de la Pologne. Des lignes de minibus se développent aussi en Pologne, pour de longs trajets tels que Varsovie-Lublin ou pour desservir des petites villes ou lieux touristiques, tel que Cracovie Wieliczka. Les prix pratiqués sont souvent très intéressants.

Voiture

Pour les citoyens de l'Union européenne, il faut le permis de conduire à trois volets, la carte grise et la carte verte d'assurance internationale.

La voiture n'est pas le moyen de transport le plus économique pour visiter le pays, mais offre l'avantage non négligeable d'être complètement libre. C'est un bon moyen pour voyager à son propre rythme, et aller dans des endroits que les moyens de transport classiques comme le train ou le bus ignorent. Il est possible de louer des voitures en Pologne, en général dans les grandes villes ou auprès de certains hôtels, sur présentation d'un permis de conduire. Les routes polonaises sont souvent en mauvais état (ornières, trous, plaques de béton…) mais le réseau routier se modernise progressivement (nouvelles routes, autoroutes).

Il convient cependant de respecter quelques lois et règles de conduite propres à la Pologne.

▶ **Allumer ses feux de croisement,** de jour comme de nuit, du 1er octobre au 1er mars.

▶ **Respecter les limitations de vitesse,** 50 km/h en agglomération, 90 km/h sur route, 110 km/h sur quatre voies et 130 km/h sur autoroute. Les Polonais roulent vite et ne respectent pas forcément ces limites. En tant qu'étranger, il n'est pas conseillé de suivre l'exemple. Un Polonais a pour principe de discuter l'amende éventuelle avec les policiers, ce qui peut s'avérer très difficile pour une personne ne parlant pas la langue du pays.

▶ **Dépasser par la droite** est autorisé.

▶ **La priorité à droite n'existe pas,** c'est la route prioritaire ou la plus importante qui prime.

▶ **La flèche verte sous les feux rouges** indique que vous pouvez tourner à droite,

malgré le feu rouge, mais en marquant un stop et après s'être assuré qu'il n'y ait pas de piétons (qui eux, ont feu vert).

▶ **Ne pas boire du tout.** La tolérance pour l'alcoolémie au volant est de 0,2 mg/litre et les Polonais ont coutume de dire qu'avec une grande bière, un conducteur est en infraction. De fortes amendes et une garde à vue sont prévues. A partir de 0,5 mg/litre d'alcool dans le sang, l'infraction devient un délit et le contrevenant risque une peine de prison pouvant aller jusqu'à 2 ans avec mise en détention provisoire immédiate. Cette procédure peut durer plusieurs mois. (Source : ministère des Affaires étrangères).

▶ **Il est permis de se garer sur les trottoirs,** en laissant 1,50 m pour les piétons.

▶ **Les pneus à clous en hiver** sont interdits.

▶ **Les sièges auto pour les enfants** sont obligatoires.

Conduite à la polonaise

La vente automobile s'est considérablement développée depuis quelques années, il y a donc beaucoup de voitures maintenant sur les routes. Les Polonais ont une façon particulière de conduire qui peut effrayer quelque peu le touriste qui ne connaît pas le pays. De plus ils sont généralement impatients, ne vous étonnez donc pas des coups de Klaxon et de vous faire doubler de tous les côtés. Le code de la route est, bien sûr, le même, mais l'application pays forcément : l'habitude sur les routes est de se déporter sur la droite (demi-voie) si vous roulez plus doucement afin de vous laisser doubler. Il est préférable de le faire car de toute façon, vous serez doublé, même si une autre voiture arrive en face ! Mais en se déportant sur la voie de droite, surtout en campagne et le soir, il faut faire attention aux piétons et vélos. Ils sont fréquents mais rarement signalés par une lumière quelconque. De plus, sur les plus mauvaises routes, il peut être difficile de changer de voie à cause des ornières creusées par les intempéries de l'hiver.

Voir aussi rubrique « mots clés », « Zéro de conduite ».

▶ **Si vous êtes arrêtés,** il est recommandé de ne pas essayer de parler polonais (découragés, ils vous laisseront souvent partir) et en tout cas de ne pas payer sur place en liquide (la police est très corrompue), mais de demander un mandat à régler par la poste.

Carburants

Beaucoup de stations-service sont ouvertes 24h/24 et acceptent le paiement par carte de crédit. Les carburants proposés sont : essence avec plomb à indice d'octane de 94, essences sans plomb 95 et 98, essence sans plomb U95 pour voitures sans catalyseur et gazole ON. Les prix sont maintenant très proches de ceux pratiqués dans l'Union européenne. De nombreuses stations vendent aussi du gaz de pétrole liquéfié LPG-GAZ ou Auto-Gaz. L'utilisation du gaz est assez populaire en Pologne.

Assistance routière

En cas de panne, il est possible de faire appel au service d'assistance routière créé par la Fédération polonaise de l'automobile (PZMot). Dans un rayon de 50 km autour des villes principales, un simple appel téléphonique permet d'être dépanné. Cela se fait gratuitement pour les titulaires d'un livret de A.I.T. ou de membre d'un club automobile affilié à la Fédération internationale de l'automobile. Pour connaître les adresses et numéros de téléphone de ces postes d'assistance routière, s'adresser à la Fédération polonaise de l'automobile (PZM), Ul. Śniadeckich 17A à Varsovie ✆ 022 625 95 08 ou 022 825 09 67, ouverte 24h/24 ou aux numéros d'urgence 981 ou 954. Il existe également de nombreuses compagnies privées rapides et efficaces.

Location de voitures

▪ **AUTO ESCAPE**
✆ 0 800 920 940, appel gratuit en France ou 00 33 4 90 09 28 28 depuis l'étranger www.autoescape.com
Une centrale de réservation qui ne propose que de la location de voiture. Spécialiste dans ce domaine, Auto Escape offre les meilleurs tarifs parmi les plus grands loueurs. Les agences gèrent les tarifs, la réservation et le service relation-client. Vous pouvez modifier ou annuler à tout moment sans frais. Ils ont des solutions très compétitives dans 92 pays. Solution de location de voiture prépayée depuis la France. Avantage : disponibilité et élimination des surprises de dernière minute.

Camping-car

Ce mode de vacances se développe en Pologne et est très pratique. Pour l'instant, ce n'est pas encore très courant, il n'y a donc pas de réglementation particulière pour le stationnement. Les campings ne sont pas encore tous adaptés à ce système, mais cela devrait venir très vite. Il y est toujours possible de faire le plein d'eau, de vider les toilettes, etc. Les grandes stations-service vous laisseront également faire le plein d'eau sans problème, le plus souvent gratuitement. Hormis les campings, il est facile de s'installer pour la nuit sur une place ou un parking, surtout dans les villages. Parfois même, les habitants vous ouvriront leur cour ou jardin. Ce moyen de locomotion vous permettra de visiter les régions les plus isolées du pays, qui ne sont pas facilement accessibles en train ou bus et où il n'est pas toujours facile de trouver un hébergement.

© AUTHORS.COM

Varsovie, Palais sur l'eau dans le parc de Łazienki

Dans les grandes villes, il peut être difficile de stationner hors parking. Pour l'instant, la location de camping-car n'est pas pratiquée.

Auto-stop

De nombreux jeunes, Polonais comme étrangers, pratiquent ce moyen de déplacement en été. Comme dans la plupart des pays, il est conseillé de respecter certaines consignes de sécurité, et de se méfier de certains automobilistes. Mais en général, l'auto-stop en Pologne ne présente pas de problème particulier, et peut même être l'occasion de faire de nouvelles rencontres, et de connaître mieux les Polonais. Mais, comme partout, ça peut aussi malheureusement s'avérer dangereux.

Vélo

La Pologne est un pays qui peut facilement et agréablement être visité à vélo. Hormis l'extrême Sud du pays, le relief est assez plat, et ne demande donc pas d'effort physique particulier. Il existe un réseau important de petites routes de la taille de nos départementales, sur lesquelles le trafic routier est très léger, surtout quand on s'éloigne des villes importantes. De nombreux Polonais se déplacent en vélo dans les campagnes, et ne seront donc pas surpris de vous voir utiliser ce moyen de transport. De plus en plus, les villes et villages touristiques proposent des locations de vélos à l'heure, la journée ou la semaine. Si vous utilisez votre propre vélo, faites attention aux vols dans les grandes villes. Les vtt ou autres vélos récents sont très prisés. Pour des raisons économiques, de nombreux champs sont laissés en jachère sur l'ensemble du territoire, et il est donc possible d'y planter la tente. De plus, vous aurez certainement l'occasion d'apprécier l'hospitalité polonaise, car les autochtones se feront un plaisir de vous accueillir.

En cas de fatigue, il reste l'option du train dans lequel on peut transporter facilement les vélos pour certaines distances. Il ne reste plus qu'à s'équiper de matériel résistant, s'armer de courage, et préparer ses muscles.

Bateau

Très répandu dans certaines régions de Pologne. Sur la mer Baltique, des excursions sont organisées, et certaines liaisons sont assurées, soit entre des villes polonaises, soit vers d'autres pays comme la Russie ou la

© SAVIGNARD / SZEREMETA

Statue de la Sirène, symbole de Varsovie

Suède. En Mazurie, le nombre impressionnant de lacs et de canaux permet aux touristes de se déplacer par voie fluviale. On peut emprunter les bateaux de transport qui assurent des liaisons fréquentes en été, ou même louer des bateaux ou des canoës pour être complètement libre.

Randonnées pédestres

La Pologne propose de superbes régions à explorer à pied pour les amateurs du genre, initiés ou simplement amoureux des grands espaces. Le sud du pays est complètement bordé de chaînes montagneuses, parfaitement préservées, qui présentent la particularité de ne pas être aussi dangereuses et infranchissables que certains coins des Alpes ou des Pyrénées. Les sentiers qui partent des principales stations touristiques de ces régions sont ouverts à tous, et n'exigent pas d'aptitude particulière. En général, les promeneurs traversent de vastes parcs nationaux où la nature est préservée, et la seule chose qui leur est demandée est de ne pas détériorer le site, parfois sous peine d'amendes parfaitement justifiées. Le plus sage est de se procurer des cartes détaillées des régions que l'on compte explorer, souvent disponibles auprès des offices du tourisme dans les villes de départ des excursions. Sinon, l'ensemble de la Pologne est un pays qui permet des excursions pédestres, d'une part parce que ce pays est resté essentiellement rural, et d'autre part parce que les distances ne sont pas un obstacle majeur. Voyager à pied en Pologne peut en outre permettre de découvrir des endroits encore restés sauvages, souvent de toute beauté, et de faire des rencontres extraordinaires, en appréciant l'hospitalité des paysans polonais.

ORGANISER SON SÉJOUR

RESTER

Travailler

Ne pas nourrir trop d'espoir, les villes de Pologne ne sont pas à l'image de Londres par exemple où les petits boulots se trouvent facilement. A moins de bénéficier d'une condition d'expatrié, trouver du travail est Pologne est très difficile, pour plusieurs raisons : un taux de chômage élevé, des démarches longues, difficiles et onéreuses pour l'obtention d'un permis de travail qui rebutent souvent l'employeur, des prétentions salariales et de conditions de travail des étrangers, souvent plus élevées que celles des autochtones et enfin la barrière de la langue, qui n'est pas des moindres.

■ **CHAMBRE DE COMMERCE ET D'INDUSTRIE FRANÇAISE EN POLOGNE (CCIFP)**
A Varsovie, Rue Mokotowska 19
✆ 022 696 75 80
www.ccifp.pl

Agences de travail temporaire à Varsovie

■ **ADECCO**
Al. Jerozolimskie 123 a
✆ 022 529 76 40
Fax : 022 529 76 41 – www.addeco.pl
warszawa@adecco.pl

■ **MANPOWER POLSKA**
Ul. Nowogrodzka 68
✆ 022 504 07 15/022 504 07 17
www.manpower.waw.pl

■ **CREYF'S**
Ul. Grzybowska 77
✆ 022 661 50 05
Fax : 022 661 50 06 – www.creyfs.pl
creyfs.warszawa@creyfs.pl

Agences de travail temporaire à Cracovie

■ **ADECCO**
Ul. Lubicz 3 ✆ 012 430 02 78/421 24 96
Fax : (012) 422 19 45
www.addeco.pl – krakow@adecco.pl

Créer son entreprise

Tout ressortissant de l'Union européenne peut désormais créer son entreprise individuelle (działalność gospodarcza) en Pologne

> ### Société commerciale ou civile ?
>
> La société de personne constitue souvent une bonne solution pour ceux qui ne peuvent pas rassembler les 50 000 zl (environ 11 000 €) nécessaires à la création d'une société à responsabilité limitée.
> Parmi les sociétés de personnes, la plus simple à créer est la société en nom collectif (SNC). Elle comporte de nombreux avantages. Elle ne nécessite pas de définition d'une activité précise, puisqu'elle peut simplement avoir pour objet l'enrichissement de ses fondateurs, et les démarches que suppose sa création sont simples et peu onéreuses. En revanche, dans une SNC, tous les associés répondent indéfiniment et solidairement des dettes de la société.

au même titre qu'un citoyen polonais. La procédure est proche de celle exigée pour créer une société, mais reste moins onéreuse et moins complexe.
La démarche est la suivante.

▶ **Enregistrement légal d'une personne physique :** inscription au registre des activités économiques (PKD). Pour cela, s'adresser à la mairie de la commune choisie pour accueillir le siège de son entreprise. Nombre de secteurs d'activités illimités pour la somme forfaitaire de 100 zl.

▶ **Le bureau des statistiques.** Immatriculation par le formulaire RG auprès du bureau des statistiques, pour obtenir le numéro de REGON. Gratuit.

▶ **Ouverture d'un compte bancaire,** muni du REGON et de l'acte d'immatriculation.

▶ **Obtention d'une immatriculation fiscale.** Gratuit.

▶ **Notification d'établissement.** Obligation de signaler la création de son entreprise aux services de la Sécurité sociale (ZUS) et de l'inspection sanitaire, ainsi qu'à l'inspection du travail, sous un délai de 7 jours après l'embauche du 1er salarié.

Index

▩ N/O ▩

▩ P ▩

Collaborez à la prochaine édition
@
Pologne
édition 2007-2008

Pour compléter la prochaine édition du Petit Futé de Pologne, améliorer les guides du Petit Futé qui seront utilisés par de futurs voyageurs et touristes, nous serions heureux de vous compter parmi notre équipe afin d'augmenter le nombre et la qualité des enquêtes.

Pour cela, nous devons mieux vous connaître et savoir ce que vous pensez, très objectivement, des guides du Petit Futé en général et de celui que vous avez entre les mains en particulier. Nous répondrons à tous les courriers qui nous seront envoyés dès qu'ils seront accompagnés d'au moins une adresse inédite ou futée qui mérite d'être publiée.-

Dès lors que vous nous adressez des informations, bonnes adresses... vous nous autorisez par le fait même à les publier gracieusement en courrier des lecteurs dans les guides correspondants.

■ **Qui êtes-vous ?**

Nom et prénom ....

Adresse ....

....

E-mail .... Quel âge avez-vous ? ....

Avez-vous des enfants ? ❏ Oui (combien ?)......... ❏ Non

Comment voyagez-vous ? ❏ Seul ❏ En voyage organisé

Profession : ❏ Etudiant ❏ Sans profession ❏ Retraité
❏ Profession libérale ❏ Fonctionnaire ❏ Commerçant
❏ Autres ....

■ **Comment avez-vous connu les guides du Petit Futé ?**

❏ Par un ami ou une relation ❏ Par un article de presse
❏ Par une émission à la radio ❏ A la TV
❏ Dans une librairie ❏ Dans une grande surface
❏ Par une publicité, laquelle ? ....

■ **Durant votre voyage,**

Vous consultez le Petit Futé environ.. fois

Combien de personnes le lisent ? ....

■ **Vous utilisez ce guide surtout :**

❏ Pour vos déplacements professionnels ❏ Pour vos loisirs et vacances

■ **Comment avez-vous acheté le Petit Futé ?**

❏ Vous étiez décidé à l'acheter ❏ Vous n'aviez pas prévu de l'acheter
❏ Il vous a été offert

■ **Utilisez-vous d'autres guides pour voyager ?**

❏ Oui Si oui, lesquels ? ....
❏ Non

■ **Le prix du Petit Futé vous paraît-il ?**

❏ Cher ❏ Pas cher ❏ Raisonnable

■ Comptez-vous acheter d'autres guides du Petit Futé ?

❑ Oui, lesquels :
❑ City Guides   ❑ Guides Département   ❑ Guides Région   ❑ Country Guides
❑ Non   Si non, pourquoi ? ....

■ Quels sont, à votre avis, ses qualités et ses défauts ?

Qualités ....

Défauts ....

■ Date et lieu d'achat ....

Testez vos talents de critique

Faites-nous part de vos expériences et découvertes. N'oubliez pas, plus particulièrement pour les hôtels, restaurants et commerces, de préciser avant votre commentaire détaillé (5 à 15 lignes) l'adresse complète, le téléphone et les moyens de transport pour s'y rendre ainsi qu'une indication de prix.

Nom de l'établissement ....

Adresse exacte et complète ....

....

Téléphone .... Fax ....

■ Votre avis en fonction de l'établissement :

	Très bon	Bon	Moyen	Mauvais
Accueil :	❑	❑	❑	❑
Cuisine :	❑	❑	❑	❑
Rapport qualité/prix :	❑	❑	❑	❑
Confort :	❑	❑	❑	❑
Service :	❑	❑	❑	❑
Calme :	❑	❑	❑	❑
Cadre :	❑	❑	❑	❑
Ambiance :	❑	❑	❑	❑

■ Remarques et observations personnelles, proposition de commentaire :

....
....
....
....
....
....
....
....

Afin d'accuser réception de votre courrier, merci de retourner ce document avec vos coordonnées

LE PETIT FUTE COUNTRY GUIDE
18, rue des Volontaires • 75015 Paris • FRANCE
soit par fax : 01 53 69 70 62 ou par E-mail : infopays@petitfute.com

ABONNEZ-VOUS
OFFRE SPÉCIALE DÉCOUVERTE

Partez toute l'année
pour 15 € seulement

1 an - 6 numéros

Petit Futé mag, le nouveau magazine de vos week-ends & vacances.

Prix de vente au numéro : 2,90 €

Pour vous 2,50 € seulement

+ En cadeau,
ce guide du Petit Futé des
1001 meilleures chambres d'hôtes
et fermes-auberges

BULLETIN D'ABONNEMENT

A retourner à :
**Petit Futé mag – service abonnements
18-24, quai de la Marne - 75164 Paris Cedex 19**

votre
cadeau

☐ **Oui,** je souhaite m'abonner au Petit Futé mag
pour 1 an (soit 6 nos) au prix de 15 € et je recevrai en cadeau
le guide Petit Futé 1001 meilleures chambres d'hôtes et fermes-auberges.

☐ **J'offre** un abonnement d' 1 an (soit 6 nos) au prix de 15 € et je recevrai en
cadeau le guide Petit Futé 1001 meilleures chambres d'hôtes et fermes-auberges.

☐ Je joins mon règlement par chèque bancaire ou postal à l'ordre de Petit Futé mag

☐ Je préfère régler par carte bancaire :

CB n° | | | | | | | | | | | | | | | | | | | |

Expire fin : | | | / | | |

Clé : (3 derniers chiffres figurant au dos de la carte) | | | |

Date et Signature

Mes coordonnées :
☐ Mme ☐ Mlle ☐ M.

Nom .... Prénom ....

Adresse ....

Code Postal .... Ville ....

Tél. ....

Email ....

J'offre cet abonnement à :
☐ Mme ☐ Mlle ☐ M.

Nom .... Prénom ....

Adresse ....

Code Postal .... Ville ....

Tél. ....

Email ....

PC02